KB174633

# 비성형술

# RHINOPLASTY
## an atlas of surgical techniques

1420개 분야의 295개 컬러 그림과 임상 DVD 수록

Rollin K. Daniel 지음

한기환 옮김

# 비성형술

## Rhinoplasty

an atlas of surgical techniques

첫째판 1쇄 인쇄 | 2005년 3월 15일
첫째판 1쇄 발행 | 2005년 3월 25일

지 은 이 Rollin K. Daniel
옮 긴 이 한기환
발 행 인 장주연
편집디자인 박혜영
표지디자인 고경선
발 행 처 군자출판사
등 록 제 4-139호(1991. 6. 24)

본 사 (110-717) 서울특별시 종로구 인의동 112-1 동원회관 BD 3층
Tel. (02) 762-9194/5 Fax. (02) 764-0209
대 구 지 점 Tel. (053) 428-2748 Fax. (053) 428-2749
부 산 지 점 Tel. (051) 893-8989 Fax. (051) 893-8986

Translation from the English language edition: Rhinoplasty by Rollin K. Daniel
Springer is a part of Springer Science+Business Media

www.koonja.co.kr

* 파본은 교환하여 드립니다.
* 검인은 저자와의 합의 하에 생략합니다.

ISBN 89-7089-571-X

정가 165,000원

## 옮긴이 약력

### 한기환

| | |
|---|---|
| 1972-1978 | 경북대학교 의과대학 |
| 1978-1983 | 동산의료원 인턴 및 성형외과 전공의 수료 |
| 1983-1986 | 육군군의관 |
| 1986- | 계명대학교의과대학 성형외과학교실 교수 |
| 1989 | 의학박사 |
| 1990-1991 | 미국 하바드의과대학 소아병원 객원교수 |
| 1994-2004 | 계명대학교의과대학 성형외과학교실 주임교수 |
| | 계명대학교 동산의료원 성형외과 과장 |
| 1996-1998 | 대한성형외과학회 보험이사 |
| 1999-2002 | 대한성형외과학회 고시이사 |
| 2002-2004 | 대한성형외과학회 보험이사 |
| 2004- | 대한코성형연구회 회장 |

# 번역하면서

역자를 비롯한 대부분의 의사들은 영어의 여러 가지 영역 가운데에서, 회화나 작문은 몰라도 해석에는 최소한의 자신감을 가지고 있을 것입니다. 중, 고등학교에서 번역에 대한 교육을 오래 동안 철저히 받았으며, 대학에서는 원서를 읽었고, 전공의 시절에도 '저널클럽' 을 통하여 영어를 언제나 접하였으며, 전문의가 되어서도 '평생의학교육' 등의 프로그램을 통하여 아무리 못하더라도 영어 단어는 접하고 살고 있기 때문일 것입니다.

역자는, 의학전문 서적은 한글역서보다는 영문원본을 직접 읽는 것이 이해하기 더 빠르기 때문에 번역작업이란 아무런 의미도 없고 시간낭비라고 생각하고 있었습니다. 그런데, 언제부터인가 영문의 전문서적을 읽을 때 자신감이 있어서인지, 아니면 진료생활이 바빠서인지는 잘 모르겠지만, 만일 문맥이 비교적 잘 통하면 잘 모르는 단어가 있더라도 그냥 넘겨서 문장을 잘 이해하는 척하는 자신을 발견하게 되었습니다. 대개는 문제점이 없었지만, 내용을 잘못 이해 한 적도 있었습니다. 사전을 일일이 찾아서 정확히 해석한 다음, 문장을 연결시킬 때 '단어 뒤에서' 저자가 독자에게 전달하고자 하는 중요한 뜻을 간파함으로써 좀 더 이해할 수 있는 좋은 기회를 놓친 것입니다.

아무튼 우리는 자신감과 바쁨으로 위장된 교만 때문에 비싸게 구입한 영문서적의 가치를 충분히 빼먹지 못하는 우를 범하고 있다고 생각합니다. 마침 제가 좋아하는 Daniel선생님의 '비성형술: 외과 수기 도해' 가 나와서 뒤적거리던 가운데, 역자 자신이 지금까지 20여 년간 쌓아올렸던 비성형술의 지식을 정리해 볼 수 있는 좋은 기회일 뿐만 아니라, 비성형술을 공부하거나 전공하시는 분들에게 훌륭한 지침서가 될 것으로 확신하고 번역하였습니다.

"부자가 하나님 나라에 들어가는 것보다는 낙타가 바늘귀로 빠져나가는 것이 더 쉬울 것이다(마가복음 10장 25절)" 는 히브리 성경의 번역 과정에서 '밧줄(gamta)' 을 '낙타(gamla)' 로 잘못 읽은 오역에서 비롯되었다는 이야기가 있습니다. 이러한 오류가 이 번역에서는 없기를 간절히 바랍니다.

다음의 지침에 따라서 번역하였음을 알려 드립니다.

1. '의역' 하지 아니하고, 가능하면 '직역' 하려고 하였다. 자칫 의역함으로써 저자가 전달하고자 하는 의미를 정확하게 독자에게 전달하지 못하는 우를 범할 수 있기 때문이다.

2. 현대사회에서 지향하는 짧은 문장과 구어체 대신, 풀어쓰기와 문어체를 사용하였다.
3. Daniel선생님 자신이 독특하게 사용하는 용어나 신생 조어에는 역자의 주를 달아서 이해를 도왔다.
4. 일반적인 의학지식에 명백하게 위배되는 Daniel선생님의 잘못은 역자가 올바르게 바꾸어 번역하였다.

   예 1) Gortex graft: Gortex는 이식물이 아니므로 graft를 이물성형물(alloplastic material)로 번역하였다.

   예 2) 자가이식물을 'insertion' 한다' : '이식한다' 로 바꾸었다.
5. 문맥이 통하지 않는 분명한 오기는 역자가 여러 가지 도서를 참고하여 올바르게 바꾸기를 애썼다.

   예) superiorally: superiorly
6. 현대의 의사들이 흔히 사용하고 있어서 숙달된 용어나, 우리말 번역이 거의 불가능하거나, 번역함으로써 더 복잡해지거나 오히려 더 어려워지는 용어는 영문을 그대로 표기하였다.

   예) cautery scraper pad
7. 의학용어는 후학들에게 우리말 교육의 필요 때문에 조금 무리하여 번역하였다.

   예 1) 원개형성봉합술(圓蓋形成縫合術, domal creation suture)

   예 2) 두측비익연연골조각(cephalic alar rim strip)

끝으로, 이 책이 나올 수 있도록 도움을 주신 최태현, 김현지, 박병주, 차명규, 원동철 선생님들께 감사의 마음을 전합니다.

2005년 3월 14일

한기환

# 머리글과 DVD 개관

## 보다 나은 비성형술의 결과를 얻는 방법 (How You Can Achieve Better Rhinoplasty Results)

대부분의 성형외과의사들은 새로운 책을 손에 넣게 되었을 때 머리글을 잘 읽지 않습니다. 대개는, 자기가 좋아하는 주제를 바로 찾아서 기법의 도해와 임상 결과의 질을 살핀 다음, 이 책이 살 가치가 있는 지를 결정합니다. 그런데, 머리글에는 저자가 이 책을 저술한 목적의 당위성이 설명되어 있으며, 머리글은 독자들에게 책을 평가하게 하는 채점표로서 역할을 합니다. 이 '*비성형술: 외과 수기의 도해*'는 술자들에게 비성형술의 결과를 개선시키는 방법을 가르치기 위하여 시도되었기 때문에, 머리글에서 이런 목적을 쓰는 것을 주저하지 않습니다. 이 책의 내용은 6개월 이상 수술실과 이학검사실에서 비성형술 연구 강사들에게 가르쳤던 것으로서, 모두 분석적이고 기법적인 정보들일 뿐입니다. 이 책은 고도의 참고서인 교과서 형태로 쓰인 것이 아닙니다. 오히려, 이 책의 양식은, 저자가 임상 증례에서 사용한 사고의 진전과 외과 원칙의 개인적 설명입니다.

이 책이 많이 읽혀지도록 만들기 위하여 현실적으로 저술한 것에 독자들은 재빨리 주목할 것입니다. 수많은 도해와 함께 선명한 도감은 있지만, 일정한 참고 문헌이나 그림의 인용이 없는 책으로 만든 것은 저자의 신중한 선택이었습니다. 이는 바쁜 술자들에게는 용인이 되겠지만, 학자들에게는 받아들여지기를 희망합니다. 부록인 DVD에 있는 서론 메뉴(introductory 'menu')는 독자들이 관심을 가지는 수술 기법의 장으로 바로 안내해 드릴 것입니다. 이 책의 가장 놀랍고 아마도 가장 혼동되는 측면은 증례의 임상사진분석이라는 철저한 토론이 마지막 장으로 미루어져 있는 것입니다. 그 이유는 전번의 저서와 강의에서 단순한 숫자 분석을 언급하였음에도 불구하고, 독자와 청중들은 흐리멍덩해지는 저자의 경험을 토대로 한 것입니다. 그래서 이번 저서에서는 독자들이 증례 연구에서 숫자 분석의 역할을 지켜 본 다음에, 어려운 코와 이차비성형술에서 분석하는 방법을 인정하고 배우기를 바랍니다.

그러면, 독자들은 자기의 비성형술의 결과를 개선시키기 위하여 이 책을 어떻게 이용하면 좋을까요? 첫째, 이 책의 진행적인 개념과 서로 연관된 개념을 깨달아야 합니다. 이 책은 외비(external nose)의 4가지 기본 요소인 비근(radix), 비배(dorsum), 비첨(tip), 그리고 비저(base)부터 시작되며, 이 요소의 '3A'인 anatomy(해부학), aesthetics(미학), 그리고 analysis(분석)를 토론합니다. 그 다음, 저자가 가장 흔히 사용하는 기법을 상세하게 제시하며, 사용하지 않는 기법도 설명합니다. 또 경증(minor), 중간증(moderate), 그리고 중증(major)의 비변형을 다루는 단계적 수술법도 경험하게 됩니다. 예를 들어서, 비첨의 장에서는 외재 요소와 내재 요소의 감별, 내재 비첨(intrinsic tip)의 7가지 특징의 분석과 변형의 정도에 기초한 적절한 수술 기법의 선택을 배웁니다. 따라서 독자들은 각각의 비성형술이 환자 개개인의 변형과 요구의 상세한 분석에 기초하여 조심스럽게 계획된 것임을 바로 알게 됩니다. 술전 계획과 술중 시술 모두를 동등하게 강조하여야 합니다. 그렇지 않으면, 실패하게 됩니다. 오백 례 이상의 비성형술을 한 독자라면, '외과적 안목(surgical eye)' 이 충분히 날카롭기 때문에 환자 개개인에 적절한 수술 계획을 발전시킬 수 있습니다. 그러나 초심자에게는 술전 분석과 술전 계획만이 경험의 대안이기 때문에, 기초적인 제 1-4장을 철저히 이해하고 배우는 것이 좋을 것입니다. 독자가 임상사진분석의 가치를 일단 인식하게 되면, 제 9장의 분석과 수술 계획에 뒤 이어서 제 7장의 상세한 증례 연구를 읽기에 적합하게 될 것입니다. 오 분도 채 안 되어서 환자나 환자의 임상사진을 검사함으로써 모든 '계측치' 를 얻을 수 있습니다. 분석에 투자하는 시간은 결코 헛되지 않습니다. 이러한 분석은 수술을 좀 더 정교하게 계획하고, 독자를 좀 더 자신 있는 술자로 인도할 것입니다.

둘째는 비중격(septum), 비판막(valve), 그리고 비갑개(turbinate)의 기능적 요소에 관한 것입니다. 저자의 증례를 전향적으로 연구(prospective study)하였을 때, 술전에 비폐쇄가 없었다고 하였던 미용비성형술 환자의 적어도 35%는 심한 해부학적 변형을 술전에 실제로 가지고 있었다고 확신하며, 만일 비폐쇄를 함께 교정하지 않으면 술후 비폐쇄가 초래될 것입니다. 그러므로 과거력 청취와 내비검사를 철저히 하여야 합니다. 비중격만곡과 비중격변형에 사용되는 외과 수기는 전형적인 비중격성형술(septoplasty)의 변법이 아닙니다. 이차비성형술에서 비중격연골을 교정하기 위하여 외삽법(extrapolation)으로 비중격연골을 얻어 보면, 일차비성형술 때의 방법이 비중격연골을 이동시키는 기법으로부터 비중격연골절제술 후 전체교체술(total replacement)로 진전되었음을 알 수 있습니다. 비중격의 문제점을 비중격 단독이 아닌 비중격-비성형술(septorhinoplasty)의 정황 안에 둘 것을 강조 합니다. 또 4가지 비판막을 다루는 새로운 분류법과 치료 전략을 제시 합니다. 결과적으로, 술후 비폐쇄의 빈도를 최소화할 수 있게 될 것입니다.

의문의 여지없이, 이차비성형술에서 가장 큰 진전은 수많은 이식술을 이용한 골격 구조의 재건이었습니다. 어떤 술자들은 연전이식술(spreader graft), 비근이식술(radix graft), 비주지주이식술(columella strut graft), 그리고 비첨이식술(tip graft) 등이 일차비성형술에서도 꼭 같이 극적인 효과를 나타내었다고 생각합니다. 광범위한 용도로 사용되는 이식물의 공여부에 관해서도 철저히 토론합니다. 어떤 술자들은 비첨이식술을 지나치게 많이 사용하였다고 주장하지만, 대부분의 경험 많은 의사들은 연전이식술의 75%는 적용이 합당하다고 합니다. 최근에 개방비첨봉합술(open tip suture technique)에서 강조되고 있듯이, 비주지주이식술은 반드시 배워야 할 기법이 되었습니다. 많은 술자들은 비배재건술에서 늑이식술(rib graft)이 두개골이식술(cranial bone graft)의 자리를 완전히 차지한 것을 알고 놀라울 것입니다. 결국, 현대의 성형외과의사는 유용한 이식물에 관계없이 여러 가지 이식술을 숙달하여야 합니다.

일차미용비성형술에서는 서로 다른 기법들을 통합시키기 위한 기초로서 기여할 표준 수술을 원하는 자연스러운 경향이 있습니다. 따라서 저자는 개방비성형술(open rhinoplasty)을 폐쇄접근술(closed approach)과 폐쇄 및 개방 접근술(closed/open approach)의 변법을 포함하여 단계별로 토론하였습니다. 저자는 폐쇄접근술이 더 좋다거나 개방접근술이 더 좋다거나 하는 논쟁도

하지 않았으며, 그 사용 비율에 관해서도 논쟁하지 않았음을 확신합니다. 저자는 내재 비첨(intrinsic tip)이 거의 이상적인 더 단순한 증례에서는 폐쇄접근술을 선호하며, 중간증의 변형에서는 개방접근술을 더 좋아합니다. 그리고 폐쇄 및 개방 접근술은 난제를 가진 대부분의 증례를 위하여 남겨 둡니다. 이러한 접근술의 실제 사용 비율은 술자의 수련, 경험, 그리고 환자에 의하여 영향을 받습니다. 많은 술자들은 처음에는 과거 전공의 시절에 배웠던 기본적인 수술법을 사용할 것이며, 나중에는 자신감과 경험을 통하여 얻거나, 또는 피할 수 없는 부족한 결과에 부닥치면서 다른 수술법을 개발할 것입니다. 이 책에서 상세하게 토론되는 3가지 접근술은 젊은 술자로 하여금 일차비성형술의 95%를 편안하게 다룰 수 있도록 해줄 것입니다. 그러나 많은 원로 술자들은 개방비성형술을 배우기를 주저하기 때문에 폐쇄 및 개방 접근술이 폐쇄접근술로부터 개방접근술로 이행되는 '전환기(transition)'의 접근술로서 기여할 것임을 알게 하는 것이 중요합니다. 불행하게도, 비성형술은 너무나 복잡한 수술일 뿐만 아니라 한 가지 접근술만을 사용하기에는 환자가 너무나 다양합니다.

기초 지식을 배워서 이를 미용비성형술에 적용시킨 다음의 논리적 단계는 복잡하고 진보된 비성형술로 전진하는 것입니다. 여기에는 심한 비대칭, 외상후비만곡(posttraumatic deviated nose), 피부외피 문제점(skin envelope problem), 코카인코(cocaine nose), 구순열비(cleft nose)뿐만 아니라 과대 및 과소 돌출과 회전된 중증의 변형들이 속해 있습니다. 해부가 정상 범주 안에 있지 않기 때문에, 이러한 증례들을 치료하는데 선행 조건은 일차미용비성형술에서 사용하는 기초적인 기법을 숙달하는 것입니다. 이렇게 되면 독자들은 중증의 비중격만곡(deviated septum)을 연전이식물(spreader graft)을 부목(splint)으로 댐으로써 치료하게 되며, 나아가서 골원개(bony vault)의 교정을 위하여 많은 비절골술을 비대칭으로 하게 되며, 심지어는 원개절제술(dome excision)을 비첨이식술(tip graft)로 교체하게 됩니다. 이러한 복잡한 증례들에서는 최소한의 실패역(margin of error)을 가진 복잡한 조작을 순차적으로 시술할 필요가 있습니다. 바람직한 결과를 얻기 위해서는 임상적으로 믿을 만한 기법이 있어야 하기 때문에 이러한 변형들을 철저히 토론 할 것입니다. 백과사전 식이거나 현학적(衒學的)적인 시도는 없습니다. 저자가 일정한 기준에서 사용한 수술을 책과 DVD에서 도해합니다.

끝으로 이차비성형술에 도달하게 되는데, 이는 모든 수술 가운데 가장 어려운 것입니다. 왜냐하면 정상적인 해부가 붕괴되었고, 반흔조직이 외력으로 작용하여 변형을 추가하며, 차선의 다른 공여부로부터 이식물을 채취해야 하는 대단히 현실적인 문제점이 있기 때문입니다. 이차비성형술에서 다음의 2가지 면은 고유의 복잡성을 나타냅니다. 첫째, 이식물 이용의 빈도는 97%로서 실제로 모든 증례에서 비중격연골을 사용해야 하는데, 75%에서 전번에 비중격수술을 받았기 때문에 수술이 복잡해집니다. 전번에 손상된 비중격을 박리하는 일은 단순한 것으로부터 복잡한 것까지 다양할 수 있으며, 구할 수 있는 연골이식물의 량이 부족하기 때문에 이갑개연골이식물(conchal cartilage graft)을 생각하게 되며, 따라서 채취술에 숙달하여야 합니다. 둘째, 접근술은 85%에서 개방접근술, 12%에서 폐쇄 및 개방 접근술, 3%에서 폐쇄접근술을 선택하였습니다. 개방접근술은 대부분의 이차비성형술에서 많은 장점을 제공합니다. 즉, 이식물의 수요를 최소화하기 위하여 남아 있는 비익연골을 분석하여 사용하게 하며, 비중격 전체를 노출시키고, 만곡 된 비배까지 접근하게 해줍니다. 그러나 수술 결과가 좋거나, 부족하거나 간에 결과로부터 오는 외과적 경험으로부터 언제나 얻게 되는 필수적인 외과적 판단이 선 다음에야 이러한 복잡한 증례의 수술을 시도하여야 합니다.

결론적으로, 저자가 이 책을 저술하는 가장 큰 유익 한 가지는 독자들의 사고를 정화하고, 그들의 지식을 확장시키고, 그들을 더 훌륭한 술자로 만드는 것이라고 말 할 수 있습니다. 저자는 이 책을 편찬하기 시작했던 때보다 지금은 더 훌륭한 성형외과의사가 되어 있음에 의심이 없습니다. 부디 독자들은 이 책을 읽고 더 훌륭한 술자가 되기를 진심으로 바랍니다. 이런 정신에서 다음의 지도적 원칙들을 제공합니다.

- 비성형술은 모든 미용성형술 가운데 가장 어려운 수술입니다. 왜냐하면 (1) 코 해부학이 대단히 다양하여서 한 가지의 표준 수술이 없으며, (2) 수술은 형태와 기능 모두를 교정하여야 하며, (3) 결국 눈에 보이는 결과는 환자의 큰 기대와 부합되어야 하기 때문에 절대로 쉬운 수술이 아닙니다.
- 일 천례 이상의 비성형술을 한 술자는 거의 없습니다. 그러므로 술전 계획으로부터 수술의 세심한 기록, 그리고 술후 빈번한 추적 조사에 이르기까지 각 증례를 최대한으로 활용하도록 처음부터 시행하여야 외과적 원인과 효과를 자신에게 가르칠 수 있습니다.
- 기능 없이 형태만 있으면 재앙입니다. 대부분의 술후비폐쇄는 술전 준임상적 조건(preoperative subclinical condition)의 진단 및 치료의 실패 때문입니다. 비중격, 비판막, 그리고 비갑개의 문제점들을 기꺼이 진단하고 치료하여야 합니다. 코에서 충혈을 완화하기 전과 후에 철저한 내비검사를 하지 않는 것은 변명의 여지가 없습니다.
- 독자들은 비성형술에서 마법적인 해답이 없으며, 모든 코를 수술할 수 있는 술자도 없으며, 완벽한 결과도 없음을 받아들여야 합니다. 각각의 외과 조작에는 학습곡선(learning curve)이 있습니다. 이러한 외과 조작들을 하나 하나 보태면 수술 순서가 됩니다. 불행하게도, 외과 조작은 덧셈이지만, 이런 조작들의 상호 작용과 잠재적 합병증은 기하학적입니다. 수술은 최대한으로 이득을 얻으면서 최소한의 위험이 있도록 간단하게 하십시오. 알고 있는 것에 숙달하고, 시류에 편승한 각자의 새로운 수술법의 사용을 자제하십시오.
- 모든 외과 수기는 그 적용, 결과, 그리고 문제점에서 정규분포 곡선을 나타냅니다. 신화적인 성형외과 대가는 모든 코에서 비첨봉합술도, 다층비첨이식술(multilayered tip graft)도 자유자재로 할 수 있지만, 일단 이런 조작들을 하고 나면 결과 면에서는 자기의 한계를 벗어나게 됩니다. 예를 들면, 괄호형비첨(parenthesis tip)은 비첨봉합술로써 쉽게 교정할 수 있지만, 다층비첨이식술로써 교정하려면 이식하기 전에 원개(dome)와 외측각(lateral crus) 전체를 미리 절제해 두어야 합니다. 정규분포 곡선의 중앙에 머물게 되면 문제점을 덜 만들 게 될 것입니다.
- 처음에는 알고 있는 수술법을 사용하여 쉽게 교정할 수 있는 분명한 변형을 가진 적절한 환자를 선택하십시오. 경험이 쌓임에 따라서 새로운 조작도 추가하기 시작하고, 또 더 어려운 증례에도 도전하십시오. 당신의 안전역(comfort zone) 안에서 수술하십시오.
- 자기 자신의 한계를 이해하고, 쉬운 일차비변형으로부터 좀 더 어려운 일차비변형으로 진전한 다음, 큰 이차비성형술에 착수하십시오. 이차비변형에서는 기법적으로 요구가 더 많으며, 경험을 통해서만 얻을 수 있는 더 큰 외과적 전문 기술을 필요로 합니다. 이차비성형술에서는 일차비변형에서처럼 환자가 가지고 있는 매력적인 코를 드러내기를 거부하는 요인

들을 제거하지는 못하더라도 파괴된 골격 구조를 여러 가지 이식술로써 재건하여야 합니다.

- 환자의 술전 과정은 유한하지만, 술후 방문은 무한하므로 환자들을 신중하게 정선하여야 합니다. 술후 문제점은 흔히 술중 의심쩍음의 확증입니다. 예를 들면, 술중에 비첨이 마음에 들지 않았으면, 나중에도 거의 더 나아지지 않습니다. 지름길로 가지 마십시오. 일단 당신이 어떤 환자를 수술하게 되면, 환자가 전번에 얼마나 많은 수술을 받았거나, 또는 환자가 얼마나 순응하지 않았느냐 와는 무관하게 그것은 당신의 결과가 됩니다. 환자를 신중히 선택하십시오.
- 만일 합병증이나 부족한 결과가 발생하였으면, 이를 환자에게 바로 인정하고 어떻게 개선시킬 수 있을 지를 의논하십시오. 내 책임이 아닌 척하거나, 환자로 하여금 부끄러움을 느끼게 하여서 최소한으로 개선된 것을 수용하게 하거나, 또는 문제점을 교정하는데 재정적으로 불가능하게 만들지 마십시오. 환자를 가족처럼 대하십시오. 그러면 최악의 경우라도 환자는 실망하지, 소송하지 않을 것입니다.
- 비성형술은 모든 미용성형술 가운데  환자로부터 가장 보답을 받을 뿐만 아니라 의사에게 가장 보답하는 수술입니다. 상당히 매력적으로 보이는 코를 만드는 것만큼 젊은이의 모습과 자신감을 크게 바꾸어 놓을 수 있는 수술은 거의 없습니다. 술자에게 비성형술은 흠을 감출 수는 없지만, 궁극적으로 거의 완벽한 결과를 요구하는 예술적인 삼차원적 조각입니다. 기법적으로, 비성형술은, 언제나 실수할 수 있는 강화된 현실 속이긴 하지만, 당신으로 하여금 목적을 향하여 걸음을 옮기게 하는 순수한 즐거움입니다. 비성형술은 환자의 위험을 무릅쓰고 술자가 시술할 가치가 진정 있습니다.

## DVD 개관

DVD는 3가지 비디오로써 구성되었습니다.

1) 코 미학 및 해부학
2) 단계별 미용비성형술
3) 쌍둥이에서의 개방비첨이식술

초기 메뉴는 독자로 하여금 원하는 비디오를 선택하게 합니다. 독자는 비디오 전체를 볼 수도 있으며, 책에 관련된 특별한 장을 재검토하기 위해서는 'scene selection' 을 이용할 수 있습니다. 저자는, 독자들이 제 1장에서 4장까지 읽는 것과 함께 미학 및 해부학 비디오를 보시기를 제안합니다. 단계별 미용비성형술 비디오는 책 전체를 통하여 유용할 것이지만, 특히 제 7장과 관련이 있습니다. 비첨봉합술과 폐쇄 및 개방 접근술의 철저한 도해는 이러한 기법을 배우기를 원하는 독자에게는 반복해서 보게 만들 것입니다. 개방비첨이식술 비디오는 전형적인 개방접근술과 극적인 개방비첨이식술뿐만 아니라, 일란성쌍생아에서 모습을 보존하는 난제를 독자들에게 확실히 보여 줄 것입니다. 독자들은 수술실에 있는 느낌과, 흥미로운 비성형술 분야를 가장 최근의 진보된 DVD 기술에 빠르게 근접시키는 느낌을 가질 수 있을 것입니다.

Rollin K. Daniel, MD

# 목차

# 비근(Radix) 1

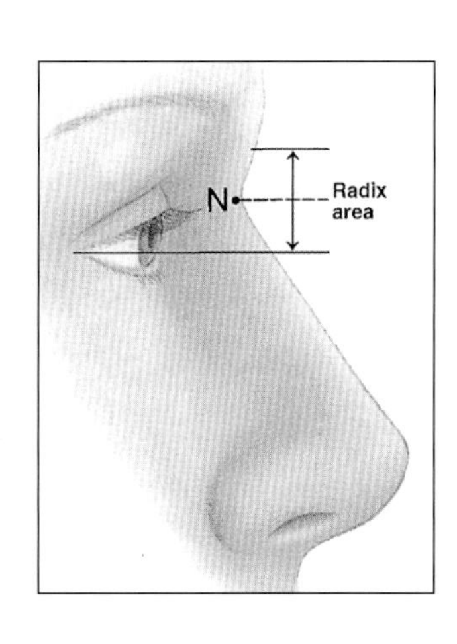


## 서론

왜 대부분의 술자는 비성형술에서 비근부(radix area)를 빠뜨리는 실수를 하면 수술의 최종 결과가 심하게 나빠질 수 있는데도 술전 계획과 수술에서 비근부를 무시하는가? 세 가지 이유가 있을 것이다. 첫째, 비근부와 특별히, 비근점(nasion)이 매력적인 코에서 모든 중요한 미학적 각도와 비지수(proportion index)를 결정하는데 얼마나 중요한 것을 모르기 때문이다. 둘째, 비근부를 분석하는 방법을 모르며, 비근부의 이상적 수준과 높이를 결정하는 방법을 모르기 때문이다. 셋째, 비근증대술(radix augmentation)이나 비근축소술(radix reduction)에 익숙하지 않기 때문이다. 이 장에서는 이러한 문제점들을 최소화하는 필수적인 정보를 제공한다. 비근부와 비근점은 비-안면각(nasofacial angle)과 비-전두각(nasofrontal angle)을 결정하는 점이며, 비배-비저불균형(dorsal/base disproportion)을 평가할 때 중요하다. 비-안면각은 비근점에 기초하며, 이것으로써 비측면(nasal profile)을 평가한다. 비근의 외과적 관련성 가운데 한 가지 측면은 비배축소술(dorsal reduction)의 량과 정도를 결정하는 것이다. 비근이 낮으면서 비첨이 과소돌출(underprojecting tip)되어서 생기는 비배가비봉(pseudodorsal hump)이 대표적인 예로서, 비근을 증대시키면 비배축소의 량이 분명히 작아진다. 반대로, 눈썹에서 시작하는 '비근충만(full radix)' 에서는 코의 시작점(starting point)을 확실히 낮추기 위하여 비근축소술을 최대로 하여야 한다. 이 장에서 소개하는 비근증대술과 비근축소술과 같은 외과 수기는 비교적 간단하며 합병증이 적다.

## 해부학

비근부의 연조직은 흔히 두꺼우며, 두꺼운 피부, 피하지방, 그리고 근육으로 구성되어 있다(성인에서 평균 7.2mm, 3.5-9.5mm)[1]. 연조직을 '떼어내면', 흔히 반흔띠(scar chord)가 생겨서 비-전두각(nasofrontal angle)이 둔각이 된다[7]. 많은 사춘기 환자의 비근피부는 단단한 멍에(yoke)형으로서 피하에 연골이식술을 한 것처럼 보인다. 비근부의 골은 여러 골이 모여서 단단한 삼각형을 이루며, 축소시키기가 쉽지 않다(그림 1-1A-D). 비근점(nasion)은 내안각선(intercanthal line)보다 4.9mm 두측에, 그리고 비-전두봉합선(nasofrontal suture)은 내안각선보다 10.7mm 두측에 존재한다[6, 13]. 골은 비-전두각의 윤곽을 나타낸다. 골은 골흡수와 골침착에 의한 발육의 변화에 따라서 정상적인 형태를 갖추게 된다.

## 미학

코를 부위별로 분석할 때, 비근점(nasion)과 비근(radix)을 구별하는 것이 중요하다. *비근점*(N)은 비-전두각(nasofrontal angle)에서 최심점(最深點)으로서 한 점을 가리키는데 비하여, *비근*은 비근점을 중심으로 미측으로는 외안각(lateral canthus) 수준, 두측으로도 이와 상응하는 거리까지의 부위를 말 한다(그림 1-1E)[5]. 비근과 비근점은 *비-전두각(NFA)*에 의하여 연결되며, 이 비-전두각은 비근점에서 양분되는 미간(glabella)의 접선과 비배의 접선에 의하여 만들어진다. 전통적으로, 비-전두각(이상적 각도, 134도)을 측면에서 필수적인 미학적 결정 요소로 생각하고 있었다. 그러나 요즈음에는 비근점의 수준(level) 및 높이(height)를 똑같이 중요한 요소로 생각한다. 비근점의 *수준*(또는 수직위치)은 대개 상안검의 쌍꺼풀선과 속눈썹 사이이다(그림 1-1F). 비근점의 *높이*(또는 돌출)는 동공이나 미간에 접하는 수직선으로부터 계측할 수 있다(그림 1-1G). 이러한 수준과 깊이의 2가지 요소로써 비근점의 위치를 결정하며, 이 위치는 코의 시작점으로서, 이로부터 비-전두각과 코길이(nasal length)를 계측한다. 미학적 관점에서, 비근점은 코 전체에 영향을 미치는데, 비배가 낮을수록 코는 무거워 보이며, 비배가 높을수록 비저는 작아 보인다는 '비배높이-비저법칙(dorsal height/nasal base rule)' 이 바로 그것이다[17]. 그러므로 비근점을 정하는 것이 비성형술 계획의 첫 단계이다.

## 수술 계획 (Operative Planning)

비근점의 수준 및 높이뿐만 아니라 비근점 자체 모두를 표시한다. 비근점의 수준은, 좀 더 강인한 코(stronger nose)를 원하는 환자에서는 속눈썹선으로부터 쌍꺼풀으로 두측으로 올리며, 부드러운 코(softer nose)를 원하는 환자에서는 동공 중앙까지 미측으로 내린다. 비근점의 이상적 높이는 다음의 2가지 방법으로써 결정한다. 첫째, 미간의 수직선으로부터 후방 4-6mm에 위치시키거나, 둘째, 각막에 접한 수직선으로부터 이상적 비근점까지의 거리(C-Ni)를 이상적 코길이와의 관계로 설명한 C-Ni=0.28XN-Ti(Byrd법칙)을 이용한다[2, 11]. 비근점의 위치를 결정하였으면, 비-안면각(NFA)으로써 코의 실체를 계측하는데, 비-안면각은 비근점(N)에서 내린 수직선과 이상적 비배선(dorsal line) 사이의 각도로서 이상적 비-안면각은 여성 34도, 남성 36도이다. 이 각도로써 비배를 얼마나 변화시켜야 되는지를 결정하며, 만일 의심스러우면 비근에 큰 변화주기를 시도하지 않는다(어떤 방향으로든지 4mm 이상은 비현실적임). 비근이 변화되면 비근을 비배로부터 명확히 구분하여야 한다. 외안각을 지나는 수평선이 비근과 비배를 분리시키는 선이며, 수술 계획을 쉽게 해준다. 저자는 두 단계 방법을 사용하는데, 비근점의 이상적 수준 및 높이가 결정되면, 비근을 증대시킬지 또는 축소시킬 지를 결정한다. 비근증대술은 근막이식술(fascial graft)로써 하며, 비근축소술은 이중보호절골도(double-guarded osteotome)로써 한다. 이러한 비근의 변화가 비배에 미치는 효과와 기대되는 변화를 계산에 넣는다. 비근증대술을 하면 비배축소술의 량을 흔히 줄일 수 있다.

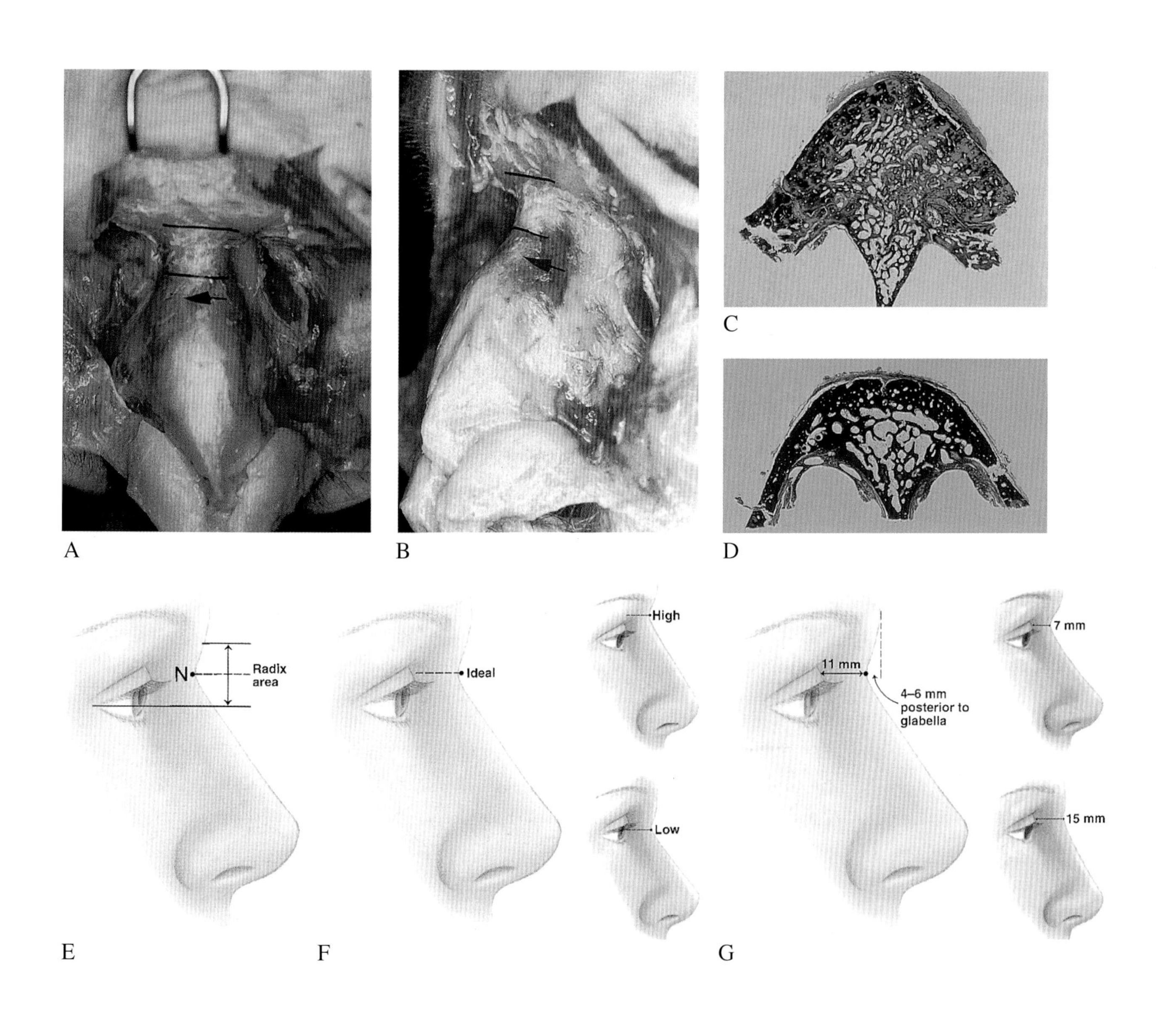


그림 1-1

## 원칙

- 비성형술의 '균형(balance)'를 생각하라. 비근증대술이 비배축소술의 양을 감소시키고, 좀 더 자연스러운 코를 만들 수 있을지?
- 수술 계획에서 속눈썹선, 쌍꺼풀선, 그리고 눈썹의 위치에 주의하라. 비근점의 이상적 수준은 흔히 속눈썹선보다 2mm 두측이다.
- 동공의 수직선으로부터 비근점의 높이를 결정할지, 아니면 미간의 수직선으로부터 비근점의 높이를 결정할지, 2가지 가운데 하나를 선택하여야 할 때에는 후자를 선택한다.
- 수술 계획은 보존적이어야 한다. 환자의 실제 비근점에서 2-3mm의 변화로써 흔히 충분하며, 4mm의 변화는 거의 얻기도 어려울 뿐만 아니라 필요하지도 않다.
- 비근을 촉진하여 골윤곽과 연조직의 두께를 평가하라. 환자로 하여금 눈썹을 올리게 하여 피부를 다시 평가하라.
- 측면 임상사진 위에 투사지(tracing paper)를 댄 다음, 비근점을 달리 하였을 때 코형태에 미치는 영향을 알아보라.

## 비근증대술(Radix Augmentation)

1930년대 이후 절제해낸 비배, 비중격, 이갑개(concha), 진피, 근막 등 여러 가지 물질로써 비근을 증대시켰다. 최근 Sheen[16]은 비근증대술을 비봉축소술(hump reduction)을 최소화하는 '균형수술(balancing procedure)'로서 보급하였는데, 이로써 좀 더 자연스러운 비배의 높이와 코를 둘 다 유지할 수 있게 되었다. 그의 수술 결과가 극적이기 때문에 이러한 단순한 균형수술의 원칙을 증명하기에 충분하지만, 이식물의 가시성(visibility)과 비근이 지나치게 높은 문제점을 최소화하여야 한다. 처음에 저자는 Sheen법을 따라서 비중격연골이식술을 하였는데, 이식물이 지나치게 가시적이었다(30%). 그 다음, 비익연골이식술(alar cartilage graft)로 바꾸어서 가시성을 10%까지 줄였다. 이어서 저자는 Guerrosantos[10]와 Miller[14]의 근막이식술을 사용하였을 때 문제점은 1% 미만이었다. 다음에 소개하는 기법은 '비근부(radix area)' 전체에 이식하거나, 비근점과 비배 사이의 비근 일부(비근의 미측 1/2)에 이식하는데 사용된다.

### 근막이식물(Fascial Graft)의 채취술과 준비

환자를 앉힌 자세에서 이상적 비근점과 근막이식물의 수용부를 표시한다. 필요한 이식물의 량은 결손 크기와 채워야 할 높이 둘 다로써 평가하며, 대개 1장(5X5cm)이나 반장 정도의 심부측두근막(deep temporal fascia)이 필요하다(그림 1-2). 수술 도중에 근막채취술을 하기 위하여 측두부로 가야만 하는 것을 최소화하기 위하여 비성형술을 하기 전에 근막이식물을 미리 채취 해둔다. 근막이식물은 표준 방식으로 채취한다(제 6장 참고). 근막이식물을 수용부의 크기에 맞도록 접은 다음, 4-0 평장사로써 봉합하되, 봉합침을 붙여 둔다. 이때 25% 과대교정을 계획한다.

## 수용부(Recipient Site)와 이식술

비근이식술을 계획하였으면, 초기 피부박리는 비배까지만 두측으로 한다. 비성형술을 마친 다음에, 그리고 절개선을 봉합하기 직전에 비근에 이식물을 위치시킨다. 비배와 비근 사이의 정중선에서 작은 터널을 Joseph 거상기(elevator)로써 만든 다음, 수용부를 박리하되, 과대한 외측박리술(lateral undermining)을 피한다. Aufricht 견인기(retractor)를 사용하여 비배피부를 일으킨 다음, 이식물에 부착된 봉합침을 비배피부 아래로 넣어서 비근점을 통하여 밖으로 빼냄으로써 바로 보면서 이식물을 수용부로 인도한 뒤 봉합사를 당겨서 이식물을 제 자리에 위치시킨다. 비배피부를 팽팽하게 당겨서 이식물이 잘 위치하였는지를 검사하며, 25% 과대교정 한다. Steri-strips를 비배피부에 붙임으로써 이식물의 변위를 방지한 다음, 봉합술을 마친다. 봉합사는 술후 1주일에 드레싱을 제거할 때 발사하든지, 피부와 같은 높이로 잘라서 피부에 파묻는다.

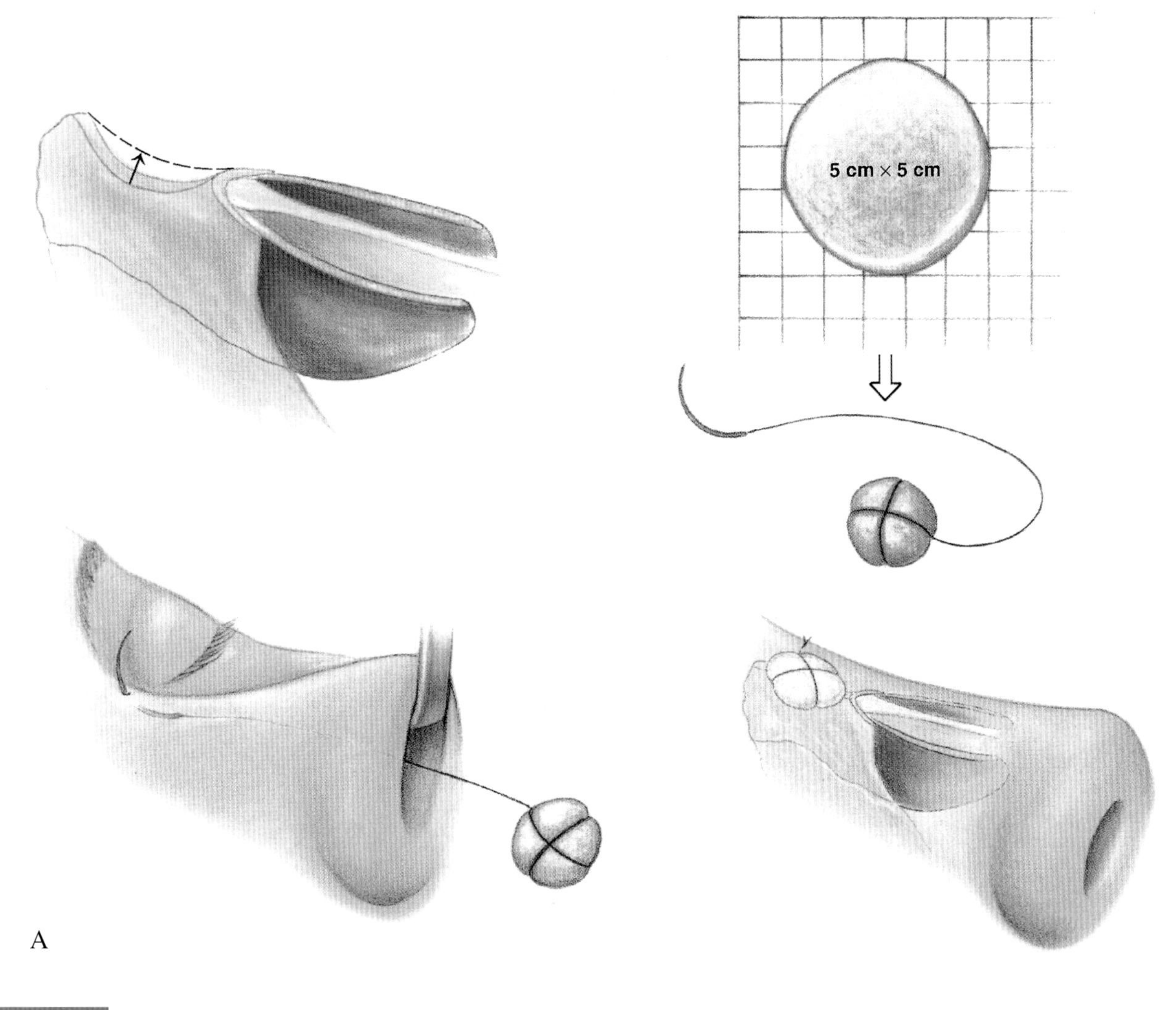


그림 1-2

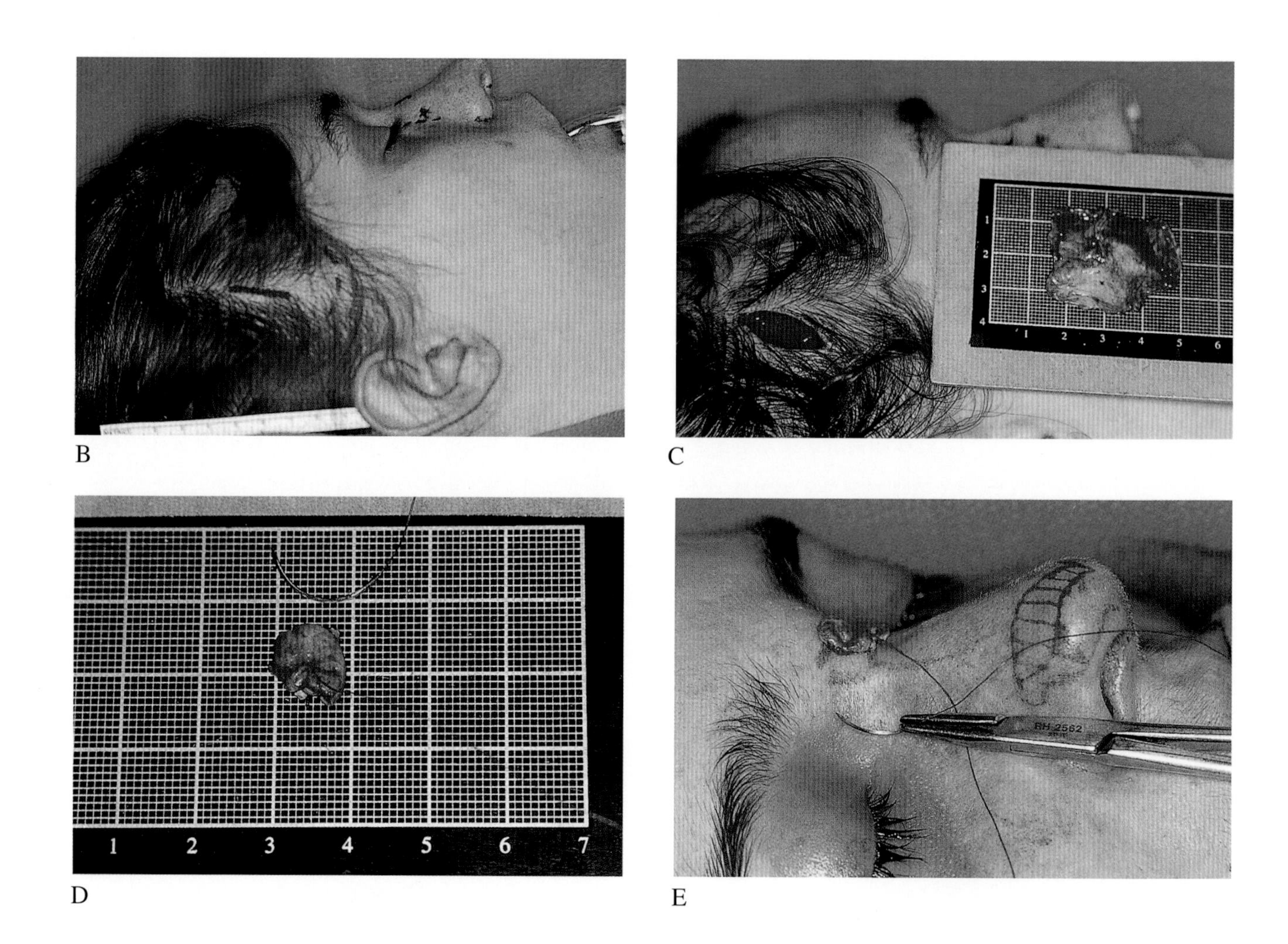

B C D E

그림 1-2. 계속

## 문제점

비근이식으로서 연골을 사용하였을 때, 가장 흔한 문제점은 가시성과 지나치게 높은 것이었다. 젊은 환자의 비근피부는 팽팽하고 얇아서 특별히 가시적 이식물(visible graft)이 되기 쉽다. 이러한 문제점은 다음의 방법으로써 최소화 할 수 있다. 1) 연골이식술이 아닌 근막이식술을 한다. 2) 수용부에 날카로운 선이 생기지 않도록 이식한다. 3) 비배피부를 과대거상하면 지나치게 큰 이식물을 사용하여야 술중 결과가 바람직하게 보이므로 비배피부를 적절히 일으킨다. 만일 비근연골이식물이 가시적이면 재수술(revision)이 실제로 불가피하다. 이 때에는 일 년 동안 미루어서 다른 문제점과 함께 교정하도록 한다. 이식물을 제 위치에 둔 채로 잘라서 다듬기(in-situ trimming)는 어렵기 때문에 경증의 재수술에서만 잘라서 다듬기를 한다. 큰 재수술이 필요할 때에는 이식물을 끄집어 낸 다음, 적절하게 변형시킨 뒤 교체하거나 버린다. 팔십 례의 비근근막이식술을 2년 동안 추적 조사하였을 때 지금까지 재수술을 한 례는 없었으며, 단기 추적 때의 가시성보다는 장기 추적에서의 흡수를 걱정한다.

## 원칙

- 비근변형술(radix modification)은 모든 비성형술의 계획에서 빠뜨릴 수 없는 부분이다. 비근이식술은 강력면서도 미묘한 개선을 코에서 흔히 나타내지만, 큰 실패를 자초하는 과대절제술은 피한다.
- 큰 연골이식물은 강한 선을 만들므로 이차비성형술에서는 '보이기(show)' 를 위하여 의도적으로 할 수 있지만, 일차비성형술에서는 거의 용인 되지 않는다.
- 대부분의 환자는 과소교정을 받아들이지만, 가시적인 과대교정은 수용하지 않는다. 근막이식술을 하면 재수술을 거의 하지 않아도 된다.
- 중증의 비근형성저하(radix hypoplasia)에서는, 절제 해둔 비익연골이나 타박한 비중격연골이식물(bruised septal cartilage graft)을 심부에 이식할 수 있지만, 근막이식물로써 덮어야 한다.

## 증례 연구 비근증대술(Radix Augmentation)

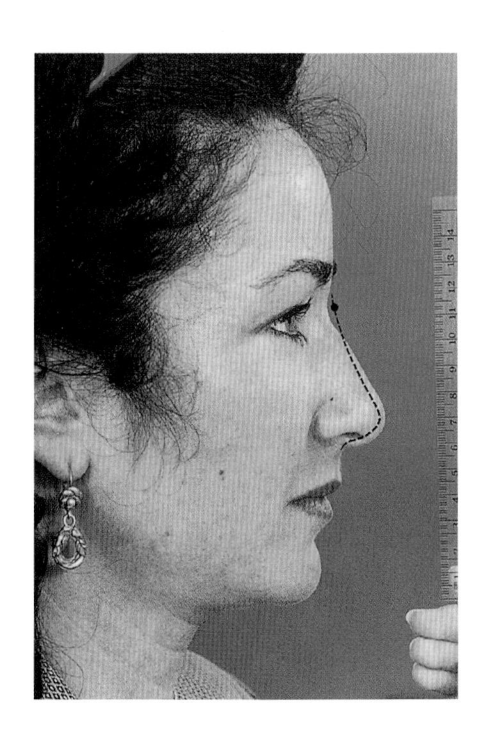

### 분석

30세 여성으로서 '구상비첨(ball tip), 측면에서 융기(bump), 미소 지을 때 비첨하수(plunging tip)' 의 교정을 원하였다. 삼십대의 특징으로서 '코수술한 모습(nose job look)' 을 겁내었으며, 3차례 술전 상담의 대부분을 자신이 원하지 않는 것을 설명하는데 소비하였다. 분석 결과, 비저가 무거웠으며(bottom-heavy nose), 따라서 사면(oblique view)에서 비첨이 넓었다. 측면에서는 비주경사각(columella inclination angle, CIA) 88도, 비첨각(tip angle) 95도, 그리고 넓은 비첨을 가진 비첨 의존성(tip dependency)을 확인하였다. 비종석부(keystone area)에서 비배높이는 조금 높지만, 비근은 낮았다. 비배를 기존의 비근점 수준에서 낮추면 비배의 과대절제의 위험이 있을 것이다. 반대로, 비근증대술을 하면 '자연스러운 모습' 이 보존될 것이다.

## 외과 수기

긍정적 요소를 보존하면서 부정적 요소를 최소화 하는 '향상수술(enhancement procedure)' 을 계획하였기 때문에 매 수술 단계마다 코를 순차적으로 개선시킬 수 있는 폐쇄접근술을 선택하였다.

1. 우측 측두에서 근막 조각 채취술.
2. 연골내절개술(intracartilaginous incision)을 통한 두측외측각(cephalic lateral crus)2/3축소술. 절제해낸 비익연골을 나중에 할 비첨중첩이식물(tip onlay graft)로서 보존(그림 1-3A).
3. 우측관통절제술(transfixion excision). 점막하터널(submucous tunnel) 형성.
4. 점증비배축소술(漸增鼻背縮小術, incremental dorsal lowering): 줄질로써 골비배축소술과 11번 수술도로써 연골비배축소술.
5. 비첨의 두측전위(cephalic rotation)를 위한 미측비중격(caudal septum)상부1/2절제술.
6. 연전이식술(spreader graft)을 위한 비중격연골하부1/2채취술.
7. 술전 비대칭을 감소시키기 위한 비대칭연전이식술(우측 1mm, 좌측 2.5mm).
8. 저-고위외측비절골술(low-to-high lateral osteotomy).

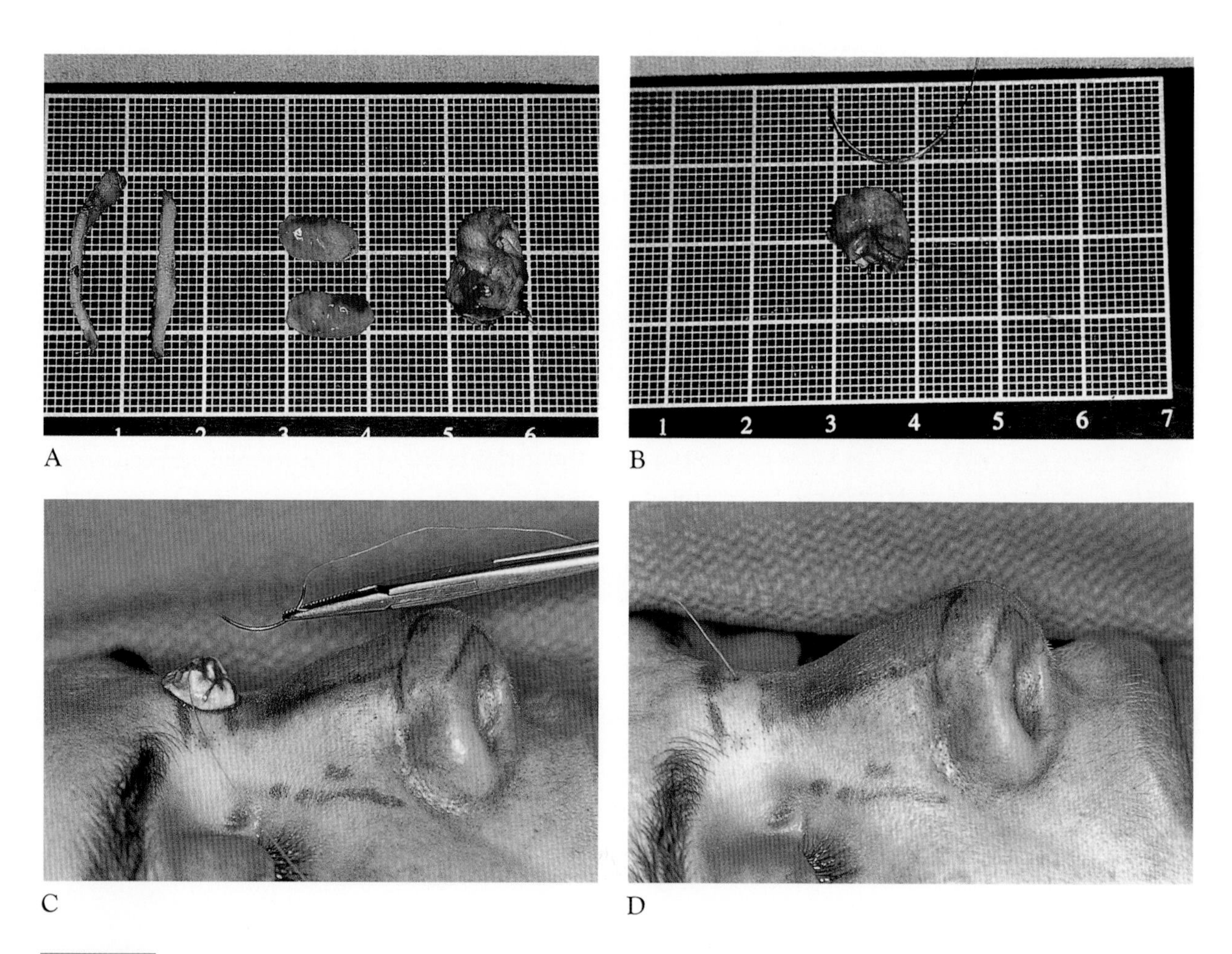


그림 1-3

9. 비익연절개술(rim incision)을 통한 2층의 비익연골로 구성된 Peck의 비첨중첩이식술(tip onlay graft)과 5-0 평장사를 사용한 경피봉합술(percutaneous suture).
10. 비근에 접은 근막이식술(folded fascial graft)(그림 1-3B-D).
11. 절개선의 봉합술. Doyle 부목 넣기. 외비부목 대기.

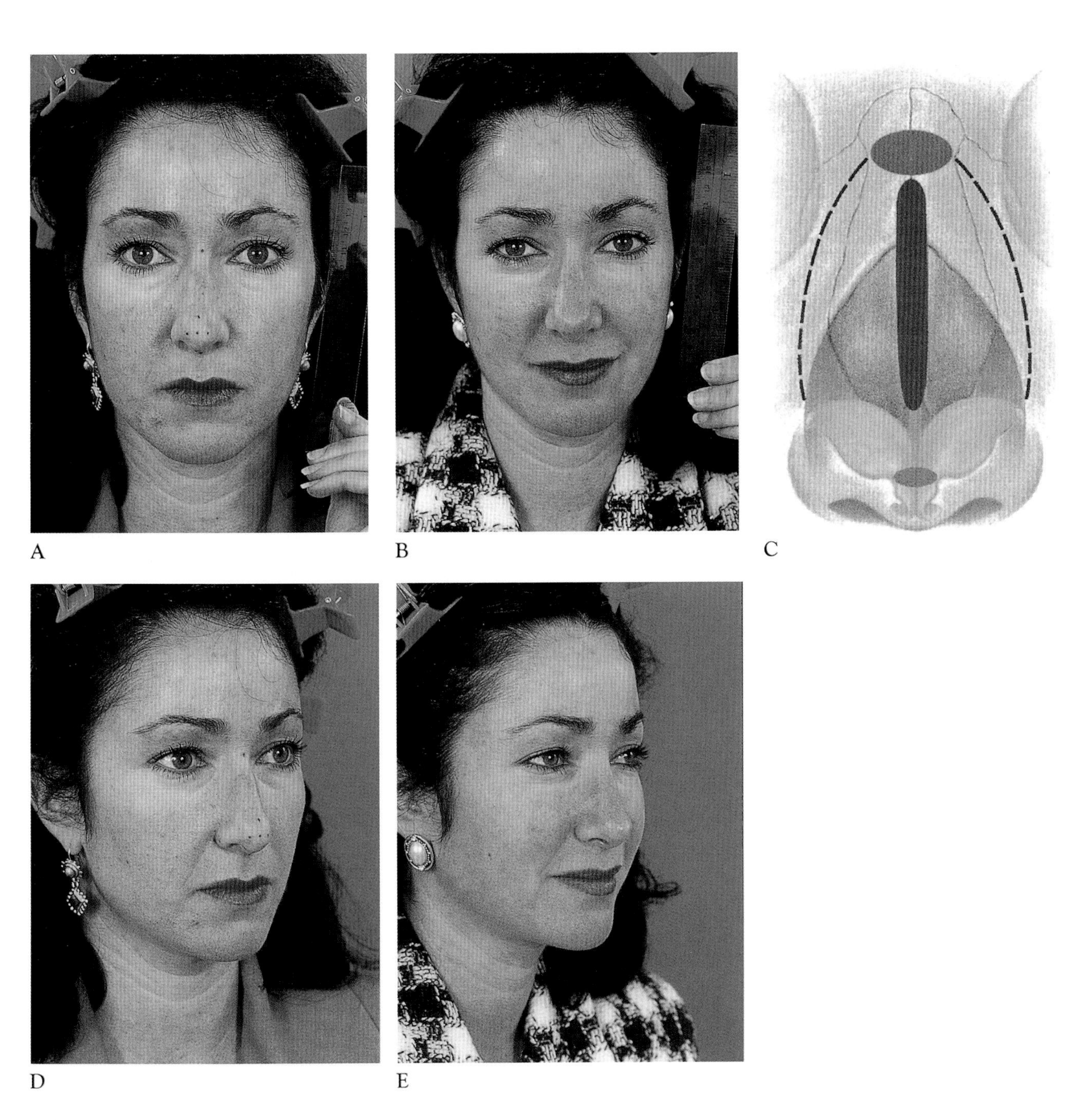


그림 1-4

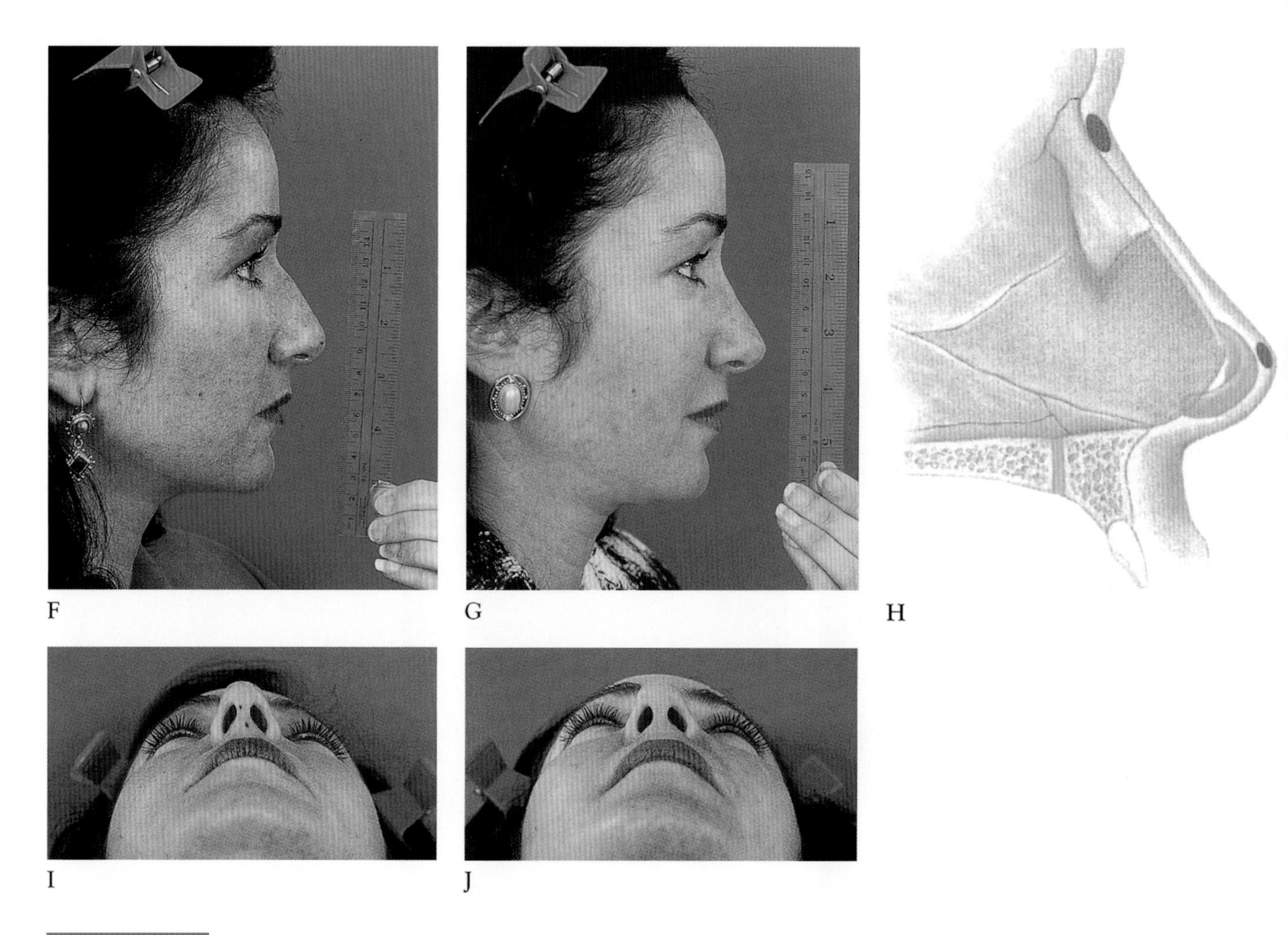


그림 1-4. 계속

## 논평

비배를 기존의 비근 수준으로 낮춤으로써 '귀여운' 모습(cutesy look)을 만드느냐, 아니면 비근을 증대시켜서 비배선(dorsal line)을 보존함으로써 자연스러운 모습을 만드느냐의 선택은 간단하다. 골비배는 줄질을 2회하여 편평하게 하였으며, 연골비봉은 1.5mm 낮추었다. 술후 1년에 비근부는 그 연(edge)이 드러남이 없이 평탄하고, 비근선(radix line)은 부드러운 근막에 의하여 보존되었다. 이로써 환자의 목표가 이루어졌다(그림 1-4).

## 비근 및 비배 증대술 (Radix/Dorsum Augmentation)

가장 어려운 증례 가운데 몇 가지는 비근과 비배를 단일화 하는 이식술이 필요한 경우이다. 이러한 증례의 특징은 연골원개(cartilaginous vault)는 크지만, 골원개(bony vault) 전체와, 비근과 비배 둘 다가 형성저하를 나타내는 것이다. 난제는 비배점(rhinion)의 얇은 피부 아래에서 비근과 비배의 접합부를 나타내지 않으면서 비근과 비배를 둘 다 증대시킴과 동시에 연골원개를 감소시키는 것이다. 한 가지 해결책은 두꺼운 피부에서는 절반길이나 전체길이의 '부리토형이식술(burrito graft)' 을 하며, 얇은 피부에서는 전체길이의 '부리토형이식술' 을 하는 것이다. '부리토형이식술' (역자 주: 부리토는 육류와 치즈를 tortilla로 싸서 구운 멕시코 요리임)은, 잘게 썬 전성이 대단히 좋은 연골(malleable diced cartilage)을 완전한 한 조각의 근막으로 둘러싼 다음 이식하던 과거의 방법으로서, 최근 Erol이 경신하였다[9](그림 6-25H). 두꺼운 피부와, 비배증대술을 필요로 하는 두꺼운 피부를 가진 증례에서는, 전체길이의 연골이식술을 사용한다(비배이식술, 240쪽 참고).

## 증례 연구 비근 및 비배 증대술(Radix/Dorsum Augmentation)

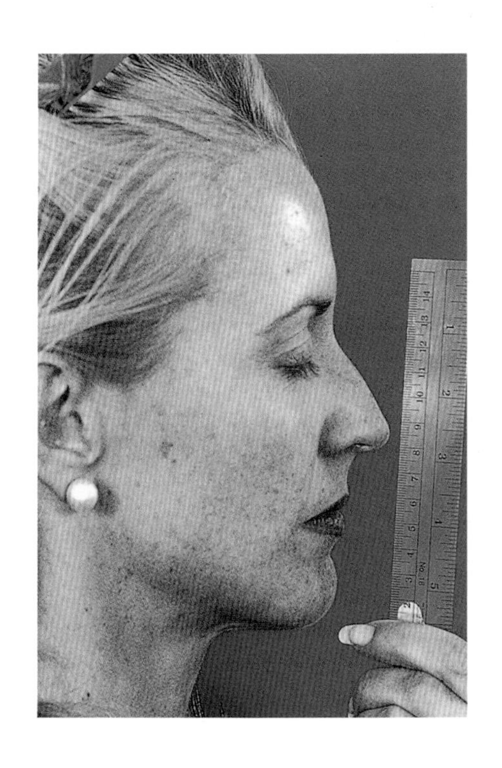

### 분석

31세의 관리직 여성으로서 용모, 특히 코의 개선을 원하였다. 측면에서 '매부리코(beak)' 외양에 관심이 있었다. 중요한 문제점은 형성저하된 비근과 두측 비배로서 갈고리 모습(hook look)을 나타내었다. 또 피부는 얇았으며, 실제로는 투명하였다. 그래서 잘게 썬 연골을 근막으로 싸서 비근부에 이식하였으며, 낮은 비배에는 근막이식술을 하였다. 비절골술은 하지 않았다(그림 1-5, 6).

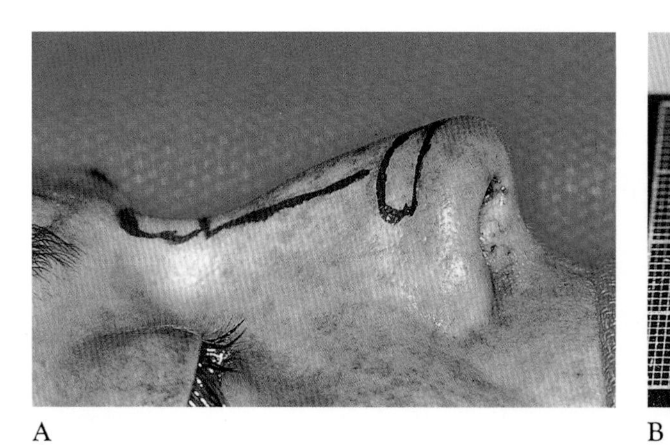
A

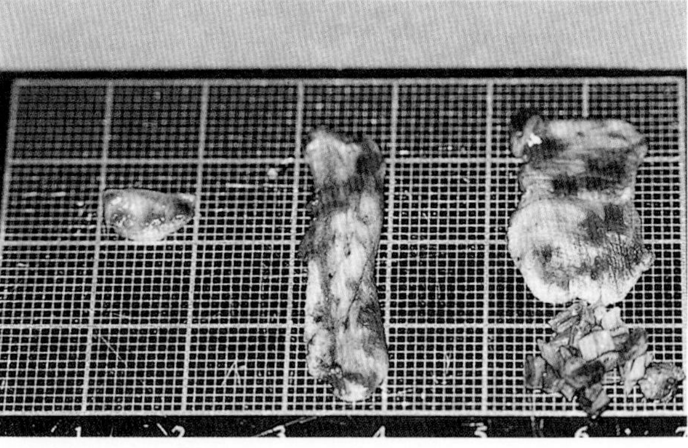
B

그림 1-5

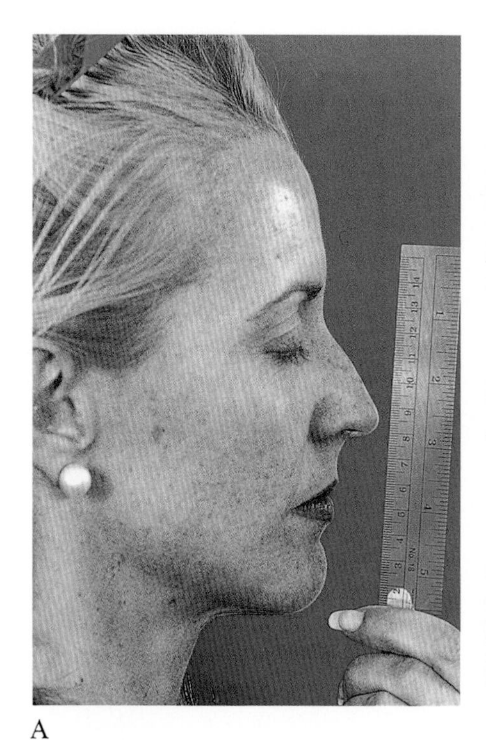
A

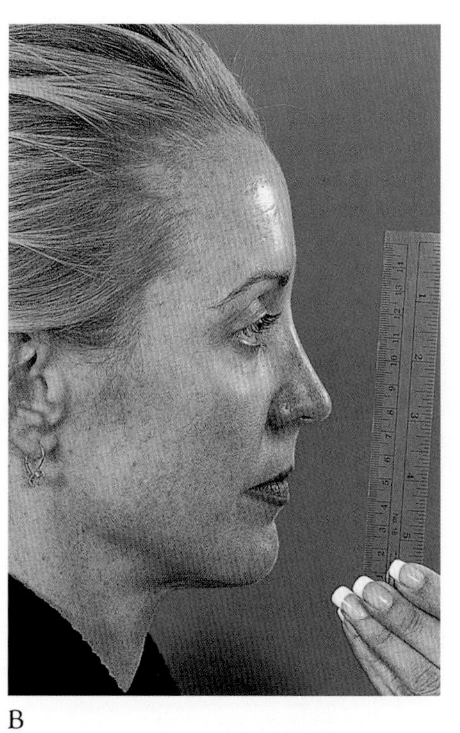
B

그림 1-6

## 비근 및 미간 증대술 (Radix/Glabella Augmentation)

비근과 미간 둘 다 함몰된 증례에서 분명한 해결책은 미간부에 이식술을 하는 것이다. 지금까지 자가이식물과 이물성형물(alloplastic material)을 둘 다 사용해 왔다. 일차적 문제점은 다음과 같다. 첫째 필요한 조직의 량이 많다면 자가조직은 흔히 제한적이며, 둘째 이물성형물은 단단한 모서리가 드러나 보일 수 있는 것이다. 최근에는 hydroxyapatite 과립(granule)이나 GoreTex 조각(patch)을 선택할 수 있다[3]. 저자는 쉽게 삽입할 수 있으며, 문제를 잘 일으키지 않는 hydroxyapatite 과립의 사용을 선호한다. 수기는 다음과 같다(그림 1-7). 1) 5gm의 Interpore 2000, 5gm의 Avitene, 그리고 5cc의 환자 혈액을 혼합하여 연고로 만든다. 2) 이를 주사기에 넣는다. 3) 형성저하를 나타내는 미간과 미간 미측의 비근을 표시한 다음, 5mm의 눈썹하절개(infra-eyebrow incision)를 통하여 삽입한 Joseph 거상기로써 골막하박리 하되, 미리 박리 해둔 비배와 연결되지 않도록 조심한다. 4) 혼합물을 주사하되, 20% 과대교정 한다. 5) 절개선을 봉합하고 수술부를 5일 동안 반창고로써 붙여 둔다. hydroxyapatite 과립은 위험이 너무 많기보다는 너무 없는 물질이다. 위험이 너무 많으면 rongeur로써 제거하면 쉽게 교정된다.

## 증례 연구 비근 및 미간 증대술(Radix/Glabella Augmentation)

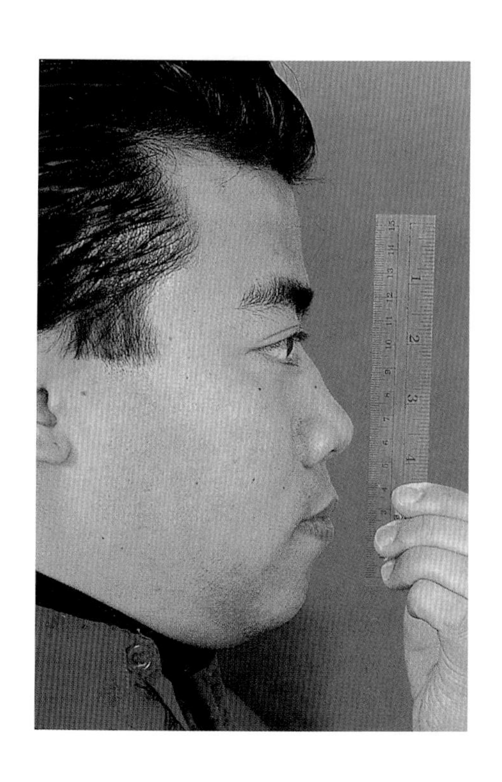

### 분석

25세 베트남인 이발사가 전번에 2차례의 비성형술을 받았음에도 불구하고 코가 여전히 넓다고 내원 하였다. 이학검사 결과, 미간의 형성저하를 포함하는 전형적인 비배-비저불균형(dorsal/base disproportion)을 나타내었다. 동양인비성형술에는 대량의 자가조직이 필요하기 때문에 hydroxyapatite 과립으로써 미간 전체와, 두측 비근으로부터 비근점까지 증대하기로 하였다. hydroxyapatite 과립을 Avitene과 혈액으로 혼합하기 전에는 희지만, 혼합한 뒤에는 붉게 된다. 중간 크기의 연장형턱끝삽입물(medium extended chin implant)도 삽입하였다(그림 1-8).

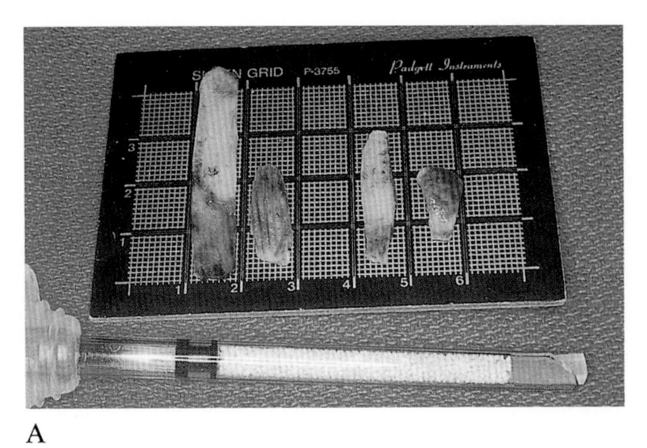


A

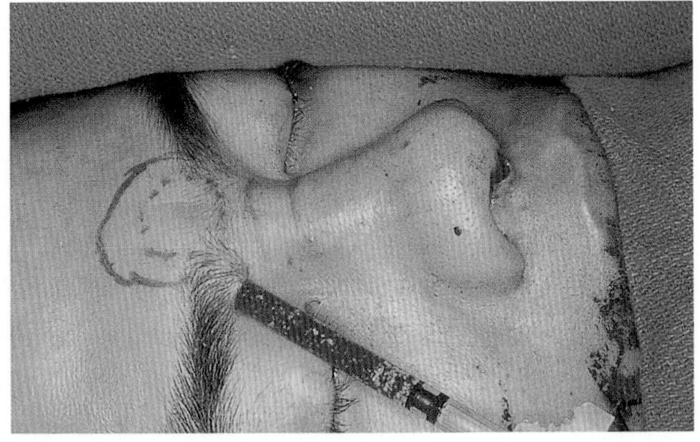

B

그림 1-7

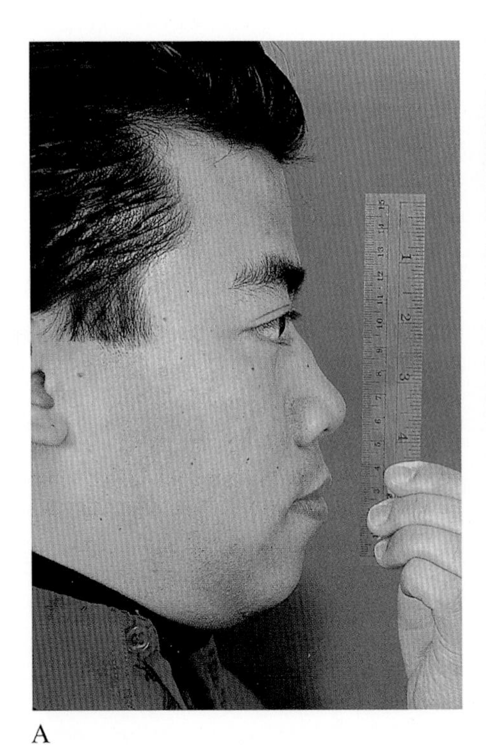

A

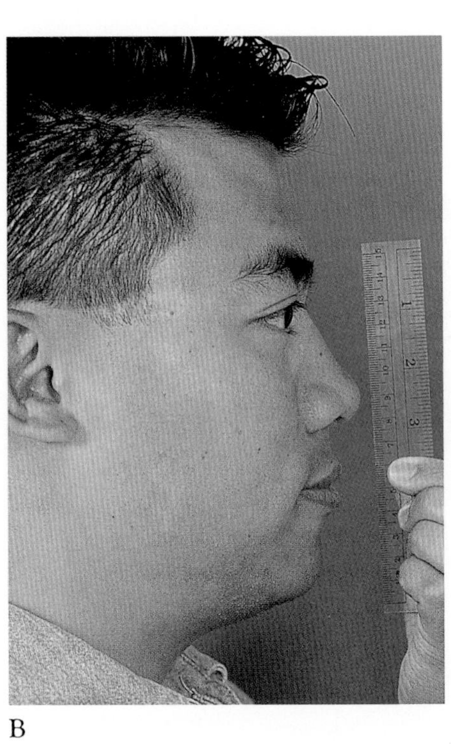

B

그림 1-8

## 비근축소술 (Radix Reduction)

비근축소술은 어려워서 환자를 손상시키므로 많은 술자들이 꺼리는 수술이다. 1930년대 이후로 동력으로 움직이는 다양한 기구들을 사용하고 있다[12]. 경증의 축소술에서 저자는 박피술(dermabrasion) 때 사용하는 'hand engine'에 끼우는 작고 둥근 cutting burr를 사용한다. 그러나 이러한 동력 전달 기구는 광범위하게 노출시켜야 하며, 연조직을 손상시키기 쉬우며, 전두동(frontal sinus)으로 들어갈 위험이 있는 등의 단점이 있다. 중간증과 중증의 축소술에서 저자는 절골도로써 10-12mm의 길이, 4-8mm의 두께의 삼각골(bony triangle) 전체를 제거한다. 미측비근축소술 때에는 줄질(rasping)을 활발히 하여야 가능하며, 명백한 비근축소술이라기보다는 이상적 비근점을 만들도록 비배축소술을 두측으로 연장하는 개념으로 수술을 한다.

### 수술 계획 및 순서(Operative Planning and Sequence)

중요한 단계는 외안각(lateral canthus)을 지나는 수평선을 사용하여 비근을 비배로부터 분리시키는 것이다. 그 다음, 이상적 비근점을 결정하고 새로운 비배선(dorsal line)을 나타내도록 비-안면각(nasofacial angle)을 정한다. 대개는 비근과 비배 둘 다가 크므로 비배축소술도 필요하며, 이것부터 먼저 한다. 절골도로써 한꺼번에 절제하는 전형적인 일괄비근축소술(en-bloc osteotome excision)은 흔히 지나치게 비배를 파괴하므로 2단계 기법을 더 좋아한다[8, 15]. 제1단계에서 비배를 낮추는데, 골원개에서는 줄을, 연골원개에서는 수술도를 사용한다. 일단 비배선이 만족스럽게 되고 나면, 비근을 Joseph 거상기로써 넓게 박리하는데, 연조직을 완전히 유리시켜야 골절제술이 손쉬워진다. 그 다음, 12mm 폭의 날카로운 이중보호절골도(double-guarded osteotome)를 비배-비근접합부까지 넣는데, 이 곳이 효과적인 줄질의 상한선이다(그림 1-9좌상). 이 절골도의 손잡이를 절제할 골 량에 따라서 45도에서 60도 사이의 각도로써 두측으로 회전시킨다(그림 1-9우상). 여러 번 두드리면 절골도는 비근골에 걸려서 절골도의 끝에서 골이 만져지게 된다. 이때, 절제한 골 량이 놀라울 정도로 크게 보일 수 있다(그러나 이러한 상황은 술후에 그렇지 않음이 확인된다). 절골도를 두측으로 올려서 미간에 도달하면 절골도가 두개골을 두드리게 되므로 소리가 분명히 달라진다. 그 다음, 절골도를 두측으로 회전시켜 비틀면 골이 비-전두골봉합선(nasofrontal suture line)으로부터 탈구(disarticulation)된다(그림 1-9좌하). 통상 아크릴로 된 '멍에형부목(yoke splint)'으로써 비근을 압박한 다음, 표준 외비부목을 더 덮는다.

### 문제점(Problems)

일차적 문제점은 골을 탈구시키기 힘든 것과 불충분한 제거이다. 만일 골이 잘 떨어지지 않으면, 2mm 절골도를 내측 눈썹 아래로 넣어서 미리 넣어 둔 이중보호절골도(double-guarded osteotome)에 이르도록 비-전두골봉합선을 가로 지른다(그림 1-9, 우하). 때때로, 비근골의 높이가 문제가 아니라 돌출된 미간이 미측으로 처진 것이 더 문제일 수 있다. 이런 증례에서는, 측면 X선사진이 흔히 필요하며, 동력이 달린 burr를 신중하게 사용한다. 비근과 비배 둘 다 침범된 중증에서는, 비배 결손을 채우기 위하여 연전이식술(spreader graft)이나 전체길이의 비배이식술이 필요하다[18]. 비근축소술 후 부종이 수개월 동안 지속되는데다가 멍이 커지는 경향이 있다. 그러므로 환자에게 적어도 9개월이 지나야 비전두부에서 뚜렷한 함요(陷凹, notch) 나타난다고 술전에 미리 말해 줘야 한다.

## 원칙

- 비근골은 단단하며, 축소시키려면 상당한 량을 제거하여야 한다. 흔히 10-12mm 길이에, 4-8mm 두께의 골을 절제한다.
- 골을 비-전두골봉합선으로부터 탈구시키는 것이 중요하다. 이중보호절골도(double-guarded osteotome)를 두개골까지 넣은 다음, 회전시키는 것이 최선의 조작이다.
- 일괄비근 및 비배 축소술(en-bloc dorsum/radix reduction)을 하면 비배는 너무 많이, 그리고 비근이 너무 적게 절제되므로 하지 않는다.
- 동력이 달린 burr는 비근의 높이를 최소한 축소시키는데는 유용하지만, 중증에서는 전두동을 관통하지 않고서는 축소시킬 수 없다.
- 미간을 지나서 이마 중간까지 석고붕대(plaster of Paris cast)를 대어야지 부종과 멍을 줄일 수 있다. 아크릴로 만든 멍에형부목을 먼저 댈 수 있다.

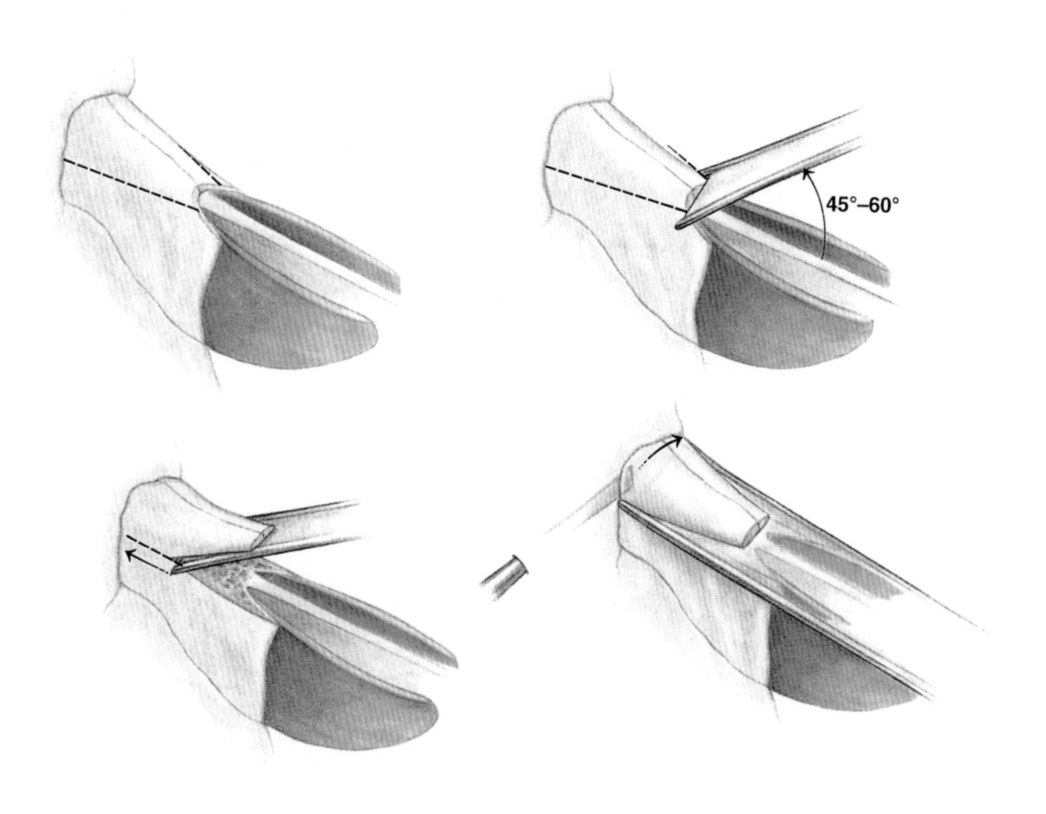


그림 1-9

## 증례 연구 비근축소술(Radix Reduction)

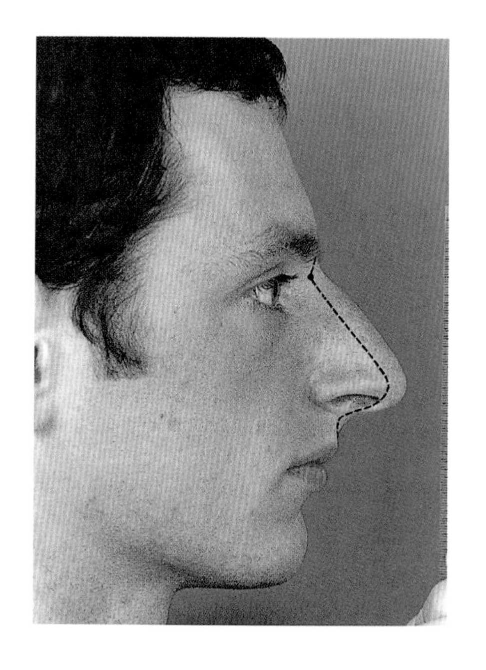

### 분석

비폐쇄와 비변형의 과거력을 가진 26세 전자공학 기사가 전원 되었다. 자기를 '큰 코를 가진 가족' 의 일원이라고 소개하면서 코를 작게 하기를 원하였다. 저자는 "코를 더 작게 만들 수는 있지만, 작지는 않다" 이라고 말하였으며, 환자는 이러한 수술의 한계를 받아들였다. 세 개의 측면 돌출을 기록하였다. 즉, 내안각에서 비근까지의 돌출 19mm, 중간원개 돌출 35mm, 비첨돌출 43mm(이상적 계측치, 32mm). 이 증례는 전형적 '긴장코(tension nose)' 가 분명하며, 큰 축소술을 한 다음, 중간원개(midvault)가 붕괴되는 것을 피하여야 한다. 흥미롭게도, 내재 비첨(intrinsic tip)은 실제로 이상적이므로 폐쇄접근술(closed approach)을 선택하였다.

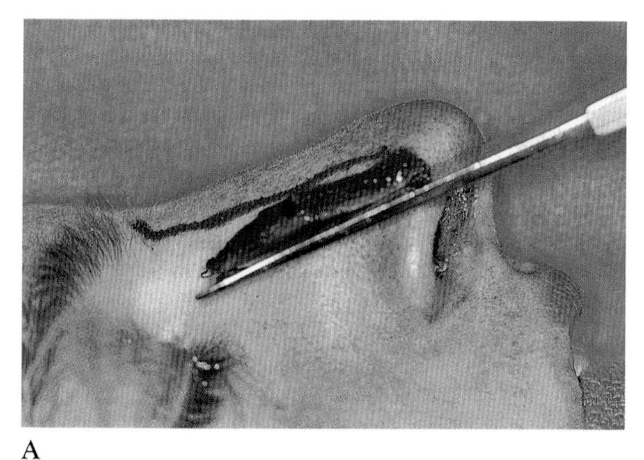

A

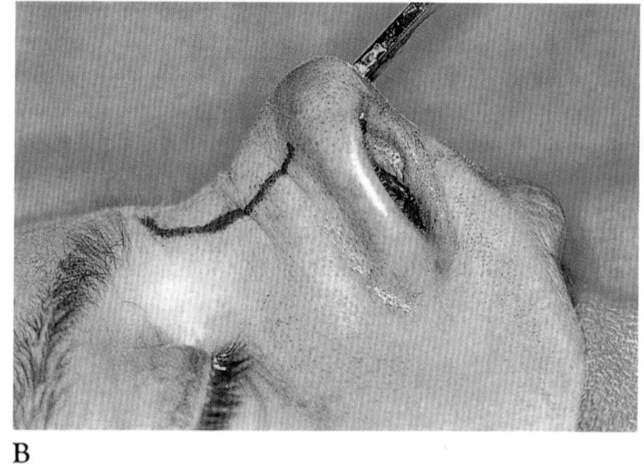

B

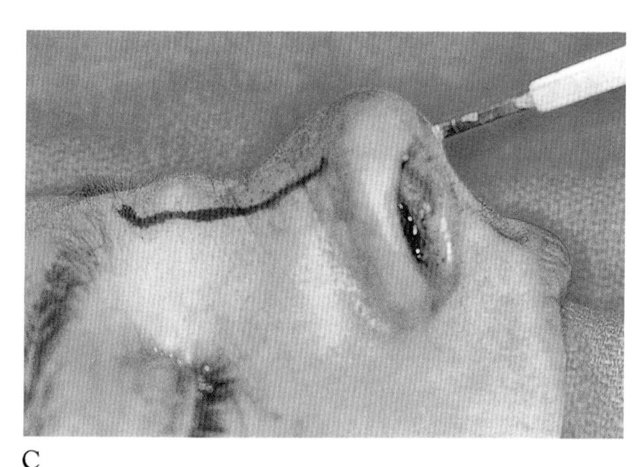

C

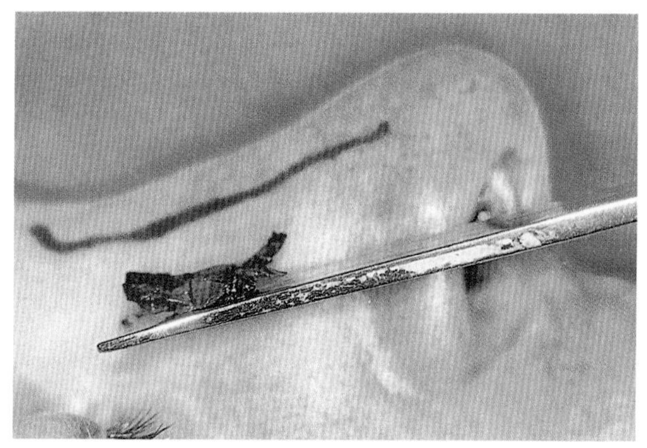

D

그림 1-10

## 외과 수기

1. 비첨돌출을 감소시키기 위한 연골간절개술(intercartilaginous incision)과 양측관통절개술(bilateral transfixion incisions).
2. 연조직거상술. 점막외터널(extramucosal tunnel) 형성.
3. 절골도를 사용한 일괄비배축소술(en-bloc dorsal reduction): 골 6mm, 연골 12mm(그림 1-10A).
4. 이중보호절골도(double-guarded osteotome)로써 4mm의 비근축소술(그림 1-10B-D).
5. 5mm의 미측비중격 및 전비극 축소술.
6. 횡단비절골술(transverse osteotomy)과 저-저위외측비절골술(low-to-low lateral osteotomy).
7. 절제해낸 비배비봉(dorsal hump)의 변형술(modification) 및 이식술(Skoog법).
8. 5mm의 외측각분절절제술(lateral crus segmental excision)을 사용한 비첨함입술(tip deprojection).
9. 비주-비중격봉합술(columella septal suture)을 사용한 비첨함입술(down projection).
10. 양측비공상(nostril sill) 및 쐐기형비익 동시절제술(각각 5mm).

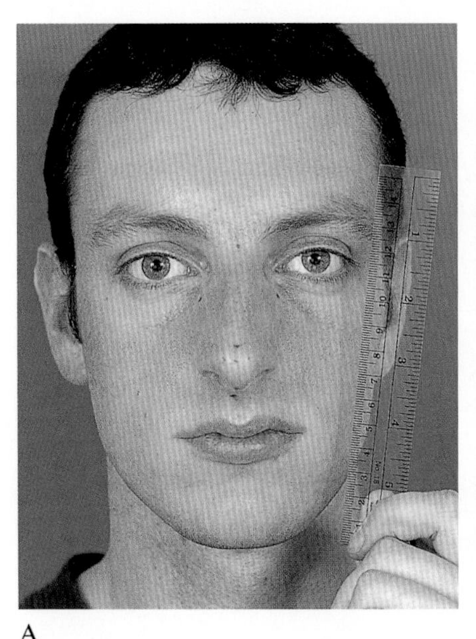
A

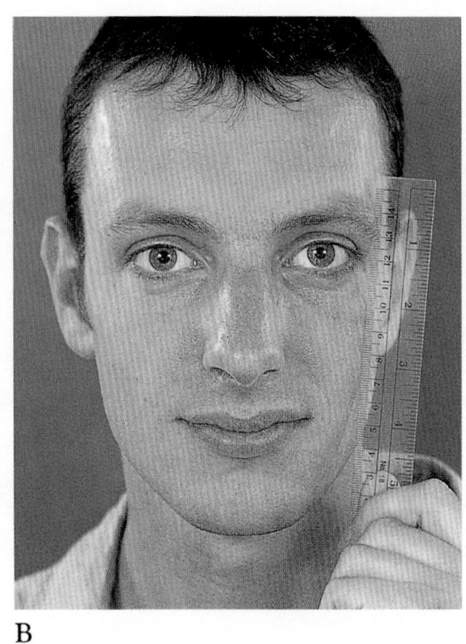
B

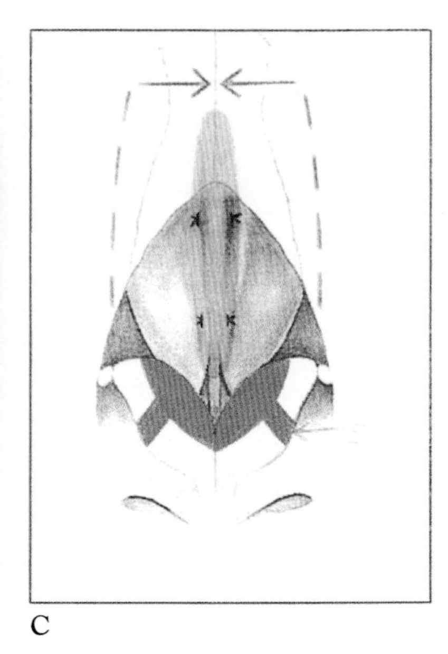
C

그림 1-11

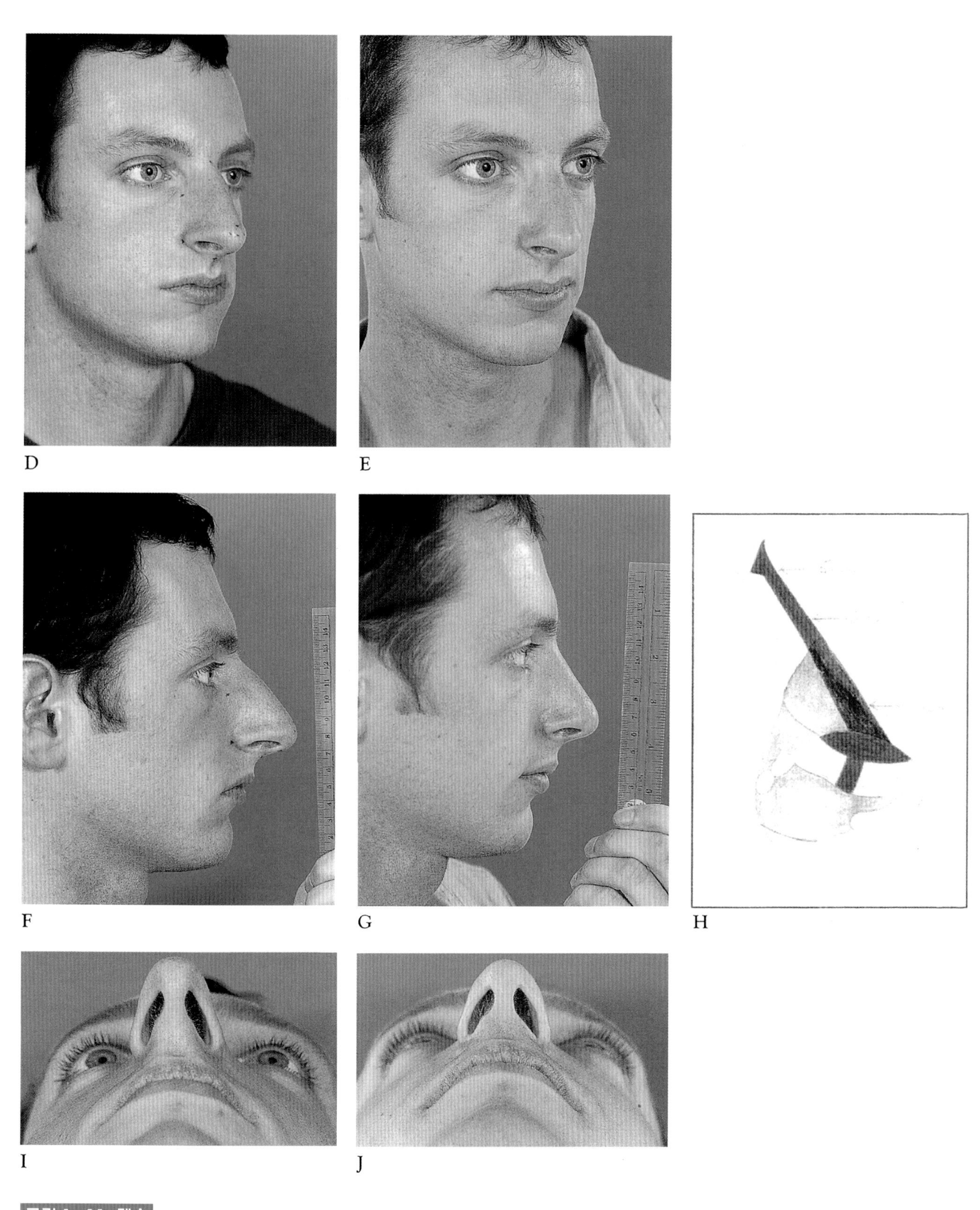


그림 1-11. 계속

## 논평

이 증례의 목표는 위험을 최소화 하면서 코의 전체 크기를 감소시키는 것이었다. 비근축소술은 눈썹 수준에서부터 솟아오르는 전형적인 그리스코보다는 분명한 함요(陷凹, notch)나 코의 시작점을 만드는 것이 중요하다. 일괄비배축소술을 한 이유는 절제해낸 비배비봉을 바루고 좁힌 다음 비배이식물로써 다시 이식하면, 역V형붕괴(inverted-V collapse) 없이 부드러운 비배를 만들 수 있기 때문이다. 저자는 이 이식물에서 골부분을 언제나 최소화하며, 상외측연골(upper lateral cartilage)에다가 4군데 봉합한다. 12mm의 비배축소술은 지나치게 크므로 어떤 종류의 비배재건술이 필요하다. 일 년 뒤에 코는 현저하게 작아졌지만, '코 큰 가족 모임' 에 여전히 참석하고 있다(그림 1-11).

## 참고 문헌


1. Aiach E, and Gomulinski L. Resection controleé de la bussé nasal osseuse au niveau de l' angle naso-frontal. *Ann Chir Plast* 1982;27:226.
2. Byrd S, and Hobar PC. Rhinoplasty: A practical guide for surgical planning. *Plast Reconstr Surg* 1993;91:642.
3. Byrd HS, Hobar CP, and Shewmake K. Augmentation of the craniofacial skeleton with porous hydroxyapatite granules. *Plast Reconstr Surg* 1993 ;91:15.
4. Daniel RK.The radix. In: Daniel RK (ed) *Aesthetic Plastic Surgery: Rhinoplasty*. Boston: Little, Brown, 1993.
5. Daniel RK, and Farkas LG. Rhinoplasty: Image and reality. *Clin Plast Surg* 1988;15:1.
6. Daniel RK, and Lessard ML. Rhinoplasty: A graded aesthetic anatomical approach. *Ann Plast Surg* 1984;13:436.
7. Daniel RK, and Letourneau A. The superficial musculoaponeurotic system of the nose. *Plast Reconstr Surg* 1988;82:48.
8. Daniel RK, and Letourneau A. Rhinoplasty: Nasal anatomy. *Ann Plast Surg* 1988;20:5.
9. Erol O. The Turkish delight: A pliable graft for rhinoplasty. *Plast Reconstr Surg* 2000;105:2229.
10. Guerrosantos J. Nose and paranasal augmentation: Autogenous, fascia, and cartilage. *Clin Plast Surg* 1991;18(1):65-86.
11. Guyuron B. Precision rhinoplasty. Part I: The role of life-size photographs and soft-tissue cephalometric analysis. *Plast Reconstr Surg* 1988;81:489.
12. Guyuron B. Guarded burr for deepening of nasofrontal junction. *Plast Reconstr Surg* 1989;84:513-516. Updated, *Plast Reconstr Surg* 2000;106:1417.
13. Lessard ML, and Daniel RK. Surgical anatomy of the nose. *Arch Otolaryngol Head Neck Surg* 1985;111:25.
14. Miller TA. Temporalis fascia graft for facial and nasal contour augmentation. *Plast Reconstr Surg* 1988;81:524-533.

15. Nievert H. Reduction of nasofrontal angle in rhinoplasty. *Arch Otolaryngol* 1951;53:196.
16. Sheen JH. Rhinoplasty: Personal evolution and milestones. *Plast* Reconstr *Surg* 2000;105:1820.
17. Sheen JH. The radix as a reference in rhinoplasty. *Perspect Plast Surg* 1987;1:33.
18. Skoog T. A method of hump reduction in rhinoplasty. *Arch Otolaryngol Head Neck Surg* 1975;101:207.

# 비배(Dorsum) 2

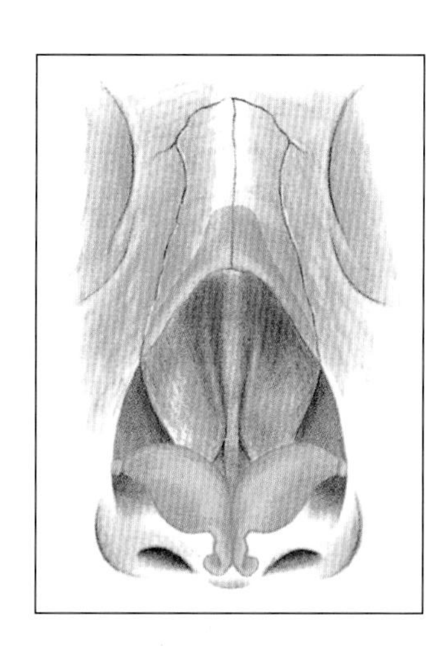

## 서론

지난 10년 동안 비배수술법에 대한 극적인 진전이 이루어졌다. 술자들은 비배라는 용어를 골-연골원개(osseocartilaginous vault)를 가리키기 위하여 사용하는데, 이 골-연골원개는 골원개와 연골원개 둘 다를 묶는 고정된 구조물이다. 원개를 변형시킬 때에는 미학적 및 기능적 요소, 특히 내비판막각(internal valve angle)에 대한 신중한 평가가 필요하다. 미학적으로, 비근점(nasion)과 비첨(tip)을 연결하는 비배는 흔히 여성에서는 오목하며, 남성에서는 직선이다. 만일 비첨이 과소돌출 되었을 때 이러한 의존비첨(dependent tip)에 맞추어서 비배를 지나치게 축소시키면, 중대한 결과가 초래될 수 있다. 그러므로 비배를 단순히 비근점과 비첨의 연결선보다는 이상적 높이를 가지는 비-안면각(nasofacial angle)의 구성 요소로서 개념화 하여야 한다. 비배를 분석할 때 술자는 비배의 골저폭(base bony width)을 평가할 뿐만 아니라 양측 비배선(dorsal line)의 평행과 만곡 여부를 살펴야 한다. 비배선이 평행하지만 비대칭이면, 비대칭외측비절골술(asymmetric lateral osteotomies)보다는 서로 다른 폭의 양측연전이식술(spreader graft)을 사용하여 교정한다. 수년 동안 술자들은 실제로 모든 코를 축소시켜서 '비첨에 맞는 비배(dorsum fit the tip)' 를 만들었다. 최근에 들어서 '균형비성형술(balanced rhinoplasty)' 의 개념이 널리 받아들여지면서 자연스러운 비배를 얻게 되었다. 또, 외측비절골술의 주된 목적도 '열린 지붕(open roof)' 을 닫는 것으로부터 골저폭을 좁히는 것으로 바뀌었다. 마찬가지로, 비절골술의 숫자와 양도 줄어서 내측비절골술(medial osteotomy)을 거의 하지 않으며, 외골절술(out fracture)을 실제로 하지 않는다. 이러한 혁명은 비배축소술 전용 시대(reduction-only era)의 부산물인 비배과대축소술과 비성형술 장애자(rhinoplasty cripple)들을 줄어들게 하였다.

## 해부학

골-연골원개(osseocartilaginous vault)의 해부학은 발생학을 반영한다. 초기에 코는 비판(鼻板, nasal placode)으로 구성되어 있는데, 이곳에서 연골화(cartilaginization)가 발생하여 완전히 연골로 된 코형태가 만들어진다. 그 다음, 다음의 2가지 사건이 발생 한다. 첫째는 중배엽의 내성장(mesodermal ingrowth)으로서 연속적인 연골판(cartilaginous sheet)을 특정한 비연골(nasal cartilage)로 축소시키며, 또 그 위로 석회화(calcification)가 두측에서 일어난다. 연골원개 위에서 비골이 놓인 곳은 넓게 중복되어있는데, 그 크기는 정중선에서 11mm, 외측에서 4mm이다(그림 2-1A). 따라서 골원개와 연골원개는 이음매에서 단순히 만나는 게 아니라, 중첩되어서 통합(overlapped integration)을 이루고 있다. 이러한 중첩의 중요성은 축소비성형술(reduction rhinoplasty)에서 드러난다. 즉, 비봉은 골부보다 연골부가 훨씬 더 크다는 사실이 중요하다. 이를 기법적으로 연관시켜 보면, 골비봉(bony hump)을 먼저 줄질(rasping)하고 나서 그 아래에서 더 큰 연골비봉(cartilaginous hump)이 드러나면 안심할 수 있으며, 따라서 골비봉의 과대절제술을 피할 수 있다. 외측중첩(lateral overlap)은 서로 달라붙어 있어서 분리하기가 힘든데, 이는 붕괴의 가능성을 최소화하도록 연골막과 골막이 유합되어 있기 때문이다. 사체해부 연구에서 축소비성형술을 하였을 때 비골로부터 상외측연골(upper lateral cartilage)을 떼어내는 것이 거의 불가능함이 밝혀졌지만, 여전히 많은 술자들은 이것이 임상적으로 가능하다고 주장한다. 이렇게 떼어내기가 쉽다는 주장은, 비골은 중첩단(end of overlap)에서 수직 방향으로 가장 약하므로 비골이 탈구되기보다는 오히려 골절되기 때문에 비골이 골절된 것을 떼어낸 것으로 잘못 판단하였기 때문에 나온 것 같다.

소아기에서 코높이는 주로 비골에 의존한다. 사춘기 직전부터 사춘기 동안에 코는 급격하게 변하는데, 이는 주로 코 윤곽을 따라서 일어나는 흡수(absorption)와 침착(deposition)과, 상악골의 전방돌출에 의한 것이다[13]. 그 다음, 코높이는 상악골의 전두돌기(frontal process of maxilla)의 영향을 주로 받으며, 골저폭(base bony width)을 좁히기 위해서는 외측비절골술(lateral osteotomy)을 여기에서 하게 된다. 비배에서 일어나는 변화는 특징적인 비봉으로서 비근에서는 골흡수가 일어나지만, 비배점(rhinion)에서는 골이 침착 되어서 생긴다. 마찬가지로, 비근에서 골침착만 일어나면 변형으로서 전형적인 그리스코 측면(Greek profile)이 된다. 외측비벽(lateral wall)의 경사각은 상악골 표면으로부터 약 57도이지만, 이 값은 비골과 상악골전두돌기의 접합부에 따라서 변할 수 있다. 때때로, 골원개가 매우 넓고 외측비벽이 거의 수직인 경우가 있는데, 이 때에는 작은 2mm 절골도를 사용하는 '이중수준(double level)' 비절골술로써 비골과 상악골전두돌기의 접합부를 골절시키는 것을 선호한다. 어떤 이차비성형술에서는 '미세비절골술(micro-osteotomy)'을 함으로써 외측비벽 전체보다는 비골의 방위를 바꿀 수 있다.

아마도, 코 전체에서 가장 큰 해부학적 오해는 연골원개에 관련된 것일 것이다. 즉, 연골원개는 *하나의 해부학적 구조물(a single anatomical entity)*이지, 나란히 놓인 2개의 상외측연골과 비중격이 아니다[25]. 술자들이 이를 3개의 구조물로 보기를 더 좋아하며, 비배축소술을 하면 분명히 3개로 나누어지지만, 연골원개는 실제로는 연골낭(cartilaginous capsule)에서 유래된 이음매 없는 하나의 구조물이다. 이러한 관찰이 중요한 이유는, 연골비배축소술(cartilaginous dorsum reduction)이 정상적인 구조물을 영구적으로 파괴하여 3개로 나누어진 구조물을 만듦으로써 역 V형변형(inverted-V deformity)으로 보일 수 있기 때문이다. 이러한 경우, 정상적 코 해부를 재건하기 위하여 반드시 연전이식술(spreader graft)을 시도하여야 한다. 또 다른 중요한 점은 연골비배 모양의 변화이다. 골비배 아래에서는 넓은 'T' 형이지만, 비배점(rhinion)에서는 'Y' 형으로, 그리고 비중격각(septal angle) 가까이에서는 더 좁은 'I' 형으로 점진적으로 바뀐다(그림 2-1C-E). 개방비성형술(open rhinoplasty)을 하는 동안, 골원개에 줄질(rasping)을 하여 연골원개의 연골막 덮개가 들려지면 이러한 변화를 흔히 볼 수 있다. 또, 비성형술을 한 다음, 비배점(rhinion)에서 흔히 보이는 작은 융기(prominence)들과 내비판막각(internal valve angle)에서 일어날 수 있는 집게형변형(pinching)도 이것으로써 설명된다.

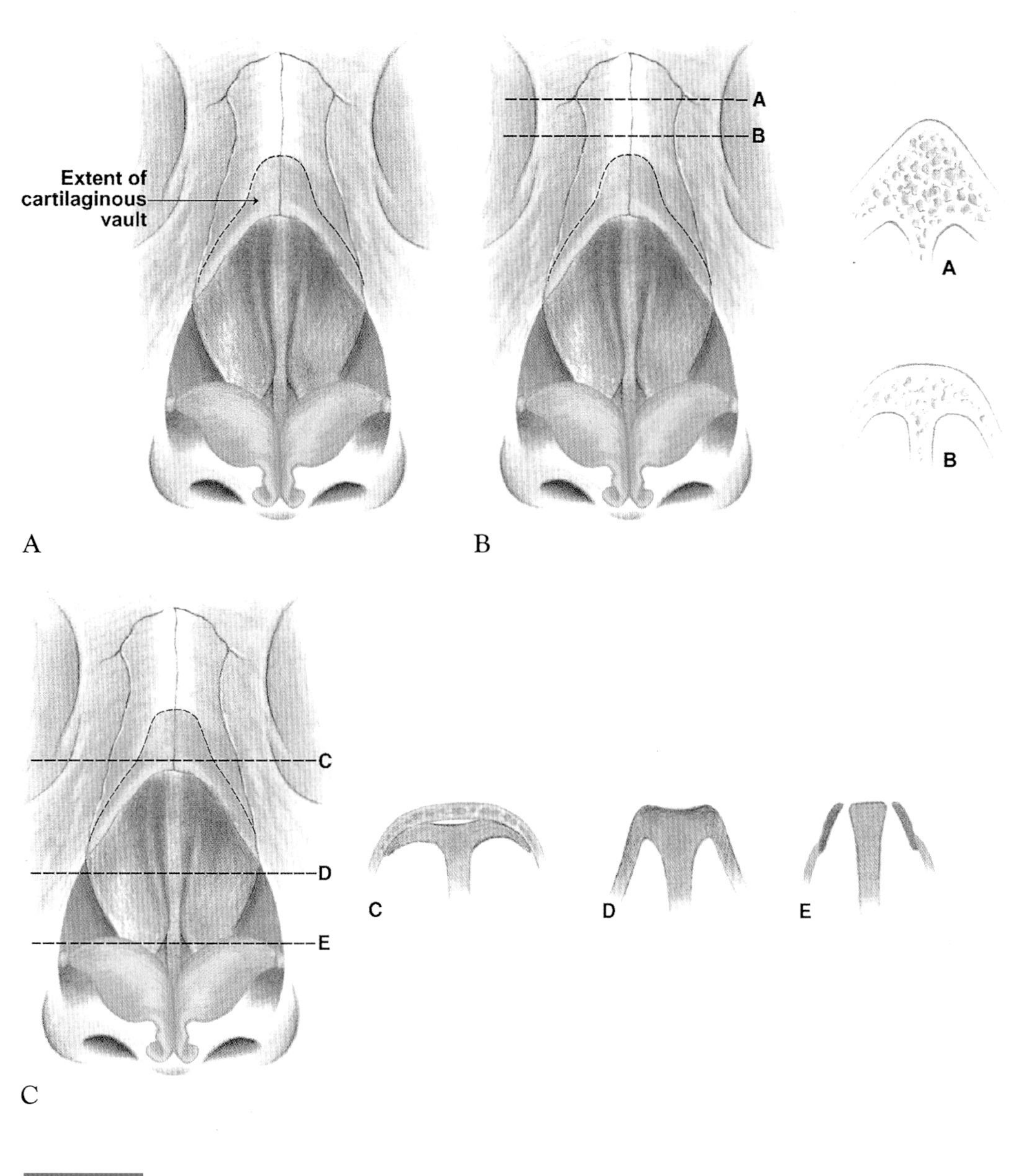


그림 2-1

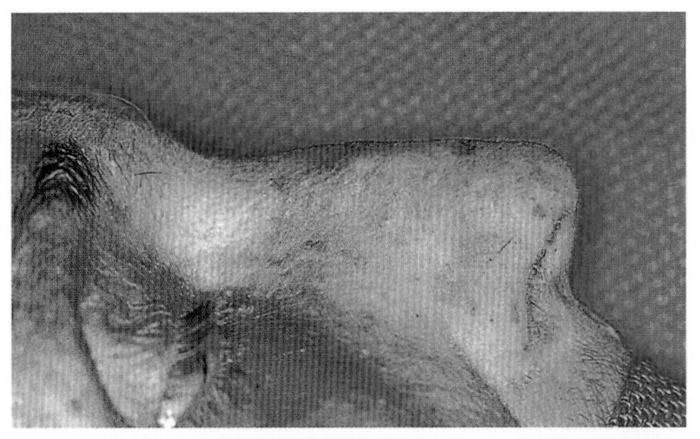
A

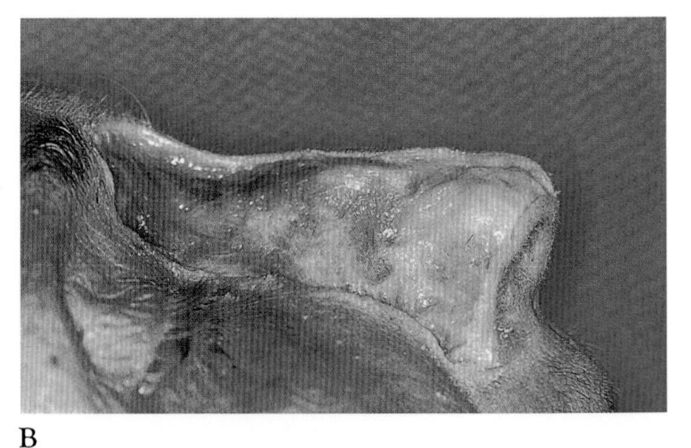
B

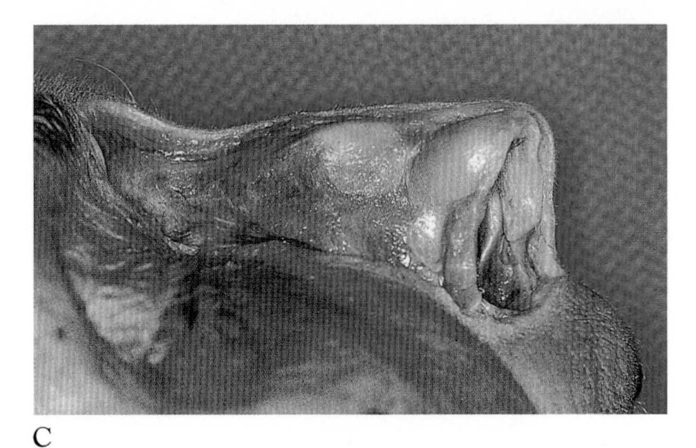
C

그림 2-2

연조직외피(soft tissue envelope)의 두께는 비근의 가장 두꺼운 부분으로부터 비배점(rhinion)의 가장 얇은 부분에 이르기까지, 그리고 상비첨부(supratip area)의 가장 예측 불가능한 부분까지 매우 다양하다. 비근부가 가장 두꺼운데, 이는 주로 근조직, 특히 골-연골원개에서 기시하여 전두부 중앙에 부착하는 비근(procerus muscle) 때문이다. 비배점(rhinion)에서 두께가 가장 얇은 것은 피하지방이 가장 적고, 횡비근(transverse nasalis muscle)의 근섬유가 건막(aponeurosis)으로 대체되었기 때문이다. 상비첨부는 흔히 피하지방으로 채워져 있어서 연골비배의 미측 하강을 감춘다. 이러한 연조직층들은 SMAS(submusculoaponeurotic system)를 구성하고 있다[23]. 상연골막박리(supraperichondrial dissection)를 하면 건막하공간(subaponeurotic space)으로서 가장 무혈관이면서 손상을 가장 적게 받는 층이며, 연조직외피를 일으킬 때마다 아래에 놓인 빛나는 연골을 언제나 볼 수 있어야 한다.

## 미학과 분석

비배는 전면과 측면에서 가장 잘 분석할 수 있다. 전면에서 비배선(dorsal line), 골저폭(base bony width), 그리고 외측비벽경사(lateral wall inclination)를 평가한다. 평행하는 비배선은 안와상릉(supraorbital ridge)의 연속으로서 비근에서 좁으며, 비첨정의점(tip defining point)으로 내려온다(그림 2-3A). 비배선의 이상적인 폭은 흔히 비첨정의점의 폭과 인중주(philtral column)의 폭과 일치한다. 일반적으로, 여성 6-8mm, 남성 8-10mm이다. 정상적 측면을 가진 큰 코를 교정할 때 이러한 치수의 중요성을 알게 된다. 이러한 증례에서 비배폭을 줄이려면 정중선의 양쪽에서 연골비배를 3mm씩 잘라내고, 골원개를 좁히기 위하여 방정중비절골술(paramedian osteotomy)을 한다. 비배점(rhinion)이 넓고 연골원개가 좁을 뿐만 아니라 비배선이 만곡 되고 비대칭인 환자를 흔히 볼 수 있다(그림 2-3B, C, E, F). 비배선의 연속성에서 가시적 변곡(visible break)이 있으면 역V형변형(inverted-V)으로서 비성형술 후 흔히 볼 수 있다. *골저폭(base bony width*, 양쪽의 X점 사이, 전체 폭은 X-X)은 상악골 수준에서 코의 가장 넓은 점 사이이다(그림 2-3D). 이 골저폭은 쉽게 결정할 수 있으며, 측경기(caliper)로써 계측한다. 골저폭(X-X)을 내안각간격(EN-EN)과 비교함으로써 외측비절골술의 필요성과 종류를 결정한다. 골저폭이 내안각간격보다 더 넓으면, 저자는 횡단비절골술(transverse osteotomy)과 저-저위외측비절골술(low-to-low lateral osteotomy)을 사용하여 외측비벽을 완전히 움직이게 한다. 그렇지 않은 증례에서는 간단한 저-고위외측비절골술(low-to-high lateral osteotomy)을 하고 부드럽게 약목비골절술(greenstick fracture)을 한다. 골원개의 *경사(inclination)*를 검사해 보면 드물게는 지나치게 굽거나 수직화(verticalization)된 것을 알게 된다. 그러나 골원개의 비대칭은 일차비성형술의 25% 이상에서 보이며, 이를 술전에 환자들에게 언제나 지적해야 한다. 수년 동안 저자는 꼭 적응증이 되는 증례를 제외하고는 외측비절골술을 하지 말라는 Sheen[35]의 가르침을 따랐다. 그러나 환자들을 추적해 보았을 때 특히 일차비성형술에서 외측비절골술을 하지 않은 환자들의 미학적 결과가 실망스러웠다. 그래서 저자가 하는 외측비절골술의 빈도는 꽤 높으며, 외측비절골술을 하기가 의심스러워서 망설여지면 외측비절골술을 한다. 측면 분석에서 중요한 결정 요소는 *비-안면각(nasofacial angle)*이다. 전형적인 외과 문서들을 보면, 비-안면각은 여성 약 34도, 남성 약 36도가 표준치로서 받아들여지고 있다(그림 2-3G). 이상적 비-안면각(NFA)은 이상적 비근점(Ni)을 지나는 수직선과, 비근점과 이상적 비첨점(Ti)을 이은 선 사이의 각도이다. 만일 비봉이 있으면 비봉을 통과해서 그린다. 최종의 미학적 비배선(aesthetic dorsal line)은 여성의 경우 흔히 오목하며, 남성의 경우 직선이다(그림 2-3H). 비-안면각이 너무 큰 환자들은 자신의 코가 너무 튀어나왔다고 호소하며, 비-안면각이 작은 환자들은 코가 너무 납작하다고 호소한다. 이러한 간단한 미학적 개념조차도 적어도 2가지의 임상적 문제점을 가진다. 즉, 첫째, 비근점과 비근이 낮고 심지어 교정할 수가 없을 정도이면 비-안면각을 낮추게 된다. 둘째, 비-안면각에 관계없이 비배높이가 비교적 이상적일 수 있다. 후자의 전형적인 증례는, 비근이 낮고 비첨이 과소돌출 된 환자로서 그 사이에 있는 비배가 상당히 돌출되어 보인다. 이러한 경우에서는, 비근과 비첨 둘 다에서는 이식술을 하고, 비배에서는 경도의 축소술을 하는 균형수술(balanced approach)을 한다. 이상적 비배높이를 개념화하는 1가지 방법은, 코를 직각삼각형(right angle triangle)으로 보는 것이다. 즉, 측면에서(어떤 수직선으로부터) 비근점은 10mm 전방, 비배중앙(middorsum) 또는 비종석부(keystone area)는 20mm 전방, 비첨은 30mm 전방에 위치한다. 높고 자연스러운 비배를 유지하는 것의 중요성은, 수술 기법을 '비첨에 맞는 비배를 만드는 것(make the dorsum fit the

Dorsal Lines

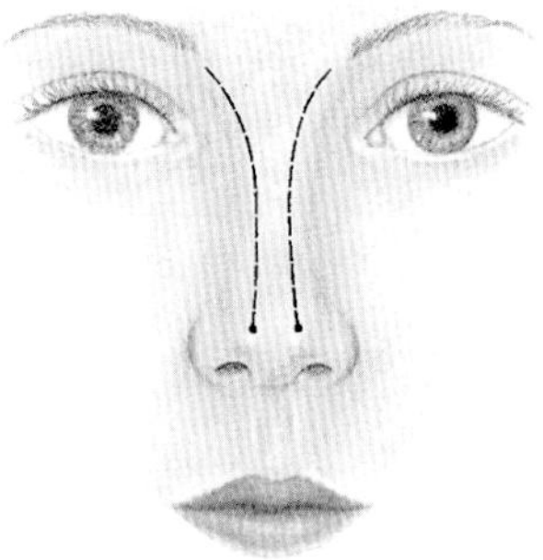

A

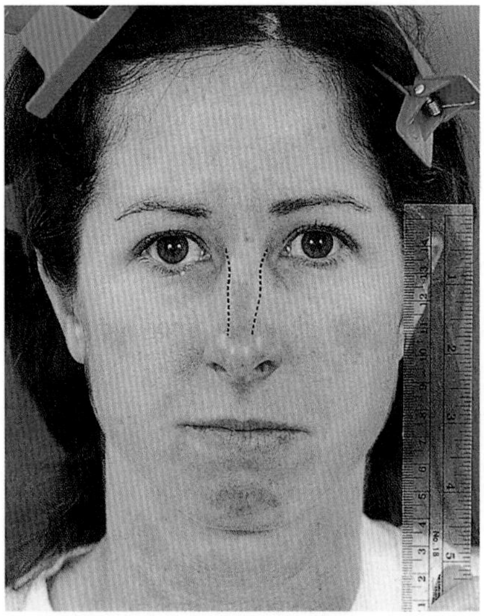

B

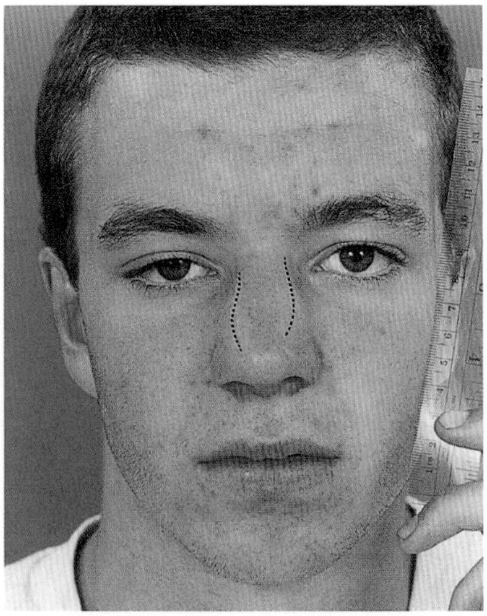

C

Base Bony Width

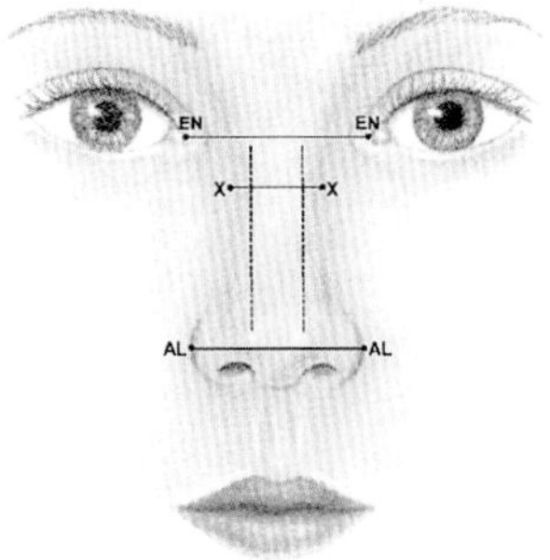
EN
EN
X
X
AL
AL

D

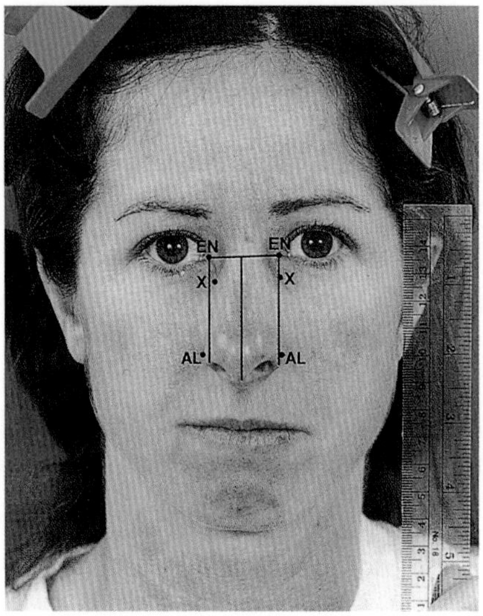
EN
EN
X
X
AL
AL

E

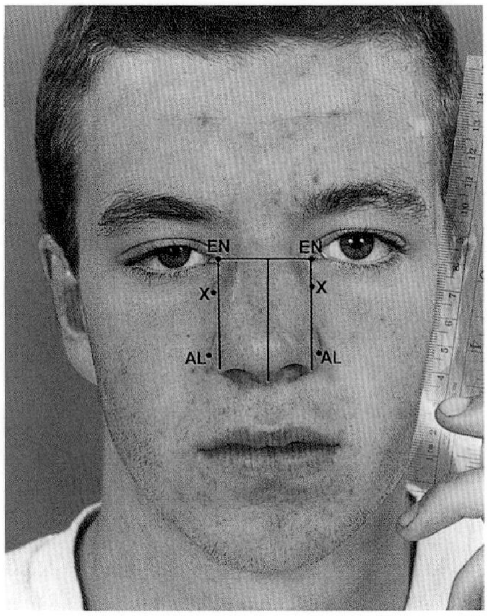
EN
EN
X
X
AL
AL

F

Lateral Analysis

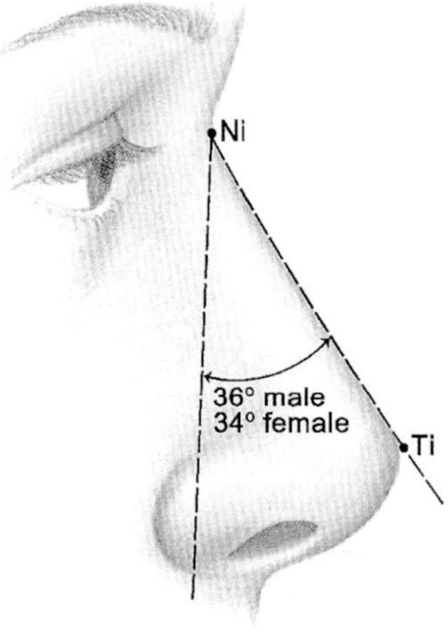
Ni
36° male
34° female
Ti

G

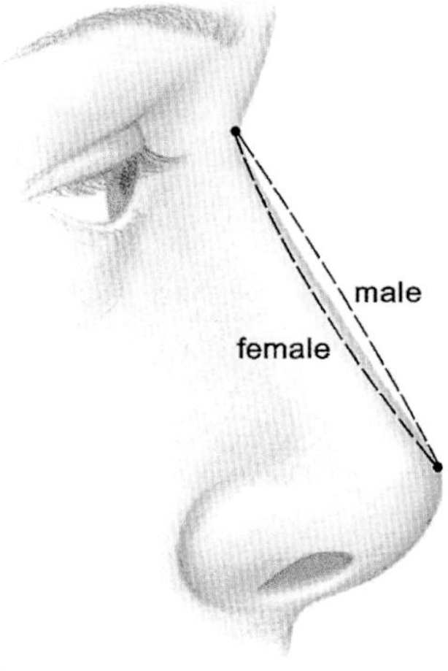
male
female

H

그림 2-3

tip)'으로부터 '이상적인 비배에 맞는 비첨을 만드는 것(make the tip fit the ideal dorsum)'으로 변화시켜야 알 수 있다.

## 수술 기법 (비배, Dorsum)

수술은 통상적인 수술 순서처럼 대개 측면부터 먼저 계획한 다음, 전면에서 계획한다. 첫 번째 단계는 비배에서 축소술, 증대술, 또는 균형술(balanced approach)을 하거나, 아니면 그대로 보존할 지를 결정하는 것이다. 동양인들은 예외이지만, 일차비성형술은 축소술(89%), 변형술(modification, 7%), 증대술(4%)의 순서이다. 비배축소술에서 수많은 수술 도구와 수술 순서를 사용할 수 있지만, 저자는 등급별 점증골줄질(等級別 漸增骨줄질, graded incremental bony rasping)을 한 다음, 11번 수술도로써 연골절제술을 하는 것이 위험을 최소화하는 가장 효과적인 방법이라는 것을 알게 되었다. 연골원개에서는 연골에 가까이 접하도록 조직가위를 위치시켜서 박리하며, 골원개에서는 골막하층에서 Joseph 거상기를 사용하여 연조직외피(soft tissue envelope)를 들어올린다. 그 다음, 연골비봉(cartilaginous hump)을 절제할 때 아래에 놓인 점막을 절단하는 것을 피하기 위하여 대부분의 증례에서 점막외터널(extramucosal tunnel)을 만든다. 날카로운 견인줄(puller rasp)을 정중선에서 먼저 사용한 다음, 점진적으로 양쪽에서 사용한다. 줄질을 계속함에 따라서 다음의 2가지 변화가 나타난다. 즉, 연골비봉이 좀 더 뚜렷하게 나타나며, 한 각도에서 각각의 비골을 따로 줄질할 필요가 있다. 비근점과의 관계를 고려하여 골비배의 높이가 만족스러워질 때까지 줄질을 계속하면 이상적 비배선의 두측 1/2을 얻게 된다(그림 2-4B). 그 다음, 연골비배를 낮춘다. 연골원개를 축소하는 데에는 다음의 2가지 방법이 유용하다. 즉, 횡단일괄축소술(transverse en-bloc reduction)과, 점증성절제술(incremental excision)을 사용한 수직분할술(vertical split)이다. 횡단일괄축소술은 끝을 자른 11번 수술도를 사용하여 연골비봉 전체를 *일괄*절제술(*en-bloc* excision)을 하는 것으로서, 먼저 골과의 접합부에 수술도를 댄 다음 이상적 비배선이 되도록 비중격각(septal angle)까지 자른다(그림 2-4C). 이 방법의 장점은 간단함과 절제해낸 조직을 나중에 이식물로써 사용할 수 있는 것이다. 그러나 이 방법은 개방접근술에서는 바로 보면서 하므로 쉽게 할 수 있지만, 폐쇄접근술에서는 좀 더 어려울 수 있다.

전형적인 *수직분할비봉축소술(vertical split hump reduction)*에서는 점막외터널을 만든 다음, 비중격 양쪽에서 곧은 조직가위(straight scissors)로써 방비중격수직절개술(paraseptal vertical cut)을 하는 것이다. 조직가위의 날(scissor blade)을 연골원개 위에 걸터앉힌 다음, 절개하면 좁은 비중격, 굽은 비배연(dorsal edge)을 가진 2개의 상외측연골(upper lateral cartilage) 등의 3부분이 생긴다(그림 2-4D, F). 그 다음, 조직가위를 가로로 돌려서 연골원개의 3부분을 각각 점증축소술시킨다(그림 2-4E-H). 이때 연조직외피를 두측으로 견인하면 상외측연골이 인위적으로 높이 들어올려지는 경향이 있음을 알고 있어야 한다. 이러한 수직분할술의 장점은 폐쇄접근술을 사용할 때 하기가 더 쉬운 것이다. 골원개의 줄질과, 비중격 및 상외측연골의 최소한의 절제술이 추가로 필요할 수 있다. 저자가 통상적 사용을 권장하지 않는 1가지 방법은 절골도를 사용하는 일괄비봉절제술(en-bloc hump removal)로서, 골원개를 과대절제하며 연골원개를 과소절제할 위험이 있기 때문이다. 점증절제술을 사용하면 비배축소술을 세밀하게 조정할 기회가 적어도 3번 있다. 즉, 최초 절제술 중에 1번, 최소한의 절제술 동안에 1번, 그 다음 비절골술을 마치고 나서 1번의 기회가 있다.

*연전이식술(spreader graft)*이 이차비성형술에서 사용된 데 이어서 일차비성형술에서도 내비판막붕괴(internal valvular collapse)를 치료하거나 방지하기 위하여 사용되었다[34]. 저자는 대부분의 일차비성형술에서 연전이식술의 기능적 측면과 미학적 측면을 똑같이 강조하면서 널리 사용하고 있다. 저자는 연전이식술이 연골원개의 폭을 유지하며, 비대칭을 감소시키는데 대단히 유용함을 알게 되었다. 기법적으로 고려할 점들은 다음과 같다. 1) 비중격점막은 골원개 아래에서 높게 최소한으로 일으킨다. 2) 이식물은 적어도 길이 25mm, 높이 3mm이어야 하며, 폭은 미학적 요구에 의하여 결정 한다. 3) 터널은 상외측연골과 비중격의 접합부 가까이에서 시작하여 골원개 아래로 연장되도록 만든다. 4) 연전이식물의 끝이 가는 한쪽을 포켓으로 넣은 다음, 25번 경피주사침(percutaneous needle)으로써 이식물을 제 자리에 붙들고 있게 한다. 6) 5-0 PDS봉합

Incremental Hump Reduction

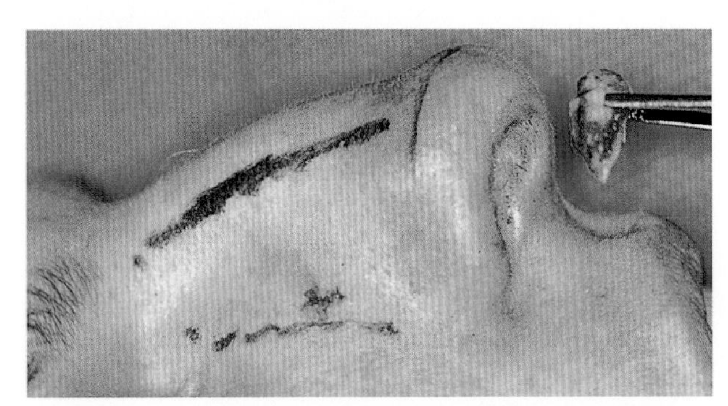

A

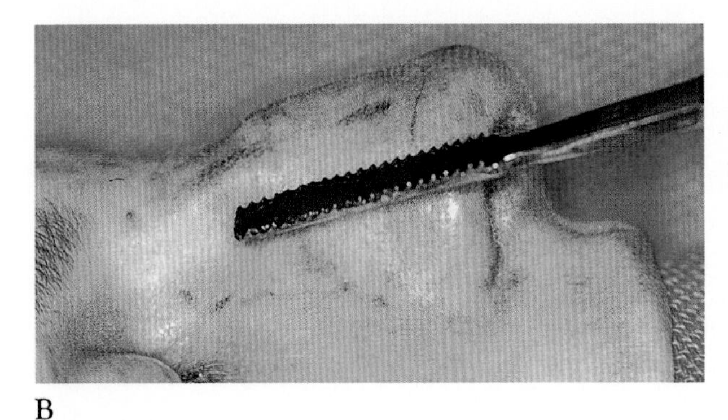

B

C

그림 2-4

Split Hump Reduction

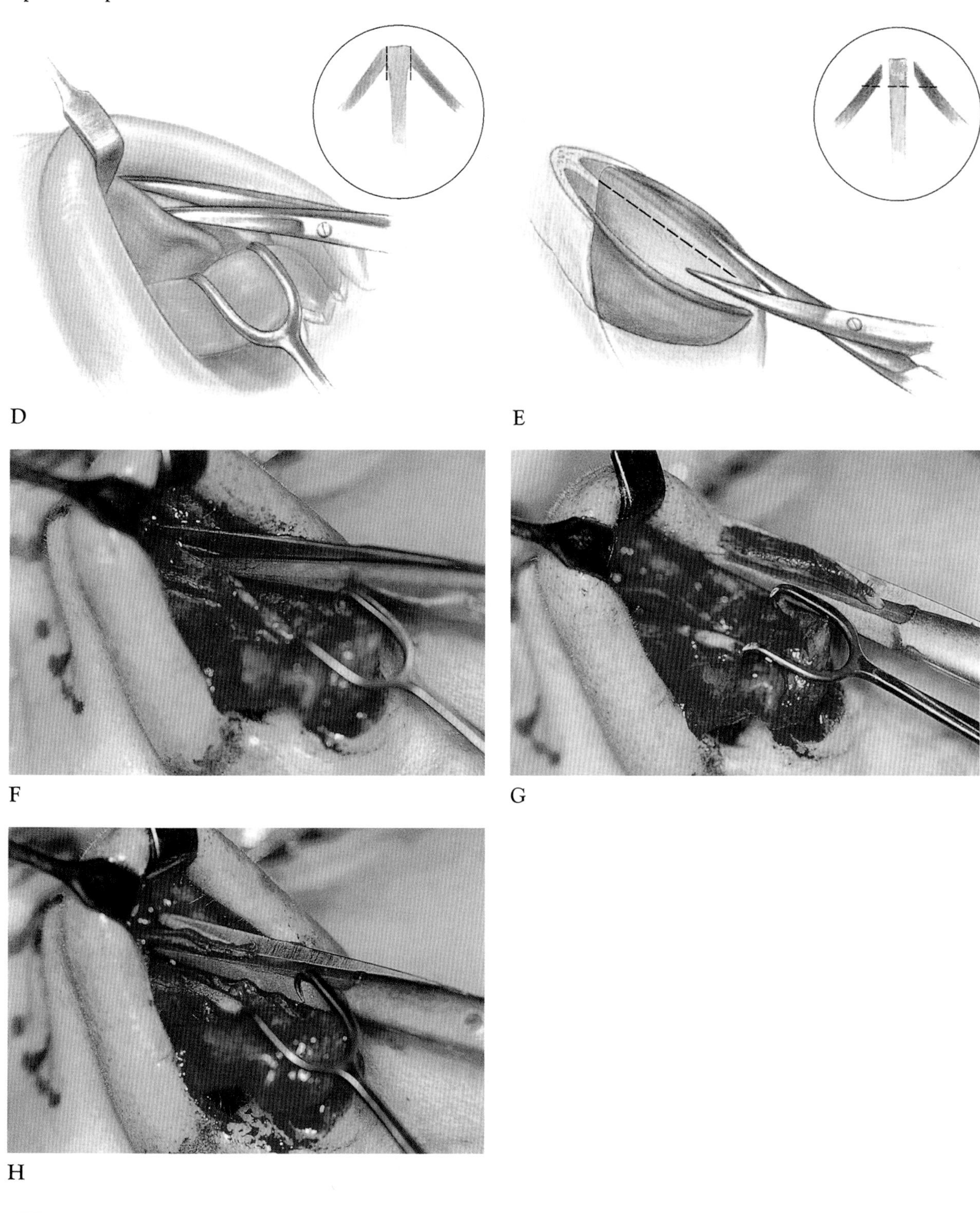

D E

F G

H

그림 2-4. 계속

Spreader Grafts

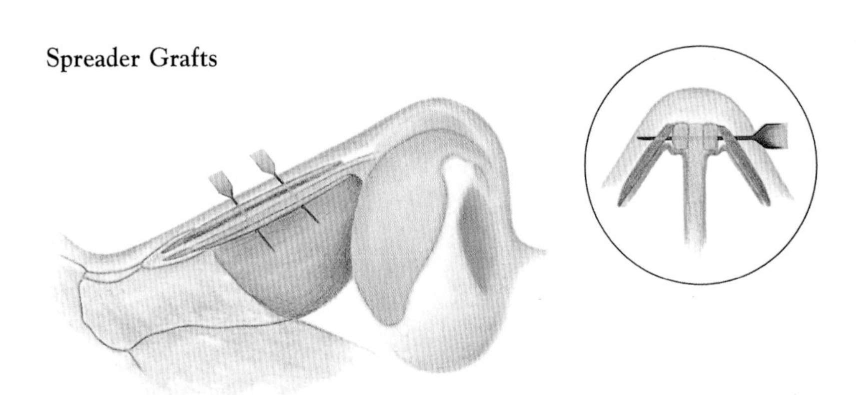

I

J

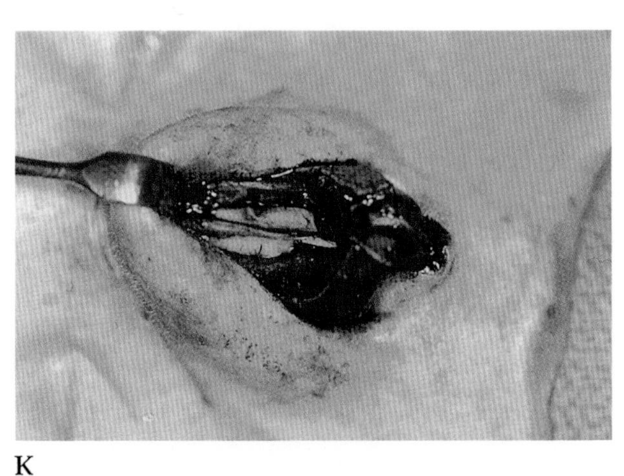

K

그림 2-4. 계속

사를 사용한 2개의 수평봉합술(horizontal suture)로써 이식물을 제 자리에 고정한다. 연전이식물의 두측부를 건재한 골원개 아래에 놓거나, 잘 만든 점막하터널 안에 놓음으로써 술후 변위와 가시성을 피하도록 한다. 일반적으로, 저자는 양측 연전이식물과 비중격 등의 3층을 봉합하기를 더 좋아하지만, 때로는 상외측연골, 양측 연전이식물, 그리고 비중격 등의 5층을 봉합하기도 한다. 이론적으로는 외측비절골술을 한 다음에 연전이식술을 하는 게 옳지만, 저자는 외측비절골술을 하기 전에 연전이식술을 하는 경향이 있다. 특히, 폐쇄접근술에서 혈액이 스며 나오는 가운데에서 봉합하기란 기법적으로 힘들기 때문이다. 이식물을 제 자리에 봉합하지 못하면 나중에 드레싱 할 때 돌출되거나 술후에 때때로 변위될 수 있다.

## 수술 기법(비절골술, Osteotomies)

소수만 제외하고, 비절골술의 종류는 술전에 결정할 수 있으며, 술중에 변경하지 않고 시술할 수 있다. 수년 동안 외측비절골술은 목적보다는 부위나 수준에 의하여 분류되었다. 그러나 첫째로, 골저폭(base bony width)을 좁히기 위하여 외측비벽(lateral nasal wall)을 얼마나 많이 *이동(movement)*시켜야 하는 지가 중요한 결정 요소이다. 많이 이동시킬 필요가 있으면 특히 횡단부를 따라서 골을 분리시키는 *완전비절골술(complete osteotomies)*이 필요하다. 반대로, 좀 더 제한적인 원위부 이동(distal movement)만 필요하면 횡단부를 따라서 하는 *약목비골절술(greenstick fracture)*로써 충분하다. 둘째로, 외측비절골술은 골저폭의 가장 넓은 점(X-점) 아래에서 하여야 한다. 이러한 요소에 따라서 저자가 한 비절골술의 95%를 다음과 같이 2가지 유형으로 나눌 수 있다. 1) 저-고위외측비절골술(low-to-high osteotomy)을 한 다음, 수지압박술로써 횡단약목비골절술을 한다(그림 2-5A). 2) 횡단비골절술(transverse osteotomy)을 한 다음, 저-저위외측비절골술(low-to-low osteotomy)을 하여 연속적 절골술과 완전한 이동이 되도록 한다(그림 2-5C). 저자는 외측비절골술을 내비접근술(intranasal approach)로써 하는데, 그 이유는, 구강내접근술(intraoral approach)은 너무 낮으며 구부릴 수 없으며, 경피접근술(percutaneous approach)은 분절성 골교(segmental bony bridge)와 피부에 구멍을 지나치게 많이 만들기 때문이다.

저자는 비절골술을 하기 직전에 국소마취제를 수술 부위에 다시 주사하며, 골막터널(periosteal tunnel)을 일으키지는 않는데, 그 이유는 혈관을 크게 손상시킬 위험이 있기 때문이다. 작은 검경(speculum)을 이상구(pyriform aperture)에 걸터앉혀 놓고 횡단점막절개술(transverse mucosal cut)을 한다. 저-고위외측비절골술을 할 때 저자는 약간 굽은 절골도(*curved* osteotome)를 사용하며, 이상구에서 낮게 위치시킨다(그림 2-5B). 그 다음, 조수가 연이은 속도(sequenced pace)로써 가볍게 두드리면 절골도는 이상구의 낮은 곳으로부터 상악골의 전두돌기를 지나서 내안각(medial canthus) 수준의 비골봉합선에서 멈춘다. 이때 두개골저(skull base)까지 절골할 필요는 없다. 그 다음, 저자는 외측비절골술에서 열린 지붕(open roof)까지 얇은 비골을 가로 지르는 횡단비골절술(transverse fracture)을 엄지손가락을 사용하여 한다. 외측비벽은 다음의 2가지 일을 한다. 즉, 외측비벽은 내측으로 이동하면서 약목비골절선을 따라서 경첩(hinge)되며, 또 외측비벽의 비배부와 함께 기울어서 열린 지붕을 닫는다.

더 큰 이동이 필요하면 저자는 2부위동시비절골술(two-part combined osteotomy)을 한다(그림 2-5C, D). 즉, 먼저 경피비절골술(transverse percutaneous osteotomy)을 한 다음, 저-저위외측비절골술을 한다. 15번 수술도로써 내안각(medial canthus) 바로 위에 수직 자절(刺切, stab incision)을 만든 다음, 2mm 절골도를 사용하여 내안각 바로 위에서부터 열린 지붕까지 외측비벽을 가로로 완전히 골절시킨다. 그 다음, 곧은 절골도(*straight* osteotome)를 사용하여 저-저위외측비절골술을 한다. 이때 비절골술은 본질적으로 상악골의 전두돌기의 기저를 따라 해야지, 저-고위외측비절골술에서처럼 상행 방식(ascending fashion)으로 상악골 전두돌기를 가로 질러서는 안 된다. 일단 전에 해둔 횡단비절골술의 수준에 도달하면 절골도를 내측으로 회전시킴으로써 외측비벽을 내측으로 밀어 넣어서 최대한 이동시킨다. 횡단비절골술을 하는 이유는 두꺼운 상악골 전두돌기를 바람직한 수준에서 확실하게 부러뜨린 다음, 분리시켜서 완전히 이동시키기 위함이다.

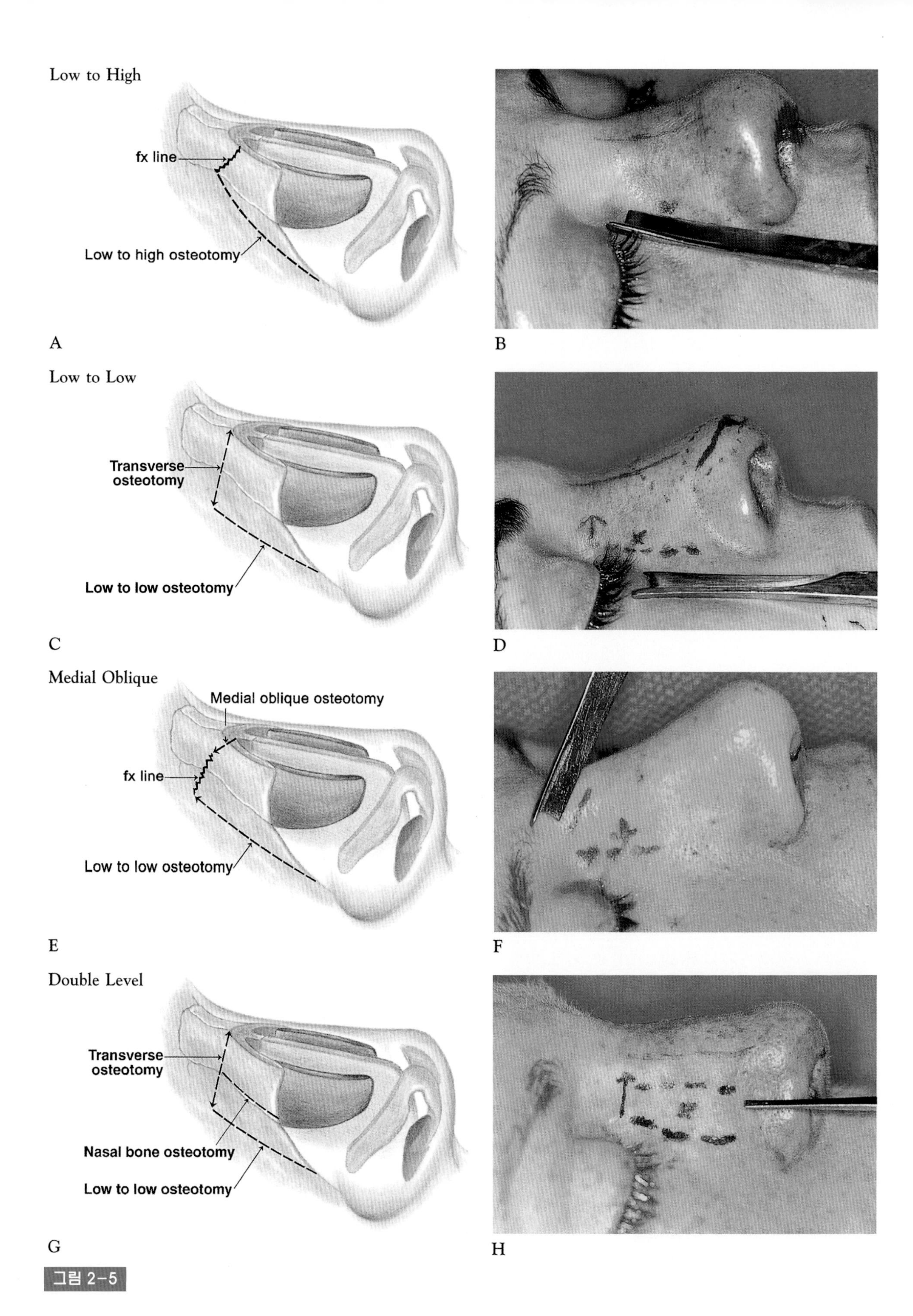
Low to High
fx line
Low to high osteotomy
A
B
Low to Low
Transverse
osteotomy
Low to low osteotomy
C
D
Medial Oblique
Medial oblique osteotomy
fx line
Low to low osteotomy
E
F
Double Level
Transverse
osteotomy
Nasal bone osteotomy
Low to low osteotomy
G
H

그림 2-5

앞서 언급한 2가지 종류의 비절골술로써 문제점의 95%를 해결한다. 내측비절골술(medial osteotomy)이나 외골절술(out fracture)은 하지 않는다. 내측비절골술을 배제함으로써 골의 불규칙성과 중증 출혈의 빈도를 낮추었다. 전형적인 외골절술은 전혀 필요하지 않는데, 이는 비골의 과대한 이동(mobility)과 수직화(verticalization)를 초래할 뿐이다. 때로는 내측사선비절골술(medial oblique osteotomy), 이중수준비절골술(double level osteotomy), 방정중비절골술(paramedian osteotomy), 미세비절골술(micro-osteotomy)과 같은 다른 비절골술들이 필요할 수 있다. 내측사선비절골술은 넓은 골비배를 좁히기 위하여 고안되었으며, 저-저위외측비절골술과 함께 한다(그림 2-5E, F). 굽은 절골도를 열린 지붕의 두측 단에 위치시킨 다음, 내안각을 향하여 미측으로 절골한다. 이중수준비절골술은 동시에 하는 저-저위외측비절골술과 평행하도록 비골의 외측 경계를 따라서 하는 비절골술과, 저-저위외측비절골술로서 구성된다(그림 2-5G, H). 이때 목표는 볼록한 외측비벽을 줄이는 것이다. 더 높은 곳의 비골절골술(nasal bone osteotomy)부터 먼저 하여야 한다. 방정중비절골술은 비배높이를 변화시키고 싶지 않은 넓은 코에서 사용한다. 미세비절골술은 2mm 절골도로써 하며, 비골에 내재하는 비대칭이나 불규칙을 교정하기 위하여 하거나, 외측비절골술 후에 때때로 발생하는 돌기(prominence)를 교정하기 위하여 한다.

## 증례 연구 완전한 이동(Complete Mobilization)

### 분석

168cm 키의 14세 여성으로서 자신의 코를 더 작고 덜 두드러지게 만들기를 원하였다. 저자는 이전에 이 소녀의 어머니와 언니의 비성형술을 하였었다. 그녀를 따로 면담하여 수술 동기를 철저히 질문한 다음, 나중에 어느 정도 성장할 가능성이 적으나마 있다는 단서를 달고서 수술하기로 결심하였다. 미적 문제점들은 뚜렷하였다. 측면에서 비배비봉이 있었으며, 전면에서 골저(bony base)와 비첨이 넓었다. 비교(nasal bridge)가 지나치게 넓고, 비배절제술이 비근점 쪽으로 높게 연장될 수 있기 때문에 저자는 완전한 이동을 위하여 내측사선비절골술(medial oblique osteotomy)과 저-저위외측비절골술을 하기로 결심하였다. 이렇게 하면 코도 바람직한 수준으로 좁힐 수 있을 것이다. 폐쇄접근술을 선택하였다.

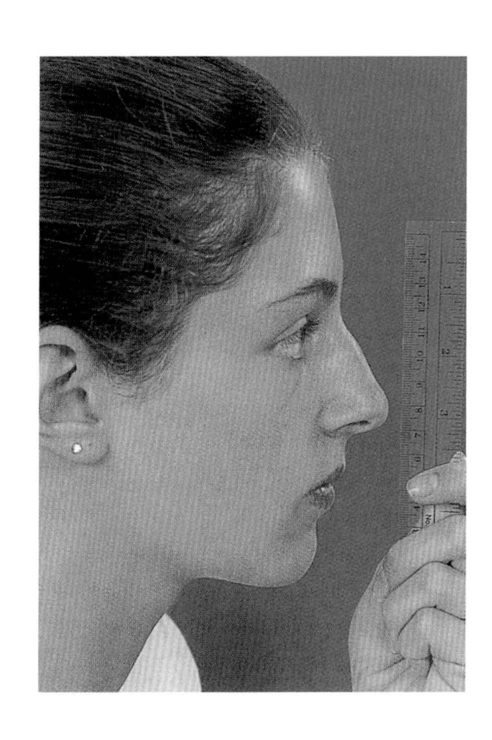

## 외과 수기

1. 연골내절개술로써 용적축소술(volume reduction). 두측외측각(cephalic lateral crura) 절제술.
2. 연조직외피 및 점막외터널 거상술.
3. 비배축소술: 줄질로써 골 2mm (그림 2-6B), 11번 수술도로써 연골 4mm(그림 2-6C).
4. 2mm의 미측비중격상부1/2절제술을 함으로써 추가적 비첨회전.
5. 완전한 이동을 위한 내측사선비절골술(medial oblique osteotomy)과 저-저위외측비절골술.
6. 모든 절개선의 봉합술.
7. 비공상(nostril sill) 및 쐐기형비익(alar wedge) 동시절제술: 우측 각각 2mm, 2mm; 좌측 각각 3mm, 3mm.

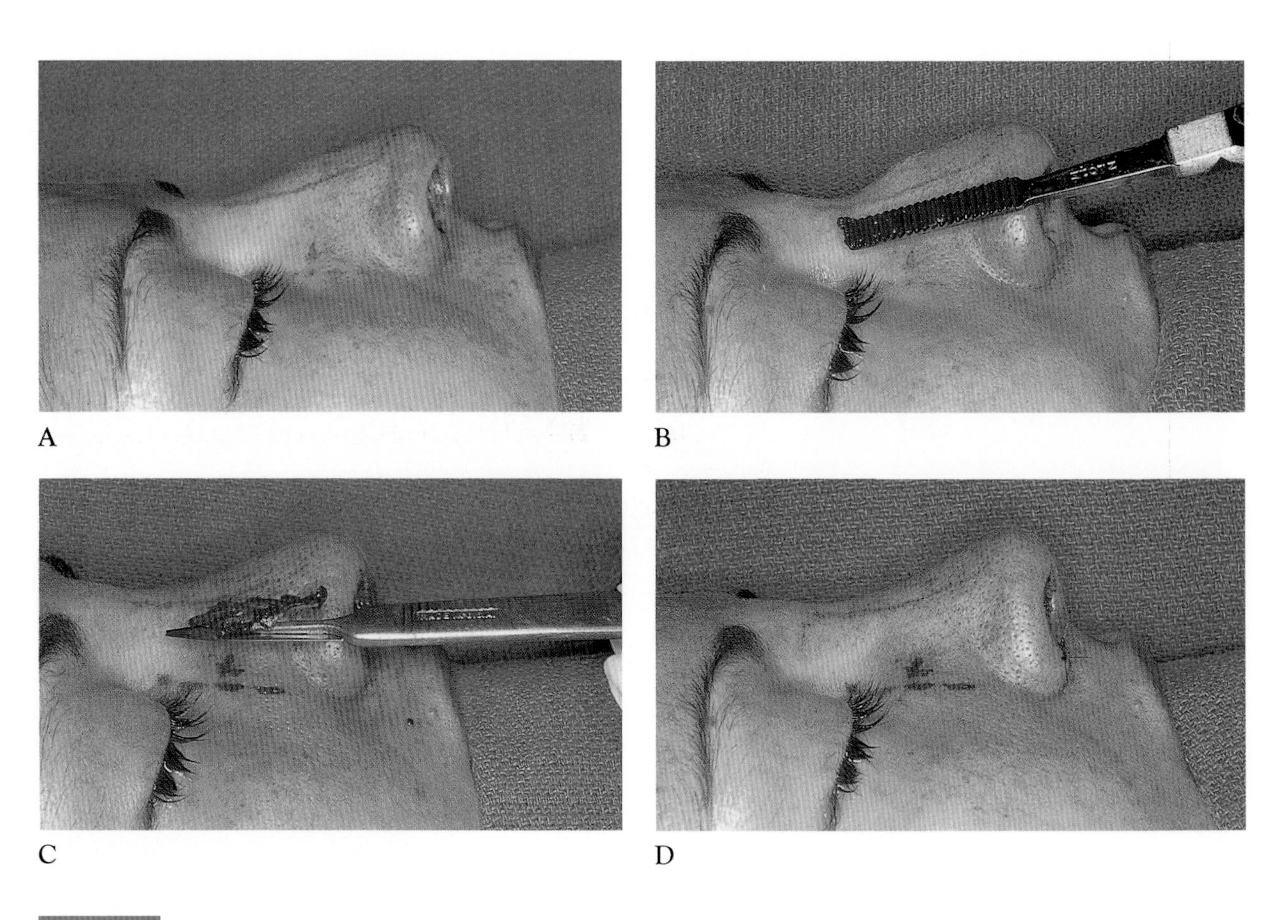

A B C D

그림 2-6

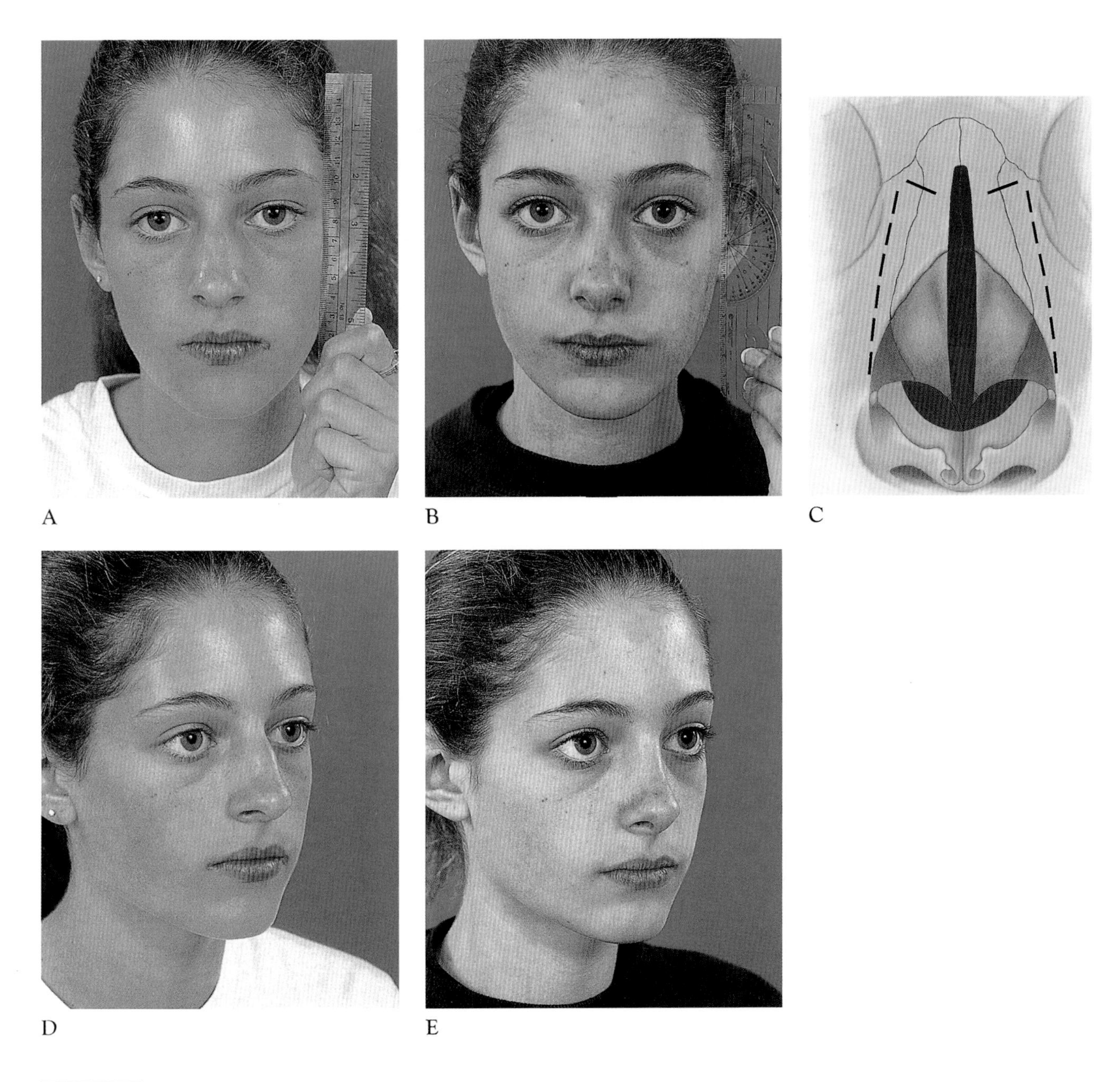


그림 2-7

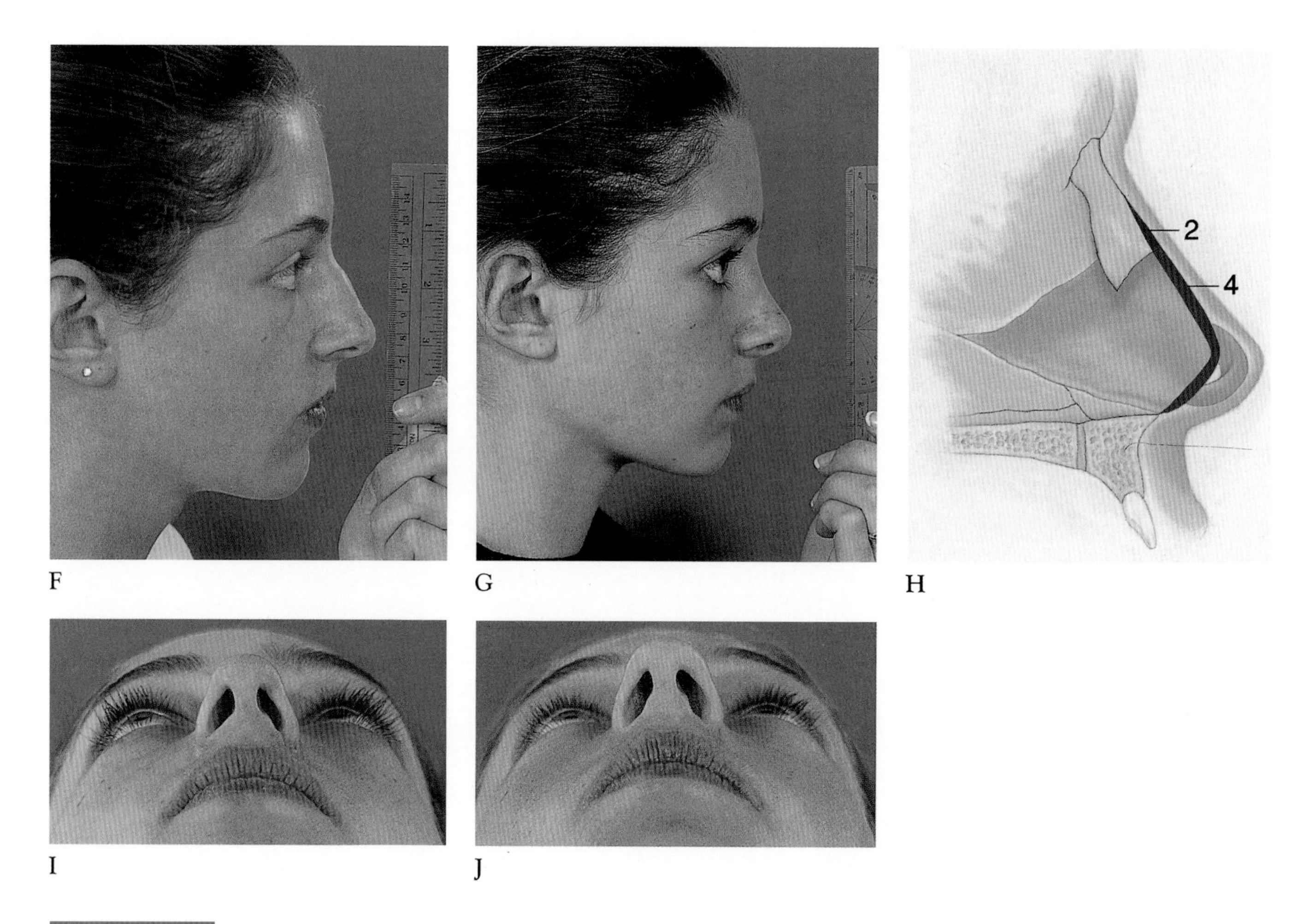


그림 2-4. 계속

## 논평

술후 1년에, 바람직한 측면을 얻었으며, 전면에서 골저폭이 더 좁아져 보였다(그림 2-7). 더 부드럽고 더 여성다운 코가 되었다. 이 증례는 기능적 요소가 없고 연전이식술(spreader graft)을 하지 않은 점이 색 달랐다. 이 수술은 원래 비첨용적축소술, 비배축소술, 그리고 비절골술을 하는 간단한 3단계 비성형술이었다. 골-연골원개(osseocartilaginous vault)의 처치는 최종 결과에서 중요하다.

## 좁고 비대칭인 비배 (Narrow Asymmetric Dorsum)

좁고 비대칭인 비배는 비중격이나 심지어는 외측각뿐만 아니라 비배나 골원개의 외측비벽에도 문제점이 있을 수 있기 때문에 조심스럽게 분석하여야 한다. 더욱이, 비배축소술을 하고나면 더 큰 만곡까지도 드러나므로 이러한 문제점들이 더 나빠질 수 있다. 수술 순서는 다음과 같다. 1) 비배변형술(dorsal modification), 2) 비중격바루기(septal straightening), 3) 비절골술, 4) 비대칭 및 일측 연전이식술(spreader graft), 5) 상외측연골 위에 해부학적 중첩이식술(onlay graft), 그리고 6) 비첨변형술(tip modification). 중요한 단계는 가능한 한 곧은 비중격을 만들고, 이식물로써 필요한 연골을 채취하는 것이다. 대부분의 *경증(minor)* 변형에서는 폭이 서로 다른 비대칭의 연전이식물로써 비배선(dorsal line)의 대칭을 얻을 수 있다(그림 2-8A, B). *중간증(moderate)* 변형에서는 상외측연골을 본 떠서 해부학적으로 도안한 외측비벽이식물(lateral wall graft)을 형성저하(hypoplastic)된 상외측연골에 흔히 봉합하여야 한다(그림 2-8C, D). 이러한 이식술의 어려운 점은 과대한 두께와 가시성이다. *중증(major)* 변형에서는 좀 더 대칭인 외측비벽을 만들기 위하여 도안된 정밀한 비절골술을 흔히 추가하여야 한다. 기본적으로 중요한 것은, 환측을 수술하지 않은 건측에 맞추려는 불가능한 수술 과업을 하기보다는 양쪽이 일치하지는 않지만 중간쯤에서 조화를 이루게 하는 것이다.

Asymmetric Spreaders

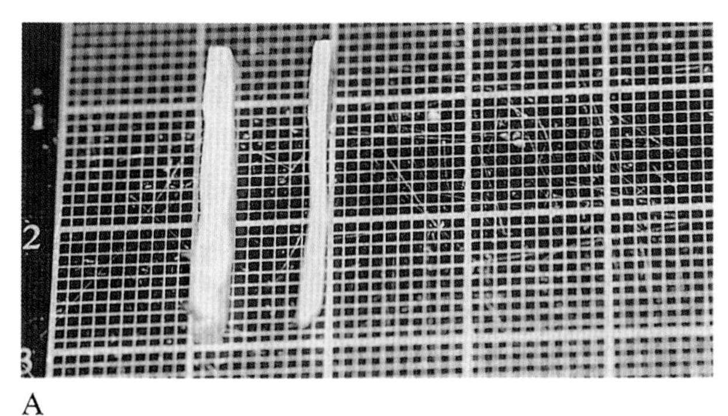

A

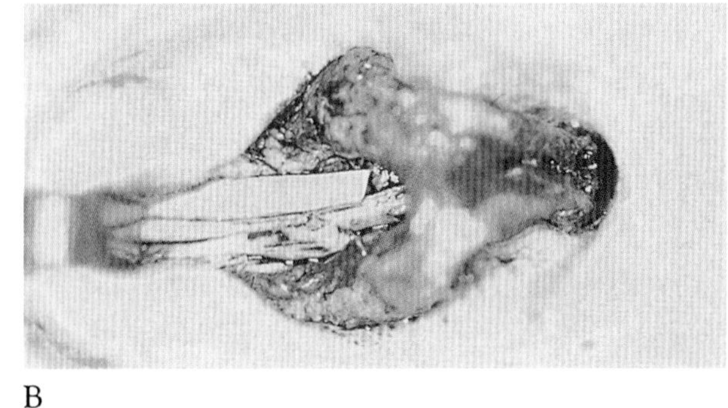
B

Upper Lateral Onlay Graft

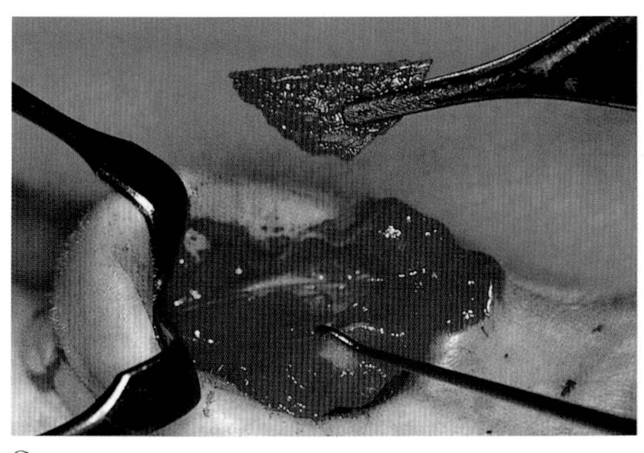
C

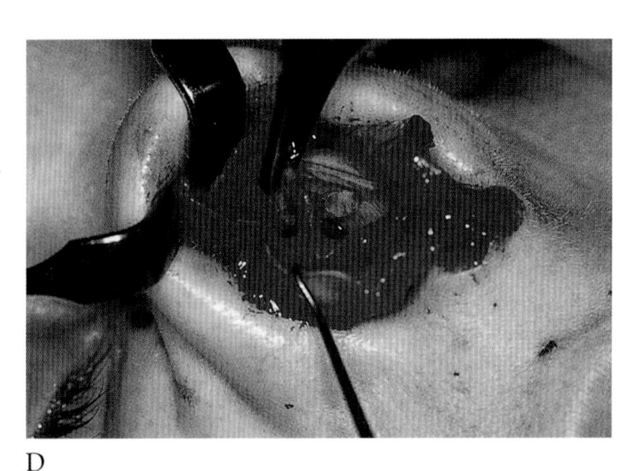
D

그림 2-8

## 증례 연구 비대칭의 좁은 코(Asymmetric Narrow Nose)

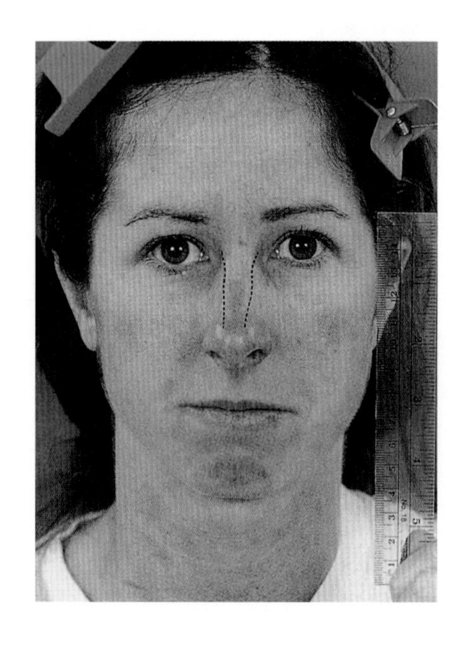

### 분석

36세, 158cm 키의 가정주부로서 자신의 코, 특히 측면이 마음에 들지 않는다고 호소하였다. 구체적으로, 그녀는 자신의 코가 너무 크며, 측면에서 비봉이 있다고 느꼈다. 또, 코가 우측으로 만곡 되어 보였다. 세밀한 내비검사 결과, 비중격 중간부가 굽었지만, 미측비중격만곡(caudal septal deviation)은 거의 없었다. 후자는 미측비중격단축술(caudal shortening)로써 교정될 것이다. 비대칭발육만곡비(ADDN, asymmetric developmentally deviated nose)로 진단하였다. 특별히 관심을 가진 것은 골원개와 연골원개 둘 다의 비대칭이었다. 저자는 좌측에서는 이중수준비절골술(double level osteotomy)을 하여 볼록한 외측비벽을 줄이고, 우측에는 횡단비절골술(transverse osteotomy)과 저-저위외측비절골술을 하기로 결정하였다. 연골원개에서는 폭이 비대칭인 연전이식물을 사용하여 차이를 최소화할 것이다. 턱끝증대술(chin augmentation)을 권고하였으며, 환자도 동의하였다. 내재 비첨(intrinsic tip)은 훌륭하므로 폐쇄접근술을 선택하였다.

### 외과 수기

1. 경연골절개술(transcartilaginous incision)을 통한 외측각2/3용적축소술(volume reduction).
2. 점증비봉축소술(incremental hump reduction): 줄질로써 골비봉 2mm, 11번 수술도로써 연골비봉 4mm 절제술(그림 2-9A).
3. 미측비중격단축술(미측 비중격 6mm, 점막 2mm). 전비극(anterior nasal spine)은 최소한으로 깊게 함.
4. 비중격성형술(septoplasty)로써 비중격 중앙의 변형을 절제하여 연전이식물로서 사용.
5. 비대칭연전이식술: 우측 1.5mm, 좌측 3mm(그림 2-9B).
6. 좌측에서 이중수준비절골술(double level osteotomy): 비-상악골봉합선(nasal maxillary suture line)에서 직선비절골술(straight osteotomy)을 한 다음, 저-저위외측비절골술과 횡단비절골술.
7. 우측에서는 횡단비절골술과 저-저위외측비절골술.
8. 모든 절개선의 봉합술. 내비부목 넣기. 외비부목 대기.
9. 비성형술 전에 중간 크기의 연장형턱끝삽입물(extended chin implant)로써 턱끝증대술(chin augmentation)을 하였음.

A

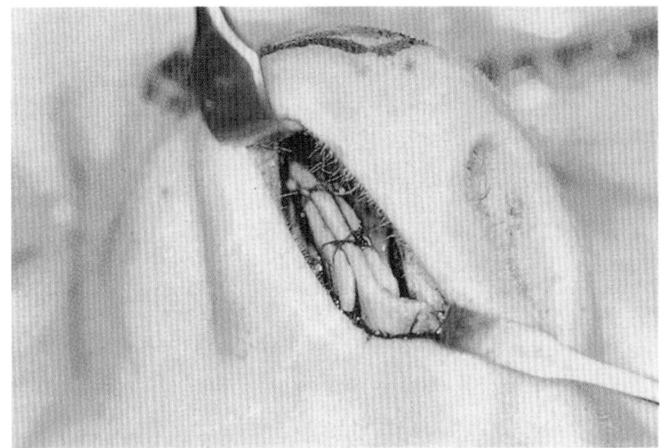

B

그림 2-9

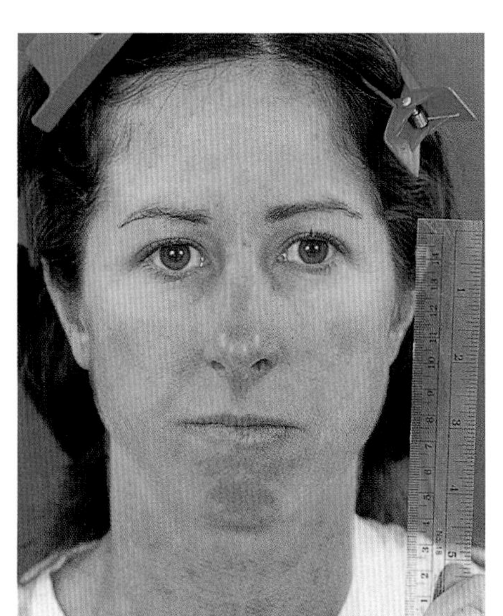

A

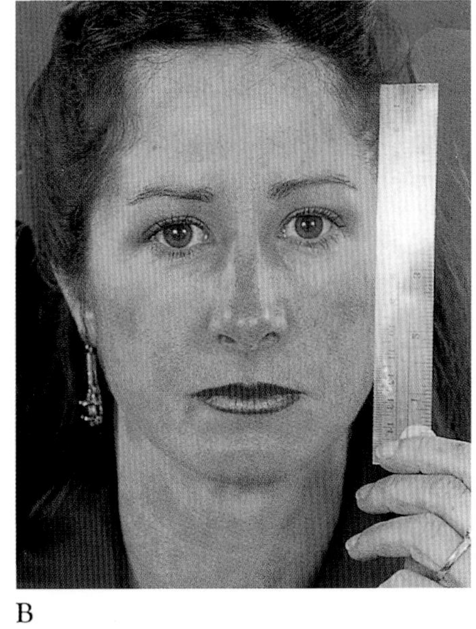

B

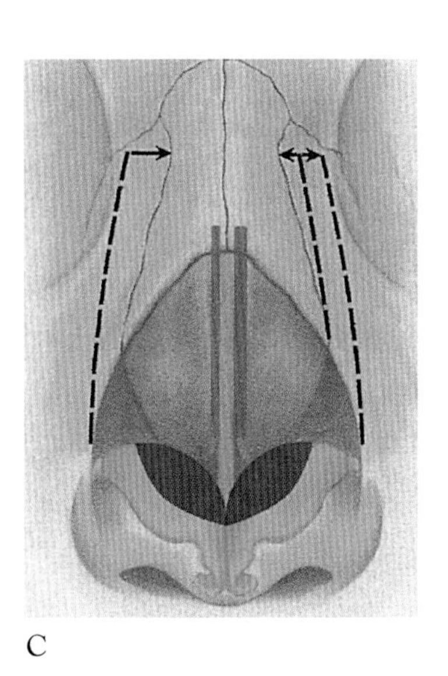

C

D

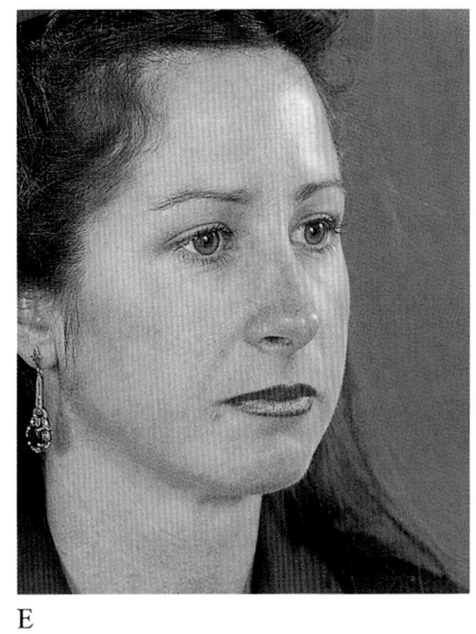

E

그림 2-10

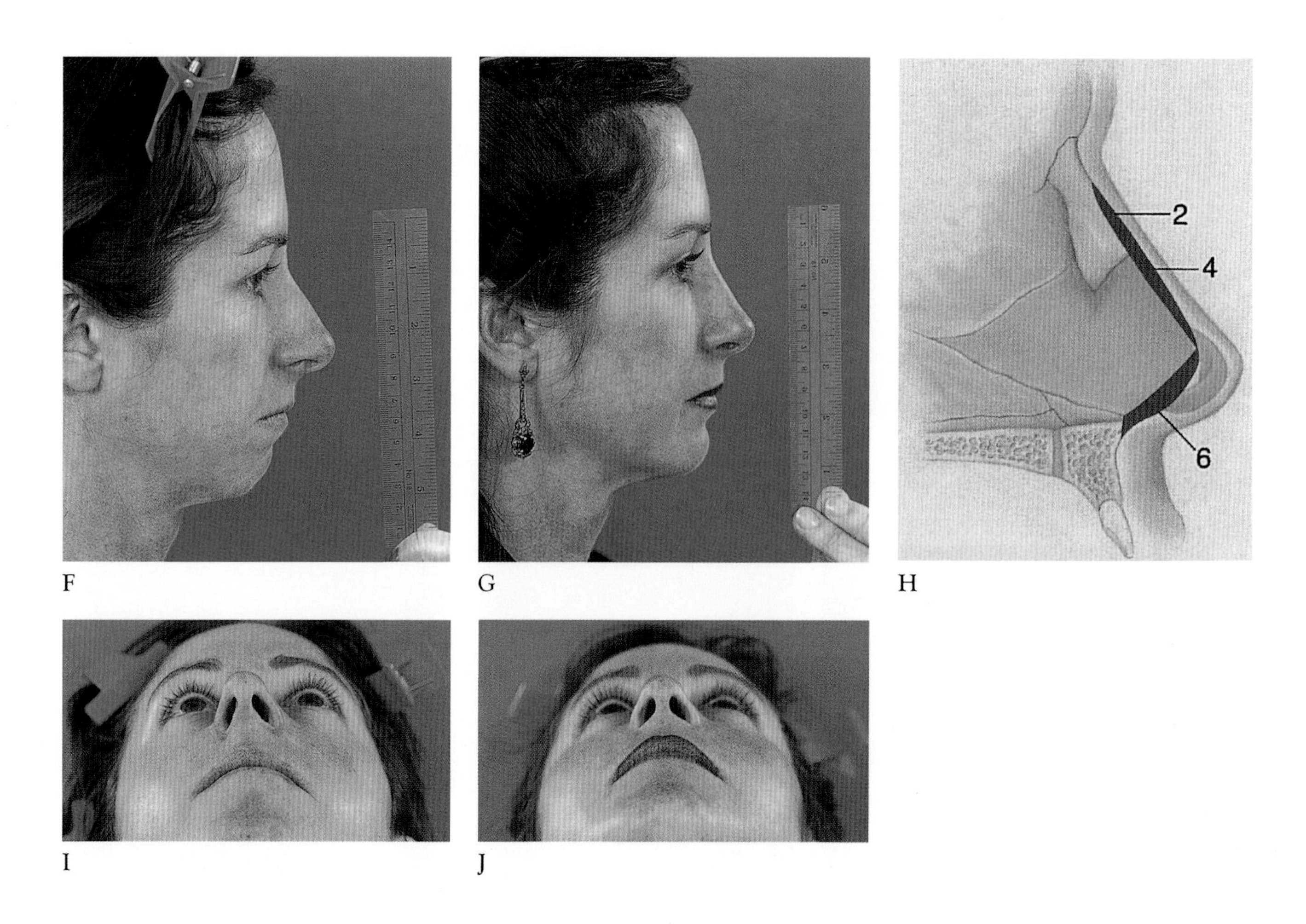


F G H I J

그림 2-10. 계속

## 논평

이 증례를 난제로 만들었던 것은 골원개와 연골원개 둘 다의 선천성비대칭이었다(그림 2-10). 만곡 된 모습은 이러한 비대칭적 구성 요소에 의한 것이었으며, 중증의 비중격만곡은 없었다. 비대칭의 연전이식물이 비배를 곧게 복원하기는 했어도, 비절골술의 선택이 코 전체의 비대칭을 줄이는데 중요하였다. 저자는 비공의 가시성을 줄이기 위하여 비공상절제술을 권고하였지만, 환자는 눈에 띄는 반흔의 가능성을 원하지 않았다.

## 넓은 비배 (Wide Dorsum)

넓은 비배는 대부분의 축소비성형술에서 비봉을 축소시키고 외측비벽을 내골절(infracture)함으로써 간단하게 교정한다. *경증*의 넓은 비배에서 저자는 비봉축소술에다가 횡단비절골술과 저-저위외측비절골술을 함으로써 폭을 좁힌다. *중간증*의 넓은 비배에서는 저자는 먼저 비봉축소술을 한 다음, 열린 지붕에서 약 45도로 내측사선비절골술을 하고 뒤이어서 저-저위외측비절골술을 한다. 내측사선비절골술을 하는 이유는 저자가 원하는 수준에서 비배를 확실히 좁힐 수 있기 때문이다. *중증*의 넓은 비배를 가지면서, 특히 *정상적 비배높이*를 가진 증례에서 저자는 다음과 같은 수술법을 고안하였다. 1) 개방접근술로써 비배를 노출하고, 점막외터널을 만든다. 2) 정중선을 표시한다. 3) 골-연골원개에 이상적인 비배폭을 5-8mm로 표시하는데, 이는 피부 두께 1-2mm를 공제한 것이다. 4) 연골원개를 따라서 비종석부(keystone area)까지 방정중절개술(paramedian cuts)을 한다(그림 2-11A). 5) 곧은 보호절골도(straight guarded osteotome)를 사용하여 방정중비절골술을 비골을 지나도록 연장한다(그림 2-11B). 6) 비절골술로서 대개 횡단비절골술과 저-저위외측비절골술을 한다(그림 2-11C). 7) 내골절술(infracture)을 한 다음, 상외측연골의 과대한 높이를 잘라 다듬는다(흔히 3-6mm). 8) 상외측연골을 T형비중격 근처나 아래에 봉합할 수 있다(그림 2-11D).

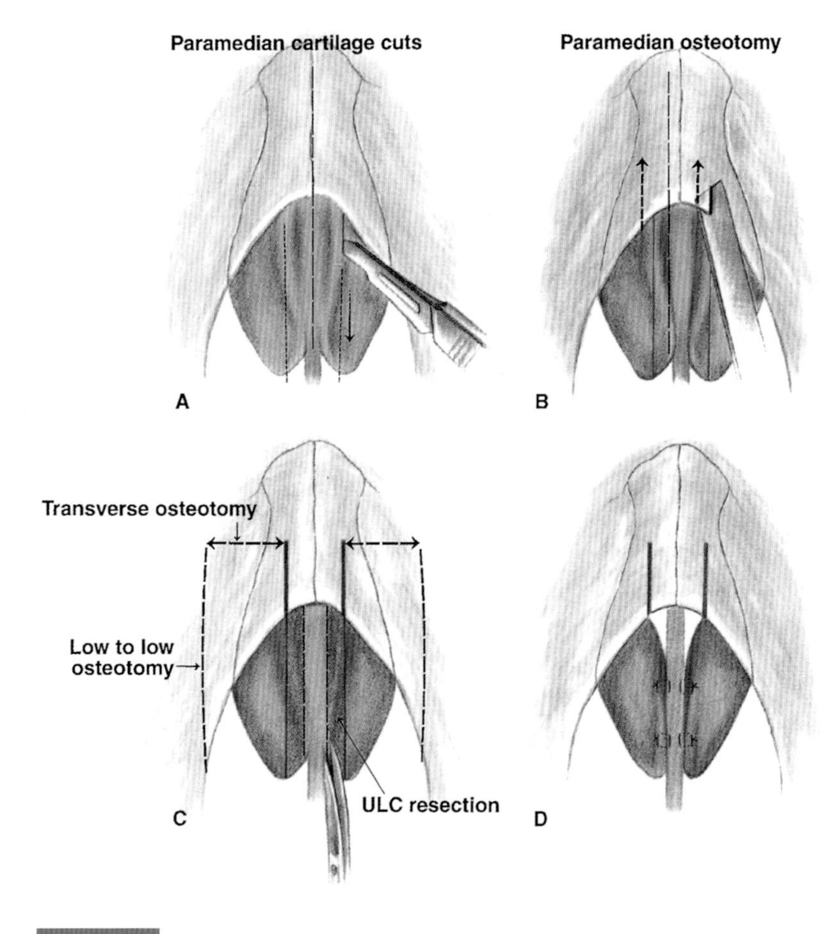


그림 2-11

## 증례 연구 넓은 비배와 이상적인 측면(Wide Dorsum/Ideal Profile)

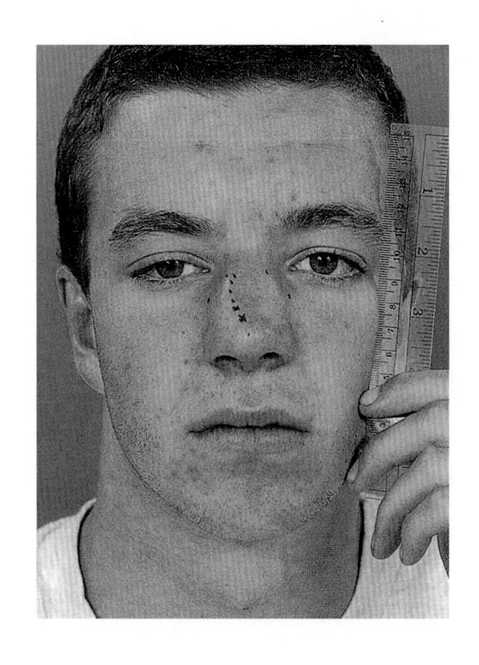

### 분석

19세 남학생으로서 6세 때 야구공에 코를 맞은 적이 있었다. 그 때나 그 이후로 어떠한 외과 치료도 받지 않았다. 우측 기도로는 숨을 쉬지 못하였다. 자신의 전면 모습을 싫어하였지만, 측면은 괜찮다는 데는 동의하였다. 목표는 강인한 남성적 측면을 유지하면서 기도와 전면 모습을 개선시키는 것이었다. 정확한 비배수술이 중요하기 때문에 개방접근술을 선택하였다.

### 외과 수기

1. 경비주절개술(transcolumellar incision)과 연골하절개술(infracartilaginous incision)을 통한 개방접근술.
2. 17mm 폭의 비배 노출. 점막외터널 형성.
3. 정중선 표시. 3.5mm에 맞춘 측경기(caliper)로써 양측 비배선 정하기(그림 2-12A). 15번 수술도로써 연골절개술 후 곧은 절골도로써 방정중비절골술(그림 2-12B).
4. 최소의 절제술로써 비중격성형술.
5. 양측이중수준비절골술로써 볼록한 외측비벽 줄이기와 횡단비절골술로써 좁히기.
6. 비배 점검 후 과대한 상외측연골의 절제술: 6mm(그림 2-12C).
7. 비배 아래에서 상외측연골봉합술(그림 2-12D).
8. 비첨의 수준을 맞추기 위한 원개등화봉합술(圓蓋等化縫合術, domal equalization suture).
9. 절제해낸 연골로 만든 작은 1층의 비근이식술. 비주저에 작고 통통한 이식술(plumpling graft).
10. 비익장개(鼻翼長開, alar flare)를 축소시키기 위한 4mm의 쐐기형비익절제술(alar wedge resection).
11. 모든 절개선의 봉합술. 내비부목 넣기. 외비부목 대기.

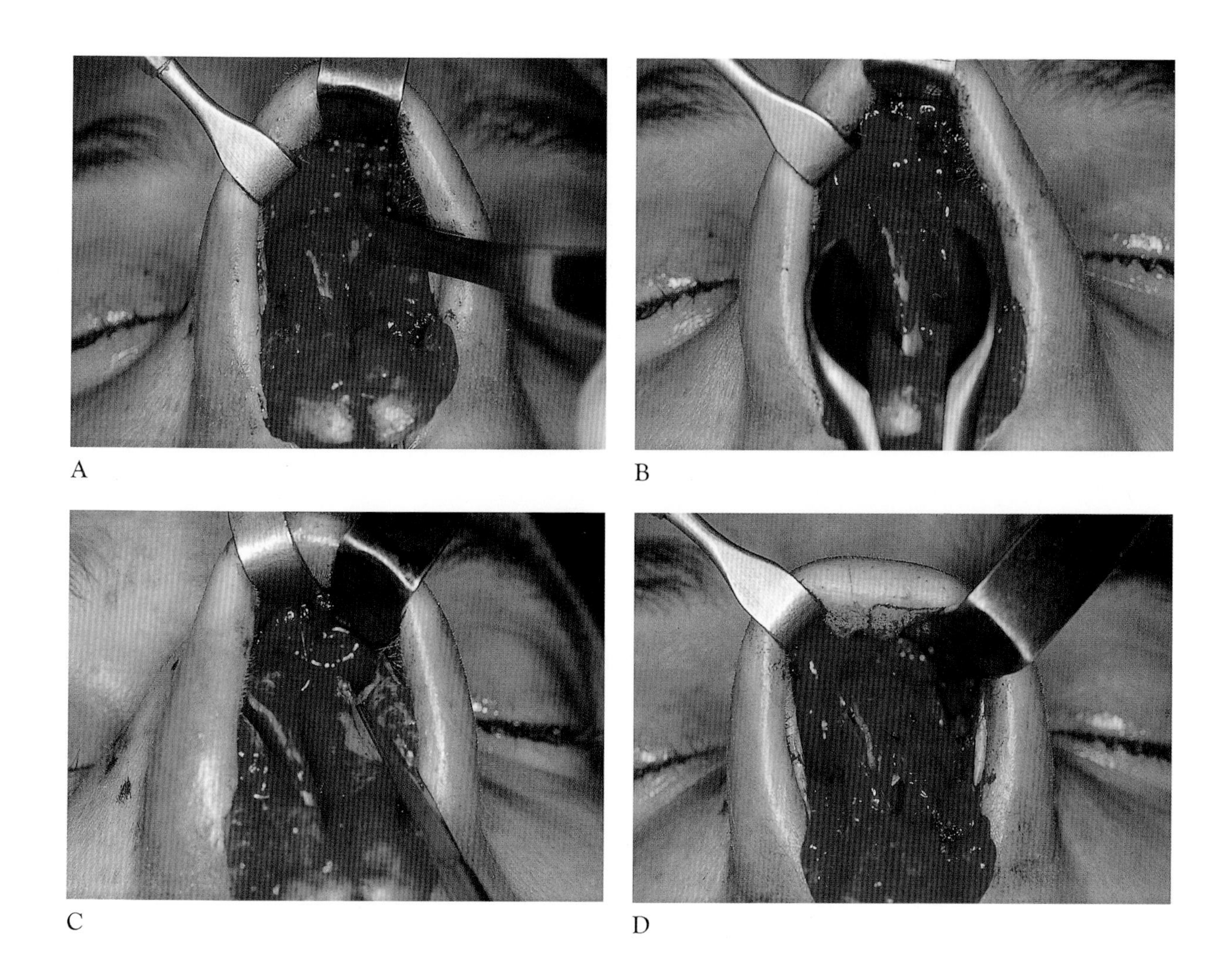


그림 2-12

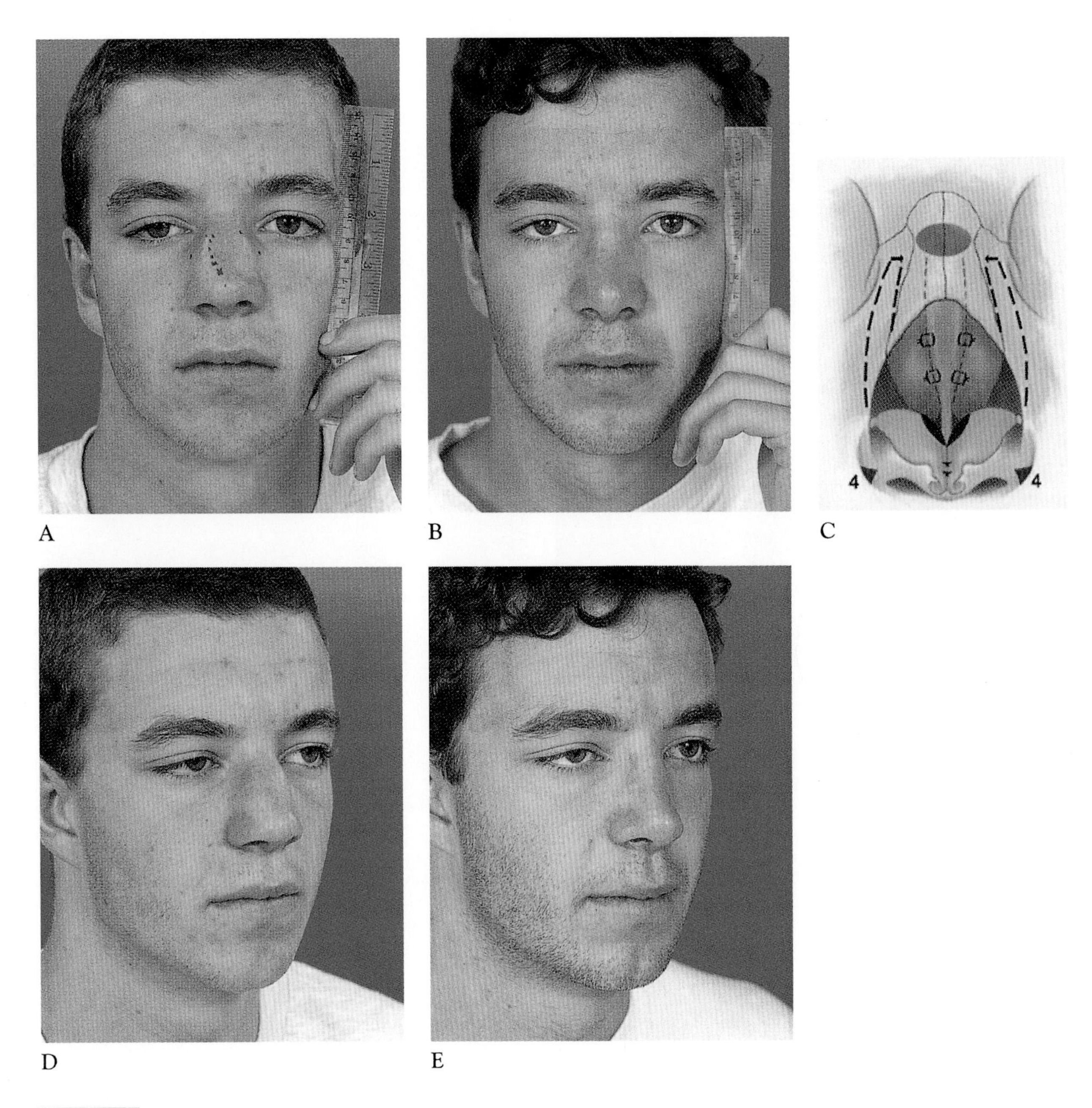


그림 2-13

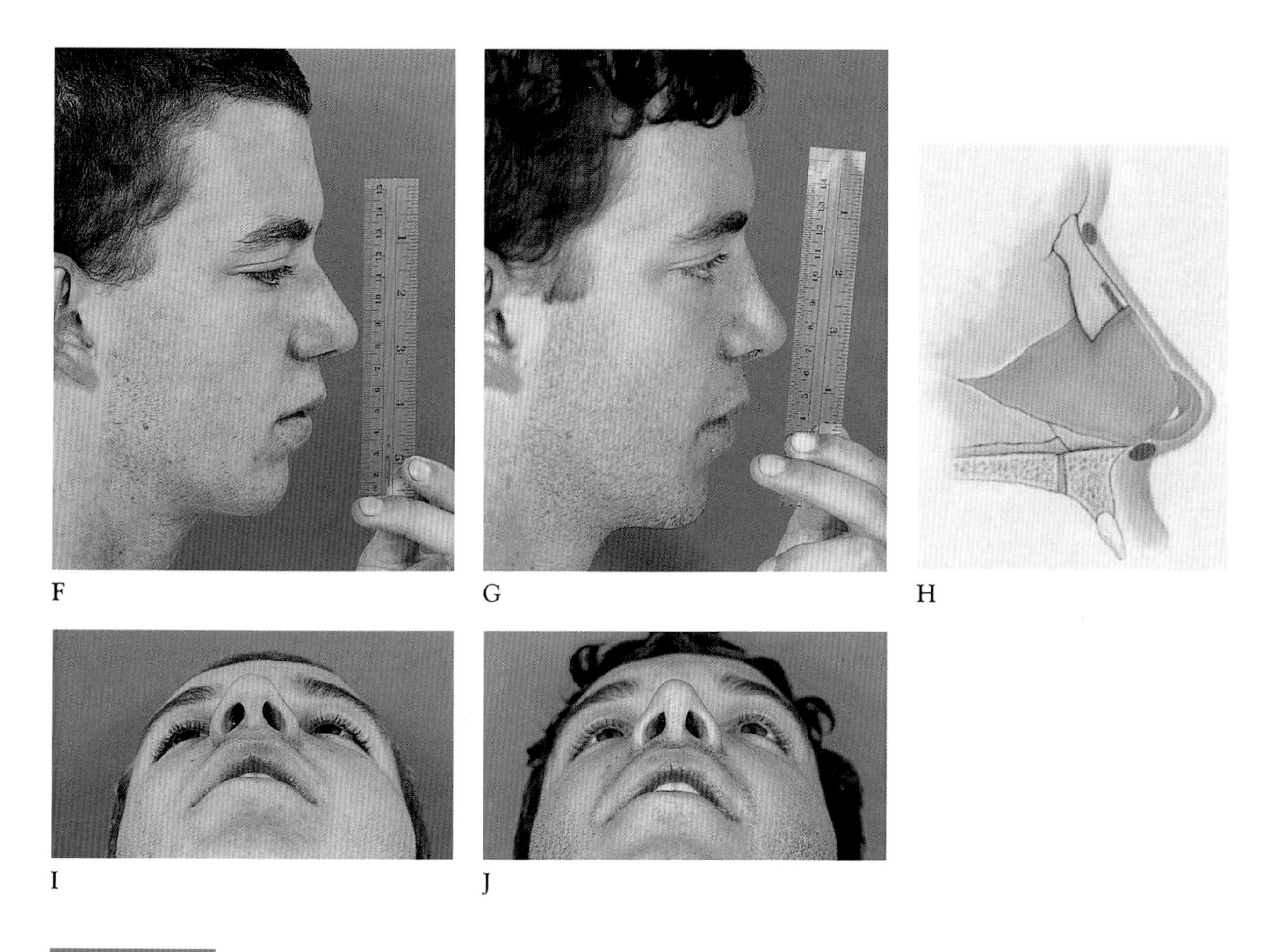

그림 2-13. 계속

## 논평

술후 2년에 보았을 때, 환자는 놀랄 만큼 좋았다(그림 2-13). 술중에 비배폭을 17mm에서 7mm로 축소시킨 것이 유지되었다. 이중수준비절골술의 역할도 똑같이 중요한데, 수직의 외측비벽을 각 지게 변형시켰다. 전통적 외측비절골술을 사용하였다면 외측비벽을 각 지게 하지 못하고 이동만 시켰을 것이다. 비익연골봉합술, 비주저이식술, 그리고 비근이식술과 같은 작은 기교들을 함으로써 코를 여성화시키기 않으면서 확실히 정교하게 만들었다.

## 비배증대술 (Augmenting the Dorsum)

비성형술의 영역 가운데 비배이식술만큼 복잡하고 힘든 수술은 거의 없다. 이식술의 이유, 목표, 선택할 이식물, 그리고 기법을 확실히 규정하여야 한다. 또, 장기적으로 성공하느냐, 실패하느냐는 수용부바닥(recipient bed)의 혈행과 위에 놓인 연조직외피의 두께에 의하여 영향을 받게 된다. 즉, 피부외피가 얇고 반흔이 더 심할수록 수술은 어려워진다. 비배이식술을 하기 전에 이식술에 관한 제 6장의 적절한 절을 재검토함으로써 저자가 비배에서 이물성형물삽입술(alloplastic implantation)을 완강히 반대함을 이해하기 바란다. 간결하게 요약하면, 비배 위에 어떠한 형태로든 이물성형물을 삽입하면 본질적으로 진피 아래에 놓이게 되므로 드러나 보이기 쉬우며, 돌출과 감염되기 쉽다. GoreTex가 요즈음 최선의 이물성형물이라고 하더라도 감염과 같은 단기 합병율이 현저하며, 장기 합병증으로 다양한 문제점들이 보고 되고 있다. 그러므로 자가이식물이 기법상 힘들고 공여부의 이환성(morbidity)이 있더라도 환자의 최상을 위하여 자가조직을 사용한다.

일차비성형술에서는 대부분의 비배이식술을 미학적 이유에서 하지만, 이차비성형술에서는 미학적, 기능적, 그리고 구조적 이유에서 비배이식술을 한다. 한 가지 기법상 고려 사항은 부분길이로서 이식할 것인지, 전체길이로서 이식할 것인지의 질문이다. Sheen[35]이 비근점(nasion)에서 비배 중간까지 부분길이비배이식술(partial-length dorsal graft)을 주장하였지만, 실제로 이런 이식술을 하는 술자는 아무도 없다. 절반길이비배이식물(half-length dorsal graft)과 비배의 접합부는 대개 비배점(rhinion)의 얇은 피부 아래이므로 더욱 힘들게 만드는 것이 확실하다. 이러한 이유 때문에 전체길이비배이식술(full-length dorsal graft)을 전적으로 사용한다. 자가조직 이식물은 다음의 3종류로 귀착 된다. 1) 연조직(근막, 진피, 근육), 2) 연골(비중격, 이갑개), 그리고 3) 골(두개골, 늑골). 임상적으로, 저자는 비배이식술을 흔히 다음과 같이 생각 한다. 1) 경증에서는 위장 목적으로 근막이식술, 2) 중간증에서는 1-3.5mm의 비배증대 목적으로 연골이식술, 그리고 3) 중증에서는 4mm 이상 비배증대 목적으로 골-연골늑이식술.

### 경증이식술(Minor Grafts)

부드러운 비배를 확실하게 만들거나 얇은 피부 아래에서 좀 더 자연스러운 곡선 만들기를 원하면 저자는 측두근막(temporal fascia)을 흔히 사용한다[1, 16]. 5×5cm 크기의 근막 조각을 측두부에서 채취한 다음, 담배처럼 말아서 이음매를 따라서 봉합한다(그림 2-14A, B). 이식물을 경피봉합사로써 비근까지 만들어 놓은 포켓 안으로 유도한 다음, 미측의 상비첨(supratip)에서 봉합한다(그림 2-14C). 그 다음, 비배피부를 Steri-strips로써 붙인다. 이러한 이식물은 연조직 충전과 부드러운 피부외피를 제공한다. 진피이식술(dermis graft)을 시도 하였지만, 장기적으로 모두 흡수되었다. 피부외피에 심한 반흔이 있으면 전두부로부터 내시경을 사용하여 혈관성전두근 및 비근판(vascularized frontalis/procerus muscle flap)을 미측으로 내려서 연조직외피에 덧댄다.

### 중간증이식술(Moderate Grafts)

이갑개(concha)가 필요할 수도 있지만, 비중격이 이상적인 비배이식물이다. 이러한 이식물의 대부분은 길이 35mm±3mm, 폭 5-6mm이며, 상비첨에서는 더 두꺼운 것을 필요로 한다(그림 2-

14D-F). 이러한 치수로서 곧은 비중격이식물을 얻기 위해서는 흔히 사변형연골-서골접합부(quadrangular cartilage/vomerine junction)로부터 연골 및 골 복합이식물(combined cartilage and bone graft)을 채취한다. 연골이식물에 있는 각진 절단연(cut edge)을 부드럽게 하고, cautery scraper pad로써 사포질(砂布, sand)을 함으로써 골연(bony edge)을 부드럽게 하여야 한다. 추가적 지지가 필요하면 이식물 아래에 1층을 더 봉합한다. 이러한 추가적 지지는, 미측은 관용부(forgiving area)로서 자주 필요하며, 두측에서는 흔히 과대 이식되기 때문에 거의 필요하지 않다. 비근에 통과시킨 경피봉합사로써 이식물을 포켓 안으로 유도한 다음, 이식물의 변위를 피하기 위하여 상외측연골 양쪽에 봉합한다. 세 겹으로 쌓아 올린 전체길이 이식물을 5mm 높이까지 사용하였는데, 이식물연(graft edge)이 측면에서 보이는 경향이 있었다. 그래서 이차비성형술에서는 1개의 전체길이 이식물 아래에 여러 개의 부분길이 이식물이 상비첨부에 놓이도록 봉합하여 사용한다[17].

Fascia

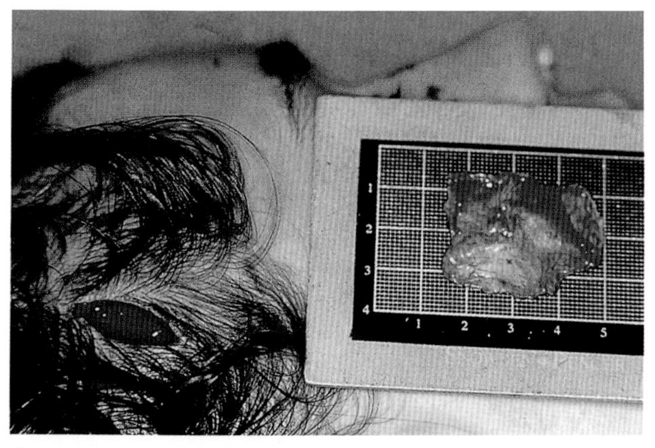


A

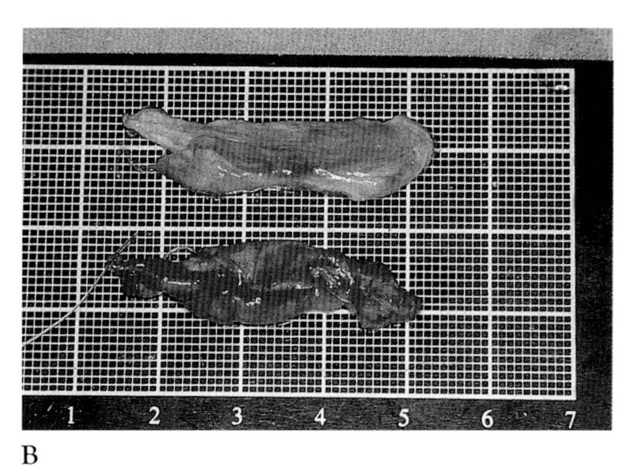


B

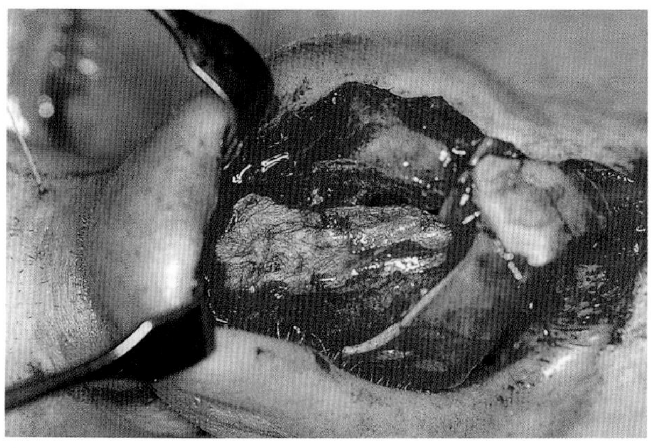

C

그림 2-14

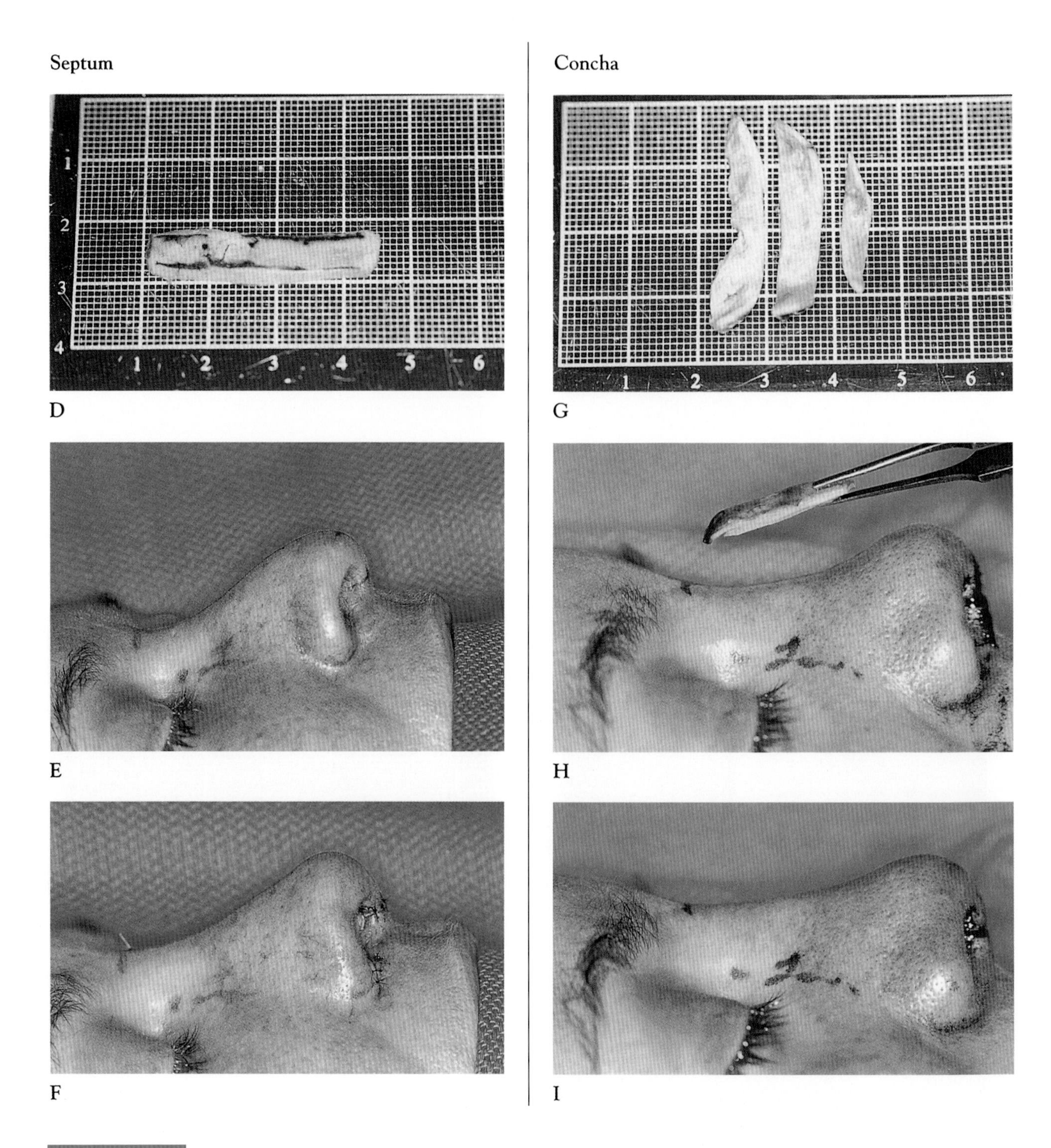


그림 2-14. 계속

Rib Graft

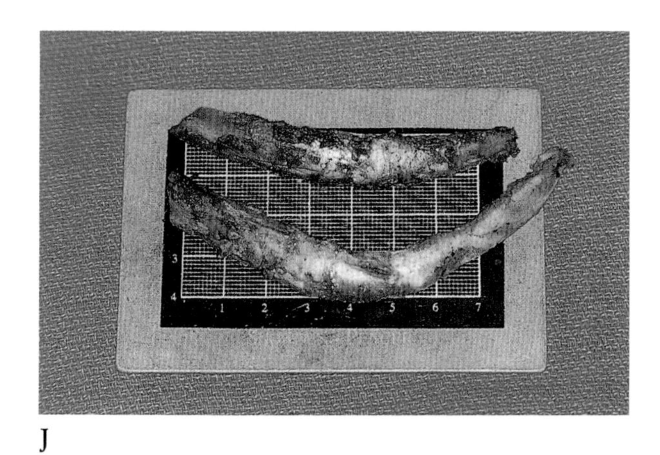


J

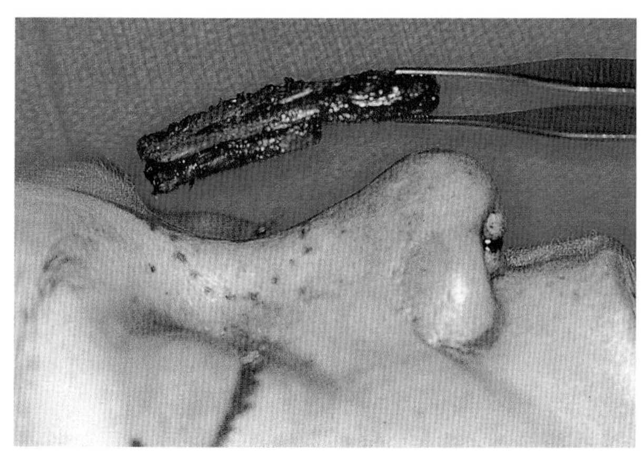

K

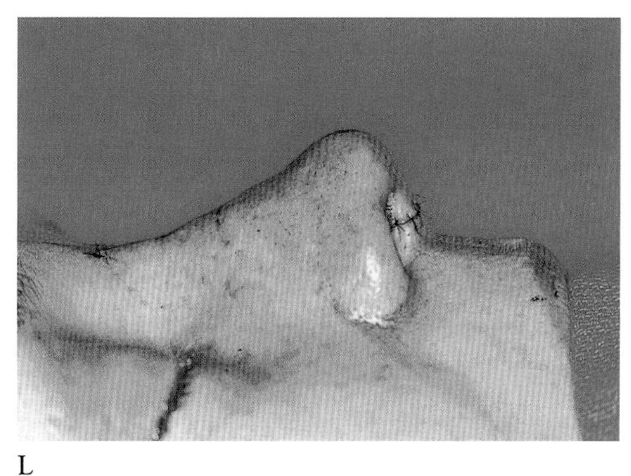

L

그림 2-14. 계속

## 중증이식술(Major Grafts)

지난 10년 동안 비증대술에서 두개골을 즐겨 사용하였지만[3, 35], 그 단점이 매우 현실적이라는 것을 곧 알아차렸다(채취술, 제한된 두께, 연골이 없는 단일 조직, 환자의 수용, 그리고 유연성). 대조적으로, 골-연골늑이식술은 매우 유연하며 비배에 이상적임과, 늑연골 끝은 비주에 이상적임을 알게 되었다[11]. 제 9번늑에서 곧은 골-연골분절을 채취한 다음, 동력이 달린 burr를 사용하여 둘레를 깎아서 모양을 만든다(그림 2-14J-L). 대부분의 이식물은 길이 40-45mm, 폭 5-8mm이며, 두께는 비근점에서는 점점 좁아져서 4mm, 상비첨에서는 7-10mm이다. 이식물은 비근점에서 골내나사(intraosseous screw)로써 고정시키며, 비-전두봉합선(nasofrontal suture line)까지 연장하지는 않음으로써 비근충만(full radix)을 피한다. 이러한 이식물은 뛰어난 구조적 지지를 제공한다.

## 증례 연구 낮고 불규칙한 비배(Low Irregular Dorsum)

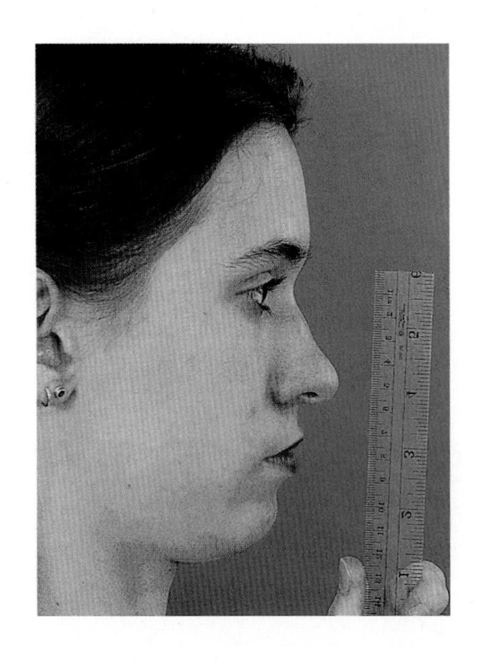

### 분석

18세 여학생으로서 자신의 코가 너무 넓다고 호소하였다. 최근이나 소녀 때에 외상의 과거력이 없었다. 내비검사에서 비기형은 드러나지 않았다. 세밀한 평가와 촉진 결과, 특이하게도 넓고 낮은 비배가 비대칭의 벌어진 비골과 함께 존재하였다. 측면에서 낮은 비배, 함몰된 연골원개에 의한 가비봉(pseudohump), 그리고 대단히 긴 코를 나타내었다. 또, 퇴축된 비주(recessed columella)와 비첨하수(downward drooping tip)에 의하여 긴 코가 심해졌다. 더욱 난제는 코 전반에 걸친 비대칭이었는데, 이는 우측 비골과 두측으로 퇴축된 우측 비익연에서 가장 두드러졌다. 두말할 나위 없이, 이 모든 비대칭을 환자에게 거울로 보여주었으며, 최선의 경우에도 간소한 개선만이 가능하다고 경고하였다. 비배 접근이 필요하므로 개방접근술을 선택하였다.

### 외과 수기

1. 개방접근술에 뒤이은 제한적 연조직거상술.
2. 일측관통절개술을 통하여 10mm의 L형지주(L-shape strut)를 남기고 비중격전체채취술.
3. 비중격연골을 2겹으로 쌓은 다음, 길이 30mm, 폭 5mm, 두측 두께 2mm, 미측 두께 3mm로 조각하여 비배이식물을 만듦(그림 2-15A, B).
4. 외측비벽의 전체 이동을 위한 횡단비절골술과 저-저위외측비절골술.
5. 수용부바닥(recipient bed)을 부드럽게 하면서 좁은 비배터널(dorsal tunnel) 형성. 이식물이 흔들리는 효과(rocker effect)를 피하기 위하여 비종석부(keystone area)절제술.
6. 두측에서 유도봉합사(guide suture)로써 비배이식물을 이식하고 미측에서 안정화봉합술(stabilization suture).
7. 비근에 근막이식술(그림 2-15C, D).
8. 볼록한 각지주이식술(crural strut graft)로써 비주-상구순분절(columella labial segment)을 미측으로 밈.
9. 4mm의 비익연연골조각(rim strip)을 남기고 두측외측각(cephalic lateral crus)절제술.
10. 좌측 원개에 맞추어서 우측 원개 형성되도록 비첨봉합술과 원개등화봉합술(dome equalization suture).
11. 모든 절개선의 봉합술. Doyle 부목 넣기. 아크릴 부목 대기.

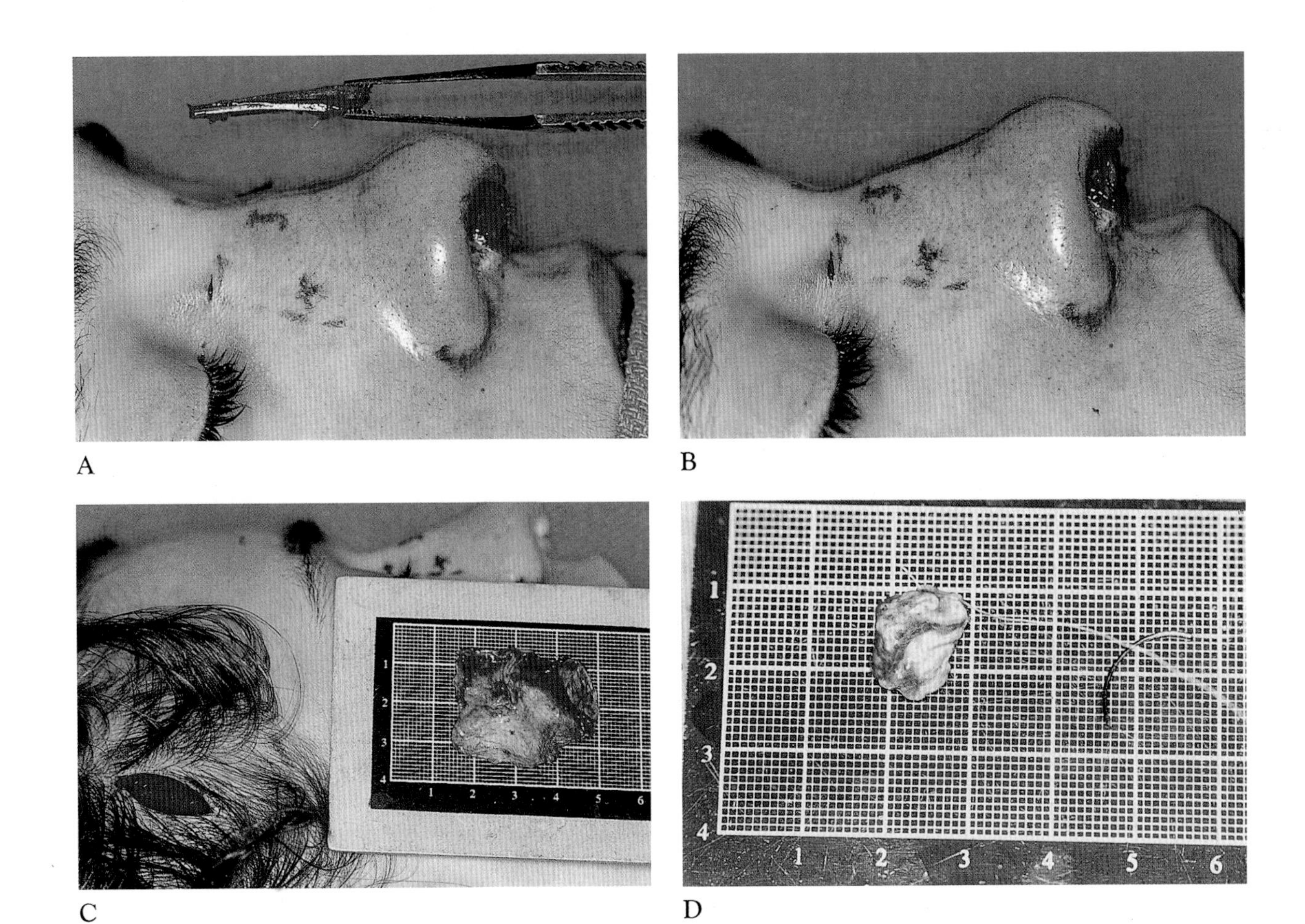


그림 2-15

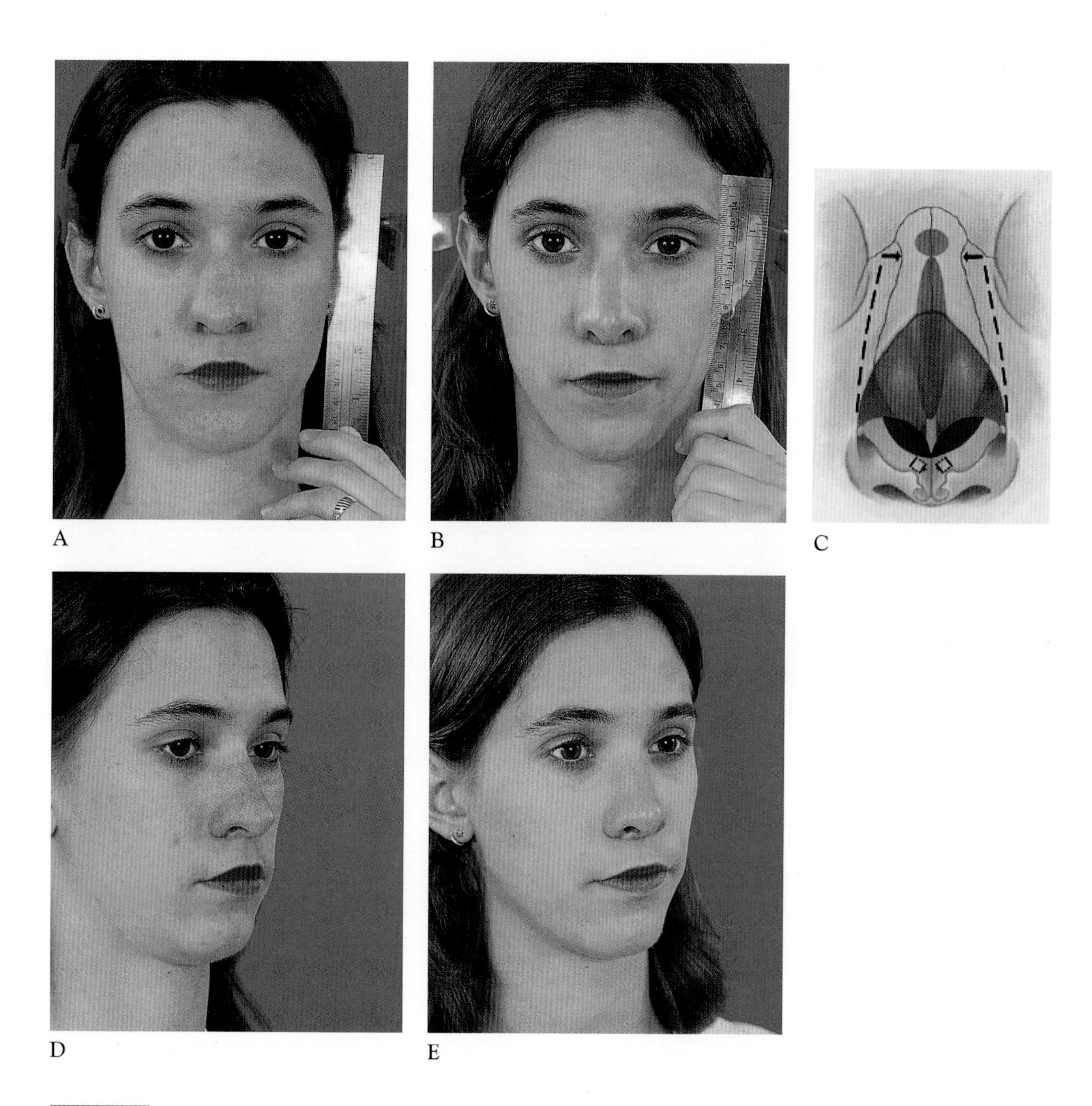

그림 2-16

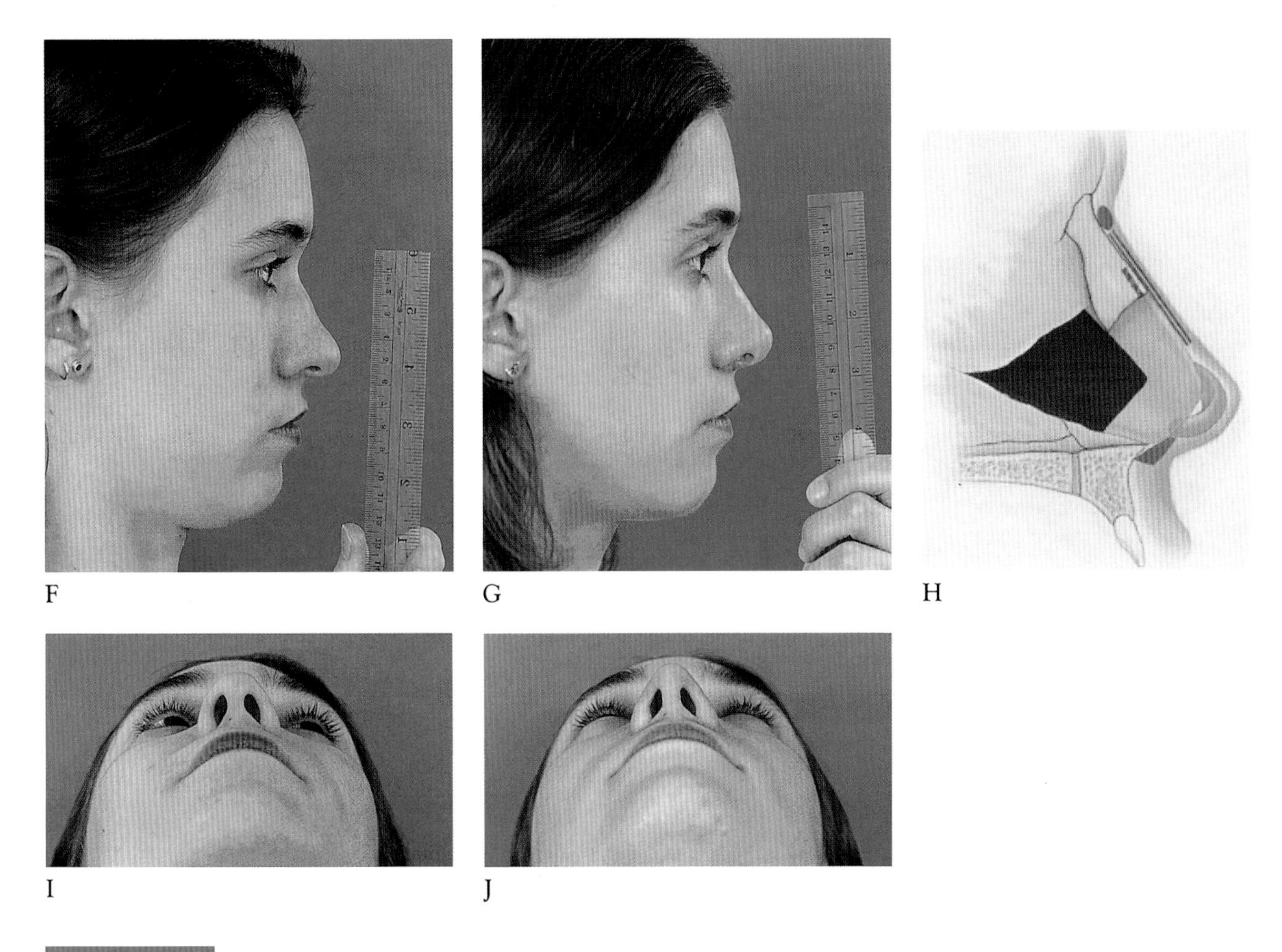


그림 2-16. 계속

## 논평

술후 1년에, 코가 분명히 개선되었다(그림 2-16). 비근근막이식술에 의한 비교(nasal bridge) 높이 추가에 의하여 코가 더 좁아 보이고, 비배이식술로써 바람직한 비배선을 만들었다. 측면에서 코가 훨씬 더 짧아 보이는데, 이는 비첨의 두측회전이 주된 이유이다. 코길이(N-SN)를 실제로 연장하면서 비배길이(N-T)를 단축시킴으로써 코를 시각적으로 단축시켰다. 비대칭의 미세한 징후들이 많이 남아 있다. 이 증례는 다음의 여러 가지 중요한 원칙을 예증하고 있다. 1) 비배높이가 중요하다. 2) 비배선이 없으면 코가 편평해 보인다. 3) 매력적인 코는 측면에서 비근:비종석부:비첨이 1:2:3 관계를 갖는다.

## 참고 문헌


1. Baker TM, and Courtiss EH. Temporalis fascia grafts in open secondary rhinoplasty. *Plast Reconstr Surg* 1994;93:802.
2. Byrd HS, and Hobar PC. Rhinoplasty: A practical guide for surgical planning. *Plast Reconstr Surg* 1993;91:642.
3. Chait LA, and Widgerow AD. In search of the ideal nose. *Plast Reconstr Surg* 2000; 105:2561.
4. Chand MS, and Toriumi DM. Treatment of the external nasal valve. *Facial Plast Surg Clin* 1999;7:347.
5. Cottle MH. Nasal roof repair and hump removal. *Arch Otolaryngol Head* Neck *Surg* 1954;60:408.
6. Daniel RK. Rhinoplasty: Creating an aesthetic tip. *Plast Reconstr Surg* 1987;80:775.
7. Daniel RK, and Either R. Rhinoplasty: A CT-scan analysis. *Plast Reconstr Surg* 1987;80:175.
8. Daniel RK, and Farkas LG. Rhinoplasty: Image and reality. *Clin Plast Surg* 1988;15:1.
9. Daniel RK, and Letourneau A. Rhinoplasty: Nasal anatomy. *Ann Plast Surg* 1988;20:5.
10. Daniel RK (ed). *Aesthetic Plastic Surgery: Rhinoplasty.* Boston: Little, Brown, 1993.
11. Daniel RK. Rhinoplasty and rib grafts: Evolving a flexible operative technique. *Plast Reconstr Surg* 1994;94:597.
12. Dziewulski P, Dijon D, Spyriounis P, Griffiths RW, and Shaw TD. A retrospective analysis of 218 consecutive rhinoplasties. *Br J Plast Surg* 1995;48:451.
13. Enlow DH. *The Human Face: An Account of the Postnatal Growth and Development of the Craniofacial Skeleton.* New York: Hoeber,1968.
14. Farkas LG, Kolar JC, and Munro IR. Geography of the nose: A morphometric study. *Aesthetic Plast Surg* 1986;10:191.
15. Ford CN, Battaglia DG, and Gentry LR. Preservation of periosteal attachment in lateral osteotomy. *Ann Plast Surg* 1984;13:107.
16. Guerrerosantos J. Temporoparietal free fascia grafts to the nose. *Plast Reconstr Surg* 1985;76:328.
17. Gunter JP. Secondary rhinoplasty: The open approach. In: Daniel RK (ed) *Aesthetic Plastic Surgery: Rhinoplasty.* Boston: Little, Brown, 1993.
18. Johnson CM, and Toriumi DM. *Open Structure Rhinoplasty.* Philadelphia: Saunders, 1990.
19. Johnson CM, and Godin MS. The tension nose: Open structure rhinoplasty approach. Plast Reconstr Surg 1995;95:43.
20. Joseph J. *Nasenplastik und sonstige gesichtsplastik nebst einem anbang ueber mammaplastik.* Leipzig: Kabitsch, 1931.
21. Larrabee WF. Open rhinoplasty and the upper third of the nose. *Facial Plast Clin* 1993;1:23.
22. Lessard ML, and Daniel RK. Surgical anatomy of the nose. *Arch Otolaryngol Head Neck Surg*

1985;111:25.

23. Letourneau A, and Daniel RK. The superficial musculoaponeurotic system of the nose. *Plast Reconstr Surg* 1988;82:48.
24. McCullough EG, and Maloney BP. Reduction of the nasal dorsum. *Facial Plast Surg* 1994;2:425.
25. McKinney P, Johnson P, and Walloch J. Anatomy of the nasal hump. *Plast Reconstr Surg* 1986;77:404.
26. Natvig P, et al. Anatomical details of the osseouscartilaginous framework of the nose. *Plast Reconstr Surg* 1971;48:528.
27. Parkes M, Kamer FM, and Morgan WR. Double lateral osteotomy in rhinoplasty. *Arch Otolaryngol Head Neck Surg* 1977;103:345.
28. Rees TD, and La Trenta GS. *Aesthetic Plastic Surgery* (2nd ed.) Philadelphia: Saunders, 1994.
29. Regnault P, and Alfaro A. The Skoog rhinoplasty: A modified technique. *Plast Reconstr Surg* 1980;66:578.
30. Regnault P, and Daniel RK. Septorhinoplasty. In: Daniel RK (ed) *Aesthetic Plastic Surgery: Rhinoplasty.* pp. 101-171. Boston: Little, Brown, 1984.
31. Robin JL. Rhinoplastic extra-muqueuse controlée avec mesure pré-opératorie de la modification du profil. *Ann Chir Plast Esthet* 1973;18:119. English translation in Robin JL. The preplanned rhinoplasty. *Aesthetic Plast Surg* 1979;3:179.
32. Schaeffer JP. *The Nose, Sinuses, Nasoiacrimal Passageways and Olfactory Organ in Man.* Philadelphia: Blakiston, 1920.
33. Sheen JH. The radix as a reference in rhinoplasty. *Perspect Plast Surg* 1987;1:33.
34. Sheen JH. Spreader graft revisited. *Perspect Plast Surg* 1989;3:155.
35. Sheen JH, and Sheen AP. *Aesthetic Rhinoplasty* (2nd ed.) St. Louis: Mosby, 1987.
36. Skoog T. A method of hump reduction in rhinoplasty. *Arch Otolaryngol Head Neck Surg* 1975;101:207. Follow-up in Skoog T. *Plastic Surgery.* Philadelphia: Saunders, 1975.
37. Straatsma BR, and Straatsma CR. The anatomical relationship of the lateral nasal cartilage to the nasal bone and the cartilaginous nasal septum. *Plast Reconstr Surg* 1951;8:443.
38. Tardy ME. *Rhinoplasty: The Art and the Science.* Philadelphia: Saunders, 1997.
39. Toriumi DM. Management of the middle nasal vault in rhinoplasty. *Oper Tech in Plast Reconstr* Surg 1995;2:16.
40. Webster RC, Davidson TM, and Smith RC. Nasofrontal angle changes in rhinoplasty. *Otolaryngol Head Neck Surg* 1979;87:95.
41. Wright WK. Study of the bony and cartilaginous dorsum. *Otolaryngol Clin North Am* 1975;8:575.

# 비첨(Tip) 3

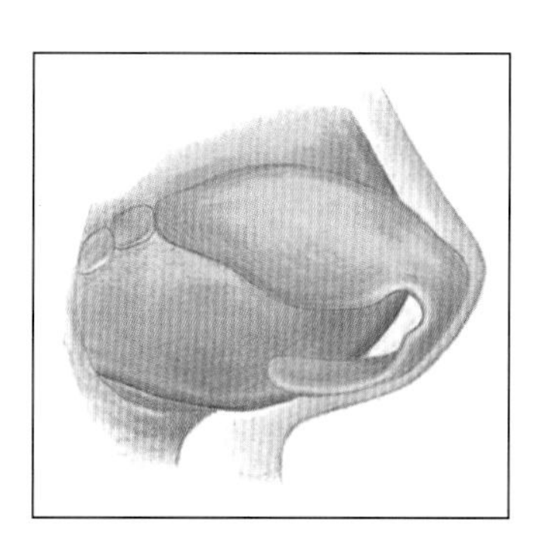

## 서론

비첨수술은 비성형술에서 토론은 가장 많이 하였지만, 이해가 가장 안 되는 분야로 남아 있다. 이 장에서 이와 같은 결론에 도달할 가능성을 최소화하기 위하여 저자는 비첨수술의 기초인 '3A', 즉 anatomy(해부학), aesthetics(미학), 그리고 analysis(분석)의 상호 관계를 철저히 토론하는 것으로 시작하겠다. 여섯 가지의 비첨 특징 즉, 용적(volume), 폭(width), 정의(definition), 돌출(projection), 회전(rotation), 그리고 모양(shape)은 아래에 놓인 해부학과 위에 놓인 표면 미학과 관계가 있다. 비첨 자체에 영향을 미치는 내재 및 외재 요소뿐만 아니라 비소엽(lobule)으로부터 내재 비첨(intrinsic tip)을 구별하는 것을 배우게 될 것이다. 그 다음, 아마도 이 책에서 가장 논쟁거리로서 많은 변법이 있지만, 저자는 3가지의 비첨수술만 소개할 것이다. 이 3가지 비첨수술은 폐쇄용적축소술(closed volume reduction), 개방비첨봉합술(open tip sutures), 그리고 개방비첨이식술(open tip graft)이다. 이러한 3가지 비첨수술로써 술자는 비첨변형의 95%를 교정할 수 있다. 이 장의 후반부에서 저자는 각각의 비첨 특징을 상세히 재고하며, 비첨의 경증, 중간증, 그리고 중증 변형에 대한 단계적 수술법을 제공할 것이다. 이러한 기법들은 비첨에 중점을 둔 '작은 증례 연구(mini-case study)'의 형식을 사용하여 예증될 것이다. 만일 이러한 작은 증례 연구가 불충분 하다고 판단되면 독자는 제 7장과 제 8장으로 가서 비첨을 전체 코 문제점의 한 부분으로서 어떻게 치료하는지를 볼 수 있다. 예를 들면, 짧은 비변형(short nose deformity)의 한 부분으로서 두측회전 된 비첨(upwardly rotated tip)과 같은 것이다. 결국, 독자는 비첨수술이 모든 비성형술 가운데에서 가장 매혹적이면서 가장 좌절하게 만드는 것으로 결론지을 것이다.

신선한 사체에서의 광범위한 박리와 개방비성형술(open rhinoplasty)을 하는 동안의 술중 관찰에 기초하여[5], 저자는 비익연골(alar cartilage)을 내측각(medial crus), 중간각(middle crus), 그리고 외측각(lateral crus)의 3개의 각(crus)으로 나누었으며, 이러한 모든 각은 미학적으로 중요한 뚜렷한 접합부를 가진 2개의 분절(segment)로 구성되어있다(그림 3-1A-D).

## 내측각(Medial Crus)

내측각은 비주(columella)의 주된 구성 요소이며, 비첨지지를 제공한다. 내측각은 2부분으로 세분될 수 있다. 즉, 미측의 족판분절(footplate segment)과 두측의 비주분절(columellar segment)이다(그림 3-1A, B). 족판분절은 크기, 모양, 그리고 각도가 다양하다. 가장 흔한 임상적 문제점은 기저면에서 볼 때 족판분절이 분리된 것으로서 족판의 내재 모양, 미측 비중격(caudal septum)의 폭, 그리고 비주저(columellar base) 사이에 끼어있는 연조직의 영향을 받는다. 두측의 비주분절은 비주의 좁은 허리를 나타낸다. 비주분절의 전체길이는 비공(nostril)의 시각적 길이(visual length)와 중요한 상관이 있으며, 비공-비소엽비율(nostril-lobular ratio)의 비공 부분에 직접 영향을 미친다.

## 비주-비소엽접합부(Columella-Lobular Junction)

박리할 때, 이 뚜렷한 비주-비소엽접합부는 수직으로 향한 내측각과, 벌어지고 각진 중간각 사이에서 나타난다. 이 접합부는 비저(nasal base)에서 비첨-비소엽(tip lobule)으로 이행되는 부분을 나타내며, 대개 비공정점(nostril apex)의 1-2mm 내외에서 해당한다. 미학적으로, 이 접합부는 비주의 '이중변곡(double break)' 인 비주변곡점(鼻柱變曲點, columellar breakpoint)이다(그림 3-1A, B).

## 중간각(Middle Crus)

Sheen[15]의 원래의 정의에 따르면, 중간각은 비주-비소엽접합부(columella-lobular junction)에서 시작하여 외측각에서 끝난다. 중간각은 비소엽분절(lobular segment)과 원개분절(domal segment)로 세분 될 수 있다(그림 3-1A, B). 비소엽분절의 모양은 폭과 길이에 따라서 다양한데, 이것은 비첨 모양에 충분히 영향을 줄 수 있다. 예를 들면, 비소엽분절이 짧으면 사자코형비첨(snubbed tip)을 만든다. 비소엽분절은, 두측으로는 정중선에 서로 인접해 있지만, 미측으로는 그 끝이 책을 열어서 세워놓은 것과 비슷하게 벌어져 있다. 원개분절은 하비소엽분절(infralobular segment)의 이행부인 내측슬(內側膝, medial genu)로부터 외측각(lateral crus)과 접합부인 외측슬(lateral genu)까지이다(그림 3-1C, D). 이러한 슬의 까치발(genu bracket) 즉, '원개절흔(domal notch)'은 다시 비소엽의 연삼각부(軟三角部, soft triangle)나 연조직각면(軟組織刻面, soft tissue facet)을 결정한다(그림 3-1C, D). 원개분절의 모양은 오목한 것으로부터 평탄한 것, 볼록한 것까지 다양하다[3].

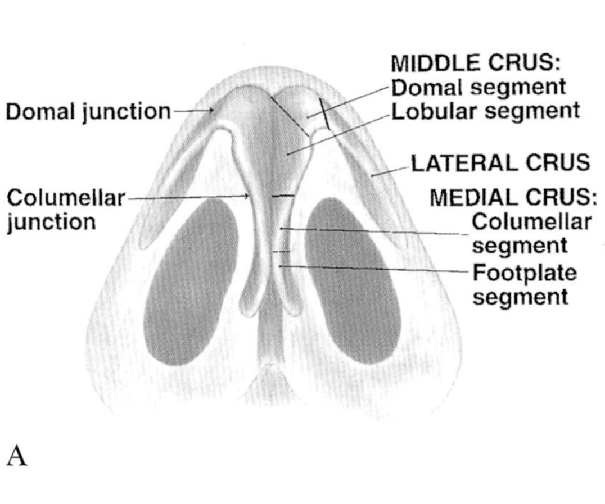


A

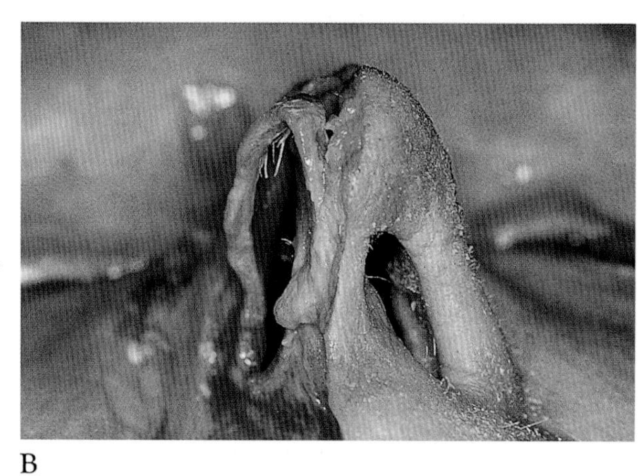

B

Lateral genu
Domal notch
Medial genu

C

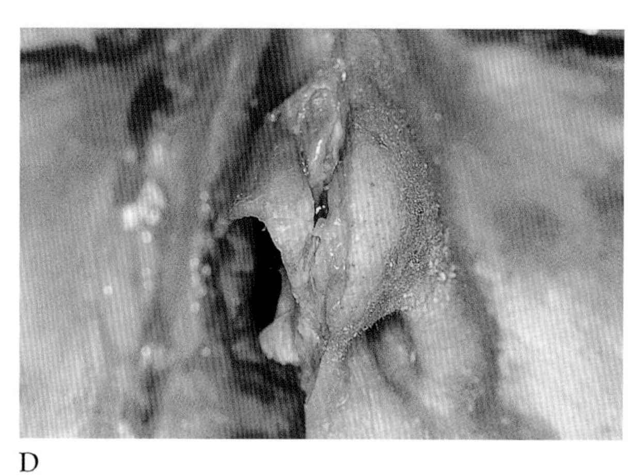

D

그림 3-1

## 원개접합부(Domal Junction)

원개접합부는 정교한 비첨의 중요한 지표이며, 중간각으로부터 외측각으로의 이행을 나타낸다(그림 3-2A, B). 만일 주사침에 methylene blue를 묻혀서 피부 표면의 비첨정의점(鼻尖定義點, tip defining point)을 아래에 놓인 해부학적 구조물에 표시한 다음, 개방비성형술을 하면 비첨정의점은 원개접합선(domal junction line)과 일치할 것이다[5]. 해부학적으로 가장 미학적 형태는 오목한 외측각(lateral crus)에 가까이 있는 볼록한 원개분절이다. 이것이, 술자가 원개봉합술(domal suture)로써 만들기를 애쓰는 형태이다.

## 외측각(Lateral Crura)

외측각은 외측각(lateral crura)과 부연골환(accessory cartilage ring)으로 세분될 수 있다. 외측각은 비소엽(nasal lobule)의 주된 구성 요소이며, 비소엽의 모양, 크기, 그리고 위치에 영향을 미친다. 외측각의 경계는 외과적 중요성을 가진다. 첫째, 외측각의 내측 경계인 원개접합선(domal junction line)은 비첨정의(tip definition)를 결정하며, 또 양측 외측각의 내측 경계와 함께 상비첨(supratip)에서 서로 만나서 정중지대(正中支待, midline abutment)를 만들어서 삼각형의 공간인 약삼각부(弱三角部, weak triangle)의 표출에 흔히 영향을 미친다. 둘째, 외측각의 두측 경계는 상외측연골(upper lateral cartilage)과 함께 '두루마리 구조(scroll formation)' 를 만들며, 여기에 종자연골(sesamoid cartilage)이 산재한다. 셋째, 외측각의 미측 경계는 흔히 cuff edge를 가지므로 비공연(nostril rim)으로부터 벌어진다. 넷째, 외측각의 외측 경계는, 비공연(nostril rim)으로부터 멀어져서 후방으로 주행하며 크기가 점점 작아진다. 외측각에서는 3가지 추가적 요소가 중요하다. 즉, 형태(configuration), 방위축(axis of orientation), 그리고 곡면축(axis of curvature)이다(그림 3-3B). 외측각의 형태는 상대적인 오목함이나 볼록함에 기초하여 6가지로 세분된다

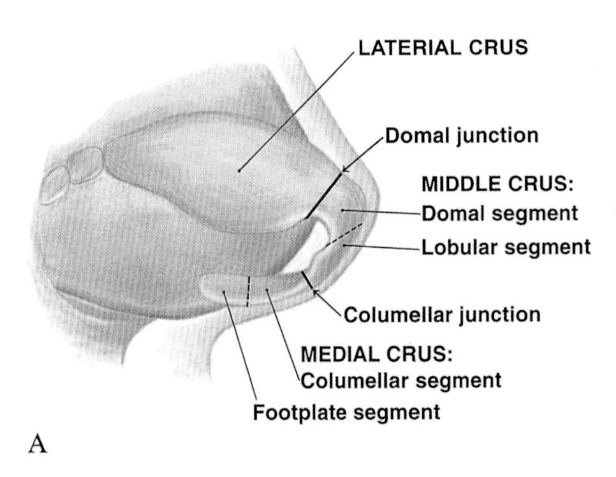

A

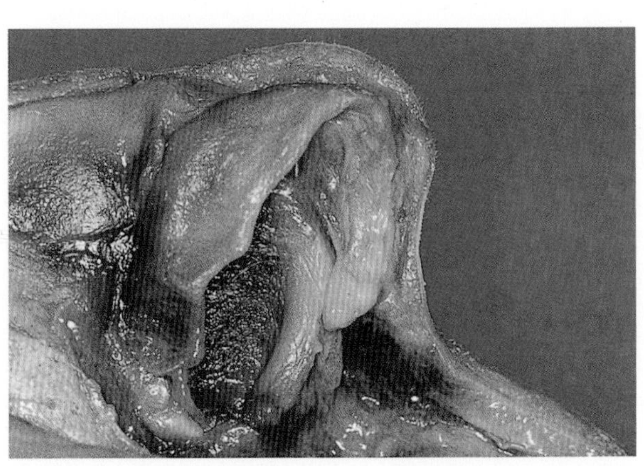
B

그림 3-2

[5]. 예를 들면, 오목한 외측각은 집게형비첨(pinched tip)을 만들지만, 과대한 두측 외측각을 절제하기보다는 연골을 뒤집음으로써 쉽게 교정된다. 외측각의 방위축은 가로축(transverse axis)을 일컫는다(그림 3-3B).

방위축은 흔히 45도이지만, 외측 안정성 부족을 수반하는 괄호형비첨(parenthesis tip)에서는 90도의 수직 상태에 도달할 수 있다. 곡면축은 수직 방향(세로축)에서 가장 잘 나타난다(그림 3-3B). 즉, 매력적인 비첨에서는 세로축이 약하지만, 구상비첨(bulbous tip)에는 세로축이 뚜렷하다. 곡면축이 가로축이면, 비익벽(alar wall)의 지지가 최소이므로 외과 교정이 대단히 어렵다. 부연골환은 비전정판막(vestibular valve)을 결정하는 주된 요소이며, 외측각 바로 두측에서 현저히 오목하게 표면으로 나타나 보일 수 있다.

미학

## 분석(Analysis)

비성형술에서 비첨 분석은 매우 주관적일 수 있지만, 결정을 해서 수술 계획을 공식화 하여야 한다. 분석의 목표는 환자의 비첨의 특징이 무엇이며, 환자의 비첨이 이상적 비첨에서 얼마나 빗나가 있는지를 결정하는 것이다. 여러 해 동안, 저자는 의사 결정을 돕는 6가지의 기준을 발전시켜왔다[6]. 이러한 기준은 3가지의 내재 비첨 요소(용적, volume; 정의, definition; 그리고 폭, width)와, 내재, 외재, 또는 2가지 모두가 될 수 있는 3가지 요소(위치, position; 돌출, projection; 그리고 회전, rotation)로 구성되어 있다(그림 3-3A). 여섯 가지 기준은 경증, 중간증 또는 중증의 등급과 함께 양성 방향(positive direction)인지 음성 방향인지를 따져서 정상 또는 비정상으로 등급을 매길 수 있다. 처음에는 혼란스러울 지라도 이 기준 체계를 빨리 적용할 수 있게 되면 수술 계획을 공식화 하는데 의사 결정의 사다리로서 역할을 하게 된다. 경험이 쌓임에 따라서, 저자는 임상보다는 인체계측학(anthropometrics)적으로 더 중요한 위치(position)를 삭제함으로써 이 기준 체계를 다듬었을 뿐만 아니라 '모양(shape)' 을 추가함으로써 술자와 환자 둘 다 쉽게 알 수 있도록 하였다.

## 비첨용적(Volume)

비첨의 용적은 외측각(lateral crus)의 크기와 관련이 있는데, 주로 길이와 폭과 관련이 있지만, 때로는 방위축, 곡면축, 두루마리 구조(scroll formation)와도 관련이 있다. 외측각의 크기, 모양, 그리고 축을 본질적으로 평가하여야 한다. 여성 비성형술의 90%에서는 어느 정도의 두측외측각 절제술(cephalic lateral crura resection)을 하는데, 외측각의 용적을 줄이고, 두루마리 구조에서 중첩된 연골들을 최소화 하며, 외측각의 내재적인 볼록한 곡면을 줄여준다. 이러한 절제술은 다음의 3가지 미학적 개선을 가져온다. 1) 비첨을 더 작게 만든다. 2) 비첨정의(tip definition)를 개선함으로써 비첨을 돋보이게 한다. 3) 비첨을 두측회전 시킨다. 모양은 오목한 외측각에서 때때로 문제가 되는 반면에, 축은 괄호형비첨(parenthesis tip)에서처럼 방위축이 좀 더 수직이면서 곡면축이 좀 더 횡적일 때 문제가 된다.

## 비첨정의(Definition)

비첨정의는 진정한 미학적 결정이며, 비첨의 상세함, 정교함, 그리고 각짐(angularity)의 정도를 나타낸다. 비첨정의는 인접한 볼록한 원개분절(domal segment)과 오목한 외측각의 관계에 의하여 해부학적으로 결정되는데, 이를 덮고 있는 피부에 의하여 피부 표면에서 드러나거나 감추어진다(그림 3-3A). 피부외피의 중요성을 결코 잊어서는 안 된다. 대부분의 흑인과 동양인의 개방비성형술에서 비익연골이 섬세한 것만 보더라도 피부 두께가 정말로 얼마나 중요한지를 알 수 있다. 정의로 번역되는 해부학적 형태는 모든 비첨봉합술의 핵심 즉, 오목한 외측각과 함께 볼록한 원개분절을 만드는 것이다(그림 3-3E).

## 비첨폭(Width)

비첨폭은 원개간격(interdomal distance)을 말하며, 2개의 비첨정의점(tip defining point) 사이의 피부 표면에서 쉽게 계측된다. 이상적 원개간격은 흔히 인중주(philtral column)의 폭과 비배선(dorsal line)의 폭과 상관이 있다(그림 3-3A, D).

## 비첨모양(Shape)

실제로, 모든 임상의는 3B(broad, ball, and boxy), 3P(Pinocchio, pinched, and parenthesis), 그리고 수 없이 많은 다른 비첨의 모양을 알고 있다. 이러한 모든 모양들은 해부학적 변형들과 더 중요한 술후 가능성이 있는 문제점들의 조합을 나타낸다. 예를 들면, Tardy[18]는 구상비첨(broad tip)의 3대 요소를 비익연골은 두껍지만 비익측벽(alar sidewall)이 약한 것과 동일시하였다. 이때 내재 비첨을 변형시키고 비익측벽을 강화시켜야 하는 것이 분명하지만, 비전정판막이 붕괴(vestibular valve collapse)될 위험이 있다. 그러므로 구상비첨에서는 미묘한 다듬기보다는 모양의 변화를 본격적으로 얻기 위해서 기능적 문제점이 발생할 위험성이 있는 큰 변형술이 필요하다[3].

## 원칙

- 내재 비첨의 특징은 용적, 폭, 정의, 그리고 모양을 말한다.
- 비첨정의(tip definition)는 볼록한 원개분절과 오목한 외측각에 의하여 해부학적으로 결정된다.
- 과대한 두측 외측각의 절제술은 비첨*용적*을 줄인다.
- 봉합술은 비첨*정의*를 증가시키고, 비첨*폭*을 감소시키는 효과적인 방법이다.

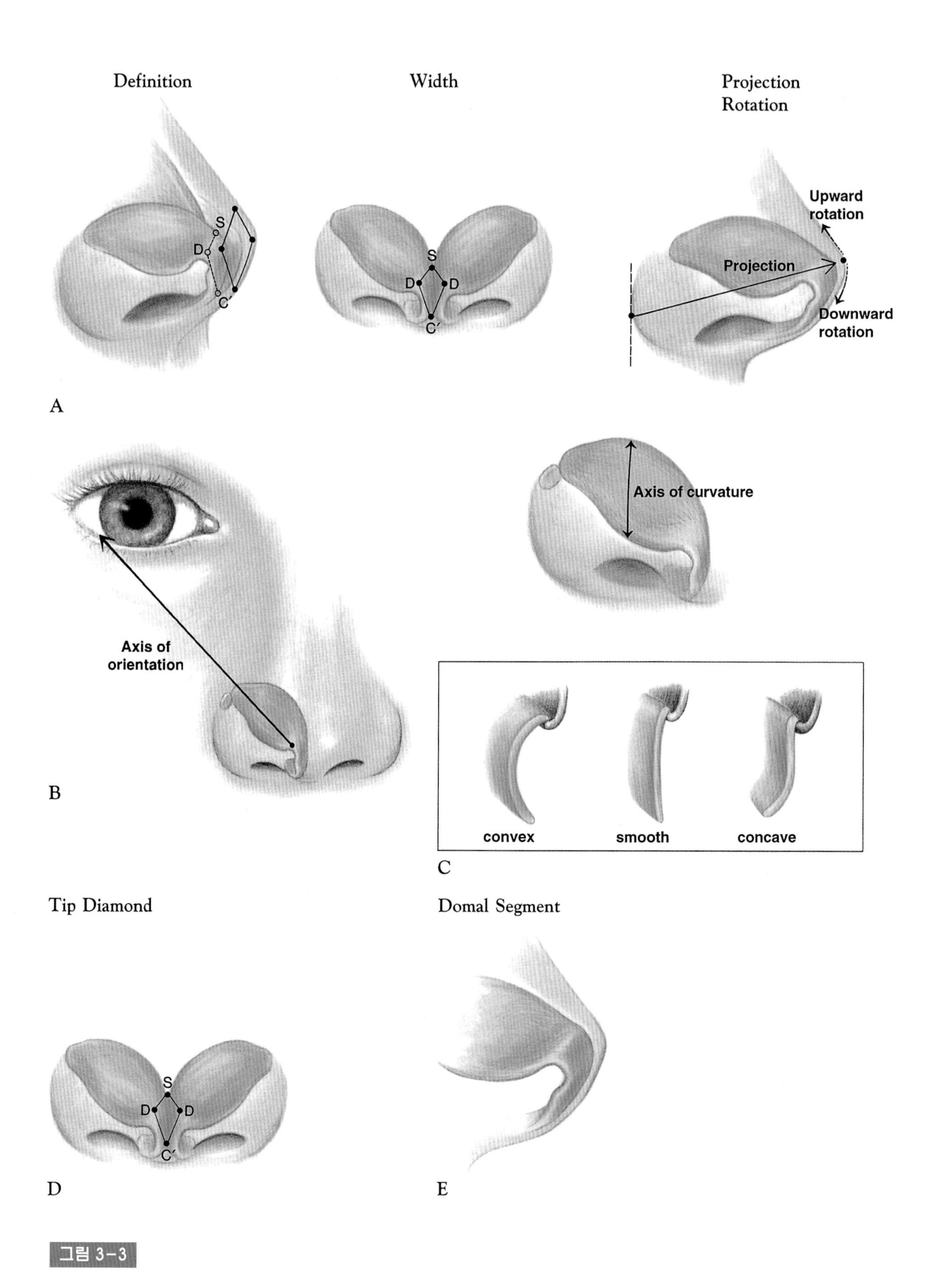
Definition
S
D
C'
Width
S
D
D
C'
Projection
Rotation
Upward
rotation
Projection
Downward
rotation
A
Axis of
orientation
B
Axis of curvature
convex
smooth
concave
C
Tip Diamond
S
D
D
C'
D
Domal Segment
E

그림 3-3

## 외재 비첨 요소 (Extrinsic Tip Factors)

내재 요소의 특징은 비익연골의 형태에 따르지만, *외재* 요소는 인접한 지지 구조에 의하여 결정된다. 전형적인 예는 높은 궁형(弓形, arched)의 긴장코(tension nose)이다. 전반적으로, 전체 비첨돌출(tip projection)이 지나칠 수 있지만, 일단 외재 요소인 큰 비배비봉(dorsal hump)과 긴 미측 비중격(caudal septum)을 절제하고 나면, 작은 비익연골 때문에 비첨까지도 내재적으로 부족함을 알 수 있다. 그러므로 비첨의 내재 및 외재 요소들을 분석하는 것을 배워야 하며, 결국 내재 및 외재 요소 둘 다로써 구성되는 *전체적(total)* 특징을 고려하여야 한다.

### 비첨돌출(Projection)

비첨돌출은 비익주름(alar crease)에 접한 수직안면선(vertical facial plane)으로부터 비첨까지의 거리로 정의할 수 있다[6](그림 3-4A)). 이상적 비첨돌출은 이상적 비배길이의 2/3이며, 이상적 비배길이는 이상적 중안면높이(midface height)의 2/3로 생각한다[1]. 비첨돌출은 *내재* 비첨연골(intrinsic tip cartilage)의 형태, *외재* 구조지대(外在 構造支待, extrinsic structural abutment), 또는 둘 다에 의하여 결정된다. 내재 돌출(intrinsic projection)은 비주변곡점(columellar breakpoint)의 수직선으로부터 비첨돌출선까지의 거리로써 계측할 수 있다(그림 3-4A). 예를 들면, 드물지만 진정한 피노키오비첨(Pinocchio tip)은 매우 긴 비익연골 때문인 반면에, 더 흔한 비첨과다돌출(tip over-projecting)의 가장 흔한 원인은 비첨을 바깥쪽으로 밀어내는 큰 연골원개 때문이다. 후자에서는 폐쇄 및 개방 접근술이 선호되는데, 외재 요소를 단계적 방식으로써 제거한 다음, 필요하면 비첨변형술(tip modification)을 할 수 있기 때문이다.

### 비첨회전(Rotation)

비첨회전은 *비첨각(tip angle)*으로서 대개 쉽게 정의되는데, 수직안면선에 대한 비익주름과 비첨 연결선의 각도로써 계측한다[6](그림 3-4B)). 비첨각은 여성 105도, 남성 100도이다. 이것은 *내재* 비첨연골의 형태, *외재* 구조지대(structural abutment), 또는 둘 다에 의하여 결정된다. 예를 들면, 비첨은 외측각(내재)이 크거나, 미측 비중격(외재)이 돌출되거나, 또는 둘 다에 의하여 미측회전 될 수 있다. 이상적 수술을 도안하기 위해서는 원인 결정이 중요하다. 즉, 비첨연골을 구성하는 3개의 각(crura)을 각각 평가한 다음, 미측 비중격과 전비극(anterior nasal spine)을 촉진함으로써 진단할 수 있다. 이차 요소인 *비주경사(columellar inclination)*를 살펴보는 것도 중요하다. 왜냐하면 비첨회전의 미학적 효과에 영향을 흔히 미치기 때문이며, 비주경사와 비첨회전은 서로 비슷하여야 한다.

## 비첨위치(Position)

비첨위치는 비배선(N-T)을 따라서 비첨이 위치하는 것을 말하며, 긴 코를 단축시킬 때 중요하다(그림 3-4C). 원래, 비단축을 위하여 두측 외측각(내재)과 미측 비중격(외재)을 흔히 절제한다. 또, 비중격연장이식술(septal extension graft)은 비첨을 회전시키지 않으면서 비배길이를 연장하는 개념을 확실히 증명하였다. 기억해야 할 또 다른 중요한 관계는, 비배선(N-T)이 비근점(nasion, N)의 변화에 의하여 극적으로 영향을 받을 수 있는 것이다. 이러한 비배선의 변화는 비근점이 아니라 비첨위치가 변했기 때문으로 착각하게 만든다. 예를 들면, 비근증대술(radix augmentation)을 하여서 비배가 더 길어졌는데도 불구하고 비첨이 좀 더 의존적(tip dependent)이어서 길어진 것으로 착각하게 만든다.

## 원칙

- 비첨의 모든 특징은 다음과 같이 평가하여야 한다. 즉, total= intrinsic plus extrinsic.
- 전체 비첨돌출을 계측한 다음, 마음속으로 외재 요소의 기여를 제거하고 나면 결국 내재 요소의 기여를 평가하게 되는데, 이러한 방법은 부족한 비첨돌출에서 비첨이식술(tip graft)이 필요한 지를 알아볼 때 흔히 사용한다.

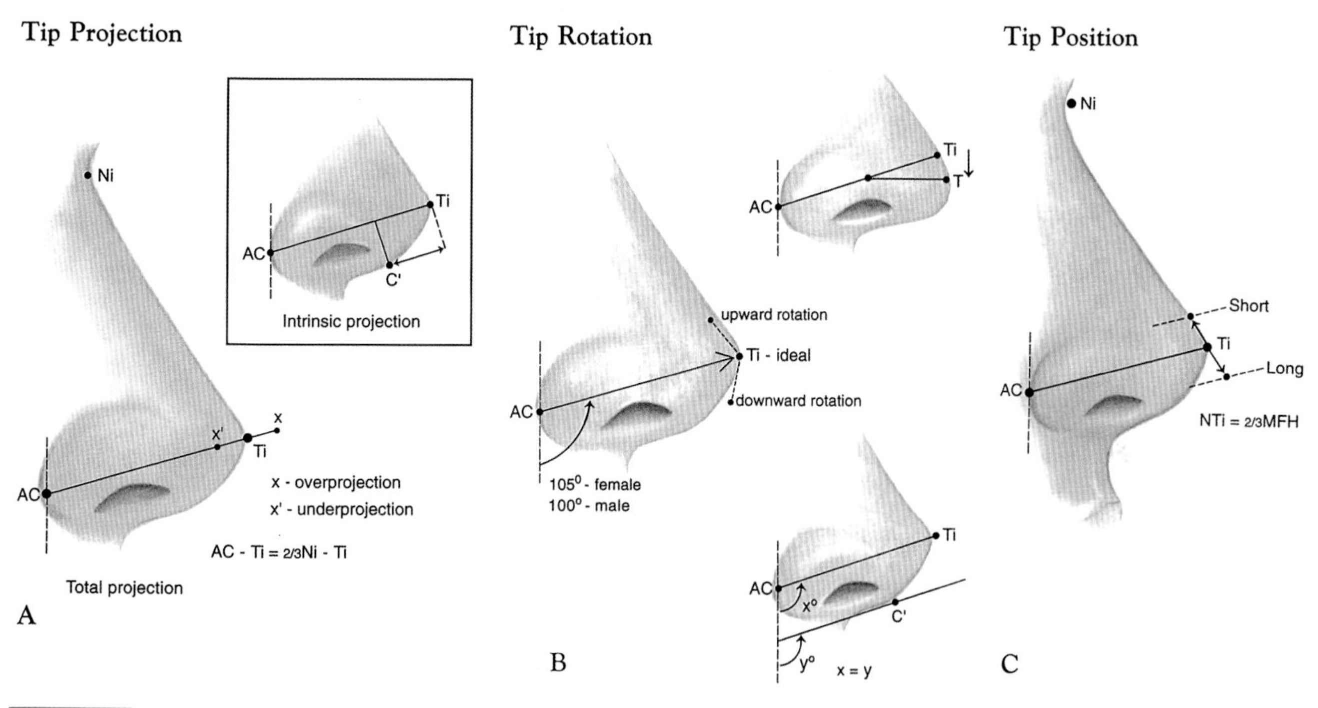


그림 3-4

- 전체 비첨*회전*을 계측한 다음, 절제술로써 외재 비배 및 미측 비중격의 영향을 빼고 나면 두 측 외측각이 문제임을 알게 된다. 만일 비첨이 여전히 의존적이면 각진 지주(angled strut)이 식술이나 비주-비중격봉합술(columellar-septal suture)이 필요할 수 있다.
- 외재 및 내재 요소들을 서로 떼어 놓아야지 적절한 비첨수술을 선택할 수 있다.

## 비첨수술 (Tip Surgery)

처음 5년 동안 저자는 모든 비성형술을 폐쇄접근술로 하였으며, 매우 다양한 내비첨기법(endonasal tip technique)을 배웠다. 처음에는 개방접근술을 제한적으로 받아드렸으며(1982년, 7% 적용), 이차비성형술에서 적용하던 개방접근술을 서서히 일차비성형술로 옮기게 되었다. 저자는 폐쇄접근술로써 전체적으로 좋은 결과를 얻고 있었기 때문에, 개방접근술을 더 어려운 일차비성형술에서 주로 이용하였다(비대칭, 비첨과소돌출, 구상비첨). 결과는 저자가 내비접근술(endonasal approach)로써 얻을 수 있었던 것보다 현저히 더 나았다. 개방구조비첨술(open structure tip)의 채택으로 심한 변형들을 극적으로 교정하였다[8]. 동시에, 저자는 다양한 비첨봉합술을 개방접근술과 폐쇄접근술 둘 다를 사용하여 시도하였다[4]. 저자는 봉합술이 지나치게 넓고 정의(definition)가 부족한 중간증의 문제점에서 특별히 유용함을 알게 되었다. 십 년 동안 저자는 어려운 비첨 문제점들을 해결하기 위하여 봉합술과 이식술 둘 다를 계속하여 사용하였다. 그러나 저자가 저자의 결과를 보게 된 것은 단지 지난 2년 동안이며, 저자의 비첨수술법이 얼마나 간단하게 되었는지를 깨달았다. 저자는, 대부분의 젊은 성형외과의사들이 많은 비첨수술을 배우는 것보다는 가장 다양한 비첨 해부까지도 취급하기 위하여 충분한 변법을 가진 점진적으로 서로 연결된 3가지의 기본적 비첨수술 기법을 숙달하는 것이 더 잘 하는 것이라고 생각한다. 그러므로 술자는 잘못하면 재앙을 초래할 수 있는 중요한 선택을 술전에 하기보다는 술중에 기법을 변형하는데 집중할 수 있다.

### 외과 수기(Operative Techniques)

세 가지 비첨수술은 1) 폐쇄절제술 및/또는 이식술, 2) 개방비첨봉합술(open tip suture), 그리고 3) 개방비첨이식술(open tip graft)이다. 폐쇄비첨절제술은 기본적으로 연골내절개술(intracartilaginous incision)을 통하여 용적을 축소하고, 선택적으로 폐쇄비첨이식술을 추가하는 것이다. 개방비첨봉합술은 주로 3점봉합술(3 stitch suture technique)이며 선택적으로 비첨이식술을 추가한다. 개방비첨이식술은 원래 고형의 방패이식술(solid shield graft)을 하비소엽(infralobule)에 봉합하는 것으로서 원개는 미리 봉합술이나 절제술로써 변형시켜 둔다.

## 수술 선택(Operative Selection)

특정한 비첨을 위한 수술을 선택할 때 중요한 것은 미학과 술전 분석에 기초하는 것이다. 전번 절에서 토론하였듯이, 6가지 비첨 특징을 분석한 다음, 술자 자신의 경험에 따라서 변형을 경증(minor), 중간증(moderate), 중증(major)으로 등급을 매긴다(표). 경증 증례는 원래 이상적이거나 단지 제한된 개선이 필요한 내재 비첨을 가진다. 중간증의 문제점은 덜 이상적인 내재 비첨을 가지지만, 특히 비첨폭±비첨정의 문제점을 봉합술로써 교정할 수 있다. 중증 변형은 마음에 안 들고 교체술(replacement)이 필요한 내재 비첨으로 구성된다. 이러한 수술법의 원칙은, 원칙의 적용이 *진행적(progressive)*이며, 불리한 것 없이 *술중에 바꿀 수 있는(convertible intraoperatively)* 것이다. 예를 들면, 만일 술자가 비첨의 문제점이 경증라고 생각하여 비배 및 용적 동시축소술(combined dorsal and volume reduction)을 하였는데 비첨이 넓어서 마음에 들지 않으면 술자는 개방접근술로 바꾸어서 적절한 봉합술을 추가할 수 있다. 마찬가지로, 중간증의 변형을 개방비첨봉합술로써 치료하였지만 추가적 비첨정의가 필요하다고 생각하면 비첨이식술을 추가할 수 있다. 반대로, 술자가 중증의 비첨변형에서 비첨이식술을 하기로 계획을 하였으나 놀랍게도 원개봉합술(domal suture)로써 충분하면 비첨이식술을 하지 않고 이식물을 저장해 둘 수 있다.

## 원칙

- 여섯 가지의 비첨 특징의 분석을 배우고, 변형에 따라서 경증, 중간증, 그리고 중증으로 등급을 매기라.
- 많은 기법을 사용하여 실험하기 보다는 몇몇 비첨수술에 숙달하도록 노력하라.
- 폐쇄접근술과 개방접근술은 서로 보완적이며, 변환이 가능하며, 배타적이지 않다.
- 비첨봉합술은 효과적이고 오래 지속되며, 비익연연골조각(rim strip)을 절제하거나 절개하는 것보다 더 좋다.
- 비첨이식술은 유력한 방법이며, 가장 어려운 증례에서 사용한다.

# TIP SURGERY CHOICES

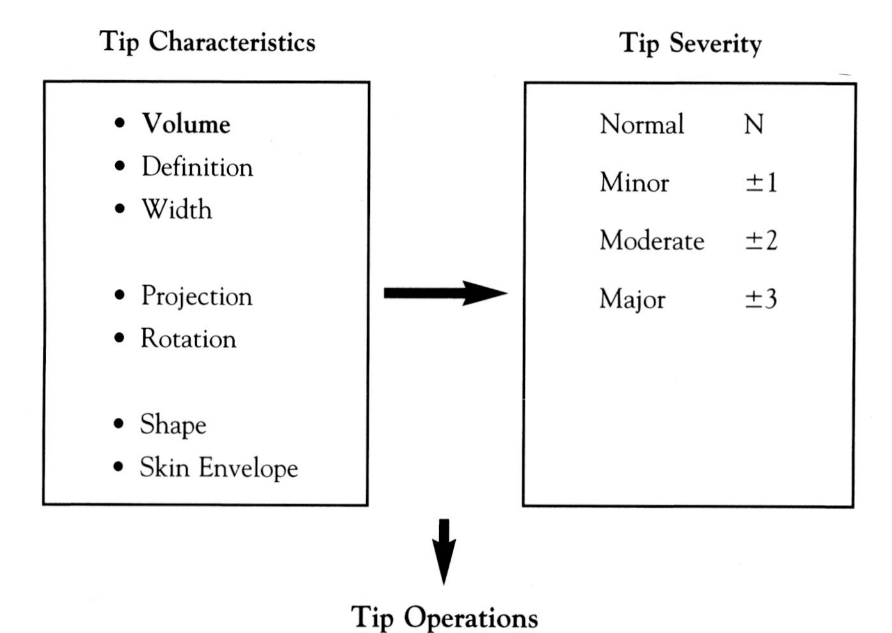


Tip Operations

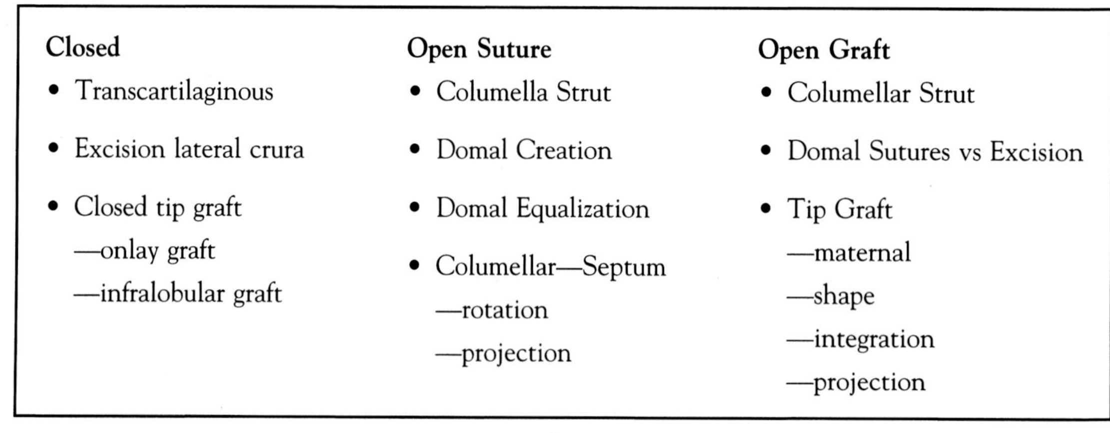

Tip Applications

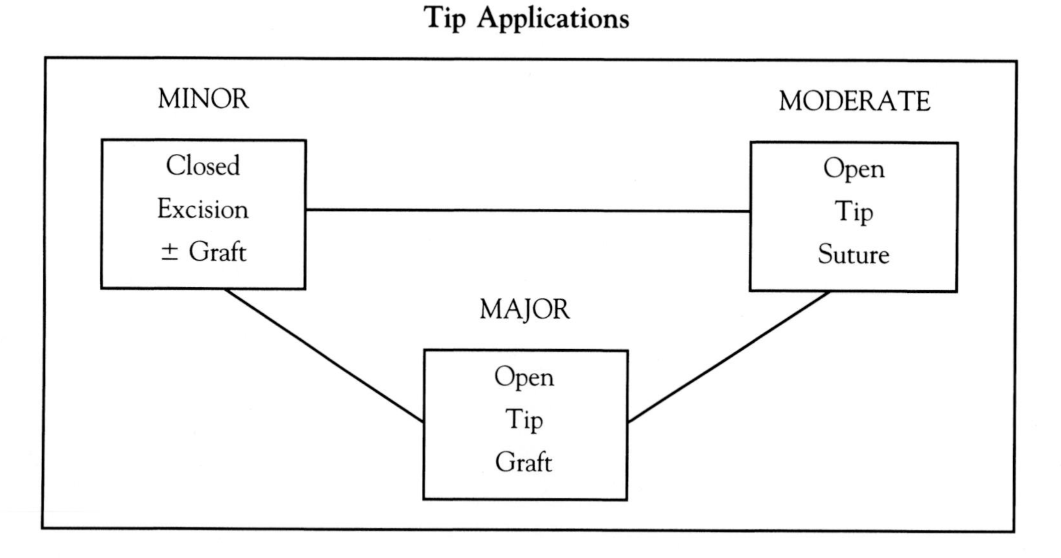

## 비첨용적축소술 (Volume Reduction)

용적축소술은 원래 Peck[12]과 Tardy[18]가 권장하는 경연골비첨술(transcartilaginous tip procedure)이다. 연골내절개술을 통하여 다양한 양의 두측 외측각을 절제하면 비소엽 용적을 감소시키며, 내재 비첨이 드러난다(그림 3-5). 부수적으로, 비첨도 두측회전되며, 비첨폭도 조금 감소되는데, 외측각의 내측 절제량에 따른다.

### 적응증

주된 부정적 요소로서 과대한 비소엽 용적을 가지지만 거의 이상적으로 돌출되고 잘 정의된 매력적인 내재 비첨을 가진 환자가 적응 대상이다. 내재 비첨은 변하지 않을 것이기 때문에 내재 비첨은 처음부터 훌륭하여야 한다. 가장 특징적인 적용 대상은 더 부드러운 코를 원하는 사춘기 여성들로서 저자의 환자의 약 15%에 달한다.

**Volume Variations**

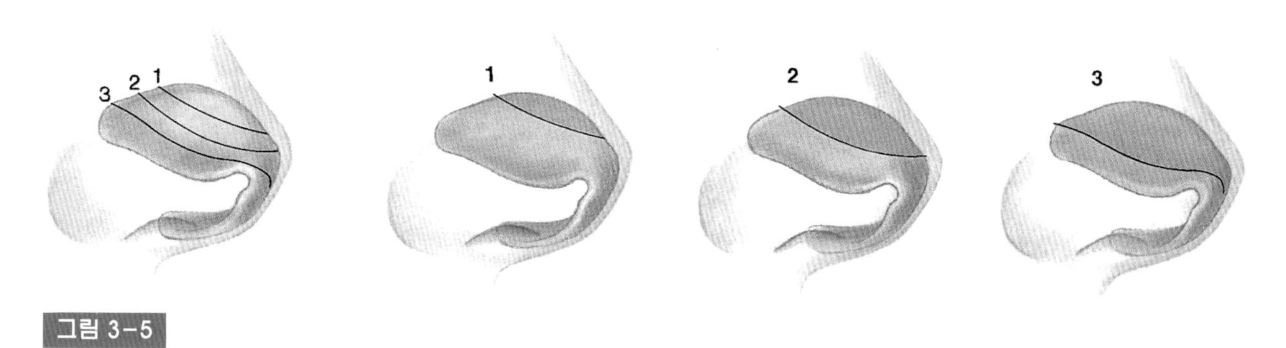


그림 3-5

### 기법

환자를 앉힌 상태에서, 비익연골의 두측 경계와 미측 경계를 표시한다. 비첨정의점(tip defining point)과 윈개를 표시한다. 그 다음, 예상하는 절개선과 절제선을 비익연골 미측 연에 평행하도록 대개 4-5mm 두측에서 그린다. 절개선의 외측 연장은 비익연(alar rim)으로부터 떨어져서 비익연골의 미측 연을 따라서 두측으로 올라간다. 절개선의 내측 연장은 비첨 축소량에 따라서 다양하다. 즉, 미묘한 축소를 위해서는 짧게 연장하지만, 비첨폭의 문제점이 좀 더 현저해서 봉합술을 하려면 많이 연장한다. 얼굴을 소독하고 코를 마취한 다음, 예상 절제선을 Ruben 비계측기(rhinometer)를 사용하여 비점막에 표시한다. 이 비계측기는 원래 겸자(forceps)를 변형시킨 것으로서 피부에 표시된 도안을 비점막에 전달하여 점막을 긁어서 표시한다(그림. 3-6B). 단순화시킨 기구이지만, 특히 초보자에게 절제술의 정확도를 극적으로 향상시킨다. 양구겸자(double hook)와 왼손의 중지를 사용하여 비익연을 외번시켜서 점막 도안선이 보이도록 한다. 털이 있는 비전정피부(vestibular skin)와 부드러운 점막의 접합선으로 나타나는 비익연골의 미측 연을 보이게 하는 것이 현명하다. 만일 이 접합선이 정확하면 두측으로 굽은 점선을 따라서 내외측으로 절개를 한다(그림 3-6C). 점막을 다시 주사하여 수력박리(hydrodissection)를 쉽게 한다. 외측에서 시작하여 아래에 놓인 점막을 박리한 다음, 작은 지혈겸자(hemostat)로써 미측으로 견인한다(그림 3-6D). 조수로 하여금 양구겸자를 잡고 있게 하고, 비익연골의 두측 연을 Addson-Brown 겸자로써 잡은 다음, 조직가위를 넣어서 비익연골 위에서 수직으로 벌린다(그림 3-6E). 목표는 비익연골에 대부분의 지방을 남긴 채로, 피부를 피하층을 통하여 두측으로 박리하는 것이다. 이렇게 하면 비익연골은 미측으로 내려오며, 박리를 두측으로 계속하여 상외측연골(upper lateral cartilage)과 작은 종자연골(sesamoid cartilage)의 접합부까지 박리한다. 대부분의 증례에서, 두측 비익연골을 연골간접합부(intercartilaginous junction) 또는 두루마리 구조(scroll formation)를 따라서 절제한다. 반대쪽에서도 이처럼 반복한다. 비첨을 세밀하게 검사하고, 장갑낀 손가락에 물을 묻혀서 촉진함으로써 비첨의 대칭을 확인한다. 나머지 필요한 비성형술을 한 다음 수술을 완성한다.

## 문제점

술중에 추가적인 비첨정의나 비첨돌출을 위하여 폐쇄비첨이식술을 하고 싶으면 절제해낸 이식물이 있고 폐쇄성 포켓이 유용하기 때문에 쉽게 할 수 있다. 만일 환자를 올바로 선택하였다면 술후 문제점은 최소이며, 있더라도 작은 비대칭이나 '굽은 원개(buckled dome)' 정도이다. 후자는 '가는 구멍(slot)' 절개를 한 다음, 미측으로 당겨서 편평하게 함으로써 쉽게 교정된다. 좀 더 심하면 개방접근술을 한다.

## 원칙

- 내재 비첨은 원개정의점(dome defining point), 하비소엽변곡점(infralobular breakpoint), 그리고 상비첨변곡점(supratip breakpoint)으로 구성된 '비첨마름모꼴(tip diamond)'을 일컫는다(그림 3-3D).
- *용적축소술(volume reduction)*은 내재 비첨을 '돋보이고(set off)' 두드러지게 한다.
- 피부에서 도안한 *연골내절개선(intracartilaginous incision)*은 점막표시기(mucosal marker)를 사용하여 피부 표면으로부터 점막으로 가장 잘 전달할 수 있다.
- 연골내절개술의 양과 내측 연장은 *다양하며*, 내측 연장하면 비첨폭을 줄일 수 있다.

Operative Technique

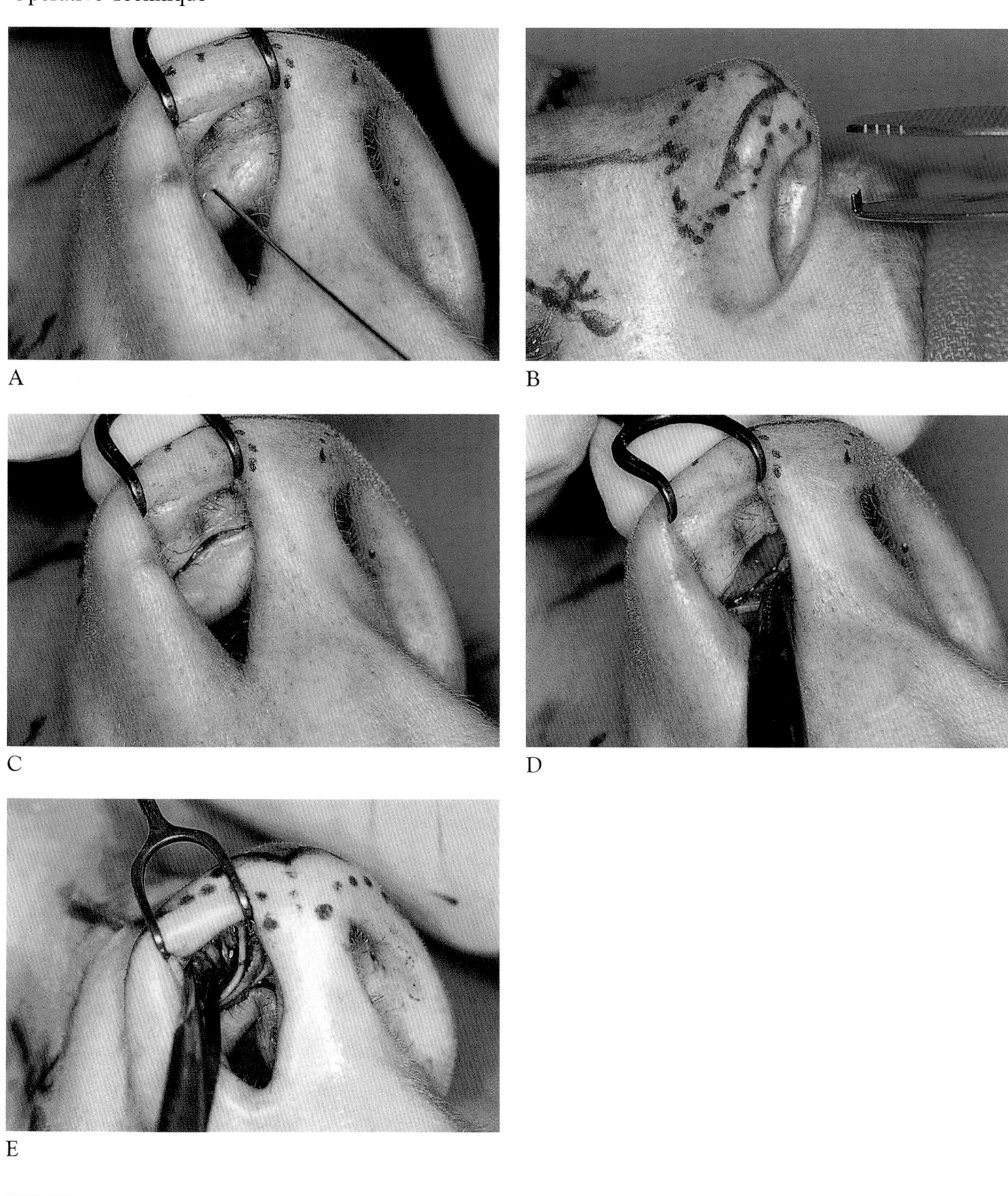

그림 3-6

## 증례 연구 폐쇄비첨수술(Closed Tip Surgery)

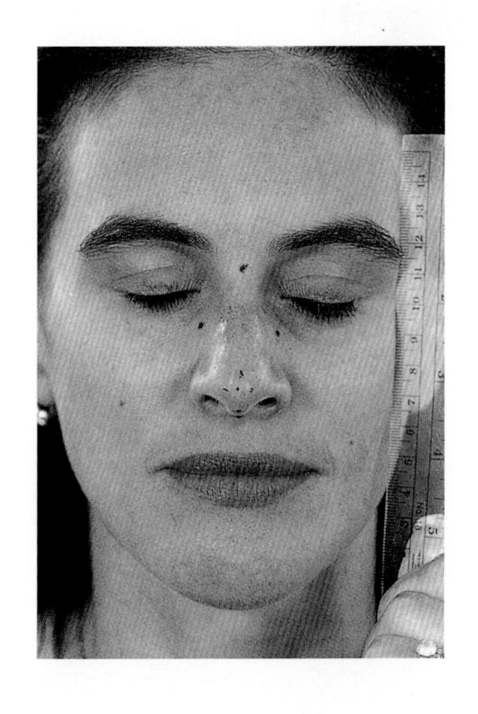

### 분석

30세 여성으로서 자신의 코, 특히 측면이 언제나 마음에 들지 않았다고 호소하였다. 우측보다 좌측에 더 심한 비폐쇄가 있었다. 내비검사에서 좌측으로 심한 비중격만곡(septal deviation)과 우측 골비갑개비후(bony turbinate hypertrophy)가 있었다. 미적으로 주된 문제점은 측면에서 비배비봉(dorsal hump)이 확실한 것인데, 이는 조금 낮은 비근에 의하여 두드러졌다. 내재 비첨은 훌륭하였으며, 4개의 지표가 이상적인 평행사변형을 이루고 있음을 볼 때 좋은 비첨정의와 비첨폭을 가지고 있음을 알 수 있었다. 비첨돌출(29mm)은 실제로 이상적이었다. 비첨회전은 약 95도이었으며, 미소 지을 때 두드러졌다. 이 환자는 폐쇄경연골접근술(closed transcartilaginous approach)을 통한 두측외측각절제술로써 비소엽의 용적을 축소시키고, 내재 비첨을 돋보이게 하며, 비첨을 조금 회전시킬 수 있는 이상적인 후보자로 보였다.

### 외과 수기

1. 점막표시기(mucosal marker)를 사용하여 연골내절개선을 표시(그림 3-7A).
2. 4mm의 두측외측각절제술.
3. 연조직외피거상술에 의한 노출. 점막외터널 형성.
4. 비배축소술: 줄질로써 골 2mm, 수술도로써 연골 4mm(그림 3-7C).
5. 일측관통절개술을 통한 비중격성형술과 고착된 변형을 가진 비중격연골의 채취술.
6. 저-고위외측비절골술. 횡단약목비골절술(transverse greenstick fracture).
7. 양측연전이식물(spreader graft)의 봉합고정술.
8. 경피봉합술을 이용하여 비근까지 근막이식술(그림 3-7D).
9. 모든 절개선의 봉합술 후 비공상 및 비익 동시절제술(우측 2.5mm, 좌측 4.0mm).
10. 양측부분하비갑개절제술(우측 > 좌측).

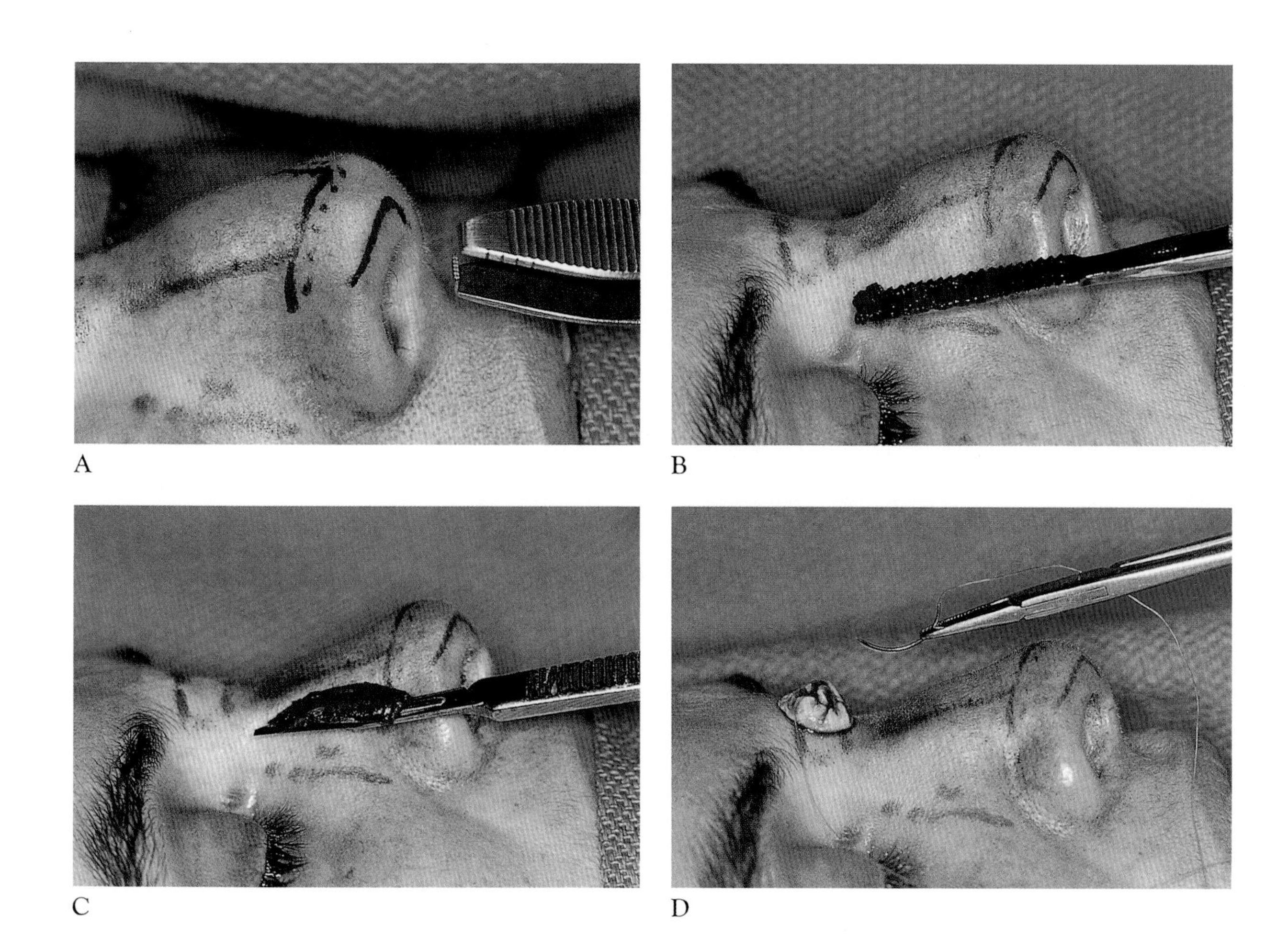
A B C D

그림 3-7

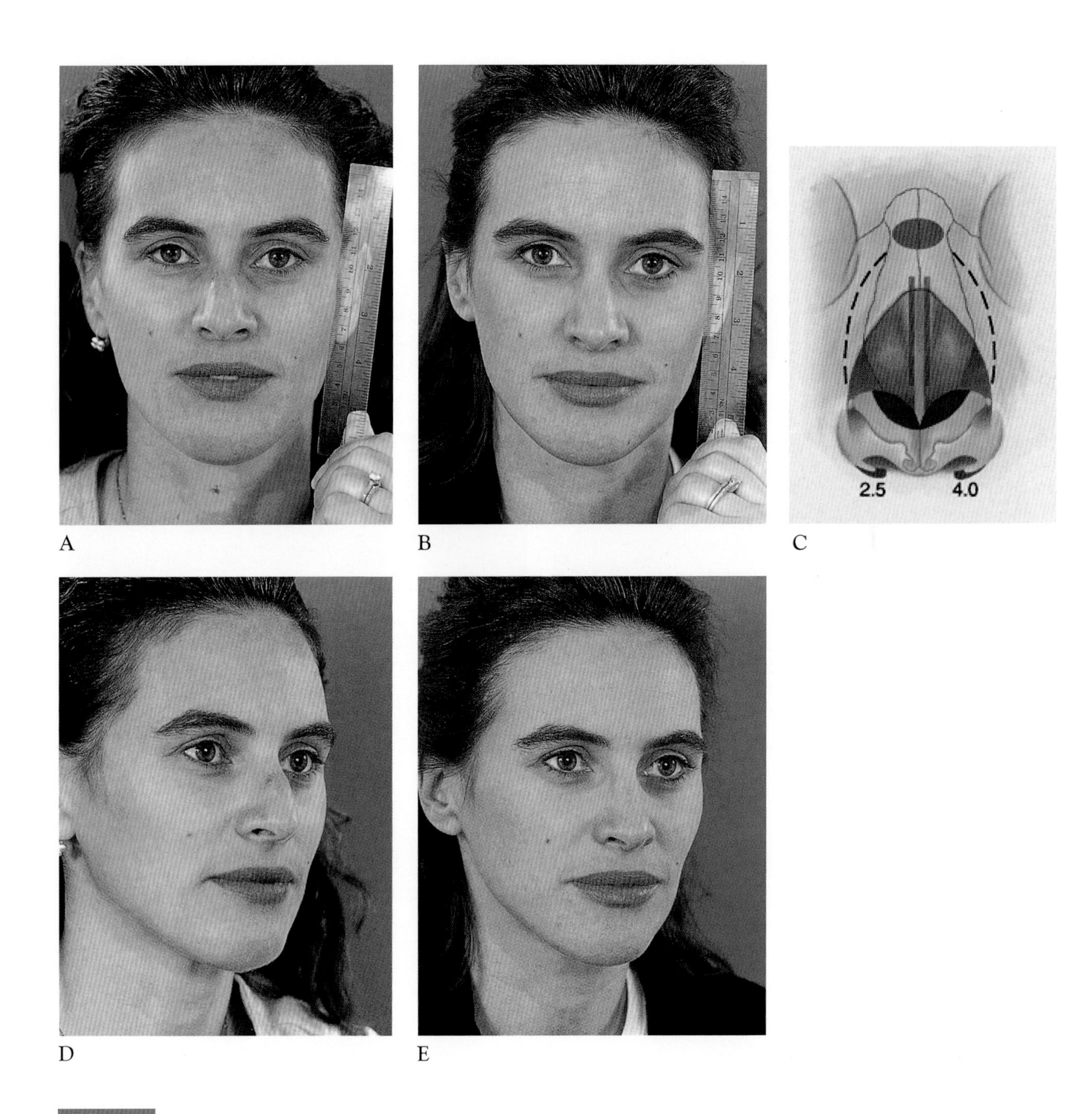


A B C D E

그림 3-8

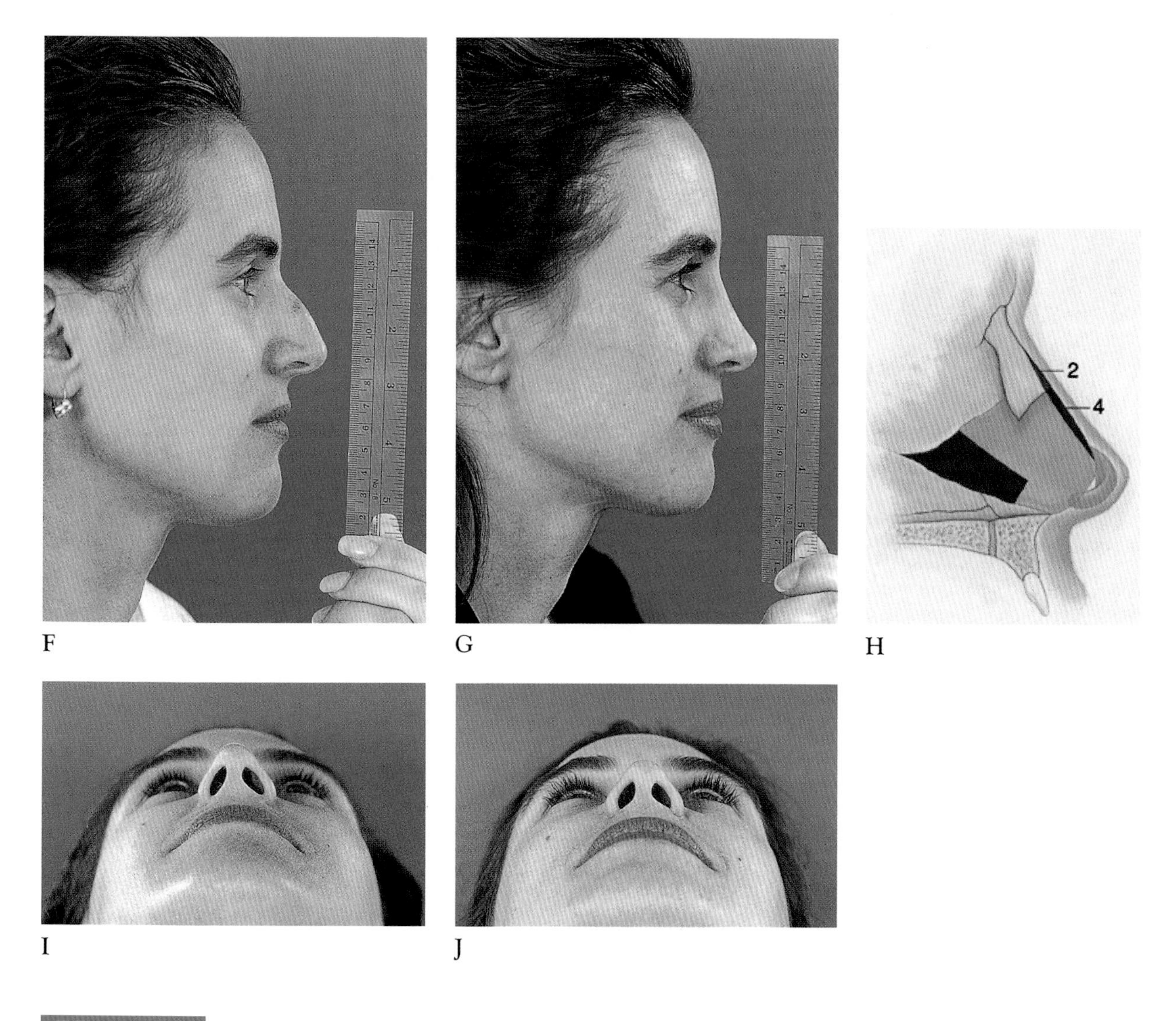


그림 3-8. 계속

## 논평

술후 1년에, 결과는 기능적 및 미적으로 둘 다 훌륭하였다(그림 3-8). 원래 이 수술은 '기능적 축소비성형술(functional reduction rhinoplasty)' 이다. 환자의 호흡을 개선하기 위하여 비중격성형술, 하비갑개절제술, 그리고 연전이식술의 3가지 조작을 하였다. 비첨수술은 이상적 내재 비첨과 비첨돌출을 유지하는 중요한 기법임을 증명하고 있다. 용적축소술은 의도한 대로 정확히 하면 내재 비첨이 돋보이며, 비첨을 조금 회전시킨다. 저자는 어느 누구도 이러한 코에서 개방접근술을 하여 이상적인 비첨을 변화시키는 모험을 할 것이라고 생각하지 않는다.

## 폐쇄비첨이식술 (Closed Tip Graft)

폐쇄비첨이식술은 Sheen[16]의 업적을 통하여 큰 인기를 얻었는데, 어려운 이차비변형에 이어서 좀 드문 일차비성형술에서 극적인 교정을 가능하게 하였다. 그러나 이 수술의 적용은 개방접근술의 인기가 증가함에 따라서 줄어들었다. 저자는 일차비성형술에서 '향상(enhancement)' 시키고자 할 때와, 해결책이 증대술인 좀 더 복잡한 문제점을 가진 이차비성형술에서 주로 사용한다. 또, 이 수술은 저자가 하였던 일차개방비성형술 환자가 좀 더 비첨정의나 비첨변곡(tip break)을 원할 때 재교정하는 훌륭한 방법이다. 본질적으로, 2가지 기법을 이용한다. 즉, Peck의 중첩이식술(onlay graft)[12]과 Sheen의 다층비첨이식술(multilayered tip graft)이다[16]. 중요한 기법은, 두측외측각절제술을 위하여 역행연골접근술(retrograde cartilage approach) 또는 경연골접근술(transcartilaginous approach)을 사용하여 폐쇄 비첨 및 하소엽 포켓(closed tip/infralobular pocket)을 만드는 것이다.

### 중첩이식술(Onlay Graft)

저자는 일차비성형술에서는 절제해낸 비익연골을 2층으로 겹쳐서 사용하지만, 이차비성형술에서는 이갑개연골(concha)을 사용한다(그림 3-9A). 이식물은 대개 8X4mm의 크기이며, 이식물연(graft edge)이 날카롭지 않도록 경사지게 한다. 우측 원개의 바로 외측에서 연골하절개술(infracartilaginous incision)을 하여 접근한 다음, 포켓을 만든다. 굽은 Stevens 조직가위를 두측으로 4-5mm 정도 바로 통과시킨 다음, 원개 사이에서 가로로 방향을 바꾼다. 포켓은 이식물을 넣을 만큼만 크게 만든다. 이식물이 변위될 수 있으므로 봉합침이 2개 달린 5-0 평장사를 2층의 이식물에 통과시킨 다음, 봉합침을 절개선으로 넣어서 따로 원개 바깥으로 빼낸다(그림 3-9B). 이식물을 포켓 안으로 끌어넣은 다음, 위치를 확인한 뒤에 봉합한 봉합사를 길게 놔둔다. 술후 1주일에, 봉합사를 빼내든지, 아니면 피부 표면에서 짧게 잘라서 피부에 매몰시킬 수 있다. 이러한 이식술의 문제점은 경피유도봉합술(percutaneous guide suture)을 사용하지 않으면 변위되어서 충분한 비첨정의를 얻을 수 없는 것이다. 술후 5년의 결과는 꽤 좋았다(그림 3-9C, D).

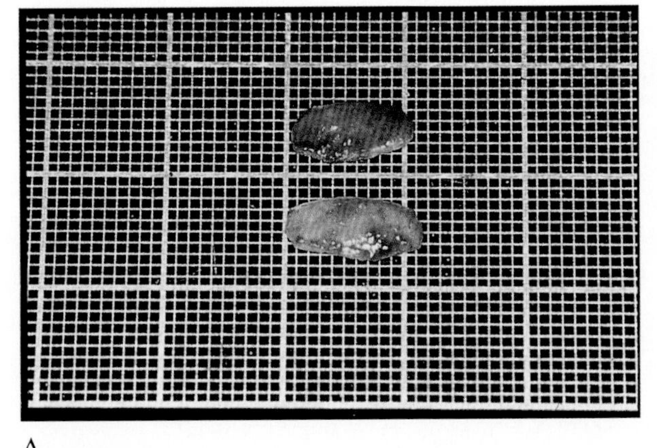

A

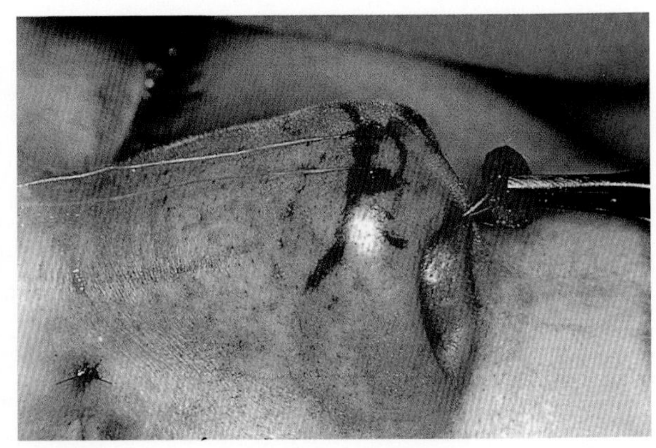

B

그림 3-9

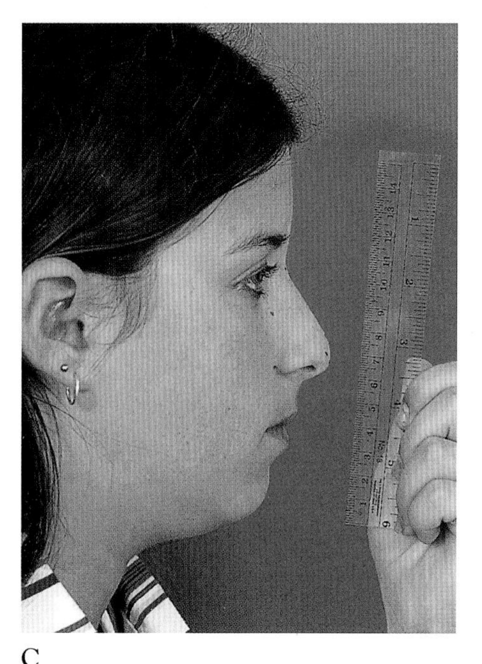

C

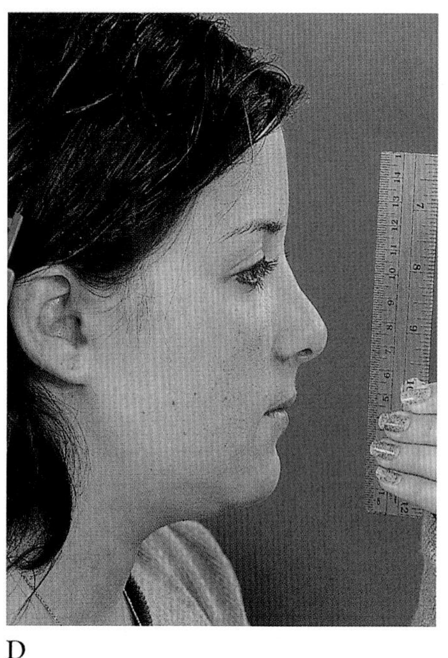

D

그림 3-9. 계속

## 다층비첨이식술(Multilayer Tip Graft)

Sheen의 방패형이식술(shield graft)은 지난 20년 동안 1층의 고형이식술(solid graft)로부터 다층다조직이식술(multilayer mulitcomposition graft)로 발전해 왔다[16]. 이 수술의 가장 발전된 형태는 4층으로 구성된 것이다. 즉, 이식물이 두측으로 미끄러지는 것을 막기 위한 단단한 사골부벽이식물(ethmoid buttress graft), 각 원개점(dome point)에 놓이는 2개의 고형이식물, 그리고 하비소엽용적(infralobular volume)을 채우기 위한 타박하고 압좌시킨 연골이식물(bruised and crushed cartilage graft)이 그것이다. 하비소엽이 편평한 환자에서 다층비첨이식술이 훌륭한 해결책이다. 비중격연골채취술을 한 다음, 비주변곡점(columella breakpoint)으로부터 비전정의 정점으로 연장되는 분절연골하절개술(segmental infracartilaginous incision)을 통하여 비첨에 접근한다. 건절개가위(tenotomy scissors)를 사용하여 하비소엽피부를 피하박리 하여 원개에 이른다. 이식물의 선택은 목적(원개정의 또는 하비소엽충전)과 피부의 두께(두껍거나 얇은)에 따른다. 피부가 얇을수록 더 압좌시키거나 조금 압좌시킨(타박한) 이식물을 사용하며, 피부가 두꺼울수록 더 고형이식물을 선호한다. 원개정의가 필요하면 10X4-6mm 정도의 고형이식물을 좌측 원개에 '위치시킨' 다음, 우측의 원개에 위치시킨다. 그 다음, 하비소엽을 둥글게 하기 위하여 타박하고 압좌시킨 연골이식물을 미측에 추가한다. 수술을 마치면 절개선을 봉합하고 비첨에 조심스럽게 Steri-strips를 붙인다. 이러한 이식술에서 단기적 문제점은 필요한 각짐(angularity)을 얻을 수 없는 것이며, 장기적 문제점은 이식물 특히, 반흔이 있는 수용부바닥에 위치시킨 타박하고 압좌시킨 이식물이 흡수되는 것이다.

## 개방비첨봉합술 (Open Suture Tip)

Daniel[4]이 1987년에 출판하였듯이, 개방접근술 때 봉합술을 동시에 하면 볼록한 원개와 오목한 외측 비익을 극대화함으로써 극적으로 원개간격을 줄이고, 원개정의를 얻을 수 있다. Gruber는 중간각과 비중격 사이에서 회전봉합술(rotation suture)을 추가함으로써 비첨회전을 얻었다. 그러나 궁극적인 봉합술은 Tebbetts[18]의 '벡터봉합술(vector suture technique)'이다. 그의 고유의 복잡한 기술은 다음의 4단계로 줄일 수 있다. 1) 대칭적 비익연연골조각(alar rim strip)의 형성, 2) 모양을 낸 비주지주(columella strut)에다가 원개등화봉합술(domal equalization suture), 3) 외측각 및 원개 모양내기, 그리고 4) 비첨돌출과 비첨회전을 위하여 비첨복합체(tip complex)를 위치시키기. 대부분의 술자에게는 다음의 등급별 순서가 대부분의 증례에서 효과적일 것이다. 1) 두측외측각절제술, 2) 비주지주이식술, 3) 원개정의봉합술(domal definition suture), 4) 원개등화봉합술(domal equalization suture), 그리고 5) 필요하면 비첨회전술.

### 적응증

봉합술은 크게 다음의 3가지로 나눌 수 있다. 1) 단독 특별한 효과(single specific effect), 2) 등급별비첨형성술(graded tip creation operation), 그리고 3) 벡터비첨수술(vector tip operation). 많은 증례에서, *단독봉합술(single suture)*이 특별한 효과를 얻기 위하여 사용될 수 있다. 즉, 원개높이를 동일하게 하고, 원개간격을 좁히며, 비첨의 비대칭을 최소화 하거나, 회전시키고자 할 때이다. 저자는 비첨정의가 나쁘거나, 비첨폭이 넓거나, 비첨돌출이 부족하거나, 비첨하수(plunging tip)가 있을 때 *삼점봉합술(three stitch technique)*을 사용한다[7]. 또, 봉합술로써 바람직한 목표를 얻지 못하면 비첨이식술을 추가할 수 있다. 두꺼운 피부, 두측회전 된 비첨, 많은 이차비성형술에 보는 손상된 비익연골을 가진 환자에서는 봉합술만으로는 비교적 어렵다.

### 기법

지난 10년 동안, 저자는 독자적인 원개형성술(domal creation procedure)을 유지하면서 여기에 비주지주(columella strut)이식술, 원개등화봉합술(domal equalization suture), 그리고 회전 및 돌출 봉합술(rotation and projection sutures)을 더하였다. 고정된 순서를 따르기보다는 독창적으로 '진행하면서 봉합하는(sew as you go)' 기법인 경향이 있다. 일반적 순서는 다음과 같다.

*두측비익연연골조각(Cephalic Rim Strips).* 표준개방접근술을 사용하여 비첨 위의 피부를 일으킨다. 그 다음, 비익연골의 형태, 크기, 그리고 대칭을 분석한다. 수술 계획의 적합성을 평가한다. 만일 적응이 되면 두측 외측각을 대칭으로 4-6mm의 비익연연골조각을 남기고 절제하는데, 아래에 놓인 점막을 건재한 상태로 놔둔다(그림 3-10A-C).

*비주지주(Columella Strut).* 비주지주의 크기는 비첨의 필요가 아니라 코의 필요에 맞추어서 다양하게 한다. 크기의 다양성은 다음과 같다. 1) 비첨지지를 위한 20X3mm 크기의 각지주(crural strut), 2) 비첨을 지지하면서 비주를 낮추기 위한 28X6mm 크기의 굽은 이식물(bowed graft), 그리고 3) 비첨돌출을 최대화하기 위한 35X8mm 크기의 아주 긴 이식물(그림 3-10D-F). 통상의 각지주는 비주-비소엽각(columellar lobular angle)에 합체(incorporation)되는 Tebbetts의 각진 이식물(angulated graft)이기보다는 Johnson의 것과 비슷하게 곧은 이식물이다.

Cephalic Resection

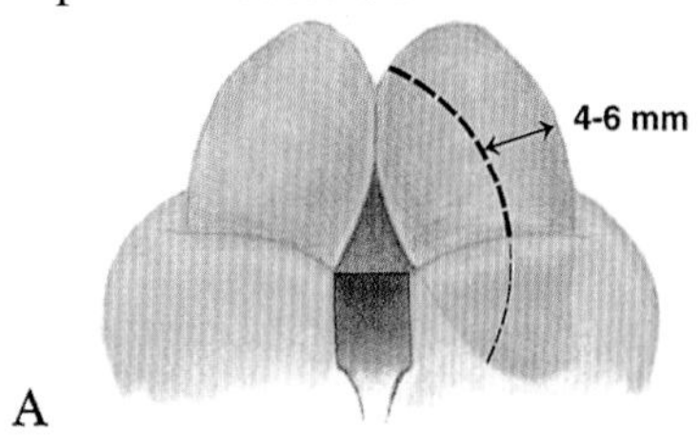


A

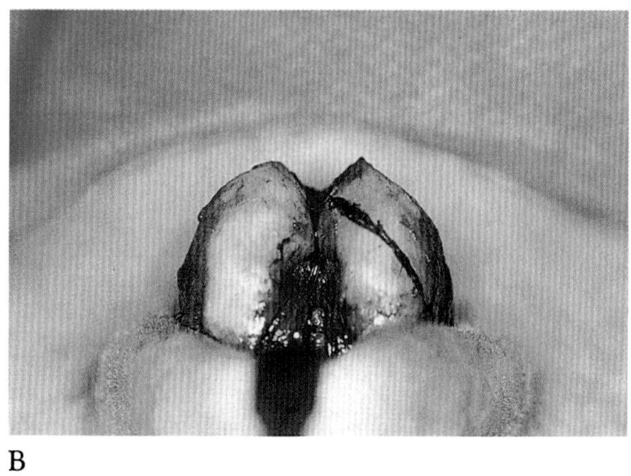

B

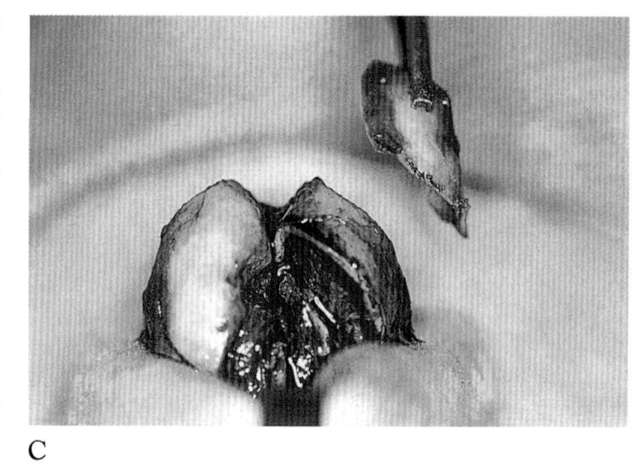

C

Columella Strut

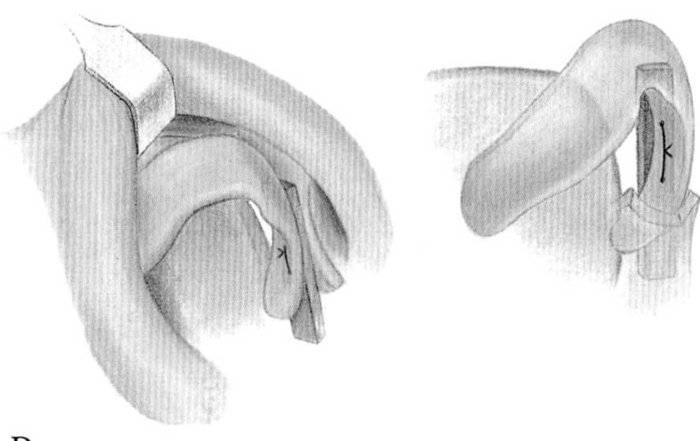

D

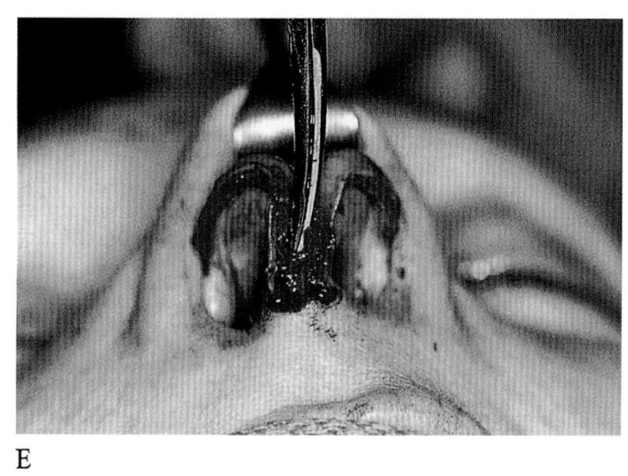

E

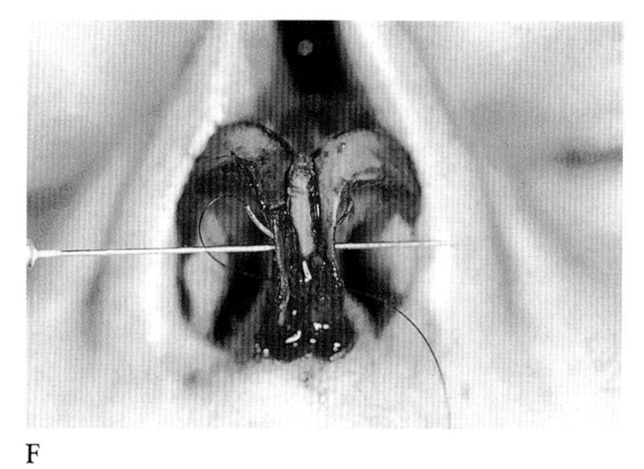

F

그림 3-10

비주를 위한 포켓은 무딘 비첨조직가위(blunt tip scissors)를 사용하여 양측 중간각과 내측각 사이를 박리하여 만든다. 중간각과 내측각 앞과 뒤에 있는 횡인대(transverse ligament)를 보존하며, 진성의 포켓(true pocket)을 만든다. 예외인 경우는, 내측각과 중간각이 완전히 분리되어서 서로 달리 위치하는 심한 비대칭이 있을 때이다. 각지주를 포켓 안에 이식한 다음, 비주변곡점(columella breakpoint)보다 두측으로 7-8mm에 위치할 때까지 미측으로 민다. 그 다음, 2개의 27번 봉합침을 사용하여 대칭성을 최대화 하고, 미측연이 자연스럽게 벌어지는 것을 유지하도록 중간각과 내측각을 각각 지주에 꼬치에 꿰듯이(skewer) 봉합한다. 대부분의 증례에서, 비주변곡점에 1개의 5-0 PDS 석상봉합술(mattress suture)을 함으로써 고정이 충분하다. 각지주와 중간각 사이보다 두측으로 추가 봉합을 피한다. 왜냐하면 정상적인 벌어짐(divergence)을 감소시켜서 하비소엽이 편평하게 되기 때문이다.

*원개정의봉합술(Domal Definition Suture)*. 중간각과 내측각이 안정되면, *원개정의(domal definition)*가 다음 목표가 된다. 대부분의 증례에서, 문제점은 편평한 원개와 볼록한 외측각이다. 중요한 단계는 중간각과 내측각의 미측 연에 있는 원개절흔(domal notch)을 정의한 다음, 원개분절(domal segment)을 가로 질러서 수평석상봉합술(horizontal mattress suture)을 하되, 내측에서 매듭을 묶어서 교정하는 것이다(그림 3-11A-C). 이 봉합술은 전형적인 Mustard의 이개성형봉합술(otoplasty suture)과 비슷한데, 가장 미학적인 해부학적 비첨 형태인 볼록한 원개분절과 오목한 외측각을 만든다. 최대로 변화시키기를 원하면 원개분절 아래로 점막을 박리함으로써 비공정점(nostril apex)이 좁아지는 것을 피하는 것이 현명하다. 정확한 봉합술의 위치는 Addson Brown 겸자로 원개분절을 집어봄으로써 점검한다. 봉합의 형태는 평행사변형(parallelogram)인 경향이며, 미측 연에서는 더 좁고 두측으로 더 넓게 함으로써 비첨정의점(tip defining point)이 좀 더 미측에 있도록 한다. 다른 모든 봉합술에서처럼, 봉합술은 목표를 이루는데 필요한 만큼만 조인다. 지나치게 조이면 연조직각면((軟組織刻面, soft tissue facet)이 죄어서 비첨이 지나치게 두드러진다. 피부를 재배치(redraping)시켜서 비첨정의를 평가한다.

*원개등화봉합술(Domal Equalization Suture)*. 원개정의가 만족스러우면 *원개간격(interdomal width)*과 *원개등화*를 평가한다. 이상적 비첨폭은 피부 두께와 피부의 재배치(redraping)를 고려할 때, 여성 약 6-8mm, 남성 약 8-10mm이다. 비첨정의점은 대개 정중선으로부터 약 45도이다. 단순단속매몰봉합술(simple interrupted buried suture)을 원개분절의 두측 단 사이에서 하면, 대개 비첨을 충분히 좁힐 수 있으며, 원개의 대칭을 확실하게 한다(그림 3-11D-F). 만일 원개가 서로 매우 멀리 떨어져 있으면, 단순단속봉합술을 중간각 사이에 위치시켜서 원개간격을 좁힌다. 이러한 *원개간봉합술(interdomal suture)*을 할 때에는 지나치게 축소시킴으로써 자연스러운 벌어짐(divergence)과 하비소엽곡면(infralobular curvature)을 잃지 않도록 주의하여야 한다.

Domal Definition Suture

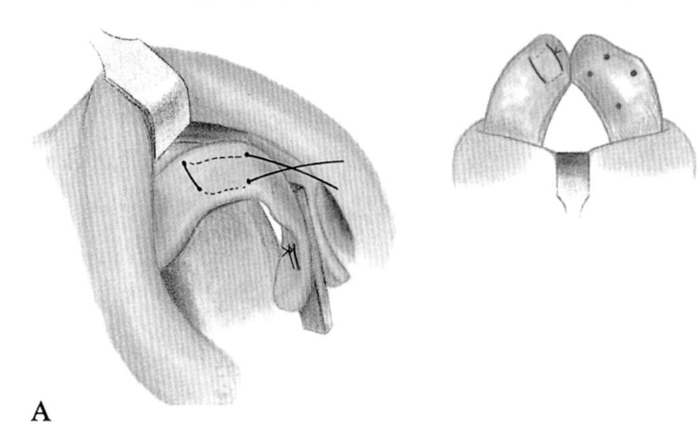

A

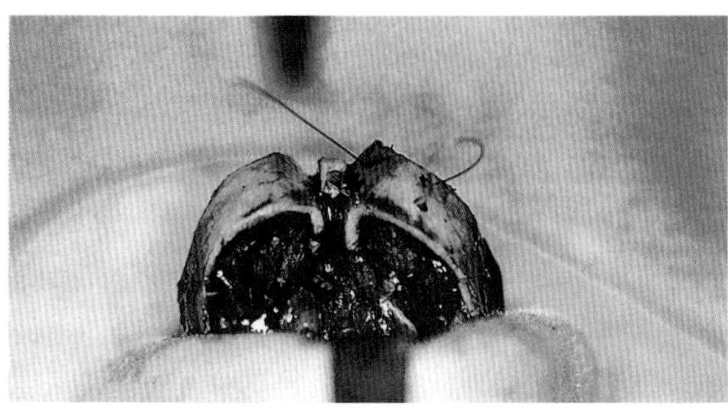

B

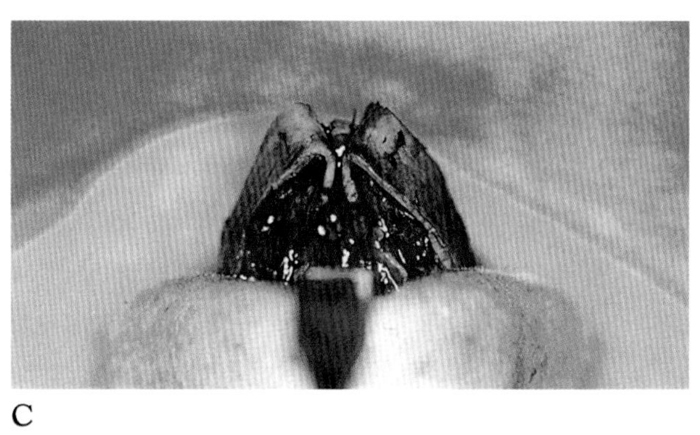

C

Domal Equalization Suture

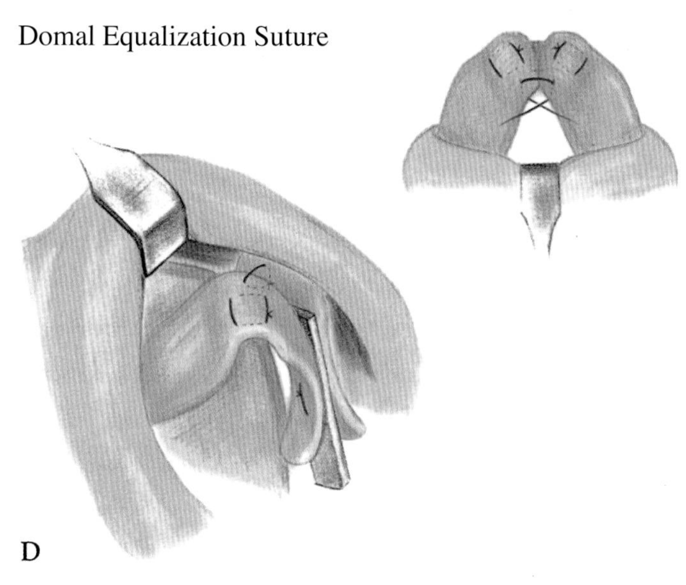

D

E

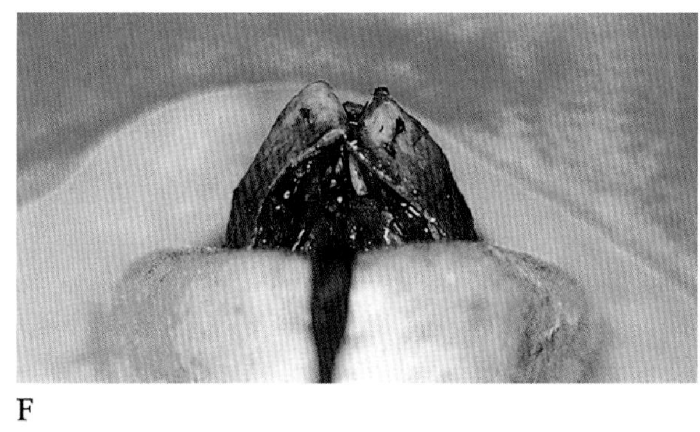

F

그림 3-11

*삼점비첨봉합술(Three Stitch Tip Technique).* 비주봉합술(columellar suture), 원개형성봉합술(domal creation suture), 그리고 원개등화봉합술(domal equalization suture)은 저자가 가장 흔히 하는 비첨봉합술로서 '삼점비첨봉합술' 이라 일컫는다[7]. 이 봉합술은 매우 효과적이며, 쉽게 숙달할 수 있는 수술로서, 다양한 비첨변형에서 적용할 수 있다. 이 봉합술은 넓고 정의가 좋지 않은 비첨에서 매우 유용하다. 게다가, 봉합술로써는 부적절함을 알았을 때 중첩이식술(onlay graft)이나 구조비첨이식술(structure tip graft)을 쉽게 추가할 수 있다. 모든 술자가 숙달하여야 한다.

*원개간봉합술(Interdomal Suture).* 원개간봉합술은 중간각에서 원개 사이에 단순수직단속봉합(simple vertical interrupted suture)을 위치시키는 것이다(3-12A-C). 봉합사를 조일수록 원개간격이 줄어든다. 지나치게 좁힘으로써 자연스러운 벌어짐과 하비소엽곡면을 잃지 않도록 조심하여야 한다.

*회전봉합술(Rotation Suture). 회전봉합술*은 중간각을 비중격각(septal angle) 바로 두측에 있는 비중격으로 전진시킴으로써 비첨의 회전 각도를 증가시키도록 고안되었다. 두 가지 방법이 있다. 첫째는, Gruber법으로서 4-0 나일론사를 우측 중간각의 미측 면으로 통과시켜서 연골을 붙잡은 다음, 두측으로 빼낸다. 봉합침을 비중격각 바로 두측에 있는 비중격으로 관통시킨 다음, 우측의 것과 평행하도록 좌측의 중간각을 따라서 통과시킨다. 비주지주 앞에서 한 번 매듭을 지어서(single throw knot) 효과를 평가한 다음, 매듭을 완성한다. 이 수술의 주된 단점은, 하비소엽이 때때로 편평하게 되는 것이다. 둘째, 저자는 이러한 문제점을 해결하기 위하여 봉합하여 하나가 된 중간각의 두측 경계를 통하여 봉합사를 두측으로 통과시킨 다음, 비중격으로 통과시키기를 더 좋아한다(그림 3-12D-F). 바람직한 회전을 얻을 때까지 서서히 봉합사를 조인다. 이 봉합사가 비주의 어디에 위치하느냐에 따라서 관통절개술을 하지 않고서도 회전과 돌출 둘 다의 효과를 얻을 수 있다. 이 봉합사의 비중격에서의 위치와 조인 정도가 회전의 정도에 영향을 미칠 것이다. 과대한 회전은 모든 경우에서 피하여야 한다.

*봉합사 재료(Suture Material).* 저자는 감염의 문제점을 겪지는 않았지만 나일론사의 사용을 중단하고, 요즈음에는 흡수사인 5-0 PDS와 4-0 PDS를 사용한다. 투명한 것보다 보라색 봉합사는 술중에 쉽게 보이기 때문에 더 좋아 하며, 술후 피부를 통해서는 보이지 않는다.

Interdomal Suture

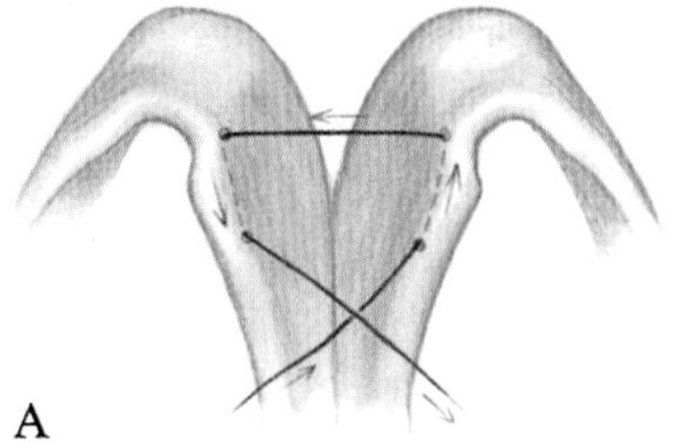

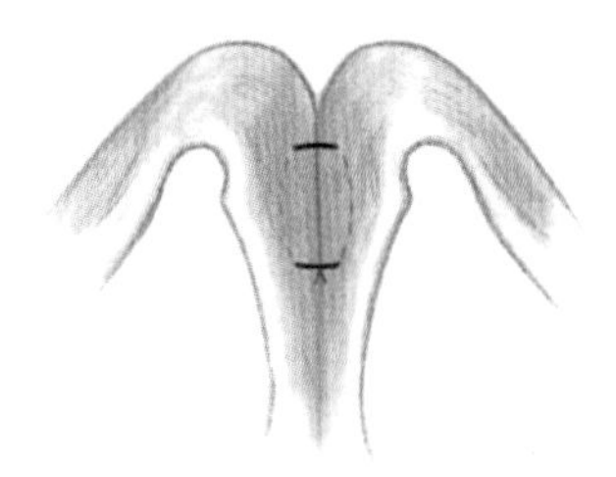

A

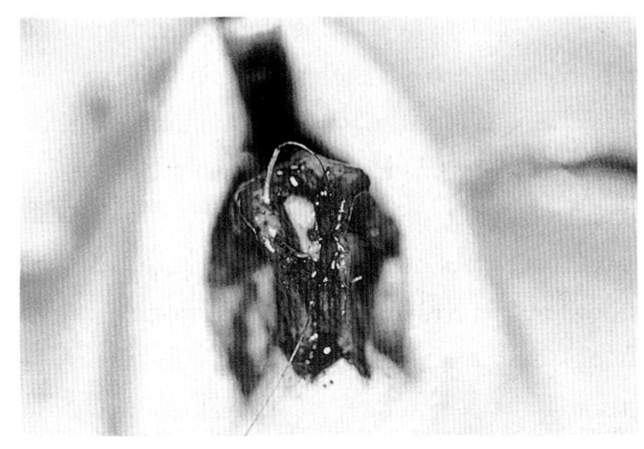

B

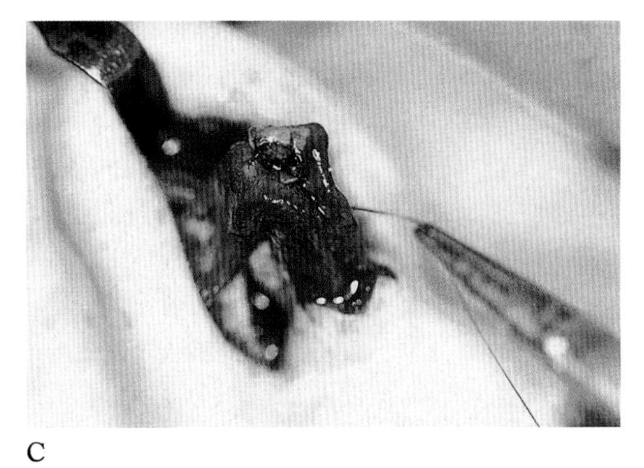

C

Rotation Suture

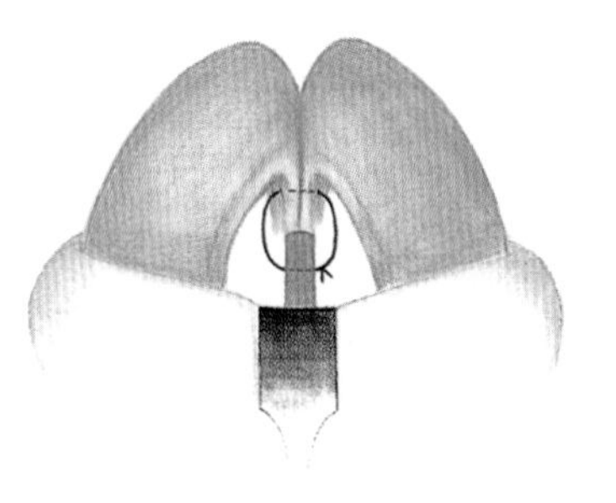

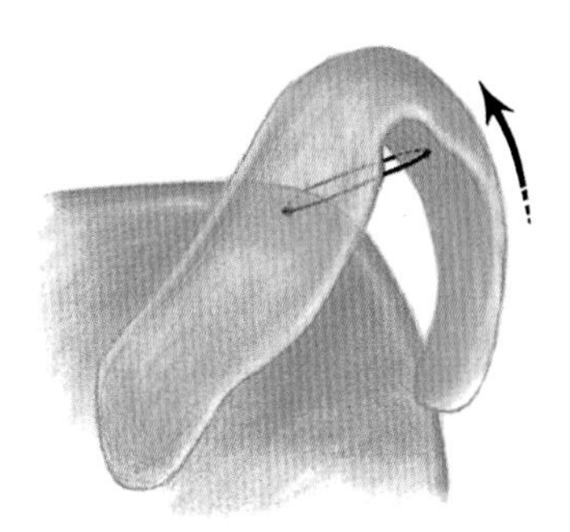

D

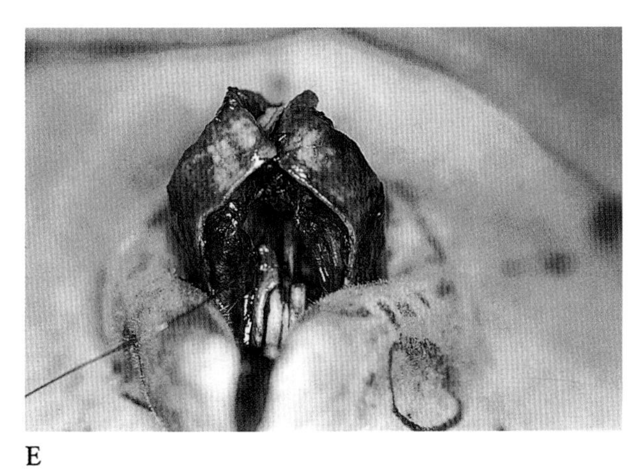

E

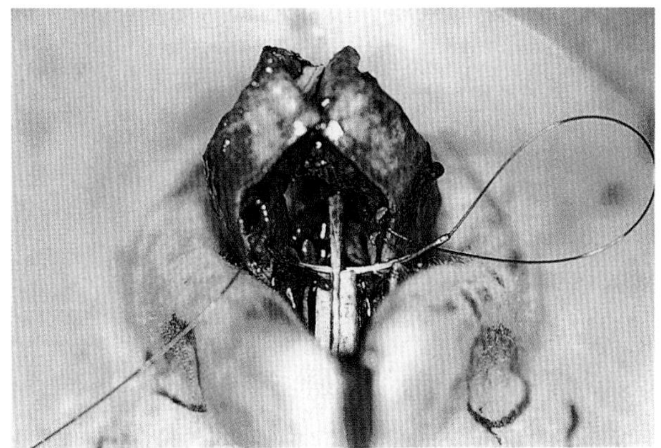

F

그림 3-12

*돌출봉합술(Projection Suture).* 개방구조비첨술(open structure tip)에서는 비첨이식물을 원개보다 두측으로 전진시킴으로써 추가적으로 1-2mm의 비첨돌출을 얻을 수 있는 반면에, 내측각과 미측 비중격 사이에서 돌출봉합술을 하면, 봉합해둔 비첨을 비배선 두측으로 전진시키거나, 비배선 미측으로 가져올 수 있다(그림 3-13A-C). 이 수술은 원래 Joseph의 '정형외과적 봉합술(orthopedic suture)' 을 Tebbetts[18]가 가다듬은 것으로서 완전관통절개술(complete transfixion incision)을 미리 해두었으면 비첨을 두측이나 미측으로 위치시킬 수 있다. 내측각과 미측 비중격에 가로로 점을 표시한 다음, 이동량을 결정하고 미측 비중격에 목표점을 표시한다. 그 다음, 4-0 나일론사로써 내측각과 미측 비중격의 목표점을 서로 봉합한다. 일반적으로, 이 봉합술은 정상 비첨돌출에서 -2mm 내지 +2mm의 범위로 변화시키고자 할 때 대개 유용하다. 중간증 내지 중증의 변화가 필요할 때에는 좀 더 큰 비주지주이식술이 필요하다.

*외측각간봉합술(Lateral Crural Spanning Suture, LCSS).* Tebbetts[18]의 생각에 따르면, LCSS는 외측각의 모양과 재배치(reposition) 특히, 볼록함을 줄이기 위하여 고안되었다. 중요한 단계는 다음과 같다. 1) 볼록한 정도를 확인하고, 2) 봉합침을 양측 외측각을 가로 질러서 위치시킨 다음, 3) 수평석상봉합술을 하고, 4) 점증적으로 조인다(incremental tightening)(그림 3-13D-F). 이 수술은 대단히 강력한 봉합술로서 비익연의 절흔을 피하여야 하며, 만일 생긴다면 비극적 문제점이다.

## 문제점

전체적으로, 봉합술은 효과적이며 영구적인 경향이 있다. 경험 많은 술자에서 주된 문제점은 봉합술로써 너무 많은 것을 얻으려고 시도하는 것이다. 가장 나쁜 결과는 과대한 비첨회전이나 비익절흔(alar notching)이 생긴 경우이다. 비첨회전이 과대할 때, 최선의 해결책은 개방비성형술로서 비첨비회전술(鼻尖非回轉術, tip derotation)을 하는 것이다. 즉, 미측 비중격으로부터 비주까지 지주(strut)를 이식하여[2] 비첨을 미측으로 누른다. 비익절흔은 외측각간봉합술(LCSS)을 지나치게 조였을 때 생길 수 있다. 이때에는 개방비성형술보다는 작은 이갑개복합조직이식술(composite conchal grafts)을 사용하여 비익연을 내린다. 초보자는 다양한 봉합술을 따로 배운 다음, '벡터봉합술(vector suture operation)' 로서 모든 봉합술을 함께 시도하면 학습곡선이 낮고 짧게 된다. 저자가 하였던 비첨봉합술 가운데 2개의 증례를 술후 1년에 재교정하기 위하여 개방비성형술을 할 기회가 있었다. 5-0 검은 나일론사를 사용하였기 때문에 잘 보여서 제거하였다. 이때 비익연골이 전번의 술중 상태로 되돌아가는 것을 관찰함으로써 비익연골의 '가역성(可逆性, reversibility)을 본질적으로 확인하였다.

Projection Suture

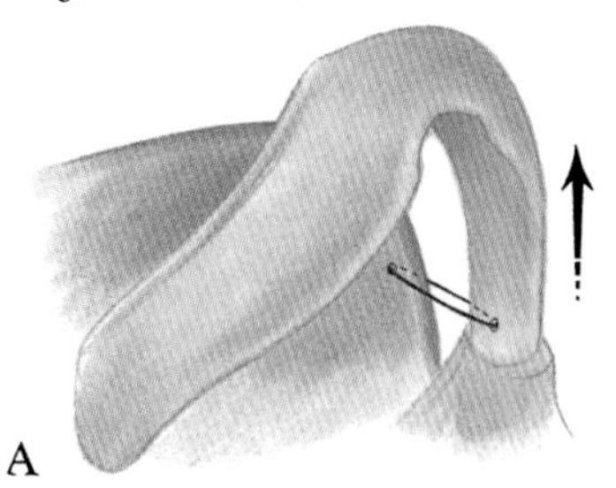

A

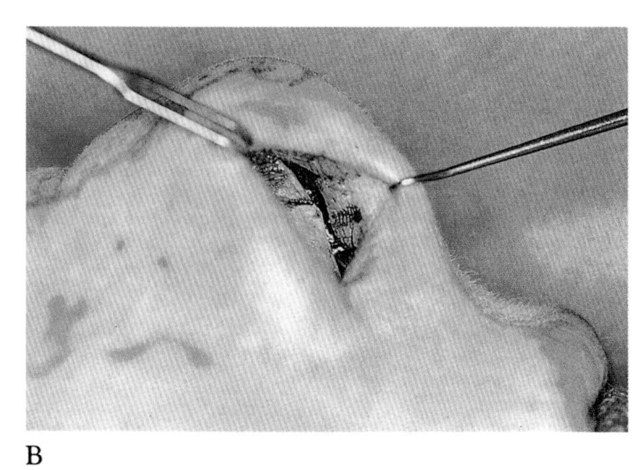

B

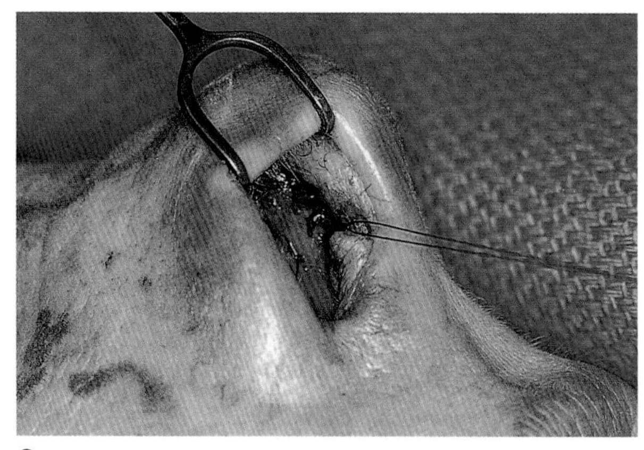

C

Lateral Crura Spanning Suture

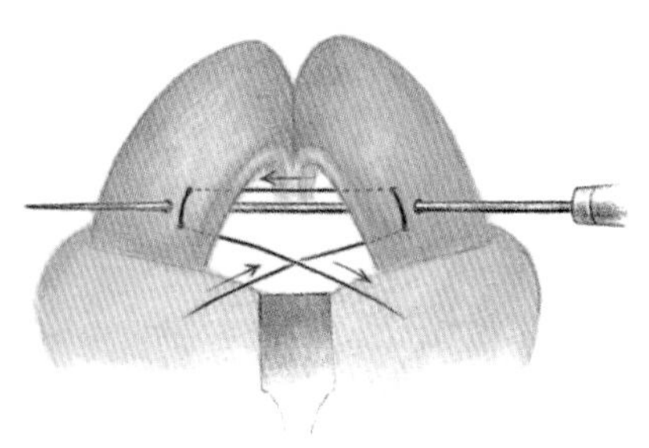

D

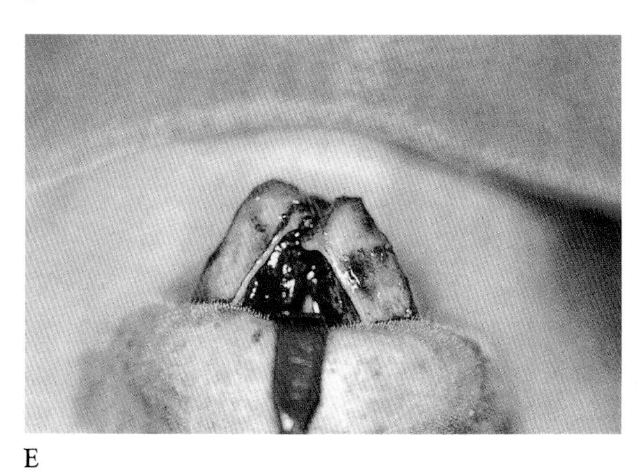

E

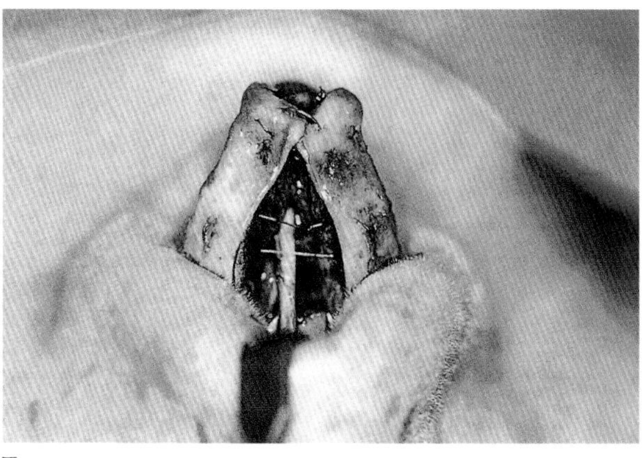

F

그림 3-13

## 증례 연구 개방비첨봉합술(Open Tip Suture)

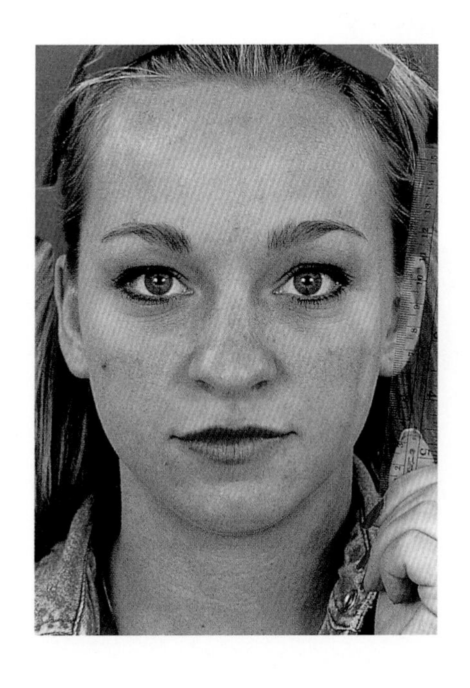

### 분석

21세 여학생으로서 비첨이 너무 크고, 너무 편평하고, 너무 넓다고 호소하였다. 그러나 자신의 코를 좋아해서 많은 변화를 원하지 않았다. 신중한 분석 결과, 비첨과 비저를 제외하고는 원래 매우 매력적이었다. 내재 비첨은 완전히 마음에 들지는 않았지만(원개간격 22mm, 용적 +2, 정의 -1), 비첨돌출은 거의 정상이었고, 미측회전이 현저하였다(TA=88도, CLA=74도). 비익저가 매우 넓은(AL-AL=33mm) 동시에, 비공보임(nostril show)이 지나쳤다. 결국, 비첨을 나머지 코와 넓은 스칸디나비아인의 얼굴 형태에 맞추기로 결정하였다.

### 외과 수기

1. 연골하절개술과 경비주절개술을 통한 개방접근술(그림 3-14A, B).
2. 4mm의 비익연연골조각을 남기고 두측외측각절제술(그림 3-14C).
3. 각봉합술(crural suture)로써 비주지주이식술(그림 3-14D).
4. 5-0 나일론사로써 원개형성봉합술과 원개등화봉합술(그림 3-14E, F).
5. 2mm의 미측비중격 및 점막 절제술.
6. 모든 절개선의 봉합술.
7. 3mm의 비공상 및 쐐기형비익 동시절제술(combined nostril sill/alar wedge excisions).

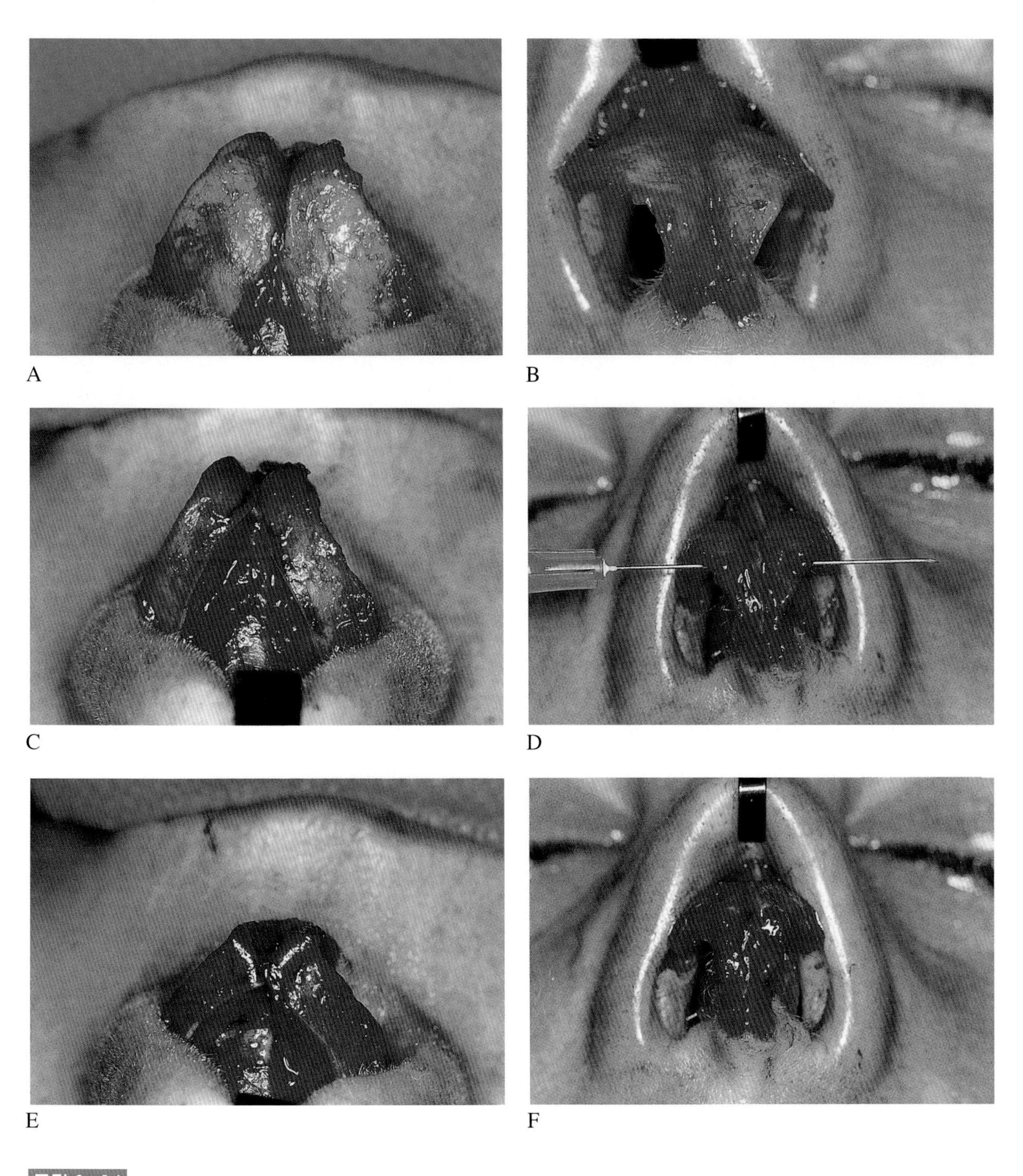


그림 3-14

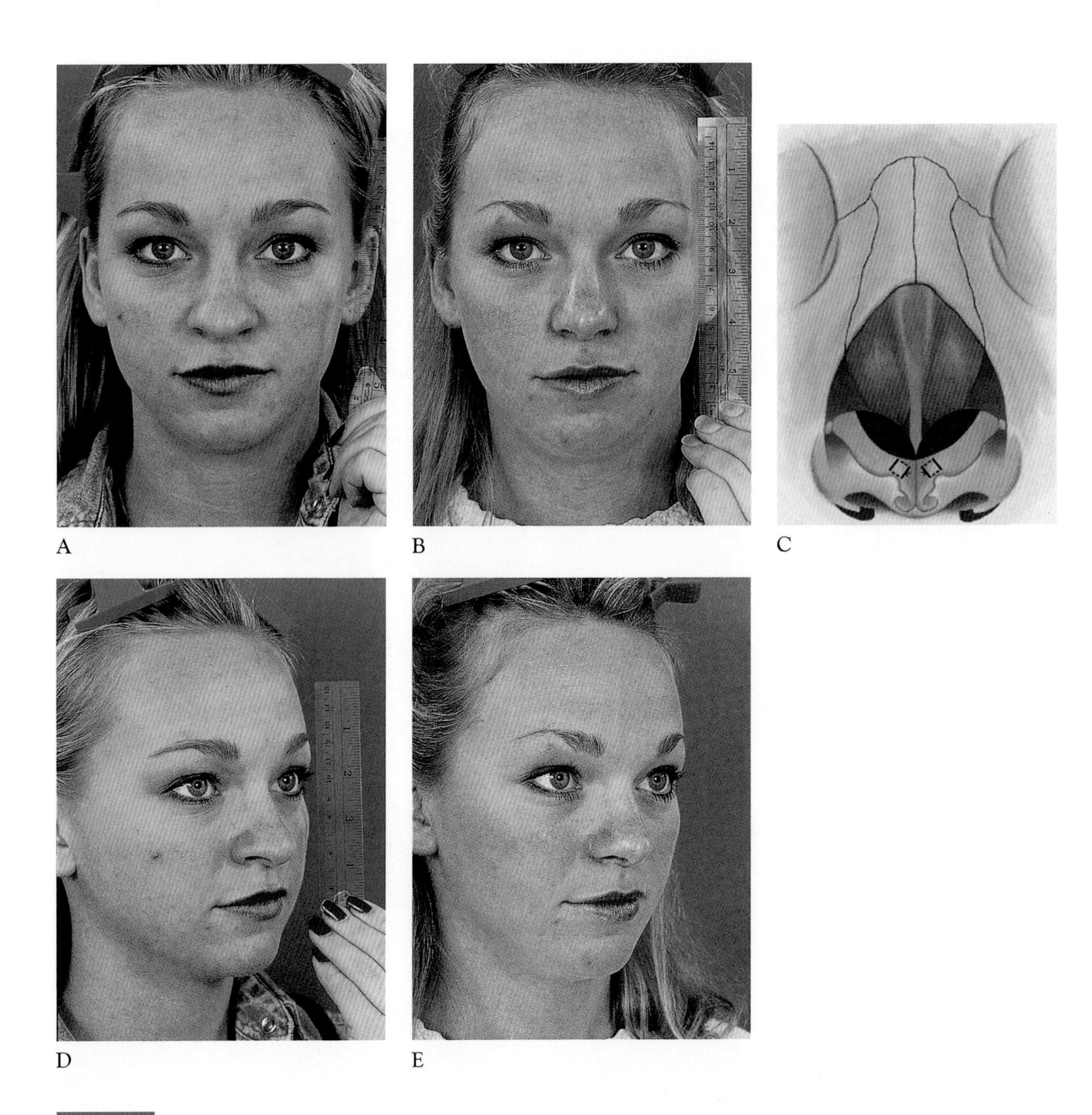

그림 3-15

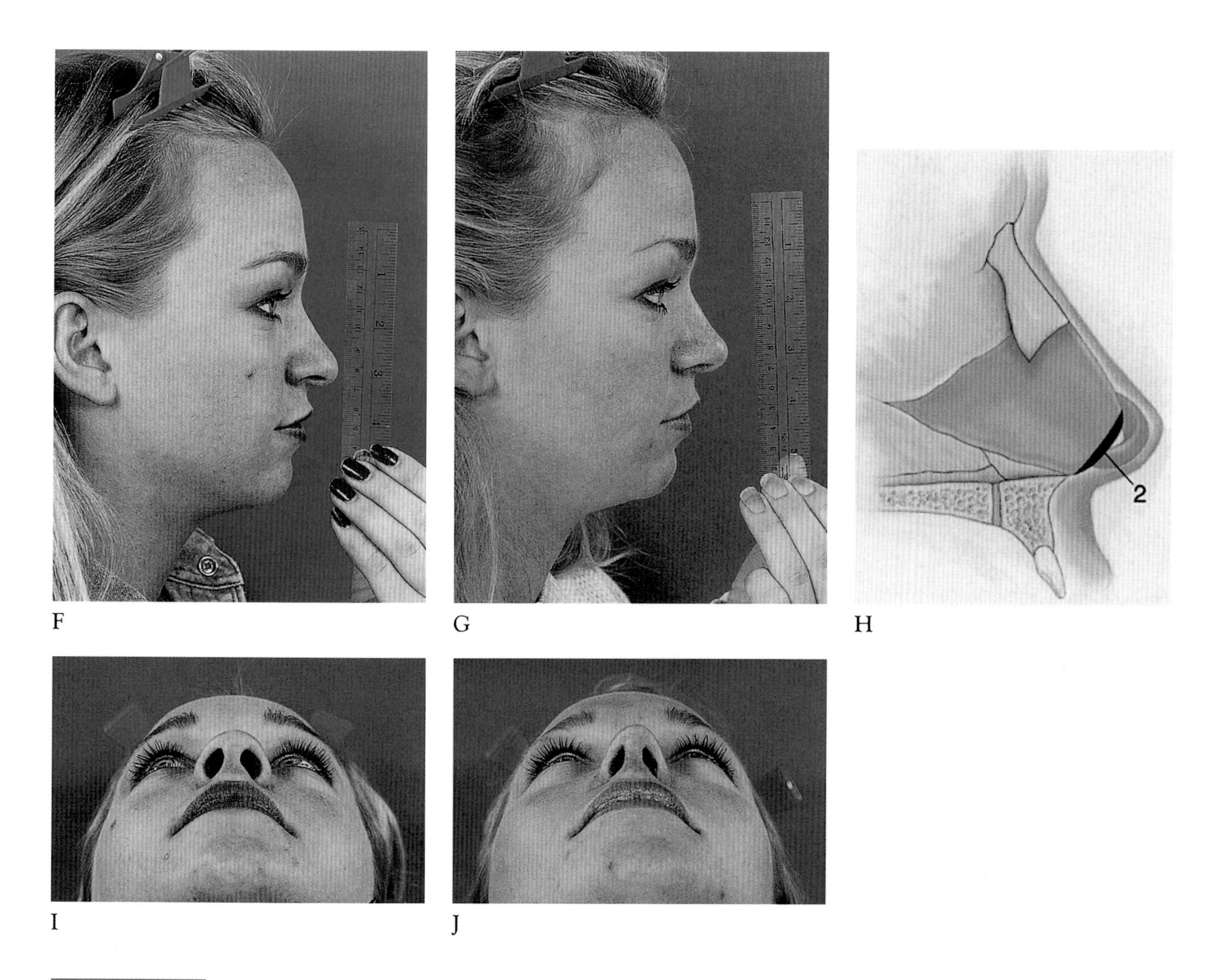

F G H
I J

그림 3-15. 계속

## 논평

술후 2년에, 비첨의 크기, 모양, 그리고 정의가 충분히 개선되었다(그림 3-15). 비첨봉합술의 효과를 그대로 증명하였다. 비저면에서 원개가 좁아지고 정의가 개선된 증거를 확인시켜주었다.

## 개방구조비첨술 (Open Structure Tip)

간단히 기술하면, 개방구조비첨술은 개방접근술을 통한 비주지주이식술과 중간각에서의 방패형비첨이식술(shield shape tip graft)로써 구성된다(그림 3-16A-D). 이 수술은 Johnson[9]이 내비접근술(endonasal approach) 시대에 '문제 있는 코(problem noses)'를 멋지게 해결한 것이 그 시작이다. 이 수술은 두꺼운 피부일지라도 구상비첨, 상자형비첨(boxy tip), 그리고 비대칭비첨을 불시에 잘 정의되고 돌출된 삼각형의 비첨으로 바꾸어 놓았다. 연골비중격절제술(cartilaginous septal resection), 원개절제술(domal excision), 그리고 다층이식술(multiple graft)을 필수적으로 하여야 한다. 그러나 지난 10년 동안 어느 정도의 변법이 나타났다. 즉, 가장 중요한 것은 가능한 한 해부학적 원개를 변형시키기 위하여 원개절제술보다는 원개봉합술[6]을 사용하는 것이다. 둘째, 필요하면 각지주(crural strut)의 모양과 크기를 변형시킨다. 셋째, 비첨돌출과 비첨회전을 조정하기 위하여 비첨이식술에만 의존하기보다는 비주-비중격봉합술(columellar sepal strut)을 사용한다. 넷째, 수술의 한계와 비적응증을 알아야 한다.

### 적응증

저자는 개방구조비첨술을 가장 어려운 비첨에서 하는데, 그 이유는 극적인 개선을 즉시에 제공하기 때문이다. 저자는 적응증을 다음의 3가지 부류로 나누는 경향이 있다. 1) 심한 변형: 원개절제술을 한 다음, 잠복비첨이식술(concealing tip graft)이 필요하다. 2) 중증 변형: 원개봉합술이 부적합하여서 비첨이식술이 필요하다. 3) 중간증 변형: 비첨봉합술을 시도하였지만, 술중에 비첨이식술의 추가를 결정하여야 한다. 심한 변형으로부터 중간증 변형에서 사용하는 이러한 '역행(reverse)' 수술법은, 저자가 가장 어려운 증례에서만 파괴적(원개절제술)이고, 재건적(비첨이식술)인 비첨술기를 선호하는 것과 그 적응증이 같다. 그러나 저자가 이 수술을 사용하는 데는 아직도 최소한의 망설임이 있다. 저자는 지난 십년 동안 폐쇄비첨이식술을 포함한 내비첨술기(endonasal tip technique)에 대한 좌절에 기초하여 다음의 증례에서는 개방구조비첨술을 즉시 한다. 1) 비대칭적이고 비정상적인 모양, 2) 폭이나 정의의 중증 변형, 3) 돌출이나 회전의 중증 부족, 그리고 4) 대부분의 이민족코(ethnic nose)와 구순열비(cleft lip nose).

### 기법

개방구조비첨술이 고정되고 완고한 수술이라는 첫 인상을 가지지만, 실제로 이 수술은 비첨의 다양성을 수용하기 위하여 폭넓게 변화를 줄 수 있다. 저자가 기술할 이 기법은 *Open Structure Rhinoplasty*[8]에서 아낌없이 상세하게 기술되어 있는 Johnson의 원래 수술의 변법임을 고려하여야 한다.

*두측비익연연골조각(cephalic rim strips).* 비익연골을 노출시킨 다음, 저자는 술전 분석을 다시 평가하고 수술 계획을 적절히 조정한다. 저자는 비배와 비중격의 접근을 더 좋게 하기 위하여 두측 외측각을 초기에 절제하는 경향이 있다(그림 3-16E-G, 19A, B). Tebbetts[18]이 강조하였듯이, 목표는 대칭적 절제술보다는 대칭적 비익연연골조각을 남기는데 있다. 일반적으로, 저자는 5-7mm의 비익연연골조각을 남기지만, 여성에서는 흔히 4mm로 줄인다.

Septal Harvest

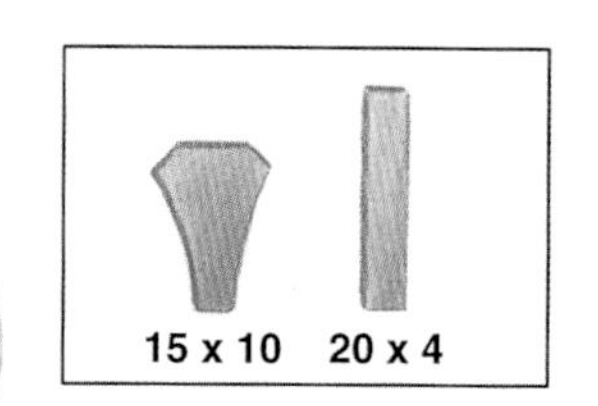


A

Conchal Harvest

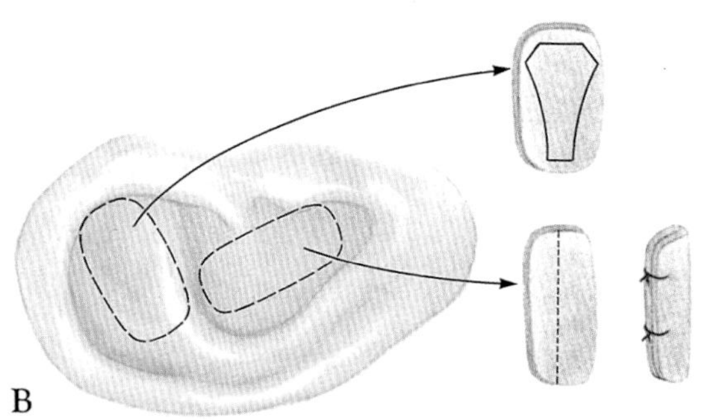

B

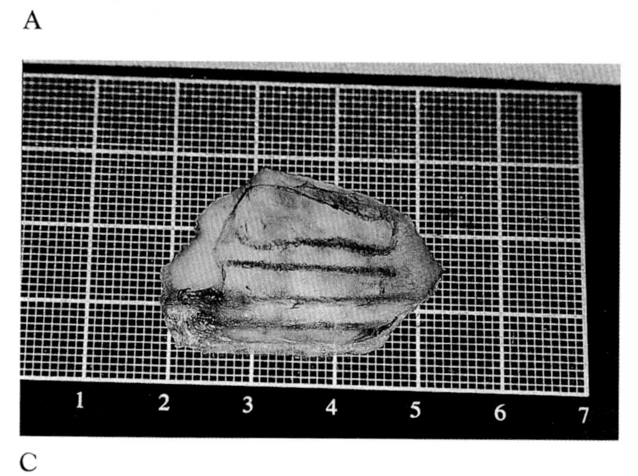


C

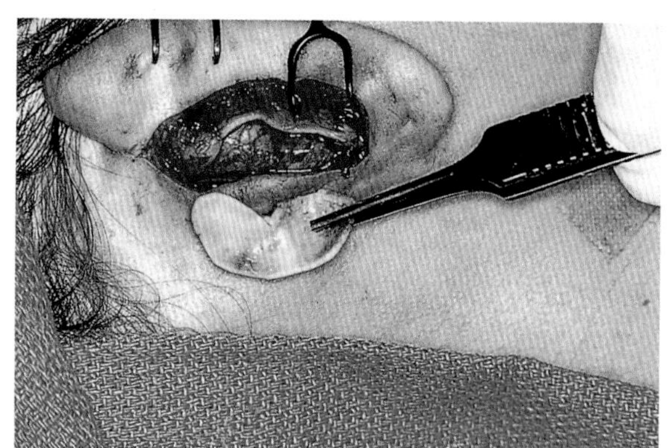

D

Lateral Crura Resection

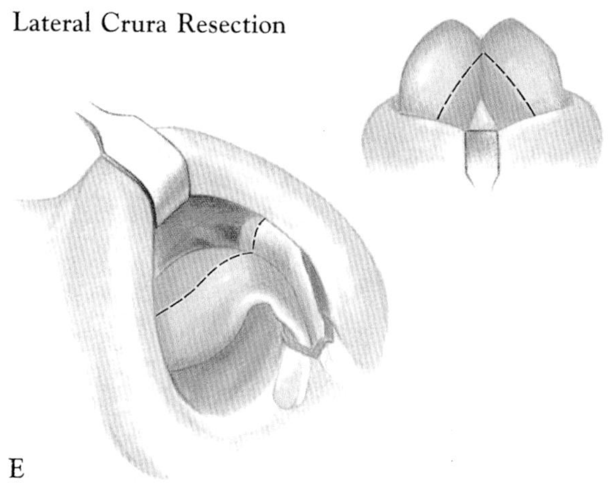

E

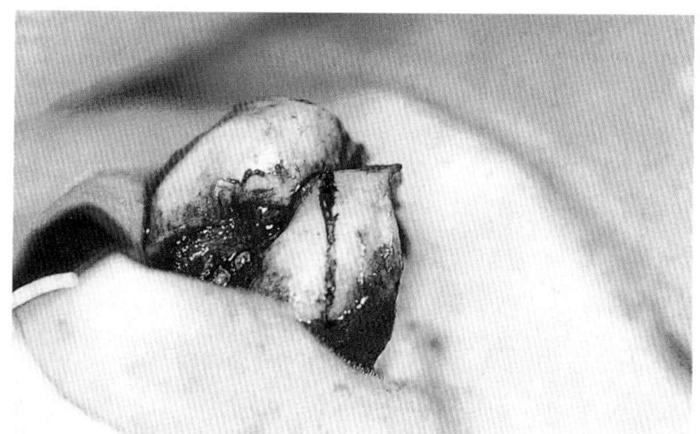

F

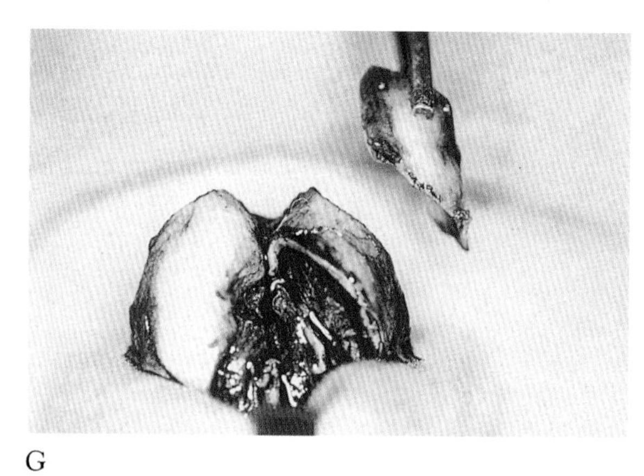

G

그림 3-16

*비주지주(Columella Strut).* 비주지주의 모양, 이식술, 그리고 고정 모두가 중요하다. 대부분의 증례에서, 저자는 비중격연골로부터 20X3mm 크기의 표준의 곧은 각지주(straight crural strut)를 만들기를 선호한다(그림 3-17A, B). 하비소엽이 곧거나 미측회전이 내재할 때에는 각진 각지주(angled crural strut)를 사용한다. 비주가 퇴축되어 있거나, 비주-비순각이 예각일 때에는 더 길고 더 넓은 비주지주(columella strut)를 사용하기를 더 좋아한다. 이식 포켓은 Stevens 조직가위를 중간각 사이에서 수직으로 미측으로 통과시켜 만들되, 전비극(anterior nasal spine)보다 적어도 2mm 짧게 만듦으로써 비주지주가 변위되거나 짤까닥 소리 나는 것을 피한다. 이식물을 비주변곡점(columellar breakpoint)에서 25번 고정주사침(fixation needle)을 위치시켜서 잠정적으로 붙잡아 둔다. 4-0 또는 5-0 PDS사를 사용한 단일석상봉합사(single mattress suture)를 미측에 있는 비주에 삽입한 다음, 고정주사침 두측으로 빼낸다. 비주변곡점 수준에서 조임으로써 자연적으로 벌어진 중간각이 지나치게 좁아지는 것을 피한다. 그 다음, 원개를 봉합술이나 절제술로써 변형시킨다.

*원개변형술(Domal Modification)* 또는 *원개봉합술(Domal Sutures).* Johnson과 Toriumi[8]는 원개절제술을 선호하지만, 저자는 원개형성봉합술(domal creation suture)이 훌륭한 비파괴적 방법(nondestructive method)으로서 비첨이식술을 하기 전에 바람직한 원개각(domal angle)을 얻을 수 있음을 알게 되었다. 저자는 대부분의 증례에서, 원개봉합술을 하고 원개절제술은 중증 변형을 위하여 보류한다. 이 수술은 개방비첨봉합술에서 사용하는 원개형성봉합술과 같은 것이므로 새로 배울 필요는 없다(그림 3-17C, D). 원개절흔(domal notch)을 가로 지르도록 Addson Bown 겸자로써 부드럽게 집어서 원개를 평가한다. 그 다음, 원개분절을 가로 지르도록 5-0 PDS 사로써 수평석상봉합술을 한 다음, 내측에서 묶는다. 대부분의 증례에서, 원개등화봉합술(domal equalization suture)을 추가로 할 필요는 없는데, 그 이유는 비첨이식물의 폭에 의하여 원개간격이 조정될 것이기 때문이다.

*원개변형술(Domal Modification)* 또는 *원개절제술(Domal Excision).* 원개분절절제술은 2가지 방법으로 해 왔다. 즉, 외측삼각형부분폭절제술(partial width lateral triangle excision)과 원개분절전체폭절제술(full-width domal segment excision). Johnson과 Toriumi[8]는, 더 날카로운 원개각(domal angle)을 얻고자 할 때에는 전자를, 그리고 돌출이나 회전의 변화를 주고자 할 때에는 후자를 선호한다. 저자는 봉합술로써 바람직한 원개각을 얻을 수 있기 때문에 원개정의에 영향을 미치는, 두측에 삼각형의 기초가 놓이는 외측삼각형부분폭절제술을 하지 않는다. 그러나 중요한 비첨의 변화를 얻기 위해서는 원개분절을 자른다(그림 3-17E, F, 19C, G, H). 일단 각지주(crural strut)를 제 자리에 봉합하고 나면 저자는 비주변곡점으로부터 두측으로 6-8mm를 계측하여 내측각의 비소엽분절에서 횡절개선을 표시한다(이 점은 흔히 원개절흔의 내측슬, medial genu와 일치한다). 그 다음, 아래에 있는 점막을 보존한 채로 절개하는데, 절개를 쉽게 하기 위하여 국소마취제를 이곳에 먼저 주사한다. 원개분절과 외측각을 점막에서부터 일으킨 다음, 횡절개선에서 원개분절과 외측각을 중첩시켜 보고 남는 연골을 절제한다. 그 다음, 절개연을 5-0 PDS사로써 단속봉합술을 하되, 미측 연에서부터 시작한다. 이제껏 수평석상봉합술을 사용하여 왔지만, 이 봉합술은 절개연을 지나치게 날카롭게 만드는 경향이 있다. 외측삼각형부분폭절제술은 단지 원개를 좁히기 위하여 직선으로 하거나, 회전을 증가시키기 위하여 삼각형으로 할 수 있다. 절제하는 분절의 폭은 4-8mm이다.

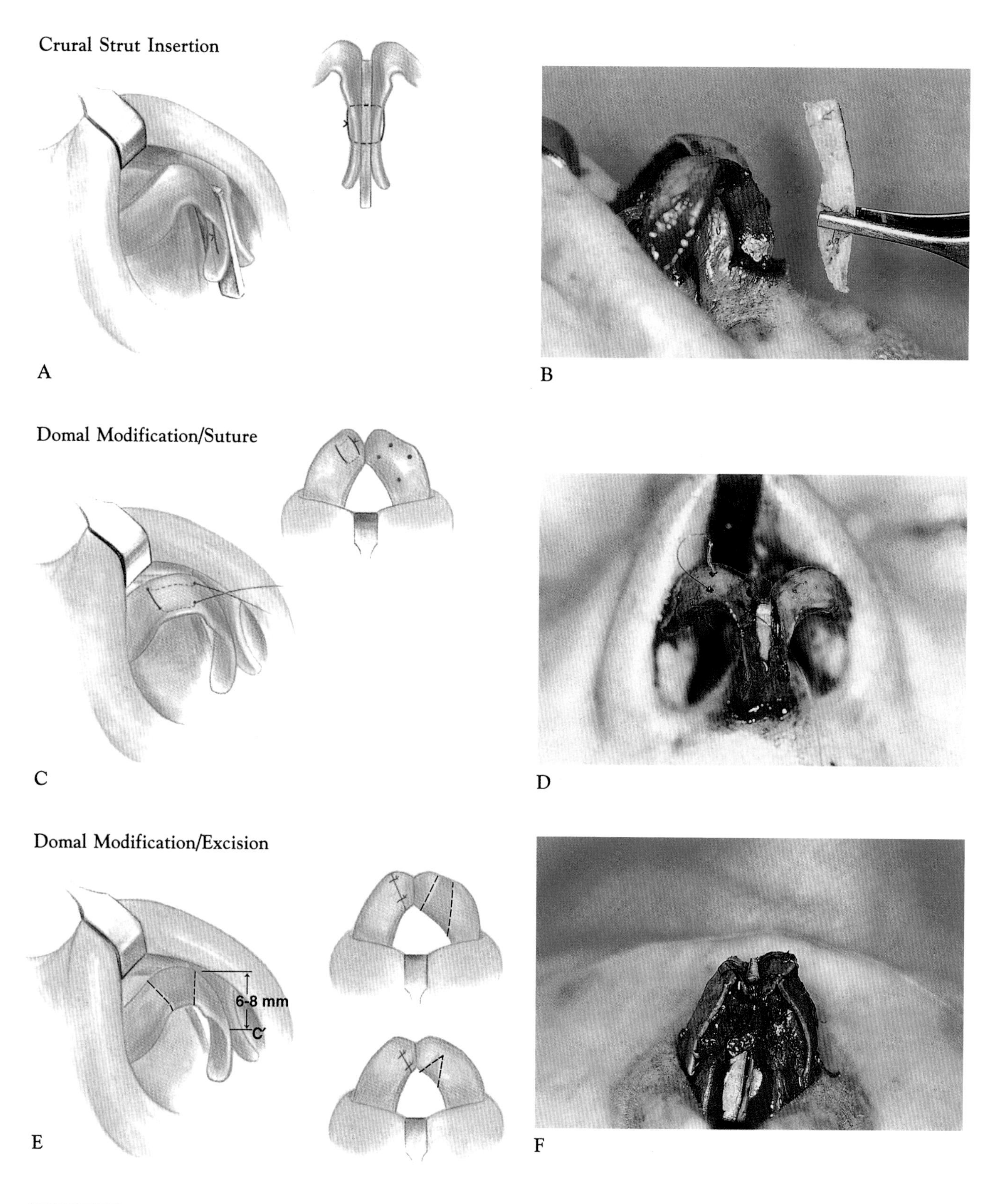
Crural Strut Insertion
Domal Modification/Suture
Domal Modification/Excision
6-8 mm
C'
A
B
C
D
E
F

그림 3-17

*이식물모양내기(Graft Shaping).* 비첨이식물의 모양을 내기 위하여 3단계의 순서를 사용한다. 수년 동안 전체적 모양은, 단단히 봉합해둔 양측 중간각의 미측 경계에 하는 방패형이식술(shield shape graft)로부터 벌어진 중간각 사이에 하는 끝이 점점 좁아지는 골프구좌형통합이식술(tapered golf-tee shape integrated graft)로 바뀌었다. 초기의 삼각형연골 '덩어리(block)'를 두측 연의 폭이 10-12mm가 되도록 자른 다음, 양쪽에서 점점 좁아져서 미측 연의 폭이 4mm가 되게 하고, 전체길이는 15-18mm이다(제 1단계). 그 다음, 비배연을 경사지게 자르며, 비배 연 양쪽에서 어깨를 만든다. 양측 면을 점점 좁아지고 경사지게 해서 좁은 허리를 만든다(제 2단계). 마지막 모양내기는 이식물을 제 자리에 봉합한 다음, 제 위치에서(in-situ) 하게 된다(제 3단계).

*이식물배치술(Graft Placement).* 요즘 저자는 이식물의 배치는 통합되거나 돌출되어야 한다고 생각한다(그림 3-18B, C, 19D, I, J). 대부분의 증례에서, 저자는 이식물을 벌어진 중간각에 통합*(integrate)*되도록 함으로써 비첨이식물로 하여금 원개의 바로 두측을 올리도록 하기를 더 좋아한다. 목표는 이식물의 가시성 없이 기존의 비첨을 강조함으로써 이상적인 비첨정의와 비첨폭을 만드는 것이다. 피부가 두껍거나 큰 변화가 필요하면 비첨이식물을 원개보다 두측으로 돌출*(project)* 시키도록 위치시켜서 종전의 비첨에서는 받아들이기 힘들었던 새로운 비첨을 만든다. 이식물로 하여금 원개보다 2-3mm 더 두측을 돌출시키도록 하면 비첨이식물 뒤쪽에서 지지하고, 사강(dead space)을 메워줄 보조이식술(booster graft)이나 받침이식술(cap graft)의 추가가 필요하다(그림 3-18A, C)[19].

*이식봉합술(Graft Suturing).* 대부분의 증례에서, 저자는 이식물을 제 자리에 고정하기 위하여 5-0 PDS로써 4군데를 봉합한다. 두 개는 중간각 수준에서 하고, 나머지 2개는 비주절개선 바로 두측에서 한다. 저자는 이식물을 원개 구조물에 통합시키기 위하여 원개 수준에서 추가적으로 봉합하는 것을 주저하지 않는다. 이러한 봉합술을 Johnson은 '혼합봉합술(blending suture)'이라고 하였다. 만일 이식물이 어느 정도 굽었거나 비대칭이면, 저자는 주된 비첨이식물의 뒤에 작은 문버팀쇠형보조이식술(door stop shaped booster graft)이나 평준화이식술(leveling graft)을 한다. 이러한 보조이식물을 제 자리에 봉합하는 방법은, 작은 석상봉합사를 보조이식술로 통과시킨 다음, 비첨이식물 뒤를 통하여 다시 나와서 상비첨부(supratip area)에서 묶는다.

## 문제점

처음에 저자가 겪었던 문제점은 다음과 같다. 1) 과대돌출, 2) 하비소엽충만(infralobular fullness)의 증가, 3) 이식물의 가시성(graft visibility), 그리고 4) 비익연절흔(alar rim notching). 다른 새로운 수술에서처럼 지나치게 하는 경향이 있으며, 이식물을 원개보다 지나치게 두측으로 위치시키는 실수를 하기가 쉽다. 한번 봉합 한 다음, 신중하게 평가하고 촉진하는 것이 확실히 중요하다. 대개, 술중에 추가적으로 이식물의 두측 연을 경사지게 하고 날카로운 구석을 잘라내면 이러한 문제점을 교정할 수 있다. 하비소엽충만의 증가와 비익연절흔이 수년 동안 저자를 괴롭혔다. 해답은 이식물에 있지 않았으며, 오히려 중간각끼리 봉합할 때 지나치게 조인 것이 화근이었다. 중간각을 지나치게 조임으로써 결국 확실히 처진 비주(hanging columella)를 만들었으며, 심지어는 비주가 외측각의 미측 경계보다도 더 처지기까지 하였다. 중각각끼리 조인 다음, 비첨이식술을 추가하였는데, 이것이 하비소엽충만을 악화시켰던 것이다. 해결책은 비주변곡점보다 3mm 이상 두측에서 중간각끼리 봉합하는 것을 피하는 것이다.

Graft Insertion

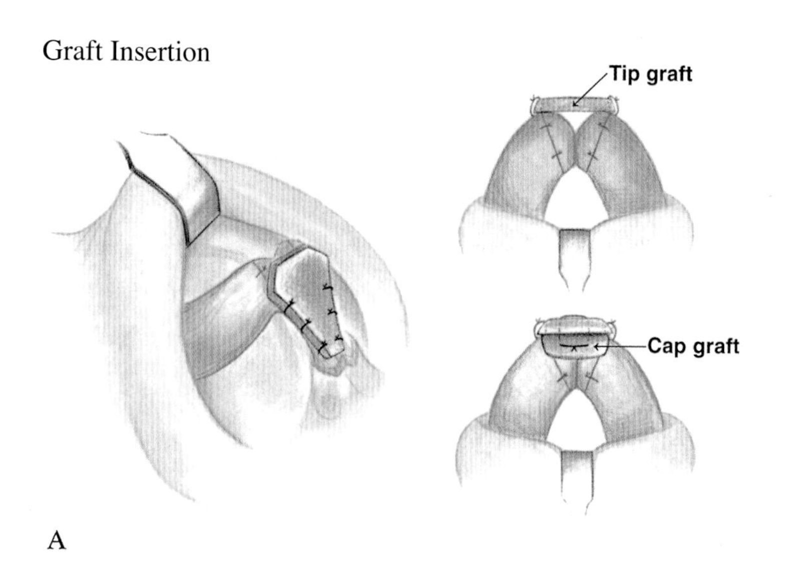


A

Graft Projection

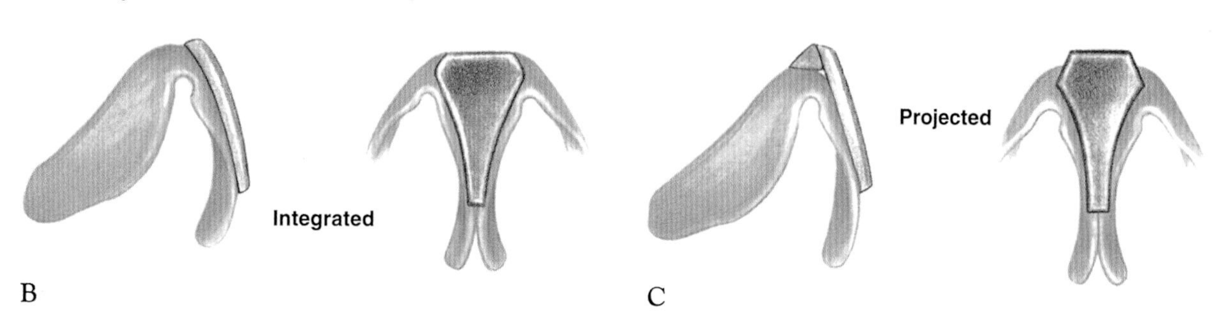


B

C

그림 3-18

Lateral Crura Resection

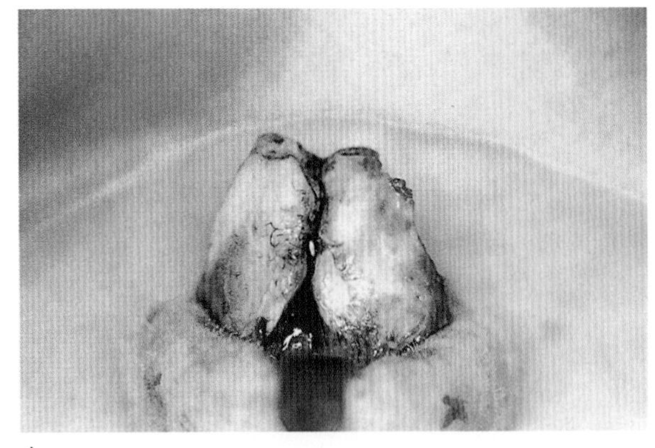

A

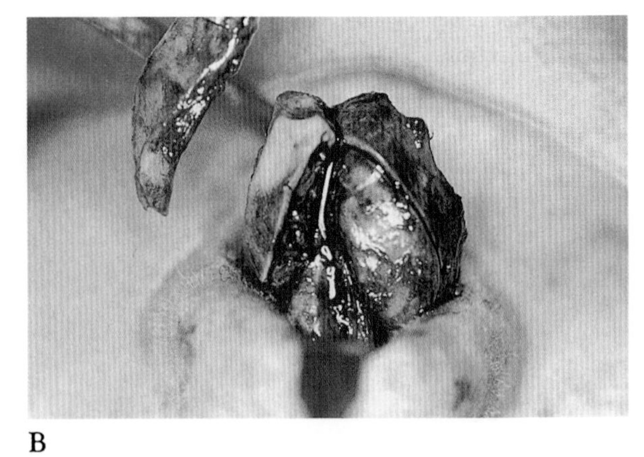

B

Domal Excision

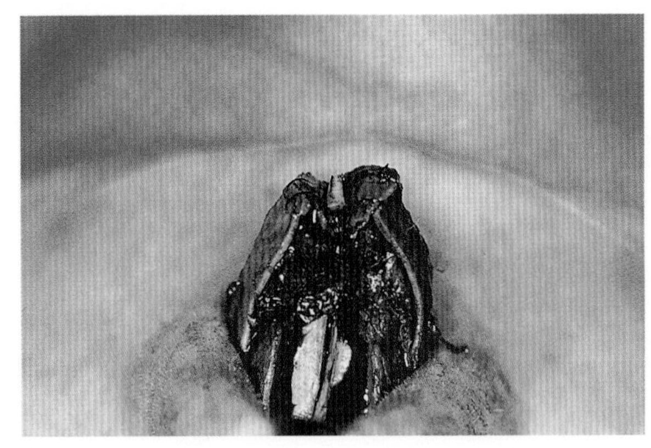

C

Tip Graft

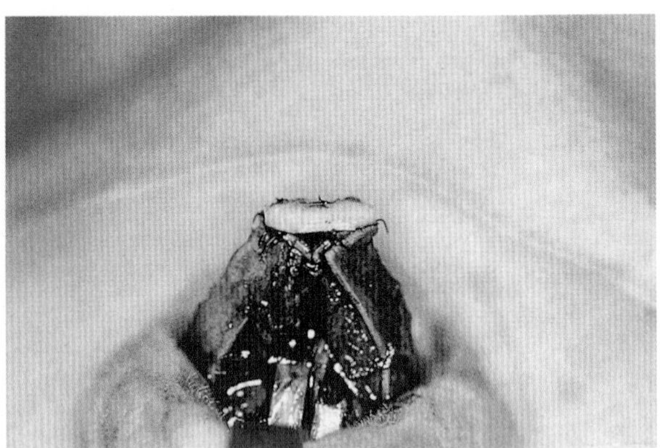

D

그림 3-19

Alar Deformity

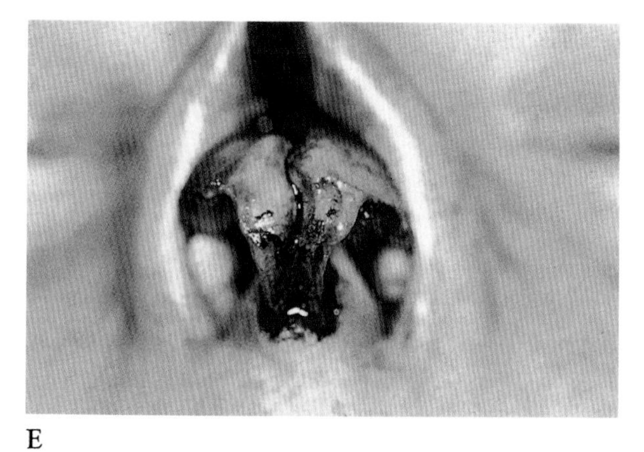

E

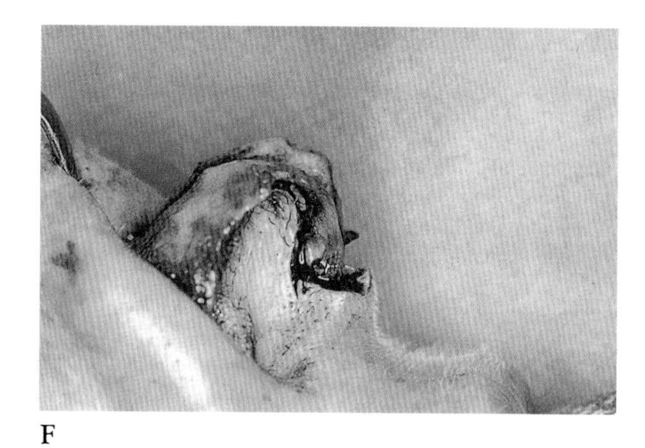

F

Crural Strut/Domal Excision

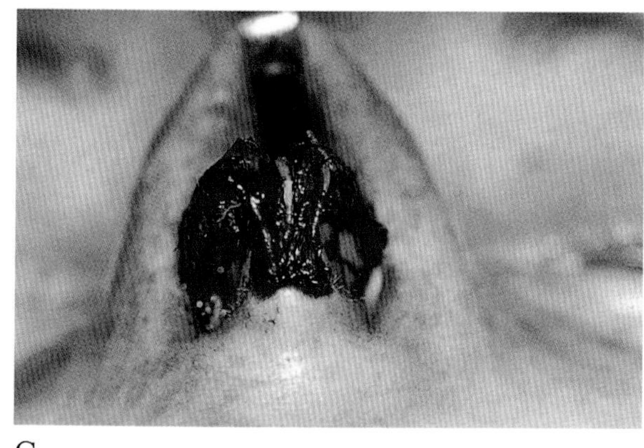

G

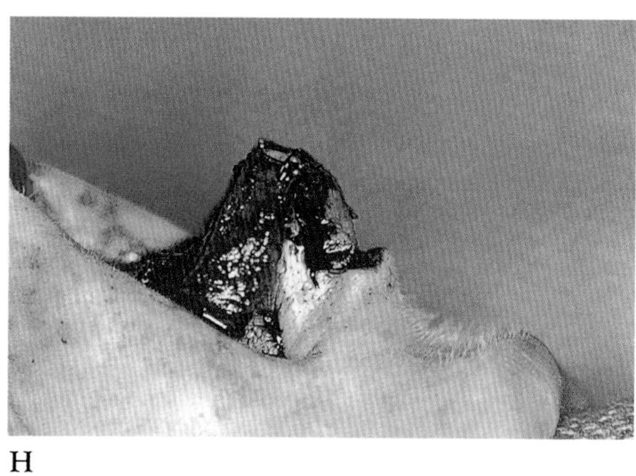

H

Tip Graft

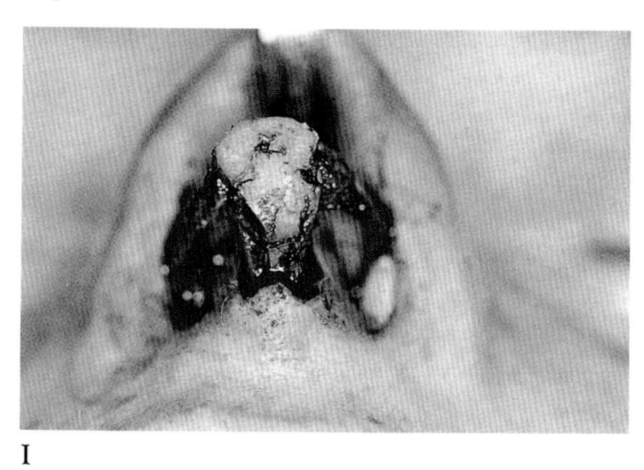

I

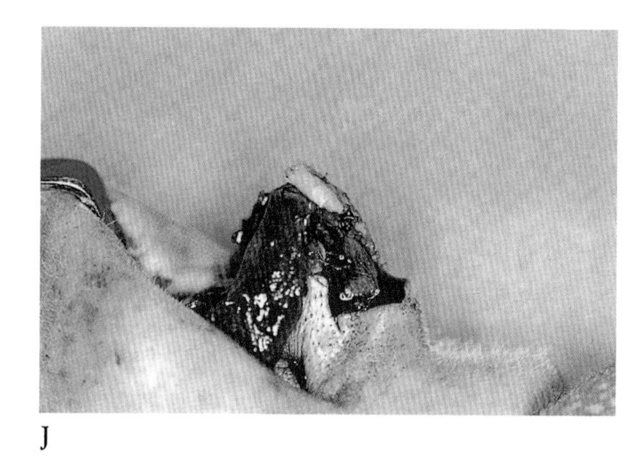

J

그림 3-19. 계속

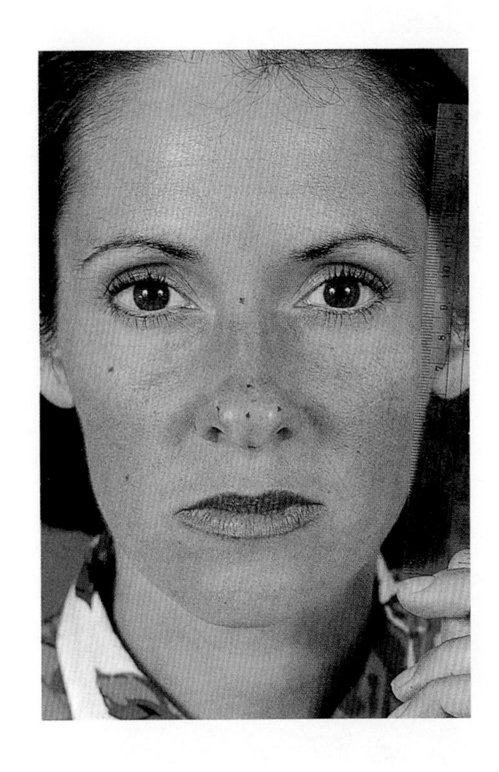

## 분석

30세 여성으로서 그녀의 쌍둥이 여형제가 비성형술을 위하여 보내었다. 문제점은 분명한 구상비첨(bulbous ball tip)이었으며, 다른 사람의 작은 코와 나란히 놓았을 때 실제로 거대하였다. 비첨정의점의 돌출은 36mm(이상적, 30mm)인데 비하여 비첨폭은 22mm이었다. 연약한 비배 때문에 목표는 비첨을 뚜렷이 줄이는 것이었으며, 그래서 개방구조비첨술을 계획하였다. 이 증례에서는 비익연골이 지나치게 커서 원개절제술 후 비첨이식술을 하기로 계획하였다.

## 외과 수기

1. 경비주절개술과 연골하절개술을 통한 개방접근술.
2. 5mm의 비익연연골조각을 남기고 두측외측각절제술.
3. 일측관통절개술을 통한 비중격연골채취술.
4. 20X4mm의 각지주이식술 및 봉합고정술.
5. 6mm의 양측원개분절절제술(그림 3-20A-D).
6. 고형방패형비첨이식물(solid-shield-shape tip graft)의 봉합고정술(그림 3-20E-F).
7. 두층의 비익연골로 구성된 비근이식술.
8. 모든 절개선의 봉합술 후 쐐기형비익절제술(우측 각각 1.5mm, 1.5mm, 좌측 각각 3mm, 3mm).

주의: 비배축소술과 비절골술은 하지 않았음.

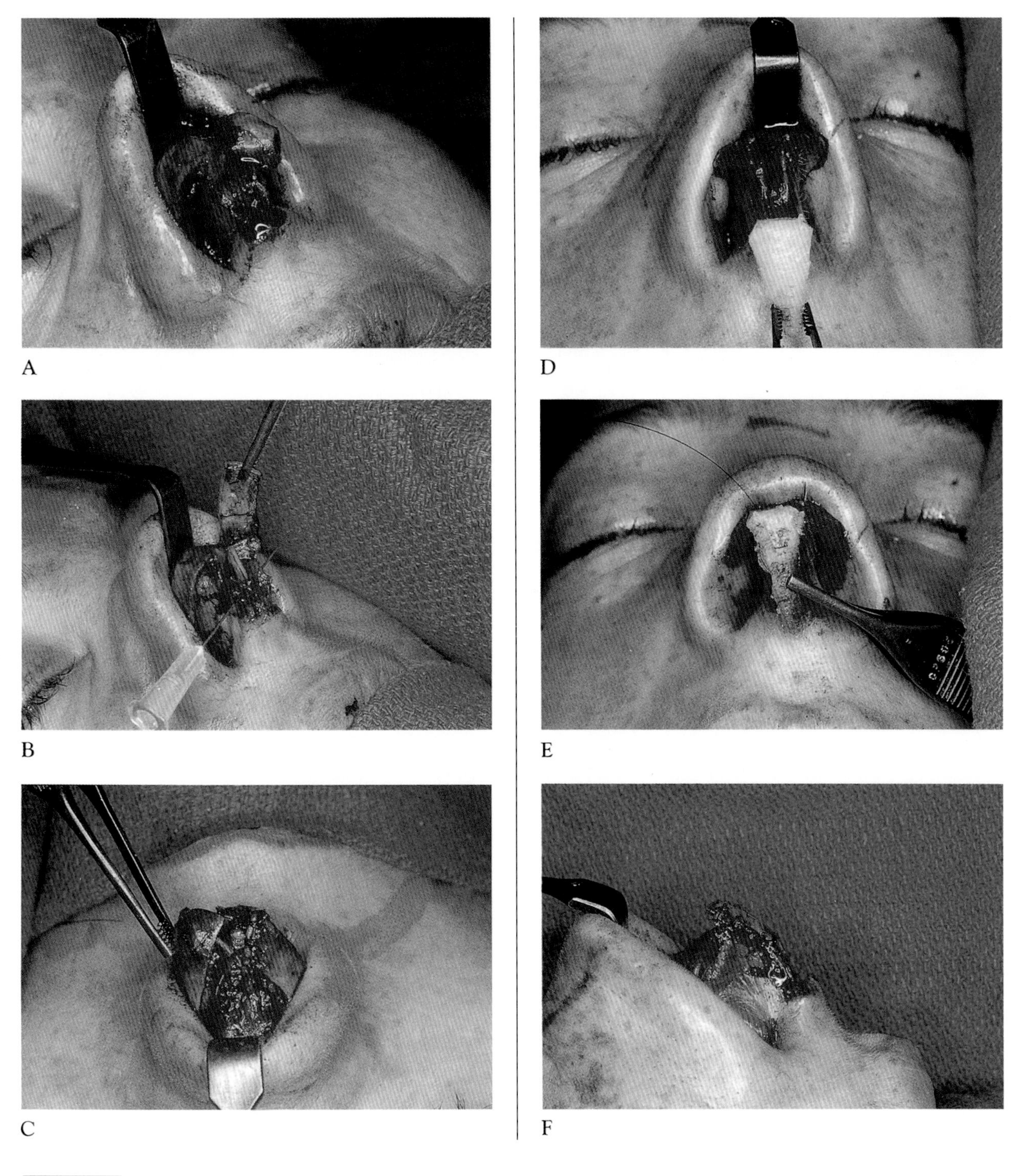
A B C D E F

그림 3-20

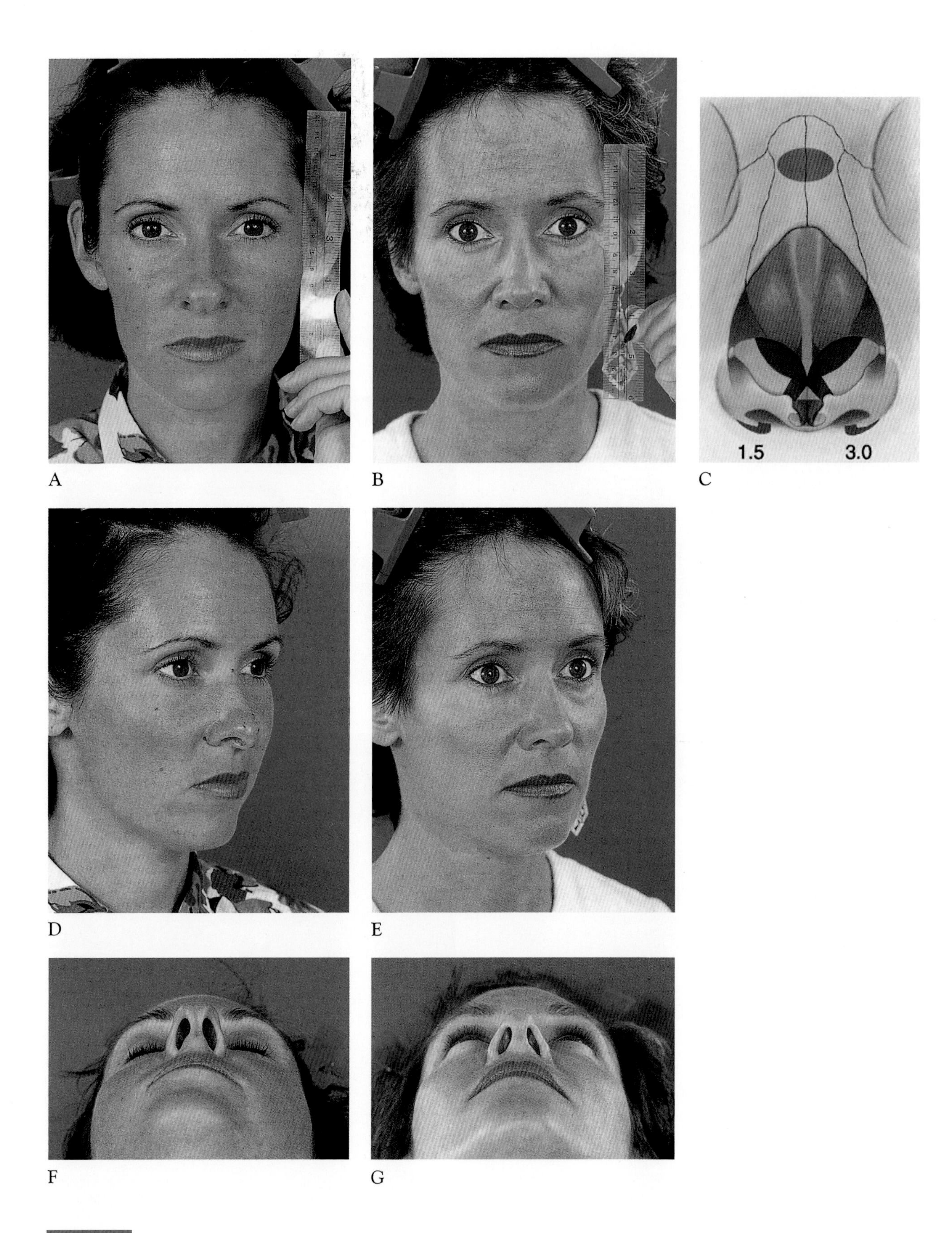


그림 3-21

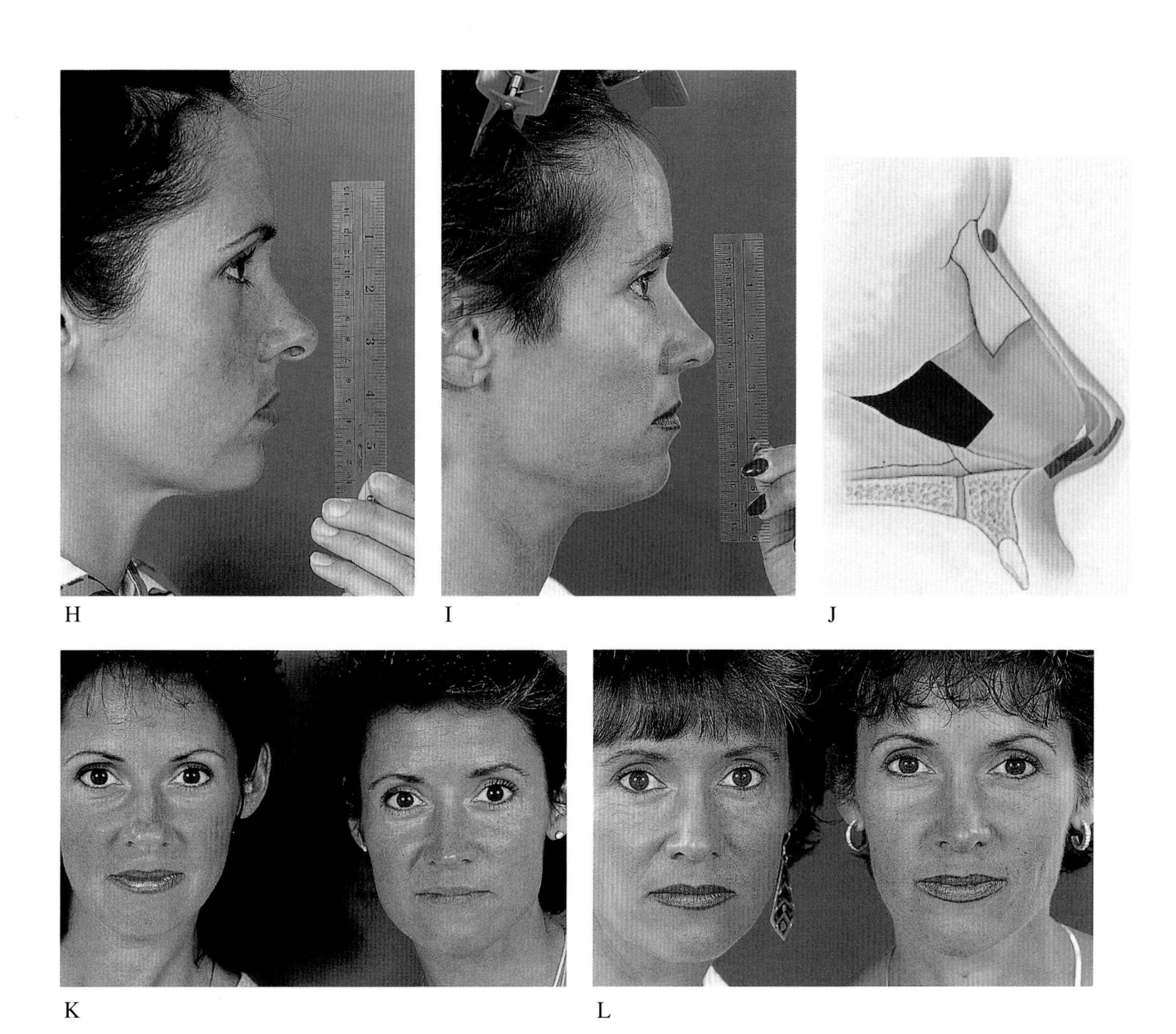


그림 3-21. 계속

## 논평

술후 4년에, 개방구조비첨술은 어려운 비첨을 다룰 때 매우 효과적인 방법임을 알게 되었다(그림 3-21). 비주지주는 술후에 일어날 수밖에 없는 피부외피의 심한 수축에 저항하는데 필요한 비첨지지를 제공하였다. 원개절제술은 비첨돌출을 뚜렷이(5-6mm) 줄였으며, 원개정의점도 바람직한 비첨이식물의 폭으로 좁혔다(22mm에서 8mm로). 비첨이식술은 바람직한 정의와 폭을 만들었다. 환자는 그녀의 쌍둥이 자매와 함께 돌아왔으며, 그래서 저자는 이 자매에게도 이 수술을 하였다(그림 3-21K, L).

## 비첨폭(Tip Width)

비첨폭은 일반적으로 원개정의점(dome defining point) 간격으로 받아들인다. 대부분의 일차비성형술에서 폭이 지나치게 좁은 것은 거의 문제가 되지 않는다. 저자는 지나치게 오목한 외측각이나 비정상적인 모양의 비첨이 함께 있을 때에만 문제가 된다고 생각한다. 치료는 외측각의 전체 구조를 교정하고, 원개를 분리시키기 위하여 비주지주를 추가할 수도 있다. 반면에, 지나치게 넓은 비첨폭은 대부분의 일차비성형술 환자의 흔한 호소이다. 지나치게 넓은 비첨은 비첨정의가 좋지 않은 것과 관련이 있으며, 많은 요소로 구성된 수술법이 필요하다.

### 임상적 결정

우선 비첨폭과 비첨정의를 분석하여야 한다. 만일 정의는 좋지만 폭이 조금 지나치게 넓으면, 외측각절제술의 내측 연장을 원개 뒤로, 그리고 중간각까지 미측으로 하여서 비첨정의를 보존하면서 원개를 효과적으로 좁힐 수 있는지를 살펴 보아야 한다. *경증* 변형에서는 본질적으로 양측 외측각 및 중간각 사이의 정중지대(midline abutment)를 단순절제 함으로써 원개간격을 좁힐 수 있다. *중간증* 변형에서 이러한 단순절제술이 부적절하거나 술중에 부적절함을 알게 되면, 저자는 개방접근술을 하여 봉합술을 함으로써 바라는 만큼 좁혀준다. 드문 *중증* 변형에서는 비첨폭이 넓으면 원개분절절제술과 비첨이식술만이 논리적인 해결책이다.

*경증(Minor).* 미학적으로, 내재 비첨은 바람직한 정의를 가지지만, 비첨정의점 사이가 지나치게 넓은 경우이다(그림 3-22). 해부학적 원인은 중간각 사이의 폭과 중간각 사이의 정중지대의 정도가 둘 다 넓은 것이다. 이는 중간각 사이에 연조직이 끼인 것보다는 서로 분리된 단단한 연골이 버티고 있기 때문이다. 경연골절개술(transcartilaginous incision)을 원개 뒤로, 그리고 중간각의 비주분절까지 미측으로 좀 더 내측 연장 하여 아래에 있는 비익연골을 제거함으로써 교정할 수 있다(그림 3-23A). Peck의 중첩이식술(onlay graft)의 추가를 고려할 수 있다.

*중간증(Moderate).* 미학적으로, 대부분의 중간증 변형은 지나치게 큰 폭과 정의의 부족이 결합된 것이다(그림 3-22). 눈만으로도, 좋지 않은 비첨정의와 10-12mm에 달하는 폭을 볼 수 있다. 해부학적으로 이것은 평탄한 원개분절과 볼록한 외측각과 관련이 있다. 이러한 증례는 정의를 교정하는 원개형성봉합술(domal creation suture)과 원개를 좁히는 원개등화봉합술(domal equalization suture)을 포함하는 삼점봉합술(three-stitch technique)로써 쉽게 치료할 수 있다(그림 3-23B).

*중증(Major).* 미학적으로, 중증 변형은 비첨의 폭을 어떻게 인식하느냐에 따라서 흥미로운 변화를 나타낸다. 원개접합부(domal junction)에 의하여 만들어지는 진성 비첨(true tip)이 흔하지만, 볼록한 외측각 외측 경계의 역행 곡면(retrograde curvature)에 의하여 만들어지는 좀 더 외측에 있는 '가비첨(pseudotip)'에 주의를 기울여야 한다(그림 3-22). 봉합술을 하면, 볼록한 외측각을 오목하게 바꿀 뿐만 아니라 외측각간격을 줄이기 위하여 외측각간봉합술(lateral crura spanning suture, LCSS)을 더할 필요가 있다. 해결책은 원개절제술과 비첨이식술이다(그림 3-23C).

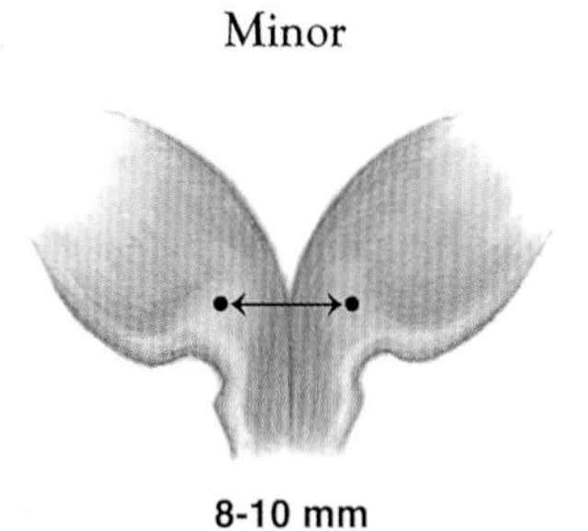


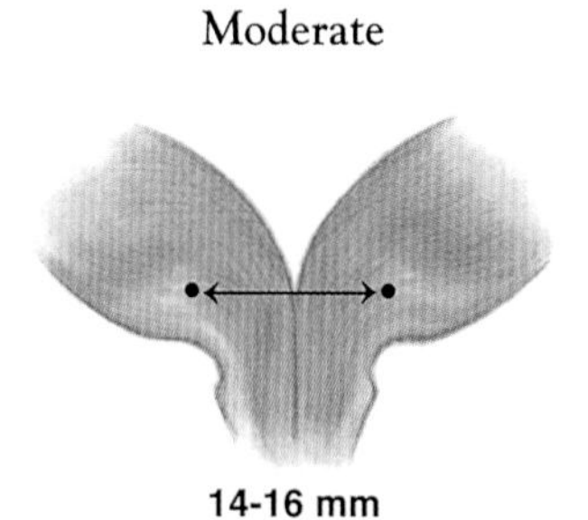


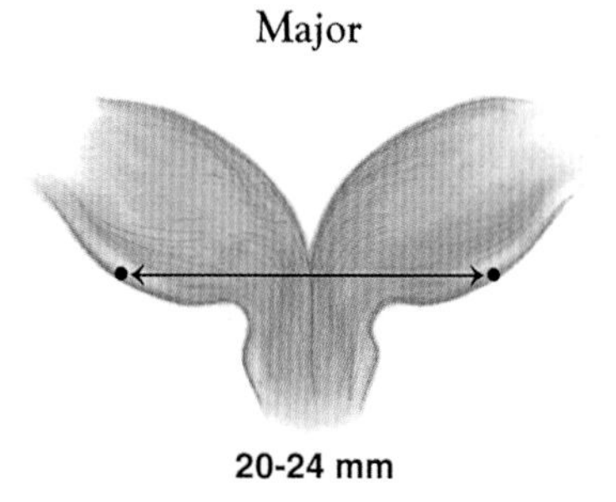


그림 3-22

Correcting Excessive Tip Width

**MINOR**

1) Maintain projection
2) Draw alar anatomy & incision
3) Transfer incision with mucosal marker
4) Extend incision beyond domes down on to middle/medial crura
5) Consider Peck onlay graft

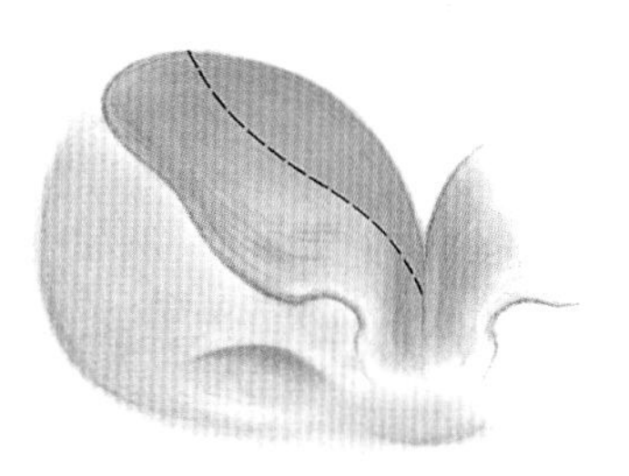

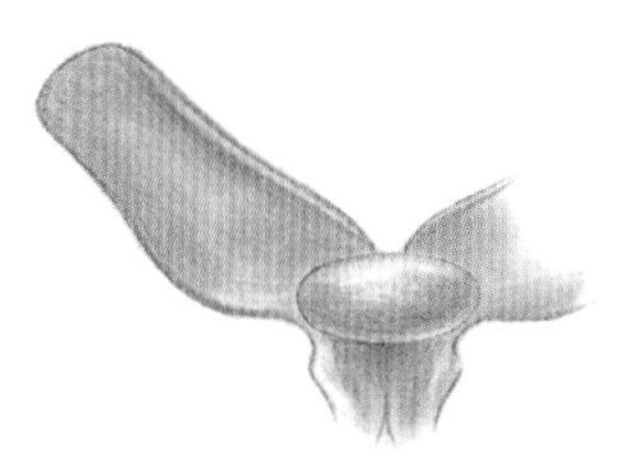

A

**MODERATE**

1) Open approach
2) Excise excess lateral crura
3) Crural strut
4) Domal creation suture
5) Domal equalization suture

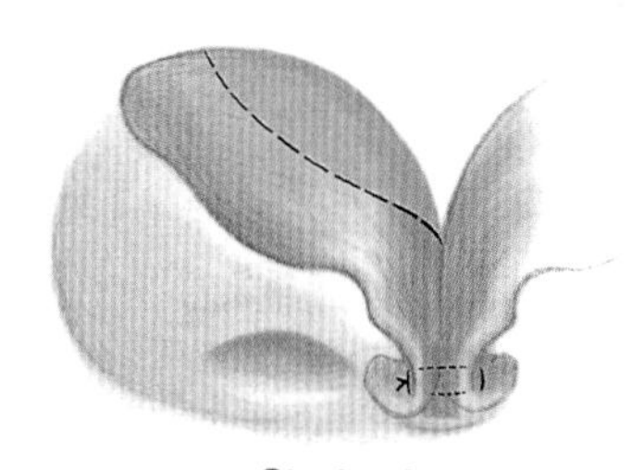


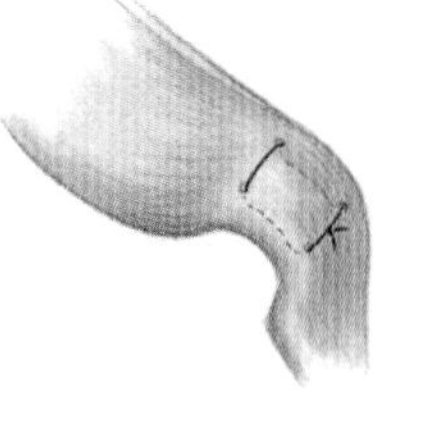


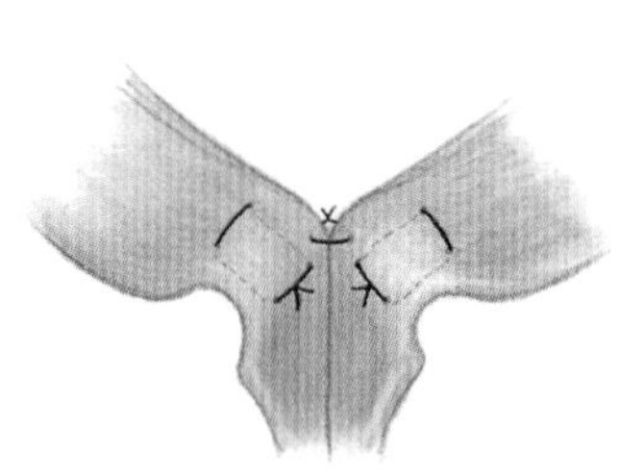


B

**MAJOR**

1) Open approach
2) Excise excess lateral crura
3) Insert crural strut
4) Excise domal segment
5) Apply tip graft

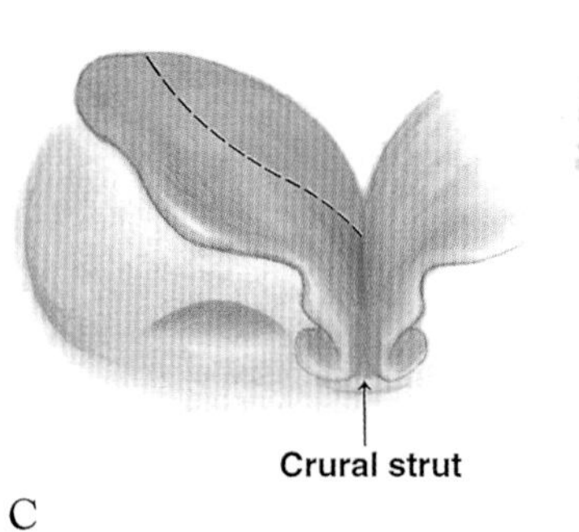


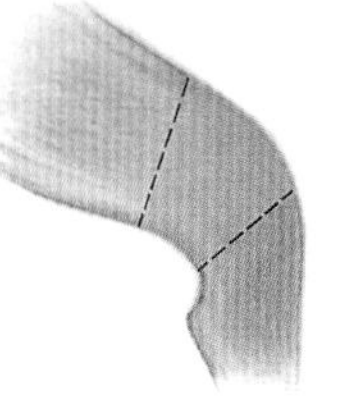


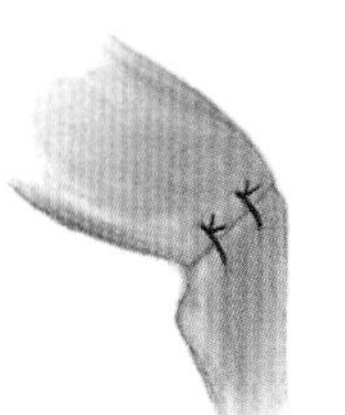


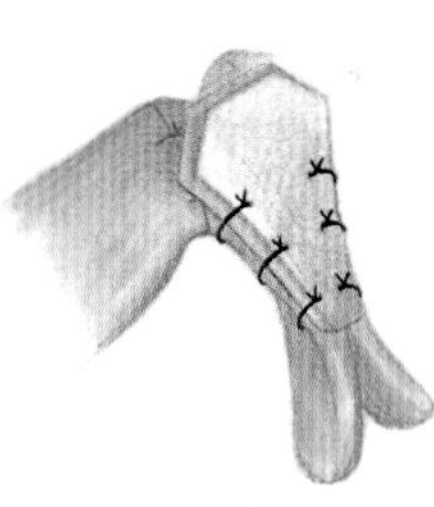


C

그림 3-23

## 증례 연구 지나치게 넓은 비첨폭(중간증)Excessive Tip Width(Moderate)

### 분석

20세의 여가수로서 코가 너무 넓고 너무 무겁다고 호소하였다(그림 3-24). 정면에서, 코는 편평한 삼각형이며, 비첨이 돋보이지 않는 것이 분명하였다. 목표는 무거운 조직임에도 불구하고 귀여운 코를 만드는 것이었다. 흥미롭게도, 비익장개(alar flare) (술전 33mm, 술후 27mm)와 비첨돌출 (술전 33mm, 술후 29mm)이 변화하였다.

### 외과 수기

1. 비첨회전을 위하여 3mm의 미측비중격상부1/2절제술.
2. 각진 비주지주(angled crural strut)이식술.
3. 세 가지 비첨봉합술과 비주-비중격돌출봉합술(columellar septal projection suture).
4. 비공상 및 비익 동시절제술(각각 3mm)

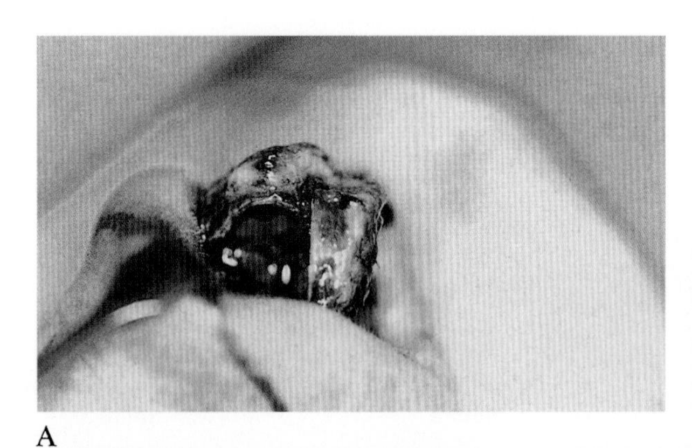

A

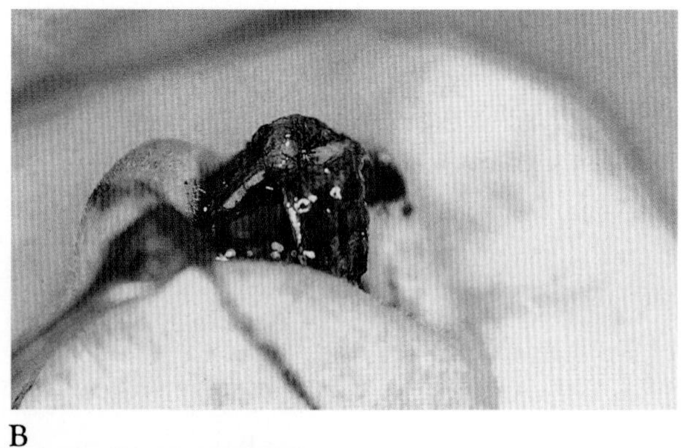

B

C

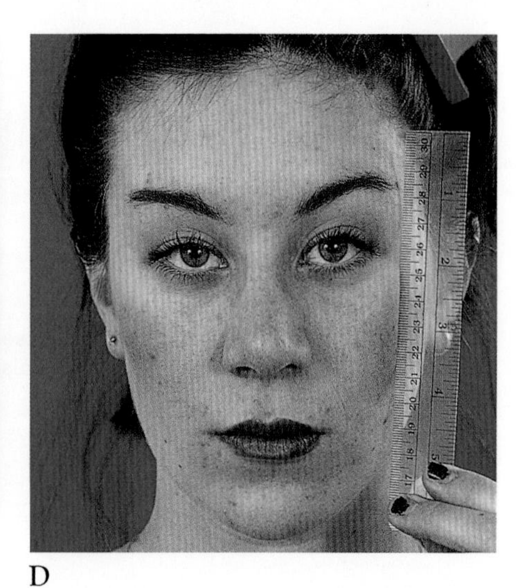

D

그림 3-24

## 증례 연구 지나치게 넓은 비첨폭(중증) Excessive Tip Width(Major)

### 분석

26세 여성으로서 구상비첨(bulbous tip)을 호소하였다(그림 3-25). 분석 결과, 흥미롭게도 비배선의 폭이 불균형을 나타내었다. 즉, 골원개는 13mm, 연골원개는 7mm, 그리고 비첨은 25mm이었다. 좁은 중간원개(midvault)와 넓은 비첨이 나란히 놓임으로써 진성 구상비첨을 만들었다. 환자의 몸집이 꽤 작고, 키도 153cm밖에 안 되었기 때문에 비배도 낮아야 했다. 거대한 비익연골 때문에 개방비첨이식술과 원개절제술을 하였다.

### 외과 수기

1. 개방접근술을 통한 1mm의 비배축소술.
2. 3mm의 연전이식술로써 비배폭을 3mm에서 7mm로 넓힘.
3. 4.5mm의 비익연연골조각을 남기고 두측외측각절제술.
4. 각진 각지주(angled crural strut)이식술. 원개절제술(우측 5mm, 좌측 6.5mm).
5. 통합비첨이식물(integrated tip graft)의 제 자리 봉합술.

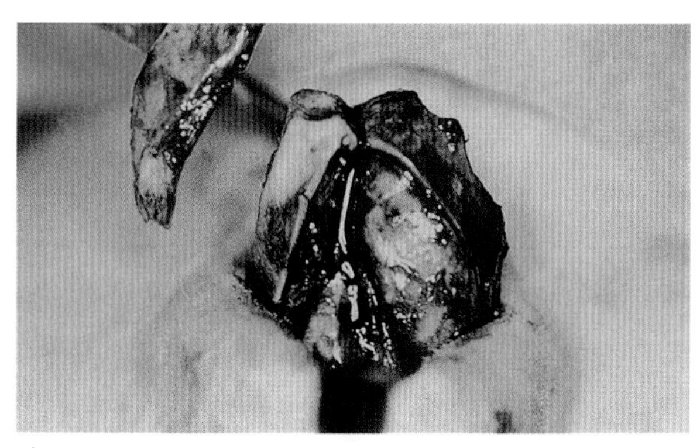
A

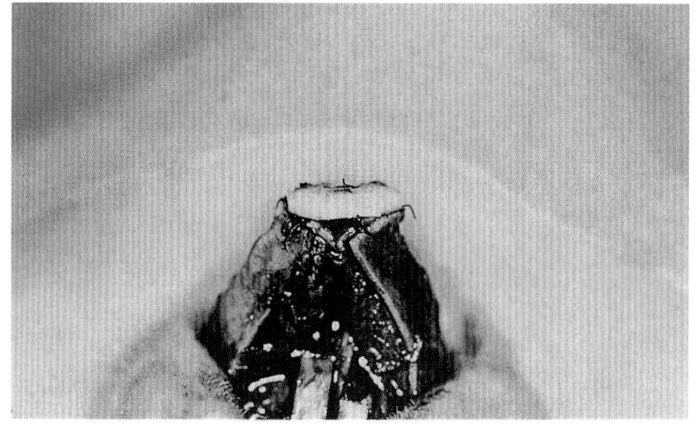
B

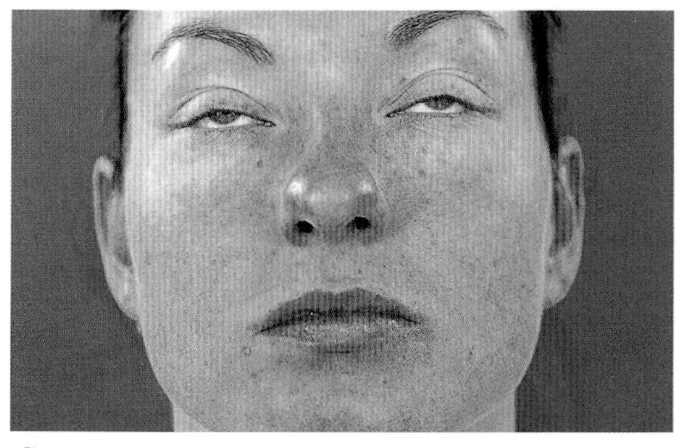
C

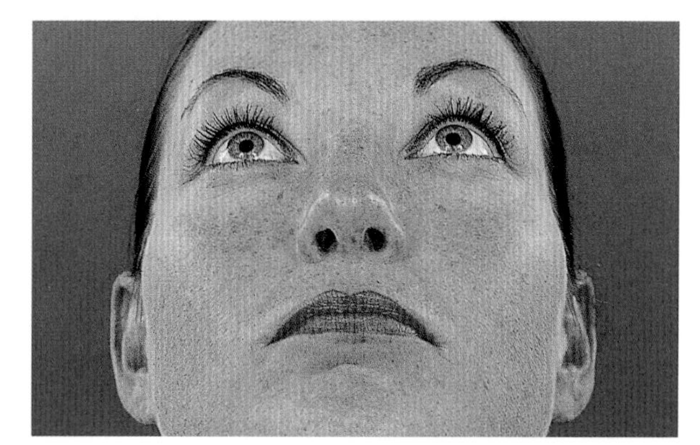
D

그림 3-25

## 비첨정의 (Tip Definition)

비첨정의를 정의하기 어렵지만, 원개정의점(dome defining point)이 나머지 비익연골로부터 가시적(visibility)이거나 분명히 돋보이는(set-off) 것이다. 비첨정의는 해부학적 상관성으로 좀 더 쉽게 정의 된다. 즉, 원개분절과 외측각 사이의 원개접합선(domal junction line)이다. 볼록한 원개분절이 오목한 외측각에 나란히 놓이는 것이 가장 매력적이다.

### 임상적 결정

비첨정의는 4가지 모든 관점에서 신중하게 분석해야 하며, 환자의 의견을 구한다. 비첨돌출과 피부 두께는 비첨정의의 평가에 중요한 상관이 있다. 지극히 얇은 피부는 좀 더 가시적인 문제점이 있지만, 두꺼운 피부는 미묘한 교정을 못 하도록 한다. 또, 비첨정의가 지나치게 많다고 호소하는 환자는 놀랍게도 드물다. 예외는 하비소엽의 이열(bifidity)이 가시적인 것을 싫어하는 얇은 피부를 가진 환자(이러한 문제점은 절제해낸 비익연골로써 잠복이식술, concealer graft를 하면 쉽게 교정된다), 또는 비정상적인 모양의 원개를 가진 환자이다(이 때에는 원개절제술과 비첨이식술이 필요하다). 반면에, 많은 비성형술 환자는 지나치게 적은 비첨정의를 흔히 호소한다.

*경증(Minor).* 경증의 부족에서 비첨은 '좋지만(all right)', 사면(oblique view)에서는 비소엽으로부터, 그리고 측면에서는 비배선으로부터 비첨을 돋보이게 하는 분명함이 부족하다(그림 3-26). 가장 간단한 해결책은 절제해낸 비익연골을 2층으로 겹쳐서 사용하는 중첩이식술(onlay graft)이다(그림 3-27A). 이식물은 짧고(8mm) 좁게(4mm) 만들며, 양측 원개정의점을 가로 지르도록 눕혀서 이식한다. 이렇게 함으로써 원개분절을 인접한 외측각보다 두측으로 두드러지게 한다.

중간증*(Moderate).* 중간증의 부족에서는 바람직한 원개정의를 봉합술로써 만들 수 있을지를, 그리고 봉합한 것이 위에 놓인 피부외피를 통해 보일 지를 추정하여야 한다. 첫 단계는 원개절흔(domal notch)이 있는 원개분절을 집어보아서 연골의 전성(展性, malleability)이 충분한 지를 결정한다. 그 다음, 양측원개형성봉합술을 한 뒤 피부를 재배치시켜서 평가한다(그림 3-27B). 말린 원개의 조임(tightness of domal curl)은 원개간격과 마찬가지로 조정할 수 있다.

*중증(Major).* 중증 변형은 변형되거나 약한 비익연골, 심한 비첨과소돌출, 그리고 두꺼운 피부외피 등의 여러 가지 요소들을 포함하고 있다. 많은 스페인계 코(Hispanic nose)가 이 범주를 대표한다. 가장 창조적인 봉합술을 하더라도 두꺼운 피부를 통하여 보이지 않을 것이며, 필수적인 비첨돌출을 제공하지 못할 것이다. 이러한 증례에서는 강력한 비주지주이식술과 개방구조비첨술(open structure tip)이 필요하다(그림 3-27C). 원개봉합술이나 원개절제술을 선택적으로 한 다음, 날카로운 모서리를 가진 고형 비첨이식물(solid tip graft)을 돌출위치(projecting position)로 이식하고 받침이식술(cap graft)로써 보강한다.

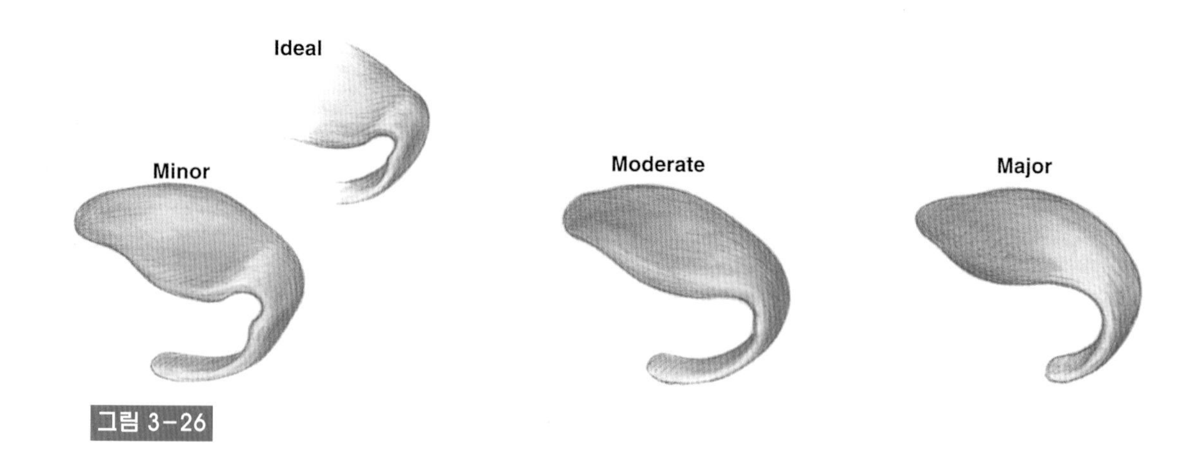


그림 3-26

**MINOR**

1) Maintain projection
2) Excise excess lateral crura
3) Make double layer Peck onlay graft of excised crura
4) Insert graft thru rim incision

Decrease Definition

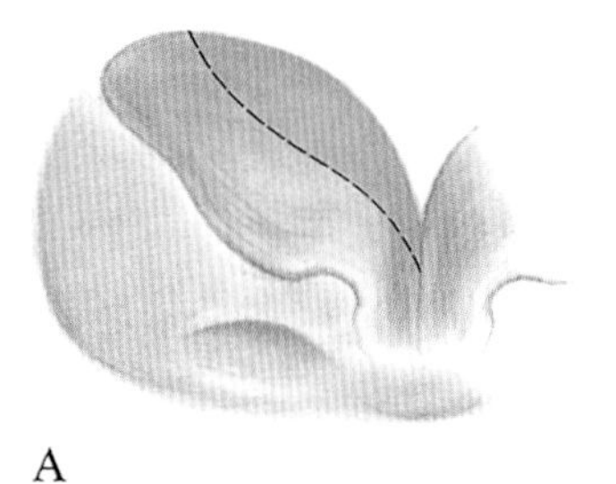

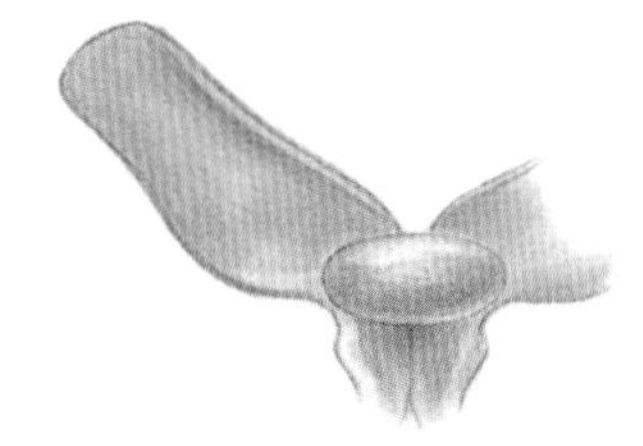

A

**MODERATE**

1) Open approach
2) Excise excess lateral crura
3) Crural strut
4) Domal creation suture
5) Consider domal equalization suture

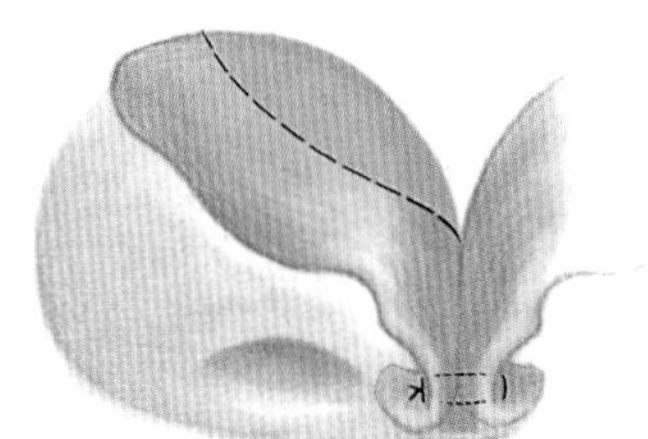

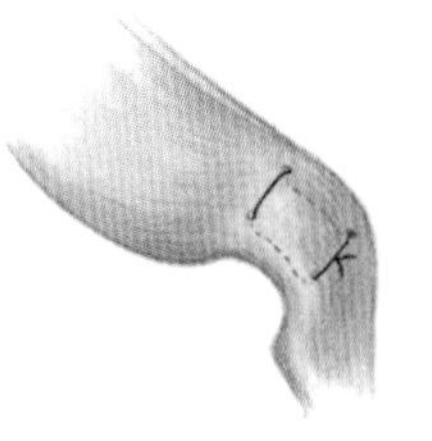

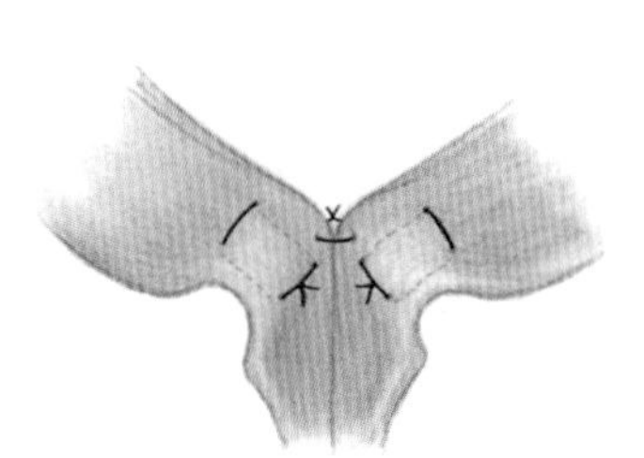


B

**MAJOR**

1) Open approach
2) Excise excess lateral crura
3) Insert columella strut, lengthening crura on strut
4) Domal sutures if possible
5) Tip graft in projected position with cap graft

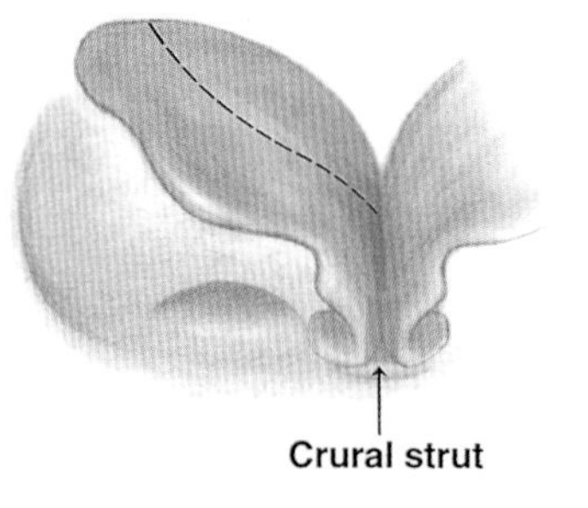

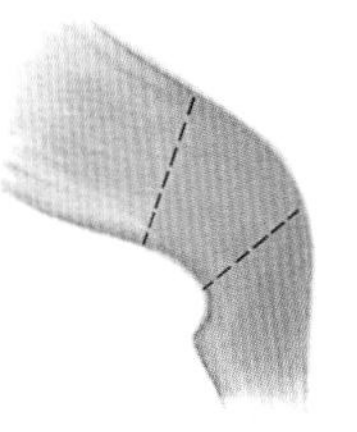

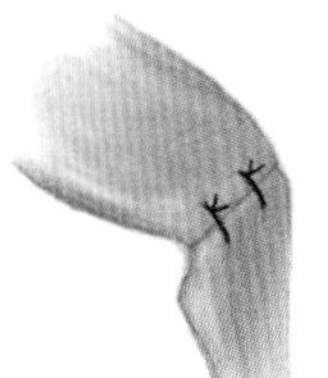

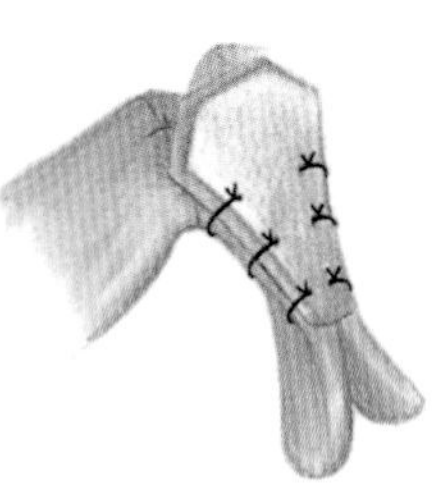


C

그림 3-27

## 증례 연구 비첨정의(중간증 부족) Tip Definition(Moderate Deficiency)

### 분석

25세의 관리직 여성으로서 코가 너무 크고, 측면에서 비봉(bump)이 있으며, 비첨이 둥글다고 호소하였다(그림 3-28). 이학검사에서 비대칭의 코, 얇은 피부, 그리고 넓고 분명치 않은 비익연골이 있었다. 사면에서, 넓은 원개절흔(domal notch)이 얇은 피부를 통하여 거의 가시적이었다.

### 외과 수기

개방접근술.

1. 두측 외측각의 최소절제술.
2. 곧은 각지주이식술.
3. 삼점봉합술: 각봉합술, 원개형성봉합술, 그리고 원개등화봉합술.
4. 비배축소술: 골 0.5mm, 연골 1.5mm.
5. 회전을 위한 3mm의 미측비중격상부1/2절제술.

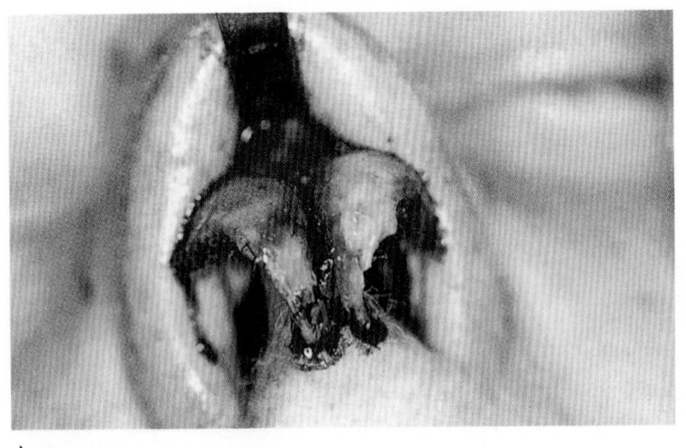

A

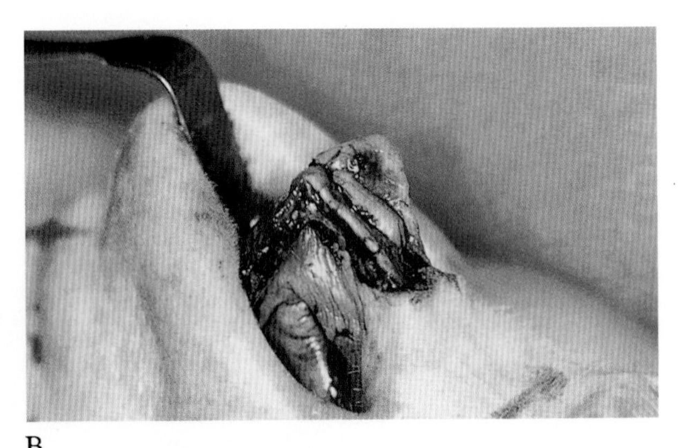

B

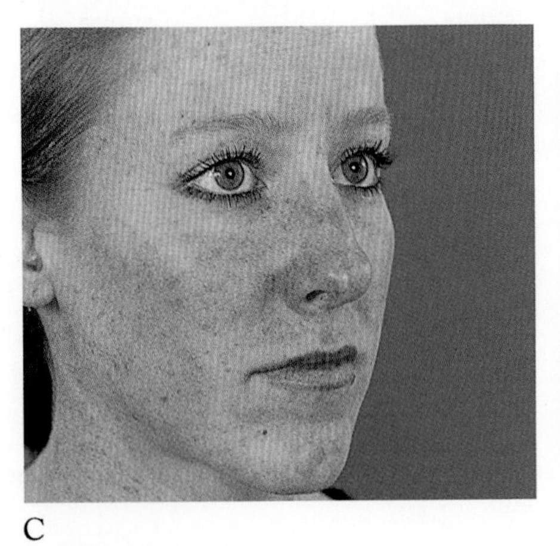

C

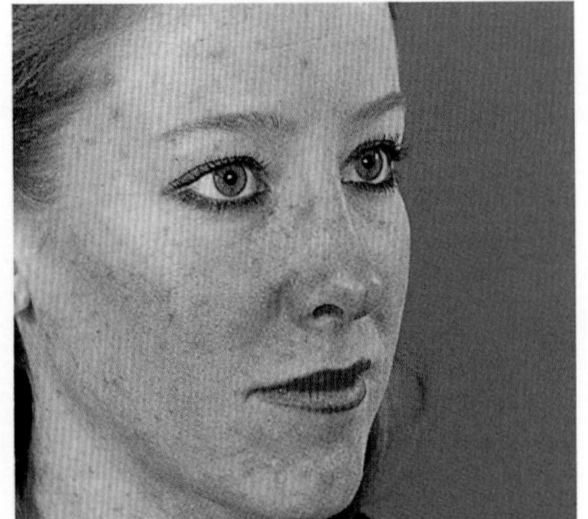

D

그림 3-28

## 증례 연구 비첨정의(중증 부족) Tip Definition(Major Deficiency)

### 분석

33세 주부로서 코가 너무 크고, 비첨이 너무 구상(bulbous tip)이라고 호소하였다(그림 3-29). 이학검사 결과, 비첨이 정말 구상이며 꽤 둥글었다. 코 전체도 매우 컸지만, 10대에 받은 치과교정과 제 4번 치아의 발치에 의하여 치궁(dental arch)이 퇴축되어서 코가 더 두드러졌다. 목표는 비첨 모양에 극적 변화를 주는 것이었다.

### 외과 수기

개방접근술.

1. 6mm의 비익연연골조각을 남기고 두측외측각절제술.
2. 각진 각지주이식술.
3. 7mm의 원개분절절제술.
4. 방패형비첨이식술 및 봉합고정술.

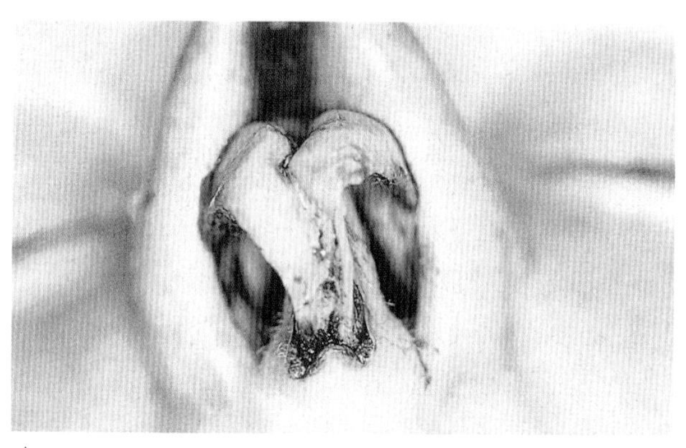

A

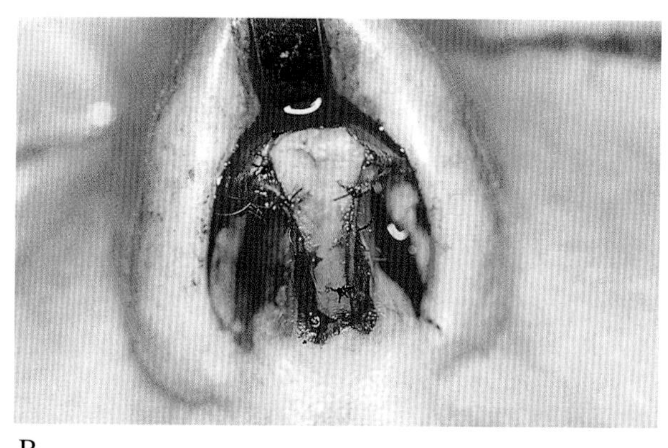

B

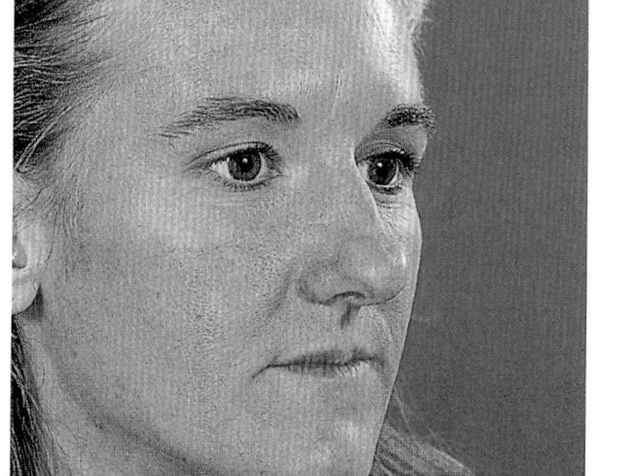

C

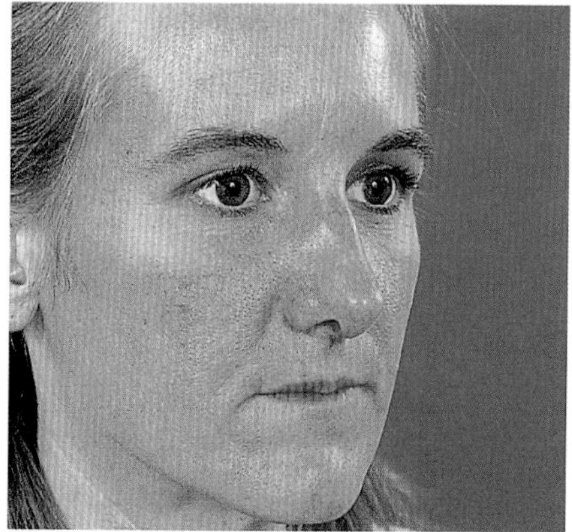

D

그림 3-29

## 비첨과다돌출(Tip Overprojection)

대다수의 비첨과다돌출은 외재력(extrinsic force)에 의하여 생기며, 특별히 높은 비배와 긴 미측 비중격과 함께 나타난다. 비첨과다돌출이나 피노키오코(Pinocchio nose)가 단독으로 나타나는 경우는 매우 드물다(1/1000?). 반면에, 낮은 비배와 비교적 과다돌출된 비첨이 동반된 난제가 더 흔하다. 중요한 첫 번째 단계는 분석이며, 66-67쪽을 재고하기를 권고한다.

### 정의와 임상적 결정

비첨돌출은 측면에서 비익주름점(alar crease, AC)으로부터 비첨점(T)까지의 거리로서 정의된다. 이 거리는 *전체(total)* 비첨돌출을 나타내며, 또 비첨각(tip angle)을 가리킨다. 일단 이상적 비첨돌출을 정의하였으면, 다음의 2가지를 결정하여야 한다. 첫째, 비첨과다돌출의 원인이 무엇인가? 외재력인가, 내재 비첨인가, 아니면 둘 다인가? 마음속으로 특히, 과다돌출된 비배와 같은 외재력의 영향을 배제한다. 둘째는 내재 비첨과 관련된 것이다. 내재 비첨이 얼마나 매력적인지, 그리고 술자가 비첨을 낮추기를 원하는지, 또는 비첨돌출을 교체할 필요가 있는지? 돌출을 낮추는 것은 쉽지만, 유지하거나 높이기는 더 어렵다.

*경증(Minor).* 내재 비첨의 돌출을 1-2mm 낮추는 가장 간단한 방법은 두측 외측각의 용적축소술을 많이 하는 것이다(그림 3-30A). 이렇게 하면, 상외측연골에 대한 외측각의 볼록함과 견고한 지대(abutment)를 필연적으로 잃게 된다. 양측완전관통절개술을 추가하면 돌출을 2-3mm까지, 2배로 낮출 수 있다. 비첨을 더 낮게 위치시키는 것을 확실히 하기 위해서는 4-0 PDS사로써 비주-비중격봉합술(columellar septal suture)을 추가할 수 있다.

*중간증(Moderate).* 내재 비첨돌출의 중간증 문제점에서는 내재 비첨이 매력적인지, 아니면 변화시킬 필요가 있는지를 결정하는데 직면하게 된다. 만일 내재 과다돌출만 빼고는 비첨이 이상적이라면 외측각단축술(lateral crural shortening)을 할 수 있다(그림 3-30B). 면신접근술(免身接近術, delivery approach)을 하여 외측각을 5mm 폭으로 잘라서 다듬는다. 그 다음, 분절절제술(3-4mm)을 한다. 이때 비첨회전 없이 단축시키려면(straight setback), 직사각형절제술을 하며, 단축과 회전을 동시에 시키려면 좀 더 삼각형으로 절제술을 한다. 절제연끼리 5-0 PDS사로써 봉합한다. 비익연절흔(alar rim notching)을 피하기 위하여 절개연을 조금 중첩시켜서 봉합하기를 제안한다. 저자는 붕괴되고 왜곡된 하비소엽을 너무 많이 보았기 때문에 외측각과 중간각 둘 다의 삼각형단축절제술(tripod telescope excision)을 권장할 수 없다.

*중증(Major).* 중증의 내재 비첨과다돌출은 비첨함입술(tip deprojection)을 위하여 중간각과 원개분절의 절제술을 한 다음, 비첨이식술에 의한 재형성이 필요하다(그림 3-30C). 많은 증례에서 6-10mm의 원개분절절제술을 하여 비첨돌출을 5-8mm 낮출 수 있다. 수술은 폐쇄 및 개방 접근술로써 한다. 폐쇄접근술로써 양측완전관통절개술, 비배비봉축소술, 그리고 미측비중격절제술을 한 *다음, 내재* 비첨돌출함입술을 한다. 그 다음, 비첨을 개방하여 개방구조비첨이식술(open structure tip graft)을 한다. 각지주이식술을 하고, 내측각과 중간각을 각지주에 봉합하고, 중간각을 비주변곡점 두측 6-7mm에서 횡으로 자른다. 그 다음, 원개분절과 외측각을 박리하고, 절개연을 중첩시키고, 적절한 량의 분절을 절제한다. 절제하는 분절의 폭은 중첩의 정도와 바람직한 좁힘에 의하여 실제적으로 결정한다. 절개연을 수복하였으면 비첨이식물을 제 자리에 봉합한다.

## Correcting Overprojection

### MINOR

1) Excise excess lateral crura
2) Bilateral complete transfixion incisions
3) Downward columella septal suture if needed.

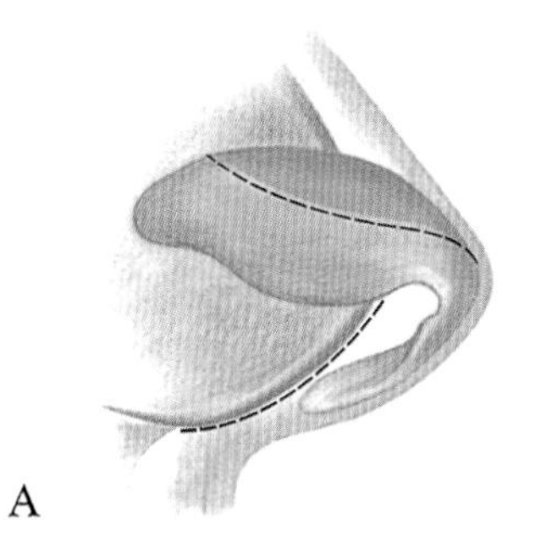
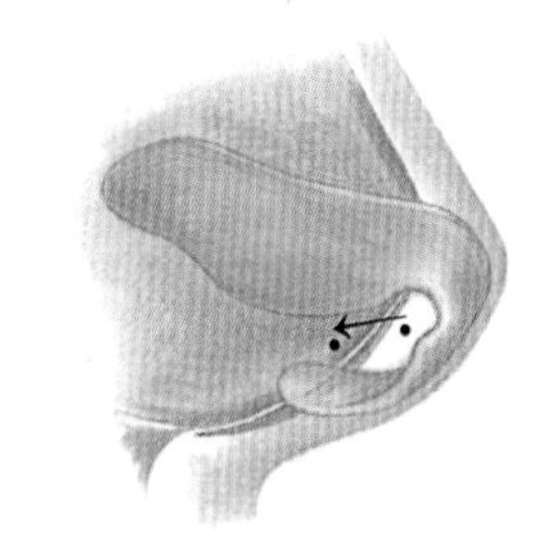

A

### MODERATE

1) Excise excess lateral crura
2) Bilateral transfixion incisions
3) Slot delivery with segmental crural excision
4) Deprojecting downward columella-septal suture

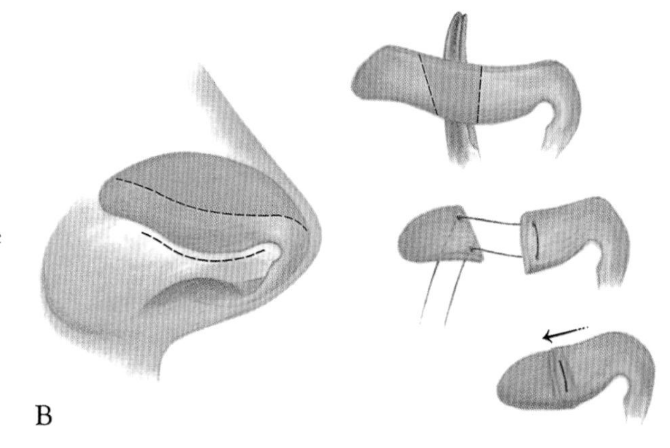

B

### MAJOR

1) Open approach
2) Excise excess lateral crura
3) Crural strut
4) Domal segment excision
5) Integrated tip graft

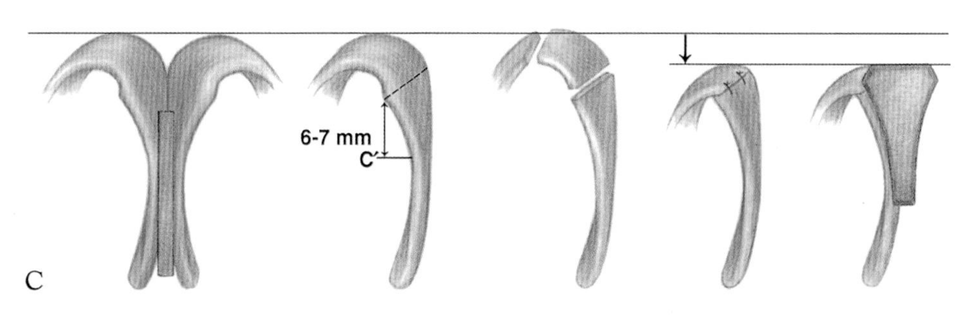


C

그림 3-30

## 증례 연구 비첨과다돌출(외재) Tip Overprojection(Extrinsic)

### 분석

32세 여성 관리직으로서 코가 너무 크고 너무 앞으로 튀어나왔다고 호소하였다(그림 3-31). 분석 결과, 내재 비첨은 매력적으로 균형이 잡혔지만, 전체적으로는 비첨돌출이 35mm인 긴장코(tension nose)였다. 비익저-비첨소엽비율(alar base to tip lobule ratio)은 균형 잡혀 있었다. 키가 153cm이었기 때문에 비첨을 퇴축(set back)시키고 코를 조금 단축하기로 하였다. 내재 비첨은 매력적이어서 폐쇄접근술을 선택하였다.

### 외과 수기

1. 연골하절개술을 통한 50%의 용적축소술.
2. 비배축소술: 비근 1mm, 골 3mm, 그리고 연골 7mm.
3. 4mm의 미측비중격단축술과 최소한의 전비극윤곽교정술(contouring)(그림 3-31A).
4. 비주-비중격함입봉합술(columella septal deprojecting suture)(그림 3-31B).

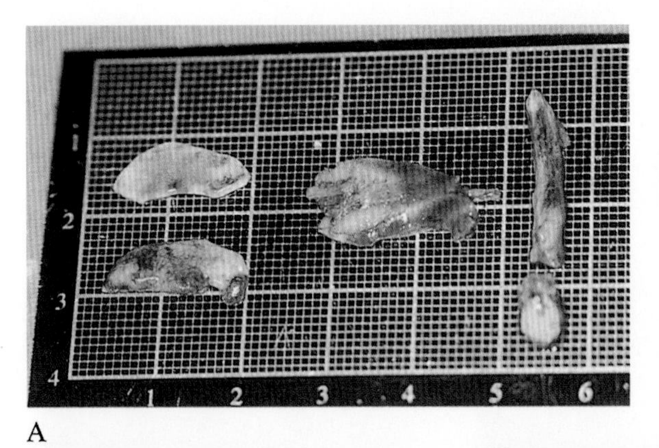
A

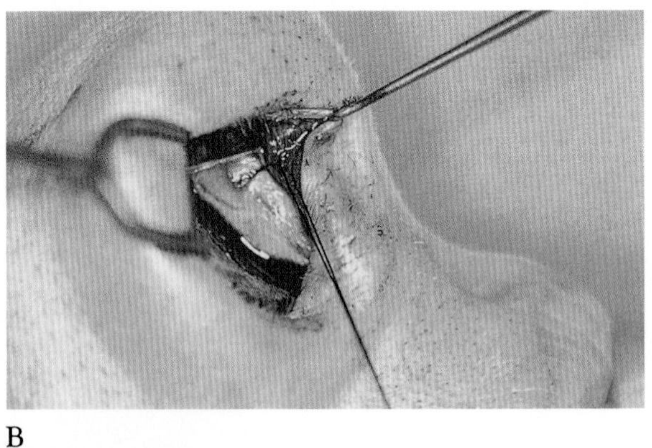
B

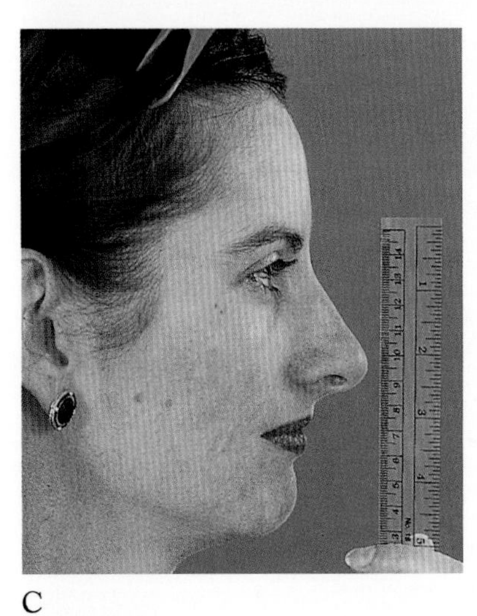
C

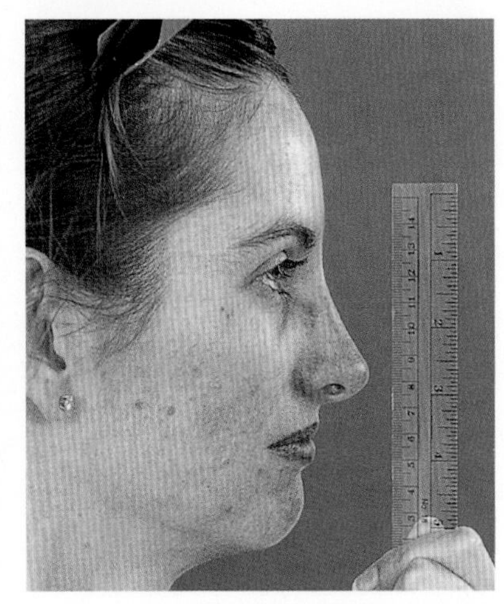
D

그림 3-31

## 증례 연구 비첨과다돌출(내재) Tip Overprojection(Intrinsic)

### 분석

30세 관리직 여성으로서 비첨이 나머지 코에 비하여 너무 크다고 호소하였다(그림 3-32). 비첨연골이 현저히 크고 구상이었지만, 코의 나머지 부분은 작고 섬세하였다. 비첨돌출은 33mm이었지만, 비익저-비첨소엽비율(alar base to tip lobule ratio)은 큰 내재 비첨 때문에 분명히 불균형이었다. 내재 비첨이 매력적이지 못하고 지나치게 컸기 때문에 개방구조비첨술(open structure tip)을 선택하였다. 그녀의 쌍둥이도 이어서 수술을 받았다(100쪽).

### 외과 수기

1. 관통절개술을 통한 비중격연골채취술.
2. 개방접근술로써 두측외측각절제술.
3. 윤곽을 가다듬은 비주지주의 봉합고정술.
4. 비첨함입을 위한 7mm의 원개분절절제술(그림 3-32A).
5. 비첨이식술(그림 3-23B).

주의: 내재 비첨만 변화시켰으며, 외재 요소는 변화시키지 않았음.

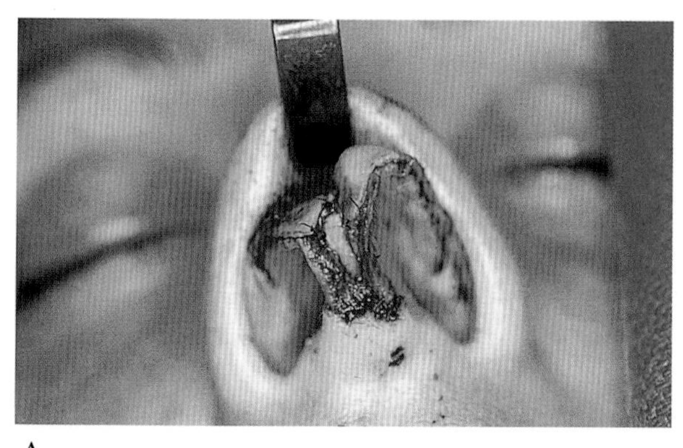

A

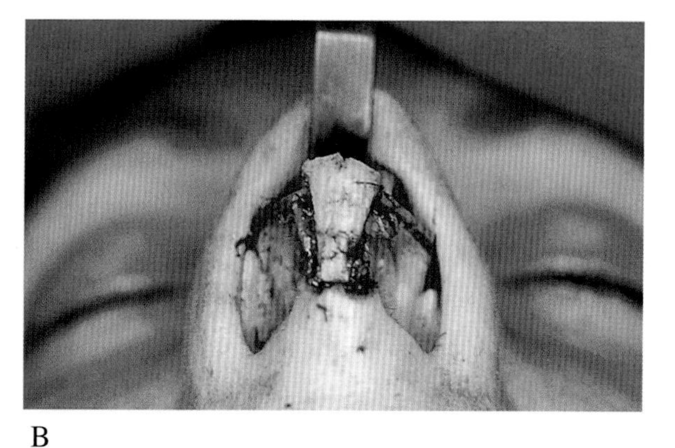

B

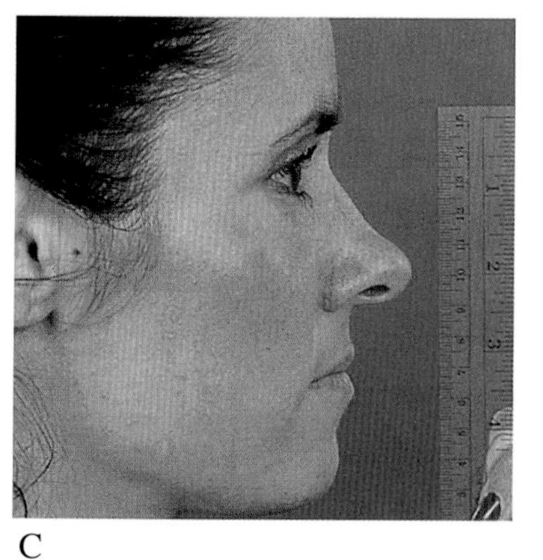

C

D

그림 3-32

## 비첨과소돌출(Tip Underprojection)

부적절한 비첨돌출은 조금 부족한 *매력적인(attractive)* 비첨으로부터 더 흔한 문제점인 *매력적이지 못한(unattractive)* 낮은 비첨까지 다양하다. 외재력이 흔히 우세한 과다돌출비첨과 달리, 비첨과소돌출은 대개 두꺼운 피부로 덮인 약하고 벌어진 비익연골 때문에 생긴다. 지난 절에서 토론하였듯이, 비첨돌출은 측면에서 비익주름으로부터 비첨까지의 거리로서 정의된다. 비익저와 비소엽의 비율은 50:50이어야 한다. 내재 비첨이 매력적인지 아닌지, 그리고 비첨과소돌출의 정도가 얼마나 심한지를 결정하는 것이 중요하다. 만일 *내재* 비첨이 매력적이면 이것을 유지하기를 바라지만, 수 mm 더 돌출시키기를 분명히 원할 것이다. 만일 내재 비첨이 매력적이지 못하거나 큰 돌출이 필요하면 좀 더 과감한 수술이 필요하다.

*경증(Minor).* 비첨이 매력적이고, 1-2mm의 추가적 돌출만 필요하면 가장 간단한 해결책은 비주-비중격봉합술(columellar-septal suture)이다(그림 3-33A). 일측완전관통절개술을 통하여 4-0 PDS사를 쉽게 삽입할 수 있다. 비주변곡점에서, 또는 비주변곡점 바로 미측의 비주 쪽에서 봉합하는 것이 가장 좋다. 바람직한 비첨돌출을 얻을 때까지 비주를 두측으로 들어 올린 다음, 비중격의 미측 경계에 표시를 한다. 그 다음, 비주로부터 미측 비중격으로 봉합사를 삽입한다.

*중간증(Moderate).* 중간증의 매력적인 비첨은 대개 2-3mm 이상의 추가적 비첨돌출을 필요로 한다. 이러한 증례에서 저자는 양측완전관통절개술을 통하여 비주-비중격봉합술을 시도하고 싶어진다. 그러나 저자는 개방접근술로써 큰 비주지주이식술(30X4mm)을 하여 내측각과 중간각을 비주지주로 전진시킴으로써 추가적인 비첨돌출을 얻는다. 가능하면 비주지주에다가 원개간봉합술(interdomal suture)을 포함한 비첨형성봉합술(suture tip-creation procedure)을 한다. 이제는 비주가 견고해졌으므로 비주를 왜곡시키지 않으면서 비주-비중격봉합술을 추가할 수 있다.

*중증(Major).* 중증의 증례는 가장 나쁜 것을 흔히 다 가지고 있다. 즉, 두꺼운 피부로 덮인 편평하게 벌어진 비익연골을 가진 매력적이지 못한 비첨이 바로 그것이다. 분명한 해결책은 큰 비주지주이식술로 시작하는 개방구조비첨술을 한 다음, 적절한 원개봉합술을 하고, 비첨돌출과 비첨정의 둘 다를 위하여 비첨이식술을 하는 것이다(그림 3-33C). 이러한 증례에서 내측각을 비주지주에 2군데 봉합, 고정한다. 우선, 비주지주는 꽤 길고(30mm), 비중격-상구순부(columella labial area)가 더 넓으며(4-6mm), 매우 단단하여야 한다. 비주를 연장시키기 위하여 양측 내측각을 두측으로 움직인다. 4-0 PDS사를 *내측각(medial crus)* 미측으로 넣어서 비주변곡점 바로 미측으로 빼내어서 석상봉합술을 한다. 그 다음, 두 번째 석상봉합사를 비주변곡점 바로 두측으로 넣어서 *중간각(middle crus)*을 통과시켜서 원개분절의 바로 미측으로 빼낸다. 그 다음, 원개형성봉합술을 하고 원개등화봉합술을 하여 비주지주의 꼭대기에서 서로 묶는다. 비첨이식물을 원개와 관련하여 위치시키며, 비첨이식물을 중간각에 어떻게 봉합하느냐에 따라서 2-3mm의 추가적인 비첨돌출을 얻을 수 있다. 이식물의 모양과 이식물연의 날카로움은 피부 두께에 따라서 달리 한다.

Correcting Underprojection

**MINOR**

1) Maintain existing projection
2) Consider options:
   Peck onlay graft
   Columella septal suture
   Small crural strut

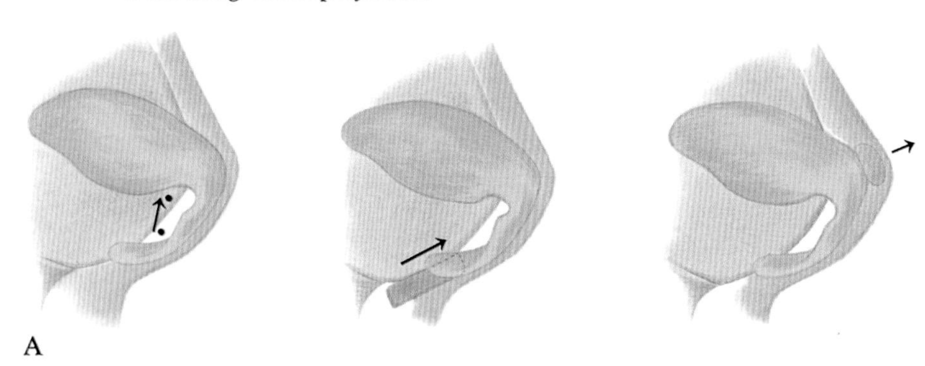

A

**MODERATE**

1) Open approach
2) Excise excess lateral crura
3) Columella strut
4) Domal creation sutures
5) Interdomal suture over top of strut
6) Optional columella septal suture

B

**MAJOR**

1) Open approach
2) Excise excess lateral crura
3) Maximum columella strut
4) Advance crura on strut
5) Suture domes over top of strut
6) Tip graft in projected position
   with mandatory cap graft

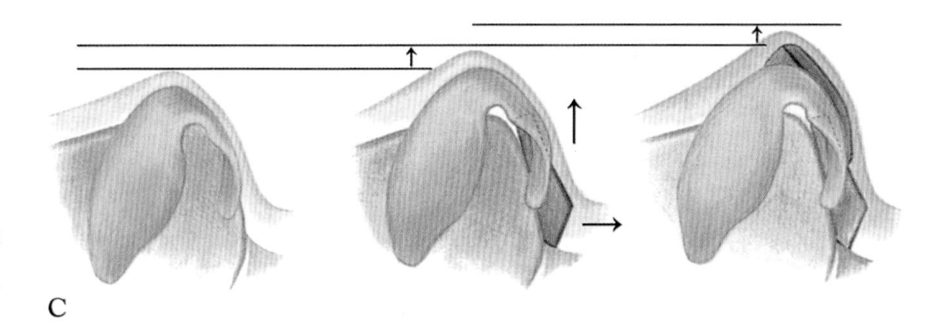

C

그림 3-33

## 증례 연구 내재비첨돌출부족(Deficient Intrinsic Tip Projection)

### 분석

30세 여성으로서 '비첨이 물방울처럼 작고 처져서(blobby droopy tip)' 매력적이지 못하다고 호소하였다. 미소 지를 때 비주변곡점으로부터 상비첨까지 2개의 '비첨'이 있었다. 즉 T1은 비배에 원래 있는 비첨인 반면에, T2는 비주변곡점에서 하비소엽 곡선 사이에서 분명히 있었다(그림 3-34C). 환자가 미소 지으면 T1은 사라지는 반면에, T2가 좀 더 정확하게 진성 비첨을 나타내는 것이 분명하였다(그림 3-34D). 이것은 내재 돌출이 부족한 비첨의 흔한 특징이다.

### 외과 수기

1. 5mm의 비익연연골조각을 남기고 두측외측각절제술.
2. 각진 각지주(angled crural strut)이식술.
3. 원개형성봉합술과 원개등화봉합술
4. 33X5mm의 비중격이식물로써 비배증대술.

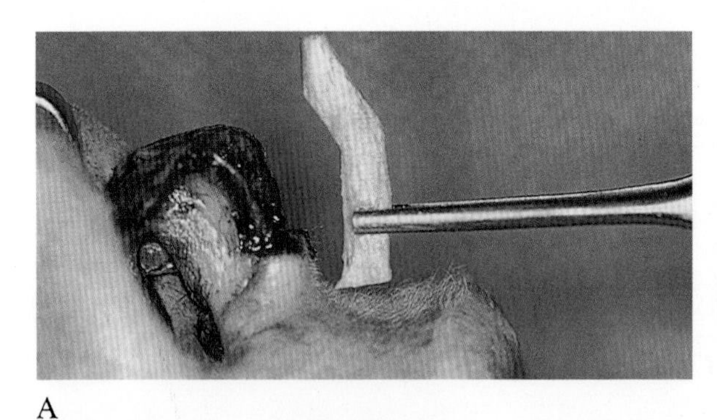

A

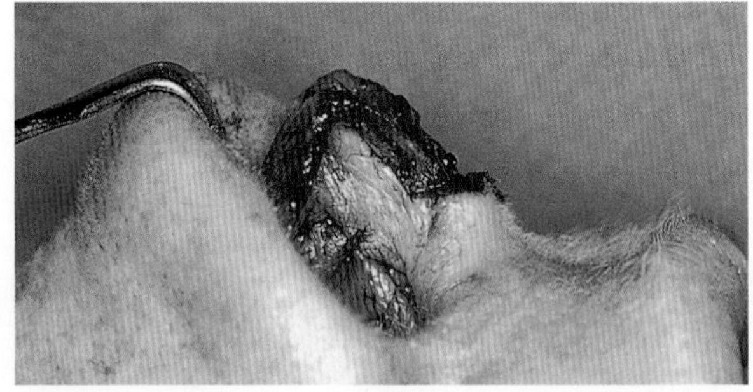

B

C

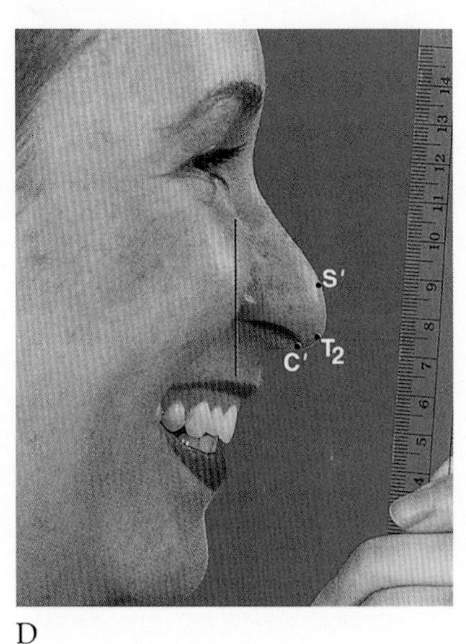


D

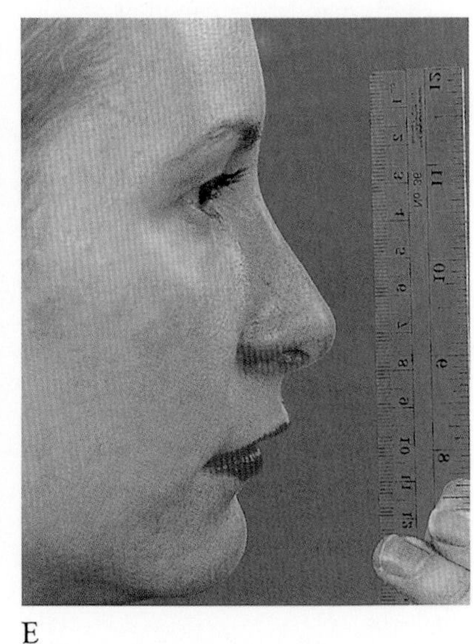

E

그림 3-34

## 증례 연구 전체비첨돌출부족(Deficient Total Tip Projection)

### 분석

26세 스페인계 여성으로서 코가 너무 무겁고 너무 남성적이라고 호소하였다(그림 3-35). 분석 결과, 비첨과 비근의 전체적 돌출부족이 있었으며, 작은 비배비봉이 있었다. 내재 비첨정의 및 비첨돌출도 부족하였다. 비주는 짧고 퇴축되었다. 두꺼운 피부 때문에 정의가 날카로운 비첨이식술이 필요하였다. 환자는 턱끝증대술(chin augmentation)의 제안을 받아들였다.

### 외과 수기

1. 5mm의 비익연연골조각을 남기고 두측외측각절제술.
2. 25X8mm의 비주지주이식술.
3. 비주지주의 꼭대기에서 경원개봉합술(transdomal suture).
4. 날카롭고 뚜렷한 비첨이식술.
5. 1mm의 비배축소술.

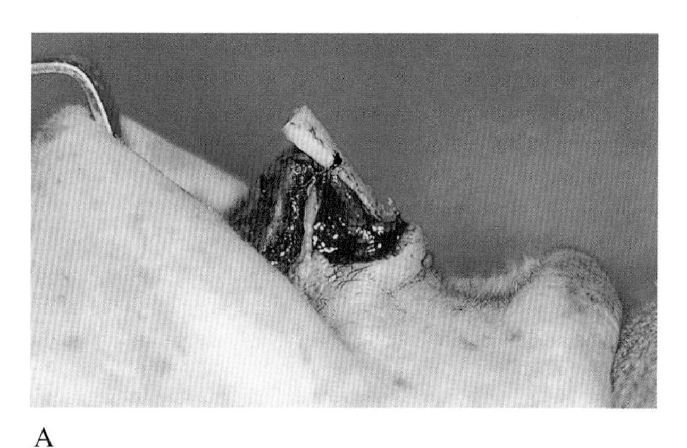

A

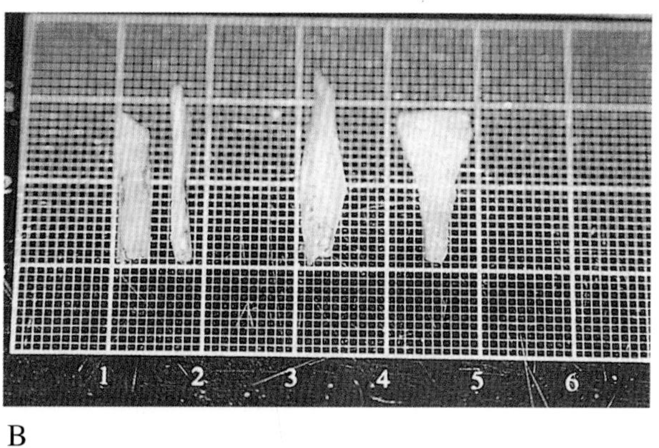


B

C

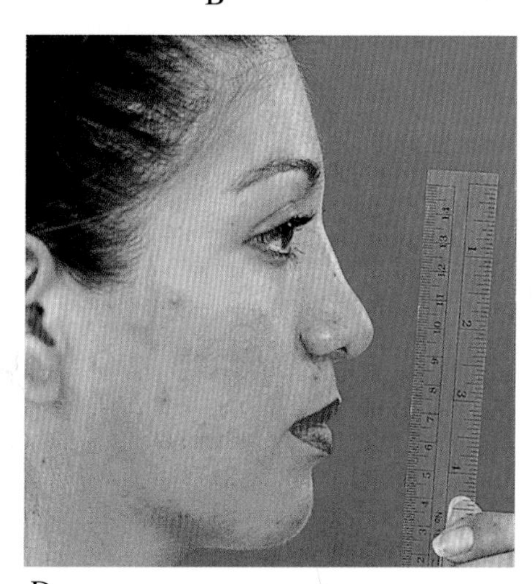

D

그림 3-35

## 비첨미측회전 (Tip Downward Rotation)

비첨회전은 *비첨각(tip angle)*으로 가장 잘 표현되는데, 이것은 비주와 비익연경사(alar rim inclination)와 2차적인 연관이 있다. 원인이 내재일지, 혼합적일지 분석하는 것이 중요하다. 독자들은 짧고 긴 코에 관한 제 8장을 재검토하여야 한다.

### 정의

비첨회전은 비익주름점(AC)에서 그은 수직선과 비첨점(T) 사이의 각도로서, 표준치는 여성 105도, 남성 100도이다. 비첨회전의 '미학적 판독(aesthetic read)'에 영향을 미치는 2차 요소에는 4개의 다른 선이 있다. 즉, 1) 비주, 2) 비공, 3) 비익연, 그리고 4) 비익음영선(alar shadow line). 이들은 비첨경사(tip inclination)와 평행하여야 한다. 비하점(subnasale, SN)의 위치와 비주-상구순분절(columella labial segment)의 모양이 중요하다(66-67쪽을 재고하시오).

### 임상적 결정

비첨은 내재 요소와 외재 요소 둘 다 또는 단독에 의하여 미측으로 회전될 수 있다. 내재 원인은 1) 두측에서 미측 방향으로 긴 외측각과, 2) 긴 중간각이다. 외재 원인은 1) 연장된 미측 비중격과 전비극과, 2) 상외측연골의 미측 단을 포함하여 긴 연골원개이다. 미측 비중격과 전비극을 측면에서 평가하는 것이 중요한데, 둘 다를 휴식기(in repose)와 미소 지을 때에 평가하고 직접 촉진한다. 대부분의 미측회전 된 비첨에는 내재 및 외재 요소가 둘 다 관여한다. 임상적으로, 저자는 비첨미측회전을 심한 정도에 따라서 의존비첨(dependent tip), 비첨하수(plunging tip), 그리고 비첨하수 '이상' (plunging 'plus' )으로 나눈다.

*의존비첨(Dependent Tip).* 만일 내재 비첨은 마음에 들지만 비첨이 의존적이면 저자는 폐쇄접근술을 통하여 최대한 용적축소술을 한 다음, 비배축소술과 삼각형미측비중격절제술을 함으로써 바람직한 회전을 얻는다(그림 3-36A). 대부분의 사춘기 여성에서는 이러한 조작으로서 충분하다. 이 시점에서 추가적 회전이 필요하면, 관통절개술을 통하여 비주-비중격회전봉합술(columella septal rotation suture)을 추가한다. 좀 더 회전시킬 필요가 여전히 있으면 저자는 자신이 문제점의 심한 정도를 그릇 판단하였다고 추정하여 개방접근술로 바꾸어서 각진 각지주이식술(angled crural strut)과 회전봉합술을 사용한다.

*비첨하수(Plunging Tip).* 만일 휴식기에서 비첨이 하수되면 중간각 모양이 심하게 이상함을 흔히 의미한다. 이때 변형을 절제하기 보다는 중간각의 모양을 Tebbetts[18]식으로 각진 각모양으로 바꾼 다음, 전체 비소엽을 바람직한 위치에서 고정하는 것이 훨씬 더 쉽다(그림 3-36B). 동시에 본격적 비첨교정술을 하기 전에 미측 비중격과 전비극으로부터 변형을 유발하는 모든 외재력들을 제거하여야 한다. 그 다음, 각진 각지주이식술을 하고, 비첨봉합형성술(tip suture creation)을 한다. 일단 바람직한 비첨정의가 만들어지면 비첨 전체를 바람직한 위치로 회전시킨다. 비배접근술을 통하여 비주-비중격회전봉합술을 하는데, 이것은 관통절개술을 통하여 하는 것보다 더 강력하다.

*비첨하수 '이상' (Plunging 'Plus' ).* 초기에 비첨의 미측회전이 매우 심하다는 인상을 받는 것은 예각의 비주-비순각과 미측경사(downward inclination) 된 비주 때문이다. 이 2가지 요소들은

외상이나 수술에 의하여 미측 비중격이 퇴축된 것을 가리킨다. 촉진을 포함한 신중한 검사가 중요하다. 교정술은 큰 비주지주이식술을 하여 비첨을 지지하고, 비하점(subnasale, SN)뿐만 아니라 비주를 밀어내리며, 비주-상순각을 예각으로부터 부드럽게 증가시킨다. 비첨연골을 비주지주의 꼭대기에서 흔히 봉합 하지만, 두꺼운 피부에서는 비첨이식술을 추가할 준비를 하여야 한다.

Correcting Downward Rotation

**DEPENDENT TIP**

1) Excise cephalic lateral crura
2) Excise triangular portion of caudal septum
3) Consider columella septal suture
4) Consider triangular lateral segment excision

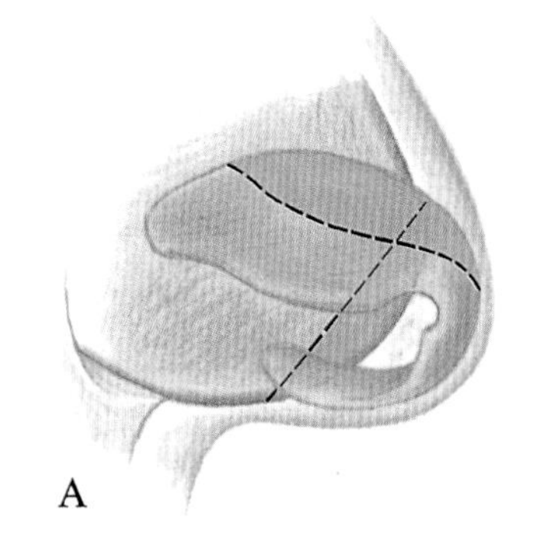

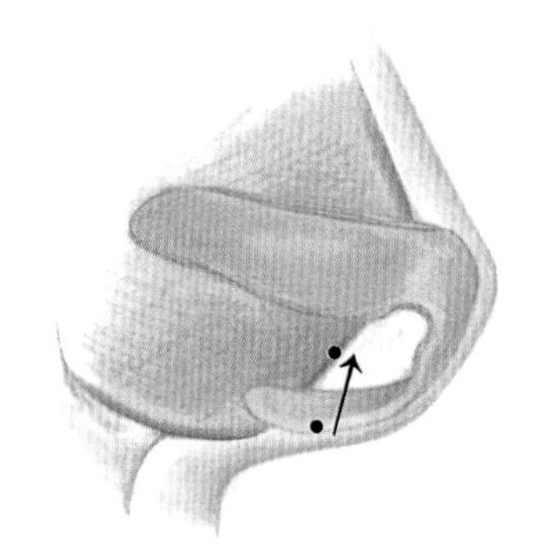

A

**PLUNGING TIP**

1) Closed/open approach
2) Set dorsal profile line and caudal septum closed
3) Open tip. Volume reduction.
4) Angled crural strut
5) Tip sutures
6) Columella septal rotation suture

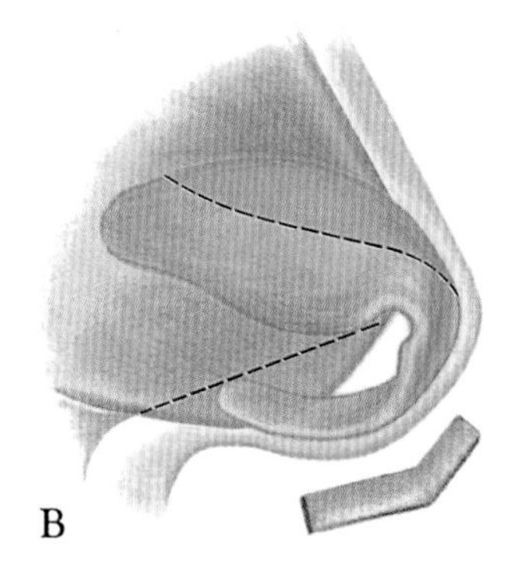

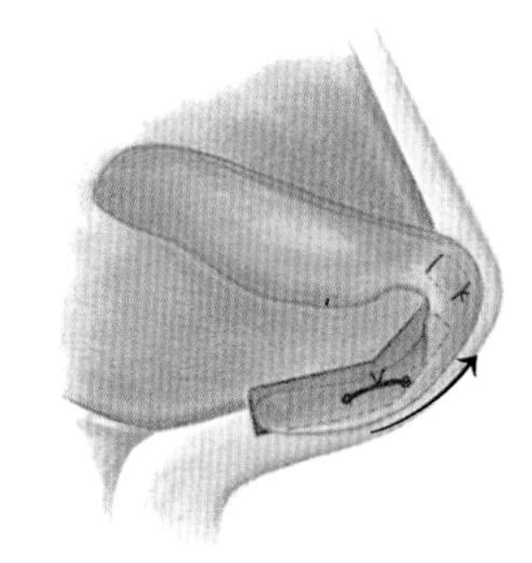

B

**PLUNGING "PLUS"**

1) Open approach
2) Expose septum. Analyze caudal septum/ANS.
3) Set dorsal line
4) Major structural columella graft
5) Tip sutures and/or graft
6) Columella septal rotation suture

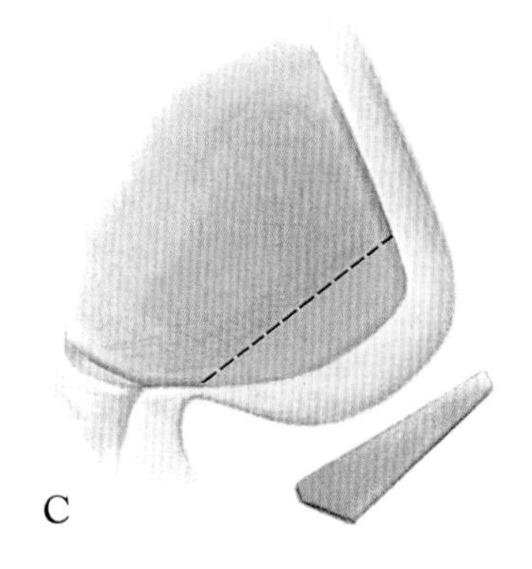

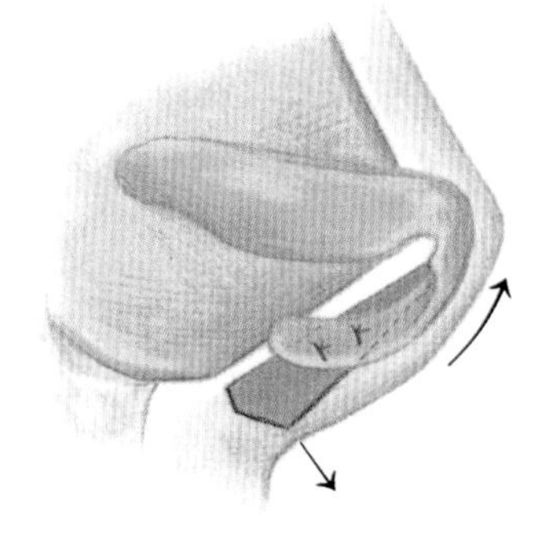

C

그림 3-36

## 증례 연구 비첨하수(Plunging Tip)

### 분석

전번에 2번의 비성형술을 받은 27세 남성으로서 비첨하수를 싫어하였고, 160cm의 키에 비하여 비첨하수가 너무 지나치다고 느꼈다(그림 3-37). 분석 결과, 비첨각 80도, 비주경사각 60도, 그리고 비주-상구순각 70도이었다. 그러나 비하점(SN point)과 비주-상구순각의 상구순분절은 마음에 들었다. 목표는 비첨을 단순히 회전시키는 것이었다.

### 외과 수기

개방접근술

1. 삼각형미측비중격절제술
2. 각진 각지주이식술
3. 원개등화봉합술
4. 두측에 기저를 둔 삼각형외측각절제술
5. 비주-비중격회전봉합술

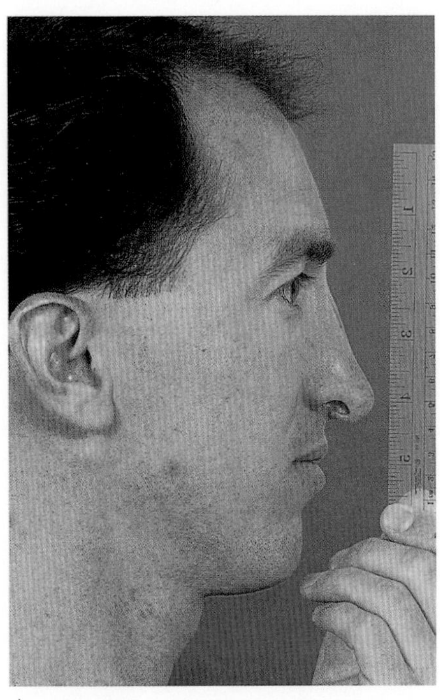

A

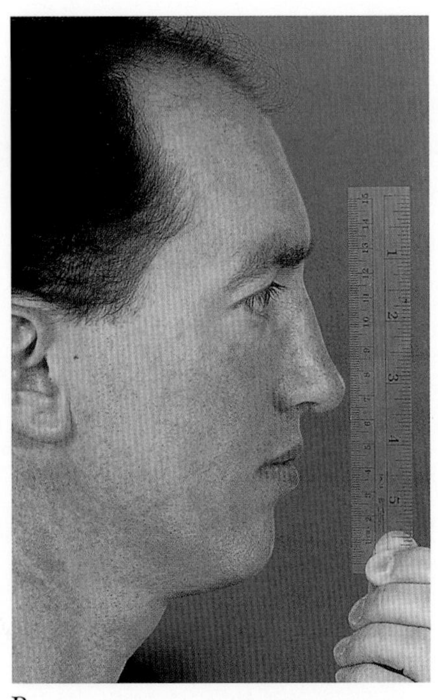

B

그림 3-37

## 증례 연구 비첨하수 '이상' (Plunging Plus)

### 분석

45세 스페인계 남성으로서 심한 비폐쇄가 있었으며, 가능하면 코의 외양을 개선시키고 싶어 하였다(그림 3-38). 내비검사 결과, 비공보다 약 1cm 두측에서 비중격이 좌측 기도로 90도 만곡되어 있었다. 촉진하였을 때, 미측 비중격이 현저히 퇴축되어 있었다. 분석 결과, 다음의 3가지의 중요한 점이 있었다. 1) 50도의 예각인 비주-상구순각, 2) 비주경사각(62도)과 비첨각(95도) 사이의 심한 불균형, 그리고 3) 90도의 비익연각(alar rim angle).

### 외과 수기

1. 비중격성형술로써 비중격재배치술(septal relocation).
2. 큰 비주지주이식술(33X8mm).
3. 두꺼운 피부를 통하여 최대로 보이기 위한 개방구조비첨이식술(open structure tip graft).
4. 비공상 및 비익 동시절제술.

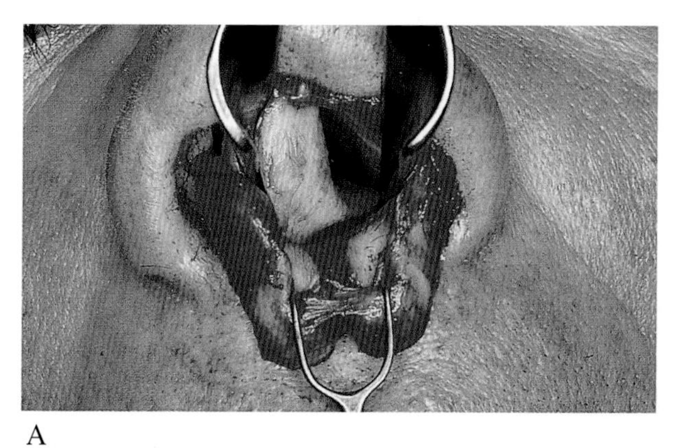

A

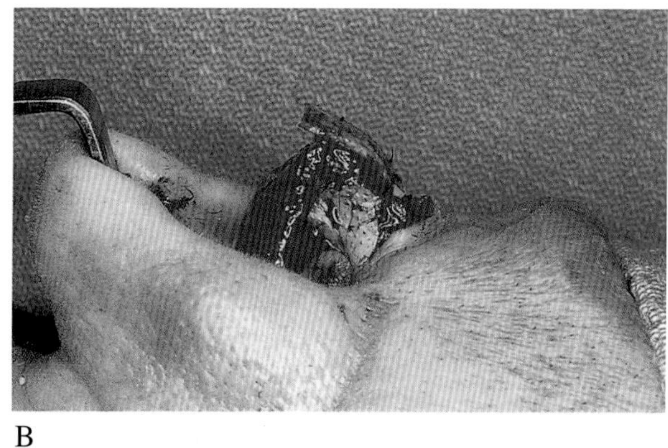

B

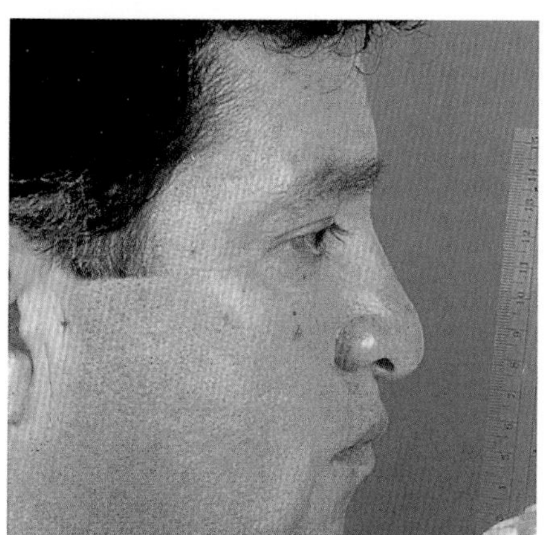

C

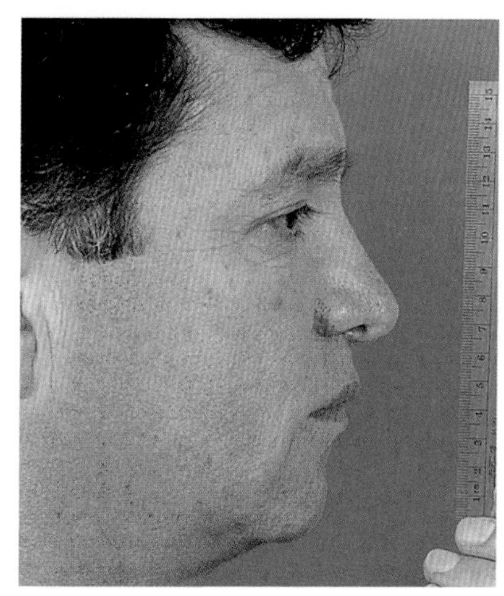

D

그림 3-38

## 비첨두측회전(Tip Upward Rotation)

비첨의 두측회전은 분석하고 치료하기가 어렵지만, 다행히 흔하지 않다. 다음의 3가지 요소를 완전히 분석하여야 한다. 1) 비첨회전, 2) 비-안면각(nasofacial angle), 그리고 3) 비배길이이다. 본질적으로, 비첨각이 110도 이상인 것이 비주경사로부터 확인되면 두측회전 된 코의 징후가 있다. 대부분의 두측회전 된 비첨에서는 다음의 3요소가 존재한다. 1) 비첨각 110도 이상, 2) 비-안면각 40도 이상인 돌출된 비배, 그리고 3) 돌출된 미측 비중격에 의한 둔각의 비주-상구순분절. 더 어려운 증례는, 비-안면각은 원래 정상이지만, 비첨이 두측회전 되고 비배길이가 짧을 때이다. 이 때 해결책은 비첨비회전술(tip derotation)과 비연장술(nasal lengthening)을 둘 다 하는 것이다. 비첨비회전술만 시도하면 더 짧고 더 작은 코가 될 수 있기 때문이다.

### 임상적 결정

두측회전비첨의 치료는 비-안면각(nasofacial angle)에 기초하여 2 부류로 나눌 수 있다. 돌출된 비배와 돌출된 미측 비중격 때문에 비첨이 두측회전 되었으면 변형을 유발시킨 힘을 제거함으로써 재위치 시킬 수 있다. 그러나 반대의 상황이라면 즉, 비-안면각이 정상적이면서 비첨이 두측회전 되었으면 비배연장술과 비첨위치술(tip positioning)이 목표가 된다.

두측회전 된 *코(Upwardly Rotated Nose)*. 비첨비회전술(tip derotation)은 비교적 간단하다(그림 3-39A). 폐쇄접근술이 선호되는데, 그 이유는 술중에 각 단계가 비첨비회전술에 기여하는 것을 순차적으로 평가할 수 있기 때문이다. 외측각은 흔히 크고 미측으로 각이 져있는데, 이것은 경연골절개술을 통하여 연장형용적축소술(extended volume reduction)을 함으로써 쉽게 교정된다. 그 다음, 비배축소술을 함으로써 비첨을 두측회전시키는 왜재력을 제거한다. 양측완전관통절개술은 비첨을 더 떨어뜨리며, 돌출된 미측비중격절제술을 가능하게 한다. 이 시점에서, 비주-비중격봉합술을 다음 2가지의 형태로서 추가할 수 있다. 1) 비첨비회전을 위하여 비주변곡점으로부터 미측 비중격으로 미측 방향으로 하는 표준봉합술, 2) 비주저로부터 미측 비중격으로 봉합함으로써 비주-상구순분절을 깊게 하는 것이다.

두측회전 된 *비첨(Upwardly Rotated Tip)*. 이 경우 문제점은, 비첨이 변형된 외재 구조물에 의하여 두측회전 되기보다는 비중격길이가 부족하거나, 때로는 비익연골의 변형에 의하여 비첨이 두측회전 된 것이다. 중요한 점은 비-안면각이 원래 정상인 것이다. 그러므로 비첨을 비회전 시키기 위하여 비배연장술(dorsal lengthening)이 필요하다. 개방접근술을 선호하며, 비배접근술(dorsal approach)을 통하여 막비중격을 건재하게 놔둔 채로 비중격연골채취술을 한다. 최선의 방법은 Byrd의 비중격연장이식술(septal extension graft)로서 비첨을 미측으로 밀어 내리되, 조정이 가능하다[2](그림 3-39B). 이식물의 미측 단을 비주변곡점 수준에서 양측 중간각 사이에서 봉합한 다음, 원개를 이식물의 사다리형 꼭대기(trapezoidal top)로 가져온다. 그 다음, 이식물의 두측 단을 비중격에 봉합하면 비첨이 비회전 된다.

*코와 비첨의 동시두측회전(Combined Upward Rotation)*. 미측 비중격과 비익연골 둘 다 부족하기 때문에 가장 난제인 증례이다. 다행히도, 이러한 증례는 매우 드물다. 비중격연장이식술이 가능하기는 하지만, 심해서 좀 더 견고한 해결책이 흔히 필요하다. 이러한 증례에서는 큰(20X20mm) 미측비중격연장이식술(caudal septal lengthening graft)을 하고, 미측 비중격에 조금 중첩시킨(5mm) 위치로 고정한다(그림 3-39C). 그 다음, 큰 비주지주(30X10mm)를 양측 내측각

과 중간각 사이에 이식한 뒤 비중격연장이식물에 바람직한 위치로 고정함으로써 비배 연장과 비첨비회전을 둘 다 얻는다.

**Correcting Upward Rotation**

**UPWARD ROTATED NOSE**

1) Volume reduction
2) Bilat complete transfixion
3) Dorsal reduction
4) Shortening of caudal septum/ANS
5) Optional derotation columella septal suture

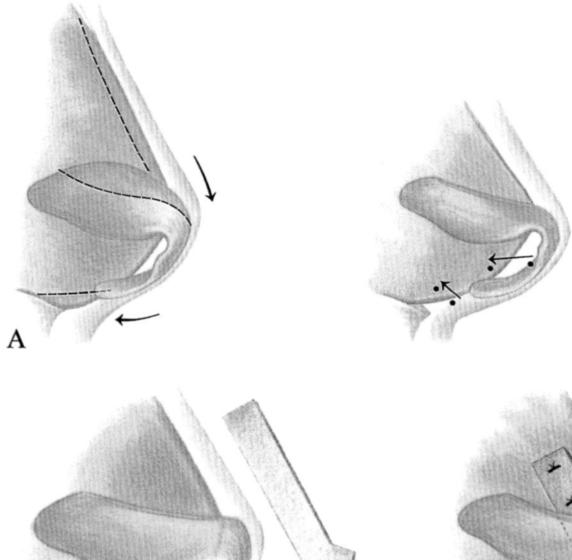


**INTRINSIC DEFICIENCY**

1) Open approach & analysis
2) Appropriate cartilaginous vault modification
3) Septal harvest via dorsal approach
4) Septal extension graft
5) Fixation of graft to crura
6) Tip pushed down and fixed to septum

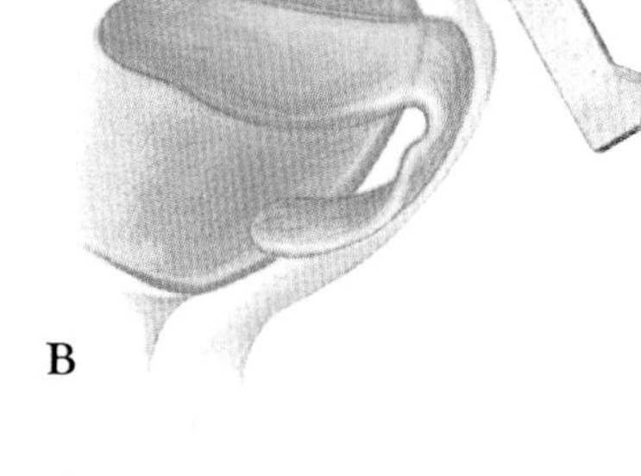
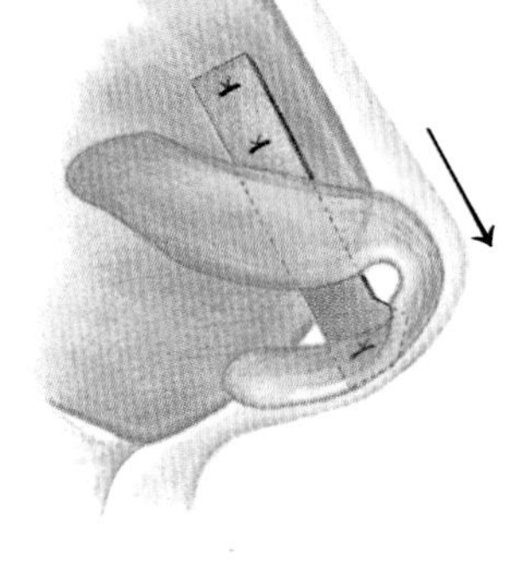

B

**COMBINED DEFICIENCY**

1) Open approach & analysis
2) Appropriate cartilaginous
3) Maximum septal harvest via dorsum
4) Massive caudal septum extension
5) Optional columella strut
6) Tip suture or graft

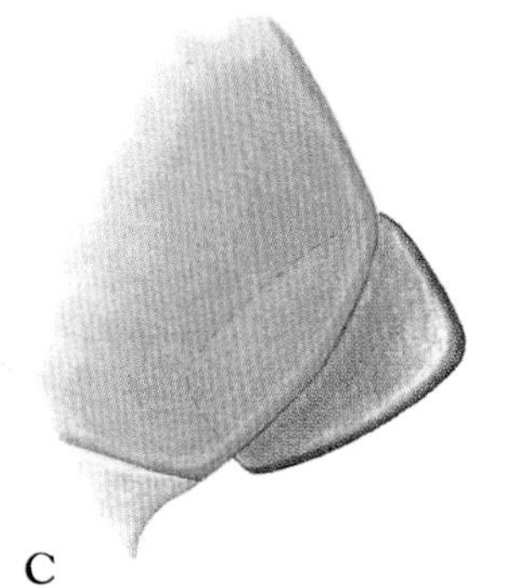
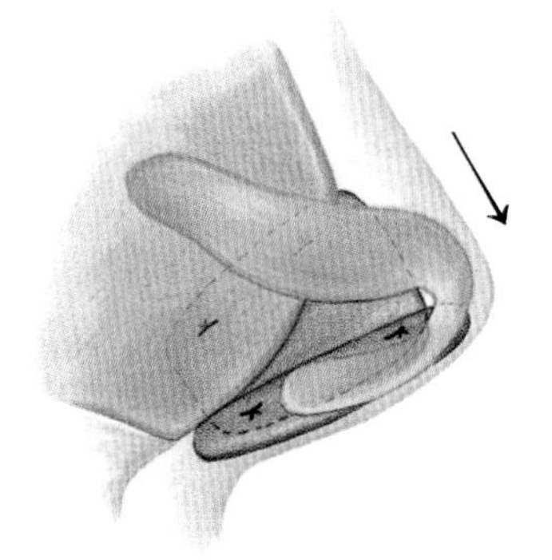

C

그림 3-39

## 증례 연구 두측회전 된 코(Upwardly Rotated Nose)

### 분석

32세 사무직 남성으로서 얼굴 특히, 코와 목의 외양을 개선시키기를 바라서 찾아왔다(그림 3-40). 매우 약한 상악골과 하악골에다가 퇴축된 관골을 가지고 있었다. 전비극의 골부분이 상당히 없어서 비주-상구순분절이 둔각이었다. 정밀한 계측 결과, 비주경사각 130도, 비-상구순각 41도, 그리고 비첨돌출 37mm(정상 30mm)이었다. 상하악골수술(bijaw surgery)을 하지 않았기 때문에 비성형술, 턱끝삽입술(chin implantation), 턱밑지방흡입술(submental liposuction)에도 불구하고 외과적 개선은 제한적이었다.

### 외과 수기

1. 비배축소술: 골 1.5mm, 연골 9mm.
2. 비근에 근막이식술. 삼점비첨봉합술(three-stitch tip suture).
3. 외측각반전피판(lateral crura turnover flap). 비중격하체근(depressor septi)최대절제술.

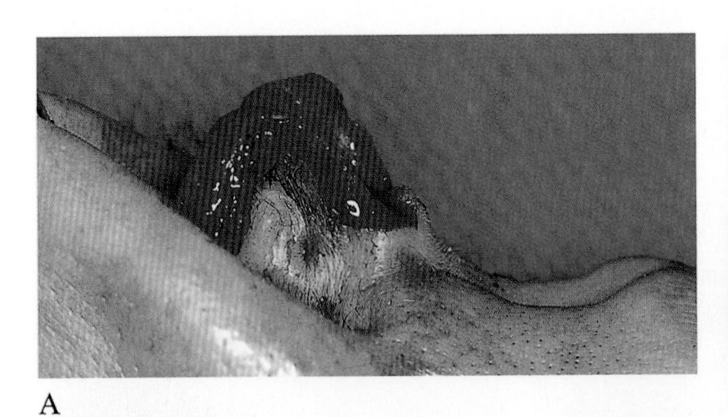

A

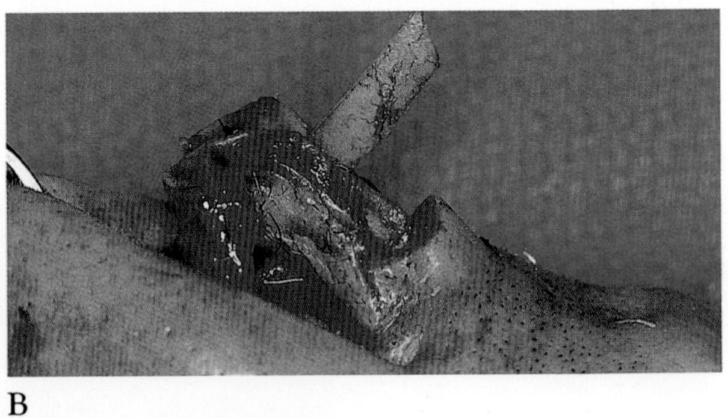

B

C

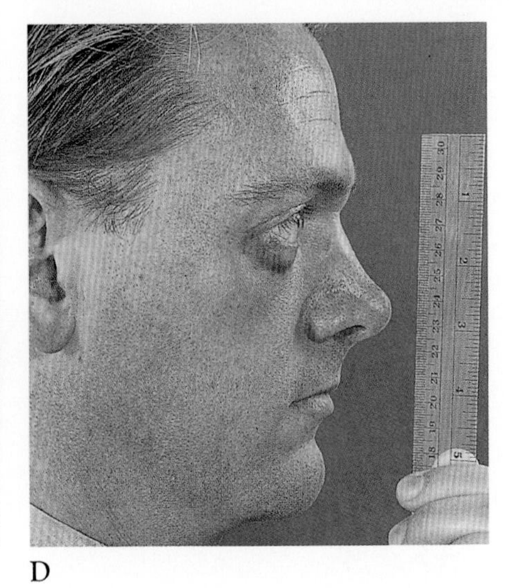

D

그림 3-40

## 증례 연구 두측회전 된 비첨(Upwardly Rotated Tip)

### 분석

47세 여성으로서 전번에 비첨비회전술을 받았음에도 불구하고 여전히 코가 지나치게 들렸다고 호소하였다(그림 3-41). 비배길이, N-T=35mm, 코길이, N-SN=47mm, 그리고 비첨각 115도로서 코가 짧고 두측회전 되었음을 알 수 있었다. 비중격연장이식술(septal extension graft)로써 코길이를 길게 할 뿐만 아니라 비첨이식술로써 하비소엽용적을 늘여줄 필요가 있었다. 턱끝 수직길이의 동시축소술도 논의하였지만, 받아들이지 않았다.

### 외과 수기

1. 비배를 광범위하게 좁히되, 축소술은 하지 않음.
2. 비중격연장이식술로써 비첨을 미측으로 밈.
3. 비첨봉합술과 Peck의 중첩이식술.
4. 비공상 및 쐐기형비익 동시절제술: 우측 각각 2mm, 2mm, 좌측 각각 4mm, 2mm.

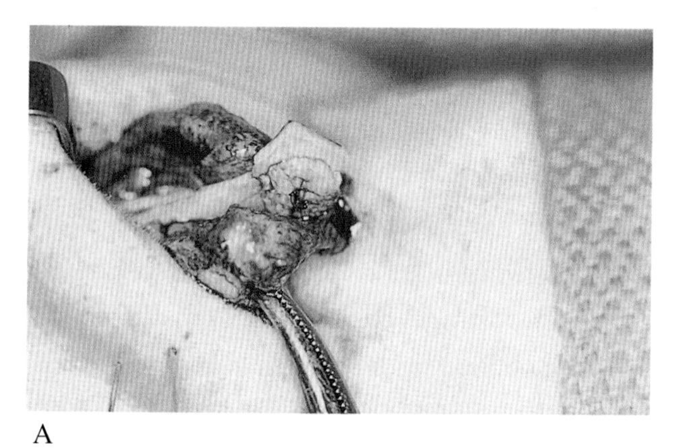

A

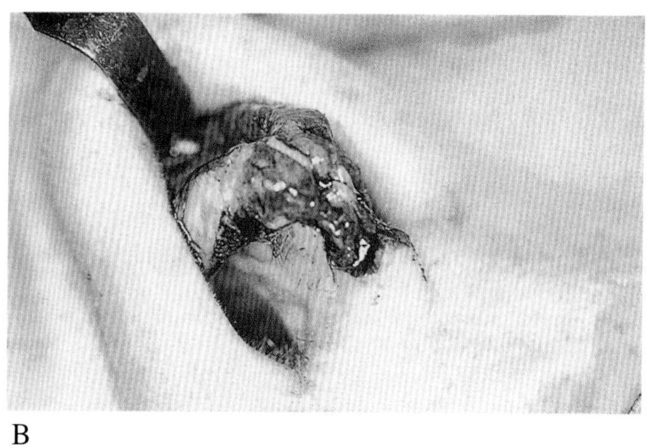

B

C

D

그림 3-41

## 비대칭 (Asymmetries)

개방비성형술 중에 실시한 해부학적 연구에 기초하면, 실제로 모든 비첨에서 어느 정도의 해부학적 비대칭이 존재한다. 비대칭의 미학적 표출은 양측의 상대적 변형, 피부외피의 두께, 그리고 코 나머지 부분에 의한 신연(distraction)에 따라서 크게 다르다. 술전 검사에서, 기존의 비대칭을 지적하는 것이 매우 중요하다. 저자는 통상적으로 환자에게 그들의 비공의 차이를 보게 한 다음, 비골경사의 차이를 지적한다. 저자는, 환자에게 코는 발생학적 발육 중에 좌측 부분과 우측 부분으로 구성되어 있기 때문에 차이가 나도록 예정되어있다고 설명한다. 우리의 목표는 이러한 차이가 덜 드러나게 하는 것이지, 대칭이 되도록 만드는 것은 전혀 불가능하다. 대부분의 환자가 이러한 한계를 받아들이는데, 특히 이면 거울에서 그들의 안면 비대칭을 보여줄 때 그러하다.

### 분류와 원칙

비익연골의 각 분절의 분류는 앞에서 기술하였다. 중간각과 내측각은 비대칭 평행(asymmetric parallel), 벌어진 대칭(flared symmetric), 그리고 곧은 대칭(straight symmetric)으로 나뉜다[6]. 저자는 원개분절을 볼록한(convex), 평탄한(smooth), 그리고 오목한(concave) 것으로 나누었다[5]. Zelnick과 Gingrass[20]는 외측각을 평탄한 부분(smooth portion), 볼록한 부분(convex portion), 그리고 오목한 부분(concave portion)에 기초하여 5가지 변형을 기술하였다. 흥미롭게도, 크기와 두께의 변형은 구순열비변형(cleft lip nose)에서조차 거의 문제가 되지 않는다. 경증의 비대칭에서 저자는 폐쇄접근술을 흔히 시도하며, 비대칭이 더 크면 개방접근술을 사용한다. 중증의 증례에서는 다음의 순서를 사용한다. 1) 일단 비익연골이 노출시키고 나면 신중하게 평가하고 수술 계획을 재검토한다. 2) 비첨수술은 수술의 마지막으로 미룬다. 3) 중간각과 내측각을 이동시킨다. 4) 각지주(crural strut)이식술을 한 다음, 중간각과 내측각을 각지주에다가 개별적으로 고정함으로써 원개높이를 맞춘다. 5) 원개형성봉합술(domal creation suture)과 원개등화봉합술(domal equalization suture)을 한다. 6) 외측각변형술(modification of lateral crura)을 한다. 해답은 비익연골의 3가지 각을 따로 다루고, 변형시키는 것이다.

*비주(Columella).* 비주의 비대칭은 대개 각연골(crural cartilage)보다는 미측 비중격의 변위 때문에 생긴다. 그러나 비주 안에 있는 중간각과 내측각의 비대칭이 실제로 있다면 비대칭은 확실하지만, 일차비성형술에는 가시적 문제점을 거의 만들지 않는다. 가장 흔한 교정술은 광범위한 이동, 강한 지주이식술, 그리고 각각의 중간각과 내측각을 개별적으로 지주에 봉합, 고정하는 것이다. 중간각과 내측각의 미측 경계를 조심스럽게 절제하는 것이 가능하다. 피부가 얇은 환자에서는 절제해낸 비익연골로써 만든 수직이식물(vertical graft)을 조심스럽게 적용함으로써 이열(bifidity)을 감출 수 있다.

*원개(Domes).* 원개의 비대칭은 흔히 큰 문제점이다. 저자는 가능하면 언제나 원개형성봉합술과 원개등화봉합술을 함으로써 비대칭을 최소화 한다. 한쪽 원개를 자연스러운 원개에 맞추기 위한 외과적 변형보다는 양측 원개를 변형시켜서 형태를 갖추게 함으로써 타협에 이른다. 저자는 봉합술이 얼마나 효과적인지를 보고 흔히 깜짝 놀란다. 만일 비대칭이 계속 보이면 저자는 Peck의 중첩이식술을 시도하지만, 얇은 피부 아래에서는 이것도 보일 수 있다. 결국, 저자는 원개의 차이가 지속되도록 놔두기보다는 매우 얇고 신중하게 통합시킨 비첨이식술(integrated tip graft)에 의존한다.

*외측각(Lateral Crura).* 결국, 외측각의 볼록함이나 오목함의 문제점에 흔히 귀착된다. 외측각이 *오목(concave)* 하면, 과대한 두측 외측각을 즉각적으로 절제하는 것을 피하는 것이 중요하다. 왜냐하면 경증의 오목한 변형에서는 외측각을 '접는 것(folding)'이 흔히 효과적이기 때문이다. 중간증의 문제점에서 저자는 오목한 면의 중앙에서 비익봉이식술(alar bar graft)을 하여 추가적인 두께와 지지를 준다. 중증의 증례에서는 외측각 전체를 '뒤집어서(flip)' 오목함을 볼록함이 되도록 해준다. 즉, 외측각을 내측에서는 원개접합부를 따라서 분리시키고, 외측으로는 부연골(accessory cartilage) 가까이에서 분리시킨 다음, 180도 회전시킨 뒤 제 자리에서 봉합한다. *볼록한(convex)* 외측각은 연골이 흔히 더 두껍고 좀 더 단단하기 때문에 더 큰 난제이다. 경증의 증례에서는 과대한 두측 외측각을 단순절제 함으로써 볼록하게 하는 힘을 흔히 유리시킨다. 그 다음, 저자는 인접한 외측각에서 원개형성봉합술을 흔히 사용함으로써 오목하게 만든다. 중간증의 증례에서는 외측각의 중간부로부터 외측부까지 오목함을 직면하게 된다. 이때 저자는 Tebbetts의 외측각간봉합술(lateral crura spanning suture, LCSS)를 시도한다. 중증의 증례에서는 외측각 분절절제술(segmental excision of lateral crura)에 의존한다. 저자는 더 흔히 개방구조비첨술(open structure tip)을 계획하여 원개절제술을 함으로써 외측각의 볼록함을 자동으로 제거한다. 때때로, 외측분절(외측각)이 작아지는 단점이 있기는 하다.

## 증례 연구 비대칭 코(Asymmetric Nose)

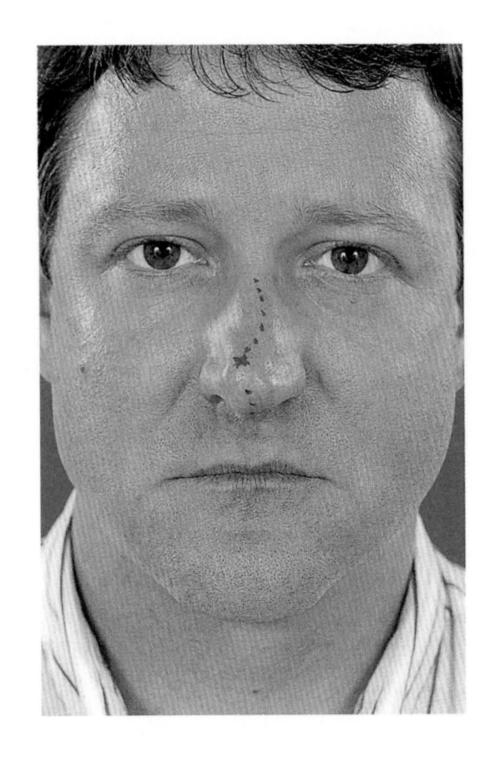

### 분석

37세 남성 사무직으로서 우측 비폐쇄를 호소하였으며, "코가 있는 그대로에서 좀 더 보기 좋아지기"를 바랐다. 코에 외상을 받은 과거력은 없었다. 외비 및 내비 검사 결과, 내비판막(internal valve)이 손상되었을 뿐만 아니라, 비중격이 심하게 변형되었고, 우측으로 만곡 된 것이 분명하였다. 똑같이 중요한 문제로서 비익연골이 3가지 면에서 뚜렷이 달랐다. 즉, 양측 외측각이 오목하였는데, 좌측에서 더 심하였다. 우측 원개분절이 완만하게 말려서 비대칭이었으며, 양측 중간각도 서로 비대칭이었다.

### 외과 수기

개방접근술

1. 비중격을 우측에서 좌측으로 이동시켜서 재위치 시킴.
2. 비대칭연전이식: 우측 3.5mm, 좌측 1.0mm.
3. 각지주이식술.
4. 좌측원개형성봉합술.
5. 원개등화봉합술.
6. 외측각을 세로로 '분할하여 뒤집음(split flip)'.
7. 좌측 외측각에 비익봉이식술(alar bar graft).

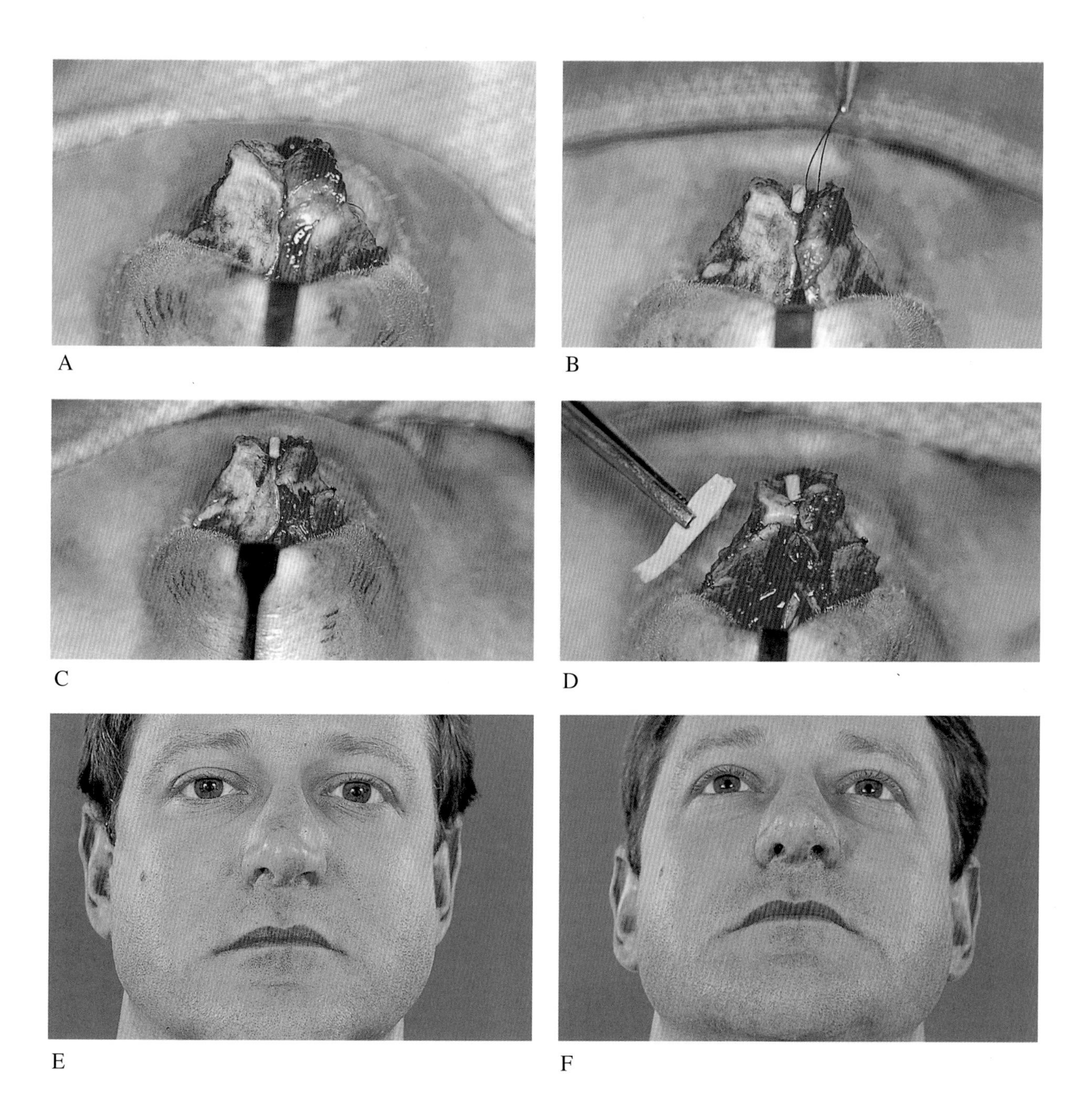
A
B
C
D
E
F

그림 3-42

## 논평

이 환자는 호흡이 뚜렷이 개선되고, 코가 전체적으로 더 잘 생기게 되어서 좋아하였다(그림 3-42). 이 증례는 심한 비대칭발육만곡비(asymmetric developmentally deviated nose, ADDN)를 나타낸다(제 8장 참고). ADDN에서는 가능하면 언제든지 균형수술(balanced procedure)을 사용한다. 즉, 경증에서는 잠복이식술(concealer graft), 중간증에서는 구조변형술(structural modification), 그리고 중증에서는 전체교체술(total replacement)로 진행시킨다. 가장 심한 비대칭에서는 전체교체술이 필요할 것이다.

## 비정상적 비첨 모양(Abnormal Tip Shapes)

저자는 비전형적으로 볼록하면서 큰 용적을 가진 비익연골을 근간으로 조금씩 변형된 3가지 비첨을 본다. 즉, 상자형비첨(boxy tip), 구상비첨(ball tip) 그리고 괄호형비첨(parenthesis tip). 개방접근술을 하면 진성 변형을 볼 수 있는데, 외측각이 수직 방향으로 볼록하며, 볼록한 원개분절과 외측각 사이에서 돋보임(set off)이 흔히 없다. 비익연골은 이상위치의 변형(variation of malposition)을 나타내기 보다는, 연골 자체는 올바른 위치에 있다. 그러나 '말림(curl)'이 수평 방위가 아니라 수직 방위이다. 저자는 이러한 3가지 비첨을 볼록함이 진행된 것으로 본다. 상자형비첨은 아래에 놓인 두측 외측각이 큰 것을 나타내며, 구상비첨은 수직 방위로 볼록함이 추가된 것이며, 괄호형비첨에서 수직 방위로 볼록함은 정점에 달한다. 괄호형비첨은 괄호의 흔적이 볼록한 외측각의 외측 경계에 나타난다. 이러한 비익연골변형에다가 비익연에 절흔(alar rim notching)까지 있으면 비익저 지지가 없기 때문에 양측 비공판막(nostril valve)과 비전정판막(vestibular valve) 둘 다 쉽게 붕괴될 수 있다. 심흡기때 세밀히 검사하면, 괄호형비첨에서는 비익연이 붕괴되는 경향을, 그리고 상자형비첨에서는 외측각-부연골접합부(lateral crura accessory cartilage junction)가 굽는 것(buckling)을 흔히 확인할 수 있다. 술전에 비첨변형에만 너무 많은 관심을 두기 쉬우므로 비익연골절제술 후 비폐쇄 발생의 위험이 있다. 이러한 관점에서, 비익연골의 경도(硬度, rigidity)와 피부외피 두께의 다양성을 술전 검사에 추가하여야 한다. 가장 나쁜 조합은 두꺼운 피부외피 아래에 유연한 비익연골이 있는 경우이다[3].

### 상자형비첨(Boxy Tip)

병리는 원개와 큰 차이 없이 크고 볼록한 외측각이다(그림 3-43). *경증*의 증례에서는 과대한 두측 외측각을 절제하면 바람직한 비첨 용적의 축소를 얻을 수 있으며, 대개는 비첨회전도 개선된다. 불행하게도, 이러한 수술은 대부분의 증례에서는 효과가 없는데, 용적축소술 자체가 넓고 정의가 좋지 않은 비첨을 두드러지게 하기 때문이다. *중간증*의 증례에서는 개방접근술을 선호하며, 비첨형성봉합술을 사용한다. 본질적으로, 비익연골을 5mm의 대칭적 비익연연골조각(rim strip)으로 축소시키며, 각지주이식술을 한 다음, 원개형성봉합술과 원개동일봉합술을 한다. 한계는 외측각의 폭이 지속적인 것으로서 외측각간봉합술이나 분절절제술이 필요할 수 있다. 중증의 증례에서 문제점은 연골이 너무 크고 너무 단단해서 모양을 만들 수 없는 것이다. 분명한 해결책은 원개분절절제술을 포함한 개방구조비첨술을 한 다음, 비첨이식술을 하는 것이다.

### 구상비첨(Ball Tip)

상자형비첨에서 구상비첨으로의 해부학적 진행은, 외측각이 클 뿐만 아니라 세로 방향으로 볼록하게 말린 것이다(그림 3-43). 또 실제로는, 외측각의 외측 경계인 '부비첨정의점(accessory tip defining point)' 을 보게 된다. 비익연의 절흔과 약함이 나타나며, 외측각-부연골접합부가 구부러져 있을 수 있다. 비익연골의 경도와 비익저의 약함을 평가하여야 한다. 만일 수술 목표가 기저면에서 비첨을 구형으로부터 삼각형으로 바꾸는 것이라면 저자는, 얇은 피부와 유연한 연골을 가진 환자에서는 개방비첨봉합술(open suture tip)을 시도할 것이지만, 피부가 두꺼운 환자에서는 바로 개방구조비첨술(open structure tip)을 할 것이다. 비첨의 근본적인 모양에는 큰 변화를 줄 수 없는 내비접근술(endonasal approach)과는 달리, 극적인 변화를 만들 수 있음에 의심의 여지가 없다[3].

## 괄호형비첨(Parenthesis Tip)

상자형비첨에서 괄호형비첨으로의 해부학적 진행은, 외측각이 세로 방향으로 볼록하게 말린 것이 심해서 괄호의 외측 경계를 나타낸다(그림 3-43). 동시에, 기능적 후유증의 위험도 극적으로 증가한다. 이때에도 개방접근술을 하는데, 해결책은 흔히 개방비첨봉합술(open suture tip)이다. 과대한 두측 외측각을 절제하면 연골 모양에 뚜렷한 변화가 나타난다. 즉, 볼록함은 사라지며, 원개가 좀 더 정의된다. 비첨의존성(tip dependency)을 교정하기 위하여 각진 각지주이식술을 흔히 사용한 다음, 원개형성봉합술과 원개등화봉합술을 한다. 비공판막과 비전정판막의 붕괴를 평가하기 위하여 피부절개선을 흔히 봉합해본다. 일반적으로, 비익연이식술(alar rim graft)은 절흔을 교정하며, 비공판막붕괴를 방지할 것이다. 때때로, 외측각-부연골접합부를 절제한 다음, 사골판(ethmoid plate)을 사용하는 외측비벽이식술(lateral wall graft)로 교체할 필요가 있을 것이다.

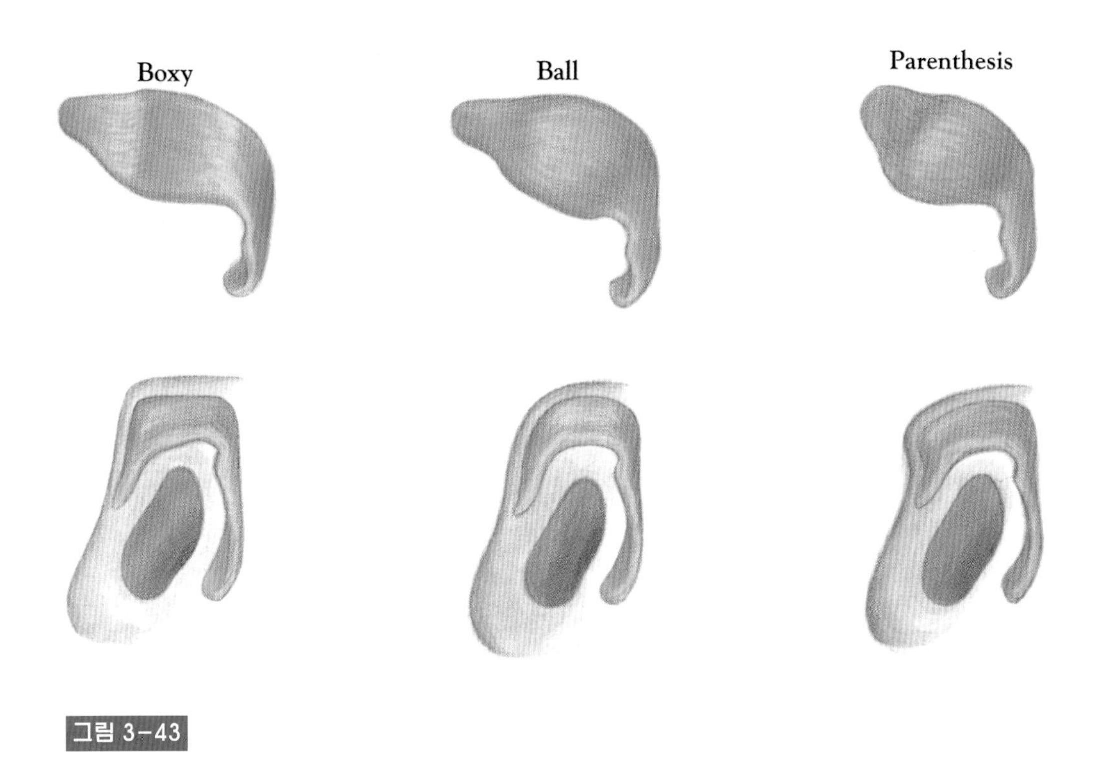


그림 3-43

## 증례 연구 상자형비첨(Boxy Tip)

### 분석

23세 여성 미술학도로서 코가 너무 크고 너무 매력적이지 못하다고 하였다(그림 3-44). 비첨은 정말 넓고 편평하였으며, 상자 형태였다. 외측 비익은 부드러웠고, 비익측벽(alar side wall)은 약하였다. 비첨이 뚜렷한 상자 모양이기 때문에 개방구조비첨술과 원개절제술을 계획하였다.

### 외과 수기

1. 개방접근술로써 상자형비첨 확인.
2. 각지주이식술.
3. 비대칭원개절제술: 우측 6mm, 좌측 8mm.
4. 통합비첨이식물(integrated tip graft)의 봉합술.
5. 비대칭비공상 및 비익저 동시절제술.

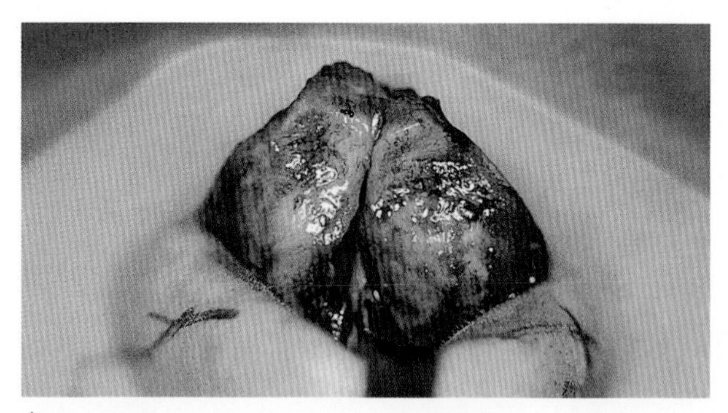

A

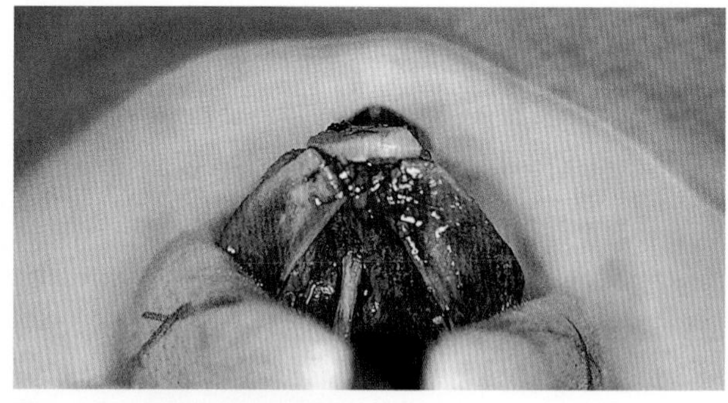

B

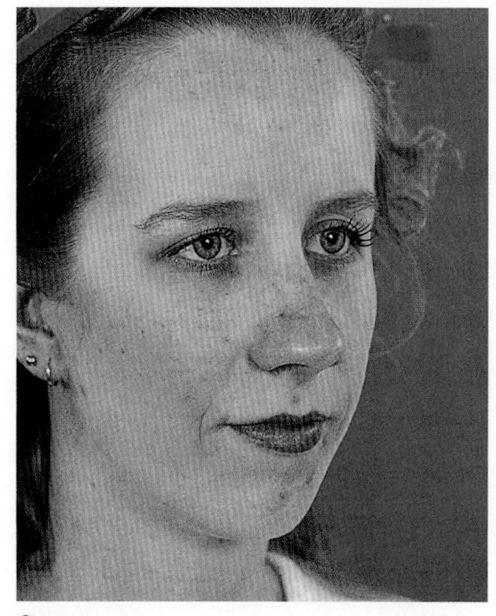

C

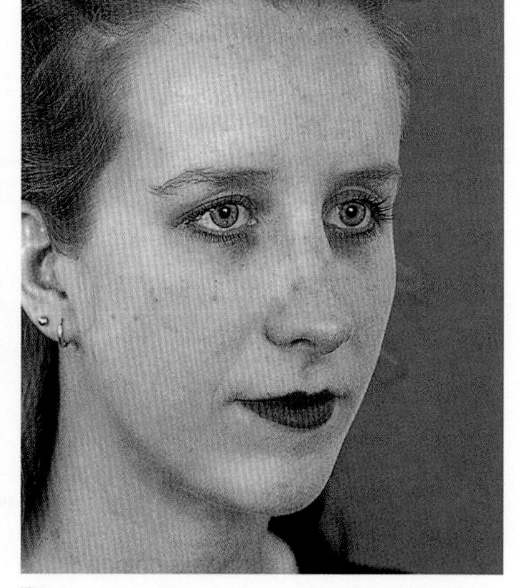

D

그림 3-44

## 증례 연구 구상비첨(Ball Tip)

### 분석

49세 여성 치과기공사로서 구상비첨과 전두부주름 교정을 요구하였다(그림 3-45). 외비검사에서, 정상적인 피부에 덮인 큰 구상비첨이 있었다. 코 전체는 조금 컸으며, 커진 비저에 의한 비배-비저불균형(dorsal/base disproportion)이 뚜렷하였다. 놀랍게도, 골기저폭이 과대하지 않아서 비절골술을 계획하지 않았다. 구상비첨이기 때문에 개방구조비첨술과 원개절제술을 계획하였다. 내시경전두부거상술(endoforehead lift)도 하였다.

### 외과 수기

1. 개방접근술로써 구상비첨 확인.
2. 각지주이식술. 비대칭원개절제술(우측 4mm, 좌측 6mm).
3. 지지를 위한 비첨이식술과 받침이식술(cap graft).
4. 비공상(3mm) 및 비익저(2mm) 동시절제술.
5. 내시경피하전두부거상술(subcutaneous endoforehead lift).

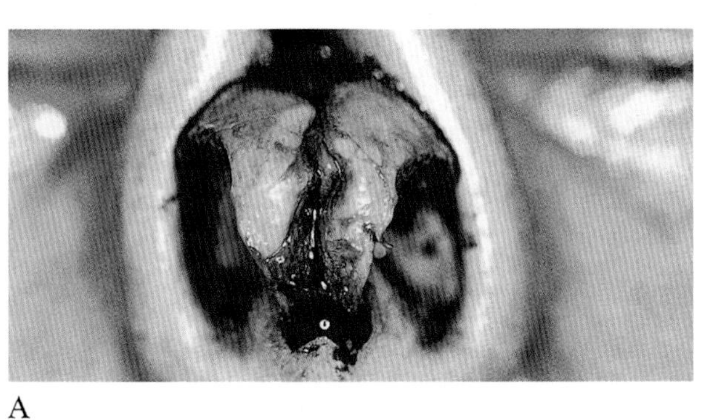
A

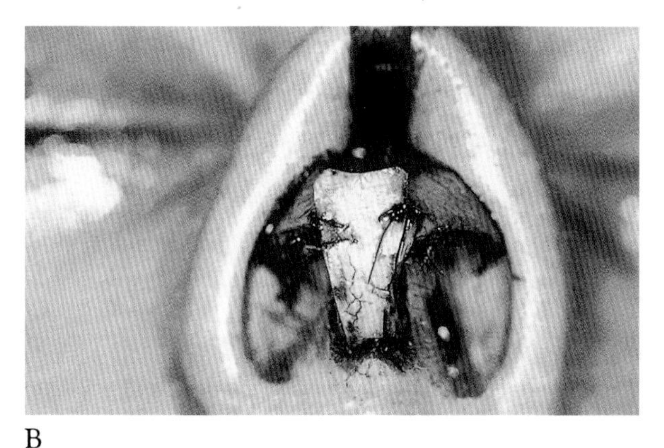
B

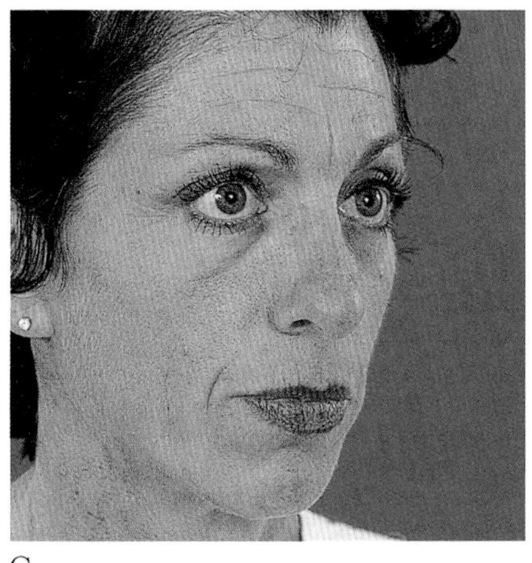
C

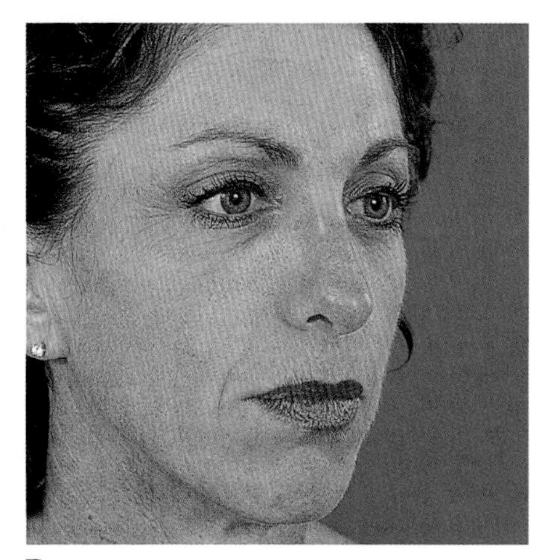
D

그림 3-45

## 증례 연구 괄호형비첨(Parenthesis Tip)

### 분석

38세 가정주부로서 코 외양 및 기능의 개선을 원하였다(그림 3-46). 괄호형비첨과 작은 비공을 가졌다. 심흡기때 비공이 붕괴되었다. 미적 목표는 더 부드러운 측면을 주고, 의존비첨(tip dependency)을 줄이는 것이었다. 개방비첨봉합술을 사용하였다[7].

### 외과 수기

1. 개방접근술로써 괄호형비첨 확인.
2. 두측외측각절제술. 각진 각지주이식술.
3. 원개형성봉합술. 원개등화봉합술.
4. 비배접근술로써 비주-비중격회전봉합술.
5. 봉합술 후 비익연이식술.

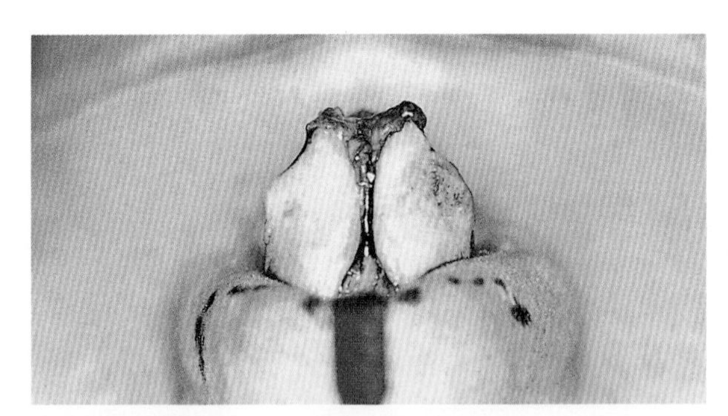

A

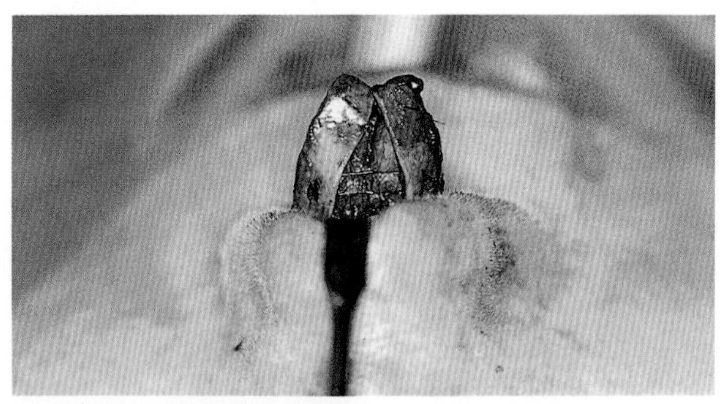

B

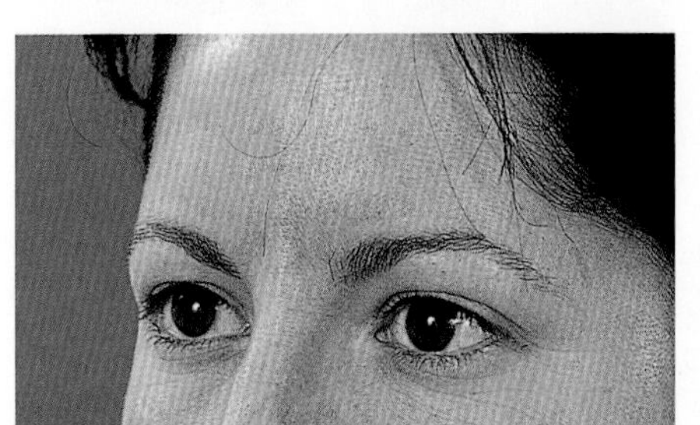

C

D

그림 3-46

## 참고 문헌


1. Byrd HS, and Hobar PC. Rhinoplasty: A practical guide for surgical planning. *Plast Reconstr Surg* 1993;91:642.
2. Byrd HS, Andochick S, Copit S, and Walton KG. Septal extension grafts: A method of controlling tip projection shape. *Plast Reconstr Surg* 1997;100:999.
3. Daniel RK. Broad, boxy, and ball tips. *Open Tech Plast Surg* 2000 (Nov.);7(4).
4. Daniel RK. Rhinoplasty: Creating an aesthetic tip. *Plast Reconstr Surg* 1987;80:775.
5. Daniel RK. Anatomy and aesthetics of the nasal tip. *Plast Reconstr Surg* 1992;89:216.
6. Daniel RK. The nasal tip. In: Daniel RK (ed) *Aesthetic Plastic Surgery: Rhinoplasty.* Boston: Little, Brown, 1993.
7. Daniel RK. Open tip suture techniques. Part I: Primary Rhinoplasty, Part II: Secondary Rhinoplasty. *Plast Reconstr Surg* 1999;103:1491.
8. Johnson CM, and Toriumi DM. *Open Structure Rhinoplasty.* Philadelphia: Saunders, 1990.
9. McCollough EG. *Nasal Plastic Surgery.* Philadelphia: Saunders, 1994.
10. Natvig P, Setler LA, and Dingman RO. Skin abuts skin at the alar margin of the nose. *Ann Plast Surg* 1979;2:428.
11. Peck GC. *Techniques in Aesthetic Rhinoplasty* (2nd ed.) Philadelphia: JB Lippincott, 1990.
12. Rees TD, and La Trenta GS. *Aesthetic Plastic Surgery* (2nd ed.) Philadelphia: Saunders, 1994.
13. Sheen JH, and Sheen AP. *Aesthetic Rhinoplasty* (2nd ed.) St. Louis: Mosby, 1987.
14. Sheen JH. Middle crus: The missing link in alar cartilage anatomy. *Perspect Plast Surg* 1991;5:31.
15. Sheen JH. Tip graft: A 20-year retrospective. *Plast Reconstr Surg* 1991;91:48.
16. Tardy ME, and Cheng E. Transdomal suture refinement of the nasal tip. *Facial Plast Surg* 1987;4:317.
17. Tardy ME. *Rhinoplasty: The Art and the Science.* Philadelphia: Saunders, 1997.
18. Tebbetts JB. Shaping and positioning the nasal tip without structural disruption: A new, systematic approach. *Plast Reconstr Surg* 1994;94:61. Additional information in Tebbetts JB. *Primary Rhinopiasty: A New Approach to the Logic and Techniques.* St. Louis: Mosby, 1998.
19. Toriumi DM, and Johnson CM. Open structure rhinoplasty: Featured technical points and long-term follow-up. *Facial Plast Clin* 1993; 1:1.
20. Zelnik J, and Gingrass RP. Anatomy of the alar cartilage. Plast Reconstr Surg 1979; 64:650.

# 비저(Nasal Base) 4

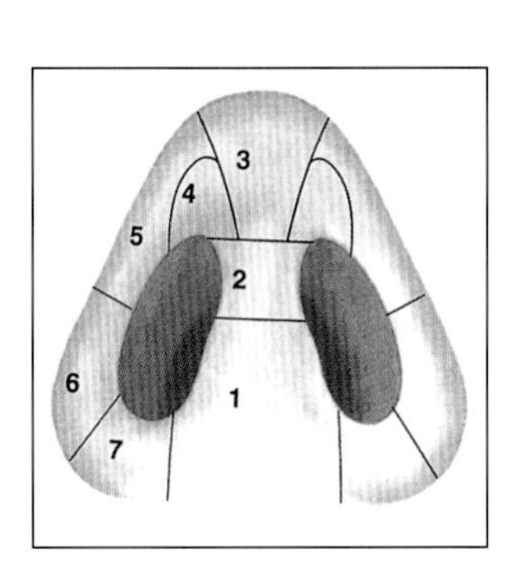


## 서론

비저는 코 가운데 가장 이해가 덜 된 부위이다. 비저수술을 소홀히 하는 실수를 하면 최선에 미치지 못하는 결과를 나으며, 수술을 잘 못하는 실수를 하면 고칠 수 없는 변형을 만든다. 아마도, 비저수술은 비성형술의 필수 분야라기보다는 '부수적 기법(ancillary techniques)'이라는 인식이 있는 것 같다. 아니면, 아마도 이 분야의 미학 및 해부학적인 미묘함을 연구하는데 충분한 시간을 투자하지 않는 것 같다. 불행하게도, 분석은 복잡할 수 있으며, 문제점의 원인은 다원적일 수 있다. 예를 들면, 비익퇴축(alar retraction)이나 처진 비주(hanging columella)의 원인을 밝혀내기 전에 측면에서 비공(nostril)을 비익연-비공-비주복합체(alar rim/nostril/columella complex)로서 평가하여야 한다. 측면에서, 비익연(alar rim)의 분석은 경사도, 변곡점(breakpoint)의 위치, 상대적 길이, 그리고 미측 각상(caudal angulation)에 따른다. 또 다른 문제점은 비저가 별개의 해부학적 구조물이 아니라는 것이다. 그러므로 인접한 구조물들이 비저에 미치는 영향을 중요하게 생각하여야 한다. 미측 비중격(caudal septum)이 비주에 미치는 큰 영향이 가장 분명한데, 이는 만곡(deviation), 퇴축(retraction), 또는 처짐(hanging) 등의 변형을 초래할 수 있다. 분석이 복잡함에도 불구하고 정확한 진단을 하기만 하면 대부분의 외과적 해결책은 간단하다. 수술은 매우 신중하게 해야 하는데, 그렇지 않으면 영구적 변형이 생길 수 있다. 난제이기는 하지만 저자는 비익저변형술(alar base modification)을 적절하게 계획하고 시술하면 비첨이식술처럼 비성형술의 결과에 큰 영향을 줄 수 있다고 믿고 있다. 그러므로 술자는 신중한 술전 분석과 세심한 시술에 바탕을 둔 수술 계획에다가 비익저변형술을 포함시켜야 한다.

## 해부학

비저(nasal base)는 분리된 해부학적 구조물이 아니다. 오히려, 비저는 인접한 비첨 부분들과, 비저를 받치고 있는 외부 구조물들에 의하여 영향을 받는 기저(base) 자체의 복합체이다. 해부학 및 미학적 관점 둘 다에서 볼 때, 비저는 다음의 8가지 구성 요소로 세분 된다. 1) 비주저(columella base), 2) 중앙비주기둥(central columellar pillar), 3) 하비소엽삼각부(infralobular triangle), 4) 연삼각부(soft triangle), 5) 외측벽(lateral wall), 6) 비익저(alar base), 7) 비공상(nostril sill), 그리고 8) 비공(nostril)[4](그림 4-1).

이러한 구성 요소는 기저면(basilar view)에서 가장 잘 평가된다. *비주저(columella base)*는 연조직(피하지방, 근육)과 내측각 족판(medial crural footplates)으로 구성된다. 근육은, 중앙에는 비중격하체근(鼻中隔下掣筋, depressor septi nasalis)이 있으며, 외측에는 비근(nasalis)이 있다[15]. 양측관통절개술(bilateral transfixion incision)을 하면 비첨이 하강하는데, 비중격하체근이 비주저에 부착되어 있기 때문으로 설명한다. 비주저의 폭은 양측 족판(footplate)의 분리된 정도와 족판 사이에 끼인 연조직의 양과 관련이 있다. 미측 비중격(caudal septum)과 전비극(anterior nasal spine)은 측면에서 보는 대로 비주-상구순각(columella labial angle)을 결정하는 중요한 요소이다. *중앙비주기둥(central columellar pillar)*은 양측 내측각이 나란히 놓여서 만들어진다. 앞서 언급한대로, 내측각(medial crus)이 정중선으로부터 벌어진 것(divergence)이 중앙비주기둥의 중앙에 있는 피하지방에 의하여 흔히 감추어지며, 중앙비주기둥의 외측에서는 피부가 단단히 부착되어있다[14]. 중앙비주기둥이 비주-비소엽접합부에서 끝나는 점까지가 비주길이다. 기저의 구성 요소는 아니지만, *하비소엽삼각부(infralobular triangle)*와 *연삼각부(soft triangle)*는 비기저의 관석(冠石, capstone)이다. 이들은 중간각(middle crura)의 형태에 의하여 결정 된다[24]. 중간각의 비주분절(columellar segment)의 길이는 하비소엽삼각부의 높이를 결정하며, 폭은 벌어짐(divergence)을 결정한다. 원개절흔(domal notch)의 폭이 연삼각부를 나타내며, 연삼각부는 연골이 없는 피부표면의 물갈퀴(web of surface)와 비전정피부(vestibular skin)로써 구성된다[19]. *외측벽(lateral wall)*에서는, 외측각이 비익연(alar rim)으로 근접하며, 비익연을 지지한다. 비익연골이 비익연으로부터 멀어져서 후방으로 지남에 따라서 비익연변곡점(alar rim breakpoint)을 만들며, 비익변곡점은 비소엽-비익저접합부(lobule alar base junction)를 나타낸다. *비익저(alar base)*는 피하조직과 근육으로써 구성된다. 비익저는 코의 외부 정류 장치(整流裝置, baffle) 역할을 하며, 안면근육의 작용에 따라서 아주 가동적이다. 비익저는 비익장개(alar flare)와 비익폭의 양을 결정하기 때문에 외과적으로 중요한 부위이다. 또, 비익저와 협부와의 관계와, 비익저의 수직 경사도 고려하여야 할 요소이다. *비공상(nostril sill)*은 비전정 표면과 피부 표면 둘 다에 따라서 매우 다양하다. 비익저는 편평한 비공상을 만들면서 갑작스럽게 끝나버리거나, 동그랗게 말린 연속적인 경계를 가질 수도 있다. 마찬가지로, 족판이 외측으로 뻗어서 분명치 않은 비공상을 남길 수 있다. *비공(nostril)*은, 그 모양이 주위의 구조물들에 의하여 결정되는 분명한 공간이다. Farkas[7-9]가 상술한 대로, 비공의 모양은 매우 다양하며, 흔히 비대칭이다.

Anatomy

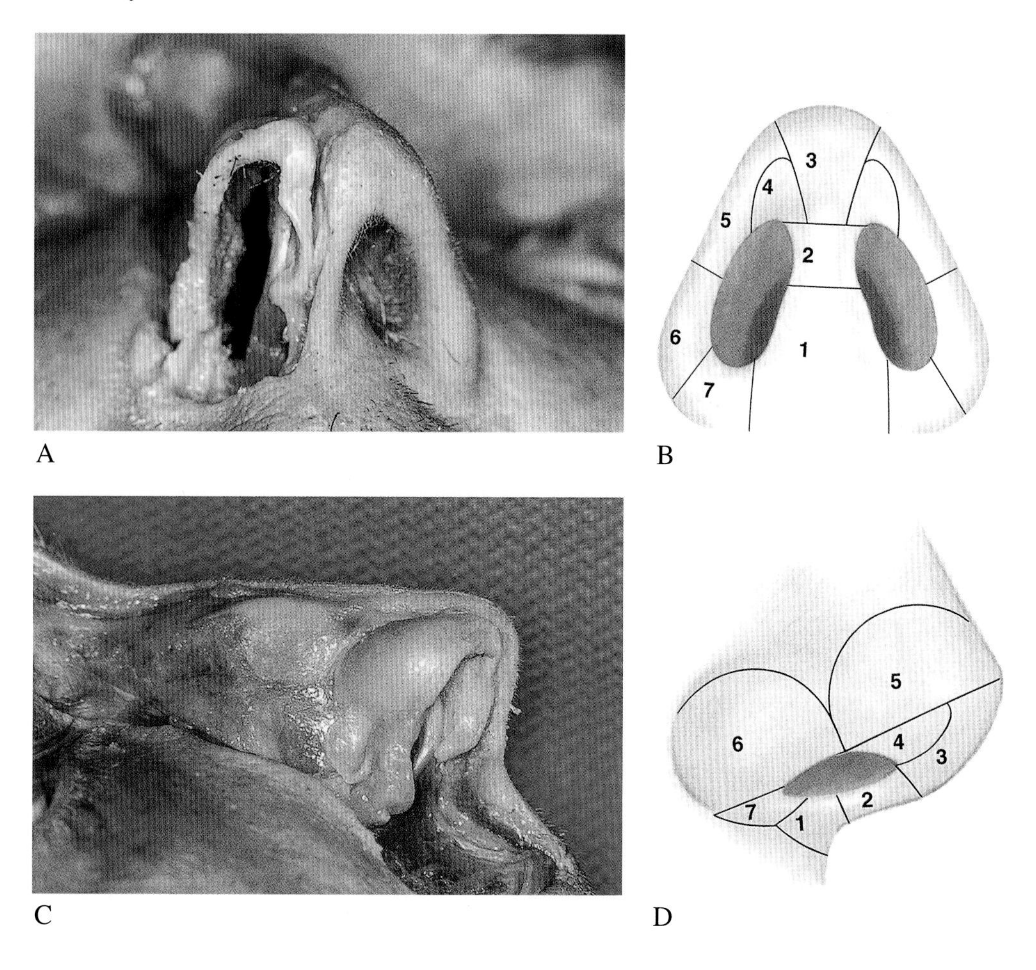


그림 4-1

측면에서는, 비저와 비저를 받치는 구조물들 사이의 상호 관계가 중요함이 돋보인다. *비주변곡점(columella breakpoint)*이 내측각과 중간각에 대해서 내재적이기는 하지만, 비주변곡점은 미측 비중격의 길이와, 볼록함과 오목함에 의하여 흔히 표출된다. 많은 이차비성형술에서 미측 비중격만곡을 절제술로써 치료하였지만, 이는 비주퇴축(retracted columella)을 야기할 뿐이다. 반대로, 처진 비주(hanging columella)는 미측 비중격이 길기 때문에 흔히 생기지만, 때로는 중간각이 길거나 내측각-중간각접합부가 각이 져서 생길 수도 있다. *비주-상구순각(columella labial angle)*은 해부학적 결정 인자를 지닌 중요한 미학적 지표이다. 중요한 해부학적 소견은, 상악골의 A점으로부터 비첨까지의 거리는 흔히 4cm이며, 이 거리는 전비극, 미측 비중격, 내측각, 그리고 중간각의 4가지에 의하여 1cm 간격의 분절로 나누어지는 것이다[2, 5](그림 4-2E). 전비극은 상악골로부터 돌출되어 있으며, 그 아래에 물갈퀴형골융기(webbed bony ridge)를 가질 수 있다. 미측 비중격은 중앙에서는 연조직으로 덮여 있기 때문에 비주-상구순각의 *비주지(columella limb)*를 결정짓지만, 양측 내측각이 정중선에서 서로 만나는 곳까지 미측 비중격 전방 1cm에서는 연골이 없다. 비주-상구순각의 *상구순지(labial limb)*는 상악골의 모양과, 상구순을 구성하는 연조직과의 관계에 의하여 결정된다. 사체해부를 해보면, *비하점(subnasalis, SN)*은 상악골에서 잘 감추어진 A점과 매우 잘 드러나는 내측각 사이의 연조직물갈퀴(soft tissue web)임을 보여준다.

전면에서 중요한 해부학적 요소는 비익저의 장개(flare)와 폭이다. 비익저폭은 비익주름과 이상구(pyriform aperture) 사이의 상호 관계에 의하여 결정된다. 양측 비익저의 수준 차이는 연조직 이상보다는 상악골의 비대칭을 나타낸다.

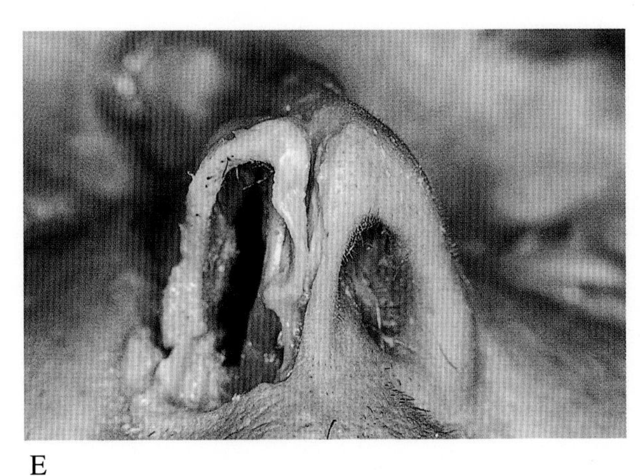

E

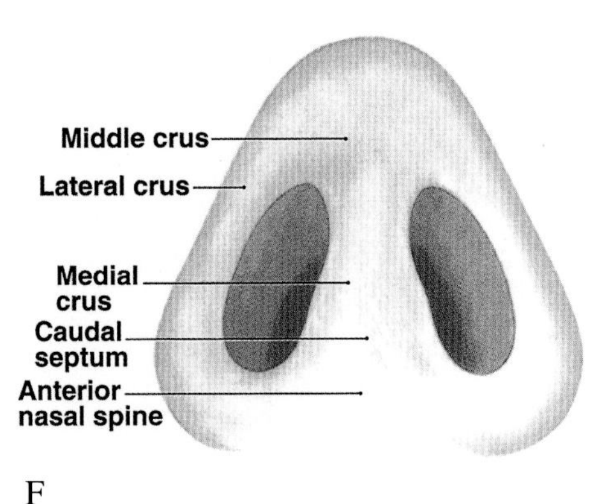


F

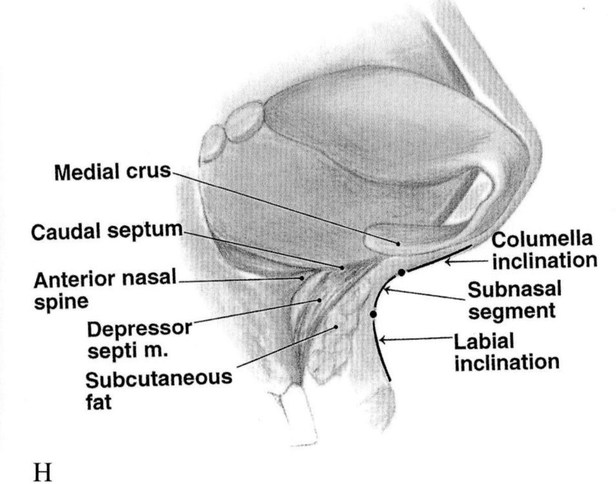


G

H

그림 4-1. 계속

## 미학과 분석

비저의 4가지 부분의 미학을 신중하게 분석한다. 즉, 비익장개(alar flare)와 비익폭(alar width), 비주(columella), 비주-상구순각(columella labial angle), 그리고 비공(nostril). *비익장개(AL-AL)*는 비익저의 가장 넓은 지점 사이의 거리를 가리키는데, AL은 대개 비익주름(AC)보다 수 mm 두측에 위치한다(그림 4-2A, B). 반면에, *비익폭(AC-AC)*은 비익주름 사이 거리를 의미하며, 보통 비익장개보다 작다. 비익장개는 쐐기형비익절제술(alar wedge excision)에 의하여 쉽게 축소될 수 있지만, 비익폭은 비익저 및 비공상 동시절제술(combined excision of alar base and nostril sill)이 필요함을 구별하는 것이 중요하다. 미학적으로, 비익저는 내안각간격(intercanthal width, EN-EN)보다 더 좁아야 한다. 이러한 수치는 전면 또는 기저면으로부터 자(ruler)나 측경기(caliper)로써 쉽게 계측할 수 있다. *비주(columella)*와, 비첨과 비하점과의 관계는 전면에서 '나는 갈매기(seagull-in-flight)' 개념으로 평가할 수 있으며, 특히 처진 비주(hanging columella)에서 그러하다[10, 24](그림 4-2C). 원래, 비주변곡점(columella breakpoint)과 각각의 비익연변곡점(alar rim breakpoint)은 서로 연결되어 있어서 나는 갈매기를 나타낸다(그림 4-2C, 2). 비익연의 위치가 정상적이라는 가정 하에서, 갈매기의 날개가 수직이 되면 될수록 비주는 더 쳐지거나, 적어도 하비소엽이라도 처진다. 이러한 관찰은 개방구조비첨술의 결과를 평가할 때 중요한데, 개방구조비첨술 때 비첨이식물을 비익연골에 통합시키기보다 나란히 놓으면(apposition) 나중에 처져서 술후에 하소엽 충만(infralobular fullness)을 만들 수 있을 뿐만 아니라 처진 비주로 착각할 수도 있다.

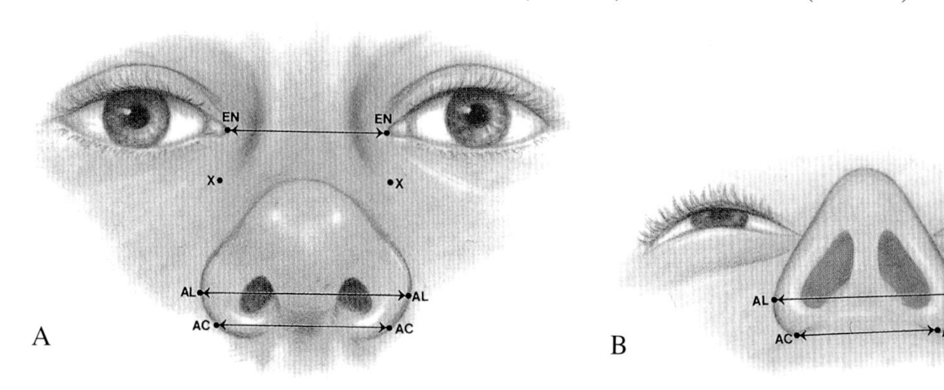


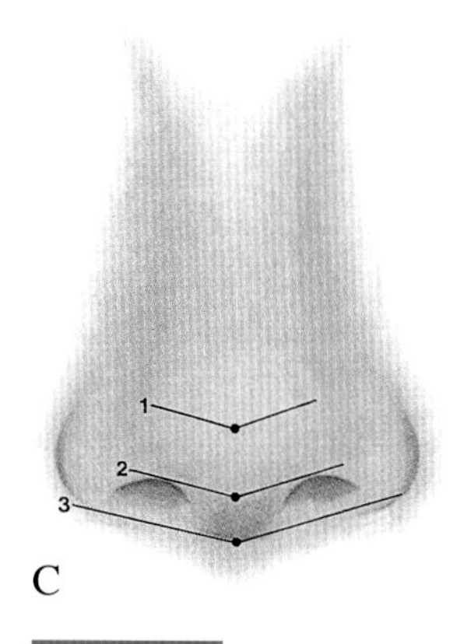


그림 4-2

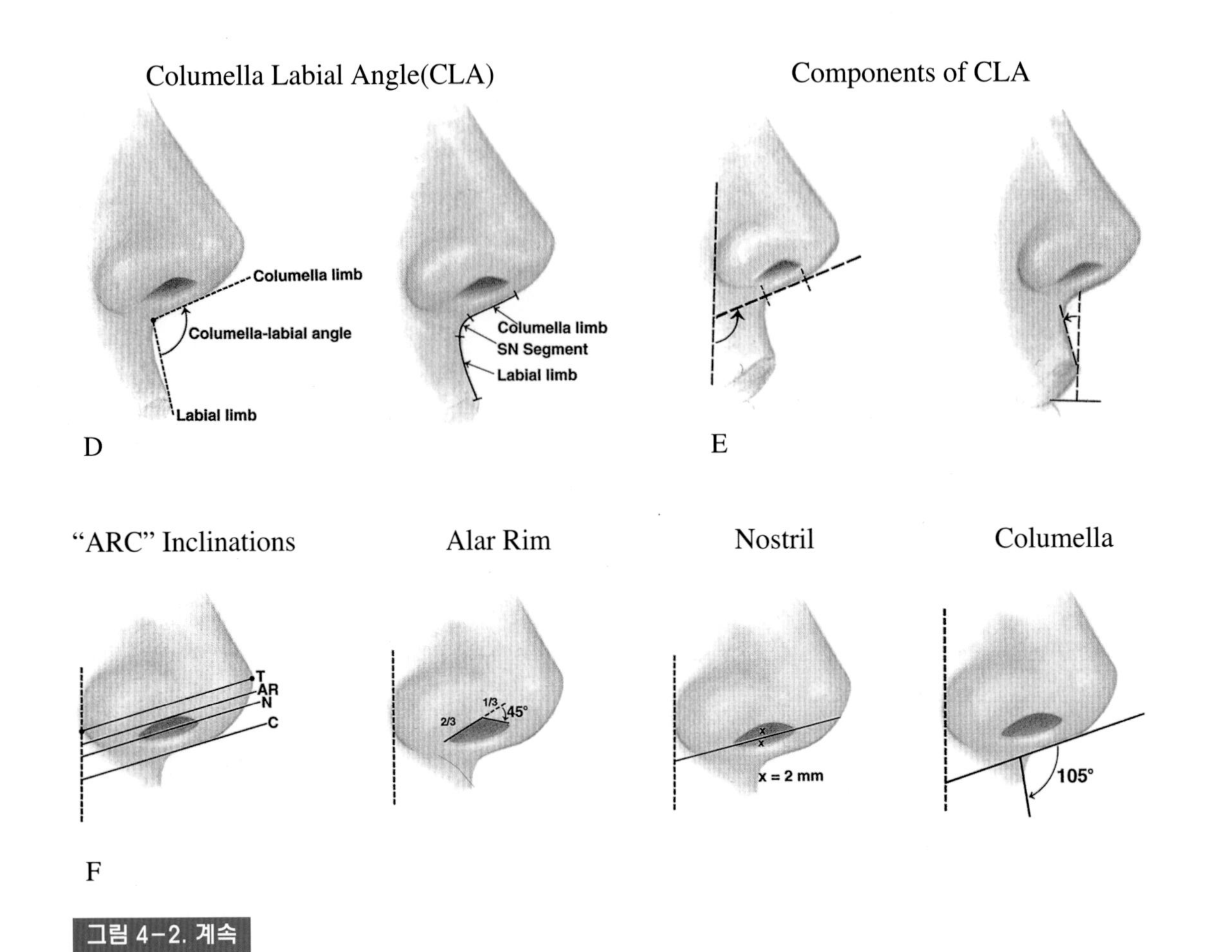


그림 4-2. 계속

앞서 설명한대로, *비주-상구순각(columella labial angle, CLA)*은 *비하점(subnasale, SN)*에서의 비주 접선과 상구순 접선의 교차에 의하여 만들어진다. 이 접선은 따로 분석하여야 한다(그림 4-2D, E). 비주-상구순각의 비주지(columella limb)는 들창코(upturn nose)를 표현하는데 대단히 강력한 표시자이며, 여성에서 약 105도, 남성에서 약 100도이다. 비주는 퇴축된 오목함이나 처진 돌출이 없이, 조금 볼록하여야 한다. 상구순지(labial limb)는 상구순에 관계하며, 안면수직선으로부터 -6도가 이상적 각도이며, 퇴축이나 돌출되지 않아야 한다[11, 12]. 상순지에 분명한 영향을 미치는 상악골, 교합 관계, 치아 경사, 그리고 상구순 구성을 고려하여야 한다[22]. 비하분절(subnasal segment)은 비주지와 상구순지를 서로 연결하는 완만한 곡선이어야 한다. 만일 비하분절이 예각이면 퇴축된 것이며, 반대로 둔각으로 볼록한 물갈퀴 모양이면 상구순을 짧게 한다. 상구순지를 평가하여 제한된 변형술이 적절하면 미측 비중격과 전비극을 신중하게 평가하는 것이 필수적이다. 주로 촉진으로서 검사하는데, 선천적 문제점을 흔히 진단할 수 있다. 예를 들면, 비-상구순각이 둔각인 비하점의 물갈퀴(subnasal webbing)의 원인은 다음과 같은 범주의 가능성을 의미한다. 즉 1) 대개 미측 비중격, 2) 때때로 돌출되고 수직으로 긴 전비극, 그리고 3) 드물지만 연조직 충만. 역사적으로, '비-상구순각(nasolabial angle)' 이라는 용어는 비주-상구순각(columella labial angle)과 함께 사용하였다. 그러나 비-상구순각은 원래 수직안면선에 대한 비공 통과선을 나타내기 위하여 그린 것이다. 비주-상구순각이 더 정확하고 외과적 적절성이 있기 때문에 비-상구순각은 더 이상 사용하지 않는다.

비익연-비공-비주복합체(alar rim-nostril-columellar complex, ARNC)를 분석하기 위해서는 여러 가지 요소를 면밀히 검사해 볼 필요가 있다(그림 4-2F). 첫 번째 단계는 측면에서 다음의 4가지 경사각을 평가하는 것이다. 1) 비첨각(tip angle), 2) 비익연 접선(tangent of alar rim), 3) 비공경사각(nostril inclination), 그리고 4) 비주경사각(columella inclination). 둘째 단계는, 비첨각과 비주경사각은 비성형술의 전체적 결과를 결정하는 중요한 요소들이 될 것이며, 비공보다 먼저 다루어야 한다. 셋째 단계는, 비공 자체의 크기, 모양, 그리고 경사도를 평가한다. 넷째 단계는, 비익연의 형태는 비성형술 후 흔한 결점인 비공보임(nostril show)과 비익연퇴축의 주된 결정 인자가 된다.

## 비주-상구순각 (Columella Labial Angle)

휴식기와 미소를 지을 때에 비주-상구순각(columella labial angle, CLA)을 시진과 촉진으로써 신중하게 분석하는 것은 원인이 단독인지 또는 복합적인지를 결정하는데 필수적이다. 악안면골교정술(maxillofacial correction)을 필요로 하는 증례를 제외하면 외과적 변형술은 비중격이나 전비극(ANS)의 보존, 절제술, 또는 증대술로 귀착된다.

### 전비극(Anterior Nasal Spine)

돌출된 전비극의 교정술은 전비극을 단축시키거나, double-action rongeur를 사용하여 아래에 놓인 골물갈퀴(bony web)를 절제하는 것이다[25](그림 4-3A). 단축술은 비하점의 돌출을 감소시키는데 비하여, 절제술은 상구순 경사도가 작아지도록 만든다. 퇴축된 전비극은 단독으로 발생하거나, 비주-상구순각이 흔히 예각을 나타내는 형성저하된 전악골(hypoplastic premaxilla)의 일부로 나타날 수 있다. 대부분의 증례에서 저자는 후치된 비하점을 교정하기 위하여 큰 비주지주이식술을 사용하며, 추가로 작은 연골이식물을 비주-상구순각 아래에 있는 비주저에 피하로 위치시킨다. 그 대신, 미리 제작한 Proplast나 둥글게 말은 GoreTex로써 이상구삽입술을 할 수 있다[24]. 이러한 착상은 비익저와 비주-상구순각을 둘 다 전방으로 가져다 놓으려는 것이다. 불행하게도, 저자는 이상구삽입술을 받은 뒤 다음의 문제점들을 가지고 협진을 위하여 오는 환자를 많이 보았다. 1) 마른 환자들이 특히 미소 지을 때 가시적이며, 2) 상구순 운동이 제한적이며, 그리고 3) 일반적 불만족. 이러한 이유 때문에, 저자는 중증의 증례에서 최대로 증대시키기 위하여 큰 비주지주이식술에다가 비주저의 피하에 단단한 연골이식물의 이식술을 동시에 사용한다. 저자는 이상구삽입술을 통상적으로 권장하지는 않는다.

### 비주(Columella)

대다수의 비주의 문제점들은 미측 비중격 때문에 생긴 만곡(deviation)이다. 중간각의 내재 변형은 매우 드물다. 돌출된 미측 비중격을 절제함으로써 단축 및/또는 회전시키는 효과를 얻는다. 원래, 미측 비중격의 하부 1/2을 절제하면 비주-상구순각의 비주지에 영향을 주는데, 곧은 절제술(straight excision)을 하면 비주지를 단축시키며(그림 4-3B), 끝이 점점 좁아지는 절제술

(tapered excision)을 하면 비주지가 회전된다[23]. 임상적으로, 비주지퇴축(retraction of columella limb)은 단독으로 생기거나, 비주지와 전비극의 퇴축으로 생길 수 있다. 전자의 경우, 내측각 족판보다 더 미측으로 연장되는 길고 넓은 이식물(30×4)로써 비주지를 미측으로 밀어야 한다. 비주-상구순각에 영향을 주기를 원하면 이식물은 미측 1/3에서 더 넓어야 하며(7-9mm), Ortiz-Monasterio[20]의 비주이식물과 비슷하다(그림 4-4A). 이렇게 볼록한 이식물은 비주지와 비주-상구순각분절(CLA segment) 둘 다를 미측으로 밀어내는데 아주 효과적이다. 이식물이 전비극을 가로 질러서 흔들릴 정도로 과대한 길이는 피해야 하며, 짧은 치은절개(gingival incision)를 하여 이식물을 전비극에 직접 봉합할 수 있다. 때때로, 비주저의 윤곽을 교정하고, 비주-상구순각분절을 더 미측으로 밀어내기를 원할 때에는 절제해낸 연골(비익연골, 연골비배)처럼 작고 고형의 조각을 이식하는 것이 매우 효과적이며, 소실되는 경향이 있는 압좌시킨 연골(crushed cartilage)보다 더 좋다.

## 외측이상구이식술(Lateral Pyriform Grafts)

비성형술 환자 가운데 치과교정술(orthodontia)을 받기 위하여 지나치게 발치함으로써 비익저 주위가 함몰된 증례들을 많이 보았다. 이러한 함몰은 Byrd법을 사용하여 수산화인회석 과립(hydroxyapatite granule)으로써 쉽게 치료된다[1]. 본질적으로, 동량의 수산화인회석 과립, 혈액, 그리고 Avitene을 연고 상태로 섞은 다음, 이상구 표면을 따라 골막하에 위치시킨다. 중요한 기술적 요점은 팽팽한 포켓을 만들고, 과립을 골 위에 놓는 것이며, 피하에 큰 덩어리를 만들면 미소 짓는 것을 방해하므로 피하여야 한다.

## 주의

미측비중격 및 전비극 변형술에 관한 토론은 비주-상구순각의 구성 요소를 변화시키는 것과 직접적인 관계가 있다. 대부분의 미용비성형술에서는 비주-상구순각의 비주지를 변형시키지 않으며, 미측 비중격의 상부 1/2만이 절제함으로써 비첨회전만 얻고자 한다. 반면에, 많은 이차비성형술에서는 미측 비중격이 과대하게 절제되었으므로 비주분절과 비주경사를 둘 다 회복시켜야만 한다. 이러한 증례들에서 큰 비주지주이식술을 하면 직접적인 비첨수술을 하지 않고서도 비첨이 현저히 회전 되었다고 착각하게 할 수 있다. 비주-상구순각을 하나의 단독의 구조물로서, 그리고 비성형술의 통합된 부분으로서, 둘 다를 이해하는 것이 중요하다. 다음의 2가지의 증례 연구는 일차미용비성형술에서의 비주-상구순각의 역할을 예증할 것이다.

Resection

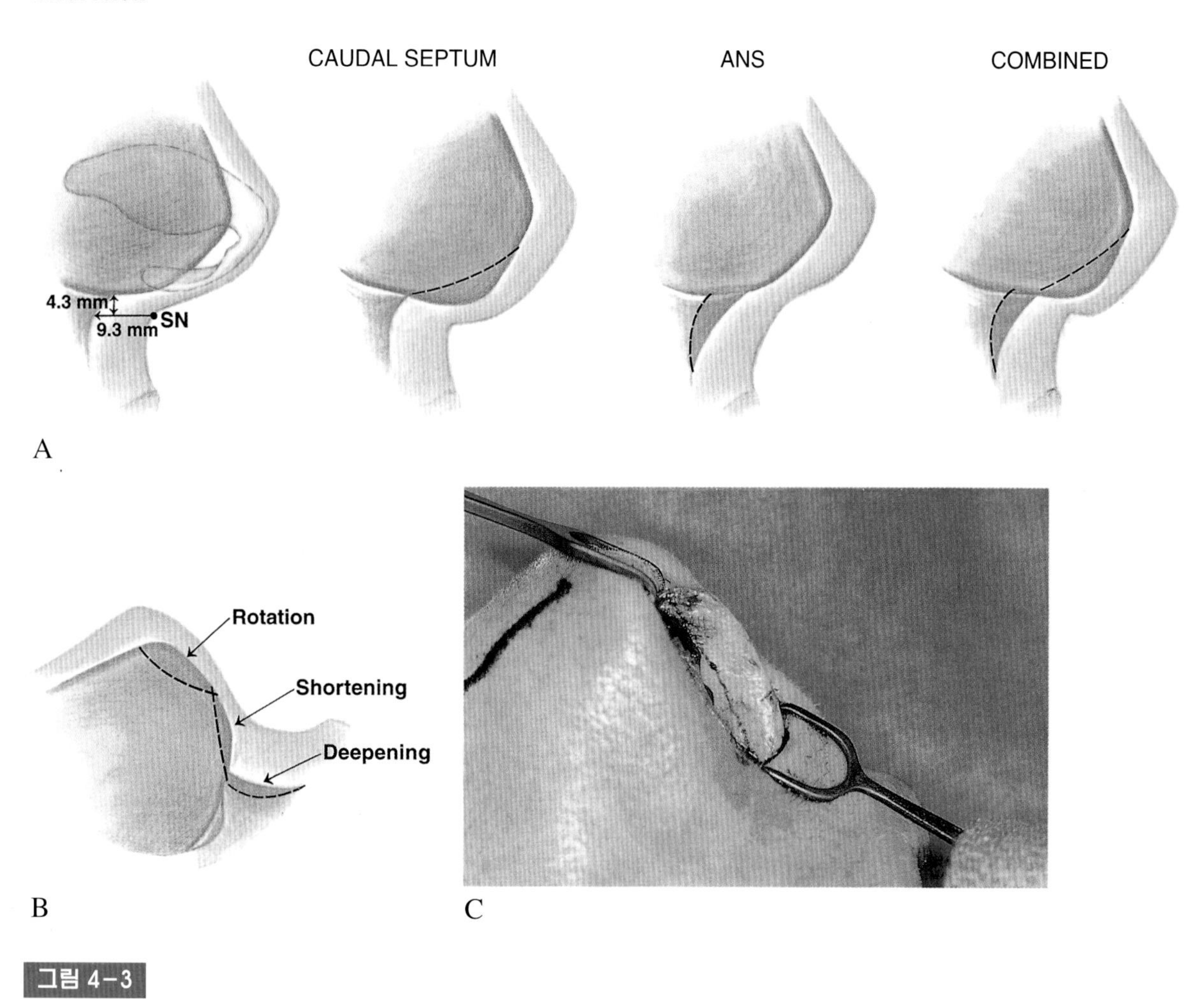


그림 4-3

Grafting

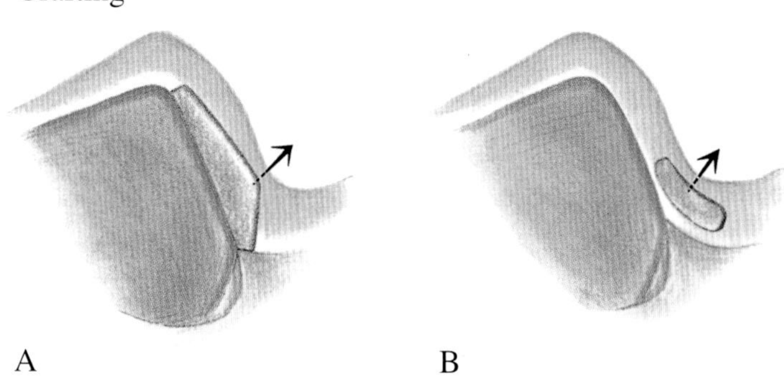


그림 4-4

## 증례 연구 비주-상구순각축소술(Columella Labial Angle Reduction)

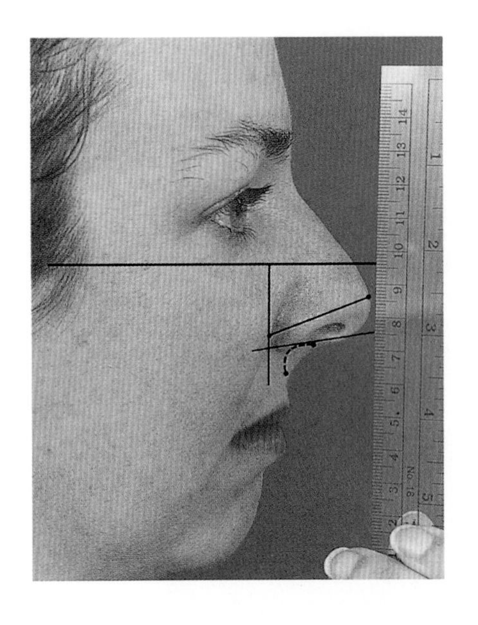

### 분석

36세의 여성이 자신의 큰 코가 마음에 들지 않는다고 호소하였다(그림 4-5). 안면불균형에 대하여 광범위하게 토론해 본 결과, 비성형술과 턱끝삽입술(chin implantation)을 둘 다 하기로 동의하였다. 촉진 결과, 전비극이 컸다. 상구순주름 두측 5mm로부터 비공 중간까지 이르는 비주-상구순분절(columella labial segment, CLS)이 지나치게 길었으며, 각도가 지나치게 둔각인 것이 분명하였다(CLA=120도). 비주경사각은 88도이었으며, 이는 미측 비중격의 과대한 길이를 가리킨다.

### 외과 수기

1. 폐쇄접근술. 양측관통절개술로써 비첨돌출 강하시킴.
2. 50%의 두측외측각절제술.
3. 비배축소술: 골 2mm, 연골 5mm.
4. 전체길이 4mm의 미측비중격 및 전비극 절제술.
5. 턱밑절개술(submental incision)을 통한 중간 크기의 이물성형물의 턱끝삽입술(medium chin implantation).

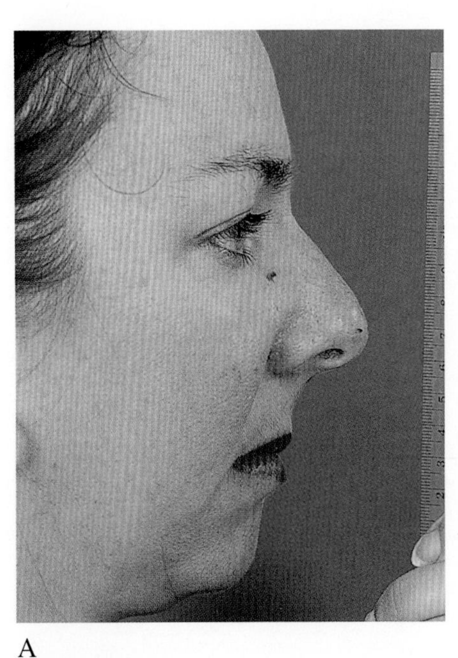

A

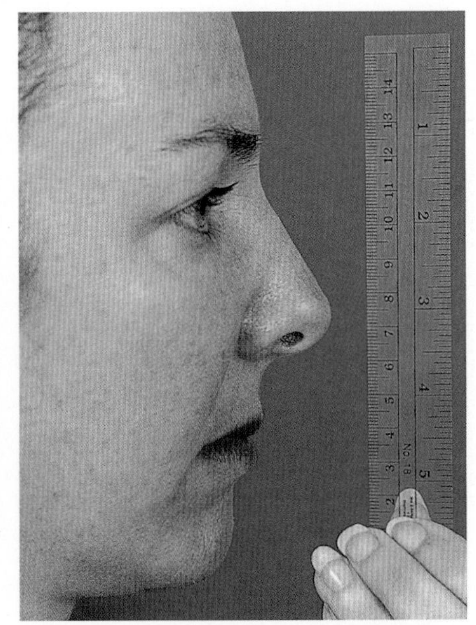

B

그림 4-5

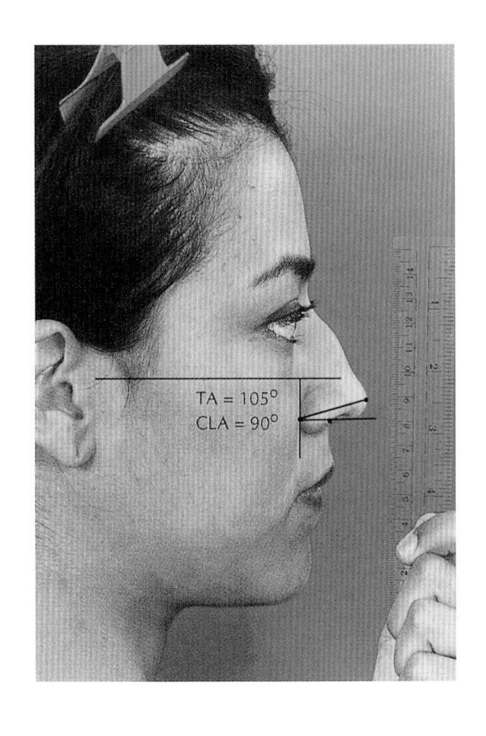


## 분석

24세의 여성으로서 자신의 코모양, 특히 측면이 마음에 들어 하지 않았다. 비첨각은 거의 이상적이었지만, 퇴축된 비주 때문에 비첨 자체가 하수되어 보였으며, 이러한 관찰을 촉진으로써 확인하였다. 비주경사각은 90도 미만이었다. 비주와 비하점은 측면에서 볼 때, 가려졌다. 술후, 비주가 정말로 낮아졌으며, 비하점이 보이게 되었다.

## 외과 수기

1. 비배축소술: 골 1mm, 연골 1.5mm.
2. 큰 비주지주이식술(22×8mm).
3. 완전비첨봉합술: 원개형성봉합술, 원개등화봉합술, 그리고 회전봉합술.
4. 비근 전체에 6×6cm 크기의 한 장의 근막이식술.

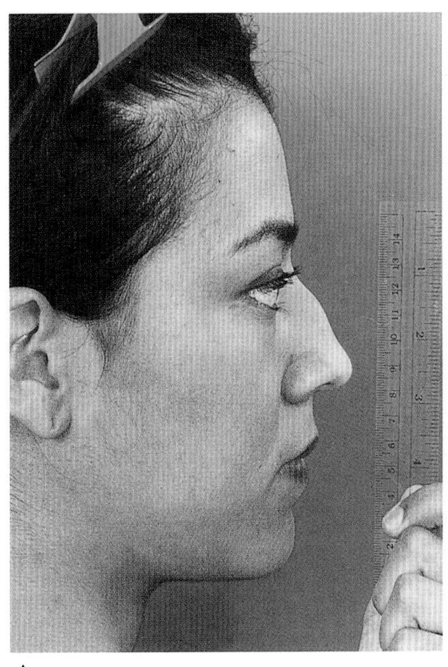
A

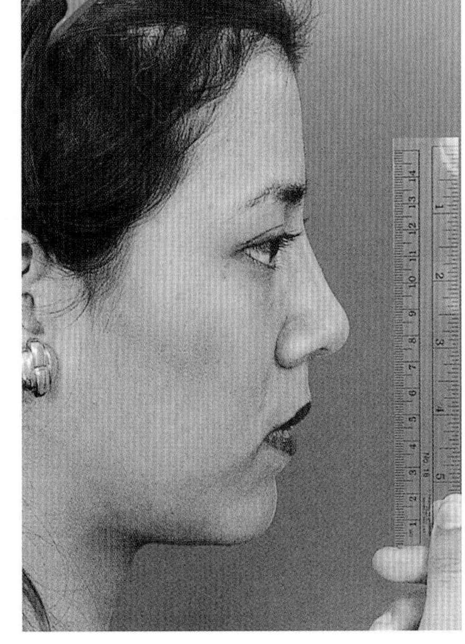
B

그림 4-6

## 비익연-비공-비주복합체 (The Alar Rim-Nostril-Columellar Complex)

비익연-비공-비주복합체(ARNC)는 정말로 복잡한 난제이다[30]. 분석은 측면에서 그린 다음의 4가지 경사각으로 시작하여야 한다(그림 4-7A). 1) 비첨각(tip angle), 2) 비익연 접선(tangent of alar rim), 3) 비공경사각(nostril inclination), 그리고 4) 비주경사각(columella inclination). 이러한 선들은 비공 자체를 인접한 구조물의 영향으로부터 분리시키게 해준다. 비공변형술을 하기 전에, 필수적인 비첨각과 비주경사각을 만드는 것이 중요하다[3]. 비익연변곡점(alar rim breakpoint)을 표시하고, 근위지(proximal limb)와 원위지(distal limb)를 계측한 다음, 투사각(angle of incidence)을 기록한다. 근위지은 원위지의 2배이어야 하며, 교차각은 약 45도이어야 한다(그림 4-7B). 이 시점에서, 비공의 둘레를 그리는데, 두측으로는 비익연을, 미측으로는 비주의 후부를 포함한다. 비공의 양 끝점을 통과하는 선을 그으면 비공이 양분되며, 다음과 같이 분류할 수 있다(그림 4-7C). 1) 선의 양쪽이 2mm이면 이상적이다. 2) 2mm 이상의 과대이면, 퇴축

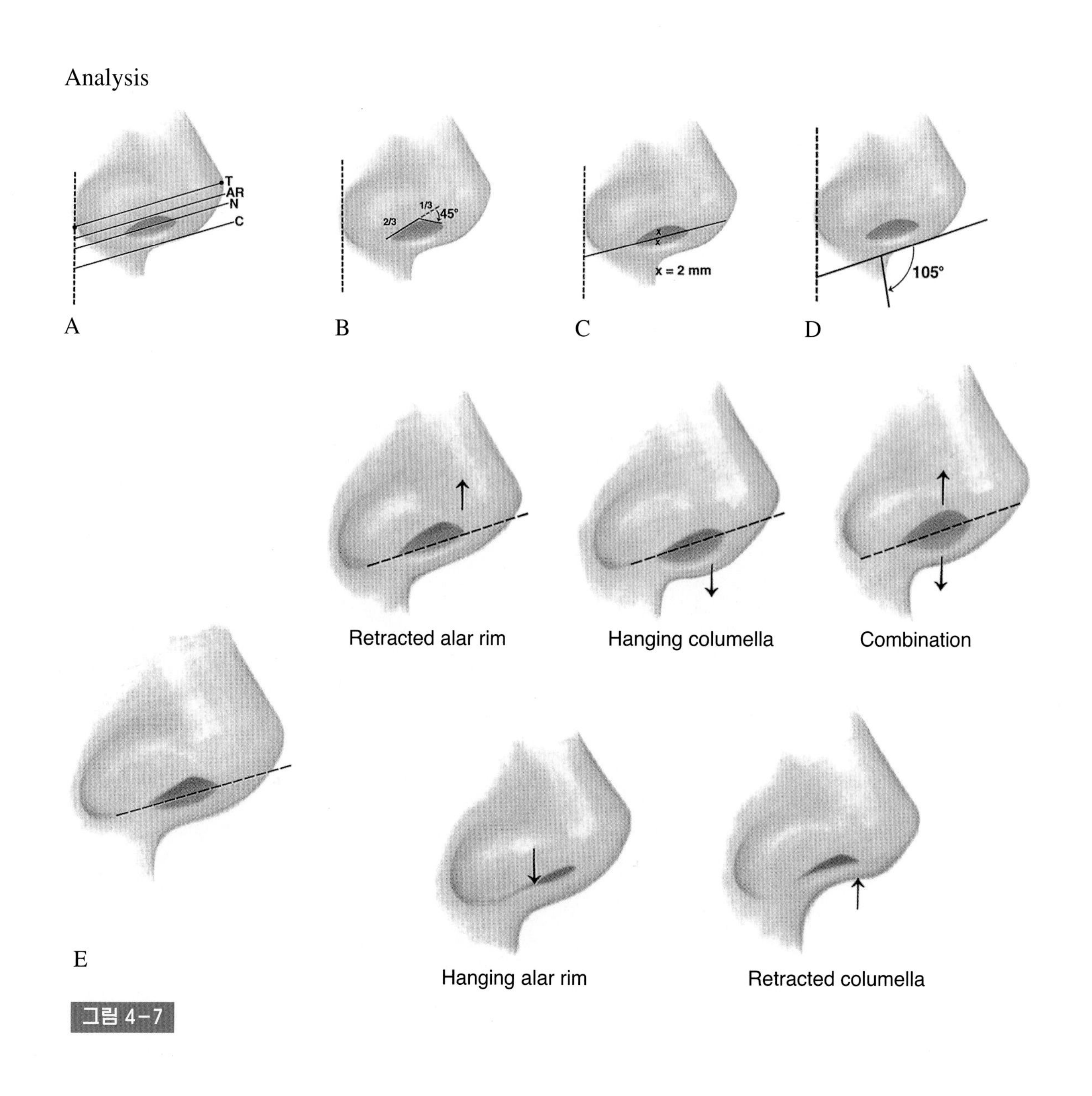


그림 4-7

된 비익연(retracted alar rim)이나, 처진 비주(hanging columella)나, 또는 둘 다를 가리킨다. 3) 1mm 미만이면 처진 비익연(hanging alar rim)이나, 퇴축된 비주(retracted columella)를 의미하는데, 이는 Gunter가 고안하였다[10](그림 4-7E).

비익연수술(alar rim surgery)은 처진 비익연의 수술과 퇴축된 비익연의 수술로 나뉜다. 처진 비익연(hanging alar rim)을 치료하기 전에, 비주가 가능한 한 미측에 있는지를 확실히 확인하여야 한다. 왜냐하면 처진 비익연을 올리는 것은 효과가 제한적이어서 최대로 2-3mm만 가능하기 때문이다. 비익연으로부터 3mm 두측에서 타원을 그리되, 바라는 최대 거상점을 중심으로 타원을 그리며, 폭은 적어도 5mm로 하고, 높이는 바라는 거상량의 2배로 한다. 이러한 도안을 비전정 내면으로 옮긴 다음, 연조직 전층을 타원형으로 절제한다. 5-0 평장사를 사용한 봉합술로써 비익연을 들어올린다. 다른 한 가지 방법은, 비익연을 따라서 직접 절제술을 하거나 연조직각면(soft tissue facet)을 분할함으로써 비공을 확장시키는 것인데, 좀 더 과감하며 예측할 수 없는 반흔 때문에 대부분의 증례에서 권장하지 않는다[17].

대조적으로, 비익연을 낮추는 것은 효과적이며, 문제점에 따라서 여러 가지 대안들이 있다. 이러한 방법들은 이식술을 포함하기 때문에 제 6장의 적절한 절을 재고하기를 권고한다.

## 경증

비익연을 2mm 낮추거나 비익연절흔을 고르게 하는 가장 효과적인 방법은 간단한 '비익연이식술(alar rim graft)' 이다. 이 수술법은  일차적 또는 의원성(醫原性, iatrogenic) 비익연퇴축을 치료하는 일차비성형술에서 아주 효과적이다. 얇고 두측 단이 점점 좁아지는 10×2.5mm 크기의 곧은 연골 조각을 사용한다. 비익연 후방 3-4mm의 외측 비전정에 작은 횡절개를 하고, Stevens 조직가위로써 포켓을 박리한다. 이식물이 포켓 안에서 꼭 맞아야 하며, 5-0 평장사로써 절개선을 봉합한다. 주된 실수는 이식물의 두측 단이 두껍거나, 또는 원개 가까이의 얇은 피부로 박리하는 것이다[6].

## 중간증

2-4mm의 비익연퇴축에서 저자는 이갑개정(cymba concha)으로부터 얻은 복합조직이식물(composite graft)의 사용을 더 좋아한다[13](그림 4-8). 기법의 요점은 다음과 같다. 1) 비익연 경계 및 정점을 표시한다. 2) 비익연 후방 3mm에서 절개한다. 3) 절개창을 비익연에 대하여 수직으로 벌리되, 비익연을 향해서는 절대로 박리하지 않는다. 4) 복합조직이식물에서 연골 부분을 많이, 그리고 피부 부분을 적게 포함시키며, 연골이 비익연을 미측으로 밀어야지 이식술이 효과가 있음을 알아야 한다. 비공을 횡으로 확장시키거나, 두측이 지나치게 볼록해짐이 없이, 비익연을 3차원적으로 하강시키는 난제가 주된 문제점이었다.

## 중증

5mm 이상의 비익연퇴축은 심한 문제점이다. 저자는 비익연을 재위치 시키는데 복합조직이식술이 부적절함을 알게 되었다[26, 27]. 그래서 저자는 퇴축의 원인에 따라서 2가지 다른 변법을 사용한다. 어떤 증례에서는 외측각 전체를 절제하고, 외측각보다는 비익연을 해부적으로 재위치 시킨 다음, 큰 이갑개연골이식술(20×8mm)로써 비익 전체를 교체한다(total alar replacement). 둘째 변법은 심한 비전정협착(vestibular stenosis)이 있을 때 저자는 삼각형보다는 사각형복합조직이식물을 선호하는데, 외측 비익연을 미측으로 내리는데 더 큰 압력을 제공하기 때문이다.

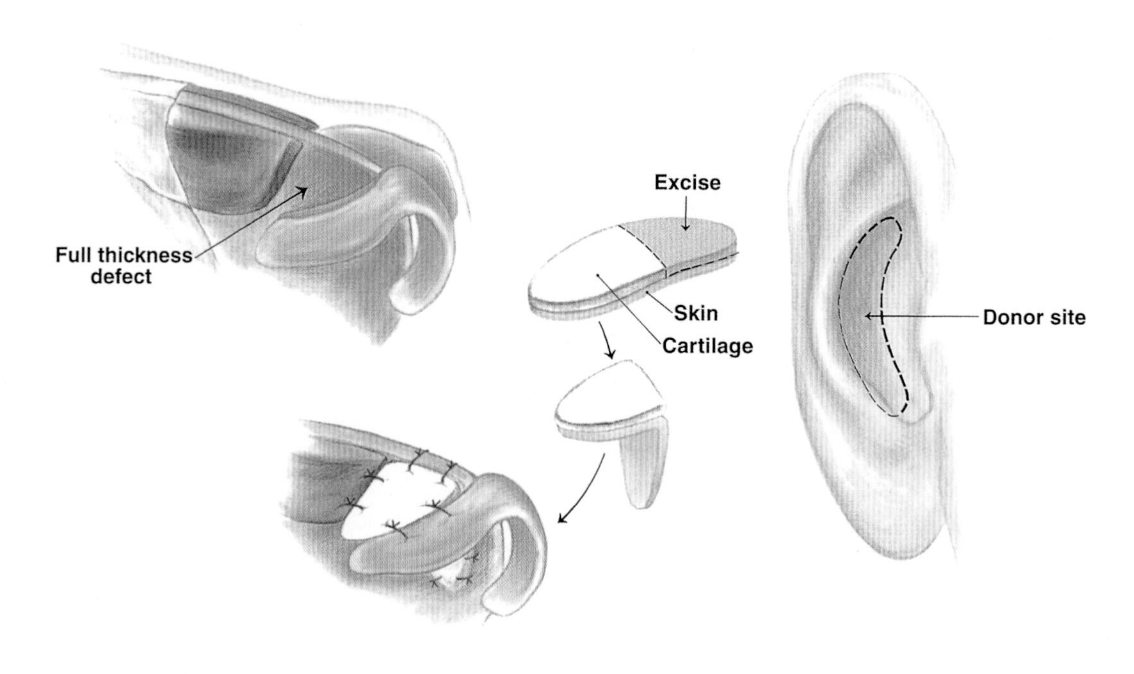


그림 4-8

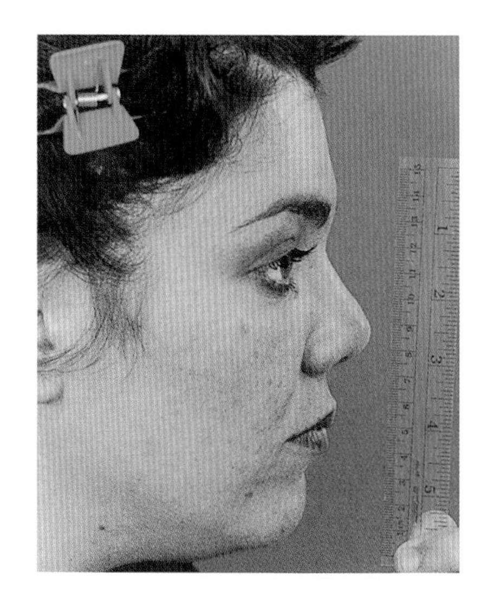

## 분석

전번에 비성형술을 받은 적이 있는 38세의 여성이 찾아왔다. 코가 너무 무거우며, 비첨이 의존적(tip dependent)이라고 호소하였다. 이러한 '착각(illusion)'은 비익연이 처지고 비주가 퇴축되어서 생긴 것이다. 그녀의 비첨각은 실제로 이상적이었다(105도).

## 외과 수기

1. 접은 이갑개연골로써 비첨이식술. 남아있는 비익연골은 없었음.
2. 최소한의 비배축소술.
3. 모든 절개선의 봉합술.
4. 15×4mm의 비익내비익연절제술(intraalar rim excision)(그림 4-9A, B).

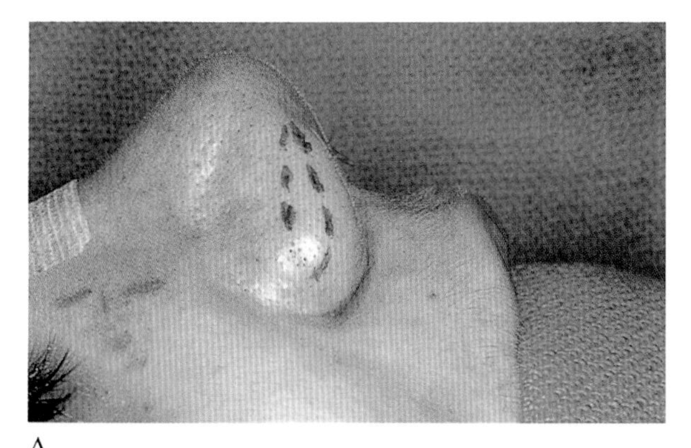

A

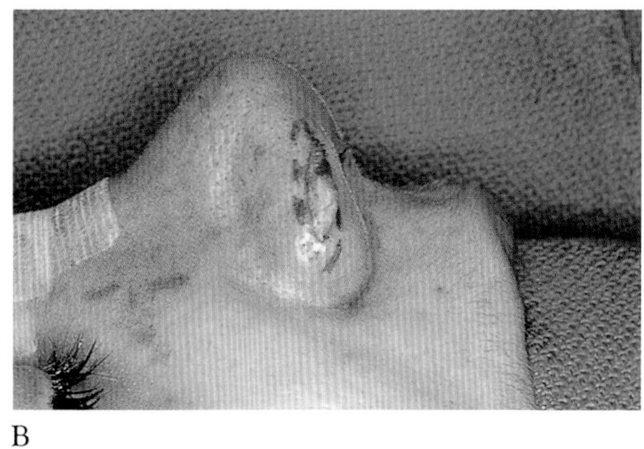

B

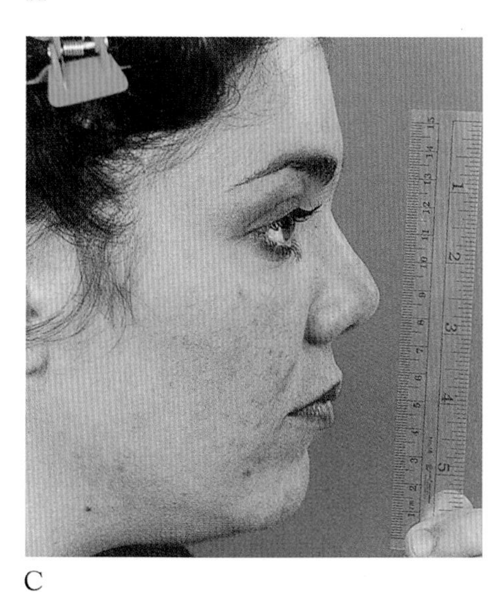

C

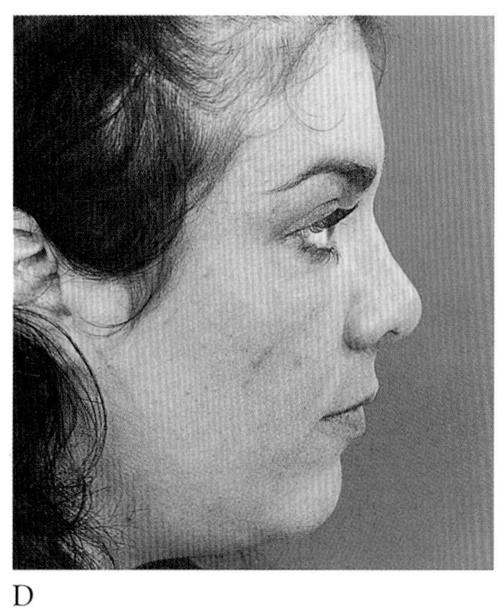

D

그림 4-9

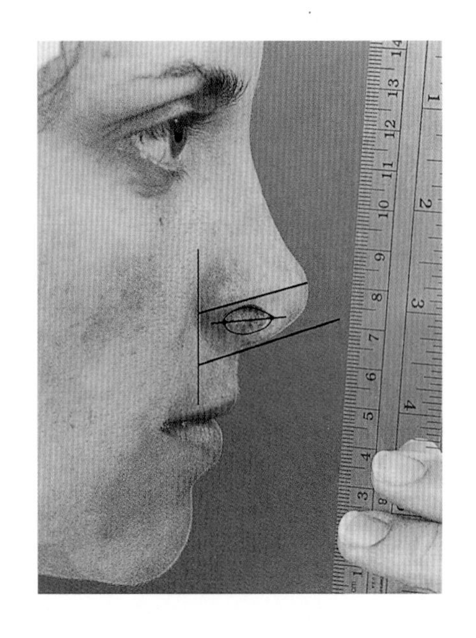

## 분석

29세 여성으로서 다른 곳에서 미용비성형술을 받은 1년 뒤에 찾아와서, "잘못 수술 된 변형과 모든 특징을 가지고 있다"고 호소하였다. 저자는 퇴축된 비공(retracted nostril)과 처진 비주를 일차적 문제점으로 느꼈으며, 이 2가지 문제점이 결합되어 '으르렁거리는 비첨(snarl tip)'을 만들었다. 중요한 요소는 비공폭으로서 비익연이 4mm 퇴축되면서 비주가 4mm 처져서 총 8mm의 변형이 있었다.

## 외과 수기

1. 완전관통절개술로써 점막 5mm와 미측 비중격 3mm의 타원형절제술.
2. 전번에 이갑개연골이식물을 채취하였기 때문에 이륜연(helical rim)의 지붕 아래에서 18×6mm의 복합조직이식물 채취(그림 4-10A, B).
3. 비익연절개술(alar rim incision) 후 절개창의 두측을 수직으로 벌린 다음, 복합조직이식술.

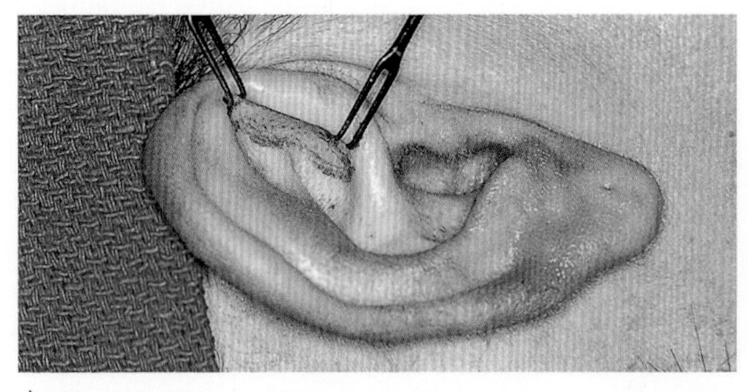

A

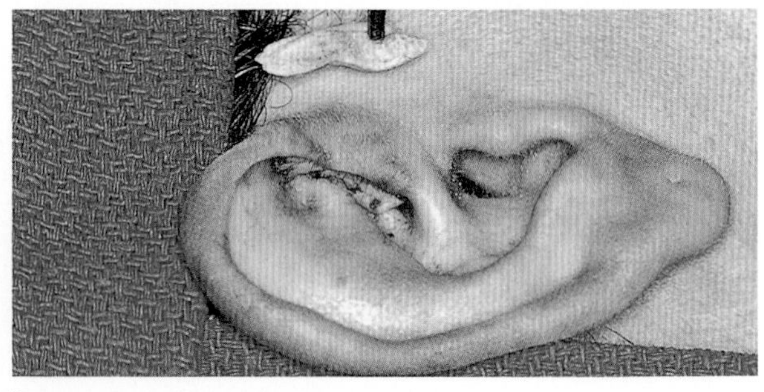

B

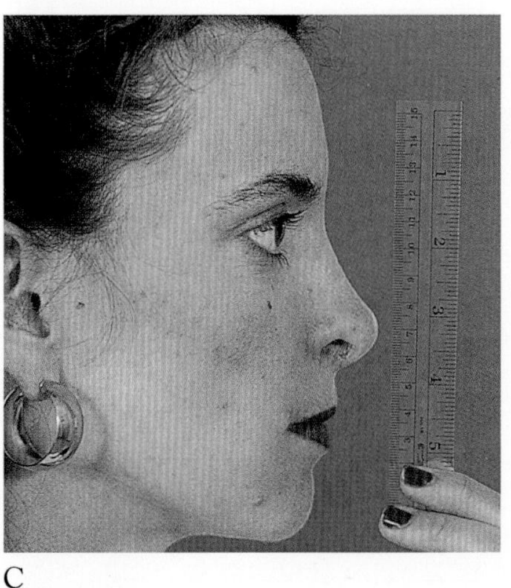

C

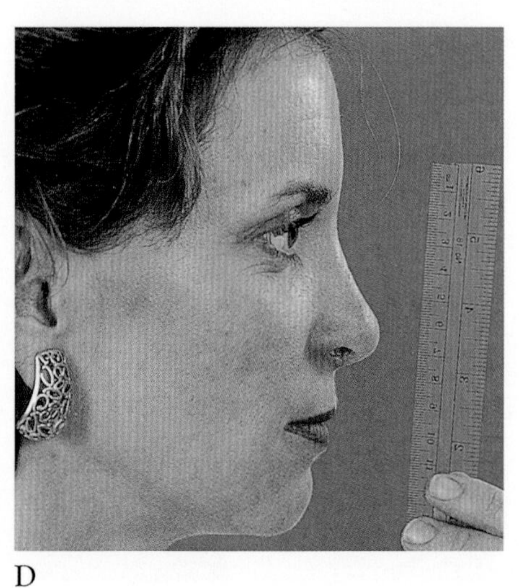

D

그림 4-10

## 비익저변형술 (Alar Base Modification)

비익저를 좁히는 방법과 절제술이 많이 있지만, 저자는 다음의 3가지 종류로 단순화 하였다. 즉, 비공상절제술(nostril sill excision), 쐐기형비익절제술(alar wedge excision), 그리고 비공상 및 쐐기형비익 동시절제술(combined nostril sill/alar wedge excision). 이러한 수술은 기저변형술의 90% 이상을 포함하며, 후유증 없이 쉽게 할 수 있다. 몇 가지 기법의 요점은 다음과 같다. 1) 술전에 적응증과 수술의 종류를 결정한다. 2) 술전에 비익주름을 표시하고, 모든 비익절개선을 주름보다 1mm 두측에서 한다(술자는 반흔을 만들며, 하나님만이 주름을 만들 수 있다. 즉, *절대로 주름을 절개하지 말라*). 3) 기저변형술을 시작하기 전에 모든 내비절개선을 봉합한다. 4) 국소마취제를 주사하기 전에 측경기(caliper)로써 모든 절제량을 신중하게 계측한다. 5) 98%의 경우에서, 양쪽에서 비슷한 수술을 한다. 단, 비대칭을 조정하기 위해서는 절제선의 크기만 다르게 한다. 6) 새 15번 수술도를 사용하며, 단구겸자(skin hook)의 견인 아래에서 모든 절개를 한다. 7) 비공상을 4-0 평장사로써 수평석상봉합하여서 절개선의 외번을 보장한다. 8) 피부는 6-0 나일론사로써 단속봉합을 하되, 깊게 봉합(deep suture)을 하지 않는다. 9) 환자는 술후 1주일에 발사할 때까지 봉합부를 세심하게 깨끗이 유지하여야 한다.

### 비공상절제술(Nostril Sill Excision)

비공상절제술은 비공상에 중심을 두며, 전면에서 '비공보임(nostril show)'을 감소시키기 위하여 고안되었다. 쐐기형 도안은 비공저(nostril floor)에서 수직으로 하는데, 외측으로 각이 지거나 쉼표형이어서는 안 된다[21]. 이 수술은 원래 쐐기형수직절제술(vertical wedge excision)로서, 절

Nostril Sill Excision

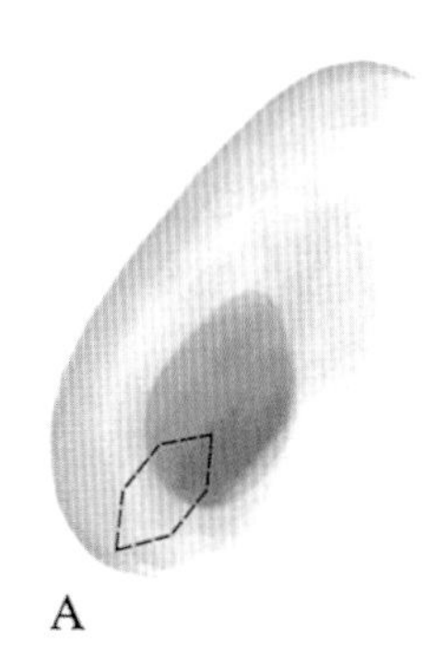
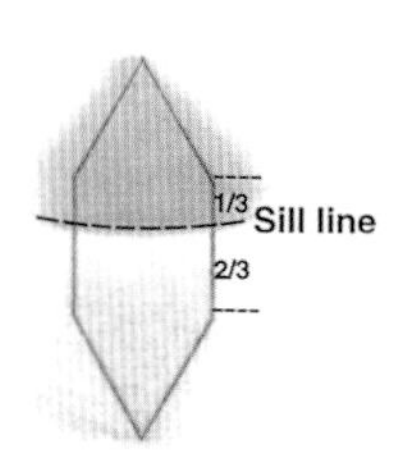


A

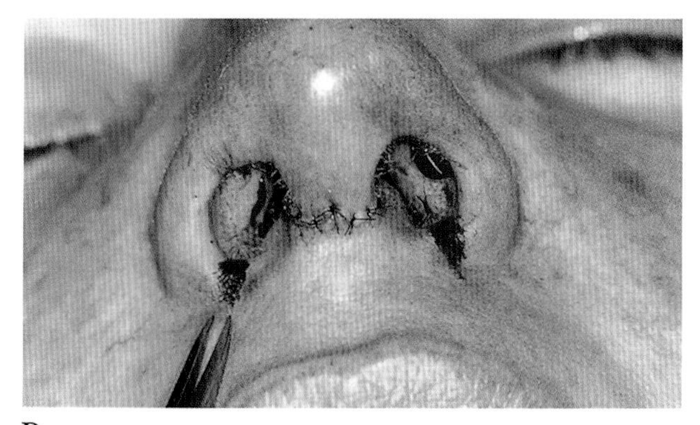

B

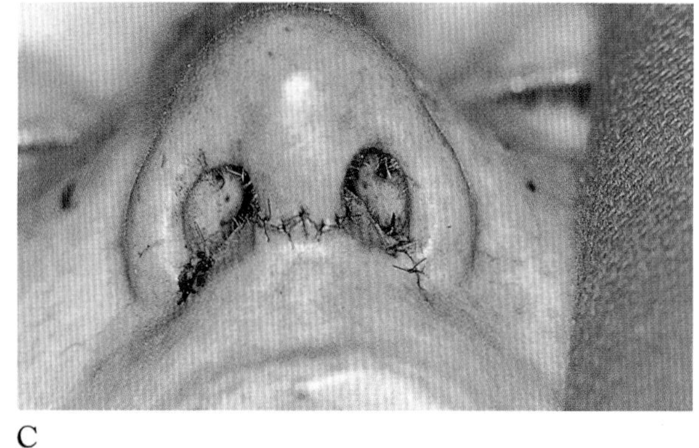

C

그림 4-11

제량은, 비공상에서는 2-4mm의 폭, 그리고 수직 비익측벽(vertical side wall)에서는 2-4mm의 높이로서 미측으로 점점 좁아지도록 한다. 비전정에서는 4-0 평장사로써 수평석상봉합술을 한 다음, 피부에서는 1, 2개의 6-0 나일론사를 사용한다.

## 쐐기형비익절제술(Alar Wedge Excision)

쐐기형비익절제술은 비익주름보다 1mm 두측에 미측 경계가 있고, 폭이 2-5mm인 타원형절제술인데(그림 4-12), 어떤 흑인 코에서는 폭이 7-9mm에 이르기도 한다. 쐐기형비익절제술은 비익장개(alar flare)를 감소시키기 위하여 고안되었다. 15번 수술도를 사용하여 V형절제술을 중간 근육층(mid-muscle)까지 하되, 아래에 놓인 비전정피부까지 지나지는 않는다. 소작이 필요하다. 타원형절제창의 양쪽 끝으로부터 중앙을 향하여 봉합하되, 매듭을 미측에 둔다. 주의: 저자는 반흔이 문제가 된 것을 보지 못하였으며, 비익저변형술을 제한하는 술자들에 동의하지 않는다.

Alar Wedge Excision

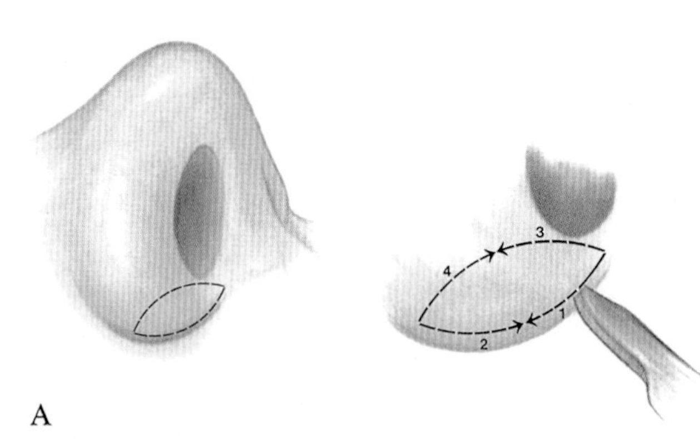


A

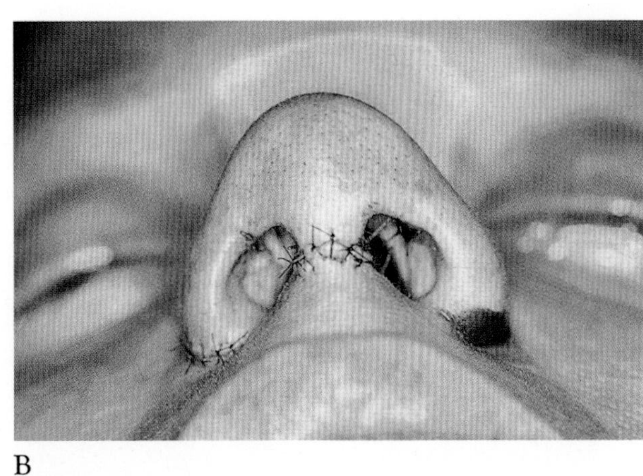

B

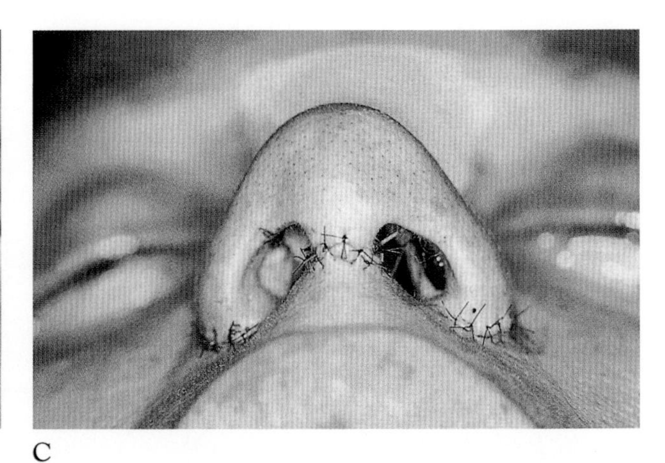

C

그림 4-12

## 비공상 및 비익 동시절제술(Combined Sill/Alar Excision)

이 절제술은 비익장개를 감소시키는 동시에 비익저를 최대한 좁히기 위하여 고안되었다 (그림 4-13). 쐐기형비익절제선의 미측 절제선이 돌아서 비공상절제선의 내측 수직 벽에 가도록 그린다. 그 다음, 측경기를 사용하여 비공상의 절제량을 계측한 다음, 비익의 절제량을 계측한다. 유규겸자의 견인 아래에서 비공상을 수직절제한 다음, 미측 비익절개를 한 뒤 마지막으로 두측의 쐐기형절개술을 한다. 소작한 다음, 비공상을 봉합하는데, 우선 4-0 평장사로써 봉합한 다음 나머지는 6-0 나일론사를 사용한다. 주의: 저자는 절제량을 표시할 때, 비공상절제량을 앞에, 그리고 비익절제량을 뒤에 표시한다. 그러므로 3/4 절제술이란 3mm의 비공상절제술과 4mm의 쐐기형비익절제술을 나타낸다.

## 비익봉양변법(Modified Alar Cinch)

비익봉양술(alar cinch)은 비익저를 최대한 좁히기 위하여 고안되었다. 저자는 Millard[18]의 비익봉양술을 다음의 2가지 이유에서 변형하였다. 1) 비주 뒤에 조직을 추가할 때에는 이식술이 가장 좋다. 2) 비익저의 비대칭이 생길 수 있기 때문에 각각의 비익저를 따로 조정하는 게 더 낫다[4]. 원래의 비공상 및 비익 동시절제선을 그리고, 비공상절제 부분을 '탈상피화(de-epithelialization)' 한다. 그 다음, 비공상절제 부분을 3면에서 수직 절개하여 외측기저피판(lateral base flap)을 만든다. 그 다음, 미측 비익절개를 하고 외측의 부착을 박리함으로써 비익을 유리시킨다. 그 다음, 전비극을 향하여 내측으로 포켓을 만든다. 짧은 cord의 봉합침과 4-0 나일론사를 사용하여 내측 골막을 관통시킨 다음, 비공상피판을 내측으로 봉합한다.

## 비익저유리(Alar Base Release)

비성형술을 배우는 학생으로서 저자는 Sheen의 교과서를 첫 장부터 끝 장까지 2번 읽었는데, 그의 비디오테이프를 우연히 보고서야 그의 비익저절제술의 '양면 개념(two surface concept)'을 놓친 것을 알아차렸다[24]. 그는 심한 증례들에서 비공상 및 비익 동시절제술을 할 때, 미측 비익절개로부터 비전정까지 모든 절개를 11번 수술도를 사용하였다. 두측 비익절개를 할 때, 비전정피부절제를 덜하거나(제 2형), 비전정피부절제와 같은 량을 절제한다(제 3형). 그 후, 저자는 이러한 전층절개술을 사용하고 있으며, 때때로 이차비성형술과 구순열비수술에서 유용함을 알게 되었다. 저자는 이 수술법을 원래 비익저를 '유리(release)' 시키기 위하여 사용하며, 외번된 축을 곧은 축으로 바꿀 수 있었다.

Combined Sill/Alar Excision

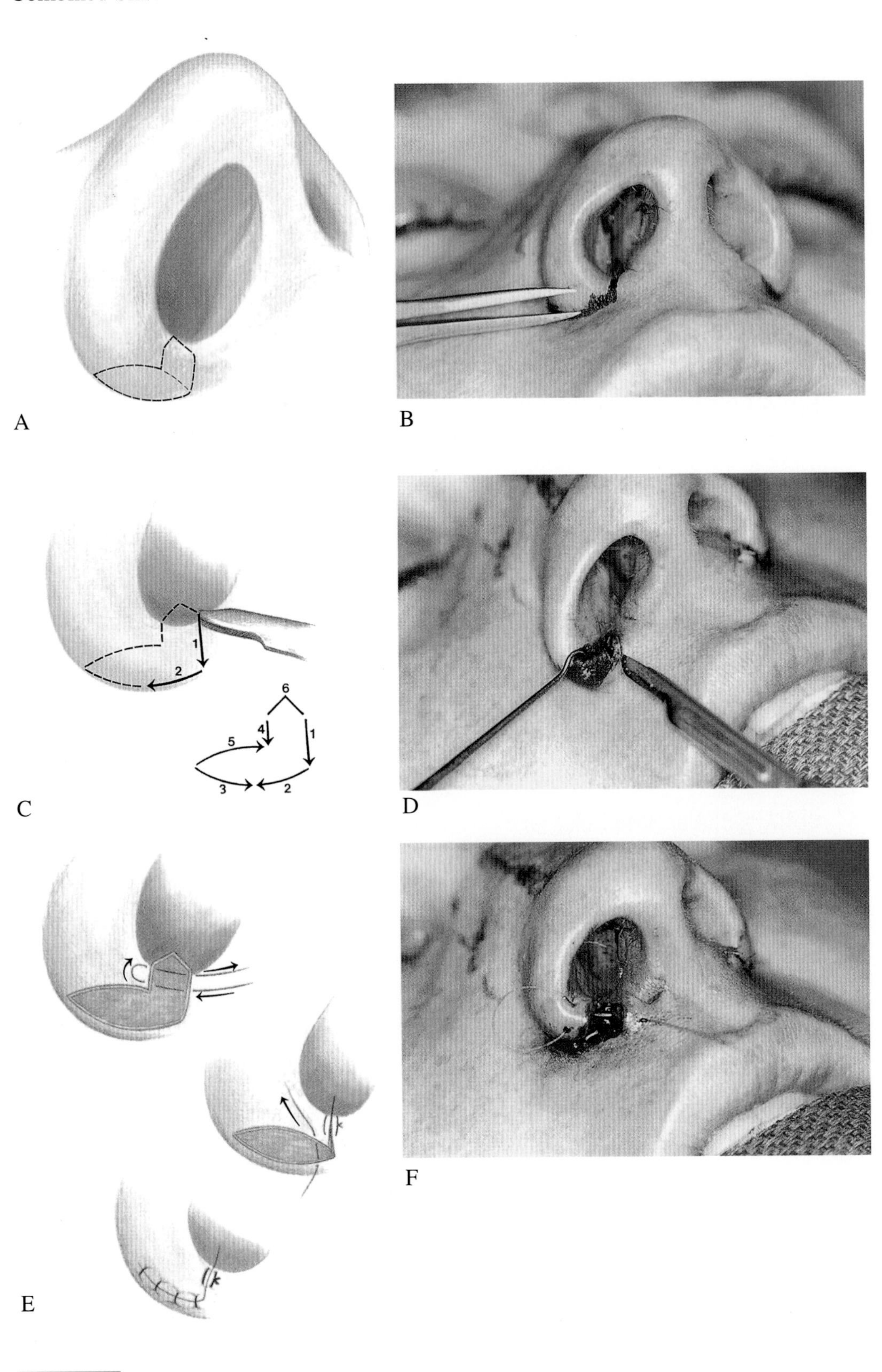


그림 4-13

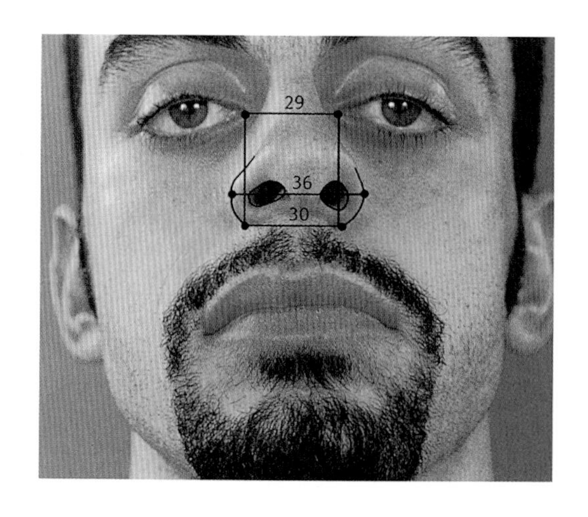


## 분석

24세의 남성으로서 코가 너무 크고 너무 굽었다고 말하였다. 분석 결과, 심한 비중격만곡(septal deviation)과 기저가 무거운 코를 나타내었다. 비공이 대단히 컸으며, 비익장개도 두드러졌다(AL-AL=36mm, EN-EN=29mm). 비중격바루기(septal straightening)가 비공 비대칭을 교정하는 데 중요할 것이다. 비공상 및 쐐기형비익 동시 절제술을 하였으며(그림 4-14), 수술 계획 전체는 392쪽에서 토론하였다.

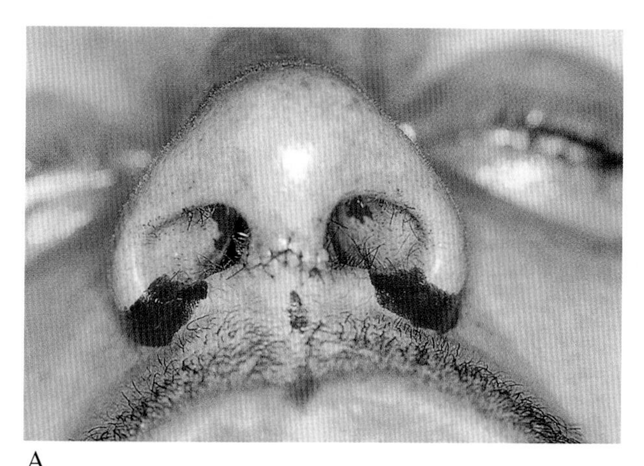
A

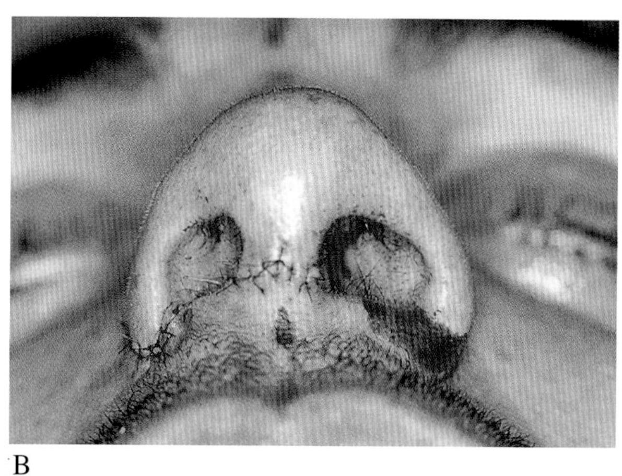
B

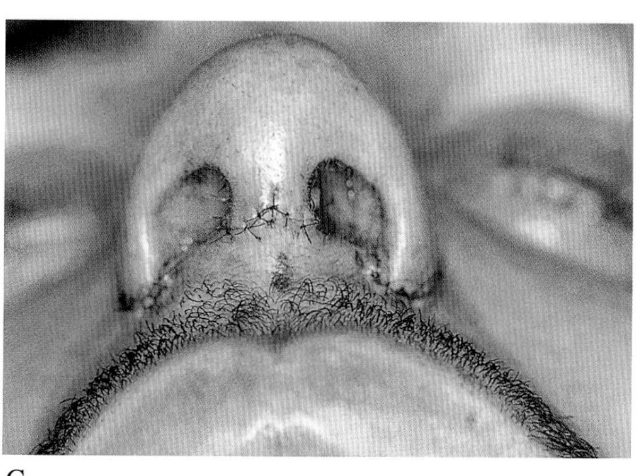
C

그림 4-14

## 외과 수기

1. 폐쇄 및 개방 비성형술로써 초기에 비배선을 정함.
2. 전체비중격성형술(total septoplasty)로써 미측비중격대체술(caudal septum replacement).
3. 비주지주에 비익연골을 현수(suspension).
4. 이중수준비대칭비절골술(double level asymmetric osteotomy). 모든 절개선의 봉합술.
5. 비공상(3mm) 및 비익(6mm) 동시절제술.

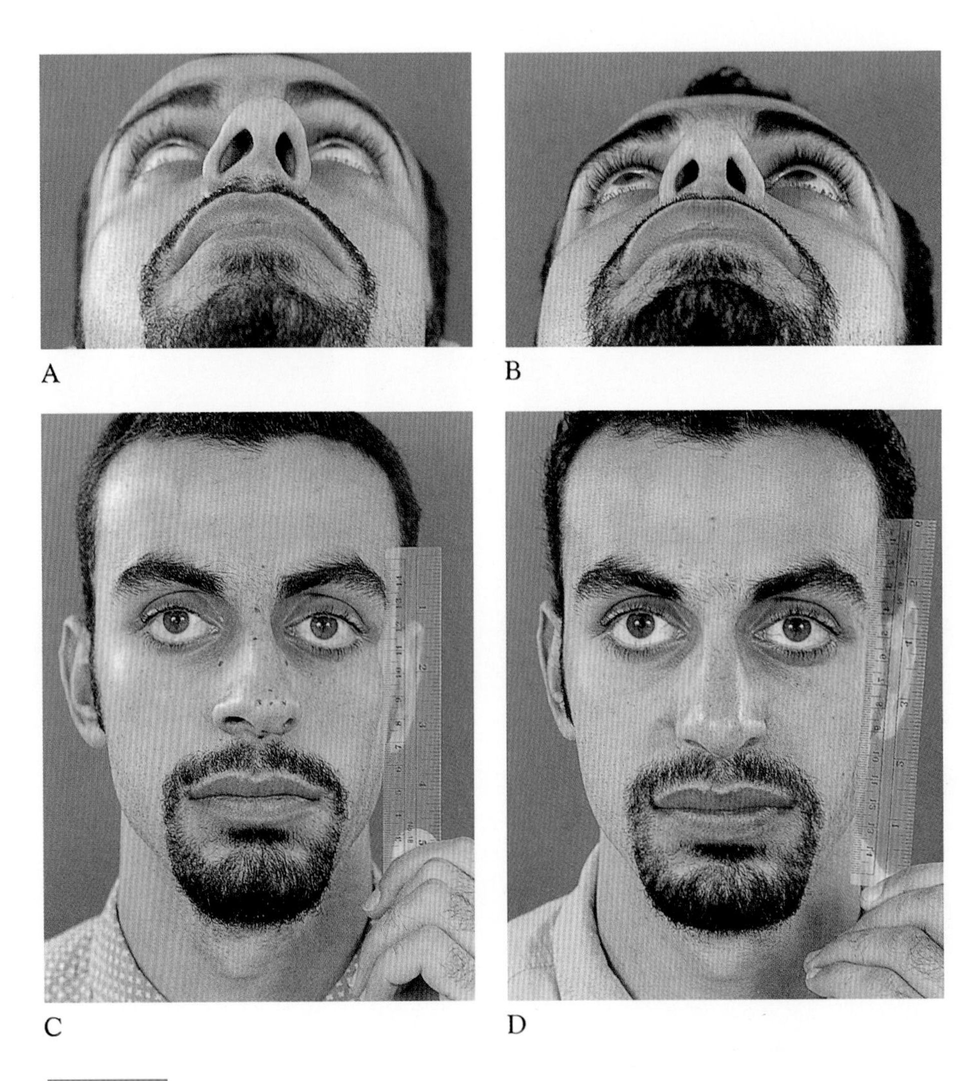

A B C D

그림 4-15

## 참고 문헌


1. Byrd HS, and Hobar C, Shewmake K. Augmentation of the craniofacial skeleton with porous hydroxyapatite granules. *Plast Reconstr Surg* 1993 ;91:15.
2. Crumley RL. Aesthetics and surgery of the nasal base. *Facial Plast Surg* 1988;5:135.
3. Daniel RK. Anatomy and aesthetics of the nasal tip. *Plast Reconstr Surg* 1992;89:216.
4. Daniel RK (ed). *Aesthetic Plastic Surgery: Rhinoplasty.* Boston: Little, Brown, 1993.
5. Daniel RK. Rhinoplasty: Nostril/tip disproportion. *Plast Reconstr Surg* 2001;107:1454.
6. Ellenbogen R. Alar rim lowering. *Plast Reconstr Surg* 1987;79:50.
7. Farkas LG, Hreczko TA, and Deutsch CC. Objective assessment of standard nostril types-A morphometric study. *Ann Plast Surg* 1983;11:381.
8. Farkas LG, Kolar JC, and Munro IR. Geography of the nose: A morphometric study. *Aesthetic Plast Surg* 1986;10:191.
9. Farkas LG, and Munro IR. *Anthropometric Facial Proportions in Medicine.* Springfield: Thomas, 1987.
10. Gunter JP, Rohrich RJ, and Friedman RM. Classification and correction of alar-columellar discrepancies in rhinoplasty. *Plast Reconstr Surg* 1996;97:643.
11. Guyuron B. Precision rhinoplasty. Part I: The role of life-size photographs and soft-tissue cephalometric analysis. *Plast Reconstr Surg* 1988;81:489. Part II: Prediction. *Plast Reconstr Surg* 1988;81:500.
12. Guyuron B. Alar rim deformities. *Plast Reconstr Surg* 2001;107:856.
13. Kamer FM, and McQuown SA. Revision rhinoplasty. *Arch Otolaryngol Head Neck Surg* 1988;114:257.
14. Lessard ML, and Daniel RK. Surgical anatomy of the nose. *Arch Otolaryngol Head Neck Surg* 1985;111:25.
15. Letourneau A, and Daniel RK. The superficial musculoaponecrotic system of the nose. *Plast Reconstr Surg* 1988;82:48.
16. Meyer R, and Kesselring WK. Secondary Rhinoplasty. In: Regnault P and Daniel RK (eds) *Aesthetic Plastic Surgery.* Boston: Little, Brown, 1984.
17. Millard DR. Alar margin sculpturing. *Plast Reconstr Surg* 1967;40:337.
18. Millard DR. The alar cinch in the flat, flaring nose. *Plast Reconstr Surg* 1980;65:669.
19. Natvig P, Setler LA, and Dingman RO. Skin abuts skin at the alar margin of the nose. *Ann Plast Surg* 1979;2:428.
20. Ortiz-Monasterio F, Olmedo A, and Oscoy LO. The use of cartilage grafts in primary aesthetic rhinoplasty. *Plast Reconstr Surg* 1981;67:597.
21. Peck GC. *Techniques in Aesthetic Rhinoplasty* (2nd ed.) Philadelphia: JB Lippincott, 1990.
22. Powell N, and Humphreys B. *Proportions of the Aesthetic Face.* New York: Thieme-Stratton, 1984.

23. Randall P. The direct approach to the "hanging columella." *Plast Reconstr Surg* 1974;53:544.

24. Sheen JH, and Sheen AP. *Aesthetic Rhinoplasty* (2nd ed.) St. Louis: Mosby, 1987.

25. Stoksted P, and Gutierrez C. Obtaining a gentle contour to the columella by modifying the maxillary spine. *Plast Reconstr Surg* 1981;68:689.

26. Tardy ME, Denneny J, and Fritsoh MH. The versatile cartilage autograph in reconstruction of the nose and face. *Laryngoscope* 1985;95:523.

27. Tardy ME Jr., and Toriumi D. Alar retraction: Composite graft correction. *Facial Plast Surg* 1989;6:101-107.

28. Tardy ME. *Rhinoplasty: The Art and the Science.* Philadelphia: Saunders, 1997.

29. Toriumi D. Alar base modification. *Arch Otolaryngol* 1997;123:802.

30. Webster RC, et al. Tip-Columella-Lip Aesthetic Surgery. In: Berman WE (ed) *Rhinoplastic Surgery. St.* Louis: Mosby, 1989.

# 기능적 요소 (Functional Factors) 5

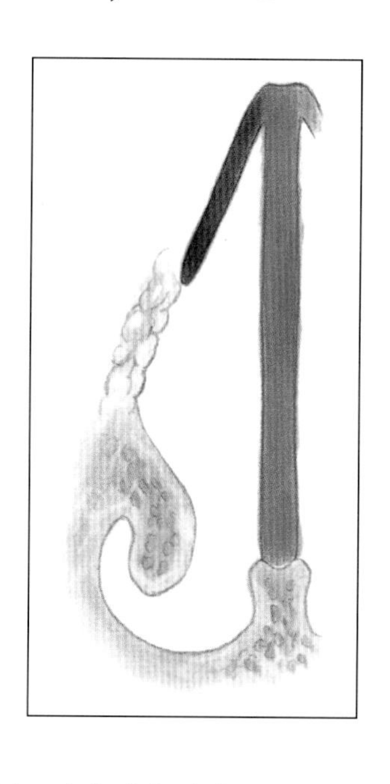

## 서론

비성형술을 전문으로 하는 성형외과의사로서 저자는 다음과 같은 2가지 환자 집단을 다룬다. 즉, 좀 더 매력적인 코를 원하는 미용비성형술 환자들로서 정상적으로 인식하고 있는 호흡을 유지하는 경우와, 코의 기능이 흔히 손상된 이차비성형술 환자들이다. 환자들의 문제점은 내과적 처치를 필요로 하는 혈관신경성비염(vasomotor rhinitis) 때문에 생기는 비폐쇄와 같은 좀 더 일반적인 형태보다는 대개 외과적 해결책을 필요로 하는 고착된 해부학적 변형이다. 이 장에서는 젊은 성형외과의사들에게 비성형술 환자들을 분석, 진단, 그리고 관리하는 기초를 제공하고자 한다. 목표는 정상적인 기능을 보존하고, 수술에 의하여 손상 받을 환자들을 알아내며, 그리고 고착된 해부학적 변형을 가진 환자들을 치료하는 것이다. 비성형술의 기능적 요소들을 다루는데 2가지의 큰 변화가 일어났다. 첫째, 해부학적 비폐쇄(anatomical nasal obstruction)는, 원인 부위가 흔히 다인적이어서 다원적 수술이 필요하다. 둘째, 비성형술 후 비폐쇄의 일차적 원인은 부적절한 비중격수술(1970년대)로부터 치료하지 않은 비갑개비대(turbinate hypertrophy)(1980년대)로, 그리고 비판막붕괴(nasal valve collapse)(1990년대)로 점진적으로 변화되었다. 비성형술 후 비폐쇄의 대부분이 수술의 결과인지, 아니면 술전 문제점을 적절하게 진단하고 치료하지 못해서인지를 심사숙고 하고 싶어진다. 신중한 술전 과거력 조사, 검사, 그리고 계획은 수술만큼이나 중요하다. 이 장에서 다루고 있는 외과 수기는 다소 과감하거나, 심지어는 급진적으로 보일지도 모른다. 그러나 이 외과 수기는 이차비성형술에서 나타나는 실패를 보고 치료하면서 개발한 것이다. 목표는 첫 번째 수술에서 구조적 붕괴의 위험을 최소화하면서 최고의 영구 교정을 달성하는 것이다.

비기도(nasal airway)의 해부학은 많은 교과서에서 상세하게 다루고 있다[8, 9, 14]. 그러므로 저자는 일반적인 해부학적 소견을 반복하기 보다는 몇 가지 유용한 관찰 결과를 소개하고자 한다.

## 비중격(Septum)

비중격은 사변형연골(quadrilateral cartilage)과 5개의 골(전악골, premaxilla; 상악골릉, crest of maxillary bone; 구개골릉, crest of palate bone; 서골, vomer; 그리고 사골수직판, perpendicular plate of ethmoid)로 이루어져 있다. 사변형연골의 크기, 두께, 그리고 구조는 대단히 다양하다. 저자는 대부분의 안장화(saddling)가 연약한 비중격연골에 과감한 기법을 사용함으로써 발생한다고 주장한다. 전비극과 전악골에서는 연골막 및 골막 섬유가 서로 얽혀 있기 때문에 박리하기가 쉽지 않다(그림 5-1). 왜 비중격의 이 부분을 노출시키기는 매우 힘들고, 서골에서 노출시키기는 매우 쉬운가? 비중격의 발생에 기초하여 설명할 수 있다. 사골의 수직판과 서골은 원기연골비중격(primordial cartilaginous septum)이 골화되어서 생기지만, 전악골은 별개의 분리된 골로서 성장과 치아 발생에 따라서 큰 변화를 겪기 때문이다[28]. '전악익(premaxillary wings)'은 전구개공(anterior palatine foramen)을 덮고 있어서 신경-혈관다발(neurovascular bundle)을 분열시킬 위험이 있으므로 광범위한 박리 후에 감각소실이나 심지어는 치아가 검어질 수 있다.

전악골-서골접합부 바로 두측부는 다음의 4가지 이유에서 독특하다. 1) 사변형연골이 이 곳에서 가장 얇다. 2) 연골의 미측 연장(caudal prolongation)이 여기에서 시작된다. 3) Jacobson 기관이 발생할 수 있다. 4) 중요한 성장점(growth center)이 존재할 수 있다. 전악골-서골구(premaxillary/vomerine groove)에 있는 비중격연골의 미측 5mm는 상당히 두꺼우며, '만곡(deflection)' 되면 구로부터 한쪽으로 빠져나올 수 있다. 사변형연골은 흔히 10-18mm 크기이며, '미측 연장' 됨으로써 서골과 사골을 분리한다. 이 미측 연장에서 변형이 흔히 두드러지며, 7-8mm 폭의 삼각형을 취할 수 있다. 절제술은, 비트는 동작(twisting motion)으로써 골을 부러뜨리면 사상판(cribriform plate)까지 이르는 수직판 전체가 심각하게 분열될 수 있으므로 이 보다는, 작고 날카로운 물림 겸자(biting forceps)를 사용하여야 한다. 비중격은 뚜렷하게 평탄한 면(smooth side)과 올라온 면(elevated side)을 갖고 있는데, 이는 비배이식물을 도안할 때 매우 중요하다. 연골막을 하나의 막으로 생각하지만, 이를 일으켜보면 여러 겹의 압축된 층으로 이루어진 것을 확인할 수 있다. 치과용 amalgam[14]을 사용하여 연골막거상술을 시작하면 경연골막박리(transperichondrial dissection)가 아니라 진성의 *연골막하박리(subperichondrial dissection)*를 쉽게 하게 해 준다. 경연골막박리는 대부분의 비중격천공의 원인이 될 수 있다.

## 코의 기능(Nasal Function)

코 생리학은 복잡한 주제이며, 훌륭하고 신중한 개관, 특히 Kern[18], Meredith [26], 그리고 Goldman[9]이 저술한 것들이 유용하다. 이 절은 과학적 관찰과 관련된 임상 질문들로 구성되어 있다.

### 전형적인 코의 기능은 무엇인가?

코는 환경과 하부 호흡계통 사이의 *중간면(interface)*으로서 역할을 한다. 이 통로를 지나면서 공기는 축축해지며, 따뜻해지고, 여과되고, 중화되며, 평가된다[19]. 이러한 기능 중 많은 부분을 점액섬모계(mucociliary system)가 수행하는데, 흡기에서 750ml의 수분을 더해주며, 또 비점막담요(nasomucosal blanket)에 250ml의 수분을 더해준다(가습, humidification)[1]. 이물질은 비모(vibrissae)에서 걸러진 다음(여과, filtration), 밖으로 분출되거나, 섬모(cilia)에 의하여 뒤로 이동된다. 또, 비점막담요는 miramidase와 분비성면역글로블린(secretory immunoglobulin) 둘 다를 포함하고 있어서 흡입된 박테리아와 바이러스들을 살균하는 것을 돕는다(보호 기능, protective function). 동시에, 코는 공기 전파된 알레르기항원(air-borne allergen)과 신체의 면역체계가 접촉하는 곳이다. 이러한 기능이 있으므로 환자의 알레르기에 대하여 물어보는 것이 중요하다. 특히 계절적 비폐쇄가 있는지 물어보아서 최고인 시기 동안에는 수술을 피하여야 한다. 하루에 250ml 정도인 정상적 분비량은 술후 극적으로 변한다. 분비는 계속 되는데도 섬모가 뒤로 몰아내지 못하는 일이 자주 있는데, 이것 때문에라도 술후 며칠 동안 '점적 거즈(drip pad)'를 사용할 필요가 있다. 또, 건조는 많은 환자들에서 중요한 문제이며, 술후 7-14일 동안 식염수 분무를 자주 사용함으로써 필요한 수분을 공급해 줄 수 있다.

### 정상적 비기류(Nasal Airflow)는 무엇인가?

흉부 확장으로 인하여 발생하는 대기와 비인두(nasopharynx) 사이의 음압 차이에 의하여 공기가 코 안으로 들어온다. 즉, DP=Patm/Pnp이다. Bridger[2]가 설명한대로, 공기는 비중격에 대하여 60도의 각도로 전비공(anterior nares)에 들어온다(그림 5-3). Cottle[7]은 이 기류가 비전정에 있는 '정류장치(baffle)'에 의하여 느려지고 쇠약해진다고 주장한다. 그 다음, 기류는 내골(os internum)로 들어가는데, 이 곳에서는 한 면이 0.32cm$^2$인 부위가 있어서 기류의 속도는 12.5L/분 또는 6.5m/초가 된다. 그 다음, 내비판막각과 하비갑개의 두부에 마주친다[4]. 기류가 계속되면서, 임계경벽압(臨界經壁壓, critical transmural pressure)에 도달하게 되면(DP), 기류는 일정하게 된다. 흡기 작용을 더 크게 하더라도 기류를 증가시키지 못하며, 오히려 Starling 저항기(resistor)로서 작용하는 기류제한분절(FLS: flow limiting segment)이 붕괴된다. 코와 Starling 저항기 둘 다는 반강체관(伴剛體管, semirigid tube)인 비통로(nasal passage)와 짧고 접을 수 있는 분절(collapsible segment)인 내비판막으로 이루어져 있다[23]. 다음의 몇 가지 요소들이 중요하다. 첫째, 비판막은 조용한 흡기 중에는 붕괴되지 않는다. 왜냐하면 연골지지가 경벽압과 Bernoulli 효과의 폐쇄력를 상쇄하기 때문이다[23]. 최대의 흡기 작용 중에는 비판막이 붕괴되며, 더 큰 기류를 얻기 위하여 입으로 숨을 쉬게 된다. 일단 공기가 내비판막을 통과하면, 단면적이 확장되며, 유속이 떨어진다. 대부분의 기류는 중비도(middle meatus)를 통과하며, 재채기할 때를 제외

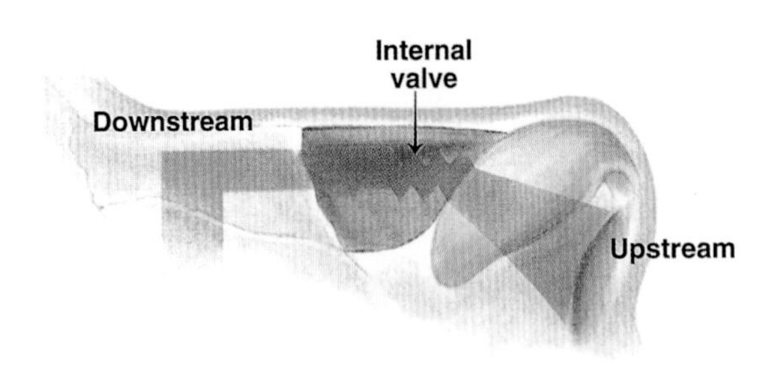


그림 5-3

하고는 제한된 기류만이 바닥과 후각 개열(olfactory cleft)을 따라 흐른다. McCafferey와 Kern의 비압력계(rhino-manometric) 연구[23]에서 다음이 증명되었다. 1) 환자로 하여금 비폐쇄라는 주관적 느낌을 갖게 하는 기초가 되는 신체적 요소는 $3cmH_2O/L/S$ 이상의 전체 비저항(nasal resistance)이다. 2) 일측비폐쇄는 $7cmH_2O/L/S$에서 발생한다. 3) 구조적 변형에 의한 비저항은 점막충혈에 의한 것과 원래 같은 것이다. 4) 비압력계측법(rhinomanometry)은 비폐쇄를 증명하는 객관적으로 증명하는 방법이다.

## 비주기(Nasal Cycle)는 무엇이며, 실제로 관련이 있는가?

비주기는 2개의 비통로(nasal passage) 사이에서 기류의 교류(alternating airflow)가 일어나는 것을 가리키며, 72-82%의 환자들에게서 발생하는 것으로 알려져 있다. 한쪽 통로가 충혈 되면 저항을 증가시켜서 기류가 감소된다. 반대쪽 통로에서는 점막내층(mucosal lining)이 수축하여 저항을 감소시키며 기류가 증가된다. 양쪽의 상호 작용의 차이는 20:80 비율까지 이를 수 있다. 개인차가 크기는 하지만, 비주기는 보통 한쪽에서 완성되는데 3-4시간 걸린다. 어떤 쪽이 막혔는지를 환자에게 물어보면 일부 환자들은 자신도 잘 모르거나, 계속 바뀌기 때문에 당황한다. 실제로는 양쪽 다 대부분의 시간 동안 조금 열려 있지만, 비주기의 절정에서 완전히 막히게 된다.

## '비폐쇄(Nasal Obstruction)' 란 무엇인가?

이 용어는 자주 사용되지만, 정의된 적이 거의 없다. 비폐쇄는 비저항의 증가와 연관되어 정상적 기능이 변경되는 것으로 생각할 수 있다. 과거력과 비경검사로써 진단할 수 있다. 해부학적 비폐쇄로부터 알레르기성비폐쇄를 구별하기 위해서는 비루(rhinorrhea)의 특성과 빈도뿐만 아니라 발병 시기, 지속 기간, 빈도, 그리고 악화 및 완화 요소들에 대한 질문이 중요하다. 동시에, 약물(특히 항고혈압제)의 사용, 환경 요소(흡연, 약물 오용), 그리고 전번의 외상이나 수술에도 세심한 주의를 기울여야 한다. 관련된 증상으로는 지속적이거나 간헐적인 코 막힘, 건조하고 상처 난 인두, 후비루(postnasal drip), 재발성양측부비강염(current bilateral sinusitis), 그리고 미각이나 후각의 변화가 있다. 비폐쇄의 원인은 염증, 종양, 외상, 발육, 내분비, 그리고 공기역학(aerodynamic)으로 분류된다. 비검사로서 외비만곡의 시진과 점막내층에 특별히 중점을 둔 철저한 내비검사가 필요하다. 비폐쇄를 일으키는 비특이성비염(nonspecific rhinitis)의 내과적 처치는 다음과 같다. 1) 환경 및 알레르기 요소들을 피한다. 2) 항히스타민제를 사용하는 대증요법을 한다. 3) 한정된 기간 동안 corticosteroid를 사용한다. 4) IgE매개성알레르기성비염(IgE-mediated allergic rhinitis)에 대해서는 cromolyn sodium을 사용한다.

## 비검사는 어떻게 하며, 무엇을 찾아보아야 하나?

상세한 과거력 조사를 마친 다음, 환자를 앉은 자세에서 검사한다. 저자는 다음과 같은 도구들을 사용한다. 1) 표준화된 검사지, 2) 섬유광학 헤드라이트(fiberoptic headlight), 3) Afrin 및 xylocaine 분무, 4) 비검경(nasal speculum)과 비익연 견인기(alar rim retractor), 5) 면봉 도포구(cotton tip applicator), 그리고 6) 사진 인화 가능한 내시경. 외비에서는 휴식기와 심흡기에서 반흔과 피부 상태뿐만 아니라 만곡, 변형, 그리고 역동적 붕괴(dynamic collapse)를 검사한다. 내비검사는 혈관수축 전, 후에 2단계로 양쪽에서 한다. 비검경보다는 구조물의 왜곡을 피할 수 있는 비익연 견인기를 사용하여 비공, 비전정과, 그리고 내비판막각(internal valve angle)을 검사하는 것이 중요하다. 내비판막각은 정상 및 심흡기에서 시진한다. 비갑개의 크기, 색깔, 그리고 표면 변화를 평가한다. 비중격은 전위, 만곡, 그리고 매복(impaction)을 평가한다. 점액뿐만 아니라 점막내층도 관찰한다. 소견을 기록한 다음, 코에 충혈완화제를 분무한다. 점막충혈의 효과를 없애도록 노력함으로써 점막 아래의 고착된 해부학적 변형을 밝혀내어야 한다. 점막충혈을 완화하면 후하부의 가시성도 향상된다. 내비검사를 반복하며, 내비의 수술 계획을 기록한다(그림 5-4).

**Septum**

CARTILAGINOUS

GRADE I-V

| | |
|---|---|
| **BODY** | |
| **CAUDAL** | |
| **DORSUM** | |
| **BONY DEFORMITY** | |

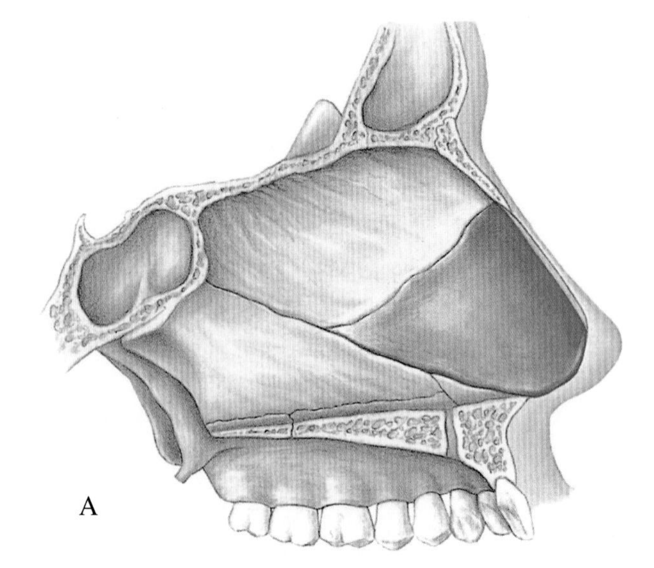

A

**Turbinates**

| GRADE I-IV | R | L |
|---|---|---|
| **ANTERIOR**<br>MUCOSA<br>BONE | | |
| **POSTERIOR**<br>MUCOSA<br>BONE | | |

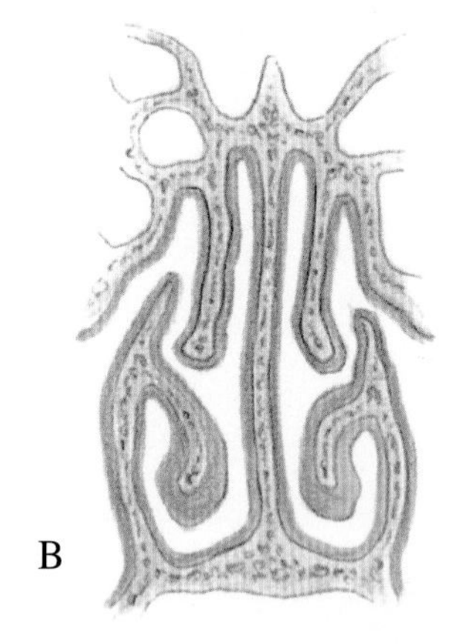

B

**Valves**

| | R | L |
|---|---|---|
| **NOSTRIL** | | |
| **VESTIBULAR** | | |
| **INTERNAL**<br>ANGLE<br>AREA | | |
| **BONY** | | |

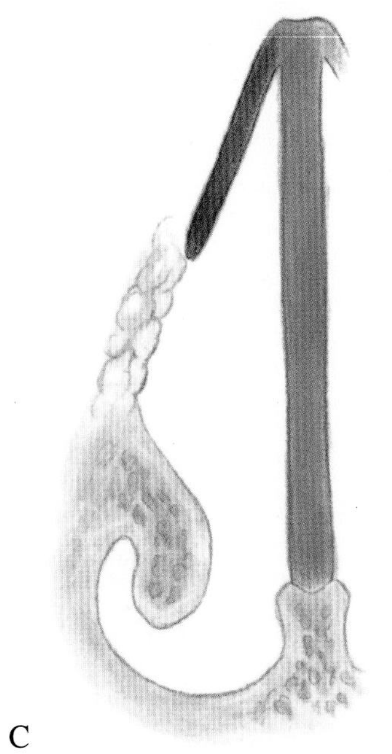

C

그림 5-4

### 술후비폐쇄(Postoperative Nasal Obstruction)를 최소화하기 위하여 무엇을 할 수 있을까?

이 질문에 대한 분명한 대답은 기존의 문제점들을 진단하고 확정한 다음, 바람직하지 않은 후유증을 최소화하는 수술을 계획하는 것이다. 만일 술전에 혈관운동성비염(vasomotor rhinitis)을 배제한다면 술후비폐쇄의 주된 원인은 교정하지 않은 비중격만곡, 비갑개비후, 및/또는 내비판막붕괴라고 생각할 수 있다. 비중격만곡은 술전 내비검사에서 분명히 진단하여 재배치술(relocation) 및 절제술 동시시행으로써 교정하여야 한다. 부분전하비갑개절제술(partial anterior inferior turbinectomy)은 심각한 술후 합병증 없이 비갑개비후를 교정할 수 있는 효과적인 방법이다. 내비판막붕괴는 술전에 원인이 될 만한 요소(좁은 중간원개, 짧은 비골)를 진단하고, 적절한 외과 수기(연전이식술, 적절한 내비절개술, 그리고 제한된 절제술과 절골술)를 사용함으로써 방지하여야 한다. 현재, 우리는 술후비폐쇄의 빈도가 낮아진 것과, 술후비폐쇄의 원인이 해부학적 요소들에서 점막의 상태로 변화하고 있음을 본다.

## 폐쇄비중격성형술 (Closed Septoplasty)

비중격수술에 대한 토론은 실제로는 Cottle[7]에 의하여 확립된 원칙의 변형이다. 이 절에서는 저자가 변형시킨 일반적인 Cottle의 비성형술을 개관한다. 비중격-비성형술(septorhinoplasty)에서 비배축소술이 비중격성형술에 언제나 선행함을 기억하여야 한다.

### 마취(Anesthesia)

Betadine 면봉으로써 내비를 철저히 소독한 다음, 점막을 통하여 연골막하에 1% xylocaine-epinephrine 1:100,000을 주사한다. 목표는 비중격의 연골부 및 골부 박리 둘 다를 쉽게 하게 하는 수력박리(hydraulic dissection)를 얻는 것이다. 또, 점막과 그 아래에 놓인 비중격의 질을 계속적으로 평가하여야 한다. 그 다음, 기도 전체의 점막내층에서 국소약제를 사용하여 혈관을 수축시킨다. 대부분의 술자는 4% cocaine이나 국소마취제, 보통 1% xylocaine-epinephrine 1:100,000 용액을 사용한다. 최근에, 일부 술자들이 Afrin을 사용하는데, 효과적이며, 특히 젊은 환자에서 전신적 심장 반응(systemic cardiac response)의 빈도를 감소시킨다. 일부 술자들이 신경외과수술용 cottonoid의 사용을 주장하지만, 저자는 46cm 길이, 1.3cm 폭의 거즈 조각 2장이 특히 만곡 된 비중격의 회선(回旋, convolution)에 더 잘 접촉하면서 좀 더 정확하게 충전 시킬 수 있음을 알게 되었다. 충전을 제거하면 특히 후부와 비배부에서 비중격변형을 좀 더 정확하게 평가할 수 있다. 복잡한 이차비성형술에서는 내시경적 평가가 흔히 도움이 된다.

## 노출(Exposure)

두 개의 넓은 양구겸자(double hook)를 사용하여 비익과 비주를 좌측으로 견인함으로써 미측 비중격을 노출시킨다(그림 5-5, 5-6). 우측의 미측 경계로부터 2-3mm 뒤에서 전체 길이로 수직 절개를 한다. 각진 Converse 조직가위를 사용하여 점막을 일으키고, 연골막하 공간으로 들어간다. 이 때 저자는 보통 15 수술도로써 그물눈(cross-hatch)을 그은 다음, 치과용 amalgam을 사용하여 연골막을 긁어 벗긴다[14]. 일단 연골막을 일으켰으면 연골 위로 후방으로 계속 박리하여 사골과 서골에 이른다. 미측으로의 박리는 이렇게 차단되지 않는 통로와는 달리, 연골-전악골접합부에서 막히는데, 이는 연골막과 골막이 만나는 접합근막(joint fascia) 때문이다. 미측으로 통과하려고 어떠한 시도를 하더라도 점막이 찢어지는 결과가 초래된다. 대부분의 증례에서 '전방터널(anterior tunnel)'을 통한 이 정도의 노출이면 충분하다. 그러나 전악골을 침범한 심한 변형이 있는 복잡한 증례에서는 전악골에 완전히 접근하기 위하여 '하부터널(inferior tunnel)'을 만들 필요가 있다(그림 5-9).

## 이동(Mobilization)

일단 첫 번째 면에서 점막을 완전히 일으키고 나면(그림 5-7A) 서골을 따라서 후하방으로 진행하여 골로부터 연골을 탈구(disarticulation)시킨다(그림 5-7B, C). 그 다음, 수직으로 올라가서 비배 쪽에 10-15mm를 남긴 채로 사골판으로부터 연골을 탈구시킨다. 그 다음, Cottle 거상기(elevator)의 편평한 끝을 사용하여 골비중격(사골판)을 반대쪽에서 노출시킨다(그림 5-7A). 특히, 반대쪽에서 골비중격의 점막을 일으킬 동안에 유연한 연골을 외측으로 밀어서 거상기를 골비중격에 바싹 붙일 수 있도록 해준다. 이렇게 반대쪽에서 점막을 일으키면서 연골을 일으키면 다음과 같은 2가지의 목표를 얻을 수 있다. 1) 골비중격에 접근하여 필요하면 절제술 가능, 2) 연골의 이동. 대부분의 증례에서 비공저(nasal floor)를 따라서 아탈구(subluxation)시킨 연골 및/또는 골을 이동시키고 적절히 절제하면 비중격의 재정렬이 가능하다.

## 골절제술(Bony Resection)

양쪽에서 점막-골막(mucoperiosteum)을 일으켰으면 이제는 작은 Takahashi 겸자를 사용하여 고착된 골변형의 절제술이 가능하다(그림 5-8, 5-10). 곧은 만곡(straight deflection)은 가능하면 언제든지 골절시켜서 정중선에 위치시킨다. 이러한 전방접근술(전방터널, anterior tunnel)은 대부분의 증례에서 사용되지만, 골만곡(bony deviation)이 좀 더 심하고 전악골까지 침범되었으면 '하부터널(inferior tunnel)'을 만들어야 한다.

비공저와 전상악골부에 다시 주사한 다음, 관통절개를 통하여 넣은 MacKenty 거상기를 사용하여 전비극과 이상구를 노출시킨다. 굽은 거상기로써 전악골을 덮고 있는 비전정점막내층을 일으킨 다음, 비공저를 따라서 후방으로 계속 일으킴으로써 '하부터널'을 만든다. 전악골을 쓸어올리면(sweep up), 골막과 연골막 사이의 접합근막(joint fascia)에 도달한다. 이 접합 근막은 64번 Beaver 수술도를 사용하여 전방에서 후방으로 조심스럽게 분리하여야 한다. 이제, 비중격은 한쪽에서 완전히 노출되었다. 만일 반대쪽 전악골의 노출이 필요하면 하부터널을 만들거나, 연골비중격(사변형연골)을 서골구(vomerine groove) 밖으로 이동시킨 다음, 두측에서 미측 방향으로 골막을 일으킨다. 점막을 갈가리 찢지 않고 하부터널을 일으키는 능력은 숙달해야 할 중요한 기술이다.

## 연골교정술(Cartilaginous Correction)

모든 비중격성형술의 중심은, 그 원칙이 연골 보존과, 한 쪽의 연골비중격에 점막-연골막을 붙이는 것이다. 후자는 혈액 공급과 구조적 조절(structural control) 둘 다를 보존하기 위함이다(그림 5-11, 5-12, 5-13). 연골의 곧은 만곡(deflection of straight septum)은 이동시켜서 정중선으로 되돌린다. 고착된 만곡은 다음의 방법을 포함하여 매우 다양한 기법으로써 치료하여 왔다. 1) 수직 및 수평 굴곡(vertical and horizontal angulation)에 대하여 쐐기형절제술, 2) 두꺼워지거나 각진 연골의 삭절제술(削切除術, shave excision), 3) 고착된 변형의 그물눈(cross-hatching) 또는 세분화(morselization), 그리고 4) 오목한 면에서 전층수직연골절개술(full-thickness longitudinal cartilaginous incision), 볼록한 면에서는 작은 삼각형연골절제술(triangular cartilaginous excision). 미측비중격만곡(deviation of caudal septum)은 이동시킨 다음, 전비극에 봉합고정술을 함으로써 흔히 교정한다. 일단 완성되었으면 5-0 평장사의 경비중격봉합술(transeptal suture)로써 점막편(mucosal leaflet)을 함께 봉합한다. 기도 충전은 필요하지 않다.

Exposure

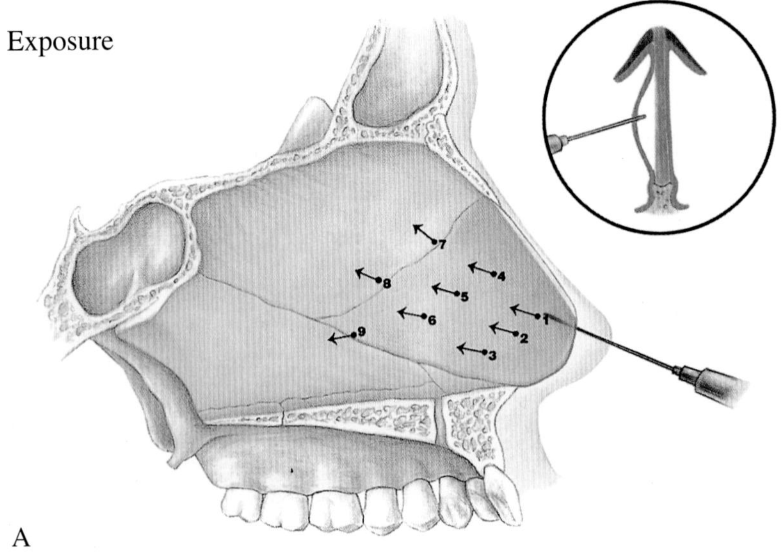


그림 5-5 A

Anterior Tunnel

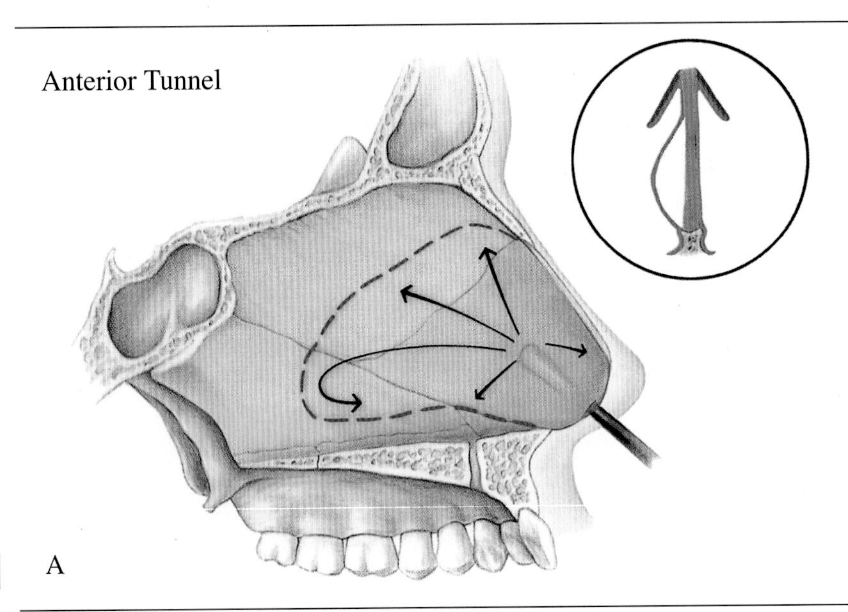

그림 5-6 A

Mobilization

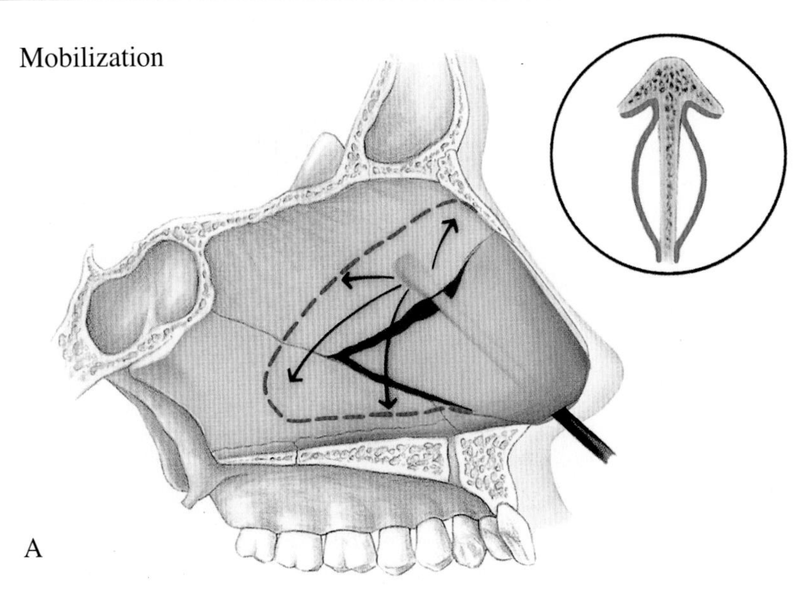

그림 5-7 A

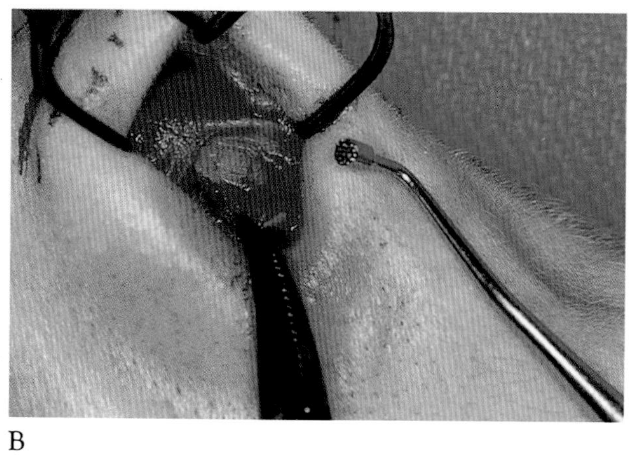

B

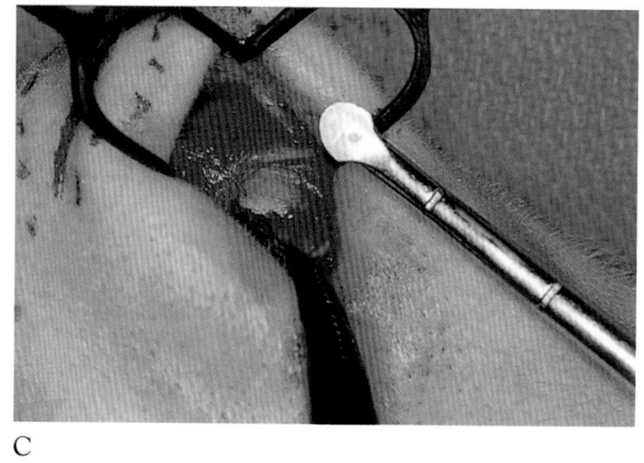

C

---

B

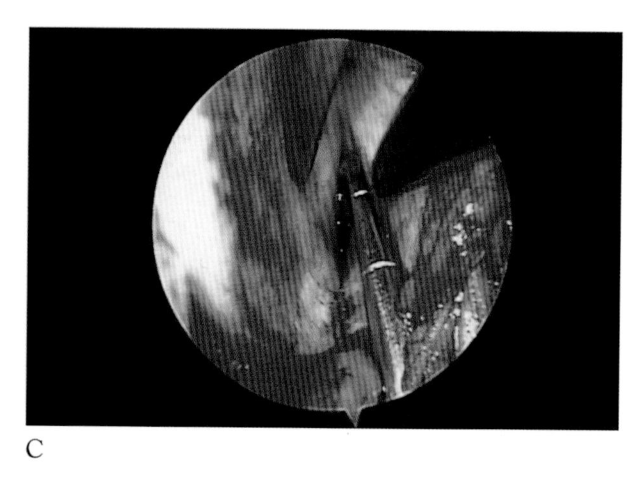

C

---

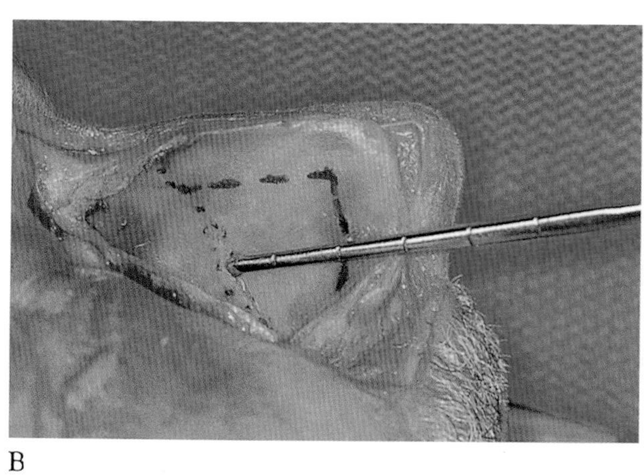

B

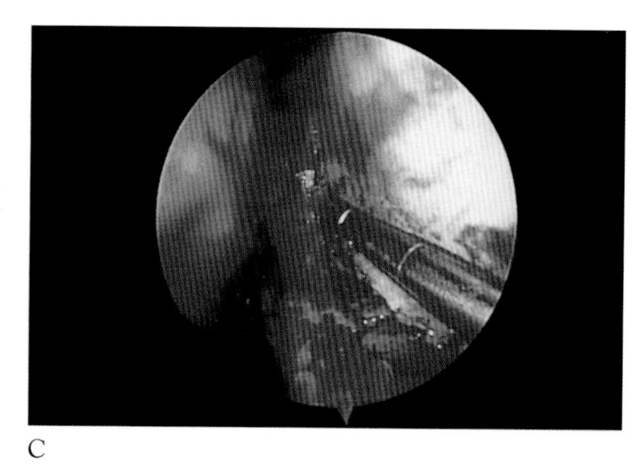

C

Bony Resection

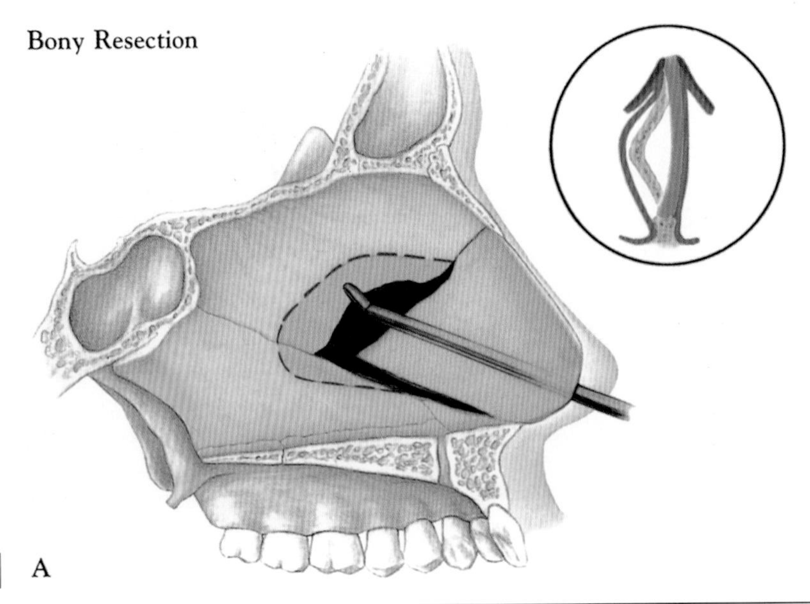

그림 5-8 A

Interior Tunnel

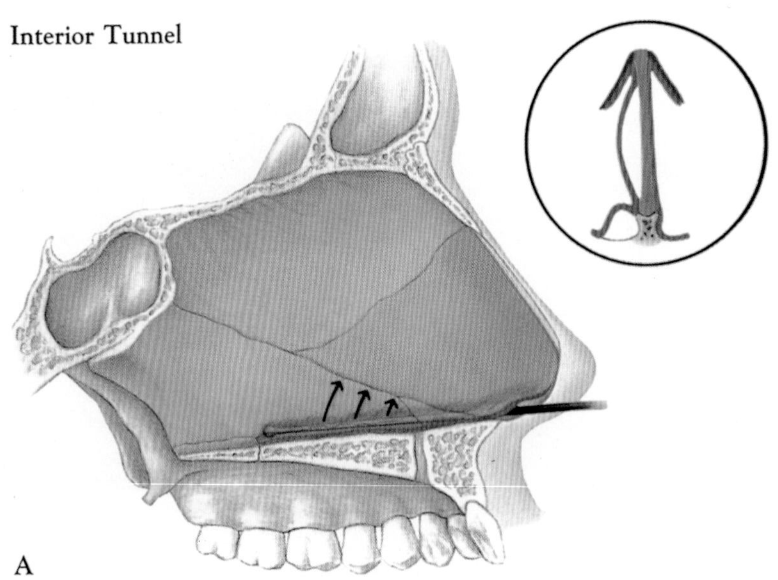

그림 5-9 A

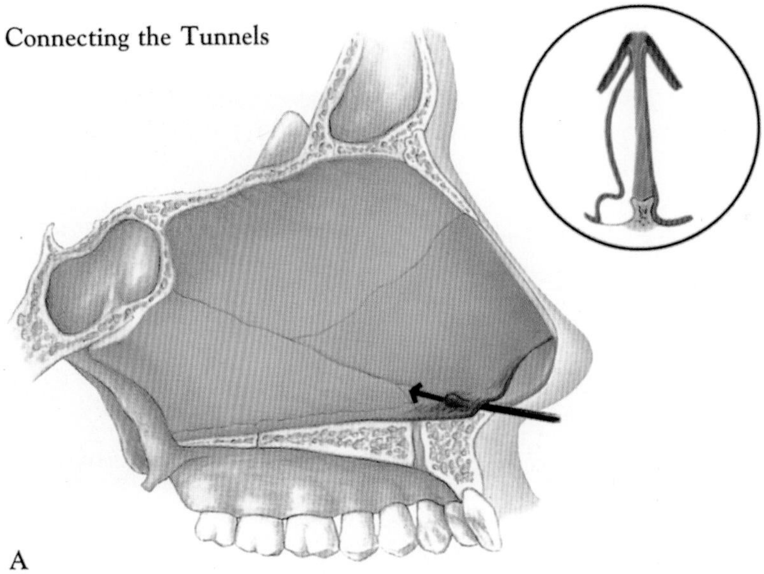

Connecting the Tunnels

그림 5-10 A

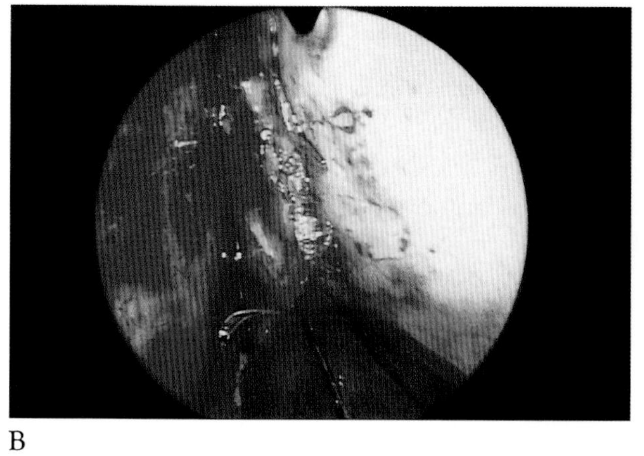

B

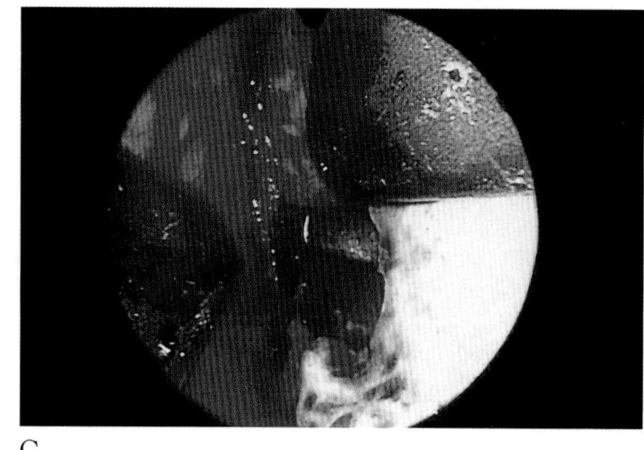

C

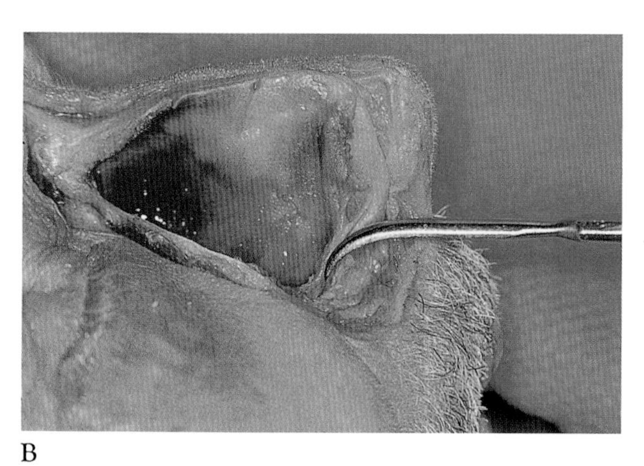

B

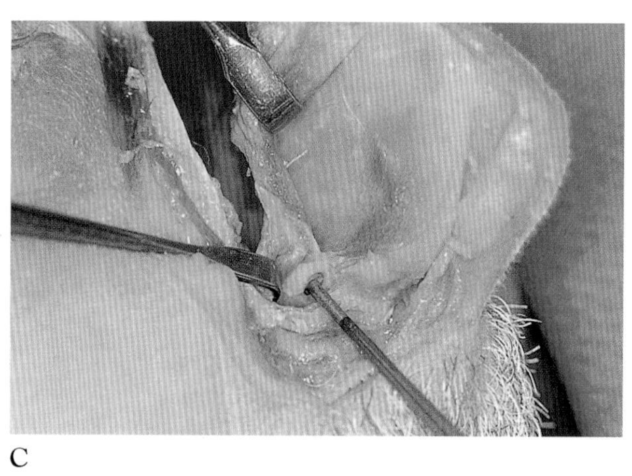

C

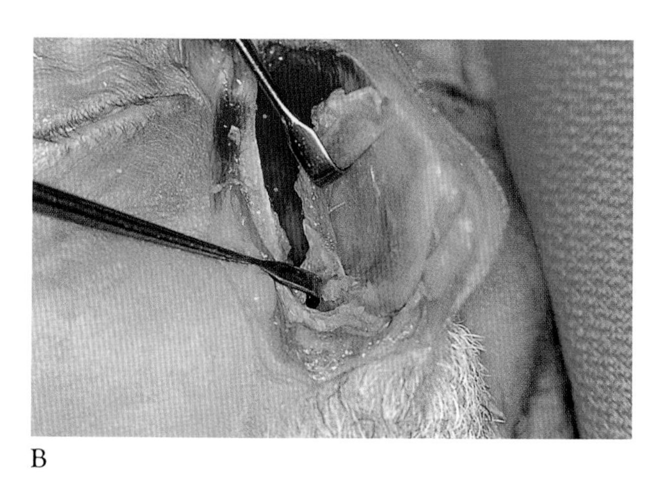

B

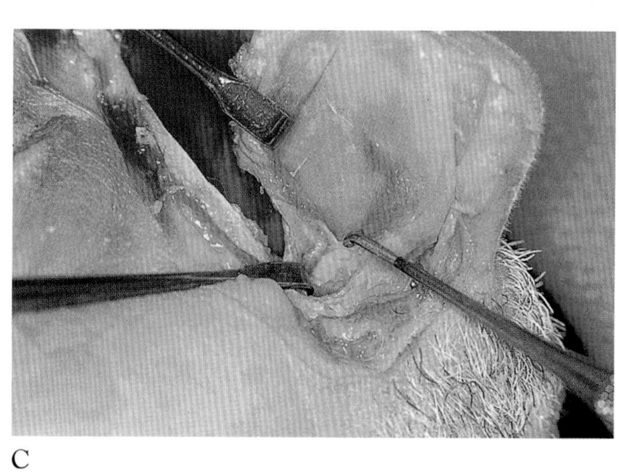

C

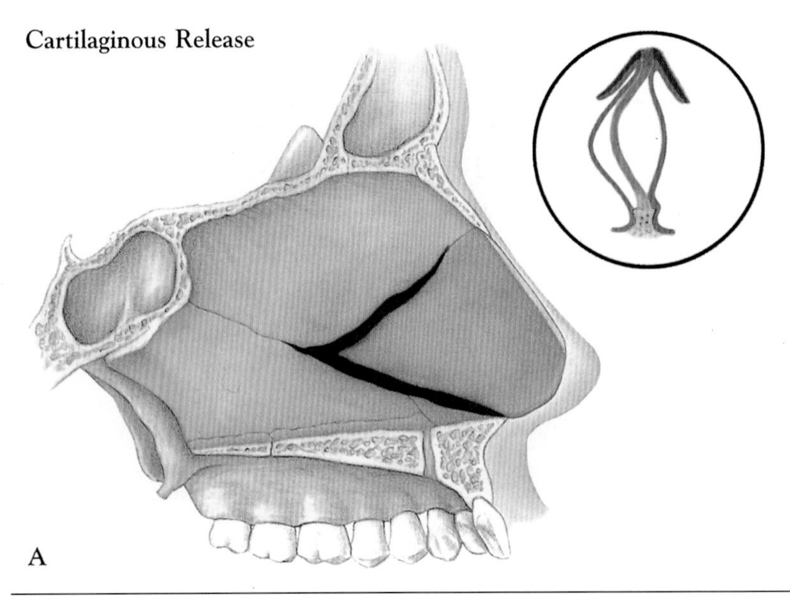


그림 5-11 A

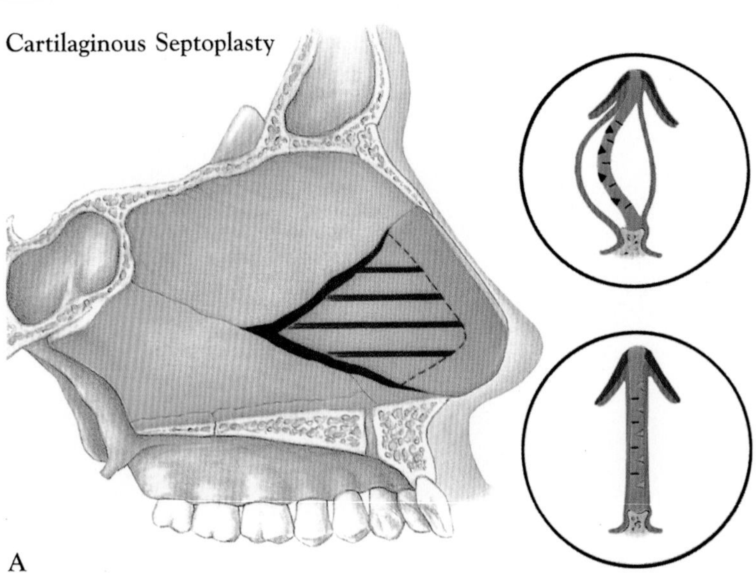


그림 5-12 A

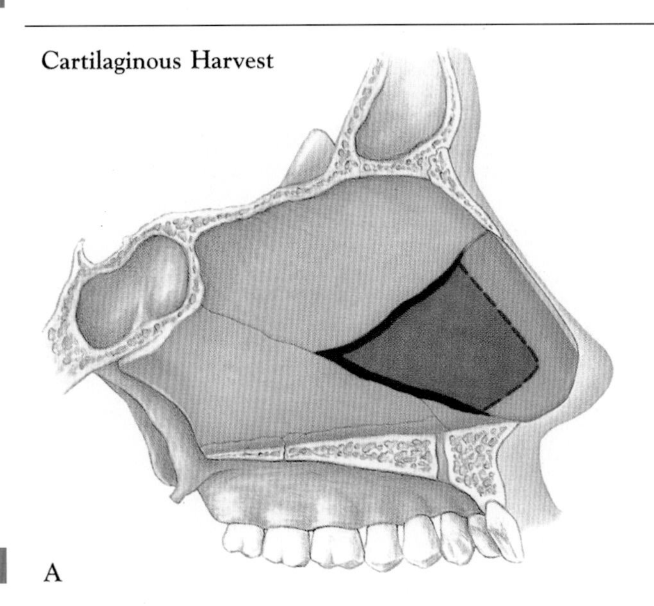


그림 5-13 A

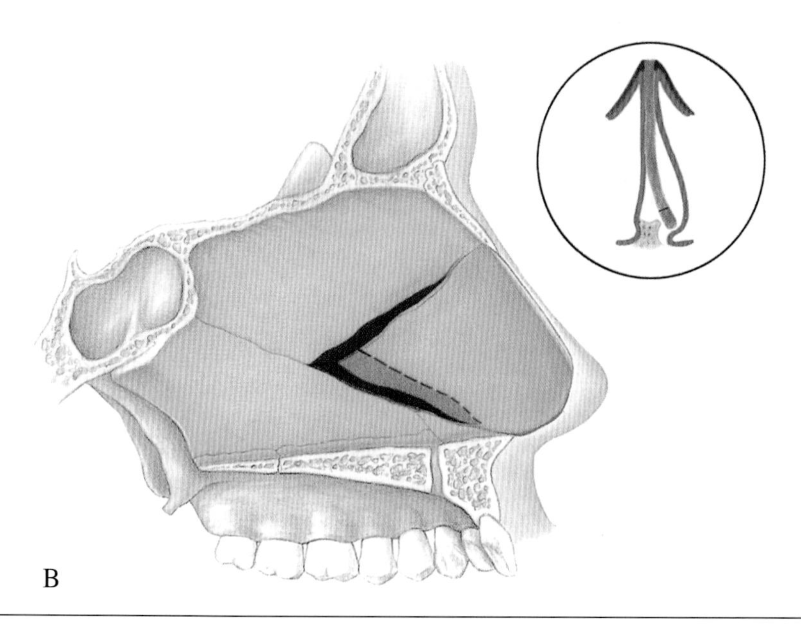

B

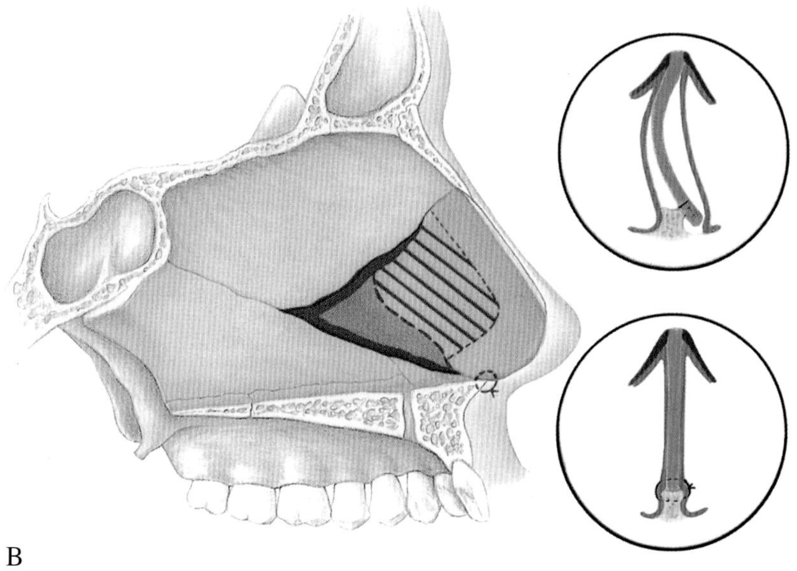

B

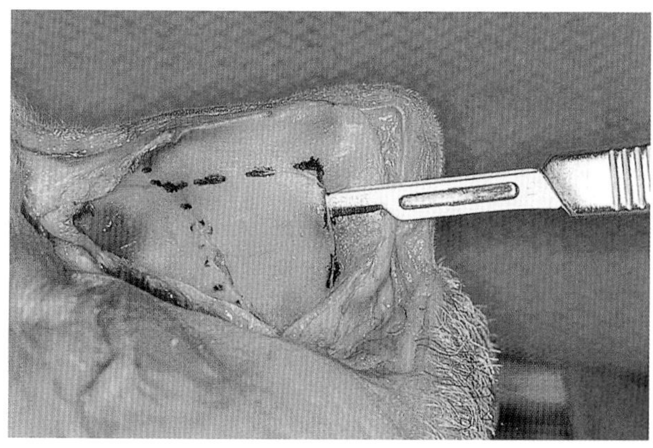

B

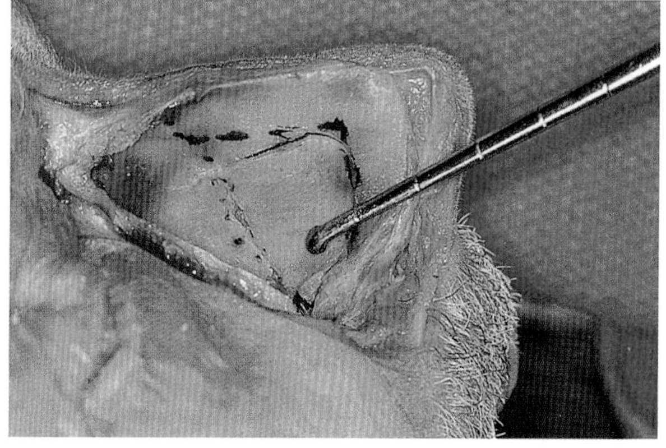

C

## 개방비중격성형술 (Open Septoplasty)

폐쇄비중격성형술보다 개방비중격성형술의 중요한 장점은 다양한 접근과 전체 노출이며, 따라서 특히 완전한 일 단계의 비중격-비성형술(septorhinoplasty)이 필요할 때 구조적 재건(structural reconstruction)을 하게 해준다. 국소마취제의 주사는 같으며, 비배축소술을 한 다음에 하는 비중격수술의 필요성도 전체적 목표와 마찬가지로 중요하다.

### 접근(Access)과 노출(Exposure)

최초의 비중격 접근은 두측에서 미측으로(top-down) 하는 *'비배분할술(dorsal split)'*을 통하여 상외측연골을 비중격으로부터 분리시켰다(그림 5-14A, B). 이 방법은 일차미용비성형술에서 흔히 사용되며, 이때 필요한 비중격연골채취술을 하면 비중격체(septal body)의 폐쇄부도 제거된다. 비배분할술은 비첨과 비주에서 비익연골을 분리하는 *'비첨분할술(tip split)'*과 동시에 할 수 있으며, 이것은 미측 비중격의 노출을 추가하므로 이의 교정이 가능하다. 이러한 *동시분할술(combined split)*은 점막이나 점막-피부 표면(mucocutaneous surface)에서 어떠한 내비절개술도 하지 않기 때문에 점막에 심한 반흔이 있거나 점막이 약할 때 비길 데 없이 가치가 있는 기법이다(그림 5-14C, D). 그러나 가장 자주 사용되는 방법은 *일측관통절개술과 비배분할술(unilateral transfixion with the dorsal split)*이며, 특히 이차비성형술에서 그러하다(그림 5-14E, F). 방법은 표준개방접근술을 하여 연조직외피(soft tissue envelope)를 일으킨다. 그 다음, 우측에서 일측관통절개술을 한다. 연골막하박리술을 양쪽에서 하고, 비배 아래에서 두측에 점막외터널(extramucosal tunnel)을 만든다. 그 다음, 비배에 주의를 기울인 상태에서 거상기를 관통절개부로부터 비중격 옆으로 미측 비중격을 따라서 비중격각(septal angle)까지 통과시킨 다음, 비중격각과 상외측연골의 부착부 사이의 8-10mm 간격을 따라 움직인다. 이차비성형술에서 알고 있는 것(미측 비중격)으로부터 모르는 것(심한 반흔이 있고 해부학 층이 분열된 비배)까지 이러한 연골막하박리술을 하면 조직을 파괴할 위험을 최소화하고 수술을 상당히 빨리 할 수 있다. 동시에, 관통절개술은 미측비중격 및 전비극복합체에 직접 접근하게 하며, 이 부위의 만곡의 외과적 교정을 쉽게 해준다. *최종 비중격 노출(ultimate septal exposure)*은 *'비첨전도술(鼻尖轉倒術, tip flip)'*로써 얻는다(그림 5-14G, H). 방법은 양측관통절개선으로 연장한 연골간절개술과, 경비주절개술과 비익연절개술을 하는 개방접근술을 결합한 것이다. 일단 연조직을 일으킨 다음, 비첨-소엽(tip lobule) 전체를 상구순 쪽으로 미측회전 시킬 수 있다. 비중격 끝에서 바로 시작하여 양쪽 기도를 직접 노출시킨다. 이렇게 완전히 노출시킴으로써 하부터널(inferior tunnel)의 형성이 크게 쉬워지며, 일단 전방터널과 하부터널 만들어지면 접합근막(joint fascia)의 직접 분리가 가능해진다.

Dorsal Split

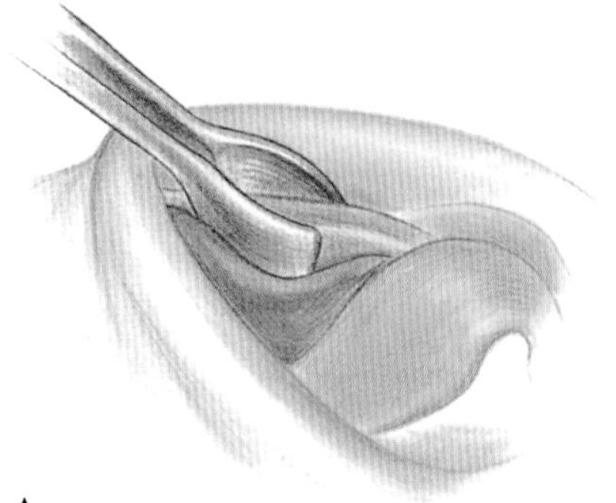

A

B

Combined Dorsal/Tip Split

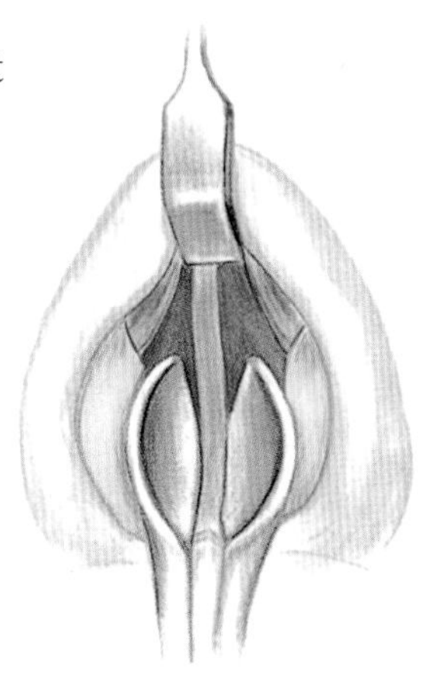

C

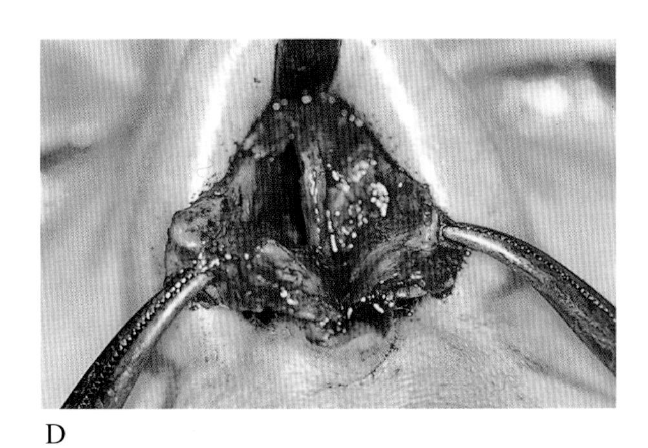

D

Dorsal Split/Hemitransfixion

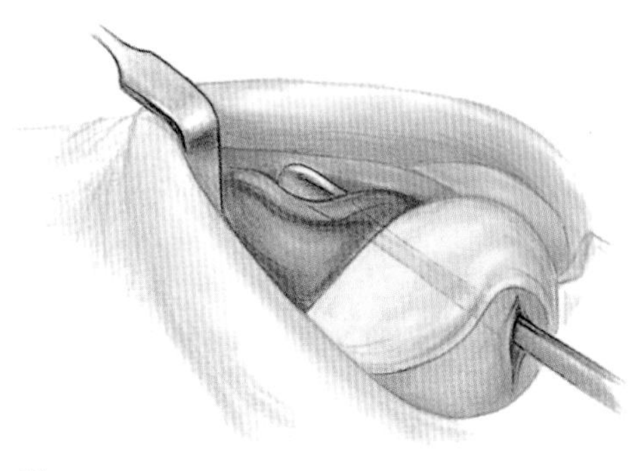

E

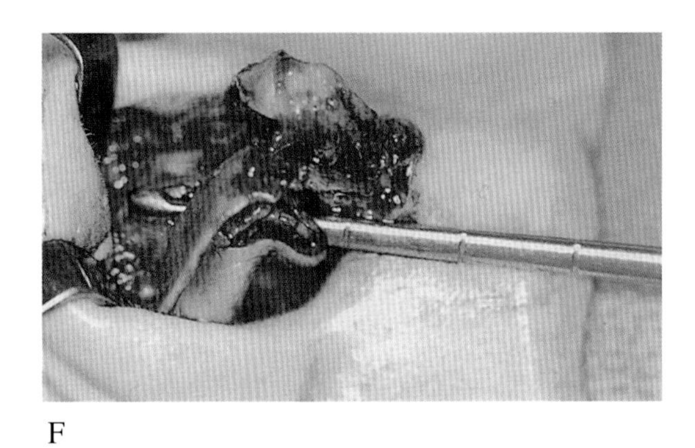

F

Tip Flip

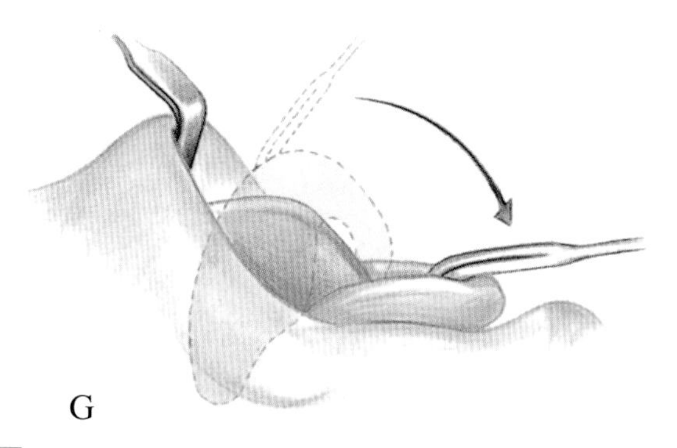

G

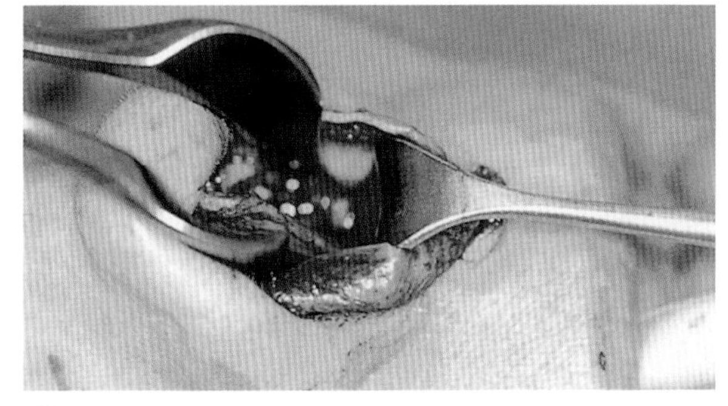

H

그림 5-14

## 전체구조재건술(Total Structural Reconstruction)

수년 동안, 비중격성형술에서 언급되지 않은 한계는, 수술 결과가 흔히 좀 더 곧아지긴 하였지만, 곧은 것은 희귀하였다는 것이며, 또 그 원인은 술자나 기법이 아니라, 연골이 '기억(memory)' 을 갖고 있기 때문이었다라는 것이다. 문제점이 복잡하면 할수록, 재수술도 더 필요하다. Jugo[16, 17]는 부분 및 전체 비중격재건술을 개척하고 완성하였으며, Toriumi[33]와 다른 학자들은 이러한 기법을 채택하였다. 손상되고 만곡 된 연골을 곧게 하는 효과 없는 방법들에 의존하기 보다는 해답은 이러한 연골을 떼어내고 곧은 자가연골이식물 조각으로써 교체하는 것이었다. 이러한 단순한 개념은 폐쇄접근술을 통하여 과거에도 사용하였지만 크게 어려웠으며, 진정한 구조적 교체(structural replacement)를 하기에는 부족하였다. 원래, 개방접근술은 다음을 가능하게 한다. 1) 미측 및 비중격 부위를 포함한 비중격변형 전체의 노출과 평가, 2) 술전에 정확한 수술 계획, 3) 교체물로서 L형지주 또는 연장L형지주(extended L-shape strut)와, 비주이식물 만들기, 그리고 4) 견고한 봉합고정술을 통한 구조적 교체. 교체하고 고정하는 가장 훌륭한 방법 중 하나는 '이중이동술(double shift)' 이다. 예를 들면, 미측 비중격(caudal septum)은 좌측으로 심하게 만곡 되었고, 비배측 비중격(dorsal septum)은 우측으로 만곡 되었다면, 교체 지주(replacement strut)의 비배부는 연전이식물로서 좌측에 이식하고, 교체 지주의 미측부는 전비극의 우측에서 봉합한다. 따라서 비중격은 원래의 폐쇄되었던 쪽으로부터 멀리 이동하게 된다. 이식물은 단단해야 할 뿐만 아니라 남아있는 비중격과 상외측연골 사이에서 여러 개의 4-0 PDS사로써 봉합하여야 하며, 필요에 따라서는 반대쪽에 연전이식술을 할 수도 있다. 비중격수술이 매우 다양한 것은 분명하며, 적응증에 맞는 기법만을 사용하여야 한다. 개방접근술은 대부분의 어려운 비중격수술에서 훌륭한 해결책을 제공한다.

## 비중격수술 (Septal Surgery)

최근에, Lawson과 Reino[20], Tardy[32], 그리고 Jugo[17]는 내비검사에 바탕을 둔 연골비중격 변형(cartilaginous septal deformity)의 분류법을 발표하였다. 이 분류법은 다음과 같다. 제 1등급: 비중격연골 하부가 서골구로부터 *아탈구(subluxation)*되며, 만곡 되면 돌기(spur) 형성을 동반한다. 제 2등급: 수평이나 수직 방향으로의 생긴 골절선 때문에 *중간비중격만곡(midseptal bowing)* 또는 *각상만곡(角狀彎曲, angulated deflection)*이 생겨서 일측비폐쇄를 초래한다. 제 3등급: 사변형연골(quadrilateral cartilage)이 서골구로부터, 그리고 미측 비중격이 전비극으로부터 아탈구 되어서 *선형만곡(linear deviation)*이 생긴다. 이때에는 비중격체(septal body)의 만곡이 있을 수도 없을 수도 있다. 제 4등급: 다발성각상변형(multiple angled deformity)과 비중격체의 아탈구가 *동시에* 발생되며, 대개 미측비중격만곡과 때로는 미측비중격변형이 동반된다. 제 5등급: 심한 *비중격만곡(twisted septum)*이 겉으로 *비배만곡(dorsal deviation)*으로 드러나며, 골원개변형이 동반된다. 골비중격변형(bony septal deformity)도 분명히 주의하여야 하는데, 중증의 문제점에서는 절제술을 하며, 좀 더 중간증의 문제점에서는 골절시켜서 정중선으로 되돌린다. 일단 비중격 문제점들을 분류하고 나면 다음과 같은 간단한 질문에 근거하여 수술 계획을 고안할 수 있다. 즉, 문제점이 특정 부위에 국한되어 있는지, 아니면 비중격지주(septal strut) 전체를 교체하여야 하는지? 이는 각 부위를 신중하게 분석함으로써, 그리고 마지못해 받아들이기는 하지만 외과적 대안(비중격 전체를 떼어내고 새로운 비중격지주를 만들 필요가 있는)을 고려함으로써 가능하다. 저자는 외과적 결정을 할 목적으로 비중격을 3부위로 나누며(체, body; 미측, caudal; 그리고 비배, dorsum), 각 부위에 하여야 할 것을 평가한 다음, 결과적으로 할 L형지주의 구조와 형태를 분석한다. 다시 한번 말하지만, 비중격수술은 독자적인 것이 아니라 관련된 기능적 수술(비판막과 비갑개)뿐만 아니라 비배축소술과 절골술을 포함하는 비성형술의 일부로서 흔히 이루어짐을 깨달아야 한다.

### 비중격체(Septal Body)

저자의 개인적 정의에 따라서, 비중격체는 L형지주(L-strut), 미부 L형지주(caudal L-strut), 그리고 비배부 L형지주(dorsal L-strut)를 제외한 전방 비중격(anterior septum) 전체 부위이다. 비중격체에서 나타나는 대부분의 개별적 문제점들은 제 1등급이나 제 2등급일 것이다. 이때에는, 일측관통절개술을 통한 폐쇄접근술을 흔히 사용한다. 저자는 Kilian 절개술을 선호하지 않는데, 이유는 노출이 한정적이며, 미측 비중격을 교정할 필요가 있을 때 추가 절개가 필요하기 때문이다.

**제 1등급.** 일단 절개하고 나면 각진 Converse 조직가위로써 비중격연골을 연골막하로 노출시킨다. 연골이 얼마나 깨끗하게 보이는지에 관계없이 저자는 15번 수술도로써 작은 십자형절개술(criss-cross incision)을 한 다음, 치과용 amalgam으로써 긁어 벗겨서 진성의 연골막하층을 확인할 것을 강력하게 권고한다[14]. 저자가 박리층을 수 없이 잘 못 찾은 것에 근거하면 대부분의 술자들이 연골막하층(subperichondrial plane)보다는 경연골막층(transperichondrial plane)으로 점막을 일으키고 있다고 확신한다. 연골을 긁어 벗기는데 2분이 더 걸리지만, 이렇게 함으로써 좋은 치유 능력을 가진 혈행이 좋은 점막이 보존되어서 비중격천공을 피하고 연골비중격을 산채로 유지하게 한다. 비중격연골채취술의 계획이 없는 제 1등급의 증례에서는 전방터널(anterior tunnel)을 통하여 오목한 면에서 점막의 미측 절반을 일으킨다. 특히, 아탈구 부위에서 수력박리를 얻기 위하여 추가적 국소마취제를 흔히 주사한다. 섬유광학 headlight와 2.5배 loupe의 사용이 필수적이다. 그 다음, 비중격체 중앙부에서 볼록한 면에 있는 점막을 전방으로부터 후방으로 일으킨다. 그 다음, 서골을 따라서 후방에서 전방으로, 수직 방향으로 아탈구 된 연골비중격으로 나온다. 접합근막섬유(conjoined fiber)의 방향 때문에 점막을 후방에서 전방으로, 그리고 바깥쪽으로 벗기는 것이 반대로 하는 것보다 더 안전하다. 저항에 부딪히면 박리를 중단하는데, 점막이 찢어질 위험이 크기 때문이다. 이 시점에서, 오목한 면에서 Cottle 거상기의 날카로운 둥근 끝을 서골구로 넣어서 서골구를 따라서 사변형연골을 이동시킨다. 이때 요령은 Cottle 거상기를 서골구를 가로 질러서 서골의 반대쪽으로 간 다음, 바로 골막 아래로 들어가서 하는 것이다. 이 층은 볼록한 면으로서 후방으로부터 중간비중격까지 이미 박리되어 있다. 이제 목표는 오목한 면으로부터 상악골에서 필요한 만큼 전방으로 연장시키는 것이다. 만일 전악익(premaxillary wing)이 침범되었으면 하부터널(inferior tunnel)이 필요한데, 이는 미측 비중격의 절에서 토론할 것이다. 대개 돌기(spur)는 연골부와 골부로 이루어져있는데, 4-5mm의 중복된 연골부는 직각 조직가위(right-angled scissors)로써 절제하지만, 골부에서 넓은 상악골부는 곧은 절골도로써 좁히며, 고착된 골 돌기(spur)는 Takahashi 겸자로써 제거할 필요가 있다. 저자는 점막편(mucosal leaflet)을 함께 봉합하지 않기 때문에 비중격 혈종이나 유착(synechiae) 형성을 방지하기 위하여 보통 내비부목을 댄다.

**제 2등급.** 각상만곡(角狀彎曲, angled deflection)에서는 먼저 서골까지 뒤로 이어진 전방터널(anterior tunnel)을 사용하여 오목한 면에서 점막을 일으킨다. 이러한 각상(angulation)은 대개 외상에 의한 골절선(약목비골절, 완전 또는 불완전골절)에 의한 것이다. 점막을 일으킴으로써 기능적 폐쇄의 범위와 정도를 좀 더 정확하게 평가할 수 있다. 만일 기능적으로 중요한 만곡 부위가 10mm의 비배부-미부 지주(dorsocaudal strut)를 남겨둔 채로 최소한 침범하였으면 직접절제술과 재정렬을 한다. 방법은 끝이 점점 좁아지는 쐐기형절제술(tapered wedge resection)을 보존적(각상 양쪽에서 2-4mm)으로 한 다음, 남아 있는 연골을 이동시키고, 봉합술로써 정렬시킨다. 만일 각상이 비배부-미부 지주(dorsocaudal strut)를 침범하였으면 저자는 개방접근술을 선호하는데, 중요한 L형지주를 분리하기 전에 반대쪽에 지지 지주(supporting strut)를 위치시킬 수 있게 해주기 때문이다. 중간비중격만곡(mid-septal bowing or buckling)은 사변형연골 안에 내재 굴곡(intrinsic curvature)이 있으며, 단순한 만곡이 아님을 의미한다. 이것이 그물눈(cross-hatching), 세분화(morselization), 띠절개술(strip incision) 또는 띠절제술(strip excision)로써 흔히 치료해왔던 바로 그 변형이다. 동시에, 문제점 교정에 실패하면 '연골의 기억(cartilage memory)'의 탓으로 돌리고 만다. 저자는 이러한 비효과적 방법을 반복하기보다는 변형된 연골의 절제술을 더 좋아하며, 절제해낸 연골을 연전이식물로서 흔히 재활용한다. Lawler와 Reino[23]는 폐쇄비중격성형술을 열심히 하였음에도 불구하고 다음과 같이 저자와 비슷한 결론에 이르렀다. 즉, "사변형연골판(quadrilateral plate)의 한 쪽에 두드러진 만곡이 있어서 일측비폐쇄가 초래되면,...저자들은 점막하절제술(submucous resection)이 폐쇄를 교정하는 가장 믿을 만한 방법임을 알았다." 이러한 증례에서 저자는 완전한 노출을 위하여 양쪽에 전방터널(anterior tunnel)을 만든 다음, 조심스럽게 연골절제술을 한다. 중증 변형에서는 비배부 지주(dorsal strut)의 미측 경계를 64번 Beaver 수술도로써 먼저 절개하는데, 적어도 10mm를 남긴다. 그 다음, 미부 지주(caudal strut)의 미측 경계를 서골구까지 절개할 때에도 적어도 10mm를 남긴다. 비배절개를 직각 조직가위로써 완성한 다음, 연골비중격을 서골구로부터 밖으로 이동시켜서 골접합부로 되돌려 놓는다. 그 다음, 곧은 Tebbetts 집게(grasper)를 사용하여 비중격을 회전시키지 않고 떼어낸다. 만일 회전시키면서 채취하면 완전히 분열될 위험이 있기 때문이다.

## 미측 비중격(Caudal Septum)

미측 비중격의 기능적 문제점들은 만곡과 변형이며, 절제술, 재배치술, 또는 교체술로써 치료할 수 있다.

*절제술(resection).* 상부의 미측 비중격은 일측관통절개술을 통하여 쉽게 노출시킬 수 있으며, 하부의 미측 비중격은 후방으로부터 전방으로 박리함으로써 완전히 노출시킬 수 있다. 접합부의 교차섬유(접합근막 섬유) 때문에 미측 비중격으로부터 전비극까지 미측으로 박리하기는 실제로 불가능하다. Joseph 거상기를 사용하여 전비극까지는 직접, 그리고 전비극 양쪽에서는 바깥쪽으로 박리한다. 환자에게 술후 4-6주 동안 상구순 거상과 미소가 약해질 수 있다고 경고해 주어야 한다. 일단 노출시키고 나면 계획한 치료의 유효성뿐만 아니라 변형을 평가하여야 한다. 어떠한 *경증 변형*(증례의 약 10%)에서는 미측비중격만곡이 원위부에 국한되어 있다. 만일 미학적으로 적응증이 되면 미측 비중격을 2-4mm 절제하고, 전비극을 적절히 개조(remodeling)하는 것으로써 충분하다. 이때, 미측비중격절제술에 의한 미학적 결과를 신중하게 평가하는 것이 필수적이다. 서투른 비중격성형술 후 일반적으로 예상할 수 있는 결과는 미측 비중격의 과대절제로서, 이는 처진 비첨(drooped tip), 곧게 계속되는 비주(straight unbroken columella), 그리고 지나치게 긴 상구순을 초래한다.

*재배치술(relocation).* 많은 방법들이 있기는 하지만, 대부분은 '회전문(swinging door)' 기법의 변형이다. 즉, 미측 비중격을 골 및 섬유 접합부로부터 유리시켜서 정중선으로 가져다 놓은 다음, 전비극에 봉합한다(그림 5-15). 이 방법은 다음의 3가지 요소를 주의할 때 매우 뛰어난 효과가 있다. 1) 미측 비중격을 완전히 유리시켜야 하며, 완전한 이동이 이루어져야 한다. 2) 전비극으로의 고정이 견고하여야 하며, 흔히 과대교정 한 위치에 두어야 한다. 3) 미측 비중격의 원래 구조를 절개술이나 절제술로써 손상시키지 않아야 한다.

**제 3등급.** 이러한 증례들에서는 비중격의 선형만곡(linear deviation)이 나타나는데, 여기에 전비극으로부터 미측 비중격의 아탈구(subluxation)와, 부수적으로 비중격체의 만곡이나 아탈구가 흔히 포함된다. 일측관통절개술을 사용하여 전방터널을 만든다. 그 다음, 관통절개부로부터 미측 비중격 전체를 노출시킨다. 아탈구 되거나 굽은 중앙비중격(central septum)을 절제하면 서골부에서 적절하게 이동시킬 수 있다. 또, 전비극을 완전히 노출시키고, 전악골에서 적절히 유리하는 것이 필요하다. 완전히 노출시켜야 하는 2가지 이유는 다음과 같다. 1) 뒤이은 외과 조작을 쉽게 하기 위하여, 그리고 2) 수축된 연조직외피(soft tissue envelope)의 억제력을 제거하기 위해서인데, 그렇지 않으면 미측 비중격이 만곡 된 위치에서 그대로 있을 수 있다. 중앙문치 사이의 정중선에 대한 연골만곡과 전비극만곡 둘 다를 평가하여야 한다. 전비극이 정중선에 있고 형태와 폭이 마음에 들면 미측 비중격연골의 기저를 접합근막(joint fascia)을 통하여 전비극으로부터 만곡 측으로 일단 유리시킨 다음, 다시 전악골구(premaxillary groove)를 따라서 되돌린다. 이러한 완전한 이동이 중요하며, 일단 미측 비중격을 반대쪽으로 가져다 놓을 수 있으면 완전한 이동을 얻을 수 있다. 즉, 회전문(swinging door)을 양쪽으로 모두 회전시킬 수 있어야 한다. 많은 술자들이 골막봉합술(periosteal suture)을 추천하기는 하지만, 저자는 전비극의 천공에 봉합하기를 더 좋아한다. 마찬가지로, 저자는 진성의 정중선에 고정하는 것도 선호하지 않는다. 왜냐하면 반대쪽 박리가 흔히 제한적이며, 따라서 연조직이 적절히 유리되지 않았음을 의미하기 때문이다. 고정시키지 않고 단순히 이동시키는 것도 부적절하다. 즉, 전비극에 고정하지 않으면 미측 비중격은 환자가 억지로 미소 지을 때마다 역동적으로 만곡 될 수 있다. 저자가 선호하는 방법은 Jost[13]의 것인데, 이 방법은 다음 사항들로 구성되어 있다(그림 5-15). 1) 미측 비중격을 반대쪽으로 가져올 수 있을 때까지 완전히 이동시킨다. 2) 전비극에 천공을 만든다(만일 전비극이 절제되었으면, 반대쪽 이상구연(pyriform edge)을 천공한다. 3) 4-0 PDS사로써 봉합하는데, 비만곡측(nondeviated side)에서 시작하여, 전비극을 통과하고, 비중격을 통과한 다음, 고리(loop)를 만들고, 비중격을 통하여 다시 들어간 다음, 4) 비만곡 측의 전비극에서 매듭을 짓는다. 완성하면 미측 비중격은 전비극의 비만곡 측에 견고히 고정되어야 한다.

*보강술(Reinforcement)과 교체술(replacement).* 미측 비중격의 원래 구조가 손상되었으면 보강술이나 교체술을 고려하여야 한다. 약화되었거나 조금 굽은 미측 비중격을 보강하기 위하여 중첩이식술(overlapping graft)이나 각진부목이식술(angled brace graft)을 사용할 수 있다. 이러한 이식술은 개방접근술을 통하여 가장 쉽게 할 수 있음은 분명하다. 중요한 부위에서는 이식물의 용적이 추가되는 것을 고려하여야 한다. 또, 환자도 신중하게 선택하여야 한다. 분명히 보강술은 위험이 가장 적으며, 일차비성형술에서 최선책이다. 교체술은 이차비성형술 특히, 미측 비중격의 원래 구조가 여러 가지 절개술과 절제술에 의하여 손상되었을 때 흔히 필요하다.

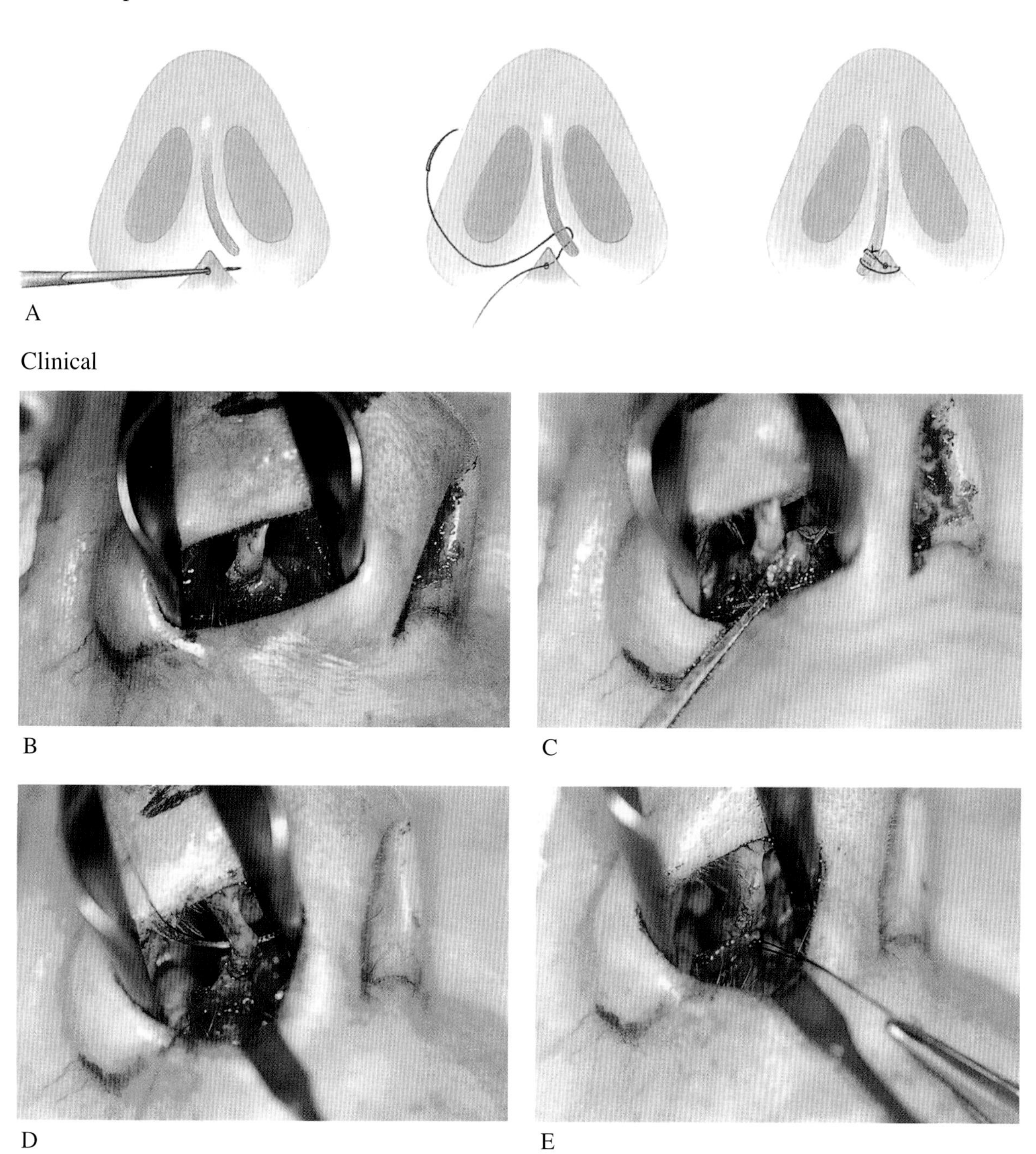


그림 5-15

## 비배(Dorsum)

비배의 일차적 문제점은 비대칭 또는 만곡이며, 해결책은 흔히 바루기(straightening), 부목대기(bracing), 또는 숨기기(concealing)이다. *경증* 문제점에서 비중격만곡은 폐쇄접근술이나 개방접근술을 통하여 교정한다. 상외측연골을 비중격으로부터 유리시킴으로써 비중격의 적절한 이동을 가능하게 한 다음, 비대칭연전이식술을 하는데, 이때 더 넓은 이식물을 오목한 쪽에 위치시킨다. 폭의 차이는 0.5-3.5mm 정도이며, 중간원개의 비대칭 때문에 상외측연골에 중첩이식술이 필요하다.

선형 또는 횡 만곡(linear or transverse deviation)의 *중간증* 문제점이 있으면 개방접근술을 선호하는데, 좀 더 정확하게 진단하고 접근에 제한을 받지 않게 하기 때문이다. 다시 말하지만, 비배축소술을 먼저 한 다음, 비중격체와 미측 비중격을 교정하여야 한다. 따라서 비배부 L형지주(dorsal L-strut) 바루기를 흔히 하게 된다.

*횡* 만곡 및 각상(*transverse* deviation/angulation)에서는 상외측연골을 비중격으로부터 분리하면 비배 각상(dorsal angulation)의 위치와 심한 정도를 평가할 수 있다. 연전이식물을 오목한 쪽에 위치시켜서 부목(brace)으로서 기능하도록 하며, 구조적 관계를 유지하도록 한다. 연전이식물을 만곡 아래, 위의 비중격에만 봉합한다(그림 5-16A-D). 그 다음, 각상은 가능하면 절개하고, 필요하면 절제한다. 이제, 비배가 곧아졌으면 연전이식물을 기존의 만곡 되었던 쪽에 위치시키고, 상외측연골, 연전이식물, 그리고 비중격을 합체시킨 5층의 '샌드위치'로서 봉합한다(그림 5-16E-H).

'비배 말림(dorsal curling)'을 초래하는 *선형* 만곡 및 각상(*linear* deviation/angulation)에서는 양쪽을 완전히 노출시키는 것이 중요하다. 비중격 상부가 말리기(curl) 시작하는 점을 신중하게 분석하여야 하며, 부목(brace)을 고정시키기에 충분한 곧은 비중격의 유무도 분석하여야 한다. 가능하면, 최소 폭(1mm)의 더 긴(6mm) 연전이식물을 볼록한 쪽에서 하부에 있는 곧은 비중격에 봉합하되, 만곡부를 넘어서 길게 연장한다. 그 다음, 비중격의 오목한 쪽에서 최대 굴곡 지점에서 세로로 V형절개술(V形切開術, v-incision)을 한다. 그 다음, 비배측 비중격을 연전이식물에 봉합함으로써 단단한 지지를 제공한다. 부목이 절개부를 가로 지르기 때문에 비슷한 연전이식물을 반대쪽에 위치시킨다.

의문의 여지없이, *중증*의 비배 만곡 및 분열(dorsal deviation/disruption)을 폐쇄접근술로써 교정하였을 때 실패하였다. 비배부 L형지주(dorsal L-strut)에 가한 수직절개술의 그림을 보기만 하여도 비효율성과 안장화(saddling)의 큰 위험을 깨달을 수 있을 것이다. 또, 위장이식술(camouflage graft)에 의존하는 것과 이차비성형술이 필요한 것도 이 수술의 실패를 확증한다. 교체술이 분명한 해결책이며, 개방접근술을 통한 전체비중격성형술(total septoplasty)이 해답이다.

Dorsal Stabilization

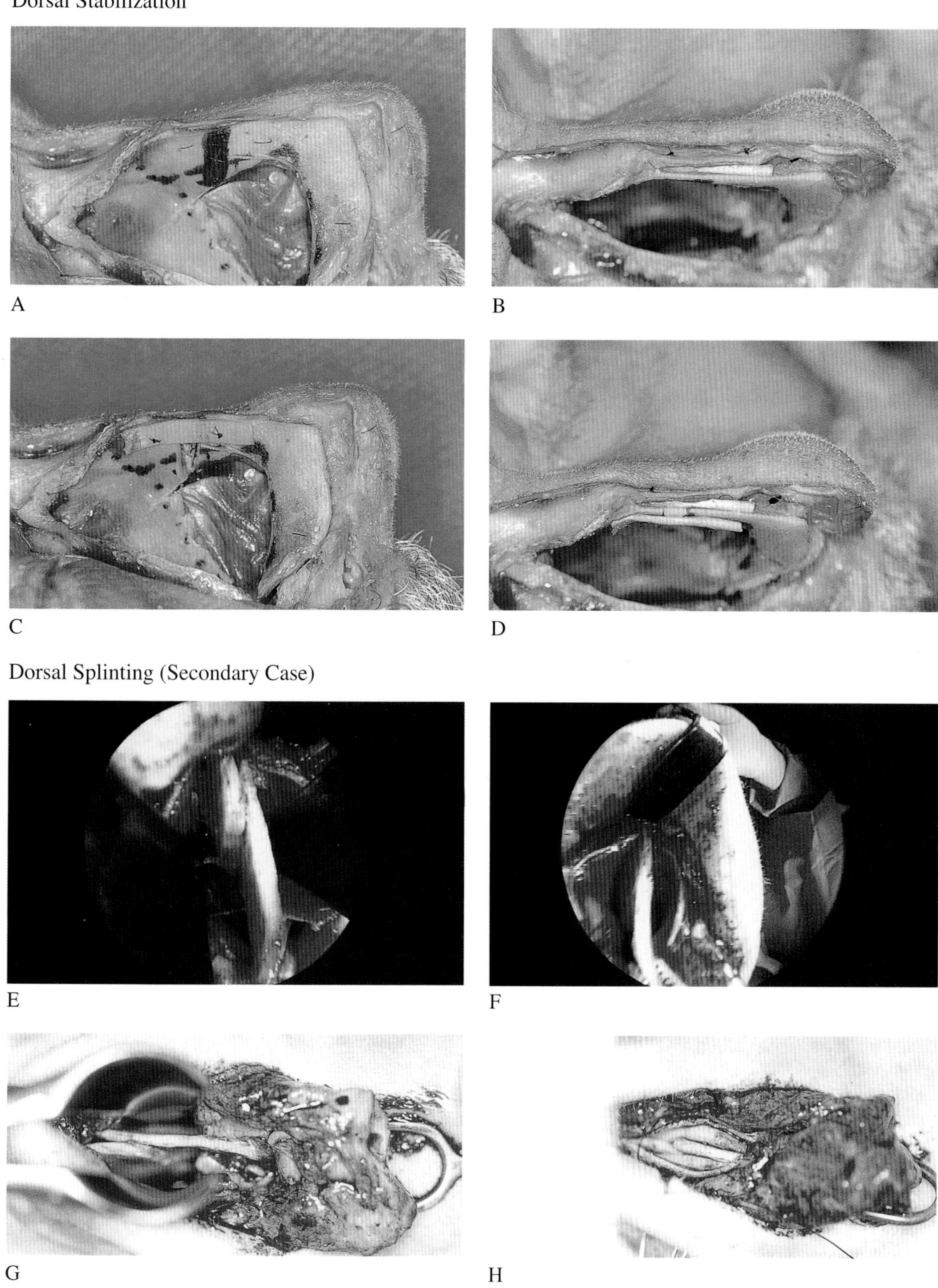


그림 5-16

## 전체비중격성형술(Total Septoplasty)

재건술에서는 여러 가지 등급의 결손과 수술적 해결책의 '사닥다리' ('ladder' of operative solutions)가 있다. 이 사닥다리의 목표는 결손에 맞는 수술을 함으로써 위험을 최소화 하면서 보상을 최대화 하는 것이다. 일견하기에는, 연골비중격을 완전히 떼어내고 L형지주이식술을 하는 것은 지나치고 합병증이 많이 따를 것처럼 보인다. 그러나 오랫동안 경험하였을 때 결과가 훌륭하며, 합병증도 거의 없음을 증명하는 술자들이 점점 증가하고 있다. 1985년에 이 기법을 개척하였던 Jugo[16]은 전체비중격성형술로써 재건한 24명의 어린이들을 7년 추적 조사하여 발표하였다. 가장 중요한 것은, 환자들의 호흡과 성장이 유지되는 것이다. 최근, Jugo[17]는 전체비중격성형술에 대한 자신의 20년의 경험을 멋진 단계별 수술 도해서에서 개괄하였는데, 이 수술을 계획하는 술자들의 필독서이다. Toriumi[33]는 부분비중격재건술(subtotal septal reconstruction)의 변법을 발표하였다.

저자는 2가지 기법(L형지주교체술, L-shape strut replacement graft; 연장형비중격재건술, extended septal reconstruction)과 2가지 적용(만곡비에 대한 단독 비중격성형술과 비중격-비성형술)에 대하여 토론하겠다(그림 5-17). 기법은 환자의 문제점에 따라서 적용하지만, 기법을 구

Septal Replacement Graft

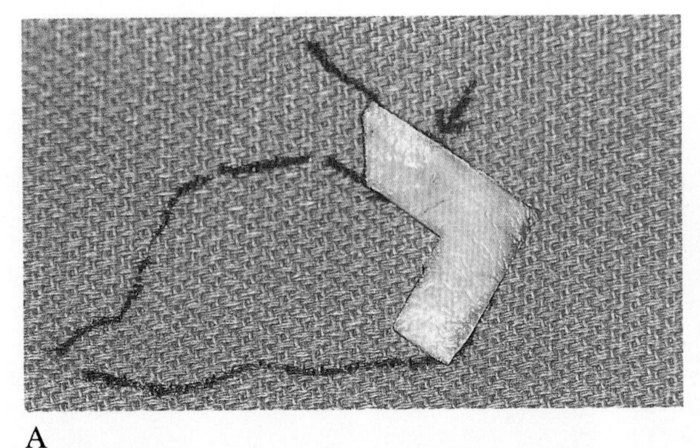

A

Septum and Strut Grafts

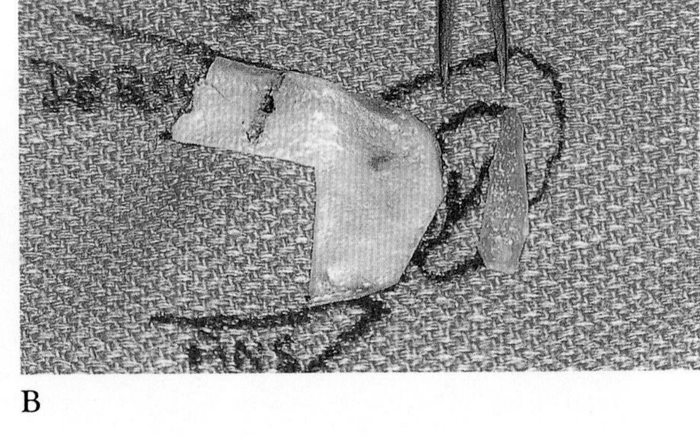

B

Extended Septal Replacement Graft

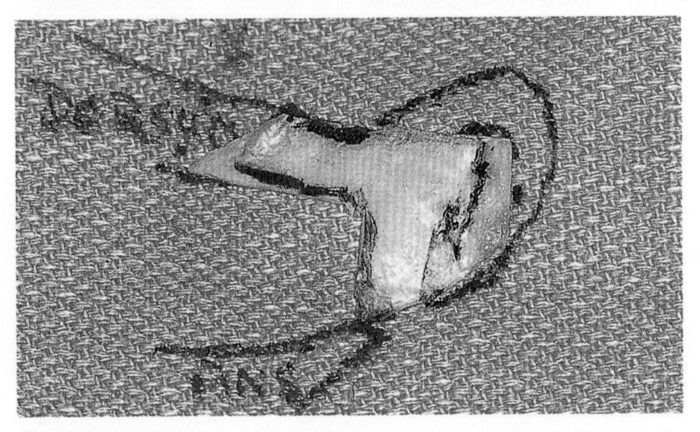

C

그림 5-17

별하는 것이 중요하다. 단순화시켜서 말하면, L형지주교체이식술은 비배측 및 미측 비중격을 직접 복제(replica)한 것으로서 지지할 때에 필요하다. 대조적으로, 연장형비중격대체이식술(extended septal replacement graft)은 미측으로 더 길어서 비첨을 지지하기 위한 비주지주(columella strut)의 역할을 하며, 골고정이 필요하면 좀 더 두측으로 연장시킬 수 있다. Toriumi[33]가 지적한대로, 미측 연장 시키면, 퇴축된 비주를 교정하며 코를 길게 할 뿐만 아니라 비첨지지와 비첨돌출도 제공한다. 이러한 연장이식술은 만곡비와 구순열비(cleft lip nose)에서 대단히 유용함이 증명되었다.

**제 4등급.** 이러한 전체비중격변형(panseptal deformity)은 만곡 되었을 뿐만 아니라 비배 쪽으로 연장되는 비중격체의 다발성각상변형(multiple angle deformity)과 미측 비중격의 구조적 변형으로 이루어져 있다. 몇몇 숙련된 술자들이 폐쇄접근술을 통하여 이러한 문제점을 치료할 수 있었던 것은 분명하지만, 구조 붕괴의 위험을 무릅쓰는 과감한 수술이 필요할 수 있다[20, 32]. 심한 전체비중격변형을 만나면 저자는 주저하지 않고 개방접근술을 사용한다. 완전한 노출과 직접적 접근이 개방접근술을 정당화한다. 비성형술이 필요 없이 힘든 비중격성형술만 한다면 저자는 다음의 수술을 선호한다. 개방접근술을 하고, 비첨을 미측 견인하여서 전비중격각(anterior septal angle)을 노출시킨다. 일단 연골막하층으로 들어가서 점막외터널을 완성하고, 상외측연골을 비배측 비중격으로부터 분리시킨다. 두측에서 미측으로 박리(top-down dissection)를 오목한 면에서 시작하여 비중격체를 노출시킨 다음, 서골접합부를 따라서 후-전방거상술(posterior-to-anterior elevation)을 하여 미측 비중격을 일으킨다. 미측비중격 및 전비극 복합체 전체를 노출시켜야 전비극변형을 치료할 수 있다. 만일 노출이 불충분하면 주저하지 않고 '비첨분할술(tip split)' 을 미측에 추가한다. 교체이식물(replacement graft)의 조절이 중요하기 때문에 저자는 마음에 내키지는 않지만 관통절개술도 추가하는데, 일측관통절개술을 먼저 사용하며, 전체 접근을 위하여 '비첨전도술(tip flip)' 이 필요할 때에만 양측관통절개술을 사용한다. 일단 비중격을 완전히 노출시키고 나면 저자는 변형의 정도와 수술 계획을 다시 평가한다. 비배의 곧음과 미측 비중격의 원래 구조가 중요한 결정 인자이다. 전체교체술이 정당하다는 가정 아래에서 비배측 연골비중격(dorsal cartilaginous septum)을 따라서 만곡 지점의 경계를 명확히 한 다음, 만곡 지점의 바로 두측에서 10mm의 수직절개를 한다(그림 5-18). 그 다음, 절개를 두측으로 연장하는데(사골판의 두측 절개선), 비배에 평행하게 사골판까지 한다. 전비극으로부터 미측 비중격을 유리시킨 다음, 전악골구와 서골구를 따라서 가능한 한 후방으로 유리시킨다. 마지막으로, 서골로부터 사골판 접합부를 따라서 분리시켜서, 미리 해둔 사골판의 두측 절개선까지 두측으로 연장하여 분리시킴으로써 연골비중격 전체를 얻는다. 연골을 수건 위에 놓은 다음, 윤곽을 그린다. 많은 증례에서 이러한 도안으로부터 본(pattern)을 얻을 수 있는데, 비배 부분은 중첩시켜야 하므로 연장시킨다. 그 다음, 이 본을 평가하여 연골비중격에서 곧은 L형교체물을 얻는다. 재이식술은 다음 단계로 한다. 1) 지주를 제 위치시켜서 평가한다. 2) 술전 비배만곡의 반대쪽에 이식물을 위치시킨다. 3) 이식물을 수용부에 남아 있는 비중격연골(septal cartilage stump)의 두측에 중복시키고, 25번 경피바늘로써 제 자리에 잠정 고정한다. 4) 전비극의 천공에 4-0 PDS사를 통과시킨 다음, 만곡의 반대쪽에 위치시킨 미측 비중격으로 통과시킴으로써 미측 비중격을 전비극에 고정한다. 5) 이식물을 4-0 PDS로써 2점에서 비배측 비중격에 봉합한다. 6) 반대쪽에 연전이식술을 추가한 다음, 상외측연골과 이식물을 합체시키는 '샌드위치봉합술'을 한다. 7) polysporin 연고를

Septal Replacement

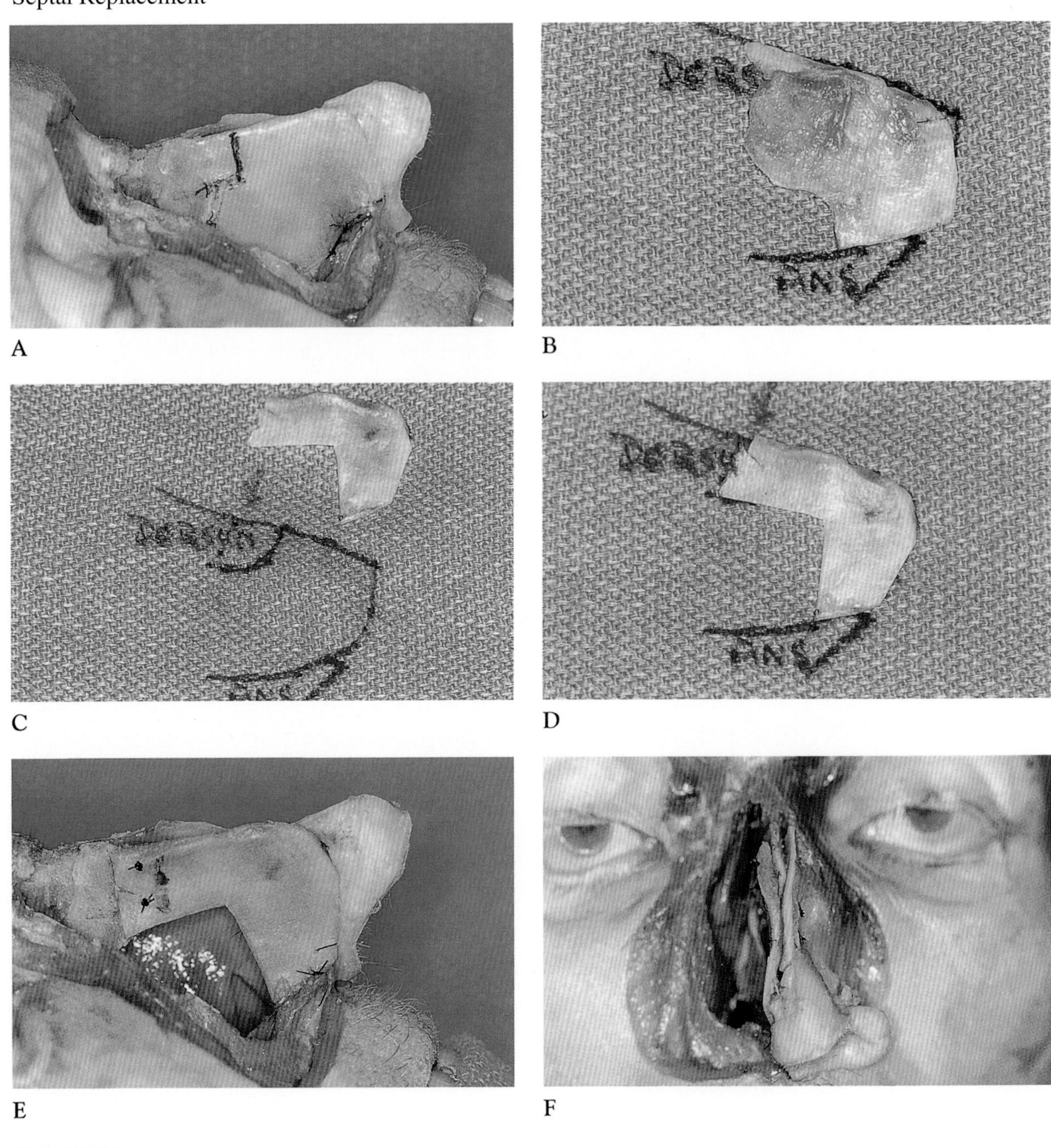


그림 5-18

바른 Doyle 부목을 제 자리에 봉합하고, 10일간 그대로 둔다. 만일 남은 연골이 다른 이식술에 필요하지 않으면 가볍게 세분화(morselization)하여서 재이식한다.

이 기법이 Jugo법과 어떻게 다른가? 원래, Jugo[22b]는 연골 중첩 대신 두측에서 골고정을 사용하고, 통상 비첨을 분할한다. 저자는 오목한 쪽에서의 연전이식술뿐만 아니라 만곡의 반대쪽에서 비중격이식물의 두측과 미측을 고정하는 '이중이동술(double shift)'을 선호한다(그림 5-19).

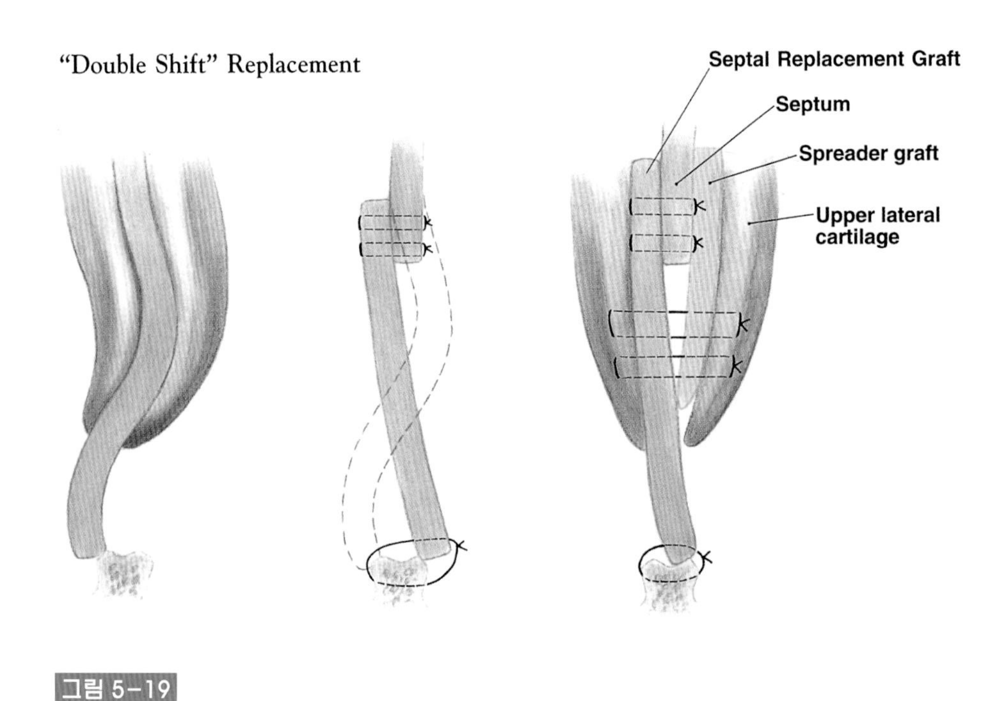


그림 5-19

**제 5등급.** 비중격이 심하게 만곡 되면서 비배만곡도 함께 두드러질 때 저자는 폐쇄 및 개방 접근술을 선호하는데, 비중격수술 전에 비배측면선(dorsal profile line)을 잡게 해주기 때문이다. 이 방법은 제 4등급 중 비중격변형을 미용비중격-비성형술(aesthetic septorhinoplasty)할 때에 저자가 사용하는 방법이기도 하다. 양측연골간절개술을 하여 연조직외피를 일으키고, 양측 점막터널을 만든다. 최종 비배 측면선과 미측 비중격선(caudal septal line)까지도 수립해 본다. 상외측연골을 비중격으로부터 유리시킨 다음, 비중격축소술로써 연골원개를 분명히 낮춘다. 그 다음, 개방접근술을 하여 과대한 두측 외측각을 절제한다. 비첨연골을 미측으로 퇴축시키면 비배측 비중격을 점막터널로부터 쉽게 노출시킬 수 있다.

변형 정도를 분석하고, 수술 계획을 재고한다. 가장 심한 증례(1% 미만)에서는 방정중비절골술(paramedian osteotomy)한 다음, 외측비절골술과 외골절술을 사용하여 골비중격(bony septum)을 분리할 필요가 있다. 대부분의 증례에서는 비배골축소술을 하면 골비봉 아래에 놓인 정상적인 비중격연골 5-7mm가 노출된다. 골을 포함한 비배측비중격만곡(dorsal septal deviation) 부위는 내안각인대(medial canthal ligament)의 수준에까지 가까이 위치한다. 그러나 여러 가지 이유에서 비중격대체이식물을 비골에 고정시킬 준비를 하여야 한다. 고위골비중격만곡(high bony septal deviation)을 골절술이나 절제술로써 교정할 필요가 있을 수 있다. 또, 한번쯤은 의도하지 않은 비중격분리(septal disjunction)에 의한 술중 안장화(saddling)를 경험할 것인데, 해결책은 비중격의 전체 안정화(total stabilization)이다. 그러므로 나머지 토론은 비중격을 떼어내기 전에 외측비절골술을 하였다는 가정 아래에서 두측에서 골고정을 필요로 하는 기법을 기술할 것이다.

대부분의 증례에서 연골비중격 전체를 떼어낼 때에는 2가지 변법이 필요하다. 첫째 비중격연골-사골접합부에서 수직절개를 하는데, 골비중격만곡(bony septal deviation)의 정도에 따라서 달리 한다. 둘째 최대 길이의 이식물이 필요하면 하부에 있는 더 두꺼운 골비중격을 포함한다. 절제해낸 비중격연골에서 본(pattern)을 도안하는데, 특히 미측으로 추가로 필요한 길이를 인식하면서 도안한다. 비중격연골을 절제하였으므로 골비중격을 본격적으로 치료한다. 그 다음, 각각의 비골에 천공을 만드는데, 비골의 미측 단보다 5mm 두측에서, 그리고 비배보다 5mm 미측에서 만든다. 본격적 이식물의 윤곽을 정할 때에는 미측 비중격에 비주지주를 추가하고, 또 비골의 천공에 도달하기에 충분한 비배길이를 추가한 크기로 한다. 만일 이식 재료가 제한적이어서 1가지만 선택하여야 한다면 L형지주가 우선이며, 비주지주는 다른 재료로서 만든다. 이식물을 준비해 둔 수용부바닥에 위치시키고, 정확도를 점검한다. 3-0 prolene사를 끼운 곧은 Keith 봉합침을 비골과 이식물로 통과시킨다(그림 5-20B). 봉합침을 잘라내고, 봉합사의 양 끝을 일으켜 놓은 연조직외피 안으로 끌어내어 놓으며 나중에 묶는다. 대부분의 증례에서 저자는 조수로 하여금 비중격을 이상적인 위치에서 잡고 있도록 한 다음, 2개의 25번 봉합침으로써 비중격을 상외측연골에 고정한다(그림 5-20C, D). 이식하기 전에 전비극에 천공을 만들어둔다. 4-0 PDS사로써 이식물을 전비극에 봉합한다. 이 시점에서, 비골을 내측으로 이동시키고, 3-0 prolene사를 묶되, 매듭을 한 쪽에 위치시킨다. 그 다음, 상외측연골 사이에 비중격이식물이 샌드위치가 되도록 2개의 4-0 PDS사로써 수평석상봉합술을 하며, 특별히 오목한 쪽에서 연전이식술을 선택적으로 한다.

그 다음, 비첨지지에 주의를 기울인다. 비주변곡점(내측각-중간각접합점)이 바람직한 지점에 올 때까지 각각의 비익연골을 미측 L형지주에서 두측으로 전진시킨 다음, 27번 주사침으로써 잠정 고정한다. 5-0 PDS사를 사용하여 비익연골을 지주에 고정한다. 바람직한 비첨 형태를 이루기 위하여 봉합술 및/또는 이식술을 추가할 수 있다. 모든 절개를 봉합한 다음, 내비부목을 삽입하여 10-14일 동안 둔다.

Standard

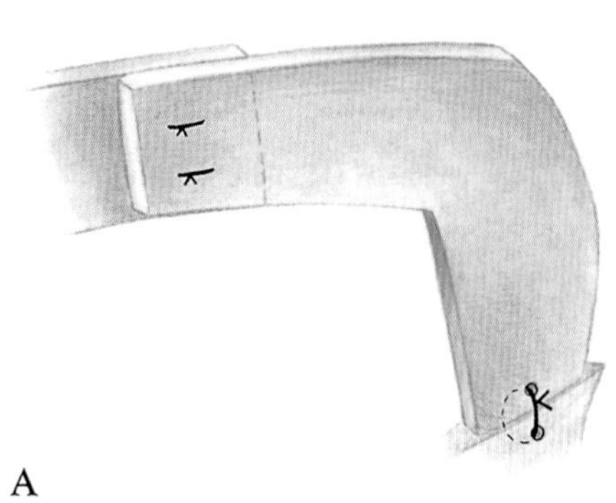

A

Extended

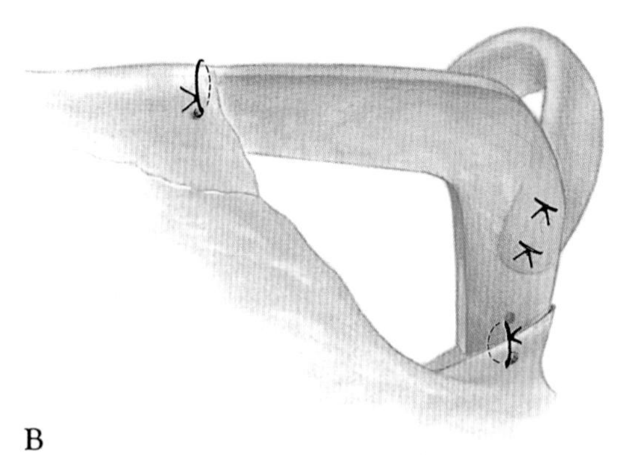

B

Bony Fixation

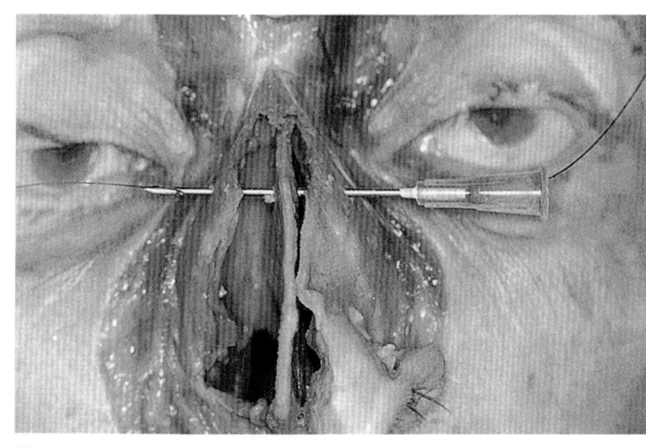

C

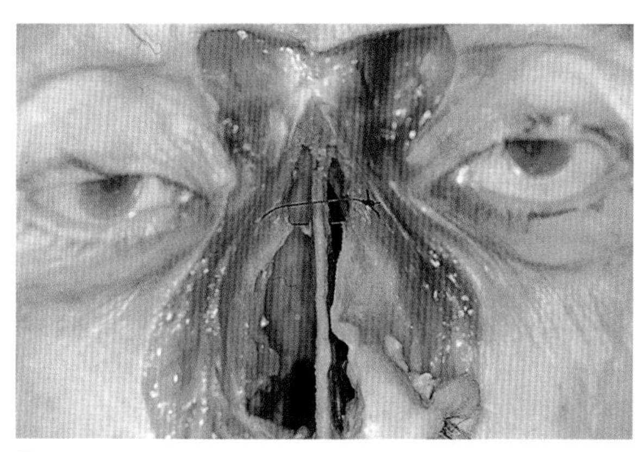

D

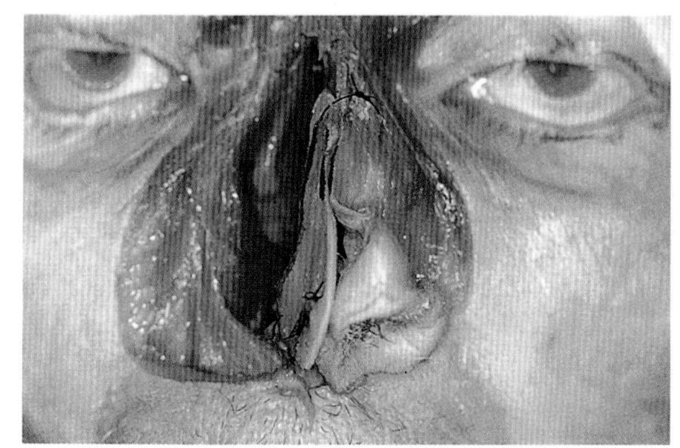

E

그림 5-20

이 기법은 비첨과 비주에 중요한 지지를 제공함으로써 Jugo의 L형교체이식술을 비중격과 코의 미측 1/3의 동시재건술로 확장시킨 것이다. 이 방법이 Toriumi의 부분비중격재건술(subtotal septal reconstruction)과는 어떻게 다른가? Toriumi법에서는 비배점(rhinion)에서 이식물을 '수용부에 남아 있는 비중격연골에 봉합(suture stump)' 할 때와 전비극에서의 고정이 가장 제한적이다[33]. 그러나 저자의 기법에서는 2지점에서 골고정이 가능하기 때문에 제한이 없다.

*난제*. 이러한 기법들은 경험이 부족하거나 겁이 많은 술자에게는 적합하지 않다. 술중에 자신이 왜 이 난제를 받아들였을까하고 흔히 의아하게 생각하는 술자가 있다. 이 수술에서 필수적인 L형지주를 찾는 것이 큰 어려움이며, 그 정교함이 가장 중요하다. 일부 학자들은 완벽한 L형지주를 후하부의 비중격에서 언제나 찾을 수 있다고 흔히 말하지만, 실은 확실히 그렇지 않다. 연골의 결핍에 흔히 직면하여, 비배 쪽이나, 서골을 포함하는 좀 더 광범위한 골절제술이 필요하다. 충분한 연골이 있더라도, 몹시 변형되어서 'back table'에서 적절히 자르고 부목을 댈 필요가 있다. L형지주에 연전이식술을 추가함으로써 비배나 미측에서 길이를 연장할 수 있다. 그러나 이 차비성형술에서 가장 큰 한계는 술전 예상이 빗나가고 소량의 비중격연골만이 남아있는 경우이다. Jugo[17]는 비배 '안장화(saddling)' 와 비배 '함몰(sagging)' 을 흥미롭게 구별하였다. 안장화는 비배지지의 부족 때문인데 비하여, 함몰은 비첨지지의 부족도 포함한다고 보았다. 극단적인 경우에서는 2가지 이식물을 사용할 수 있다. 즉, 넓고 단단한 비중격연골을 사용한 비배이식물을 상외측연골 사이에서 샌드위치봉합술을 하며, 비중격이 충분하지 않으면 접은 이갑개연골이식물(folded conchal graft)을 비주지주로서 사용한다. 만일 비배이식물을 비익연골 사이로 미측으로 연장시켜서 이갑개연골이식물에 봉합할 수 있으면 적절한 지지를 확보할 수 있을 것이다. 심한 경우에서 저자는 필요하다고 판명되면 언제나 늑이식물채취술을 할 수 있도록 미리 환자의 승인을 받아둔다.

## 분석

55세 남성으로서 전번에 외상, 수술, 또는 중요한 알레르기의 병력은 없지만, 특히 우측의 심한 비폐쇄가 지속된 과거력을 가지고 의뢰되었다. 환자는 볼을 바깥으로 당기면 숨쉬기가 나아진다는 것을 알고 있었다(Cottle 징후 양성)(그림 5-21). 외비검사 결과, 코는 바르지만, 미측 비중격이 우측으로 만곡 되었다. 내비검사에서, 내비판막각으로의 심한 고위비중격만곡(high septal deviation)이 보였으며, 비중격체의 심한 굴곡에 의하여 좌측 기도가 완전히 막혔다. 우측 기도는 급성횡비중격만곡(acute transverse septal deviation)에 의하여 막혔는데, 만곡의 정도는 서골구 수준에서 12-15mm정도로 계측되었다. 양측 하비갑개는 확대되었으며, 우측은 Afrin을 분무하여도 여전히 비후하였다(골비후, bony hypertrophy). 이 환자는 자신의 우측 기도만이 막혔다고 생각하는 '역설적 호흡(paradoxical respiration)'을 가지고 있었다. 심한 비중격변형 때문에 노출을 위하여 '비첨전도술(tip flip)'을 하는 개방접근술과 양측 하부터널(inferior tunnel) 형성을 선택하였다.

## 외과 수기

수술적 대안들에 대하여 토론한 다음, 환자는 자신의 유일한 목표가 호흡을 개선하는 것이며, 외양의 어떠한 변화도 원하지 않는다고 매우 분명하게 밝혔다.

1. 전신마취 아래에서 광범위한 내시경검사로써 진단 확인.
2. 양측완전관통절개술로 연장되는 연골간절개술을 사용하여 '비첨전도술(tip flip)'을 하는 접근술을 한 다음, 개방접근술을 위한 표준경비주절개술과 연골하절개술.
3. 전방터널(anterior tunnel)을 형성한 다음, 오목한 우측에서 하부터널(inferior tunnel) 거상.
4. 좌측에도 비슷하게 터널 거상.
5. 두측 비배부에 5mm 남긴 채로 전체연골비중격절제술(그림 5-21E).
6. 골돌기(bony spur)의 후방절제술. 남아있는 만곡을 골절시켜서 정중선으로 이동.
7. Back table에서 10mm 폭의 L형지주 형성(그림 5-21F).
8. 우측에서 비배지주(dorsal strut)이식술을 하고 또, 전비극의 좌측에서 미측 L형지주이식물을 전비극의 천공을 통과시킨 4-0 PDS사로써 고정함으로써 '이중이동술'(그림 5-21G, H).
9. 비배측 L형지주이식물을 남아있는 비배(cartilage stump)의 우측에서 2개의 4-0 PDS사로써 봉합하되, 상외측연골을 포함하여 '샌드위치 봉합술'로써 고정(그림 5-21I).
10. 우측비갑개점막하골절제술과 좌측점막비후절제술.
11. 모든 절개선의 봉합술. 10일 동안 Doyle 부목 넣기.

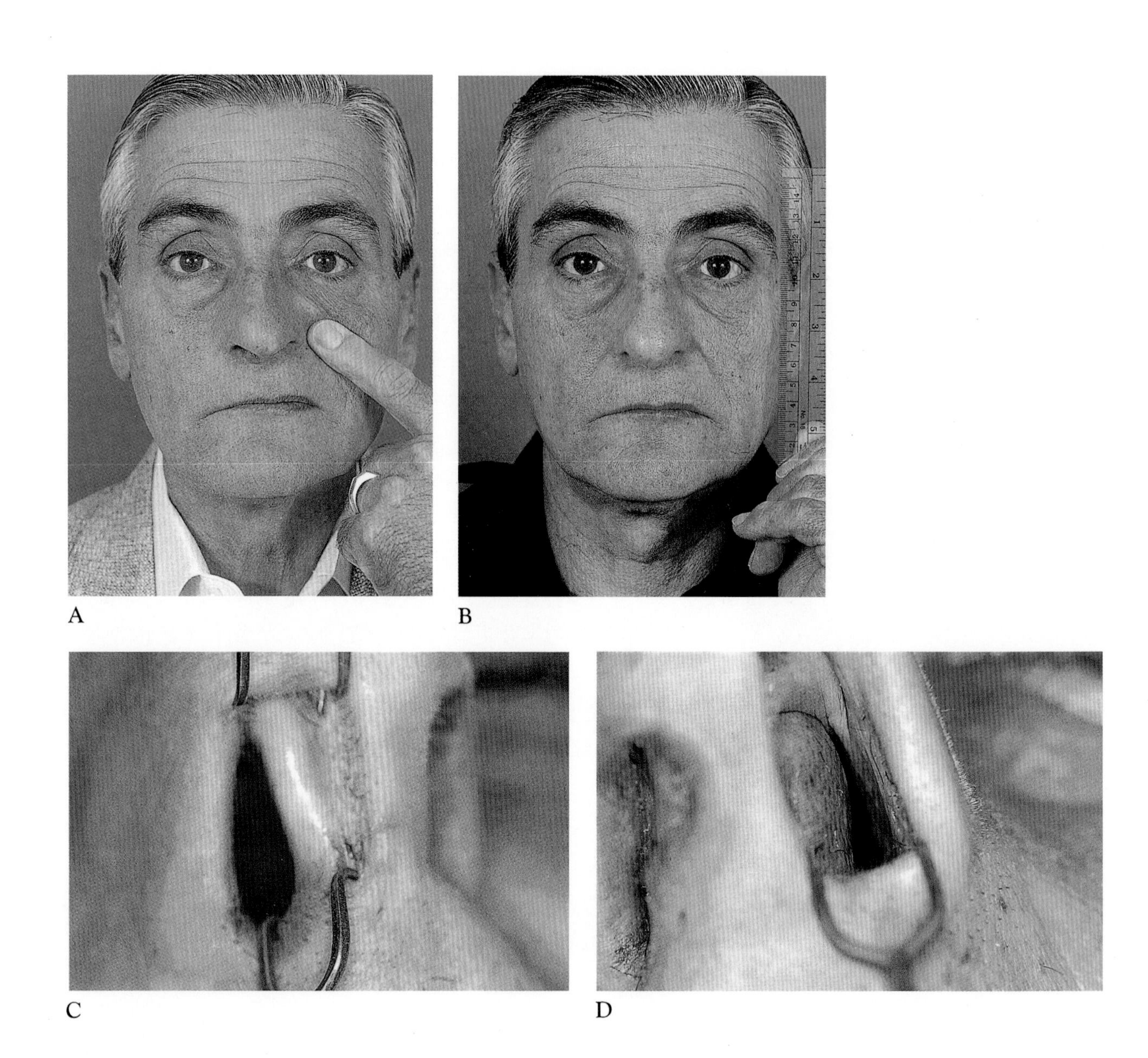

그림 5-21

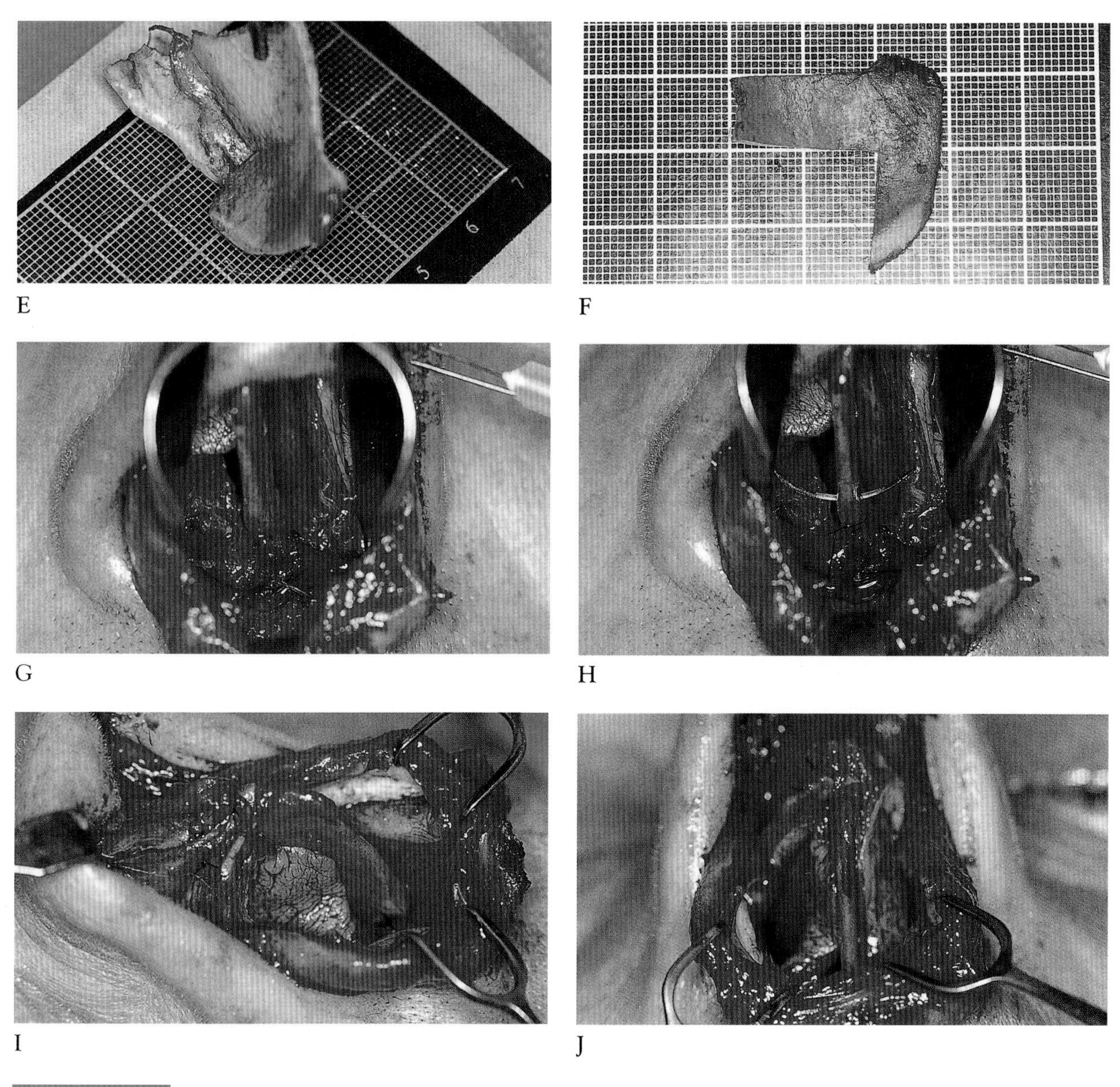

E F G H I J

그림 5-21. 계속

## 논평

일부 술자는 이동과 절개술을 사용하여 폐쇄비중격성형술을 할 수 있지만, 저자는 '비첨전도술(tip flip)'을 하는 개방접근술을 통하여 전체비중격성형술을 하면 수술이 실제로 단순화된다고 생각한다. 전체비중격절제술을 한 다음, 지주교체술(replacement strut)로써 견고한 지지를 제공하면서, 이중이동술을 함으로써 본격적으로 비중격연골만곡을 교정하였다. 남아있는 비배측 비중격을 바루기 위하여 하는 여러 개의 절개술에 의존하지 않으며, '연골기억'에 의한 재발을 염려하지도 않는다. 또, 비배측 L형지주를 바루기 위한 수직절개를 하지 않으므로 원래 구조가 손상되지 않은 견고한 지주가 있음으로써 안장화(saddling) 발생의 가능성을 최소화하였다. 저자는 전체비중격성형술을 해야지 완전한 교정이 가능하지, 부분절제술은 부분적 교정만 가능하다고 확신한다.

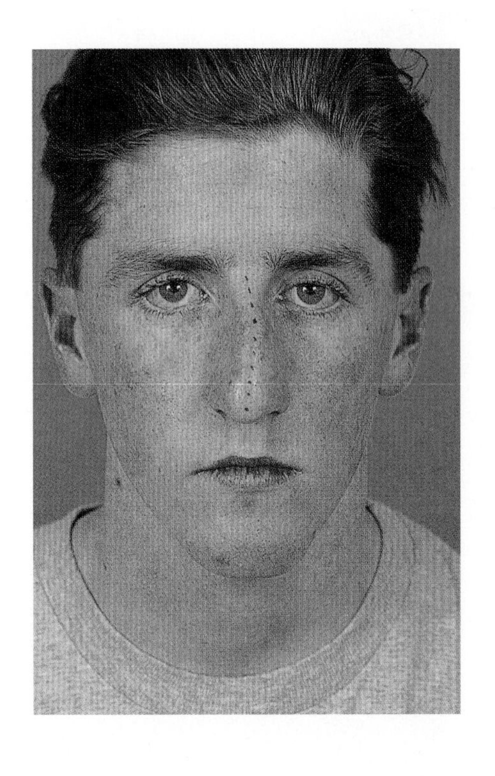

## 분석

16세, 170cm 키의 남성으로서 양측 비폐쇄와 외양에 대하여 호소하였다. 상세한 과거력 조사 결과, 소아기에 코 외상을 입은 적이 있었으며, 사춘기 초기에 비만곡임을 서서히 알게 되었다. 내비검사 결과, 미측 비중격이 우측으로 만곡 되었으며, 비배만곡이 분명할 뿐만 아니라 비중격체가 좌측으로 굴곡 되었다. 우측 하비갑개는 골도 함께 뚜렷이 비후되었다. 외비검사에서, 좌측에서 우측으로 역C형곡면(reverse C-shape curve)이 나타났으며, 비골은, 우측은 오목하고 좌측은 볼록한 뚜렷한 비대칭을 나타내었다. 측면에서, 비근이 현저히 충만하고(full radix) 비첨이 의존적이면서(dependent tip) 비배가 대단히 볼록하였다. 폐쇄 및 개방 접근술을 선호하였다. 즉, 폐쇄접근술로써 이상적인 측면선을 만든 다음, 개방접근술로써 비중격성형술을 하였다. 관통절개술 없이 비배 및 비첨 동시분할술(combined dorsal/tip split)을 하였다.

## 외과 수기

1. 연골내절개술로써 구상비첨의 연조직외피축소술.
2. 비배축소술: 줄질로써 골 5mm, 수술도로써 연골 7mm.
3. 경비주절개술과 연골하절개술을 사용한 개방접근술.
4. 전동 burr를 사용하여 비근을 2mm 깊게 함.
5. 전번의 비배축소술에다가 비첨분할술(tip split)을 함께 하여 비중격 전체 노출.
6. 비중격을 노출시킨 다음, 미측 비중격을 포함하여 비중격에서 다발성 골절선 확인.
7. 전체비중격연골절제술(그림5-22A).
8. 양측횡단비절골술, 저-저위외측비절골, 그리고 이중수준비절골술로써 완전 이동.
9. L형지주를 만든데, 비배 중첩을 위한 길이가 불충분하여 back table에서 L형지주 양쪽에 연전이식물을 버팀목(brace)으로 추가함(그림 5-22B, C).
10. 25번 주사침을 사용하여 지주를 제 자리에 잠정 고정하고, 전비극의 천공을 통과시킨 봉합사로써 미측 비중격을 고정함. 비배측 L형지주를 상외측연골 사이에 샌드위치 봉합(그림 5-22D).
11. 비익연골을 미측 비중격에서 두측으로 전진시키고 돌출을 봉합술로써 고정시킴.
12. 원개형성봉합술과 원개등화봉합술로써 비첨정의 얻음.
13. 우측하비갑개점막하절제술.

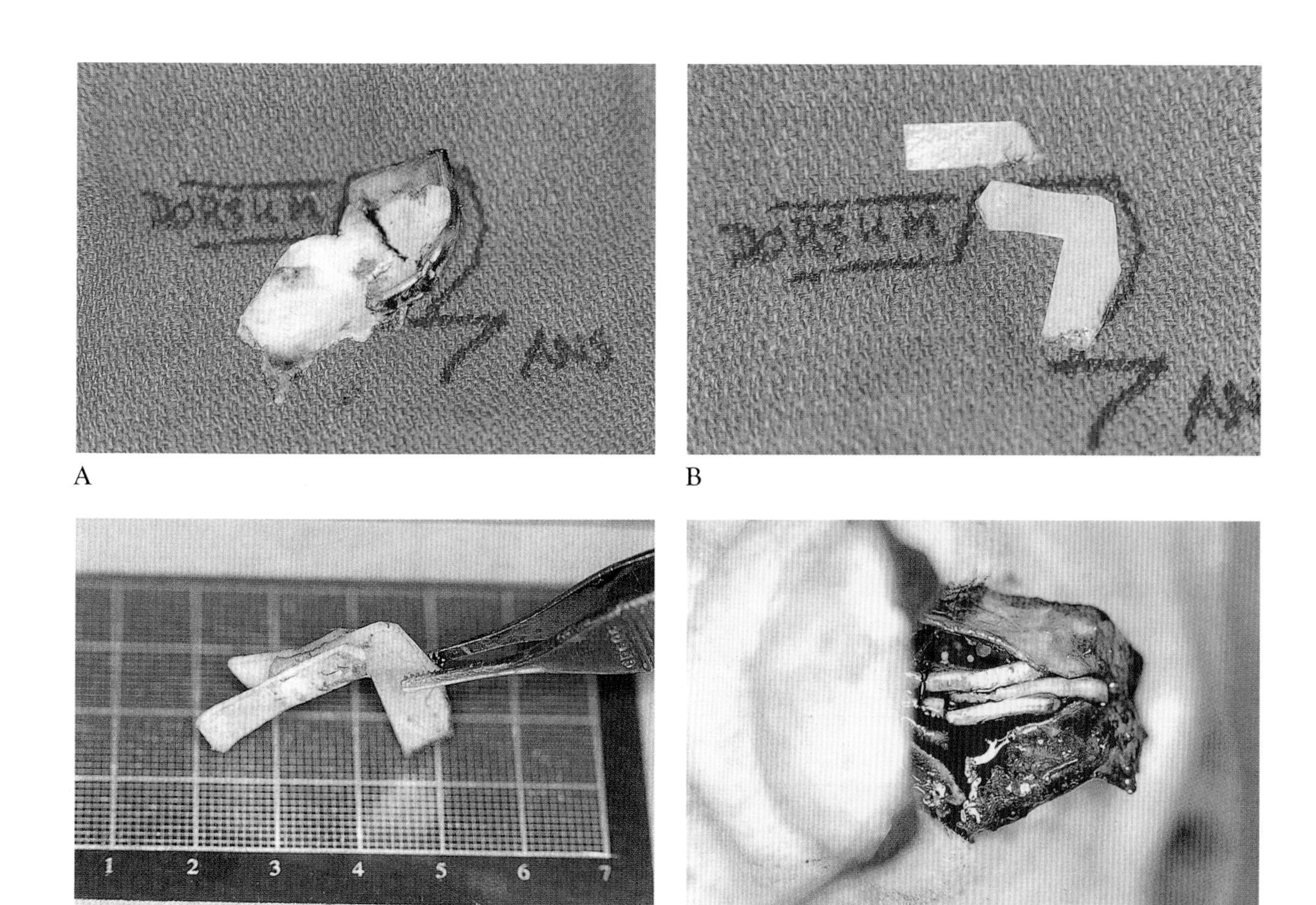


그림 5-22

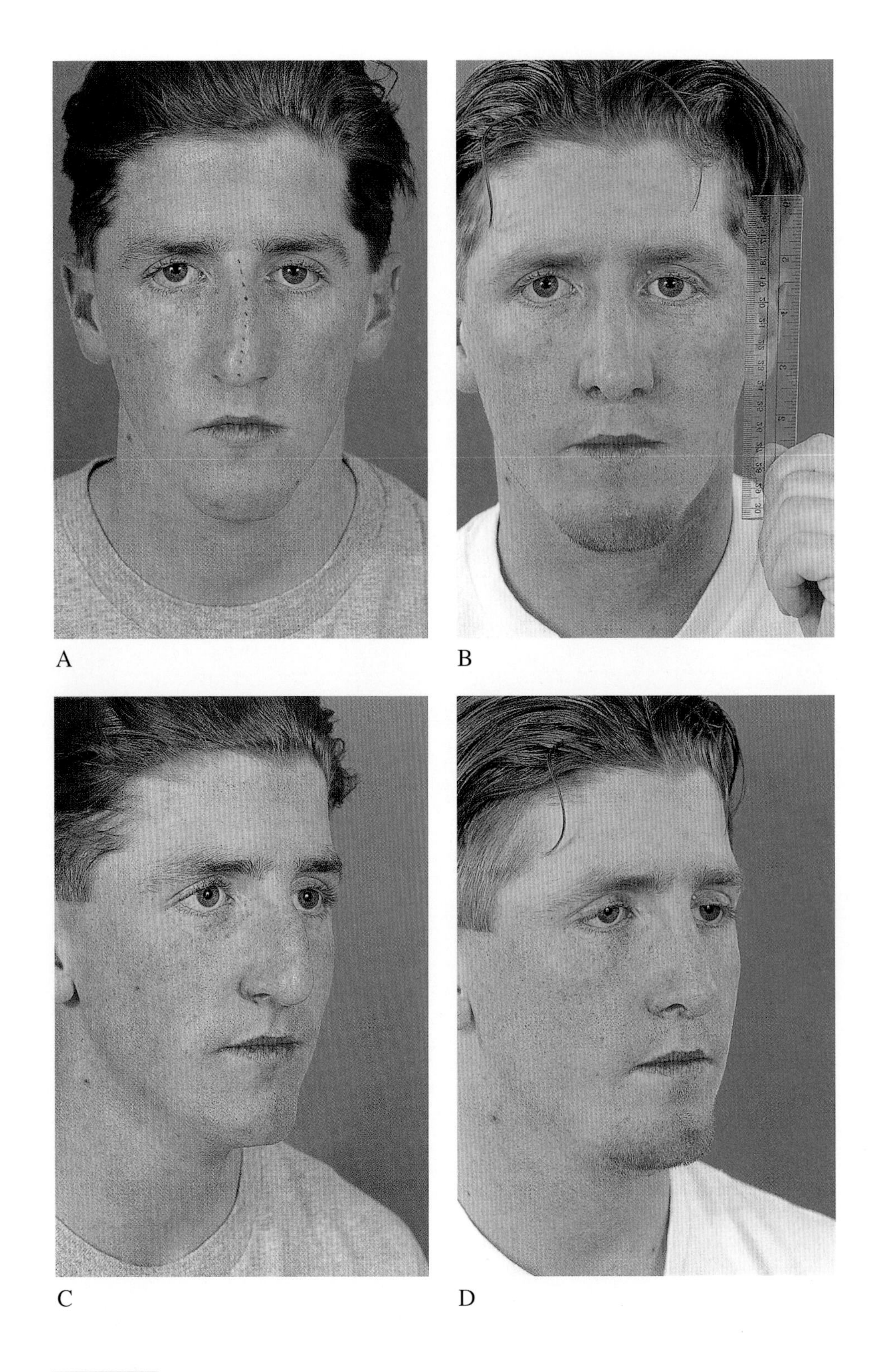


그림 5-23

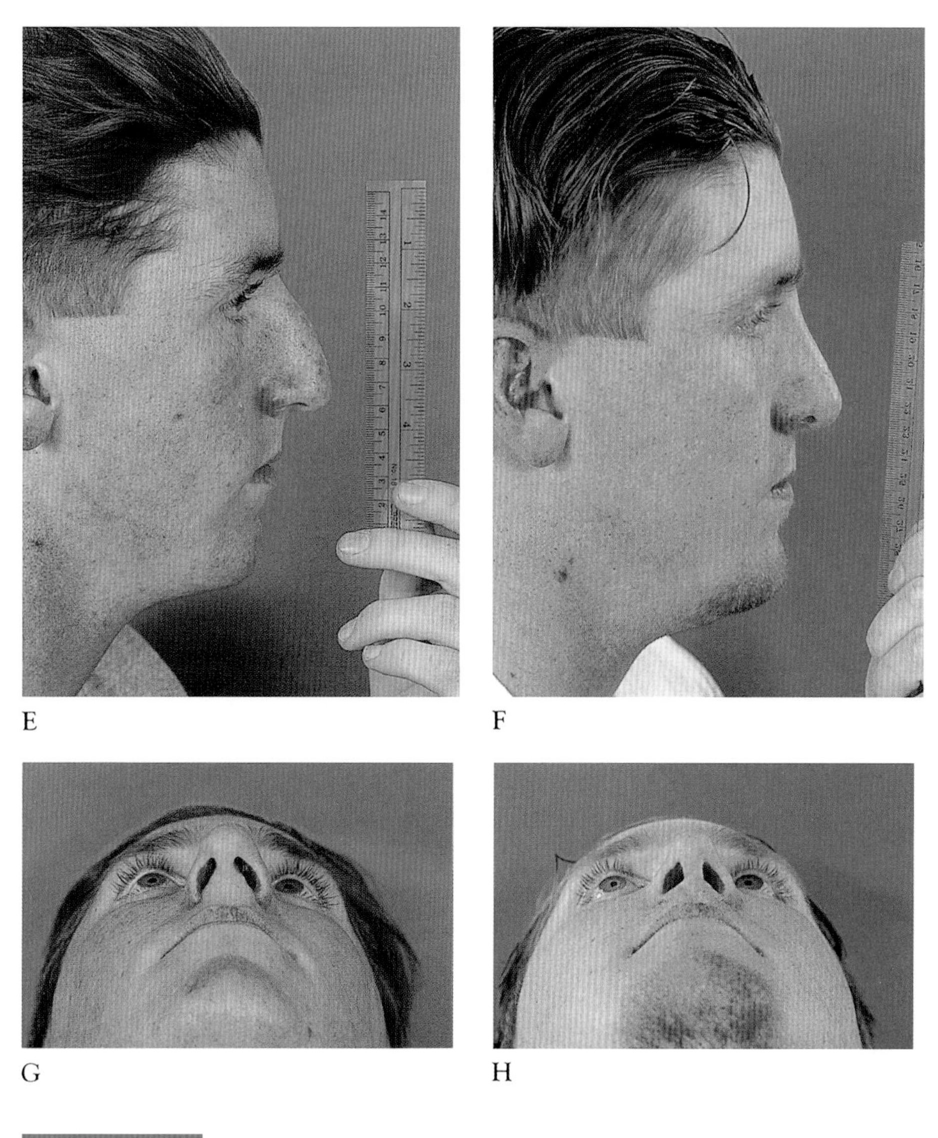

E F G H

그림 5-23. 계속

## 논평

비대칭발육만곡비(asymmetric developmentally deviated nose, ADDN)는 교정하기가 어렵다. 구조물이 원래 비대칭적이며, 양쪽을 다르게 처리하여야 한다. 비중격은 결코 곧지 않으며, 시간이 지날수록 좀 더 만곡 된다. 폐쇄 및 개방 접근술의 장점은 폐쇄접근술로써 뚜렷한 미적 측면선을 완성한 다음, 개방접근술로써 비중격을 여러 방향으로 노출시킬 수 있는 것이다. 단점은 초기의 비배절제술, 특히 연골원개의 절제술에 의하여 조직이 낭비되는 것이다. 그러나 미학적 결과의 질은 제일 먼저 이상적 측면선에 의하여 주로 좌우되며, 근소한 차이를 나타내는 둘째는 곧은 코에 의한다. 저자는 채취한 비중격에 본(pattern)을 대고 L형지주를 만들기보다는 폐쇄접근술로써 측면선을 확립하는 것이 더 쉬움을 알게 되었다.

## 비공판막 (Nostril Valve)

기류를 조절하는 구조물로서 가장 광범위한 정의인 '비판막(nasal valve)'을 사용하며, 이제는 1,000례 이상의 이차비성형술의 경험에 근거하여 저자는 다음의 4가지 판막 개념을 사용하고 있다. 1) 비공판막(nostril valve), 2) 비전정판막(vestibular valve), 3) 내비판막(internal valve), 그리고 4) 골판막(bony valve).

비공판막은 비공구(nostril aperture)를 구성하며, 그 안으로 돌출되는 구조물들 즉, 비주(columella), 미측 비중격(caudal septum), 각족판(crural footplate), 연조직 비익연(soft tissue alar rim), 비익-소엽(alar lobule), 그리고 비공상(nostril sill)으로 이루어진다. 비공판막이 손상되는 원인은 폐쇄나 붕괴이거나, 고착적(fixed) 또는 역동적(dynamic)일 수 있으며, 일차적이거나 이차적일 수 있다. 고착된 폐쇄(fixed obstruction)의 가장 흔한 원인은 미측비중격만곡이나 넓은 비주에 의한 매우 작은 비공이다. 비익연과 비익-소엽(alar lobule)의 역동적 붕괴(dynamic collapse)는 일차적으로는 외측각의 형태 및 안정성에 기인한 지지 부족으로 인하여 심흡기에 발생하거나, 또는 이차적으로 내비판막붕괴에 의한 상류(upstream)의 압력 증가로 발생할 수 있다. 일차비성형술에서 비공판막붕괴를 초래하는 가장 흔한 3가지 원인은 미측비중격만곡, 비익연붕괴, 그리고 비공협소이다(그림 5-24A-C).

*미측비중격만곡(Caudal Septal Deviation).* 앞서 토론한대로, 미측비중격만곡을 교정하는 중요한 단계는 다음과 같다. 1) 양측점막하노출과 제한적 점막유리, 2) 미측 비중격과 전비극의 변형과 원래 구조의 분석, 3) 적절한 재위치술(repositioning)을 최선책으로 선택, 4) 미측 비중격의 완전한 이동, 5) 전비극에서 과대교정 상태로서 봉합고정술.

*비익연붕괴(Alar Rim Collapse).* 동적 붕괴(dynamic collapse)를 동반한 비익연의 불안정은 단독 또는 복합적으로 생길 수 있다. 어떠한 비익연골의 형태는 외측 붕괴(lateral collapse)의 원인이 된다. 즉, 내측에는 튼튼한 연골이 있지만, 외측에는 약한 비익-소엽을 가진 구상비첨과 괄호형비첨이 바로 그것이다[32]. 경증 또는 중간증의 증례에서는 비중격연골을 사용한 비익연이식물(alar rim graft)로써 교정한다(그림 5-24D, E). 이식물은 폭 3mm, 길이 8-14mm이며, 모든 면에서 끝이 점점 좁아지도록 한다. 비익연 뒤에서 작은 횡절개를 한 다음, 끝이 무딘 조직가위로써 비익연에 평행하도록 수용부 포켓을 박리한다. 이식물의 가는 끝을 먼저 넣어서 원개 가까이에서 작은 용적을 제공하며, 무딘 끝은 비익-소엽 아래에 묻는다. 중증 및 심한 증례에서는 이갑개연골처럼 더 큰 이식물이나, 심지어는 골비중격을 비익주름절개술(alar crease incision)로써 이식할 수 있다. 이러한 이식물은 비익저로부터 비익연 전체에 평행하도록 연장한다. 미용비성형술에서는 이식물이 너무 넓어서 비익저와 비소엽 사이의 비익주름 분리선을 무디어지지 않도록 하는 것이 중요하다.

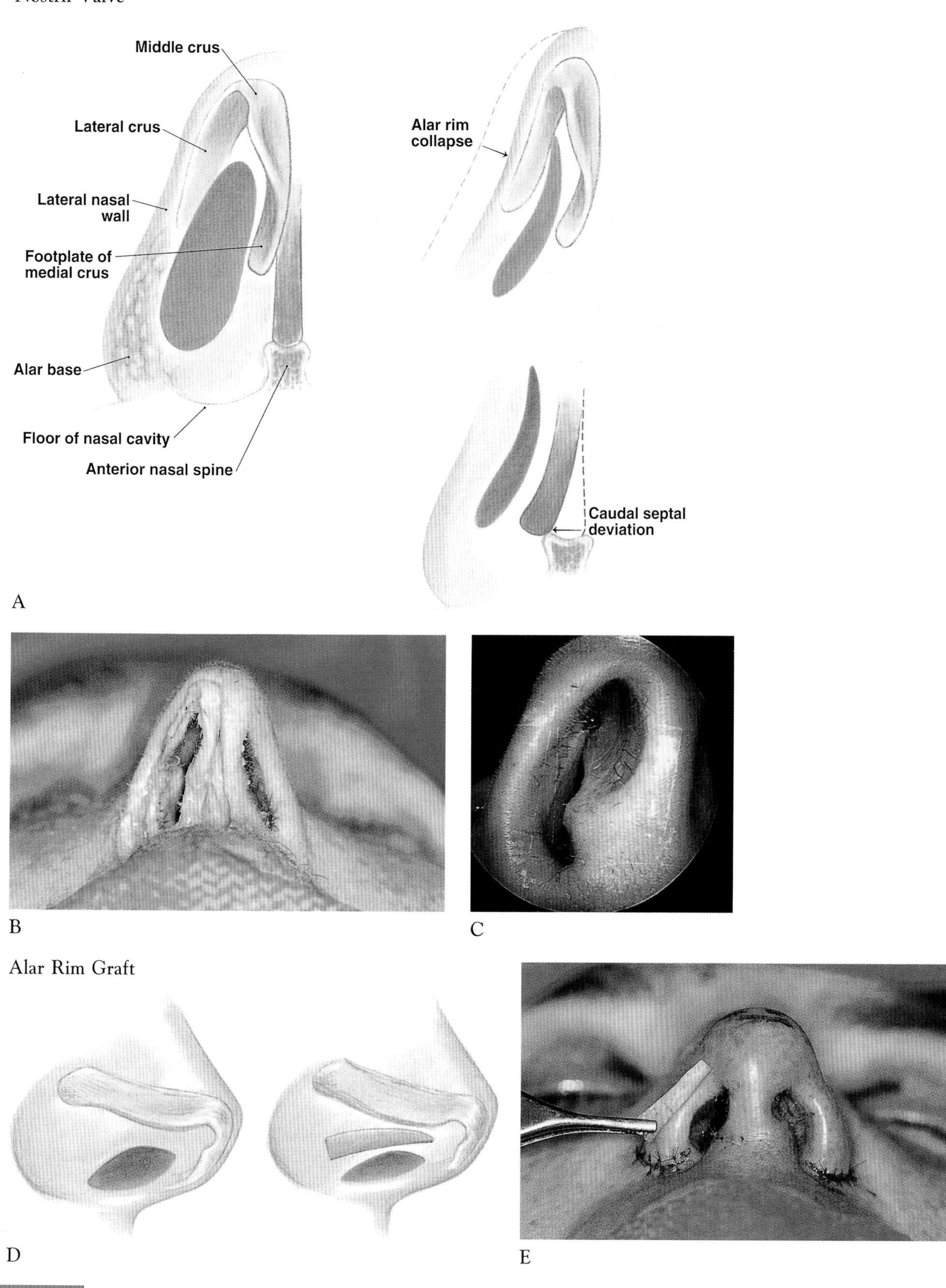
Nostril Valve
Middle crus
Lateral crus
Lateral nasal wall
Footplate of medial crus
Alar base
Floor of nasal cavity
Anterior nasal spine
Alar rim collapse
Caudal septal deviation
A
B
C
Alar Rim Graft
D
E

그림 5-24

*좁은 비공과 넓은 비주(Narrow Nostril/Wide Columella).* 좁은 비공의 원인은 다원적이며, 넓은 비주가 가장 흔하고 쉽게 치료할 수 있다. 미측 비중격과 전비극이 요인일 수 있지만, 내측각 족판분절의 벌어짐과 그 사이에 끼인 과대한 연조직에 의하여 흔히 발생한다. 한 가지 흔한 형태는 '쉼표형비공(comma nostril)' 이다. 수년 동안 저자는 족판분절 사이에 끼어있는 연조직을 절제하고 벌어진 족판을 봉합하는 방법 등 실제로 모든 방법을 다 해 보았다. 수술대에서는 모든 것이 다 훌륭해 보이지만, 수개월 지나면 실망스러워진다. 이와 같은 이유에서, 요사이 저자는 사이에 끼인 연조직뿐만 아니라 족판도 절제한다. 기법은 다음과 같다. 1) 좁히고자 하는 지점을 양쪽에 표시하고, 그 거리를 계측한다. 2) 족판 위의 피하에 국소마취제를 주사한다. 3) 족판의 두측 경계에 평행하도록 3mm의 수직절개를 한다. 4) 각진 Converse 조직가위를 경피적으로 사용하여 족판을 박리한 다음, 족판 아래로는 끝이 무딘 조직가위를 사용하여 족판을 박리한다. 5) 족판의 원위부 3-6mm를 절제한다. 6) 일단 양측 족판을 절제하고나면 폐쇄식 조직가위(closed scissors)를 사용하여 사이에 끼인 연조직을 적출한다. 7) 이때 겸자로써 연조직을 잡고, 소작기로써 양쪽에서 절단함으로써 최소의 출혈로 절제되도록 한다. 8) 5-0 평장사로써 절개선을 닫는다. 9) 투명한 4-0 PDS사로써 전층의 수평석상봉합술을 하는데, 점(dot)들을 통과시키고 미측 비중격을 통과시킨 다음, 충분히 조아서 묶음으로써 적절하게 좁히며, 매듭은 비전정 뒤쪽에 위치시킨다. 10) 봉합사는 용해되도록 놔두거나 술후 3-4주에 발사한다. 수평봉합술은 비주-상구순각(columella labial angle)을 유지하는 반면에, 수직봉합술은 연조직을 비주저로 가져와서 비정상적인 외형을 만든다. 이 기법으로써, 저자는 자연스러운 외형을 보존하면서 비주저의 폭을 15-17mm에서 8-10mm로 축소할 수 있다.

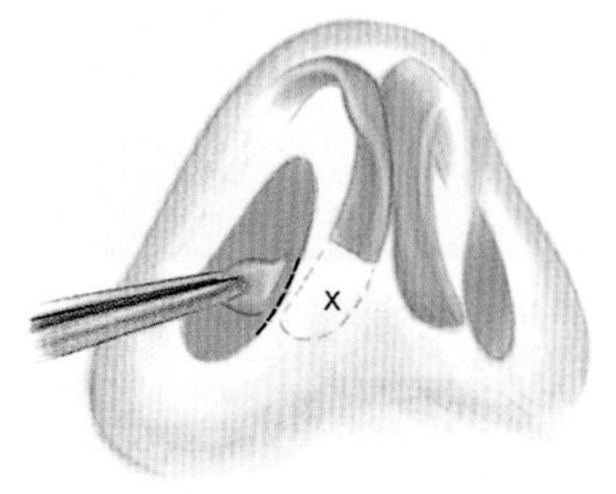

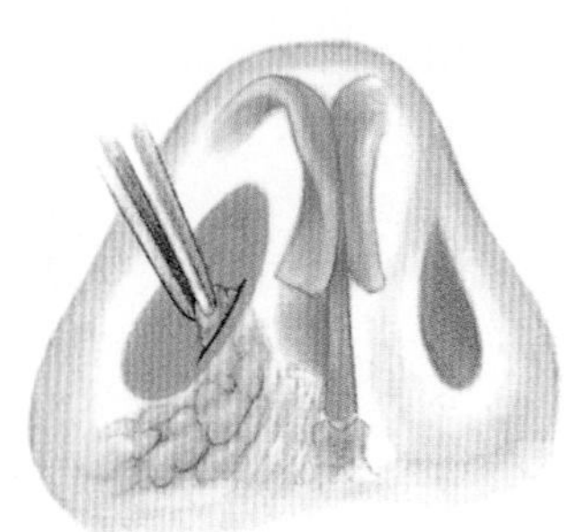
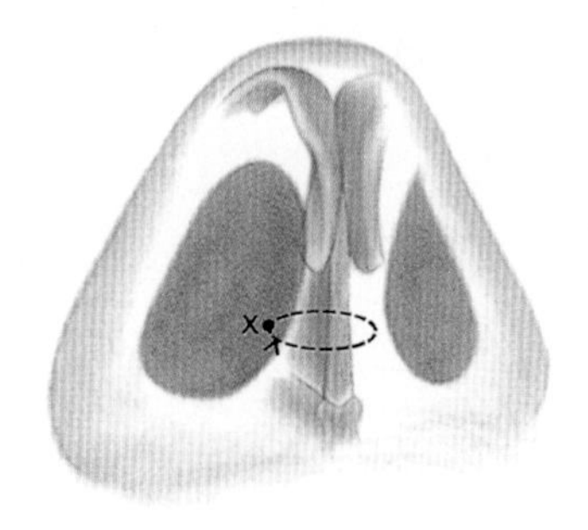


그림 5-25

## 분석

45세, 가라데 열광자인 유단자 남성으로서 심흡기때 악화되는 비폐쇄의 과거력을 갖고 찾아왔다. 자신의 문제점을 보여주기 위하여 환자는 숨을 깊이 들이쉬어서 우측 비공붕괴를 증명하였다. 과거력을 살펴보니, 수년 동안 가라데 연습 중에 다발성외상성골절을 당하였으며, 재빨리 코를 잡아당겨서 즉시 '맞추어' 놓았다. 내비검사 결과, 다음의 병리가 드러났다. 1) 미측 비중격이 우측으로 만곡 되었고, 2) 비중격체와 내비판막각 둘 다에서 비중격이 우측으로 만곡 되었으며, 3) 우측 내비판막이 붕괴되었으며, 그리고 4) 좌측 비갑개비후. 이 환자 역시 "호흡을 좋게 고치면서, 더 보기 좋은 코를 만들어 주시지요."라는 통상적인 촉구를 하였다. 비성형술 후 코가 더 부서지기 쉬움을 강조하면서 신중히 토론한 다음, 코의 전체 크기를 축소시키지 않기로 동의하였다. 일차적 미적 목표가 비첨을 최소로 변형시키면서 코를 축소하는 것이며, 비중격만곡은 폐쇄접근술로써 교정할 수 있기 때문에 폐쇄접근술을 선호하였다.

## 외과 수기

1. 우측관통절개술과 연골간절개술을 통한 폐쇄접근술.
2. 연조직외피거상술. 점막외터널 형성.
3. 비배축소술: 줄질로써 골 3mm, 수술도로써 연골 4mm.
4. 양측관통절개술로써 비중격 노출.
5. 4mm의 미측비중격하부분절절제술로써 비주-상구순각을 깊게 함.
6. 전악골과 서골구를 따라서, 그 다음 수직으로 비중격을 이동.
7. 연골비중격의 하부 1/2을 이식물로서 채취.
8. 좌측에서 우측으로 U 봉합술을 함으로써 이동시킨 미측 비중격을 전비극에 고정.
9. 저-고위외측비절골술.
10. 양측연전이식물(33×2mm)의 제 자리 봉합술.
11. 모든 절개선의 봉합술.
12. 비후(좌 > 우)된 하비갑개의 부분절제술.
13. 고형의 비중격연골을 사용한 비익연이식물(10×2.5mm)을 비공에 평행하게 이식.

Spreader Grafts

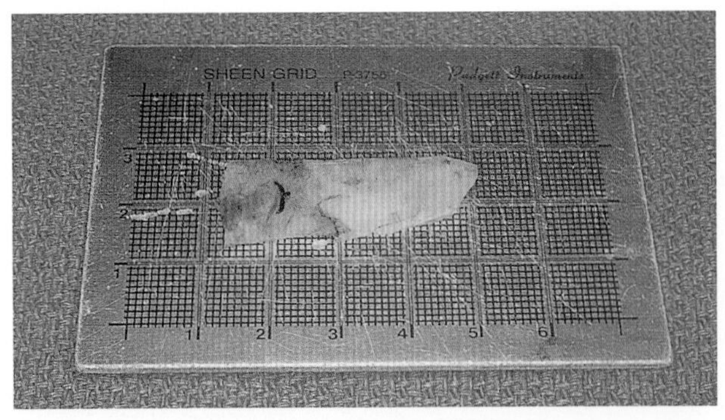


A

Alar Rim Grafts

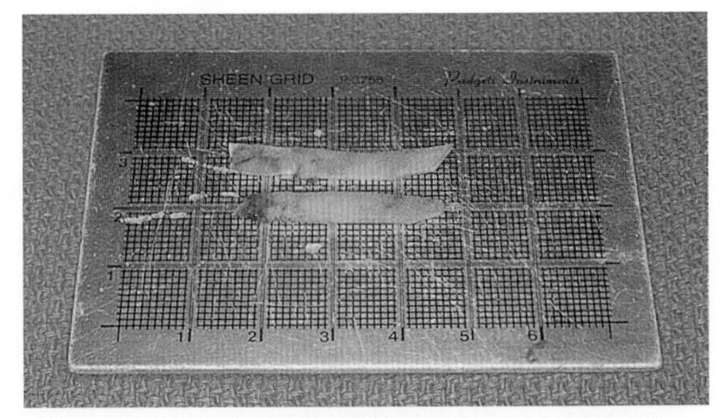


B

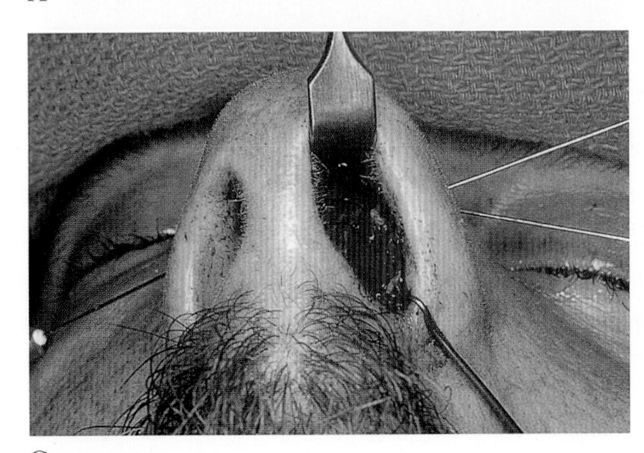

C

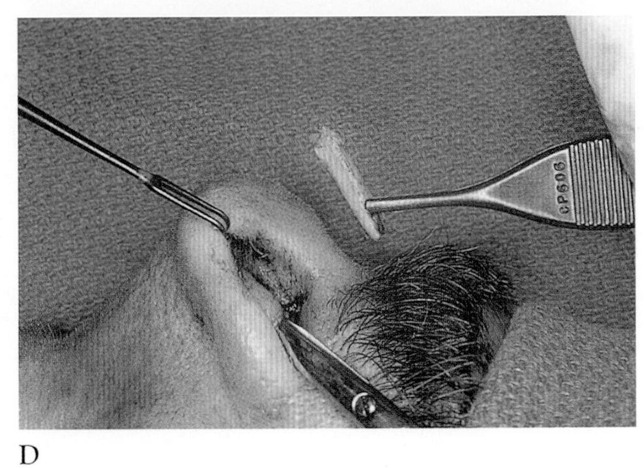

D

그림 5-26

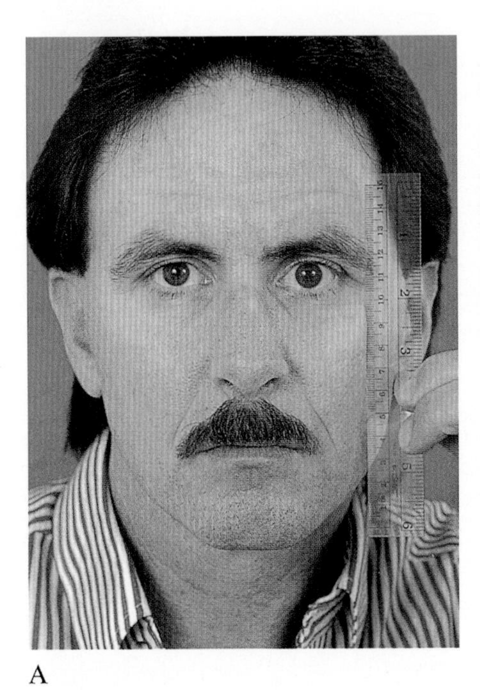

A

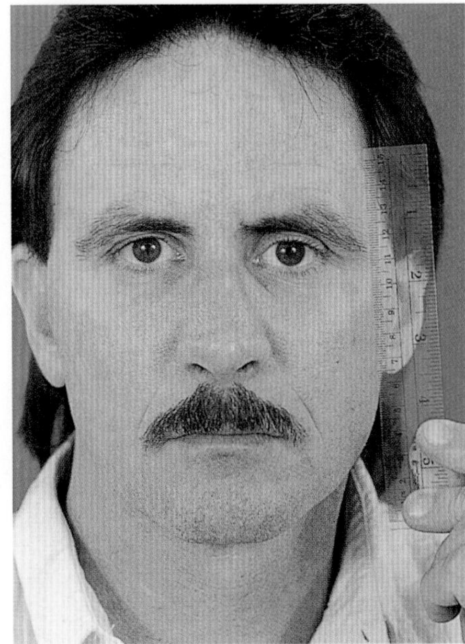

B

그림 5-27

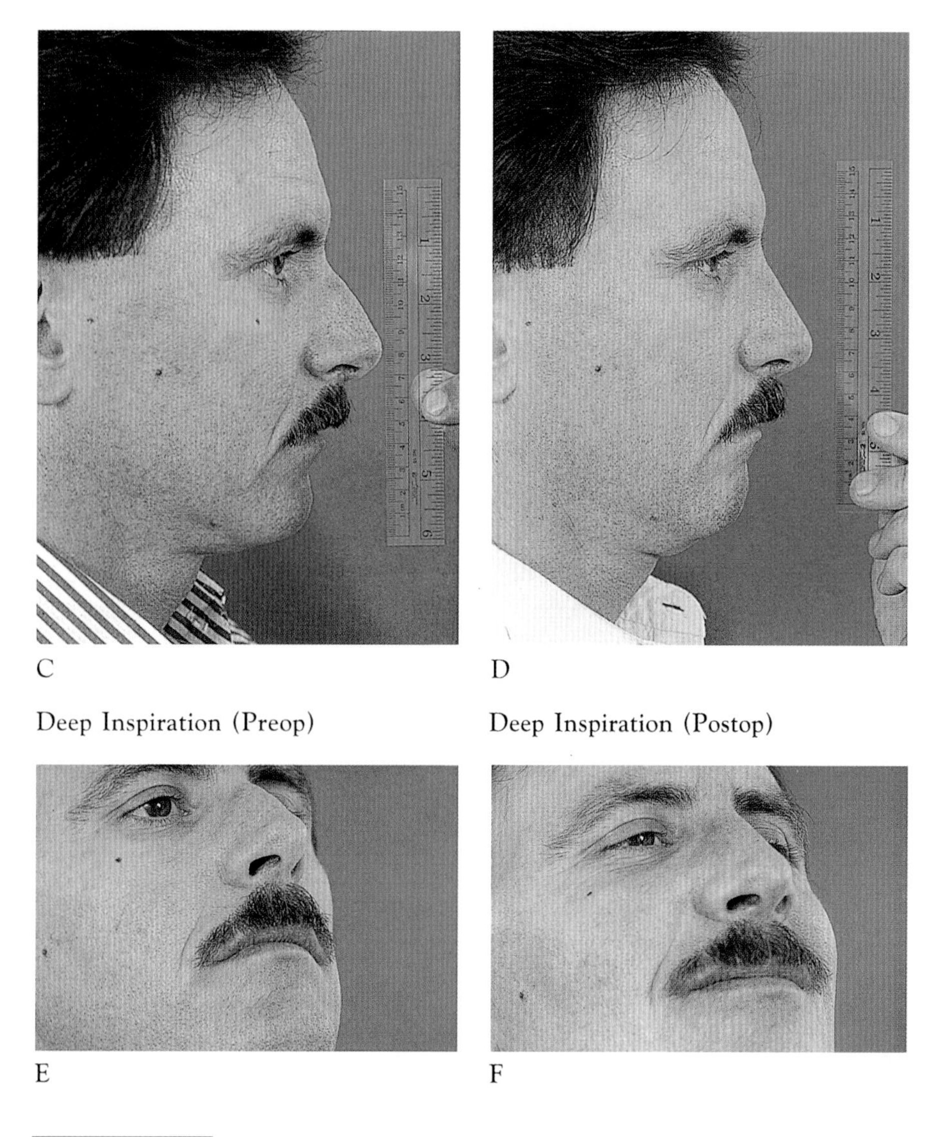


그림 5-27. 계속

## 논평

이 증례는 2가지 중요한 점을 증명하고 있다. 즉, 비폐쇄의 다원적 요소와 다위치 수술(multisite surgery)이 바로 그것이다. 비공판막만 단독으로 붕괴될 수도 있지만, 다른 내비 병리와 흔히 관련되어있다. 비익연이식술만 하더라도 단기적 결과가 좋을 수 있지만, 일차적 원인을 교정하지는 못 한다. 또, 비공판막이 미측비중격만곡에 의하여 압박되었으므로 내비판막붕괴를 막는 것만으로는 충분하지 않다. 따라서 비중격성형술, 비중격절제술, 그리고 비중격채취술의 상호관계에 주목하는 것이 중요하다. 이식물 재료를 얻는 것이 필수적이지만, 이는 만곡 된 비중격체를 교정하는 역할도 한다.

## 비전정판막 (Vestibular Valve)

비전정과 비전정이 호흡에서의 역할의 중요성은 잘 알려져 있다. Cottle[6]의 전형적인 논문을 살펴보면, 비전정은 일련의 효과적인 저항기 정류장치(resistor baffle)로서 코 안에서 기류를 감속시키며, 기류를 두측으로 향하도록 하여서 비소실(nasal chamber)에 들어가기 전에 예비로 따뜻하게 하고 가습시키는 역할을 한다. 그러나 비전정판막변형은 이차비성형술에서 교정을 하다가 이제야 일차비성형술에서도 교정하게 되었다. 해부학적으로, 비전정은 2개의 좁은 구멍 즉, 비공과 내골(os internum) 사이에 놓여 있다. 여러 가지 비중격 문제점들과 이상릉(pyriform crest)의 희귀한 변형들이 침범할 수 있지만, 대부분의 임상 증례는 외측비익붕괴이나 이차비성형술에서 나타나는 비전정물갈퀴로 이루어진다.

*외측비익붕괴(Lateral Alar Collapse).* 외측비익붕괴에는 원래 2가지 종류가 있다. 즉, 괄호형비첨(parenthesis tip)에서 볼 수 있는 약한 비익저와, 기도를 침범하는 외측각-부속연골접합부의 붕괴(collapsed lateral crura/accessory cartilage junction)가 바로 그것이다. 후자의 연골접합부는 비전정에 있는 중요한 정류장치(baffle)와 같은 기능을 하며, 병리적으로 돌출될 수 있다(그림 5-28D). 원인을 구별하는 것이 중요한데, 그 이유는 지지를 위한 연골이식술이 최선책이며, 연골접합부의 절제술은 적응증이 될 때에만 하기 때문이다. 이러한 변형이 동시에 나타나면 저자는 다음의 기법을 사용한다(그림 5-29). 1) 함몰된 부위를 피부 표면에 표시한 다음, 그 미측 경계를 내면으로 옮긴다. 2) 점막에 주사하고, 절개 한다. 3) 외측각-부속연골접합부에서 점막을 일으킨다. 4) 피하박리 한다. 5) 연골접합부와 모든 반흔조직을 절제한다. 6) 수용부 포켓을 이상구(pyriform aperture)까지 박리한다. 7) 이갑개연골이식물을 상반분할(reciprocal split)하면 양측 수용부에 충분한 이식물을 제공할 수 있다. 8) 이식물의 더 넓은 부분을 이상구연(pyriform edge)에 중복시키고, 두측부는 비익연골에 가까워짐에 따라 끝을 점점 좁게 한다. 9) 5-0 평장사로써 절개선을 봉합하고, 이식물연(graft edge)을 봉합사에 통합시킨다. 10) 실리콘판(Silastic sheet)으로써 '샌드위치 부목(sandwich splint)' 을 양쪽에 댐으로써 사강을 줄이고 이식물을 바깥쪽으로 민다. 11) 피부 압박을 피하기 위하여 3-5일 뒤에 부목을 제거한다. 이 기법을 처음 할 때에는, 이식술을 하여 그 유효성을 평가한 다음, 연골접합부의 절제 여부를 결정하여야 한다.

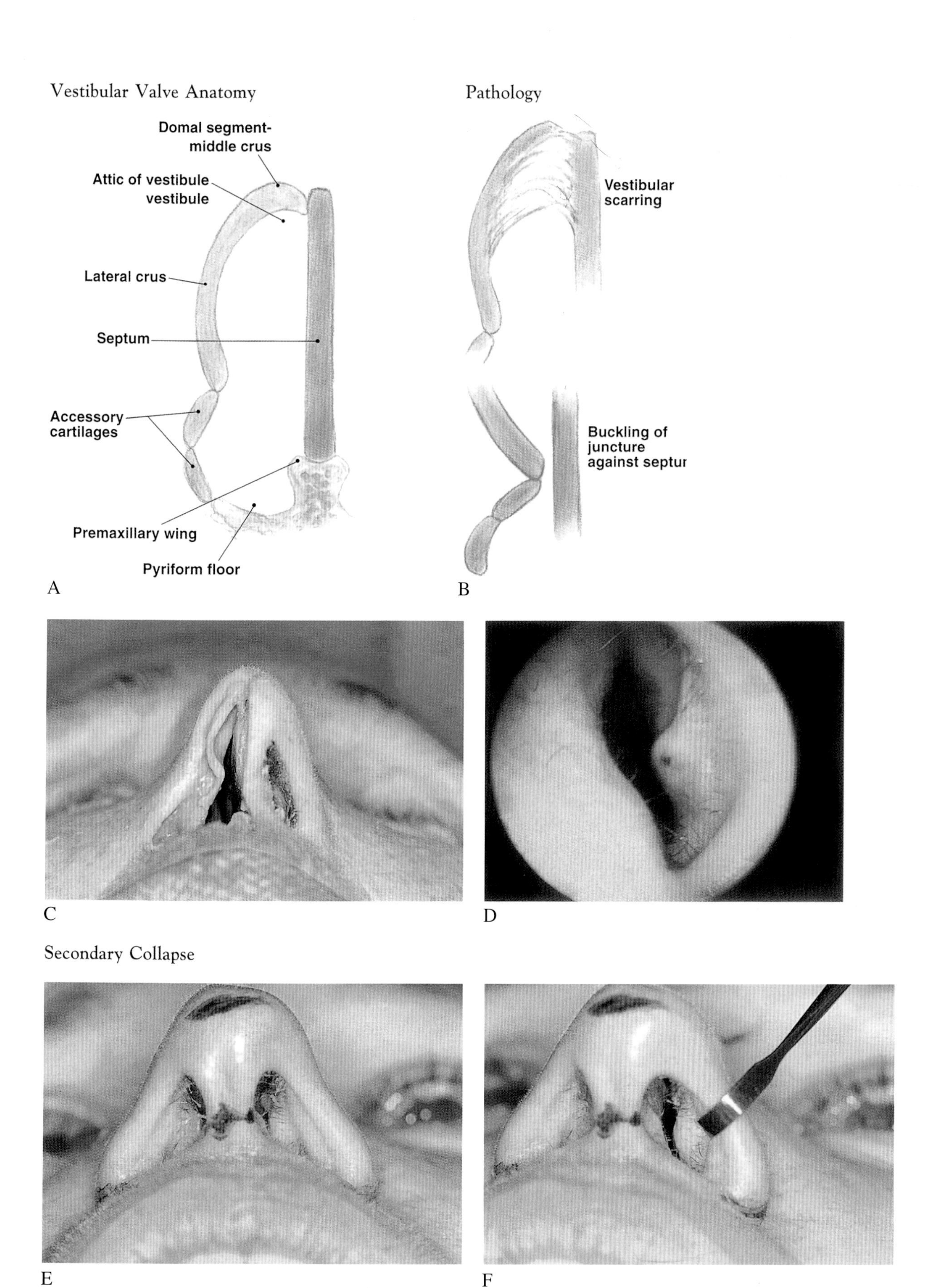

Vestibular Valve Anatomy
Domal segment-
middle crus
Attic of vestibule
vestibule
Lateral crus
Septum
Accessory
cartilages
Premaxillary wing
Pyriform floor
A
Pathology
Vestibular
scarring
Buckling of
juncture
against septur
B
C
D
Secondary Collapse
E
F


그림 5-28

Vestibular Collapse

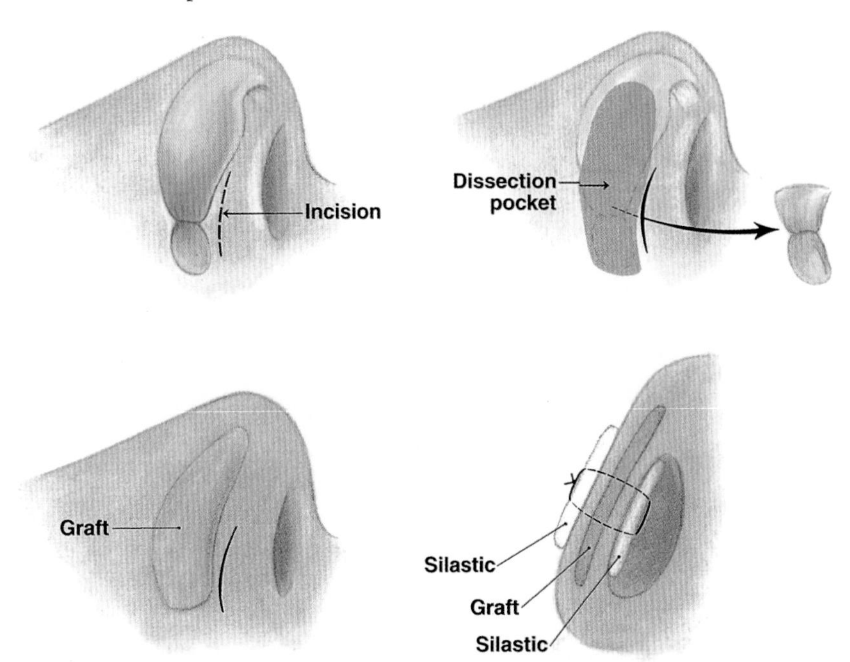


A

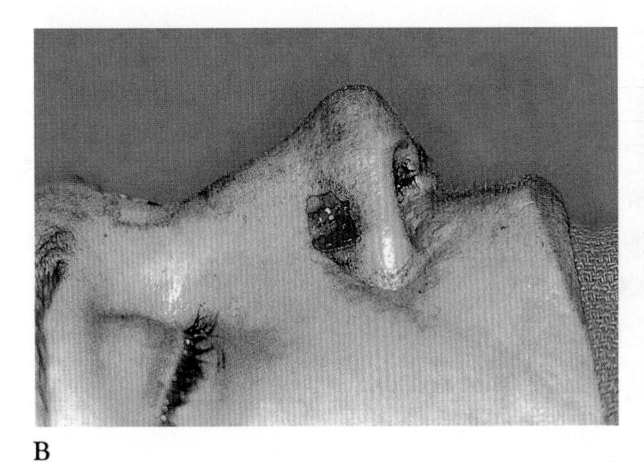

B

C

그림 5-29

*비전정물갈퀴(Vestibular Webbing).* Sheen[31]은 비전정협착(vestibular stenosis)을 다음과 같이 등급별로 분류하였다. 제 1등급, 0-15%; 제 2등급, 15-40%; 제 3등급. 40-65%; 제 4등급, 65-100%. 그는 비전정협착이 상외측연골의 복합조직단축술(composite shortening)에 의한 점막절제술과 관련이 있음을 지적하였다. 그러나 저자가 치료한 증례들로부터 저자는 원인이 좀 더 복잡하며, 박리하였던 점막의 구축과 반흔형성에 밀접히 관련될 수 있음을 느낀다. 비전정물갈퀴(vestibular web)의 치료는 어렵다. 저자는 물갈퀴의 종류와 정도에 따라서 수술을 달리한다. *경증의 물갈퀴(minor webs)*는 얇은 경향이며, 수축된 엄지-인지물갈퀴공간(thumb-index web space)을 연장하는데 사용하는 것과 비슷한 삼차원Z성형술(three-dimensional Z-plasty)로써 교정한다. *중등도 물갈퀴(moderate webs)*는 더 두꺼운 경향이며, Z성형술의 사용이 불가능하다. 이러한 증례에서는, 물갈퀴를 내측에 기저를 둔 피판(medially based flap)으로 전환시키고, 점막을 외측비벽으로부터 비중격을 향하도록 일으킨다. 그 다음, 두꺼운 반흔조직을 절개한다. 점막피판은 비전정방(vestibular atrium)을 복원하게 하며, 외측비벽은 일차 봉합하거나 얇은 점막이식술로써 덮는다.

*중증 협착(major stenosis)*에 대해서는 이갑개 전면으로부터 채취한 복합조직이식물을 개방접근술을 통하여 이식한다. 그 방법은 다음과 같다. 1) 개방접근술을 하고, 비배를 완전히 노출시킨다. 2) 비전정반흔을 두측에서 미측으로, 그리고 코 내부에서 절제함으로써 전층결손이 생기게 한다. 3) 복합조직이식물을 이갑개 전면으로부터 채취하며, 공여부를 전층식피술로써 덮는다. 4) 이식물의 원위부에서 피부를 일으켜서 비중격에 있는 점막결손을 채우도록 봉합한다. 5) 복합조직이식물 중 사각형의 연골 부분의 가장자리를 비배측 비중격(dorsal septum)에 봉합한다. 6) 그 다음, 이식물을 점막내층에 5-0 평장사로써 봉합한다. 7) 비전정 구멍을 유지시키기 위하여 둥근 비관 부목(nasal tube splint)이나, 상측 연을 자른Doyle 부목을 원개 안으로 높게 삽입하고, 10-14일 동안 그대로 둔다. 8) Porex 내비부목을 술후 3개월 동안 밤에만 착용시킨다. 이 기법의 장점은 이식물을 점막 결손으로 단순히 고정하기 보다는 결손을 해부학적으로 재건하는 것이다. 저자는 비중격을 중첩시키거나, 비전정을 두꺼운 이갑개연골로써 채우는 기법을 이해할 수 없다.

## 내비판막(Internal Valve)

내비판막차단을 진단하는 첫 째 단계는 의학적 원인과 전번의 수술적 원인 둘 다에 중점을 둔 전체 과거력 청취이다. 일단 점막 요소를 제거한 다음, 각각의 해부학적 요소를 평가한다. 원발성 환자에게서 가장 흔한 문제점은 비중격만곡(septal deviation), 내비판막각협소(narrowing of internal valve angle), 비갑개비후(turbinate hypertrophy), 그리고 외측비벽붕괴(lateral wall collapse)이다. 비중격수술과 비갑개수술은 따로 토론하기 때문에 다른 2가지 문제점에 역점을 둘 것이다.

*일차적내비판막붕괴(Primary Internal valve Collapse).* 임의로, 다음의 3가지 요소에 의하여 내비판막각이 폐쇄되는 '손상(compromise)'에 대하여 토론할 것이다. 즉, 점막이상(mucosal abnormalities), 비배측비중격만곡(dorsal septal deviation), 또는 상외측연골붕괴(upper lateral cartilage collapse)(그림 5-30). 대부분의 일차미용비성형술에서 원인은 상외측연골이 비중격에 대하여 수직으로 수 mm에 걸쳐 붕괴됨으로써 내비판막각이 뚜렷이 좁아지는 것이다. Constantian[4]은 내비판막붕괴를 외측비절골술의 필연적인 결과라고 생각하는 것과는 달리, 기존에 붕괴되었던 것이 증상을 나타내는 것뿐이라는 것이 저자의 견해이다. 처음에는 증상이 없지만, 비봉축소술에 뒤이은 외측비절골술과 비단축술에 의하여 그 평형이 기울어져서 무증상의 비폐쇄에서 증상이 있는 비폐쇄로 바뀌게 될 수 있다. 연전이식술을 사용한 예방적 치료가 해결책이며, 많은 미용비성형술의 필수 부분임에 틀림없다. 다른 곳에서 토론 하겠지만, 연전이식술을 사용하는데 있어서의 요점은 다음과 같다. 1) 비중격연골이나 절제해낸 비봉의 부분을 '성냥개비 크기(matchstick size)'의 이식물로 만들되, 폭은 기능과 비대칭을 교정하는 미학적 필요성에 의하여 결정한다. 2) 가능하면 언제나, 이식물을 골원개 아래로, 또는 점막외터널 안에서 두측으로 연장시킨다. 3) 미측 단을 내비판막각 안으로 연장시키기 보다는 상외측연골을 바깥쪽으로 밀어내도록 한다. 4) 이식물을 제 자리에 봉합한다.

Internal Valve

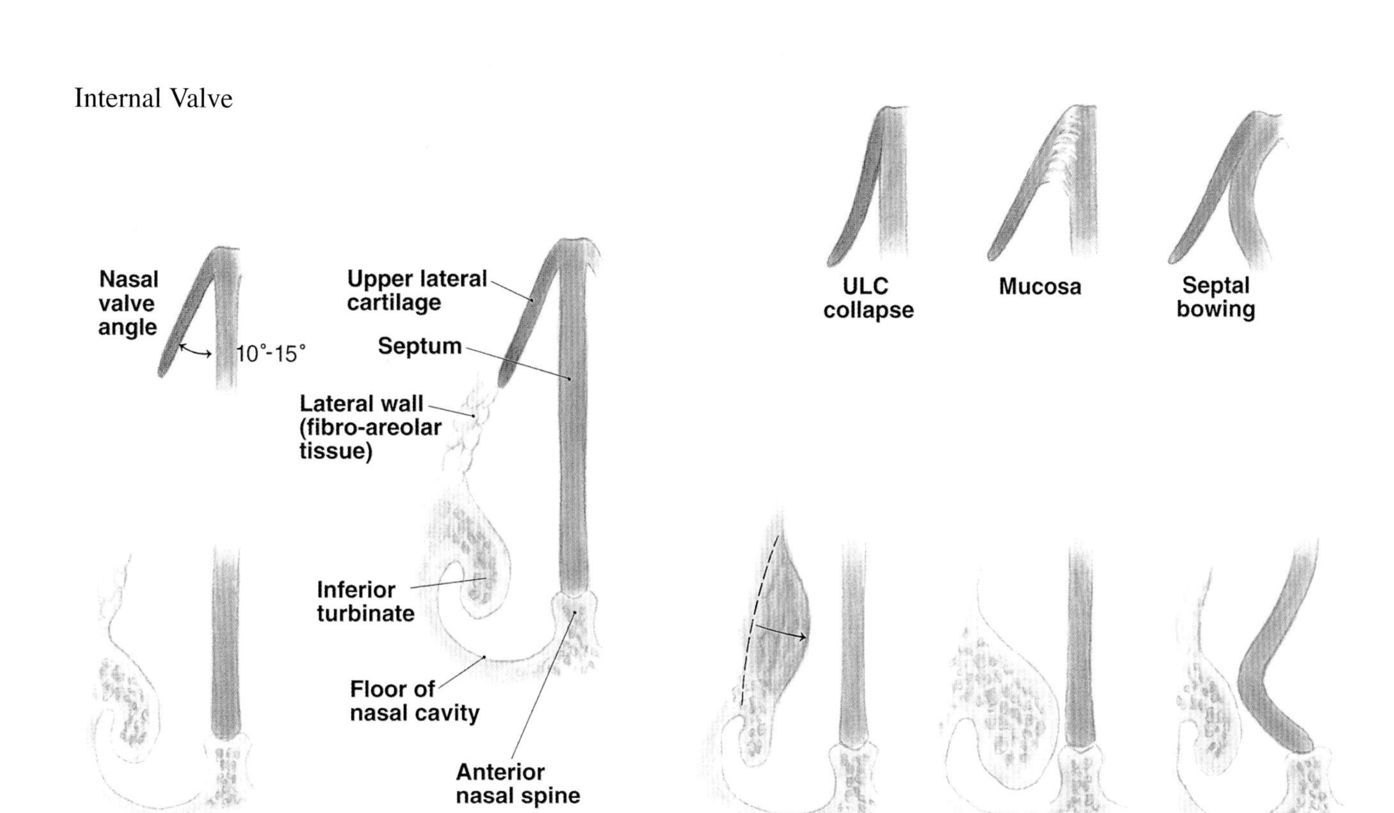


A

Anatomy

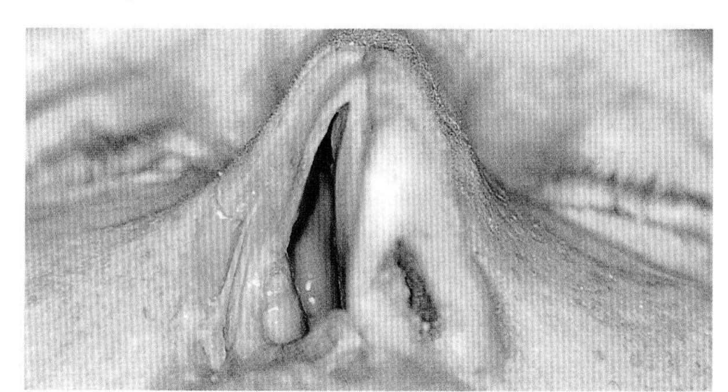

B

Open

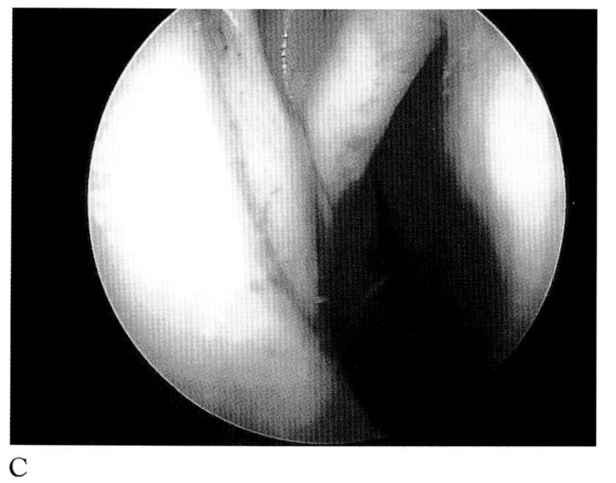

C

Collapsed

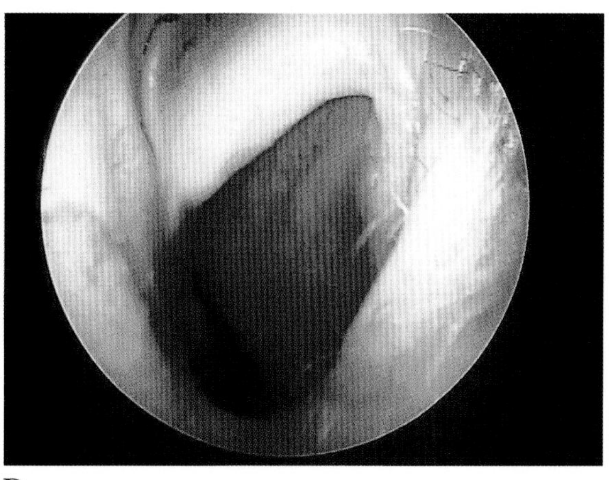

D

그림 5-30

*이차적내비판막협소(Secondary Internal Valve Narrowing).* 많은 이차비성형술에서 내비판막의 두드러진 협소를 만나며, 다원적 원인의 가능성이 있다. 즉, 외과적으로 유발된 점막반흔 형성과 결손, 치료하지 않은 비배측비중격만곡, 그리고 상외측연골붕괴. 원인이 단독이건, 복합적이건 간에 교정해야 하는 것은 분명하다. Sheen은 연전이식술을 내비판막각을 복원하는 효과적인 방법으로 발전시켰다. 많은 술자들은 이를 정상적인 구조물을 복원하는 것으로 생각하지만, 사실은 상외측연골을 비중격으로부터 바깥쪽으로 신연(distraction)시키며, 점막 정점(mucosal apex)을 낮추고 무디게 함으로써 내비판막각을 더 넓힌다. 상외측연골과 비배측 비중격각(dorsal septal angle)을 해부적으로 복원하는 대안은 Ken에 의하여 대중화된 Gray법이다[18]. 이 기법은 다음 단계들로써 구성되어 있다(그림 5-31). 1) 연골간절개술을 통하여 상외측연골의 원위단을 피하와 점막하 둘 다로 노출시킨다. 2) 2-3㎜의 변형된 연골을 상외측연골의 미측 단으로부터 절제한다. 3) 그 다음, 곧은 조직가위를 사용하여 상외측연골을 비배측 비중격으로부터 5㎜의 거리로 분리시킨다. 4) 상외측연골의 내측 삼각형(기저는 미측이고, 정점은 두측)을 절제한다. 5) 점막을 잘라 다듬어서 신중하게 봉합한다.

*외측비벽붕괴(Lateral Wall Collapse).* 외측비벽붕괴와 비익측벽붕괴(lateral alar collapse or alar side wall collapse)는 그 위치만이 다를 뿐이며, 많은 경우에서 둘 다가 동시에 있을 수 있다(그림 5-32). 그러나 외측비벽붕괴에서는 비익측벽붕괴 때 보는 연골접합부가 없을 뿐만 아니라 이식물을 감출 수 있는 두꺼운 연조직 덮개도 가지고 있지 않다. 만일 비익주름의 수평 부분을 미측에 있는 비익측벽(그림 5-32B)과 두측에 있는 외측비벽(그림 5-32D) 사이의 분계선으로서 생각하면 외측비벽붕괴를 더 자주 보게 되며, 특히, 나이 많은 환자에서 그러하다. Tardy[32]의 주장대로, 큰 이갑개연골이식물은 흔히 지지를 제공함으로써 붕괴와 전체적인 폐쇄를 피하게 한다. 비익주름선을 지워버리고, 점막공간(mucosal space)을 볼록하거나 크게 하는 모든 이식술은 호흡 장애자와 나이 많은 사람들에게는 감사한 수술이겠지만, 미용 목적의 환자에게는 바람직하지 못할 것이다. 붕괴는 얇은 사골수직판이식물을 이상구연까지 연장하여 위치시킴으로써 가장 잘 피할 수 있다. 샌드위치 부목은 필요하지 않다. 저자가 비골-점막공간접합부(nasal bone/mucosal space junction)를 세로로 지나는 외측비벽이식물(longitudinally oriented lateral wall graft)을 사용해 보았을 때 결과는 가시성 때문에 한결같이 바람직하지 못하였다.

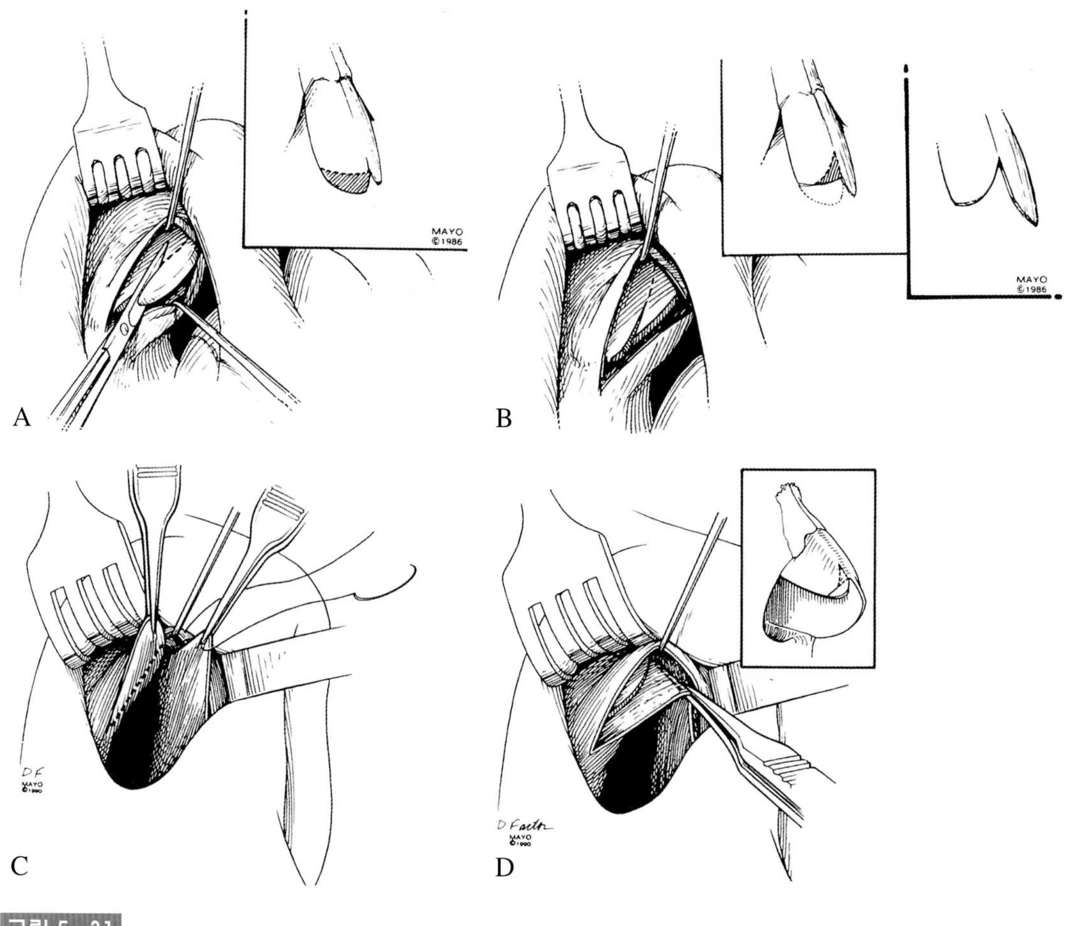


그림 5-31

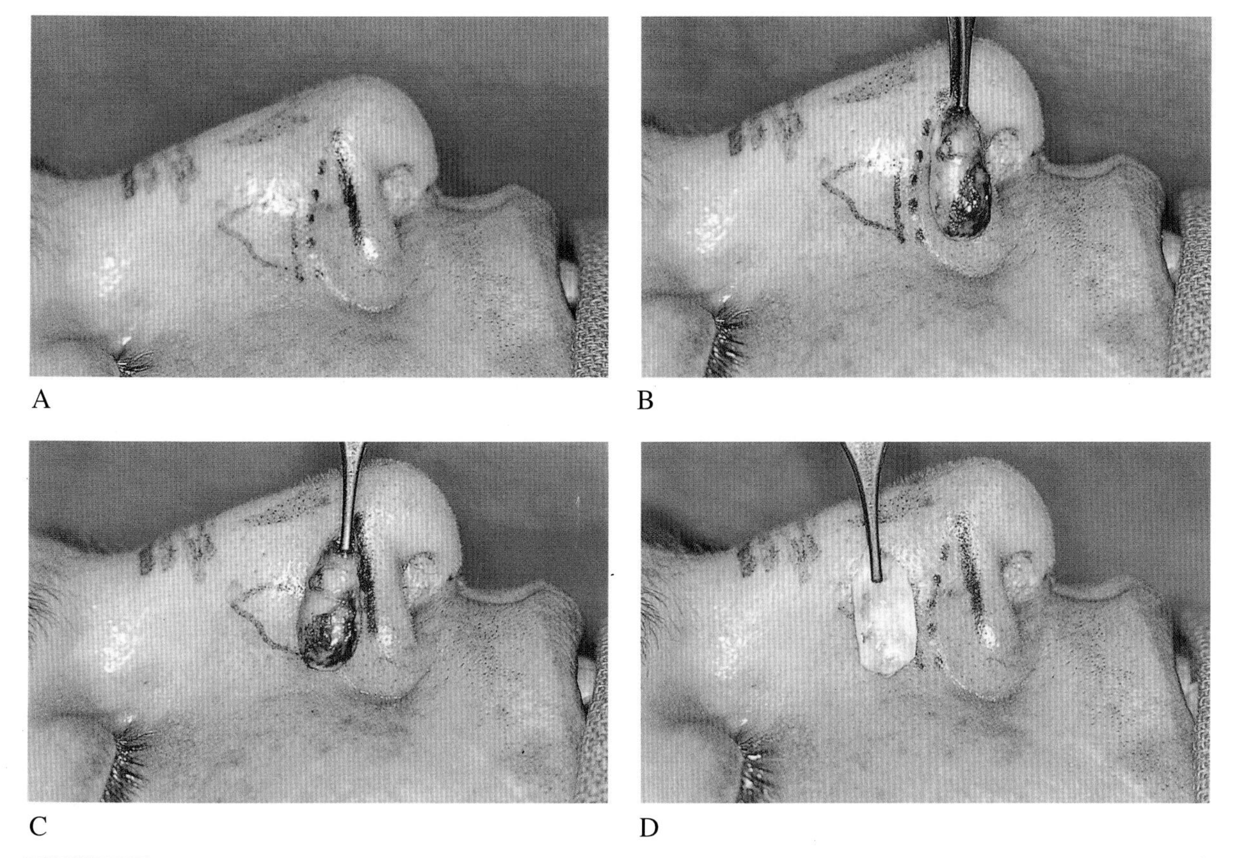


그림 5-32

## 비갑개수술 (Turbinate Surgery)

하비갑개는 비기류의 방향을 바꾸고 조절하며, 일차적 저항을 제공하는 역동적 구조물이다. 부교감신경자극(parasympathetic nerve stimulation)은 큰 세정맥(venule)의 혈관확장을 유발함으로써 비갑개의 용적과 내비저항을 증가시킨다. 비갑개비후에도 비주기(nasal cycle)가 나타날 수 있으며, 번갈아 일어나는 비폐쇄를 지각하도록 만든다. 해부학적으로, 하비갑개의 전방부(anterior portion)는 내비판막부의 중요한 부분이며, 따라서 비폐쇄를 지각하는데 중요하게 기여한다(그림 5-33). 하비갑개의 두부(head)는 꽤 크고(높이가 14㎜), 매우 역동적이며, 중요한 부위에 위치하고 있음을 알고 있어야 한다. 하비갑개는 비중격의 중간부에서 비중격에 매우 가까이 위치한다. 이곳의 후방으로는 하비갑개가 비중격으로부터 벌어진다. 이와는 달리, 중간비갑개(middle turbinate)는 공기의 습화(humidification)를 필수적으로 제공하며, 단지 가끔씩 폐쇄되는데, 비갑개골(conchal bone)의 공기화(pneumatization) 즉, 수포성비갑개(concha bullosa)에 의한 것이 가장 흔하다.

전방비경검사(anterior rhinoscopy)로써 코를 검사할 때에는 비점막과 비점액뿐만 아니라 비갑개의 크기, 모양, 그리고 색깔에 초점을 맞추어야 한다. 그 다음, Afrin을 국소분무 하여 혈관을 수축시키고, tetracaine을 국소분무 하여 마취한다. 몇 분 뒤에 폐쇄가 개선되었는지를 환자에게 물어본다. 폐쇄가 완전히 제거되면 점막충혈이 있었음을 가리키지만, 부분적 개선만이 있으면 해부학적 원인에 주의를 기울인다. 재검사에서도, 비갑개가 수축되지 않으면 흔히 골비후(bony hypertrophy)를 가리키며, 촉진으로써 확인할 수 있다. 또 다른 검사는 '비갑개 끝 검사(turbinate tip test)' 로서 코 전체의 충혈을 완화하기 전에 할 수 있다. 1% adrenaline에 적신 작은 cottonoid pledget을 전방 하비갑개 아래에 위치시켜서 10분 동안 놔 둔다. 만일 비호흡이 개선되면 외과적 축소술이 아마도 유효할 것이다. 후방 비갑개의 검사는 일단 전방비경검사를 마치고 나서 굴곡내시경(flexible endoscope)으로 하는 것이 가장 좋다. 비갑개비후에 의한 만성비폐쇄 때에는 원인을 찾기 위하여 상세한 과거력을 조사한 다음, 초기에 내과적 처치를 하고, 수술은 마지막 대안인 것이 잘 알려져 있다[19, 23].

다음 내용은 미용비성형술에서 하비갑개의 외과적 관리로 국한한 것이다.

*적응증.* 궁극적으로, 하비갑개절제술은 다음과 같은 3가지 부류의 미용비성형술 환자에서 한다. 1) 비중격만곡과 연관된 일측보상성비후(unilateral compensatory hypertrophy), 2) 만성양측비후(chronic bilateral hypertrophy), 그리고 3) 예방적절제술. 비중격만곡이 현저하면 반대쪽 하비갑개는 정상적 비저항을 얻을 때까지 흔히 비대해질 것이다. 이러한 확대는 점막하장액선(submucosal serous gland)과 비갑개골(conchal bone) 둘 다에서 일어난다. 골비갑개의 공기화(airation)는 제 4등급으로 간주된다. 외과적 축소술은 비중격을 재위치 시키고 불필요한 용적을 제거하기 위하여 필요하다.

일부 술자들은 비갑개절제술 대신에, 비갑개에 외골절술(outfracture)을 하여 3-6개월 동안 생리적 축소가 일어나도록 놔두는 것을 선호한다. 저자는 골과 연조직 둘 다를 술중 절제하였을 때 확실성과 즉각적인 유익이 있기 때문에 이를 선호한다. 제 2-4등급의 만성양측비후(골확대가 없는 중간증 내지 중증의 연조직비후)는 알레르기나 변연판막붕괴(marginal valvular collapse) 때문일 수 있다. 이 때에는, 부분축소술이 적어도 일시적일 뿐, 흔히 효과적이다. 좀 더 논란이 되는 분야는 '예방적' 축소술이다. 예방적축소술을 하는 비갑개비후는 제 1, 2등급(경증 내지 중간증)이지만, 다른 요소들이 때문에 비갑개변형술(turbinate modification)이 필요하게 된다. 전형적 증례는 긴장코(tension nose), 초기 외측비벽붕괴, 또는 내비판막각협소의 술전 소견이다. 술전에 경증, 무증상을 나타내는 비갑개비후에서 예방적비갑개축소술을 하지 않으면 술후 비통로의 협소에 이어서 술후비폐쇄가 초래될 수 있다.

*방법.* 비갑개비후를 치료하는데 많은 방법이 사용되어 왔으며, 각 방법마다 지지자와 반대자가 있다. 과거에 가장 흔히 사용되던 방법에는 1) 외골절술(outfracture), 2) 양극소작술(bipolar cauterization), 그리고 3) 절제술(resection)이 있는데, 절제술은 정도에 따라서(부분 또는 전체), 위치에 따라서(전방, 후방), 그리고 방법에 따라서(직접절제술, 점막하절제술) 세분된다. 부분 또는 전체 하비갑개절제술 중 어느 것을 선택하느냐가 가장 큰 논란거리이다. 그 이유는 술후 악화되는 위축성비염(atrophic rhinitis)의 위험 때문이다. 옹호자들이 있음에도 불구하고, 저자는 전체하비갑개절제술은 거의 적응증이 없으며, 위험을 무릅쓸 가치가 없고, 특히 시간이 지나가면 비분비물이 줄어드는 노인들에서는 가치가 없다고 결론을 내렸다. 대부분의 증례에서 저자는 전방 1/3에서는 부분절제술, 중간 1/3에서는 외골절술, 그리고 후방 1/3에서는 양극응고술을 선호한다(그림 5-33). 예외는 심한 골확대가 있는 제 4등급 비후로서 좀 더 광범위한 절제술이 필요하다.

*기법.* 대부분의 증례에서 저자는 수술을 마칠 때쯤, 부분전방하비갑개절제술(partial anterior inferior turbinectomy, 이후부터는 비갑개절제술)을 하는데, 수술에 방해가 되는 출혈을 최소화하고 필요하면 부목을 즉시 대어줄 수 있기 때문이다. 예외는, 비중격과 기도에 접근하기 위하여 초기에 비갑개절제술이 불가피한 중증의 골비후가 있는 증례이다. 외측비절골술 후에 비갑개절제술을 할 때의 단점은 외측비절골술 후에 발생하는 비갑개 내부의 부종이다. 술중 소견을 보면서 술전 계획을 점검하며, 전방 중간비갑개(anterior middle turbinate)와, 3개의 비갑개 후방을 어떻게 치료할 것인가에 관하여 최종 결정을 내린다. 만일 후방비갑개폐쇄가 단순히 하비갑개의 내측 전위 때문이면 외측외절골술(lateral outfracture)을 한다. 이 시점에서 외측외절골술을 하는 장점은 진단을 확정하고, 필요하면 연이은 대안의 치료를 가능하게 하는 것이다. 그 다음, 비갑개의 두부에 3.8cm 길이의 25번 주사침으로써 1-2cc의 국소마취제를 주입하며, 보다 좀 더 광범위한 절제술이 필요하면 25번 척추 주사침을 사용한다.

Mabry[21]의 변법을 사용한다(그림 5-33A). 비갑개의 두부를 절개하고 점막을 2cm의 거리로 일으킨 다음, 변형시킨 Greunwald 겸자를 사용하여 비후된 선과 골조직을 점막하로 절제한다. 만일 후방비갑개가 비후되었으면 Elmed의 양극 응고기를 절개선을 통하여 삽입한다(그림 5-33C). 응고는 2개의 바늘 전극(needle electrode) 사이에서 일어나므로 크기를 줄인다. 전방에서, 과대한 점막을 외측부부터 절제하는데, 이렇게 하면 더 작은 '새로운 비갑개(neoturbinate)'가 만들어진다. 그 다음, 점막을 1, 2개의 5-0평장사로써 봉합한다. 모든 증례에서, 내비부목을 사용하며, 여기에는 3가지 변형이 있다. 1) 비갑개절제술만을 위한 측관(lateral tube)이 없는 실리콘판, 2) 비갑개절제술과 비중격수술을 위한 측관이 있는 실리콘판, 3) 광범위한 비갑개절제술 후와 대부분의 남성들을 위한 gelfoam이 있는 실리콘판. 부목은 7일 뒤에 제거한다.

*문제점.* 술후 가장 흔한 3가지 문제점은 출혈, 유착(synechiae), 그리고 장기적으로 볼 때 실패이다. 비갑개절제술 후 출혈은 2-14%의 환자에게서 실제로 일어나지만, 5-6%는 정상으로 인정되는 것이다. 출혈의 빈도는 특히 혈관이 많은 후부에서 절제량과 관련이 있다고 추측해 본다. 저자는 광범위한 후방비갑개절제술을 하지 않기 때문에 거의 8년 동안 술후 출혈을 피할 수 있었

다. 그 결과, 저자는 지난 6개월 동안 3례의 출혈을 경험하였는데, 그 중 2례는 광범위절제술에서 gelfoam을 사용하지 않았을 때 일어났으며, 다른 1례는 환자의 약물에 의한 것이었다. 외래에서, 실리콘 부목을 제거하며, 팽창할 수 있는 부목(RhinoRocket)을 삽입하고, chlorpromazine을 사용하여 불안을 줄임으로써 즉각적인 지혈을 얻을 수 있었다. 재수술이나 후부충전(posterior packing)은 필요하지 않았다. 유착 형성률은 4-22%이었으며, 재수술이 때때로 필요하였다. 이러한 문제점은 7일 동안 놔두는 내비부목을 사용하면 쉽게 피할 수 있다.

만성비폐쇄에서 비갑개절제술의 장기적 효과는 하비갑개절제술을 받은 307명의 환자들을 관찰한 Warwick-Brown과 Marks[34]의 보고에 나타나 있다. 술후 1개월에 82%의 만족율을 얻었지만, 1년에는 54%, 그리고 1-16년에는 41%만의 만족율을 얻었다. 또, 앞으로 해결해야할 문제점은 부적절한 수술이기보다는 비폐쇄의 다원적 원인의 정확한 술전 진단이다.

Turbinate Anatomy

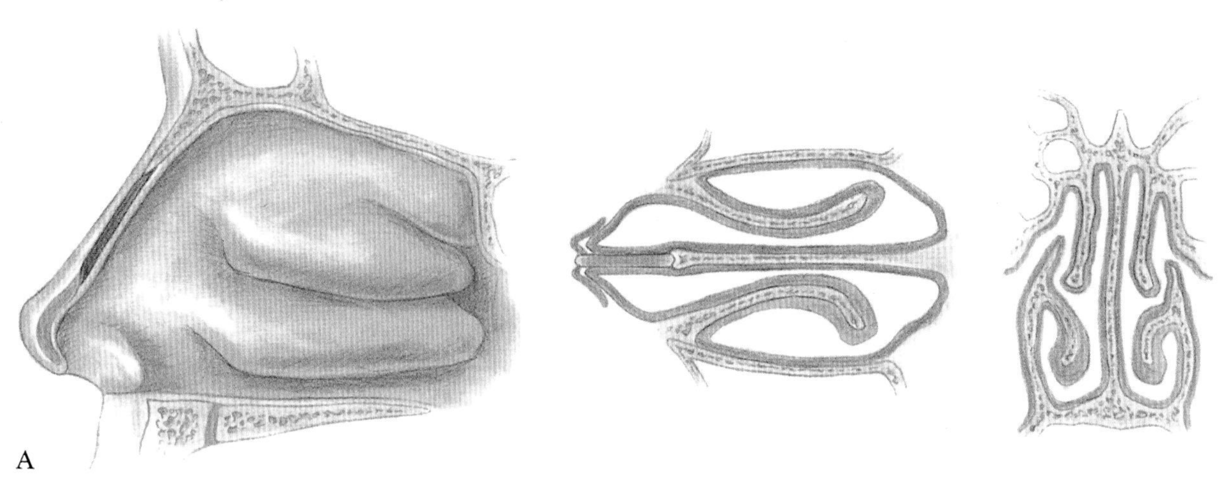

A

Submucosal Resertion

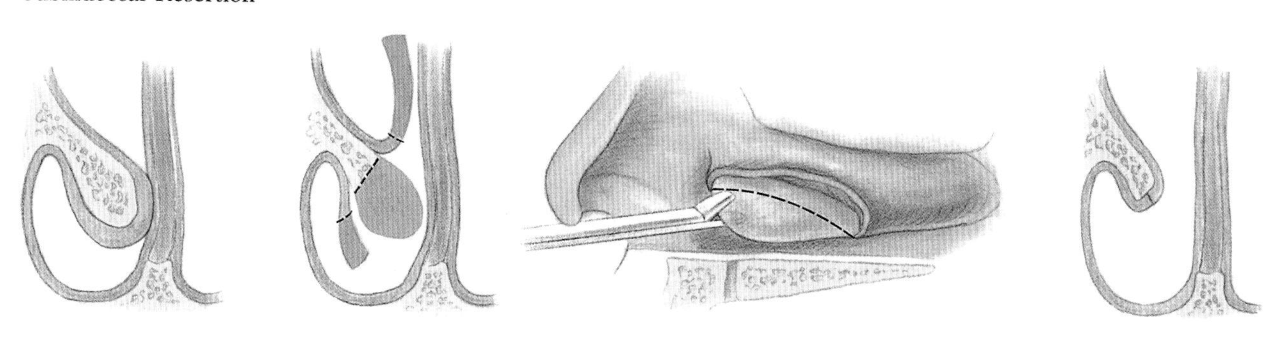

B

Bipolar Congulation

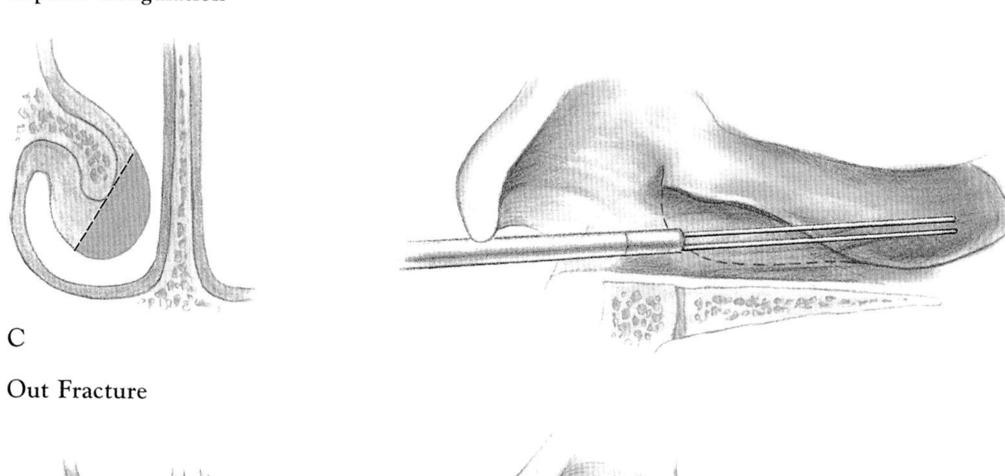

C

Out Fracture

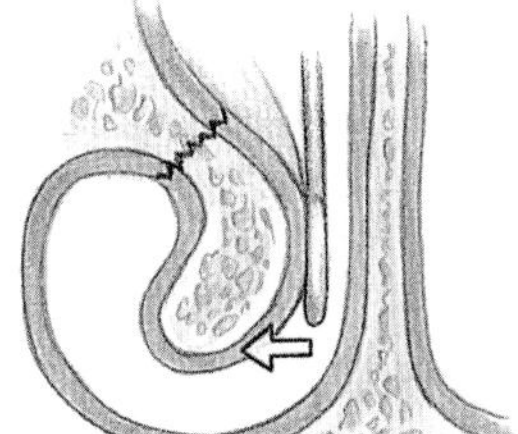

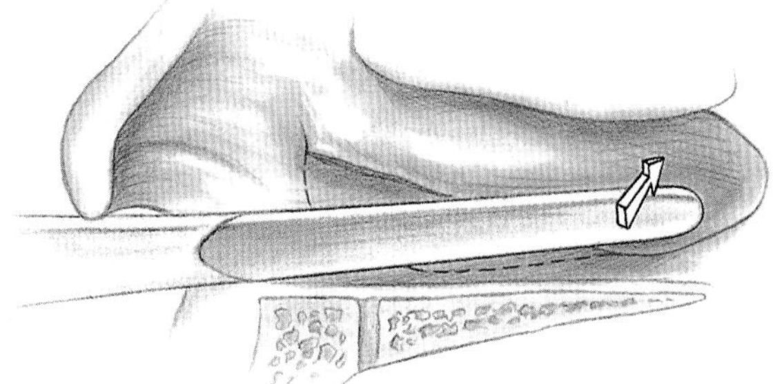

D

그림 5-33

## 골판막 (Bony Valve)

골판막의 개념은 이차비성형술 환자를 검사하는 가운데 발전되었으며, 나중에 일차외상후비변형(primary posttraumatic nose)에서 확인되었다. 내비검사를 해보면, 내비판막이 상외측연골의 수직화에 의하여 차단되어있다. 그러나 상외측연골을 거상시키더라도 기도가 외측비골벽(lateral nasal bony wall)에 의하여 여전히 차단되고 있는 것이 분명해진다. 그러므로 원인은 주로 외측비골벽의 내측 이동이며, 흔히 외측비골벽의 방위(orientation)가 57도의 각도로부터 거의 수직에 가깝게 변화되어 있는데, 둘 다 비통로를 압박한다. 마찬가지로, 상외측연골도 외측비골벽에 갇혀서 내비판막각을 차단한다. 이러한 진단의 중요성은 이러한 문제점을 연전이식술만으로는 교정할 수 없다는 것이며, 오히려 외측비절골술과, 심지어는 이중수준비절골술도 고려하여야 한다. 외측비골벽을 바깥으로 이동시킴으로써 협소를 완화하는 것이 필요한데, 이러한 수술은 다음의 2가지 경우에서 필요하다(그림 5-34). 첫째는, 이차비성형술에서, 특히 내측비절골술과 외골절술을 한 다음, 과감하게 내골절술(infracturing)시킨 경우 외측비골벽이 완전히 이동되어서 외측비골벽이 과대하게 수직화 된 경우이다. 둘째는, 외상후비변형으로서 외측비골벽이 비중격 쪽으로 압박하는 경우인데, 골절선이 비골-상악골전두돌기봉합선을 지날 수 있다.

Posttraumatic

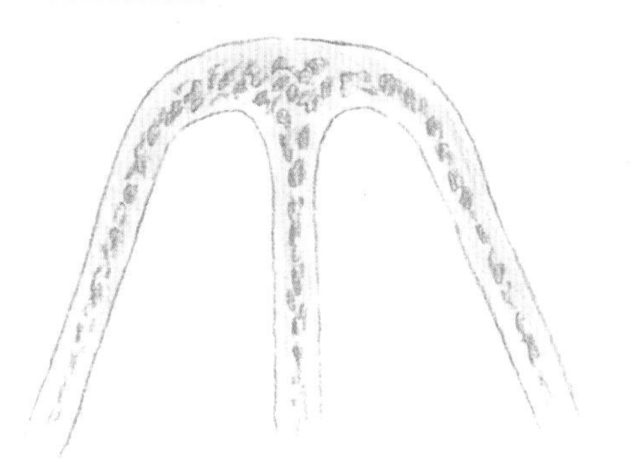

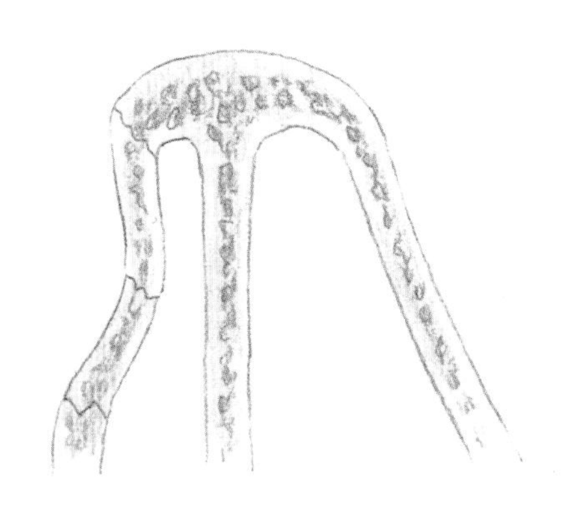

Postrhinoplasty

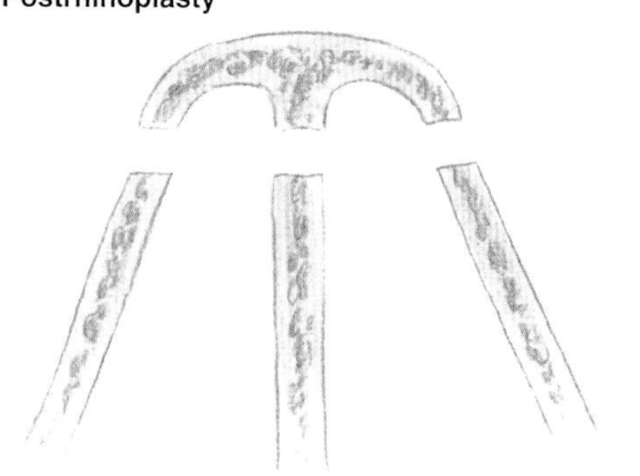

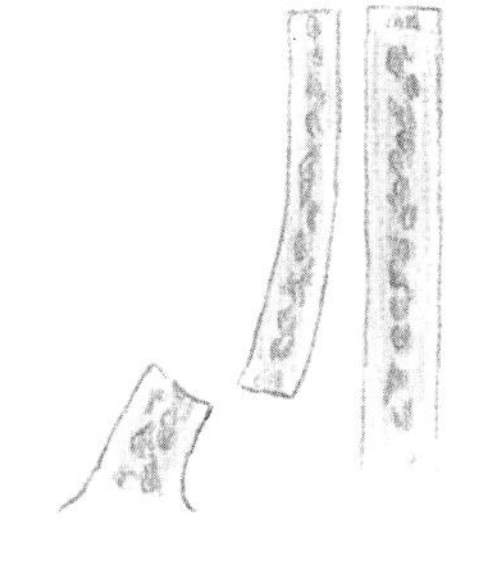

A

Normal Bony Valve

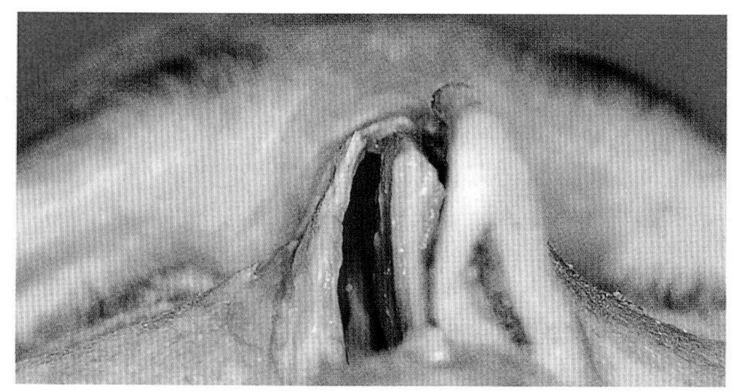

B

Collapse after Osteotomy

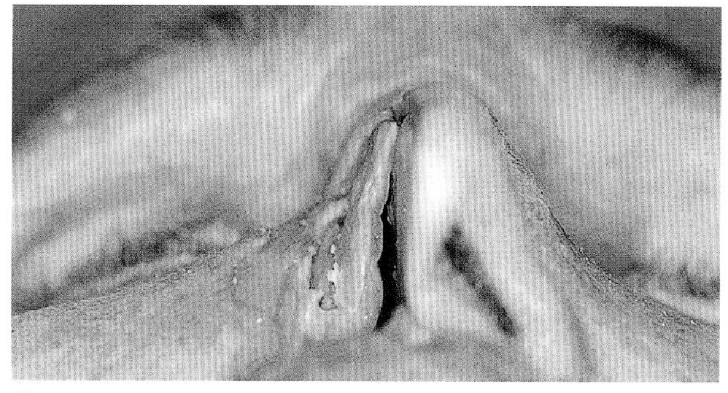

C

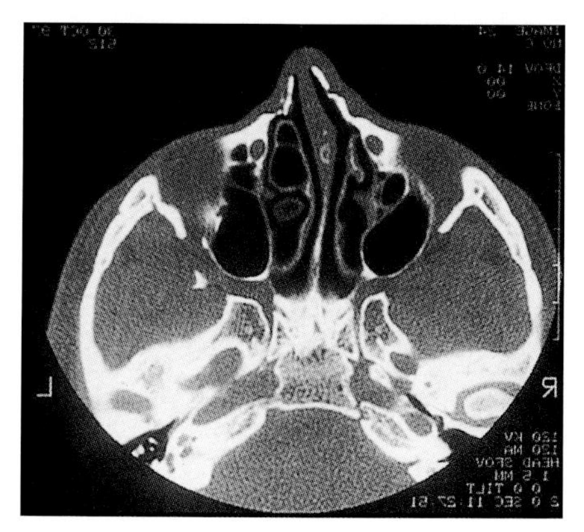

D

그림 5-34

## 참고 문헌


1. Bang BG, and Bang FB. Nasal mucociliary systems. In: Brain JD, Proctor DF, and Reid LM (eds) *Respiratory Defense Mechanism,* Vol. 5, part 1. pp. 405-425. New York: Marcel Dekker, 1997.
2. Bridger GP. Physiology of the nasal valve. *Arch Otolaryngol* 1970;92:543-553.
3. Cole P. Nasal and oral airflow resistors. Site, function, and assessment. [Review]. *Arch Otolaryngol Head Neck Surg* 1992;118:790-793.
4. Constantian MB. The incompetent external nasal valve: pathophysiology and treatment in primary and secondary rhinoplasty. *Plast Reconstr Surg* 1994;93:919-931.
5. Constantinides MS, Adamson PA, and Cole P. The long-term effects of open cosmetic septorhinoplasty on nasal air flow. *Arch Otolaryngol Head Neck Surg* 1996;122:41-45.
6. Cottle MH. The structure and function of the nasal vestibule. *Arch Otolaryngol* 1955;62:173-181.
7. Cottle MH, Loring RM, Fischer GG, and Gaynon IE. The "maxilla-premaxilla" approach to extensive nasal septum surgery. *Arch Otolaryngol*1958;68:301-315.
8. Daniel RK, and Regnault P. *Aesthetic Plastic Surgery: Rhinoplasty.* Boston: Little, Brown, 1993.
9. Goldman JL (ed). *The Principles and Practice of Rhinology.* New York: Wiley, 1987.
10. Goodman WS, and de Souza FM. Atrophic rhinitis. In: English GM (ed) *Otolaryngology*, Vol. 2: pp. 1-11. Philadelphia: JB Lippincott, 1987.
11. Grymer LF, Hilberg O, Elbrond O, and Pedersen OF. Acoustic rhinometry: Evaluation of the nasal cavity with septal deviations, before and after septoplasty. *Laryngoscope* 1989;99:1180.
12. Haight JS, and Cole P. The site and function of the nasal valve. *Laryngoscope* 1983;93:49-55.
13. Haraldsson PO, Nordemar H, and Anggard A. Long-term results after septal surgery submucous resection versus septoplasty. Orl; *J Oto-Rhino-Laryngol & Its Related Specialties* 1987;49:218-222.
14. Johnson CM Jr., and Toriumi DM. *Open Structure Rhinoplasty.* Philadelphia: Saunders, 1990.
15. Jost G. Post-traumatic nasal deformities. In Regnault P and Daniel RK (eds) *Aesthetic Plastic Surgery.* Boston: Little, Brown, 1984.
16. Jugo SB. Total septal reconstruction through decortication (external) approach in children. *Arch Otolaryngol Head Neck Surg* 1987;113:173-178.
17. Jugo SB. *Surgical Atlas of External Rhinoplasty.* Edinburgh: Churchill, Livingstone, 1995.
18. Kern EB, and Wang TD. Nasal valve surgery. In: Daniel RK (ed) *Aesthetic Plastic Surgery: Rhinopiasty.* Boston: Little, Brown, 1993.
19. Lawler G, and Fischer T (eds). *Manual of Allergy and Immunology: Diagnoses and Therapy.* Boston: Little, Brown, 1981.
20. Lawson W, and Reino AJ. Correcting functional problems. *Facial Plast Surg* 1994;2(4):501-520.
21. Mabry RL. Inferior turbinoplasty: patient selection, technique, and long-term consequences. *Otolaryngol Head Neck Surg* 1988;98:60-66.

22. Martinez SA, Nissen AJ, Stock CR, et al. Nasal turbinate resection for relief of nasal obstruction. *Laryngoscope* 1983,93:871-875.

23. McCaffrey TV, and Kern EB. Clinical evaluation of nasal obstruction. A study of 1,000 patients. *Arch Otolaryngol* 1979;105:542-545.

24. McCaffrey TV, and Kern EB. Rhinomanometry. In: English GM (ed) *Otolaryngology*. Vol. 2. Philadelphia: Harper & Row, 1986.

25. Mertz JS, McCaffrey TV, and Kern EB. Objective evaluation of anterior septal surgical reconstruction. *Otolaryngol Head Neck Surg* 1984;92:308-311.

26. Meredith GM. Diagnosis and treatment of nasal obstruction. In: Daniel RK (ed) Aesthetic *Plastic Surgery: Rhinoplasty*. Boston: Little, Brown, 1993.

27. Moore GF, Freeman TJ, Ogren FP, et al. Extended follow-up of total inferior turbinate resection for relief of chronic nasal obstruction. *Laryngoscope* 1985;95:1095-1099.

28. Mosher HP. The premaxillary wings and deviations of the septum. *Laryngoscope* 1907;17:840.

29. Pallanch JF, McCaffrey TV, and Kern EB. Normal nasal resistance. *Otolaryngol Head Neck Surg* 1985;93:778-785.

30. Pollock RA, and Rohrich RJ. Inferior turbinate surgery: An adjunct to successful treatment of nasal obstruction in 408 patients. *Plast Reconstr Surg* 1984;74:227-236.

31. Sheen JH, and Sheen AP. *Aesthetic Rhinoplasty* (2nd ed.) St. Louis: Mosby, 1987.

32. Tardy ME. Rhinoplasty: *The Art and the Science*. Philadelphia: Saunders, 1997.

33. Toriumi DM, and Ries WR. Innovative surgical managment of the crooked nose. *Facial Plast Clin* 1993; 1:63.

34. Warwick-Brown NP, and Marks NJ. Turbinate surgery: How effective is it? A long-term assessment. Orl; J *Oto-Rhino-Laryngol & Its Related Specialties* 1987;49:314-320.

### Additional References

Gubisch W, and Constantinescu HL. Refinements in extracoporeal septoplasty. *Plast Reconstr Surg* 1999;104:1131.

Guyuron B, Uzzo CD, and Scull H. A practical classification of septonasal deviation and an effective guide to septal surgery. *Plast Reconstr Surg* 1999; 104:2002.

Pastornek NJ, and Becker DG. Treating the caudal septal deflection. *Arch Facial Plast Surg* 2000;2:217.

# 이식술(Grafts) 6

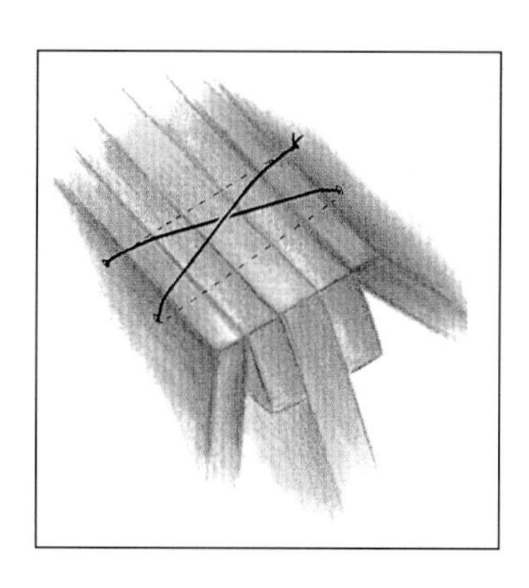

## 서론

저자는 비성형술에서 수천 번의 이식술을 하고나서 10가지 결론에 이르게 되었다. 1. 이식술은 비성형술을 위한 분석과 수술 계획의 필수적인 분야이어야 하며, 술중 필요에 의하여 부득이하게 해서는 안 된다. 비첨이식술을 할 것인지, 아니면 비근이식술을 할 것인지에 따라서 비배축소의 량과 접근술의 종류가 흔히 결정된다. 2. 술자는 모든 이식물을 사용하는데 숙달되어야 하며, 하나의 공여부에만 의존해서는 안 된다. 비중격은 보통 일차비성형술에서는 충분하지만, 이차비성형술에서는 흔히 부족하며, 이갑개로부터 비배지주(dorsal strut)나 비주지주(columella strut)를 만들 수 있어야 한다. 3. 술자는 이식물을 신속하게 채취할 수 있어야 한다. 이식물을 채취하기가 어려우면 이식물이 필요하지 않다고 흔히 합리화하게 될 것이다. 4. 이식물의 모양내기와 수용부바닥을 준비하는 것은 둘 다 꼭 같이 중요하다. 흔히, 술자는 지레받침(fulcrum)으로서의 역할을 하고 비배를 왜곡시키는 비종석부(keystone area)에서 작은 돌출만 남기도록 완전한 비배이식물의 모양을 만드는데 상당한 시간을 소비할 것이다. 5. 이식물에 손을 가장 덜 댈수록 더 낫다. 저자는 압좌(crush)시키거나, 심지어 타박(bruise)한 연골이식물의 장기적 생존이 의심스럽다고 생각한다. 저자는 고형의 이식물(solid graft)을 사용한다. 6. 이식물의 고정은, 개방접근술에서는 폐쇄접근술에서처럼 팽팽한 포켓이 없기 때문에 봉합술이 흔히 필요하다. 7. 술중과 술후 5일 동안 항생제의 정맥내주사가 중요하다. 보고 된 감염의 대부분은 항생제를 사용하지 않은 경우이다. 8. 이물성형물(alloplasts)은 술자에게는 지름길일 수 있지만, 환자에게는 실패의 위험을 증가시킨다. 9. 자가이식물은 거의 돌출되지 않으며, 감염을 견딜 수 있으며, 시간의 시험(test of time)을 분명히 견딘다. 10. 이식술은 비성형술 결과의 질을 극적으로 개선시켜서, 좀 더 자연스러운 기능을 가지는 일차적 결과를 얻게 하며, 이차비성형술에서는 지금까지는 얻을 수 없었던 수술하지 않은 것 같은 모양(nonoperative look)을 얻게 한다.

개관(Overview)

## 분석

코의 각 부위에서 보존, 축소술 또는 증대술 가운데 무엇을 할 것인지에 대하여 신중하게 평가한다. 한 부위를 축소시키면 보상적으로 이식술이 필요할 수 있는데, 연전이식술(spreader graft)이 가장 흔한 사례이다. 연골원개축소술을 수직으로 1.0㎜를 하더라도 상외측연골의 내측 붕괴를 막기 위하여 연전이식술이 흔히 필요하다. 왜냐하면 상외측연골이 내측 붕괴 되면 외적으로는 보기 싫은 집게형중간원개(pinched middle vault)를, 그리고 내적으로는 비판막붕괴(nasal valve collapse)를 만들 수 있기 때문이다. 마찬가지로, 연전이식술은 술전에 좁은 중간원개를 가진 코에서는 축소비성형술을 하지 않고서도 사용할 수 있다. 비첨이식술의 유용성과 다양한 적용 범위는 비성형술을 극적으로 변화시켰다. 두꺼운 피부, 비익 해부, 그리고 불균형이라는 제한 요소는 더 이상 그렇게 제한이 아니다. 비첨변형술(tip modification)을 먼저 하고, 이 비첨에 비배를 맞추는 원칙을 따를 필요가 없다. 왜냐하면 내재하는 이상적 비첨과 이상적 비배 둘 다에 맞도록 비첨을 변화시킬 수 있기 때문이다.

## 수술 순서(Operative Sequence)

언제 이식물을 채취할 것인가 하는 질문이 생긴다. 저자는 코의 혈관수축을 위하여 추가적인 시간을 주고, 자신이 세운 수술 계획을 따르지 않을 기회를 최소화하기 위하여 저자는 수술을 시작할 때에 가장 흔히 근막이식물을 채취한다. 비근 및 비배 이식술은 수술의 마지막에서 흔히 하기 때문에 근막이식물이 필요하지 않다는 이론적 근거를 대면서 하지 않으려는 유혹이 흔히 있다. 그러나 이식물을 미리 준비하였으면 주저함을 쉽게 극복할 수 있다. 비중격연골은 언제나 명확한 비배선이 만든 다음에 채취한다. 만일 비중격연골채취술을 먼저 하면 L형지주의 원래 구조를 손상시킬 위험이 너무 크다. 만일 폐쇄 및 개방 접근술을 사용하면 저자는 일단 비첨이 개방되어야 비중격연골채취술을 한다. 그 이유는 비중격에 대한 이중접근술(dual approach)이 흔히 가능하기 때문이다. 일반적으로, 이갑개연골은 필요성이 분명해질 때까지 채취를 미룬다. 모든 이식물은 항생제가 없는 식염수가 든 큰 그릇에 넣어 둔다. 저자의 두개안면수술 경험에 근거하여, 저자는 안면수술에서는 장갑과 기구를 새 것으로 바꾸지 않는다. 늑이식물이 필요하면 저자는 비성형술을 하기 *전에* 먼저 채취술을 하는 경향이 있다.

비절골술을 포함하여 코에 대한 모든 큰 수술을 끝낸 다음, 이식물 준비는 조각판, 격자(grid), 측경기(caliper), 그리고 표시 펜촉(marking pencil)을 사용하여 back table에서 한다. 복잡한 증례에서는 흔히 이식물의 수요가 많으며, 신중한 도안이 중요하다. 일단 모든 이식물이 준비되면 통상적인 순서 즉, 연전이식술, 비근이식술, 비배이식술, 비주이식술, 비첨이식술, 그리고 비익연이식술의 순서로 이식한다.

## 술중 문제점(Intraoperative Problems)

수술 계획이 실제로 잘못될 수도 있으므로 특히, 이차비성형술에서는 많은 이식물을 사용할 줄 알아야 한다. 비중격연골로써 비배이식술을 계획할 때 비중격이식물이 최소한으로 남아 있어서 이갑개이식물이 필요함을 알게 되는 것은 드문 일이 아니다. 또, 한정된 비중격이식물에 우선권을 줘야한다면 비주에는 이갑개연골을 사용한다. 저자는 모든 환자에서 이갑개이식술과 근막이식술의 사용 가능성에 대하여 술전에 승인을 받는다. 술중 이식물 사용에서 융통성이 매우 중요하며, 필요하면 이식물을 추가하기 위하여 준비하여야 하며, 동시에 술후 부종이 가라앉으면서 좀 더 분명해지는 과대한 이식술을 피하여야 한다. 술중 착각을 받아들이는 무서운 유혹이 있다. 흔한 사례는 경증의 불규칙을 교정하기 위하여, 또는 작은 증대를 얻기 위하여 압좌시킨 연골을 비배에 위치시키는 것이다. 의문의 여지없이, 수술실에서는 탁월해 보이지만, 시간이 지나면서 예상하지 못한 흡수가 일어나고 불규칙성이 되돌아온다. 선택할 수 있으면 고형의 구조적 이식물(solid structural graft)을 사용하고, 이와 같은 이식물이 완벽해질 때까지 주의를 기울이는 편이 더 낫다.

## 술후 문제점(Postoperative Problems)

지난 십년 동안 수천 가지의 이식물을 사용하였음에도 불구하고 저자에게는 문제점이 거의 없었다. 특히 감염(2례의 감염 둘 다 이식물의 소실이나 결과의 손상 없이 해결되었다)과 흡수(실제로는 모름)에 관해서는 문제가 없었다. 주된 문제점은 가시성(visibility)이었다. 비근의 연골이식물을 세분화시킨 비중격연골이식물(morselized septum)으로부터 절제해낸 비익연골이식물로 발전시켰음에도 불구하고 실제 모든 연골이식물은 시간이 지나면서 보이게 되었는데, 이것이 저자가 근막이식술로 바꾼 이유이다. 저자가 비배에 이식한 3층의 이갑개이식물 중 다수에서 중간층이 빠져나와서 작게 돌출되었기 때문에 여러 번 봉합술을 하고, 맨 위층을 아래의 층들보다 더 넓게 하게 되었다. 비첨이식물은 너무 돌출되거나, 하비소엽충만(full infralobule)을 만들 수 있으므로 주의하여야 한다. 흔히, 이러한 문제점들은 '학습 곡선(learning curve)'의 일부이며, 재수술이 필요하다. 종합적으로 볼 때 이식물은 저자의 미학적 및 기능적 결과를 극적으로 개선하였는데, 특히, 어려운 코(difficult nose)에서 그러하였다.

## 이물성형물의 유혹 (Allure of Alloplastics)

이식술이 비재건술에 처음으로 사용된 이래, 술자들은 인조이식물(artificial graft)을 원하게 되었다. 비용 절감과 외과 수기가 덜 요구될 뿐만 아니라 즉각적 유용성, 공여부 이환성(morbidity) 결여, 적응성(adaptability), 놀라운 조기 결과 때문에 이물성형물이 매우 바람직하게 보인다. 그러나 감염, 돌출, 변위, 이동, 그리고 장기적 실패와 같은 문제점 때문에 신중한 고려가 필요하다. 다음의 3가지 요소를 평가하여야 한다. 즉, 이식물의 생물학적 적합성(biocompatability), 외과적 적용(surgical application), 그리고 장기적 결과(long-term result).

많은 이물성형물이 사용되었는데, 상아, paraffin, 금, 은, 그리고 합성 물질(synthetics) 등이다. 다음 2가지 이식물에 대하여 검토하였을 때 문제점이 있음을 나타내었다. 첫째, 1974년에 Beekhuis[3]는 Supramid 그물(mesh)을 '현대 화학의 기적'이며, 비배증대술의 이상적 물질이라고 옹호하였다. 이를 지지하는 많은 논문이 나타났으며, 초기의 문제점은 기법의 실수나 적합하지 않은 환자 선택에 돌려졌다. 거의 10년이 지나서야 술자들은 이 물질이 사라지는 것을 보고하였으며, 분해를 보여주는 생검 결과를 보고하기 시작하였다. 둘째, 지금 우리는 GoreTex가 문제점을 일으키지 않을 기적의 물질이라는 말을 듣고 있다.

그러나 이물성형물 적용의 두 번째 요소는 환자의 선택이다. 동양인의 일차비성형술에서는 바람직한 것과는 달리, 대부분의 술자들은 이차비성형술에서 비배이식술로써 이물성형물을 필요로 하는데, 이것은 바람직하지 않은 수용부바닥 때문에 문제를 일으킨다. 만일 두꺼운 피부의 환자에서 일차비성형술로서 실리콘삽입술이 잘 된다면 이차비성형술에서 실리콘의 운명은 어떨까? 보고 된 경험 중 가장 큰 것은 Juri[14]의 것으로서 72개의 비배삽입물 중 30개(42%)를 제거하여야 했다고 한다. 그는 점막내층에 접촉이나 창상이 있는지를 알지 못하고 미간부의 절개를 통하여 짧고 좁은 삽입물로써 비배삽입술을 하였음에 흥미를 가지고 주의하여야 한다. 이렇게 완전한 'nontouch' 방식의 삽입술과 제한된 수술을 사용하였음에도 불구하고 성적이 나빴는데(42%), 이차비성형술에서는 과연 어떠하겠는가? 그렇다면, 삽입물이 아니라 결과에 영향을 미치는 또 다른 요소가 있는가? 분명한 피의자는 수용부바닥이다. 비배의 다음의 3가지 해부학적 특징을 기억하여야 한다. 1) 비배피부는 골-연골접합부에서 가장 얇으며, 2) 실제로 피하지방이 없고, 3) 횡비근(transverse nasalis muscle)이 건막(aponeurosis)으로 끝나므로 실제로는 근육으로 덮이지 않는다. 이차비성형술에서는 혈액 공급의 현저히 감소될 뿐만 아니라 전번의 수술에 의한 물리적 파열과 반흔 때문에 연조직외피가 더 손상되어 있다. 결국, 술자들은 이물성형물을 '피하지방포켓(subcutaneous pocket)'이 아니라 '진피하포켓(subdermal pocket)'에 위치시키고 있다.

저자의 세 번째 요소는 조기 결과 대 장기 결과이다. 결과가 더욱 흥미롭게 변하는 것 중 하나는 방사선조사동종늑연골이식물(irradiated homograft costal cartilage)의 사용이다. 1977년에, Schuller 등[20]은 조기 합병율 5.5%, 후기 합병율 2%, 3년 추적 조사에서 1.4%의 부분 흡수를 보고하였다. 1988년에, Welling 등[26]은 Schuller 등의 107명의 원래 환자 중 42명을 재검토하였을 때, 삽입물의 100%가 10년 이상 지났을 때 제 자리에서 흡수되었음을 알게 되었다. 그러므로 삽입물(또는 이식물)을 생존한 것으로 받아들이려면 적어도 10년의 기간이 필요한 것으로 보인다.

비성형술을 하는 술자가 할 일은 무엇인가? 이물성형물인가, 아닌가? 70년 동안의 비성형술에 근거하면 코에 삽입한 이물성형물은 특히, 비배와 이차비성형술에서 좋은 기록을 남기지 않았다. 그래서 저자는 비성형술에서는 자가조직만 사용하고, 이물성형물은 인접한 안면골격에서만 사용하기로 개인적으로 결정하였다. 비근 및 이상구 증대술에서는 정당하다면 수산화인회석(hydroxyapatite)을 계속해서 사용하고, 이상구증대술에서는 Sheen법과 비슷하게 다층의 GoreTex를 잘 사용할 수 있다. 그러나 저자는 일차비성형술일지라도 비주지주, 비첨삽입물, 또는 비배삽입물은 이물성형물을 권장하지 않으며, 이차비성형술에서는 사용을 전적으로 포기하기를 권고한다. 현재, GoreTex 비배삽입물을 옹호하는 술자들이 많으며[13, 17], 보고 된 합병증의 원인을 기법의 실수로 돌리고 있다. 어쨌든, 옹호자들은 GoreTex 삽입물을 가장 많이, 그리고 가장 오래 경험을 한 유럽의 술자들의 장기 추적 보고를 무시하고 있다[1, 2]. 문헌을 신중하게 검토한 다음, 저자는 비성형술에서는 어떠한 이물성형물도 사용하지 않기로 결심하였다. 저자는 독자들에게 일차비성형술에서는 모든 대안들을 신중하게 고려하도록 하며, 이차비성형술에서는 이물성형물을 절대로 사용하지 않도록 권고한다. 이물성형물로써 비배삽입술을 한 초기에 이 환자의 눈은 행복을 전하고 있지만, 술후 6개월에 실패하였을 때에는 불행을 전하고 있다(그림 6-1).

Infected Alloplast Graft

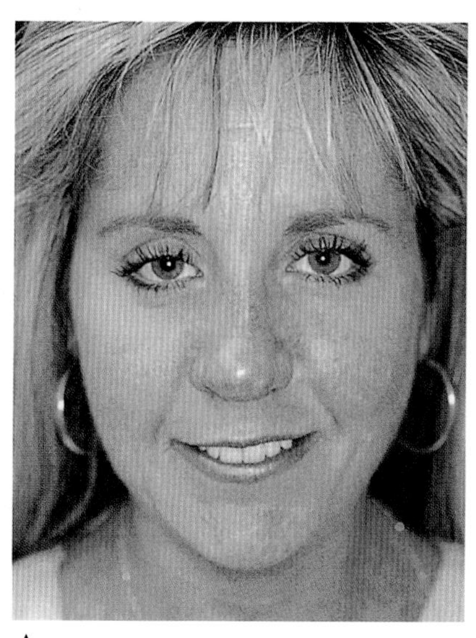

A

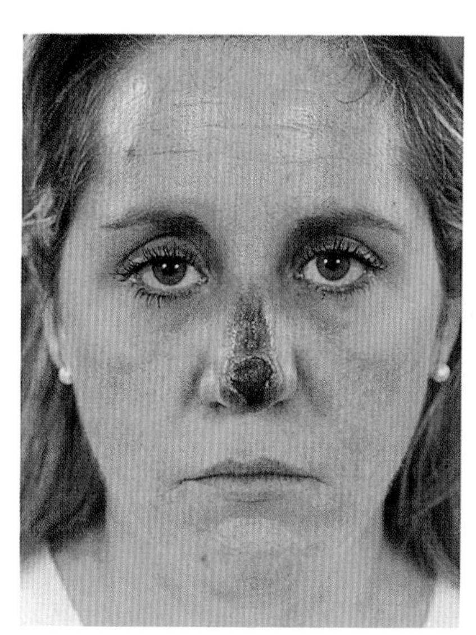

B

그림 6-1

## 비중격(Septum)

비중격연골은 생존, 강도, 모양내기, 그리고 유용성을 포함한 많은 이유 때문에 최선의 이식물이다. 이 연골은 만일 조작을 최소한으로 하고 수용부바닥이 양호하다면 자가이식물 중에서 가장 높은 생존율을 나타낸다. 비중격연골은 지나치게 강하지만, 코를 조작할 수 있도록 일정한 탄성(resiliency)도 가진다. 모양내기는 아주 쉬워서 자르고, 경사지게 하고(bevelled), cautery scraper pad로써 사포질(砂布)도 한다. 다행히도, 대부분의 일차성형술에서는 비중격을 충분히 이용할 수 있다.

비중격연골의 단점은 무엇인가? 첫째, 비중격연골은 비중격천공과 아마도 장기적인 기능적 후유증의 위험을 가지고 채취 하여야 한다. 둘째, 비중격연골은 정확하게 모양을 만들어서 위치시키고 고정하여야 한다. 셋째, 장기간 생존하여야 한다. 기법적으로, '정상적'인 비중격으로부터 연골채취술은 '비정상적'인 비중격만곡에서 비중격성형술을 하거나, 이차비성형술 중에 비중격으로 다시 들어가는 것보다 훨씬 쉽다.

### 마취와 노출

연골채취술을 하기 직전에 수력박리(hydrodissection)를 위하여 국소마취제(1% xylocaine with epinephrine 1:100,000)를 비중격에 다시 주사하면 점막피판을 일으키기 쉽게 해준다. 폐쇄접근술에서는 일측완전관통절제술을 한 다음, 점막을 양쪽에서 일으키면 비중격이 노출된다. 개방접근술에서는 적어도 4가지 대안이 있다. 즉, 비배분할술(dorsal split), 비첨분할술(tip split), 비배 및 비첨 동시분할술(combined dorsal/tip split), 그리고 비첨전도술(tip flip)[6].

### 절제술

절제할 연골 량은 다음 3가지 요소에 따라서 다르다. 1) 필요한 연골 량, 2) 연골비중격의 크기, 그리고 3) 남아 있는 L형지주의 치수. 비배측 및 미측 L형지주는 10㎜가 표준이지만, Flowers[8]와 Sheen[21]은 얇고 약한 연골에서는 15㎜를 남기기를 선호하며, Gunter[10]는 어떤 증례에서는 6㎜의 지주를 남겨두었다. 일단 지주의 치수를 결정한 다음 필요한 양을 결정한다. Johnson[13]은 비첨 및 비주 이식물을 위하여 L형지주 아래에서 연골비중격 전체를 채취한다. 이 정도 량의 연골이면 좀 더 보존적인 방식으로 다시 나누면 연전이식물도 제공할 수 있다. 대조적으로, Sheen[21]은 골-연골비중격을 포함하는 비배이식물을 얻기 위하여 비중격채취술을 흔히 하였는데, 이때에는 좀 더 후방으로, 그리고 순차적인 박리와 절제술이 필요하다. 일반적으로, 점막피판을 비경으로써 벌리면서 비배측 L형지주와 비주측 L형지주의 접합부를 64번 Beaver 수술도로써 양쪽 방향으로 1㎝ 길이로 절개한다(그림 6-2B). 그 다음, Tebbetts 비중격조직가위를 사용하여 절개를 비배에 평행하도록 두측으로 연장한 다음(그림 6-2C), 15번 수술도를 사용하여 미측 L형지주를 미측 비중격에 평행하게 만든다. 이것은 수직절개가 아니라, 미측비중격-전비극접합부의 수준에서 1㎝ 폭의 지주를 보장하기 위하여 오히려 후방으로 각진 절개(angled cut)이다. 대부분의 증례에서 연골비중격의 미측 경계를 서골구를 따라 유리시킨 다음, 사골수직판을 따라서 두측으로 유리시킨다(그림 6-2D). 연골비중격의 서골연장이 흔히 있기 때문에 신중한 박리가 필요하며, 어떤 증례에서는 이것이 결정적 길이를 제공할 수 있다. 이렇게 하면 연골비중격은 완전

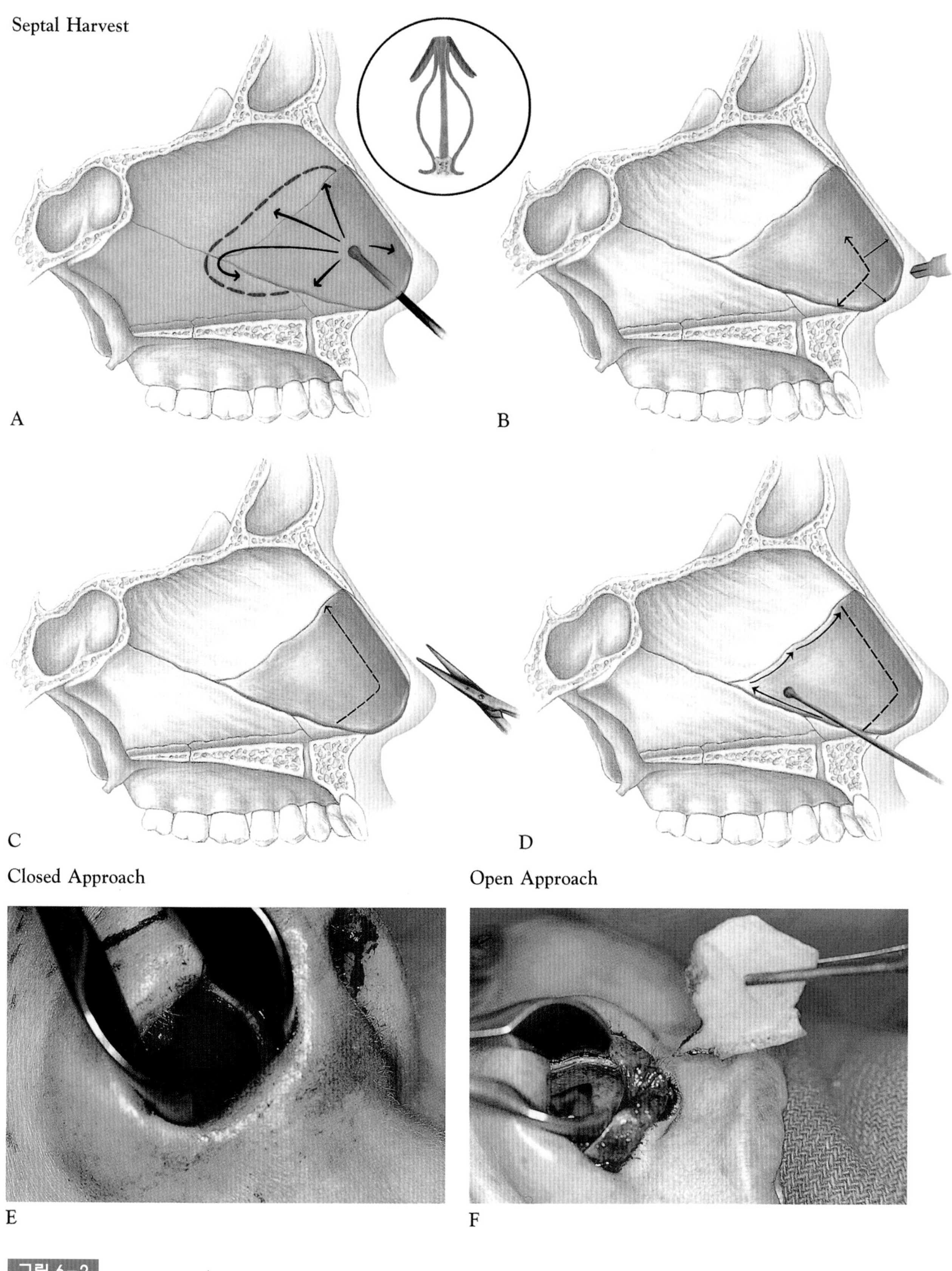


그림 6-2

히 탈구되어서 쉽게 떼어낼 수 있다. 만일 비배이식물이 필요하면 두측 절개에 평행하도록 골로 더 절개한 다음, Tebbetts 집게(grasper)를 사용하여 골-연골분절을 떼어냄으로써 9㎜의 넓은 이식물을 채취한다. 그 다음, 나머지 연골을 탈구시킨다. 채취한 연골은 항생제가 들지 않은 큰 식염수 그릇에 넣어둔다.

## 봉합술

많은 술자들이 4-0 평장사로써 점막피판을 봉합하지만, 저자는 실리콘 내비부목을 사용하기를 선호하는데, 그 이유는 이 부목이 더 큰 부위를 지지하며, 내비부종에 의한 비중격과 비갑개 사이의 유착을 방지해 주기 때문이다. 접근절개선은 표준 방식으로 봉합한다.

## 문제점

지금까지 비중격채취술에서 문제점은 거의 없었다. 저자는 비중격붕괴를 경험하지 못하였다. 반흔이 조금 생길 것으로 예상하기는 하였지만, 비중격이 약화되거나, 점막의 원래 구조의 만성적 변화에 의한 어떠한 기능적 문제점도 없었다. 구조이식물(structural graft)은 전체적으로 장기간 생존하는 것처럼 보이는 반면에, '압좌시킨(crushed)' 이식물은 다양하게 흡수되었다. 문제점은 이식물의 구성보다는 사용과 관련되어서 나타난다.

## 비중격(Septum): 비주이식술 (Columella Graft)

비주의 비중격이식술은 3가지 유형으로 분류될 수 있다. 즉, 각지주(crural strut), 비주지주(columella strut), 그리고 구조이식술(structural graft). 비주이식술은 폐쇄비성형술에서 오랫동안 사용되어 왔다[1, 18]. 그러나 Johnson[13]과 Tebbetts[24]는 개방접근술로서 비주이식물에 구조와 모양의 개념을 제공하였다.

현재, 저자의 증례의 50% 이상에서 비주이식술을 사용함으로써 비주 및 비첨 단위(unit)에 필수적인 지지를 제공하며, 피부외피의 수축력을 상쇄하며, 비주의 내재 모양과 비첨돌출을 유지한다.

### 모양(Shape)

*각지주*(*crural* strut)가 필요한 증례에서 저자는 Johnson[13]의 것과 비슷한 곧은 이식물을 사용한다. 이것은 길이 20㎜, 폭 3㎜이며, 더 두꺼운 부분을 미측에 위치시킨다. 길고 곧은 중간각을 가진 증례에서처럼 저자의 목표가 비주-비소엽각(columella lobular angle)을 변화시키고자 할 때마다 Tebbetts[24]가 주장하는 각진 각지주(angled crural strut)를 사용한다. 치수는 Tebbetts와 비슷하지만, 적어도 두측 6-8㎜, 그리고 미측 10-12㎜이면서 35-45도의 각도로 한다. *비주*지주(*columella* strut)는 더 긴 경향이며(30㎜), 비주-상구순각(columella labial angle)에 영향을 미치도록 모양을 만든다. 이러한 이식물은 미측 1/3에서는 8-10㎜로서 흔히 넓지만, 두측은 4㎜로서 점점 좁아진다. 대조적으로, *구조*이식물(*structural* graft)은 코 미측 1/3에 지지를 제공하도록 설계되어서 미측 비중격과 비주 둘 다를 교체(replacement)하고 강화 시킨다. 이러한 이식물은 흔히 L형이며, 지지를 위하여 상외측연골과 전비극에 봉합한 다음, 비익연골을 여기에 봉합한다.

### 이식술

각지주는 양측 내측각과 중간각 사이에서 이식한다(그림 6-3A, B). 개념적으로, 원개보다 2㎜ 미측에 위치시켜서 보이도록 하지만, 전비극보다 두측에, 그리고 각연골의 미측보다 후방에 위치시키는 것이 중요하다. 이식술에 필요한 포켓은 Stevens 조직가위로써 수직 방향에서 미측으로 민 다음, 세로로 펼쳐서 만든다. 그 다음, 이식물을 포켓 안으로 미끄러져 넣으며, 높이와 각상(角狀, angulation)을 검토하고, 각각의 내측각과 중간각을 지주에서 조정한 다음, 27번 주사침으로써 잠정적으로 고정한다. 그 다음, 비주변곡점 위와 아래에서 5-0 PDS 석상봉합사로써 봉합한다. 비주지주에서도 비슷한 방법을 사용하지만, 이식물을 좀 더 미측으로 연장시키며, 비주-상구순각에서 뚜렷한 변화가 보여야 한다(그림 6-3C, D). 구조이식술은 비배 및 비첨 동시분할술을 통하여 흔히 한다(그림 6-3E, F). L형이식물의 두측부를 흔히 만곡 측에서 일측연전이식술로서 이식하며, L형이식물의 미측 기저는 전비극에 봉합한 다음, 내측각과 중간각을 이식물의 미측 단까지 전진시킨다. 다시, 내측각과 중간각을 따로 올려서 주사침으로써 일시적으로 잡은 다음, 원하는 돌출과 모양을 얻으면 봉합한다.

Crural Struts

A

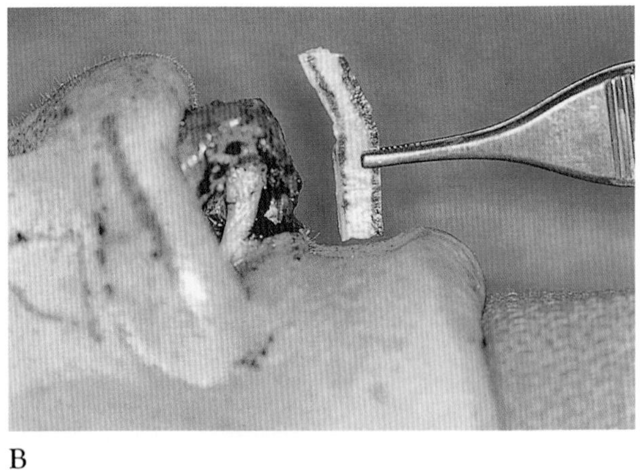

B

Columellar Strut

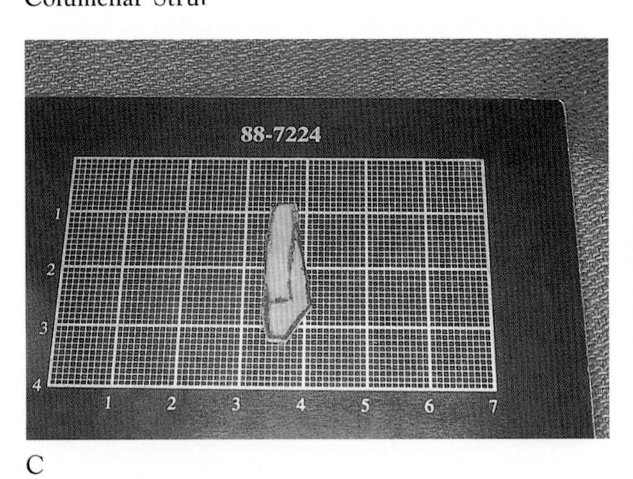


C

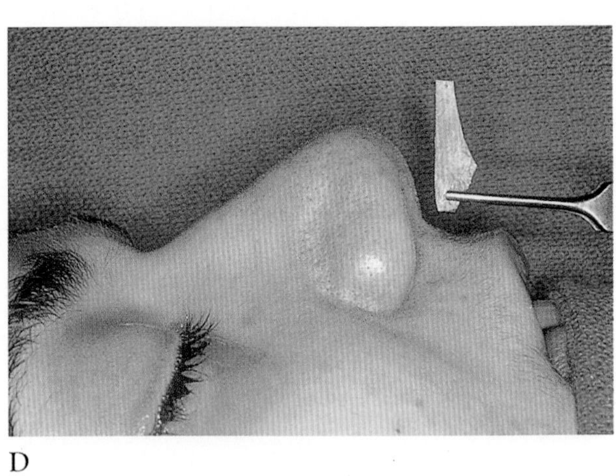

D

Replacement Strut

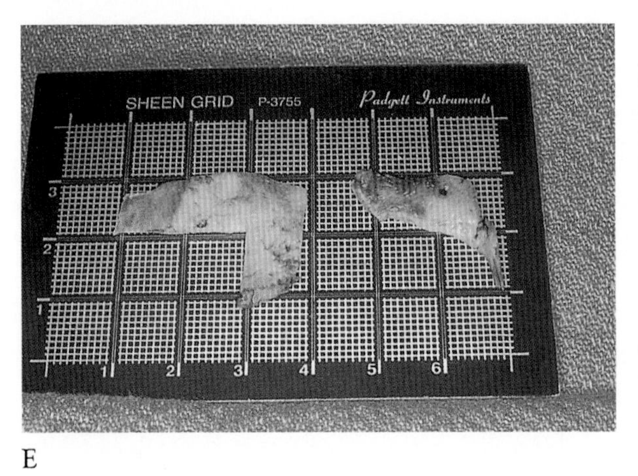


E

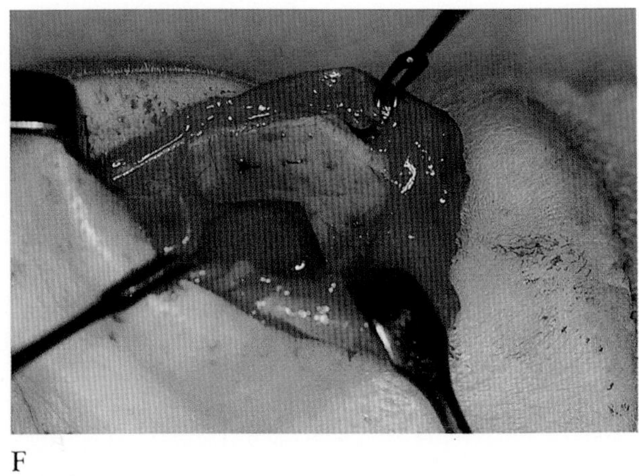

F

그림 6-3

## 문제점

비주이식술은 개념적으로는 간단한데도 불구하고 많은 문제점들이 생길 수 있다. 곧은 각지주(straight crural *strut*)에서는 이식물이 너무 길어서 전비극을 가로질러서 '소리가 날(click)' 수 있지만, 이러한 문제점은 미측부를 직접 절제함으로써 쉽게 교정할 수 있다. 대부분의 각지주는 20㎜의 길이를 거의 넘지 않으며, 흔히 절제해낸 비배측 비중격연골(dorsal cartilage)로부터 만들 수 있다. 좀 더 미묘한 문제점은 비익연골을 지나치게 조이거나, 지나치게 두측에서 봉합하면 비익연골의 정상적인 '펼친 책(open book)'과 같은 벌어짐이 닫히며, 하비소엽충만(infralobular fullness)과 처진 비주(hanging columella)가 초래되는 것이다. 각진 지주(angled strut)는 더 큰 정확성을 필요로 하며, 흔히 내재 비주-비소엽각(columella/labial angle)을 지나치게 크게 만들므로 45도를 거의 초과하지 않아야 한다. *비주*지주의 문제점으로는 대개 과대한 길이, 또는 비주-상구순각에서의 치수의 문제점이 있다. 만일 이식물이 비주-상구순각에서 충분한 충만을 제공하지 못하면 연골층을 피하로 추가할 수 있다. 비주-상구순각을 지나는 과대한 이식물은 이식물을 제거하지 않고 부분길이의 일측관통절제술을 통하여 잘라서 다듬을 수 있다. 구조이식물은 매우 힘이 드는데, 비중격성형술(제 5장 참고)에서 심도 있게 토론하였다.

## 비중격(Septum): 비첨이식술 (Tip Graft)

여러 가지가 있지만, 비첨이식술의 대부분은 Sheen의 원래의 도안[22]의 변법이며, 뒤 이어 Johnson[13]에 의하여 개작되었다. Sheen은 처음에는 비첨부가 이열 된(bifid tip) 하나의 크고 고형의 비첨이식물(길이 20㎜, 폭 5-8㎜)을 사용하였다. 그는 정렬(alignment)과 가시성의 문제점 때문에 고형(solid)이나, 타박하거나(bruised), 또는 압좌시킨(crushed) 여러 개의 더 작은 조각으로 이루어진 다층비첨이식물(multilayer tip graft)로 바꾸었다[22]. 결과는 그의 손에서는 놀라웠지만, 저자를 포함한 대부분의 다른 술자들에게는 실망스러웠다. 이와 같은 이유로, 저자는 Johnson의 개방구조비성형술(open structure approach)을 선호하는데, 이 수술법은 확실성, 단순성, 그리고 적응성의 장점이 있다.

### 모양(Shape)

원래, 끝이 점점 좁아지는 골프구좌형(golf-tee)이식물이며, 치수는, 길이가 12-16㎜, 폭은 정점이 9-12㎜이고 미측으로 점점 좁아져서 4㎜이며, 두께는 두측의 가장 두꺼운 곳이 1-3㎜이다. 이식물의 모양은 다음처럼 3차례를 걸쳐서 변형시킨다. 1) 처음에는 우표 모양으로 일괄적 절개술(en-bloc stamp cut), 2) 수술대에서 모양내기(shaping)와 경사지게 하기(bevelling), 3) 일단 이식물을 제 자리에 봉합하고 나면 제 위치에서(in-situ) 모양내기를 하고, 결과를 평가하기 위하여 피부를 재배치(redraping)시켜 본다. 이와 같은 이유에서, 처음의 이식물은 마지막 모양내기가 가능하도록 커야 한다. 여성과 얇은 피부를 가진 여성에게 사용되는 작은 이식물의 바람직한 크기를 결정하기 위하여 형판(template)을 사용할 수 있다. 이식물의 원개두측부(domal cephalical area)를 연골이 더 두꺼운 연골-수직판접합부(cartilage/perpendicular plate junction) 가까이에서 떼어내면 원개연(domal edge)을 최대로 변형시킬 수 있다. 일단 이식물을 잘라내었으면 제 자리에 위치시켜서 평가한다. 그 다음, 이식물을 15번 수술도를 사용하여 이식물연(graft edge) 특히, 양면을 경사지도록 만들며, 꼭대기로부터 바닥에 이르기까지 끝이 점점 좁아지는 모양이 확실하게 되도록 한다(그림 6-4A, B). 목표는 이식물의 원개부가 비첨정의를 만들고, 이식물의 비주부를 내측각과 중간각에 융합시키는 것이다.

## 이식술

이식물을 제 자리에 봉합하기 전에 2가지 중요한 단계를 마쳐야 한다. 즉, 각지주를 이식하고, 원개를 변형시켜야 한다. 이식물을 안정된 비주지대(columella platform)에 봉합하기 전에, 다음과 같은 몇 가지 결정을 하여야 한다. 1) 이식물을 기존의 비첨에 통합시키든지, 아니면 새로운 비첨을 만든다(그림 6-4 C, D). 2) 이식물이 비익원개보다 두측으로 돌출시켜야 하는 높이(그림 6-4E, F). 3) 피부를 통하여 보이는 이식물의 정의. 피부가 얇을수록 이식물은 비익 구조물 속으로 더 많이 통합시키고, 더 많이 경사져야 한다. 피부가 두꺼울수록 이식물을 원개보다 두측으로 더 돌출시켜야 하며, 이식물연은 더 날카로워야 한다. 이식물은 4-6개의 5-0 PDS사를 사용하여 제 자리에 봉합한다. 첫 2개의 봉합은 원개 가까이에서 위치시키는데, 이렇게 하면 이식물이 비익연골에 통합되면서 돌출된다. 피부를 재배치시켜서 이식물의 외비 표출을 점검한다. 모두 조절한 다음, 이식물을 비주지주에 고정시키기 위하여 추가 봉합을 한다. 이식물을 여러 관점에서 평가한다. 즉, 돌출을 평가하기 위하여 외측에서, 그리고 대칭을 평가하기 위해서는 미측에서, 그리고 두측에서 평가한다. 돌출을 증가시키는 것과 같은 큰 변형이 필요하면 봉합술을 다시 해야 하지만, 작은 변형이 필요하면 비첨이식물 후방에 작은 이식물을 추가함으로써 위치나 대칭을 개선한다. 다층이식물을 추가할 수 있는데, 비첨이식물 후방에 위치시키면 비첨정의점을 미측으로 밀어서 코를 길게 하며, 전방에 위치시키면 하비소엽충만을 만들 수 있다. 게다가, 이식물 뒤의 '사강(dead space)'을 없애기 위하여 그리고, 장기적 돌출을 보장하기 위하여 비첨이식물 뒤에 '받침이식술(cap graft)'을 추가할 수도 있다(그림 6-4G, H).

## 문제점

많은 문제점이 생길 수 있지만, 불규칙성은 비교적 적었다. 만일 이 기법을 대부분의 증례에서 사용한다면 얇은 피부의 환자에서는 이식물연의 가시성이나, 심지어 이식물 전체의 가시성이 생길 수 있으므로 이식물연의 경사를 세심하게 만드는 것이 중요하다. 또, 두꺼운 피부와 과소돌출된 비첨(underprojected tip)을 가진 환자에서는 이식물의 날카로운지, 그리고 비익연골보다 두측으로의 돌출되었는지를 판단하여야 한다. 때때로, 너무 지나치게 해서 '강한 비첨(intensive tip)'을 만들 수 있는데, 이 때에는 재수술로서 원개의 잘라서 다듬기(trimming)가 필요하다. 성가신 문제점은 측면에서의 '하비소엽충만(infralobule fullness)' 및/또는 전면에서의 '처진 비주(hanging columella)'이다. 가능성 있는 원인은 비주지주를 제 자리에서 봉합할 때 중간각을 지나치게 좁힘으로써 비첨이식물이 내측각과 중간각 사이에서 통합되기보다는 꼭대기에 달라붙었기 때문이다. 지나친 모양내기와 경사 만들기가 이식물을 약화시킬 수는 있지만, 이식물의 흡수는 문제점이 아니었다.

Shaping Tip Graft

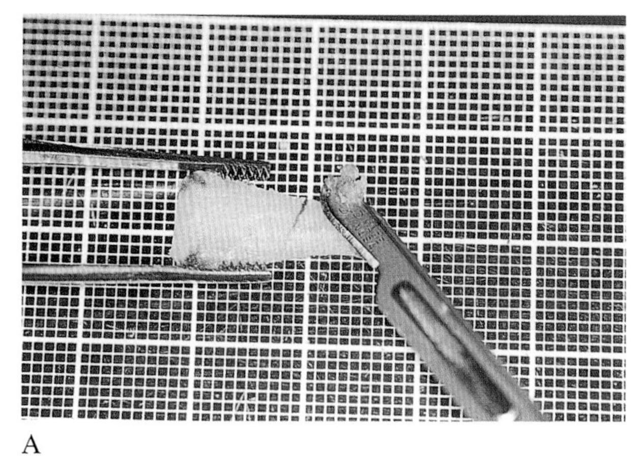

A

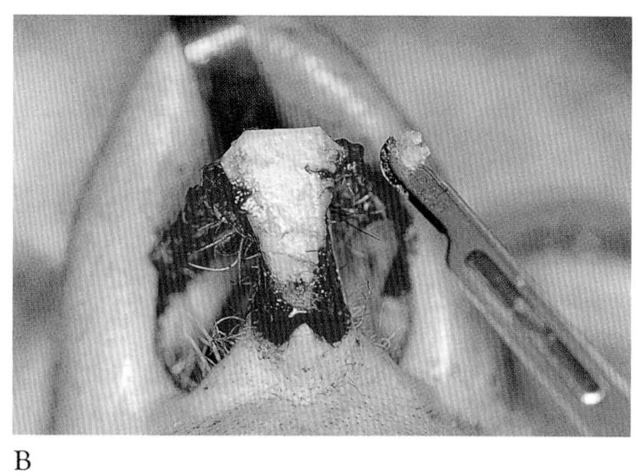

B

Integrated Tip Graft

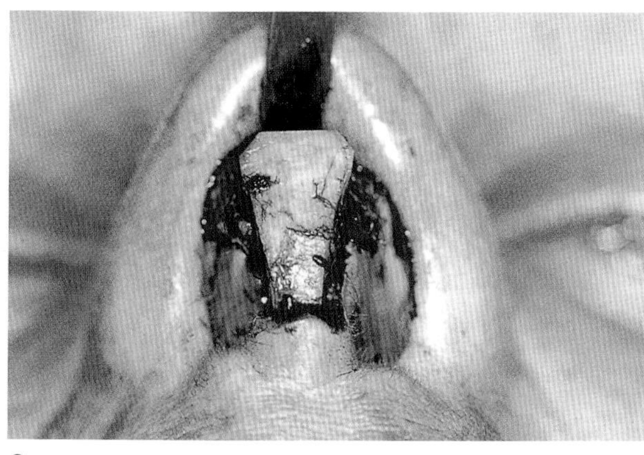

C

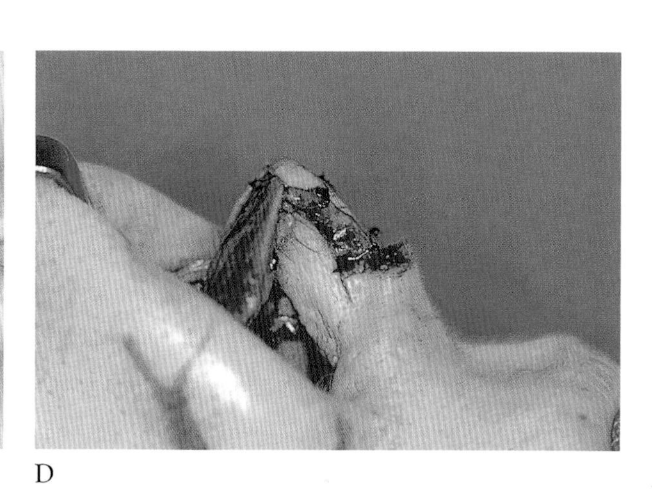

D

Projecting Tip Graft

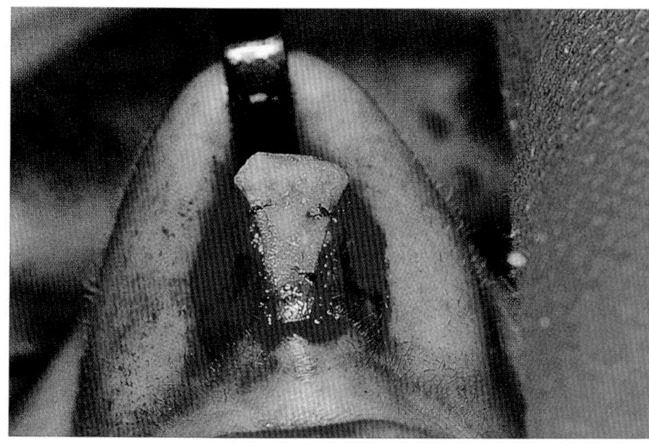

E

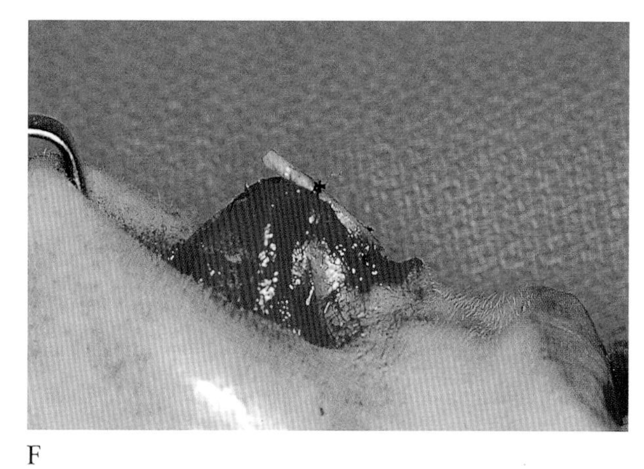

F

그림 6-4

Gap Graft

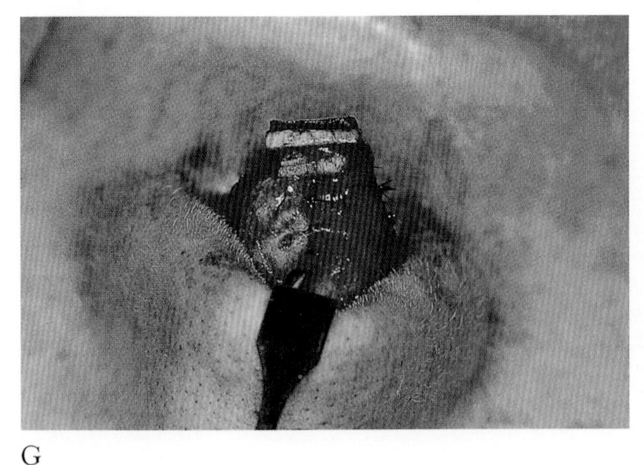
G

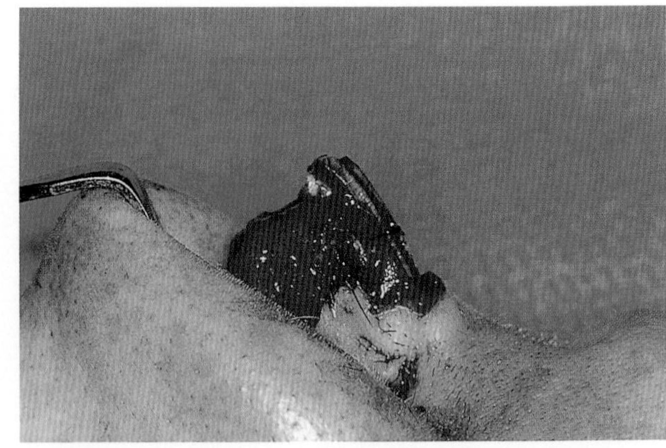
H

그림 6-4. 계속

## 비중격(Septum): 비배이식술(Dorsal Graft)

비배이식물에 관하여 쉬운 것이라고는 하나도 없다. 목표, 채취술, 구성, 치수, 포켓, 그리고 이식술에 관하여 결정하여야 한다. 비배이식술(제 2장 참고)에서 토론한 바와 같이, 술자는 나중에 사용할 늑이식술과 함께 윤곽이식술(contour graft), 선이식술(line graft) 또는 구조이식술(structure graft) 가운데 무엇을 위하여 비배이식술을 사용할 것인지를 결정하여야 한다. 대부분의 윤곽이식물은 결손을 채우기 위하여 작은 포켓에 위치시키는 반면에, 선이식물은 코의 '비배선(dorsal lines)' 을 만들기 위하여 고안되었다. 선이식술은 가시적인 미학적 영향을 주며, 완벽하게 하여야 하기 때문에 자세하게 토론하고자 한다.

### 채취술과 구성(Composition)

전번에 받은 비중격수술에 따라서 다르지만, L형지주 아래에서 비중격연골체의 두측부가 가장 두껍지만, 흔히 연골 성분이 가장 적다. Sheen[21]은 비배이식물을 별도의 조각으로서 먼저 채취하는 경향이 있는 반면에, 저자는 공여부 전체를 일괄적으로 잘라내는 경향이 있으므로 이식물의 우선 순위의 결정을 쉽게 할 수 있다. 저자는 최대한의 생존을 보장하기 위하여 고형의, 압좌시키지 않은 이식물을 선호하는 경향이 있다. 충분한 길이를 얻기 위하여 흔히 골-연골이식물을 채취한다. 골은 상비첨부(supratip area)에 위치시키는데, 여기에서는 거친 골연(bony edge)이 최소한으로 감지될 것이며, 더 두꺼운 이식물이 가치가 있다.

## 치수(Dimension)와 모양내기(Shaping)

Ortiz-Monasterio[18]와 비슷하게, 저자는 부분길이의 비배이식물은 술후에 골-연골접합부가 거의 언제나 드러나 보이기 때문에 쓸모없다는 것을 알게 되었다. 마찬가지로, 저자는 Gunter[11]의 U 골격 또는 A 골격이식물(frame graft)을 때때로 사용하여 좋은 결과를 얻었지만, 연골이 거의 충분하지 못하였다. 그래서 저자는 비중격에서 얻는 기본적 비배이식물의 크기는 33×5㎜이며, 가능한 한 골을 적게 갖도록 한다(그림 6-5). 35×6㎜ 크기의 형판을 대고, 11번 수술도를 사용하여 비중격의 '평탄한 면(smooth side)'으로부터 경사로 절개한다. 피부가 매우 얇으면 모든 이식물연을 cautery scraper pad로써 사포질을 하여 부드럽게 할 수 있다. 부분 또는 전체길이의 이식물을 추가할 수 있으며, 외측 변위를 방지하기 위하여 함께 봉합할 수 있다.

Harvest/Shaping

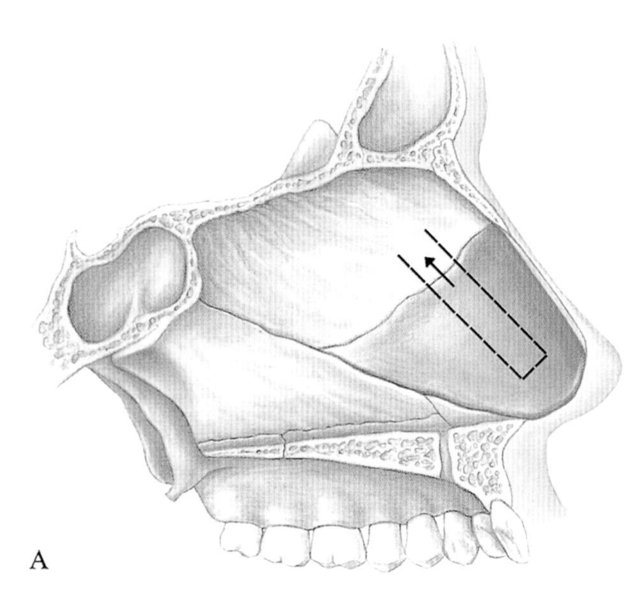

A

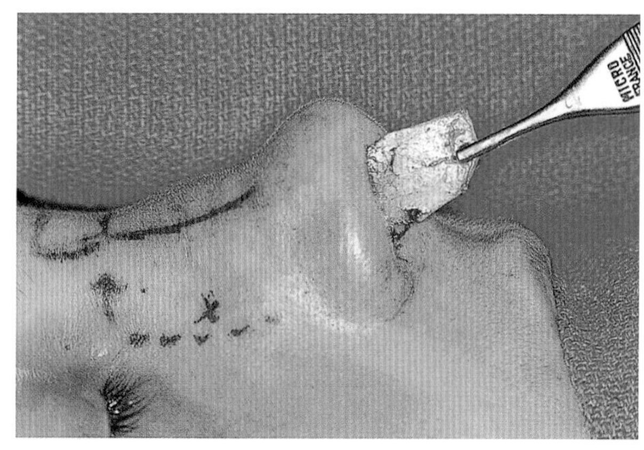

B

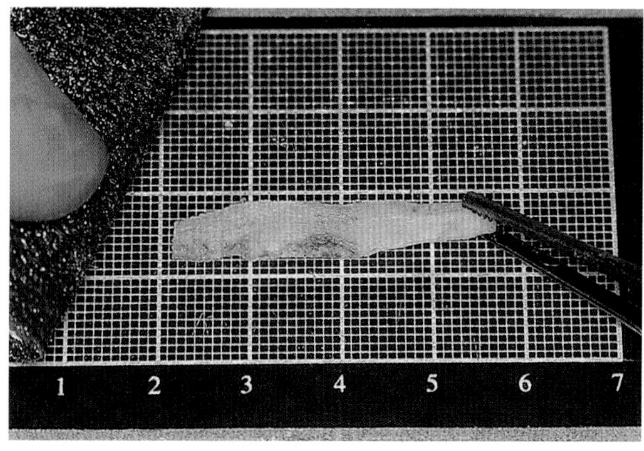


C

그림 6-5

## 이식술

이상적인 상황에서 수용부 '포켓'은 이식물을 받아들이기에 충분하도록 조금 더 크게 만드는데, 두측 단에서 4-0 평장선의 경피봉합술을 사용하여 제 자리로 유도한다(그림 6-5E). 불행하게도, 더 넓게 박리하면 흔히 이식물을 안정화 시키는 추가 수술이 필요하다. 우선, 수용부바닥은 절대적으로 평탄하여야 하며, 비종석부(keystone area)의 어떠한 돌출도 제거하여야 한다. 그렇지 않으면, 이식물을 변위시키는 지레받침(fulcrum)으로서 작용하게 된다. 그 다음, 이식물을 경피봉합사로써 제 자리로 유도하고, 이식물의 미측 단의 양쪽을 상외측연골에 봉합함으로써 정중선에서 안정시킨다. 포켓이 꽤 크면 4-0 평장사를 비배 정중선 아래로 넣는 경피봉합술을 추가할 수 있다. 이식물을 Steri-strips로써 마지막으로 안정화시키기 전에 이식물을 평가하기 위하여 피부를 양쪽에서 조이는 것이 중요하다.

## 문제점

대부분의 문제점은 가시성과 각상(角狀, angulation)과 관련이 있다. 본질적인 난국은, 이식물은 비배선을 만들기 위하여 '보여야(show)' 하지만, 얇은 피부가 수축되더라도 이식물연이 보이거나 변위되어서는 안 되는 것이다. 처음에, 저자의 이식물은 너무 넓었는데(8-10㎜), 아마도 Sheen의 큰 두개골이식물을 반영한 것 같다. 그래서 저자는 이식물을 더 좁게 만들기 시작하였는데, 그 실마리를 동양인에서 30×5㎜ 크기의 자가이식물을 사용하면서 확인하였다. 넓은 비배이식물을 사용하였을 때에는 외측에서 발생하는 '처짐(overhang)'을 채우기 위하여 외측비벽이식물(lateral wall graft)이 필요하였지만, 이식물이 좁아짐에 따라서 외측비벽이식술이 덜 필요하였다. 이식물의 길이는 결손에 따라서 다르지만, 비근점(nasion)으로부터 상비첨(supratip)까지 연장되도록 한다. 대부분의 이차비성형술에서 바람직한 비-안면각(nasofacial angle)을 얻기 위하여 부분길이의 이식물을 전체길이의 이식물의 미측부 아래에 위치시킨다(그림 6-5G). 4-5㎜ 두께를 얻기 위하여 3층 이상을 함께 겹치는 일은 거의 없다. 경피봉합술을 두측으로 그리고, 안정화봉합술(stabilizing suture)을 외측으로 더 많이 사용함으로써 저자는 이식물의 정중선 배치를 더 잘 할 수 있었다. 그러나 각상이 여전히 보이는데, 그 이유는 한쪽 외측연이 경사질 수 있기 때문이며, 좀 더 신중하게 수용부바닥을 준비하고, 매우 얇은 피부 환자에서는 외측 연에 가느다란 근막이식술이 아마도 필요할 것이다.

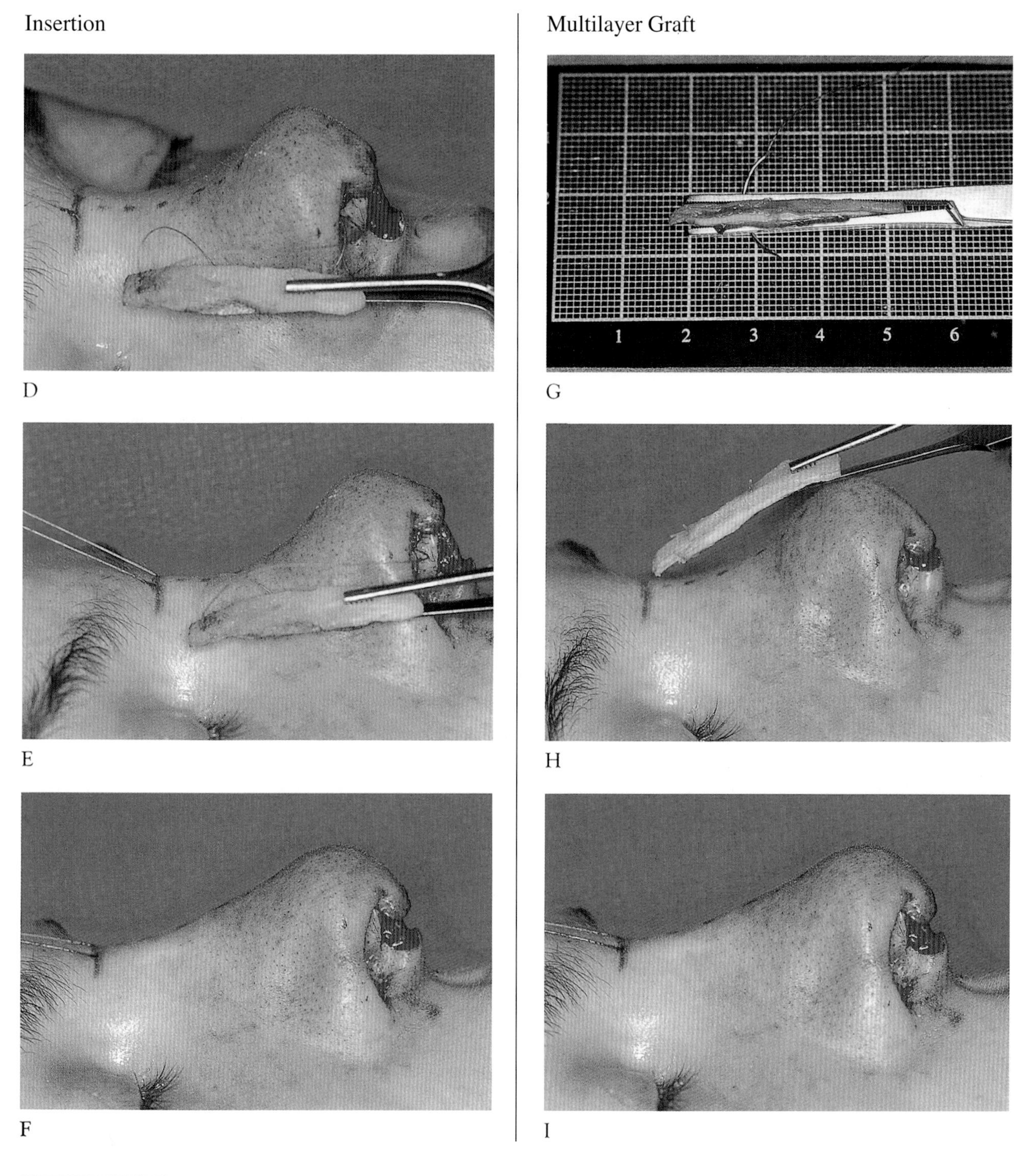


그림 6-5. 계속

## 비중격(Septum): 연전이식술 (Spreader Grafts)

연전이식술은 흔히 기능적 및 미학적 필요에서 한다. 비배비봉(dorsal hump)을 절제하면 비중격의 두측부는 상외측연골을 벌리는 넓은 'T'로부터 상외측연골을 붕괴시키는 좁은 'I'로 전환된다. 연전이식술은 비중격의 넓은 'T'를 재건함으로써 내비판막의 기능과 붕괴된 역V형변형(invert V deformity)의 위험성 없이 미학적 비배선을 보존한다(그림 6-6).

### 기법

11번 수술도를 사용하여 이식물을 공여부로부터 잘라낸다. 두께(1.5㎜가 정상이지만, 비대칭 이식물은 결손에 따라서 4㎜까지 다양하다)를 결정하는 한편, 높이는 봉합술을 쉽게 하도록 2-3㎜로 하고, 길이는 이용도에 따라서 20-30㎜로 한다. Sheen이 원래 구상하였던 진성의 '포켓'은 대부분의 증례에서 미측으로 연장하기는 불가능하더라도 두측으로는 특히, 비종석부에서는 매우 바람직하게 연장할 수 있다. 대개, 점막외터널은 비배축소술을 하기 전에 만들며, 두측으로 연장하여 건재한 골비배 아래로 간다(그림 6-6B). 이식물은 부드러운 비배가 만들어지는지를 확인하면서 한 번에 하나씩 이식한다. 이식물을 경피적으로 위치시킨 25번 주사침으로써 제 자리에 붙들고 있게 한다(그림 6-6C). 미측 단을 5-0 PDS사로써 먼저 봉합함으로써 흔히 연전이식물과 비중격을 합체시키며(3층), 두측 봉합은 상외측연골을 합체시킨다(5층)(그림 6-6D). 봉합할 때에는 우발적인 파열이나 비배 변위를 피하여야 한다.

### 문제점

지금까지, 연전이식술의 장점은 대단하였으며, 문제점은 거의 없었다. 가장 곤란한 것은 1% 빈도의 비배 변위(dorsal displacement)이며, 이것 때문에 비종석부에 작은 융기(bump)가 만들어지는데, 재수술로서 삭절제술(shaving)이 필요하다. 이 변위는 두측으로 조인 포켓(tight pocket)을 만들고, 흔히 매듭을 중복시키는 2개의 견실한 안정화봉합술(stabilizing suture)을 하면 분명히 피할 수 있다. 최근의 관심은 이식물을 미측으로 연장시켜서 내비판막을 지나가도록 하는 것인데, 호기심 많은 손가락을 가진 환자들을 성가시게 하는 융기를 만들거나, 심지어 비판막에 어떠한 방해물을 만들 수 있다. 의문의 여지없이, 연전이식술의 큰 문제점은 수술하기가 마음에 내키지 않는 것(surgical reluctance)인데, 특히 폐쇄비성형술에서는 하찮은 일이다. 안정화를 위한 경피봉합침은 봉합술을 쉽게 해주며, 이것은 다시 술후의 문제점을 최소화한다. 결국, 연전이식술은 해답이 '그냥 해보라(just do it)'인 하나의 이식술이다. 저자는 연전이식술을 후회한 적이 없다.

Spreader Grafts

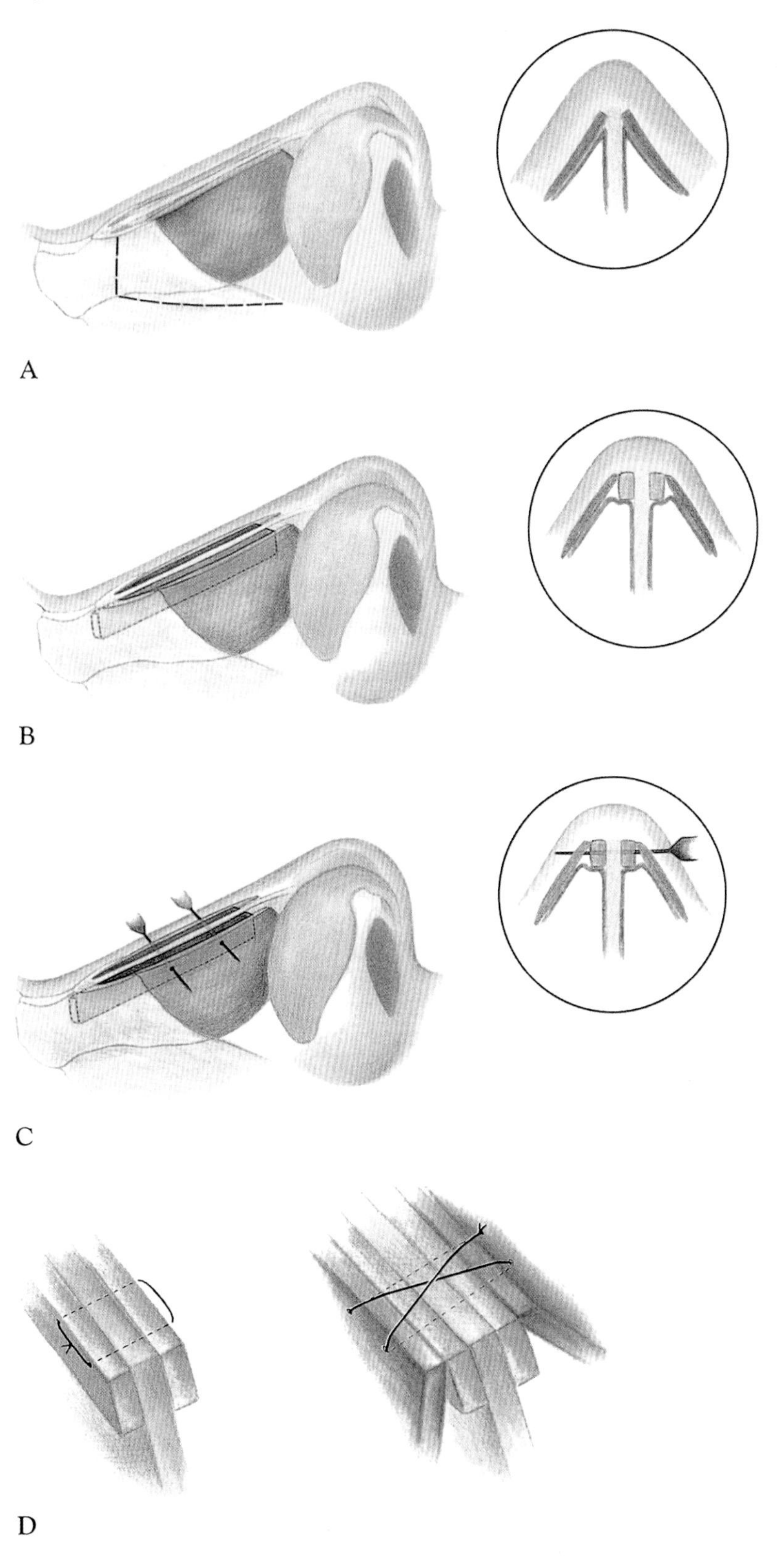


그림 6-6

## 비익연이식술 (Alar Rim Grafts)

퇴축된 비익연(retracted alar rim)이 있거나, 생길 가능성이 큰 환자에서 비중격연골을 사용한 비익연이식술은 매우 효과적이며, 기법이 간단하다. 이러한 이식술은 외측각의 과감한 절제술 후 발생한 비익연절흔(notching of alar rim)을 교정하는 이차비성형술에서 사용되었다. 처음에는 복합조직이식술을 하였지만, 너무 가시적이며, 좀 더 경증의 증례에서는 너무 두꺼웠다. 그래서 연골이식물만 사용하였으며, 1-2㎜의 경증 변형에서 효과적임이 입증되었다. 마찬가지로, 심지어는 외측각을 절제하지 않았더라도 활형비익연(arched alar rim)을 가진 환자에서 '예방적'으로 연골이식술을 시작하였다. 그러나 비익연이식술을 해야 하는 환자를 실제로 폭증시킨 것은 비첨봉합술의 사용 증가 때문이다. 왜냐하면 비첨을 효과적으로 좁히는 많은 봉합 기법들이 비익연도 함께 거상시키기 때문이다.

### 기법

이식물의 대략적 치수는, 길이 10-14㎜, 폭 2-4㎜이며, 점점 얇아져서 끝은 가장 얇다. 비익연의 윤곽을 표시하는데, 특히, 비익저-비소엽접합부(alar base/lobular junction)에 흔히 상응하는 비익연절흔의 최고점을 표시한다(그림 6-7). 그 다음, 4㎜의 짧은 절개를 비익연 후방에서 횡으로 한다. 끝이 무딘 건절개가위(tenotomy scissors)를 사용하여 비익연 2-3㎜ 후방에서 비익연에 평행하도록 피하포켓을 박리한다. 끝이 얇은 이식물을 먼저 포켓 안으로 밀어 넣은 다음, 절개선을 봉합한다. 비익연 경계에서 즉각적인 개선이 나타나야 한다. 그러나 기저면에서 비공 모양을 점검하고, 원개 가까이에서 이식물이 촉진되는 지를 점검하는 것이 중요하다. 만일 어떠한 왜곡이라도 있으면 이식물을 빼내어서, 짧게 해서, 재이식한다. 비익연낮추기는 양쪽의 균형도 잡아야 하지만, 비공 모양도 왜곡되지 않도록 하여야 한다.

### 문제점

비익연이식술에서 발생하는 대부분의 문제점은 사소한 것이었다. 만일 두꺼운 연골을 사용하면 연조직각면(soft tissue facet)에서 드러나 보이는 경향이 있다. 이식물이 두꺼우면 호기심 많은 손가락을 가진 환자는 감지할 것이다. 더욱 성가신 것은, 이식물이 너무 많은 것을 이룰 것이라고 기대함으로써 초래되는 실패이다. 이런 종류의 이식술은 비익연지지와 비익연구축(alar rim contracture)의 방지에 탁월하다. 이 이식물은 기껏해야 비익연을 대략 2㎜ 낮출 수 있으며, 2㎜ 이상 낮추려면 복합조직이식술이 필요하다.

Alar Rim Graft

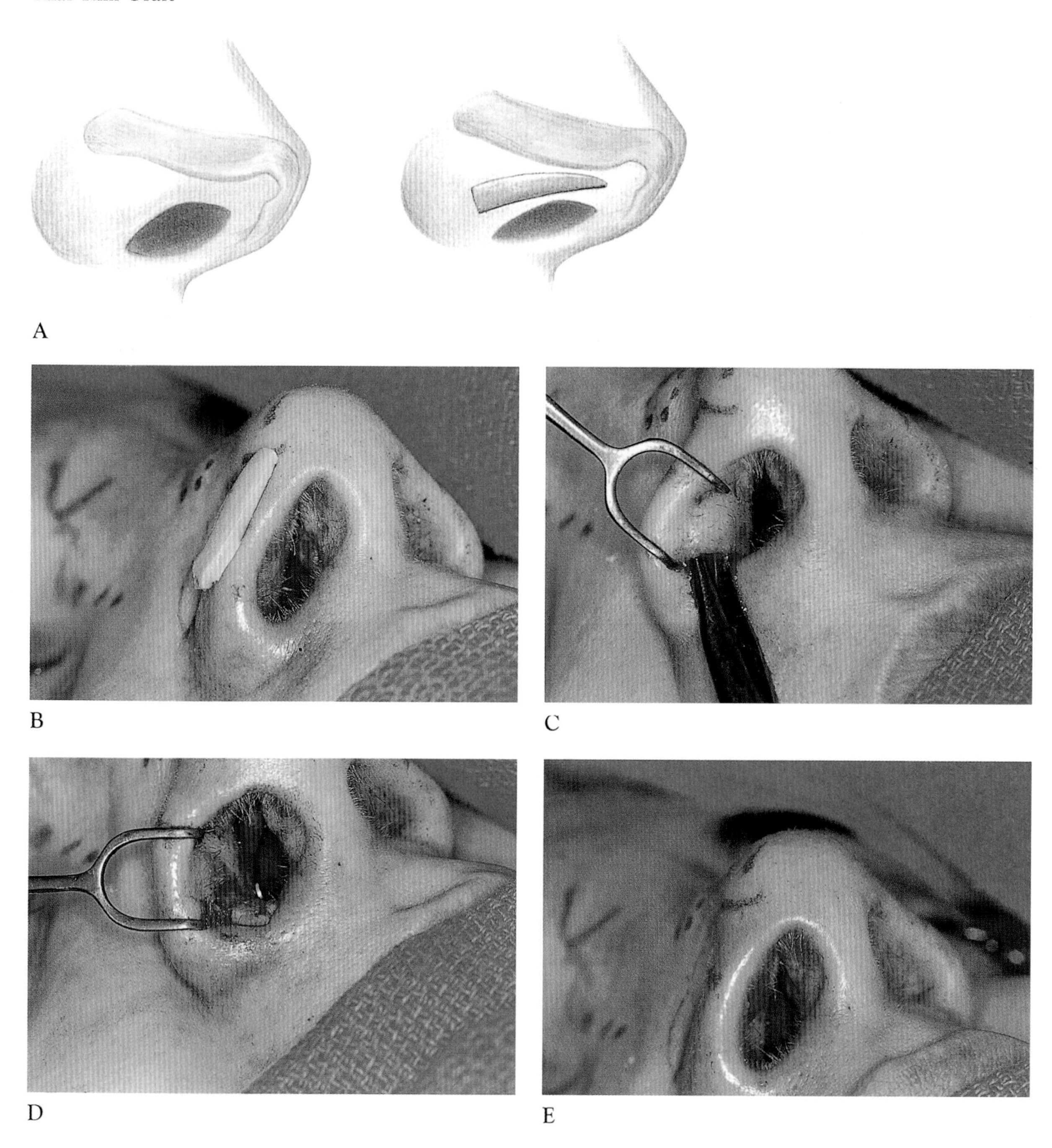


그림 6-7

비중격(Septum): 외측비벽이식술(Lateral Wall Graft), 비익봉이식술(Alar Bar Graft) 및 비중격연장이식술(Septal Extension Graft)

## 외측비벽이식술(Lateral Wall Graft)

외측비벽이식술은 비대칭적인 코에서 또는, 큰 비배이식술에 뒤이어서 부득이 필요할 때 가장 자주 한다. 외측비벽이식술의 난제는 가시성을 피하는 것으로서 특히, 얇은 피부 아래에서는 그 구성과 배치에 영향을 미친다. Sheen[21]은 비배이식물로서 두개관골(cranial bone graft)을 사용하였을 때 양측에 있는 틈을 외측비벽이식물로써 채움으로써 피부외피를 확장시켰다. 뒤이어서, 많은 술자들은 이 이식술을 단독으로 사용하려고 하였는데 특히, 이식물이 불규칙적인 비골-상외측연골접합부를 가로지를 때 가시적 변형이 초래되었다. 여러 개의 큰 외측비벽이식물을 재수술할 기회를 가진 다음에, 저자는 특정한 문제점을 교정하기 위하여 해부학적으로 정확한 성분을 가진 이식물을 옹호하게 되었다. 가장 흔히 하는 외측비골벽이식술은 비대칭적 상외측연골을 증대시키는 것이다. 이러한 이식물은 비중격연골로써 상외측연골처럼 모양을 만든 다음, 유연해질 때까지 세분화(morselization) 시킨다(그림 6-8). 상외측연골의 연골막에 인접하여 박리함으로써 포켓을 만든 다음, 이식하여 직접 보면서 정렬한 다음, 변위되는 것을 피하기 위하여 포켓의 두측 경계를 5-0 평장사로써 봉합한다. 또, 외측점막공간붕괴(collapse of lateral mucosal space)를 치료하기 위하여 삼각형이갑개이식물을 도안하는데, 넓은 기저가 이상구벽(pyriform wall)에 얹히도록 함으로써 필요한 지지를 제공한다. 저자는 전체길이의 외측비벽이식물은 언제나 보이기 때문에 사용하지 않는다.

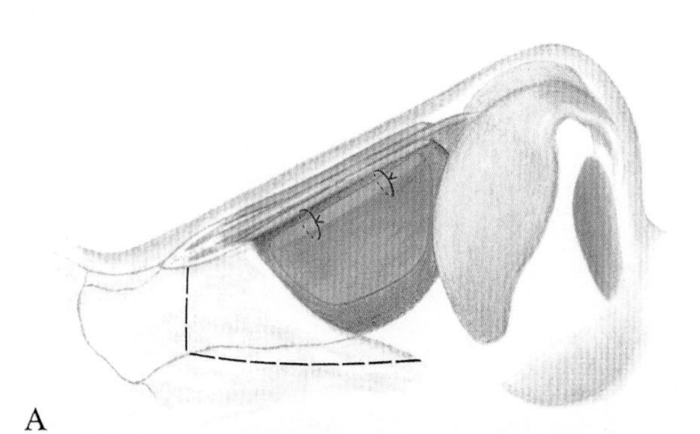

A

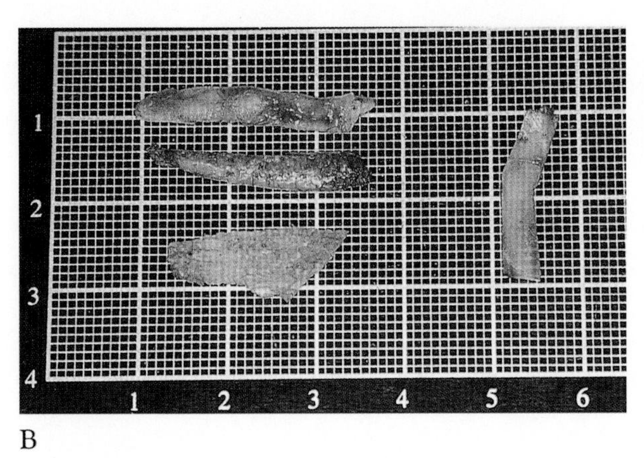


B

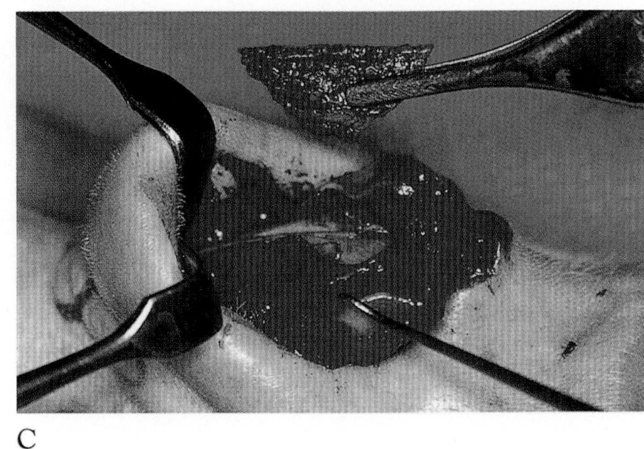

C

그림 6-8

## 비익봉이식술(鼻翼棒移植術, Alar bar graft)

비익봉이식술은 Gunter[10]에 의하여 고안되었는데, 가장 흔한 적응증은 기저면에서 클로버 잎이나 '토끼풀(sham-rock)' 모양을 가지는 이차집게형비첨(pinched tip)으로서 비익지지를 제공하기 위함이다. 개념적으로는 단순하고 매우 효과적이지만, 비익봉이식술은 기법상 많은 것을 요구한다. 일단 개방접근술을 완료하고 나면 외측각연(lateral crural rim)을 평가하는데, 건재하여야 하며 미측전위 시킬 수 있어야 한다. 최대로 붕괴되고 퇴축된 곳의 비전정 내층으로부터 비익연골을 박리하여 25번 주사침을 통과시켜 둔다. 그 다음, 바람직한 교정이 될 때까지 양쪽 비익연골을 서로 멀어지도록 주사침에서 미끄러지게 한 다음, 그 거리를 계측한다. 그 다음, 흔히 14×4㎜ 크기의 비중격연골 조각을 바람직한 길이에 맞도록 단축시킨다. 이 비익봉이식술은 붕괴 지점에서 지지와 신연(distraction)을 제공한다. 주사침을 제거하고, 이식물을 비익연골 아래에서 5-0 PDS사로써 봉합한다. 이식물은 지나치게 길지 않아야 한다. 그렇지 않으면 비공장개(nostril flare)가 생길 것이다. 저자는 삼각형비익봉이식술(triangular bar graft)이 비첨돌출을 증가시키는 효과적인 방법임을 발견하지 못하였다. 저자의 경험으로는, 상비첨에서 과대한 용적도 만든다. 그러나 표준비익봉이식술은 집게형비첨에 매우 효과적이다.

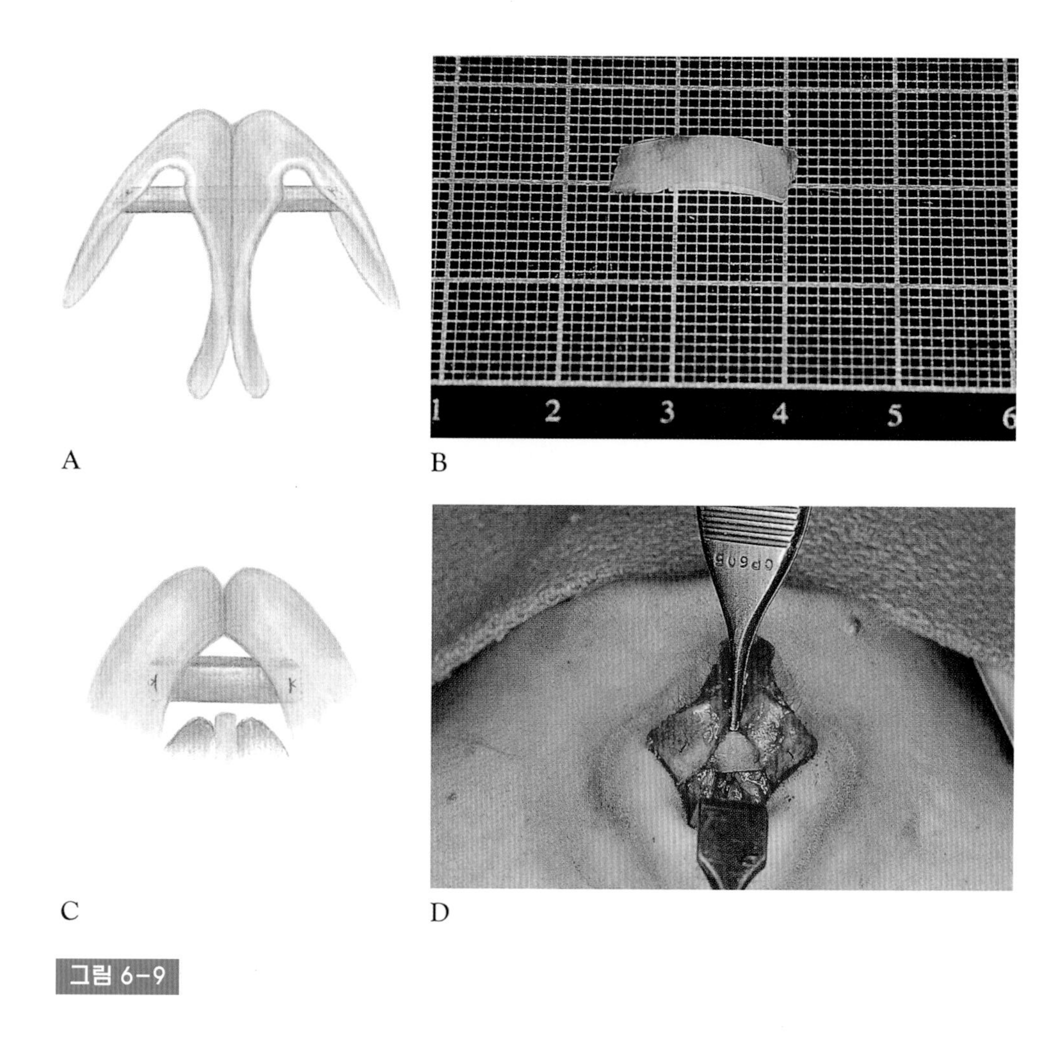


그림 6-9

## 비중격연장이식술(Septal Extension Graft)

두측회전 된 비첨의 비회전술(derotation)은 Byrd[5]가 비중격연장이식물을 보고하고 나서야 실제로 가능하게 되었다. 그의 논문은 이 기법의 사용을 계획하는 술자들의 필독서이다. 이 이식술을 여러 가지 목적(비첨 모양, 비첨돌출, 그리고 비첨회전)으로, 그리고 3가지 형태(연전이식술, spreader graft; 각목이식술, batten graft; 직접비중격연장이식술, direct septal extension graft)로써 사용할 수 있지만, 저자는 비첨비회전술로서 가장 유용함을 알게 되었다. 이러한 목적으로, 저자는 원래 'hockey stick' 형이식물인 연전이식물 형태를 선호하는데, hockey stick의 날은 비주-비소엽접합부(columellar lobular junction)에 위치시키고, 손잡이는 긴 연전이식물 자체이다(그림 6-10). 날의 중요한 도안 기준은 피부 두께에 근거하여 높이(얇은 피부에서는 6㎜, 두꺼운 피부에서는 10㎜)를, 그리고 바람직한 상비첨변곡(supratip break)에 근거하여 경사도(예리하면 45도, 완만하면 60도)를 결정한다. 손잡이는 연전이식물의 기능을 하도록 충분히 길어야 한다. Byrd는 쌍으로 사용하였으나, 저자는 이차비성형술에서 일측이식물로서 꾸준히 사용하였는데, 만일 변위되거나, 점막에 심한 반흔이 있으면 선택적으로 반대편에서 각목이식술을 하였다. 이 이식술 사용에서 2번째로 중요한 조작은 봉합술의 순서이다. 1) 비주변곡점 수준에서 내측각과 중간각에 이식물봉합술, 2) 원개간격을 결정하기 위하여 원개에 이식물봉합술, 그리고 3) 바람직한 비첨 위치, 회전, 그리고 돌출을 결정하기 위하여 비중격에 이식물봉합술. 지금까지, 저자는 이 비중격연장이식술이 효과적인데 대하여 대단히 만족한다. 저자는 이 이식술을 강력히 추천한다.

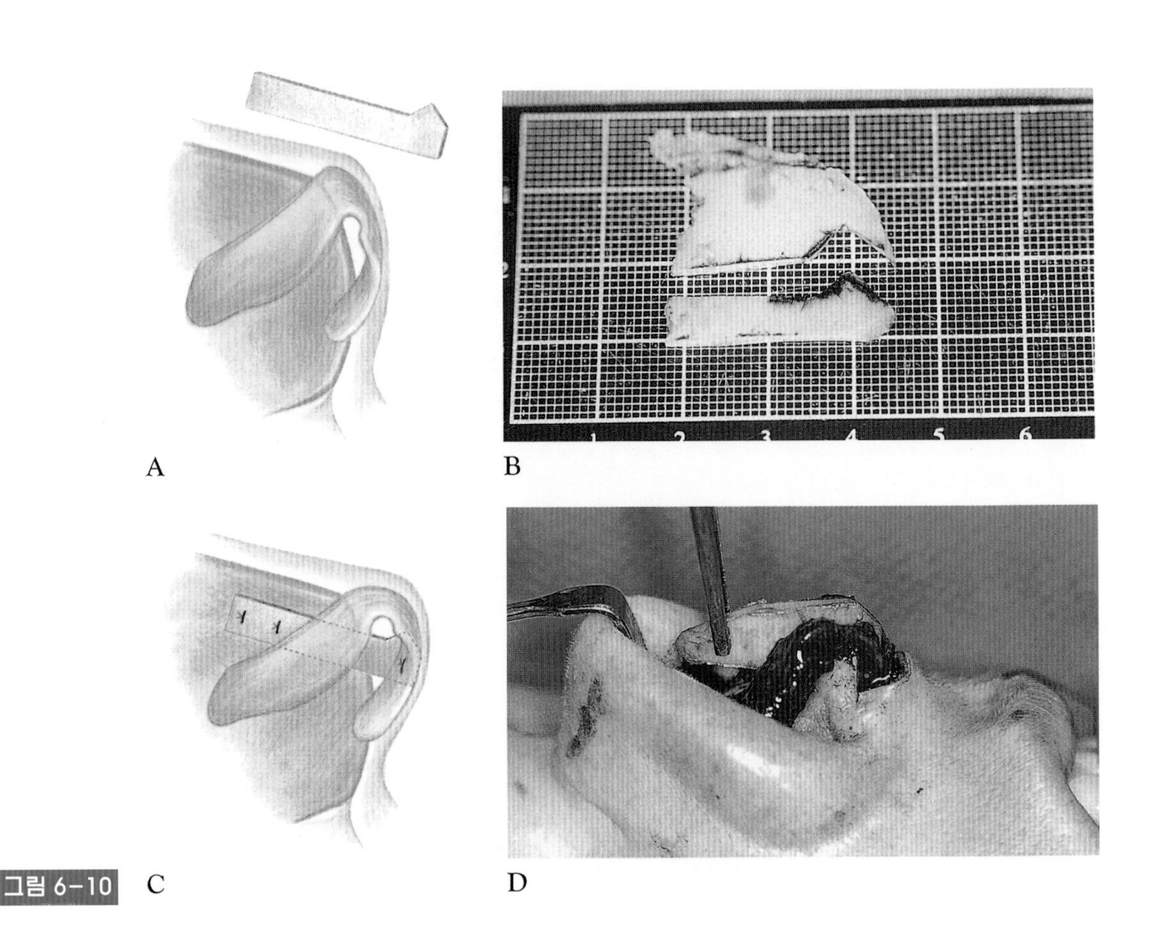


A B

그림 6-10 C D

## 이개이식물 (Ear Grafts)

이개연골은 미용 및 재건 비성형술 둘 다에서 광범위하게 사용된다[4]. 저자는 이개이식물을 크게 2가지 범주로 분류하였다. 즉, 연골이식물과 복합조직이식물. Sheen[21]은 비중격연골이 유용하지 못 할 때 이개연골을 이차비성형술을 위한 공여부로 보급시켰다. 그는 대이륜곡선(antihelical curve or fold)의 하측각(inferior crus)에서 전면접근술(anterior approach)을 한다. 그는 이갑개 전체를 떼어내어서 비첨 및 비배 이식물로서 사용한다. Johnson[13]은 비첨 및 비주 이식물을 채취하기 위하여 전면접근술을 사용하지만, 중심지주(central stut), 이륜근, radix helicis를 남겨둔다. 저자는 수년 동안 2가지 기법을 다 사용하였지만, 후면접근술(posterior approach)을 선호한다. 반대의 주장이 있음에도 불구하고, 전면 반흔은 가시적 변형이다. 왜 이러한 위험을 무릅써야 하나?

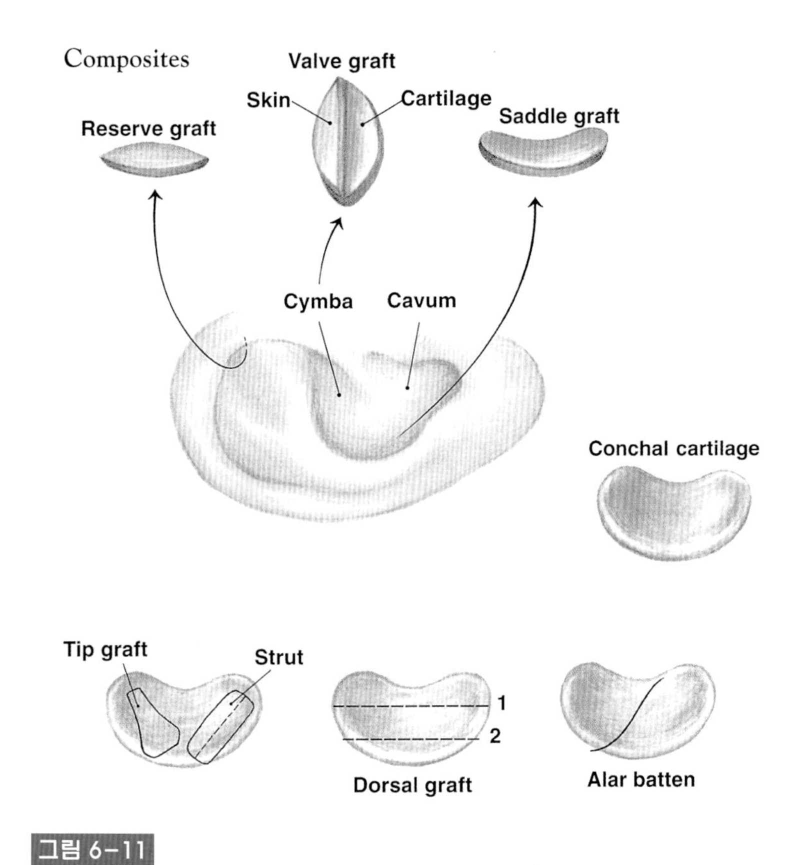


그림 6-11

### 채취술

세균수를 최소화하기 위하여 Betadine으로써 광범위하게 prep한다. 저자는 도구나 장갑을 바꾸지 않는데, 지난 10년 동안의 수백 건의 이개이식물을 채취하였지만 감염은 없었다. Xeroform 거즈를 사용하여 이갑개의 틀을 만든다. 즉, 한 장을 2조각으로 자른다. 큰 3/4의 조각은 이갑개의 틀을 만드는데 사용하는데 전방 bolster로서 작용하며, 작은 1/4의 조각은 담배처럼 말아서 후면 bolster로서 사용한다. 전방접근술을 할 것처럼 대이륜연(antihelical rim)의 내부 곡면(inner curvature)을 표시한다. 총 5cc의 1% xylocaine with 1:100,000 epinephrine으로써 이개 전후를 침윤시킨다. 주입력 때문에 이갑개의 전면 피부는 희게 바뀌며, 연골로부터 부풀어 오른다. 최대한의 연골이 필요하다고 가정하면 전면절개 도안선을 methylene blue 문신술을 사용하여 이개 후면의 피부표면으로 이전시킨다(그림 6-12A). 이개를 앞쪽으로 견인한 다음, 청색 표시가 된 곡선 바로 위에서 피부를 세로 절개(longitudinal incision) 한다. 대개 4개의 출혈점을 응고시키며, 모든 표시가 있는 이갑개 후면을 노출시킨다. 표시 아래로 연골을 절개하고, 전면 피부를 중앙으로 일으킨다(그림 6-12B). 그 다음, 이개를 두측으로 견인하여서 연골절개와 전면 피부박리 둘다를 연장한 뒤, 이개를 미측으로 견인하여 비슷한 절개와 박리를 한다. 일단 피부를 완전히 일으키고 나면 미측 경계를 따라서 절개함으로써 이갑개 전체를 떼어낼 수 있다(그림 6-12C).

반복적으로 지혈을 한다. 모든 날카로운 연골 경계를 둥글게 한다. 절개선은 5-0 평장사의 연속잠금봉합술(running locking suture)로써 닫는다. Tie-over bolster 드레싱의 방법은 2개의 4-0 나일론사를 각각 각지주(crural strut, 역자 주: 대이륜, antihelix를 가리킴)의 이갑개 표면으로부터 시작하여, 봉합선 아래의 이개 후면을 통과한 다음, 봉합선 위의 이개를 통하여 전면으로 되돌아온다. 봉합사는 길게 잘라서 양끝을 겸자로써 잡아둔다. 둥글게 만 거즈를 이개 후면에 있는 봉합사의 고리에 넣고, 봉합사 양끝을 꼭 맞도록 당김으로써 봉합선을 덮으면서 후면 bolster로서 작용하도록 해준다. 그 다음, 거즈의 틀(전방 bolster)을 이갑개 안으로 미끄러져 들어가게 넣은 다음, 2개의 봉합사를 서로 묶는다. 배액관을 사용하지 않으며, 다른 드레싱도 하지 않는다. 술후 1주일에, 코의 부목과 함께 틀을 제거한다. 나일론사의 매듭을 자르며, 평장사는 모발 세척으로 발사된다.

## 문제점

환자에게 다음의 3가지 예상되는 증상을 알려줘야 한다. 1) 통증, 2) 반흔, 그리고 3) 이개의 위치 및 모양의 변화. 환자에게 이개 공여부는 코보다 언제나 더 많이 상하며, 1년 동안 추위에 예민할 수 있음을 알린다. 반흔은, 전면의 반흔이 다양한 것과는 달리 후면 반흔은 일반적으로 사소하다. 이개의 위치(머리의 측면으로부터 이개까지의 거리) 및 모양(이갑개의 용적)의 문제점은 떼어낸 연골 량에 따라 다른데, 비배이식물을 위하여 이갑개 전체를 채취하면 현저히 증가한다. 공여 이개와 반대쪽 이개 사이의 비대칭성은 실제로 있지만, 대부분의 완벽주의자인 환자를 제외하고는 거의 알아채지 못한다. 지금까지 공여부의 감염, 지속적 신경종, 그리고 혈종은 없었다. 때때로 한 환자에게 여러 번의 재수술을 할 때 균형을 이루게 하기 위하여 반대쪽 이개로부터 소량의 연골을 채취하기로 결정할 수 있다. 이것은 개념적으로는 옳지만, 미래의 비배이식물을 파괴하는 것이며, 다음 선택을 제한하게 한다. 따라서 한쪽 이개를 다 사용한 다음에, 다른 쪽 이개에서 채취를 하는 것이 더 낫다.

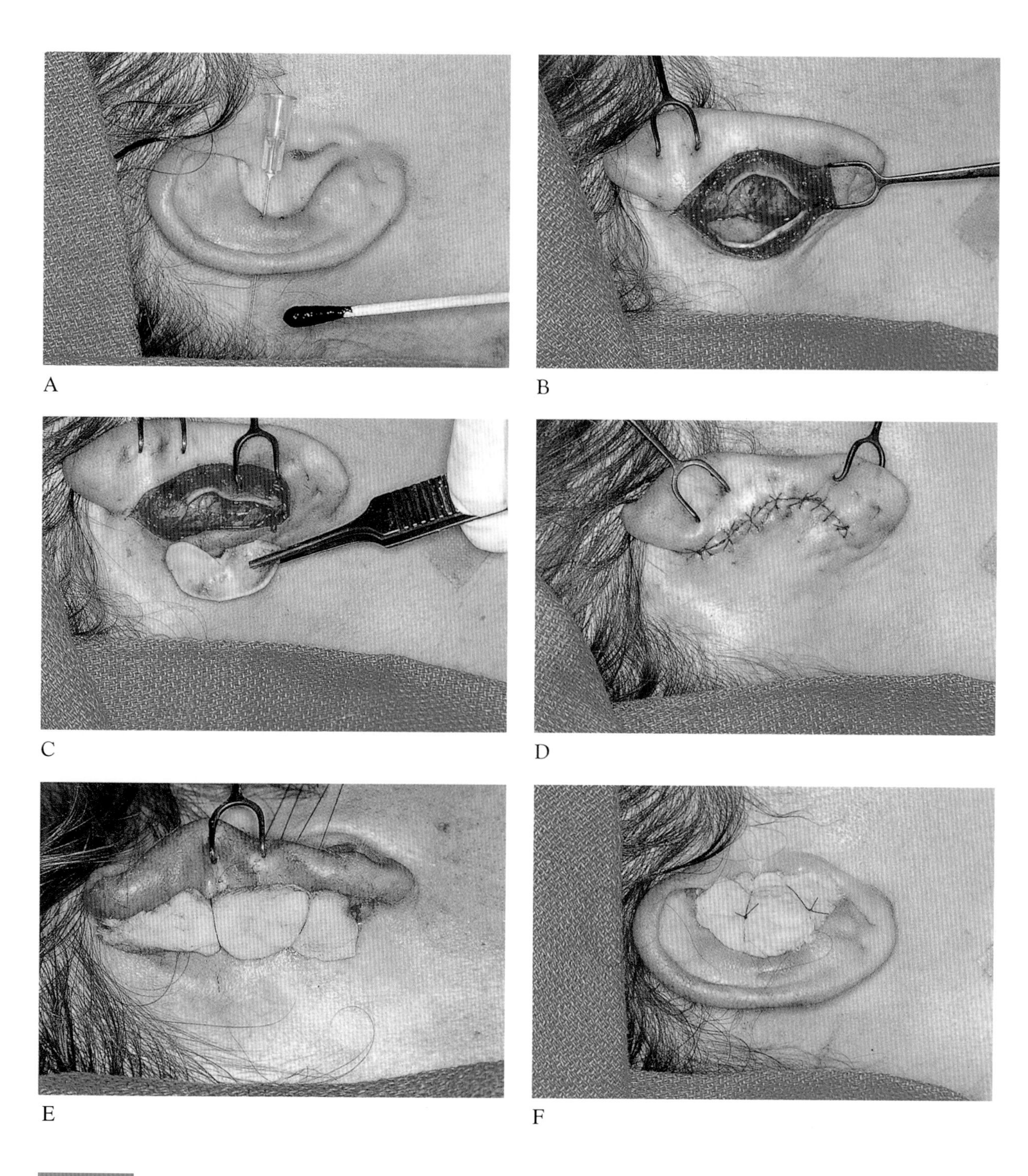


그림 6-12

## 이개연골 (Ear Cartilage): 비첨 및 비주 이식술 (Tip and Columella Grafts)

비첨이식물의 모양은 다양하며, 공여부도 다양하다. 가장 간단한 분류는 모양에 근거한다. 즉, 중첩이식물(onlay graft), 방패형이식물(shield graft), 닻형이식물(anchor graft), 그리고 접은 이식물(folded graft). 중첩이식물과 방패형이식물은 흔히 경증의 재수술을 할 때 폐쇄접근술로써 사용한다. 즉, 비첨정의를 더 뚜렷하게 하기 위하여 중첩이식술을 하거나(그림 6-13), 비첨돌출 및/또는 하비소엽충만을 증가시키기 위하여 방패이식술을 한다. 복잡한 증례에서는 개방접근술을 사용하는데, 정확한 이식물의 필요량은 일단 변형을 정의하고, 남아있는 연골을 이용하고 나서야 결정된다.

### 중첩비첨이식술(Onlay Tip Graft)

Peck[19]은 중앙지주(central strut) 또는 이륜근(radix helicis)에 수직으로 면하고 있는 횡단부로부터 6×4㎜의 이식물을 채취한다(그림 6-13). 이러한 이식물은 작은 활(arc)을 가져야 하며, 이식물연은 수술도로써 경사를 만든다. 이식물을 비익원개 위의 횡단 포켓에 위치시킴으로서 비첨을 강조한다. 비첨을 대체하기 위하여 하는 것이 아니다.

Conchal Onlay Graft

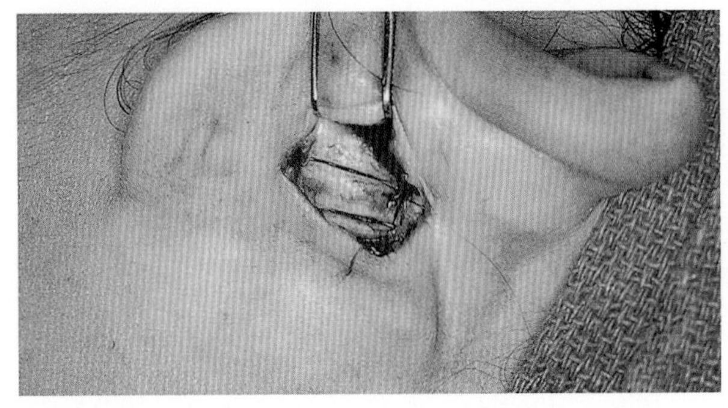

A

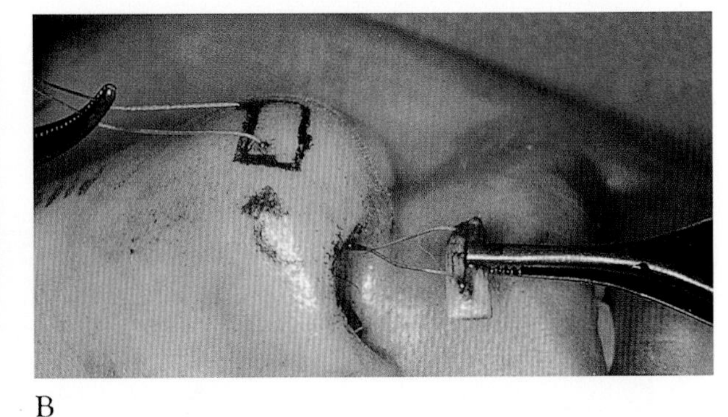

B

그림 6-13

### 방패형비첨이식술(Shield Tip Graft)

Sheen[22]과 Johnson[13]은 둘 다 미측의 이갑개강(cavum conchae)으로부터 비첨이식물을 채취하되, 비첨이식물의 원개연(domal edge)이 외이도 가까이에 있도록 하였다. Juri[14]는 이갑개강으로부터 비첨이식물을 채취하되, 이식물의 비첨부를 중앙지주(central strut)에 수직으로 면하도록 위치시킴으로써 더 긴 이식물을 얻을 수 있었다. 이식술을 적용하는 유형에 따라서 채취술을 달리한다. Sheen은 하비소엽 피부포켓을 신장시키기 위해서는 더 강하고 더 짧은 이식물이 필요하며, 때때로 코를 길게 하기 위해서는 이와는 정반대의 이식물이 필요하다고 하였다. Johnson은 각지주과 비첨이식물만을 채취함으로써 중앙지주를 보존하였다. 대조적으로, Juri는 변형된 비익원개를 자주 절제하며, 따라서 비첨 전체를 대체할 대단히 긴 이식물이 필요하였다. 저자는 두측의 이갑개정(cymba conchae)을 선호하는데, 그 이유는 좀 더 곡면이고, 섬세하며,

더 좁기 때문이며, 기본적으로 비첨이식물과 모양이 비슷하기 때문이다. 저자는 그 자리에서 본격적인 이식물을 도안하거나 잘라내려고 하지 않는다. 오히려, 저자는 충분한 양을 채취하여 어느 연이 원개가 되어야 하는지를 결정한다. 결정적인 방패형이식물은, 두측 연의 폭이 10-12㎜이고, 높이가 15㎜이며, 미측으로 갈수록 점점 좁아진다(그림 6-14).

Conchal Tip Graft

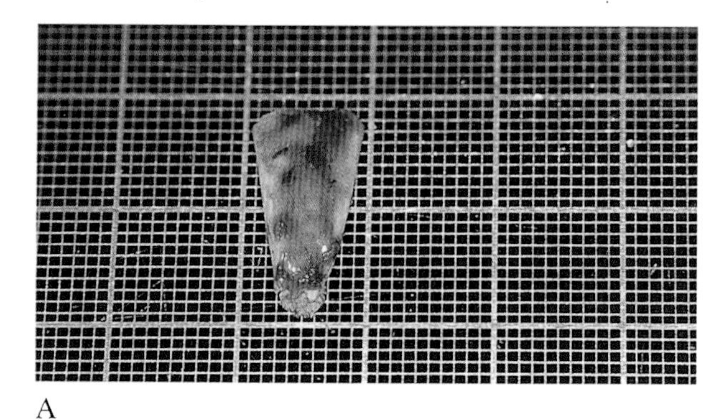

A

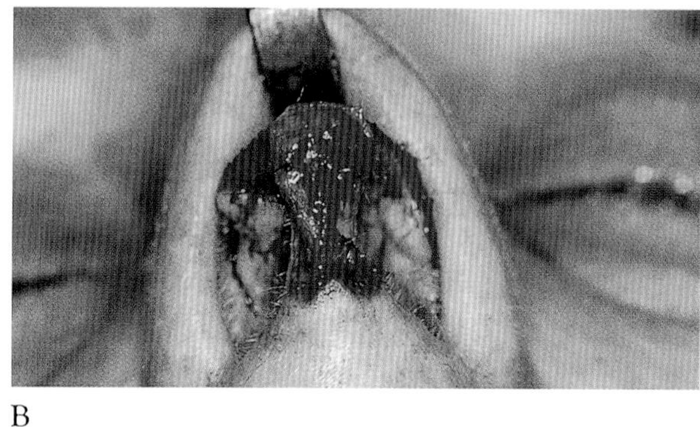

B

그림 6-14

## 접은 비첨이식술(Folded Tip Graft)

접은 비첨이식술은 심하게 퇴축된 비첨(retracted tip)을 교정하기 위하여 개발되었다. Juri[14]에 의하여 처음 고안된 것으로서, 다음의 3부분으로 이루어진다. 1) 코를 길게 하기 위한 큰 비주지주, 2) 원개와 하비소엽을 대체하기 위한 비첨이식물, 그리고 3) 상비첨곡면(supratip curve)과 비배연장(dorsal lengthening)을 제공하는 비배부벽(鼻背扶壁, dorsal buttress). Gunter[11]는 이 개념을 연장시켜서 비중격연골의 3분절경첩이식술(three-segment hinged graft)을 하였다. 저자는 이러한 이식물을 좀 더 단순화 시켜서 2부분으로 한다(그림 6-15). 즉, 길이가 20-25㎜이고, 중심 폭이 8-10㎜이면서 양끝이 점점 좁아지는 이식물이 필요하다. 개념적으로, 비교적 표준인 비첨이식물과 상비첨부벽이식물(supratip buttress graft)의 2부분으로 이루어지는데, 이 2부분이 접히는 곳 즉, 이식물의 원개연(domal edge)이 연결 경첩(connecting hinge)으로서 작용한다. 비첨이식물의 모양을 낸 다음, 원개연을 따라서 부분절개를 함으로써 이식물이 접히도록 한다.

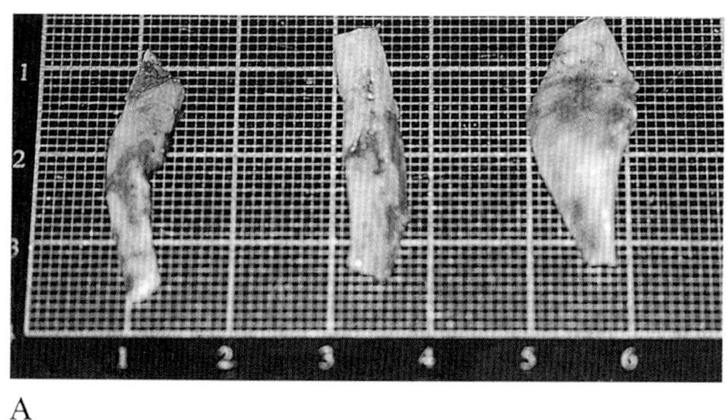


A

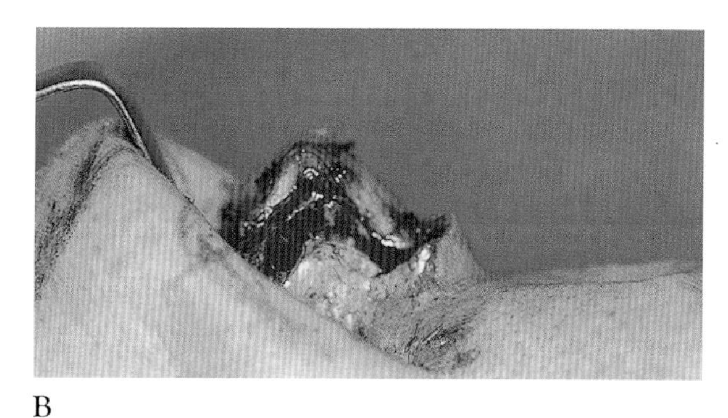

B

그림 6-15

비첨이식물 부분을 4번의 봉합으로써 제 자리에 봉합한 다음, 상비첨부벽이식물 부분을 비중격각(septal angle)을 향하여 미측으로 접히게 한다. 이러한 비첨복합이식물이 미측비회전술(downward derotation)로써 미는 정도는 상비첨이식물을 비중격각에 고정하는 부위에 의하여 결정된다. 피부를 재배치시켜서 적절히 조절하는 것이 중요하다.

## 비주이식술(Columella Grafts)

비중격이식물과 마찬가지로, 이갑개연골로부터 3가지 다른 종류의 이식물을 도안할 수 있다. 즉, 각지주(crural strut), 비주이식물(columella graft), 그리고 구조이식물(structural graft). 대부분의 이차비성형술에서는 강한 비주지주가 필요하기 때문에, 25×6㎜의 이갑개연골조각을 얻어서 중간부를 절개하여 접은 다음, 5-0 PDS사로써 함께 봉합한다(그림 6-16A). 넓은 비주를 피하기 위하여 이식물을 단단히 봉합하여야 하며, 양측 내측각과 중간각 사이의 포켓 안에서 후방으로 위치시켜야 한다. Sheen[21]은 미측 비중격의 대체를 위한 L형 지지를 제공하기 위하여 접은 이갑개의 '장화형이식술(boot graft)'을 고안하였다(그림 6-16B). 채취한 이갑개연골 전체를 90도로 접어서, 4-0 나일론사로써 봉합한다. 이식물의 한 가지는 비주 안으로 넣고, 다른 가지는 연전이식물로서 비배측 비중격에 나란하게 제 자리에 봉합한다.

Struts

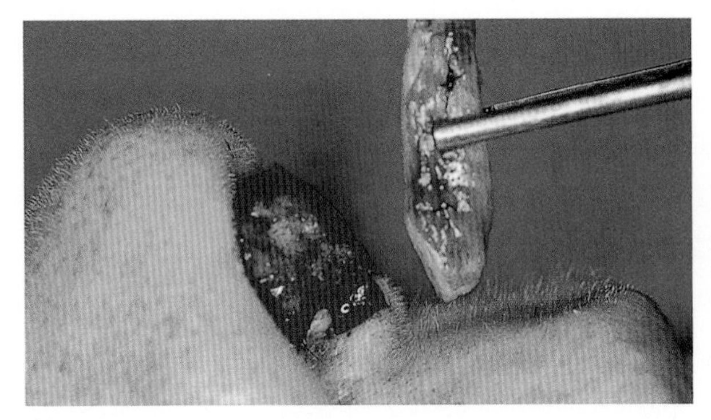

A

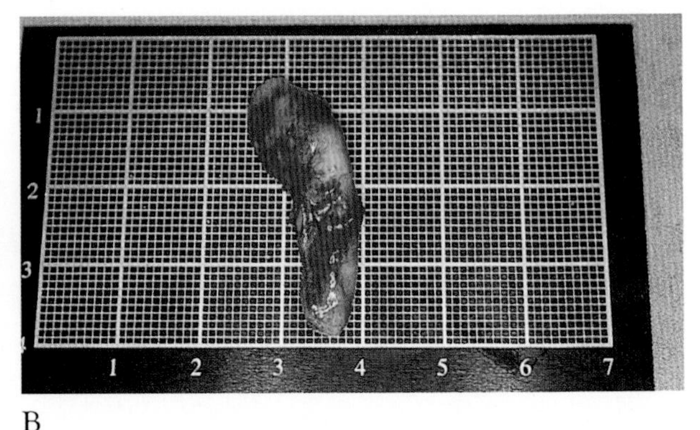


B

그림 6-15

## 문제점

이러한 이식물은 어려운 증례에서 흔히 사용하기 때문에 이식물의 한계를 보려는 경향이 있는데, 이식물이 원래 가지고 있는 내재적 실패를 보아야 한다. 즉, 비첨이식물로서 이갑개연골은 비중격보다 더 부드럽고 더 유연하기 때문에 두꺼운 피부를 통하여 최대의 정의가 필요할 때 한계가 있다. 그러므로 이갑개비첨이식물을 내측각과 중간각의 구조 안으로 합체시키기 보다는 돋보이게 위치시키려는 경향이 있다. 또, 이갑개는 경사와 모양 만들기가 더 어려워서 얇은 피부 아래에서는 불리하다. 그러므로 술자는 장화형이식물(boot graft)의 굽은 후면을 피부를 향하도록 위치시키는 경향이 있는데, 그 이유는, 후면이 연골막으로 덮여 있으며, 더 큰 충전을 제공하기 때문이다.

## 이개연골 (Ear Cartilage): 비배이식술 (Dorsal Grafts)

원래, 이갑개로부터 2가지 종류의 비배이식술을 사용해왔다. 즉, Sheen[21]의 말은 이갑개이식술(rolled concha graft)과 Juri[14]의 다층이갑개이식술(layered concha graft). 일단 전면절개술을 통하여 이갑개연골을 채취한 다음, Sheen은 이갑개연골을 접어서 세로축을 결정하며, 최대한의 길이를 얻도록 절개한 다음, 3개의 비흡수사로써 봉합하여 말았다. 그는 내재된 불규칙성과 술후 가시성의 문제점들을 인정하였으며, 이것 때문에 대부분의 다른 술자들은 이 방법을 포기하고 다층이식물로 바꾸었다. 대조적으로, Juri는 이갑개의 외측벽을 따라서 채취한, 본질적으로 좁고 긴 연골 조각(strip)인 '선형이식술(boat graft)' 을 선호한다. 이차비성형술에서 하였던 100회 이상의 이갑개비배이식술에 근거하여, 저자는 비중격채취술이 유용하지 않을 때 이개이식물을 사용하며, 여러 층을 사용하여 2-5㎜ 두께, 30-35㎜ 길이의 비배이식술을 시종일관 만들 수 있었다. 그러나 가시성과 각상(angulation)이라는 난제는 특히, 얇은 피부 환자에게서 남아 있다.

### 채취술과 모양내기(Shaping)

일반적으로, 저자는 후면절개술을 통하여 외측벽을 포함한 이갑개 전체를 떼어낸다. 그 다음, 이갑개이식물을 뒤집어서 격자(grid)에다 갖다 댄다(그림 6-17). 세로축을 표시한 다음, 5-6㎜의 폭을 예비적으로 그린다. 내경계(inner border)는 중심지주인 접합부로서 더 두껍고 좀 더 불규칙한데, 이를 11번 수술도로써 세로로 잘라서 다듬는다. 이 절개술은 변형된 연골이 절제될 때가지 반복할 수 있는데, 공여 연골의 남은 폭에 의하여 분명히 제한을 받는다. 그 다음, 외경계(outer border)를 잘라서 다듬는다. 이러한 절개술은 처음부터 경사지게 하여야 한다. 왜냐하면 나중에는 이식물연의 모양내기가 매우 어렵기 때문이다. 이식물을 수용부에 위치시키고, 불규칙성을 점검한다. 이식물이 말리는 경향이 있으면 아래면에다가 비중격으로 된 작은 각목이식물(batten graft)을 위치시킨 다음, 5-0 평장사로써 봉합할 수 있다. 두 번째나 3번째 층이 필요하면 다음의 몇 가지 규칙을 따른다. 1) 전체길이의 2번째 층이 필요한 일은 거의 없으며(그림 6-18A), 오히려 비배 전체를 위하여 전체길이의 1개의 연골 조각이 필요하다. 2) 외측 가시성을 피하기 위하여 추가되는 층은 더 좁게 만든다. 3) 모든 층을 5-0 평장사로써 함께 봉합하는데, 이 조작은 Aiach 이식물겸자(graft clamp)[1]로써 쉽게 할 수 있다. 다층이식물에서는 각 층의 볼록한 면을 서로 마주 보도록 '상반(reciprocal)' 위치로 배치함으로써 최종 이식물을 바르게 할 수 있다.

Conchal Dorsal Graft

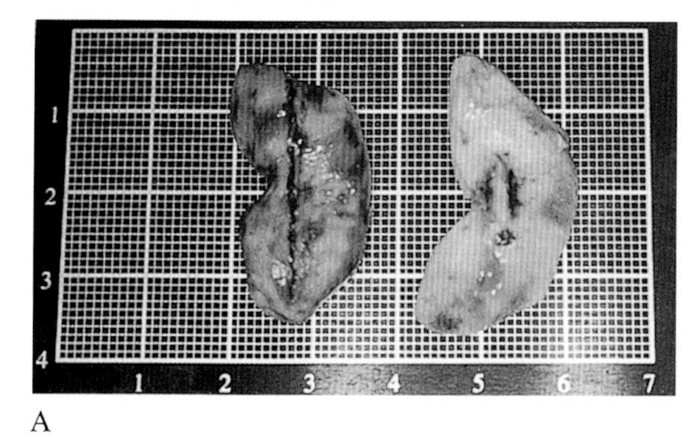


A

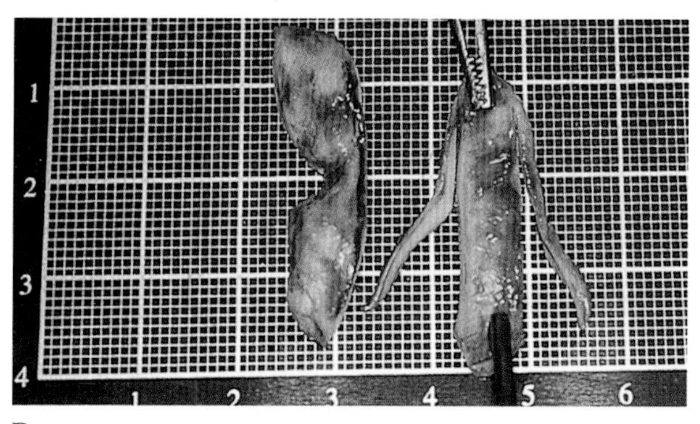


B

그림 6-17

## 이식술

수용부바닥의 준비는 매우 중요한 단계이지만, 이식술을 하기에 급급해서 흔히 제대로 하지 않는다. 가능하면, 좁고 잘 정의된 수용부 포켓을 일으키면 이식물의 외측 변위를 최소화할 수 있다. 그 다음, 모든 침상골(針狀骨, bony spicule)을 줄질 하며, 지레받침으로서 작용할 수 있는 돌출을 제거하기 위하여 모든 연골의 불규칙성을 절제한다. 저자는 이식물을 포켓의 두측 단 안으로 유도하기 위하여 4-0 평장사의 경피봉합사를 사용한 다음, 미측 단을 상외측연골에 봉합한다. 만일 비배 박리를 넓게 하였으면 세로의 경피봉합술(longitudinal percutaneous suture)을 정중선 아래에서 할 수 있다. 피부를 양쪽에서 누른 다음, 이식물의 가시성 때문에 이식물연을 점검한다. Steri-strips를 붙이며, 술후 1주일에, 경피봉합사를 피부 표면에서 자른다.

## 저장(Banking)과 채취술

사용하고 남은 연골이 있으면 측두골의 유양돌기(mastoid process) 미측에 있는 이개후두피와(retroauricular scalp fossa) 하부에 저장한다(그림 6-19). 그 위치를 미측으로 이동하면 저장한

Double Layer Dorsal Graft

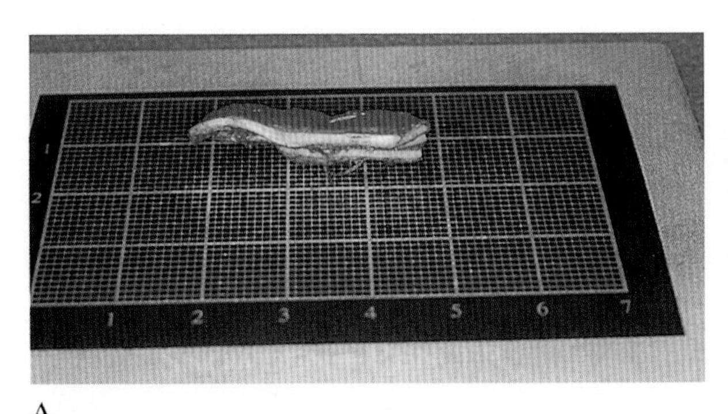

A

Healed Donor Site(1 yr)

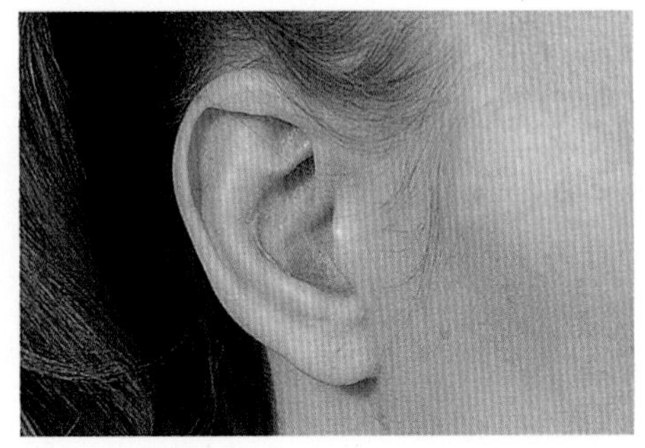

B

Hybrid Conchal/Septal Graft

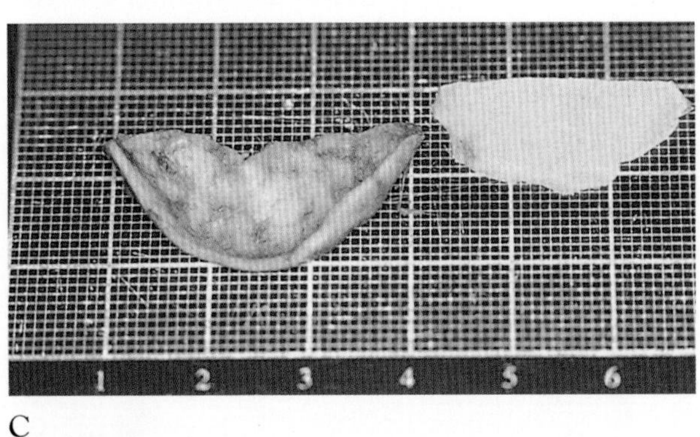

C

D

그림 6-18

Banking

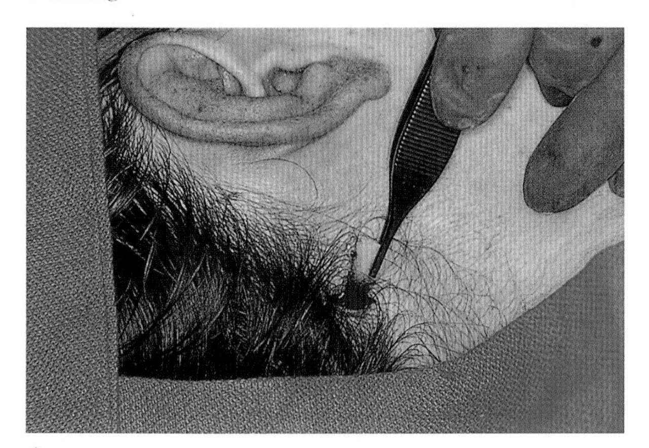

A

Harvest (1 yr later)

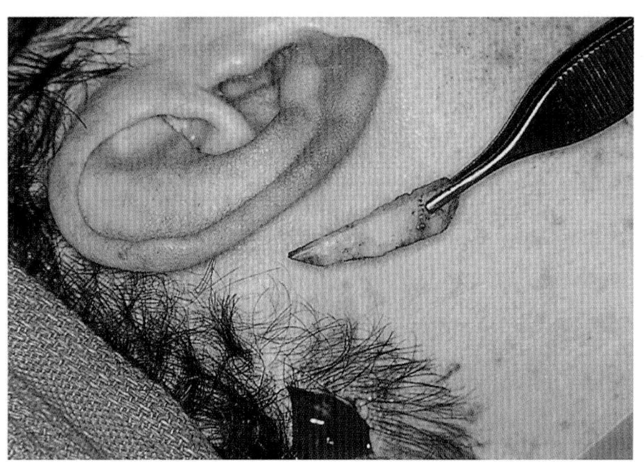

B

그림 6-19

이식물이 환자를 덜 성가시게 하며, 또 덜 보인다. 저자는 1-3년 동안 저장하였던 8개의 이식물을 다시 채취할 기회가 있었는데, 모든 이식물은 경도, 모양, 그리고 용적을 유지하고 있었다.

## 문제점

두 가지 중요한 문제점은 공여부 이환성(morbidity)과 이식물의 가시성이다. 이갑개의 외측벽으로 접근하여 연골을 채취할수록 더 큰 공여부변형을 남긴다. 술후에, 이갑개가 너무 깊어서도 안 되고, 이개가 너무 돌출되어서도 안 된다. 분명한 해결책은 첫째, 제 위치에서(in-situ) 이식물을 떼어내는 것인데, 더 큰 외과적 전문성을 필요로 하며, 둘째, 중심지주를 재건하는 것인데, 유익이 의문스러우면서 시간이 많이 소모되는 조작이다. 비배이식물의 가시성은 2가지 논쟁을 일으킨다. 즉, 피부 얇기와 미학적 목적. 피부가 얇으면 얇을수록 위험성이 더 크며, 이러한 문제점을 최소화하기 위하여 근막이식물을 추가하여야 할 가능성이 더 많다. 큰 비배이식술의 목표는 '비배선(dorsal line)'을 복원하는 것이므로 술자는 피부를 통하여 비배이식물의 영향을 가시화하기를 원한다. 대조적으로, 작은 비배이식물은 결손을 채우기 위하여 계획되며, 술자는 이식물, 특히 이식물연을 보기를 원하지 않는다. 그러므로 많은 경험을 한 저자는 이갑개비배이식물을 훨씬 더 좁게 만들고, 이식물연을 경사지게 하며, 단단하고 평탄한 수용부바닥을 신중히 준비하고, 이식물을 제 자리에 봉합한다.

## 이개연골(Ear Cartilage): 비익벽이식술(Alar Wall Graft)과 복합조직이식술(Composite Grafts)

이개연골은 코 외측부의 기능과 모양을 개선하기 위하여 다음과 같이 적어도 3가지 방법을 사용할 수 있다. 1) 비중격이식물과 비슷하게 비공 지지를 위한 비익연이식물, 2) 비전정교체(vestibular replacement)를 위한 복합조직이식술, 3) 전체비익벽 지지를 위한 큰 이갑개이식술. Kamer[15], Tardy[23], 그리고 Sheen[21]은 미학적 기법을 제공하였으며, Burget[4]의 재건 원칙과 결합시킬 수 있다. 이차비성형술에서 가장 흔히 사용하지만, 때때로 일차비성형술, 특히 비중격조직의 수요가 많을 때 가치가 있다.

### 비익 및 외측비익벽 이식술(Alar/Lateral Wall Grafts)

원래, 이 이식물은 다음의 3가지 부위 중 하나, 또는 모두에 지지를 제공하기 위하여 설계된 큰 이갑개이식물이다. 1) 비익 덩어리 물질(substance of alar mass, 역자 주: 비익 자체)(그림 6-20A), 2) 외측각꼬리-A1연골접합부(juncture of tail of lateral crura/A1 cartilage)(그림 6-20B), 3) 외측 점막공간(lateral mucosal space)(그림 6-20C). 미학적 함몰부와 기능적 붕괴부를 술전에 표시하며, 외측각-부속연골접합부의 내측 변위에 의한 비전정폐쇄 정도에 주의한다. 이러한 이식물들은 일단 모든 절개선을 봉합하고 나서, 수술의 마지막에서 대개 한다. 함몰부의 미측 경계를 경피주사침으로써 비내로 전이시켜서 절개선을 정한다. 함몰 부위 아래에서 포켓을 박리한 다음, 이상구를 넘어서 상악골까지 바깥쪽으로 연장한다[25]. 만일 외측각-A1접합부가 기도를 위태롭게 하면 모든 A1 연골을 포함하여 접합부를 절제하는데, 이 조작은 점막에 국소마취제를 주사함으로써 쉽게 할 수 있다. 그 다음, 동측의 이갑개에서 후면접근술로써 이식물을 채취하되, 바람직한 외측 지지를 제공하기 위하여 이갑개강(cavum concha)의 볼록함을 이용한다. 이식물은, 외측으로는 지지를 제공하도록 흔히 꽤 크며, 내측으로는 외측각에 통합시키기 위하여 점점 좁게 한다. 그 다음, 이식물을 결손보다 현저히 더 크게 재단하는데, 그 이유는 부목(brace)으로서 함몰의 경계를 넘어서, 특히 외측으로 연장시켜야 하기 때문이다. 포켓 안으로 이식술을 하고, 그 효과를 외부적으로 점검한다.

일단 만족스러우면 이식물을 포켓 안으로 유도하도록 경피 4-0 평장사를 사용한 다음, 이식물의 미측 경계는 점막봉합술로써 붙잡을 수 있다. 드레싱은 출혈을 최소화하고, 점막뿐만 아니라 이식물의 내측 붕괴를 피하기 위하여 필수적이다. 가장 간단한 드레싱은 비전정을 거즈로써 채우는 것이지만, 특히 양쪽일 때는 불편한 단점이 있다. 좀 더 효과적이고 편안한 드레싱은 수용부를 작은 조각의 실리콘 부목 사이에 끼워 넣는 것으로서, 실리콘 부목이 점막을 통하여 이식물을 압박하며, 기도를 최대화한다. 이러한 실리콘 부목은 피부괴사를 피하기 위하여 2-3일에 제거하여야 한다.

Alar Batten Grafts

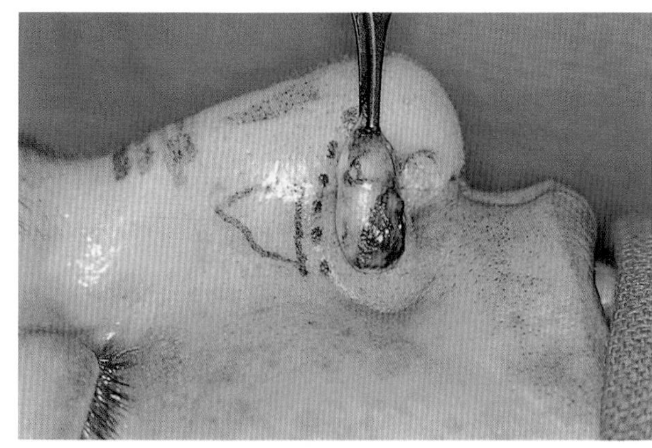
A

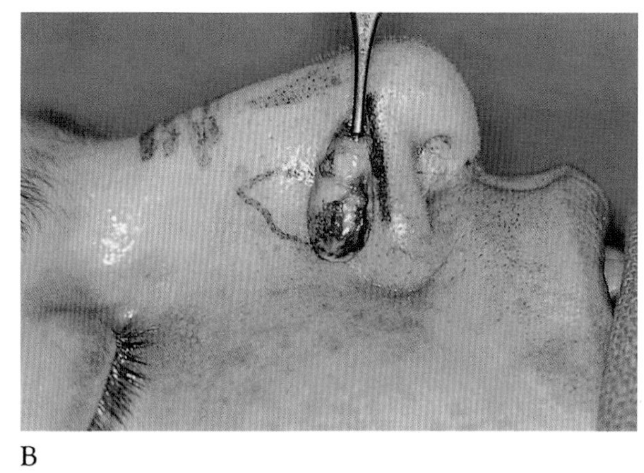
B

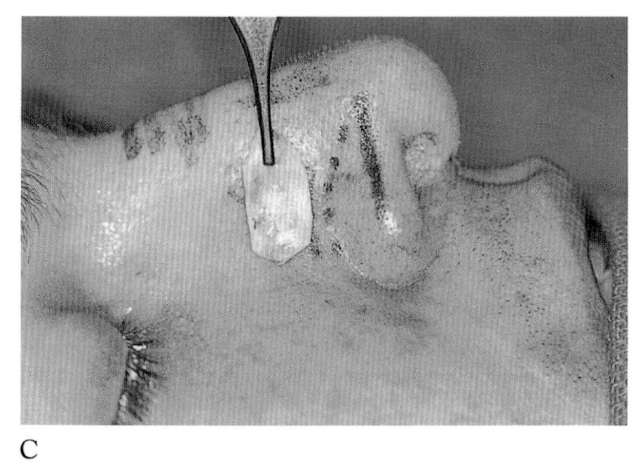
C

그림 6-20

## 복합조직이식술(Composite Grafts)

복합이식물의 적용은 다음의 3가지인데, 흔히 크기와 어려움에서 발전을 보였다. 1) 비익연낮추기(alar rim lowering), 2) 비전정협착(vestibular stenosis)의 교정, 그리고 3) 내비판막재건술(internal nasal valve reconstruction). 대개 수술 순서는 결손을 정의하고, 이식물을 채취하며, 공여부를 닫고, 이식물을 제 자리에 봉합하는 것이다.

## 채취술

가장 흔한 공여부는 동측 이갑개정(cymba conchae)의 전면이지만, 심각한 경우에는 이륜근(helical root)의 두측에서 전하면(anterior undersurface)을 사용할 수 있다(그림 6-21). 이륜근과 대이륜(antihelix)을 당기면, 이갑개정의 숨어 있는 내측을 노출시키게 된다. 그 다음, 원하는 이식물을 흔히 타원형으로 도안한다. 이때 여러 가지 요소를 고려하여야 한다. 비익연을 위하여 곧은 연골이 필요하면, 상부 경계는 중심지주를 향하여 낮게 위치시키는 반면, 비전정을 위하여 곡면의 연골이 필요하면 경계를 가능한 한 높인다. 피부-연골 비율은 봉합술의 위치와 방법에도 영향을 미친다. 드물게 일어나긴 하지만, 필요한 피부의 폭이 10㎜에 가까우면 후이개전층식피술(full thickness postauricular skin graft)로써 일차봉합을 하여야 한다. 비익연을 위한 복합조직이식물의 채취는, 이식물의 두측 경계는 피부와 연골 둘 다 필요하므로 전층절개술을 하지만, 미측 경계에서는 *피부절개술(skin-only incision)만* 필요하므로 중심지주를 향하여 미측으로 피부를 박리한다. 연골을 미측에서 절개한 다음, 후방으로 연골막상박리를 한다. 지혈은 세밀히 하며, 모든 날카로운 연골연을 절제한다. 공여부 결손의 봉합은 다음과 같다. 1) 넓은 피부박리. 2) 4-0 평장사로써 수평석상봉합술. 이 봉합술은 아래에 놓인 후이개연조직을 중앙으로 집어 올려서 자연스러운 함몰을 다시 만든다. 3) 5-0 평장사로써 봉합술을 양쪽 끝에서 시작한다. 드레싱은 불필요하다.

Composite Graft Harvest

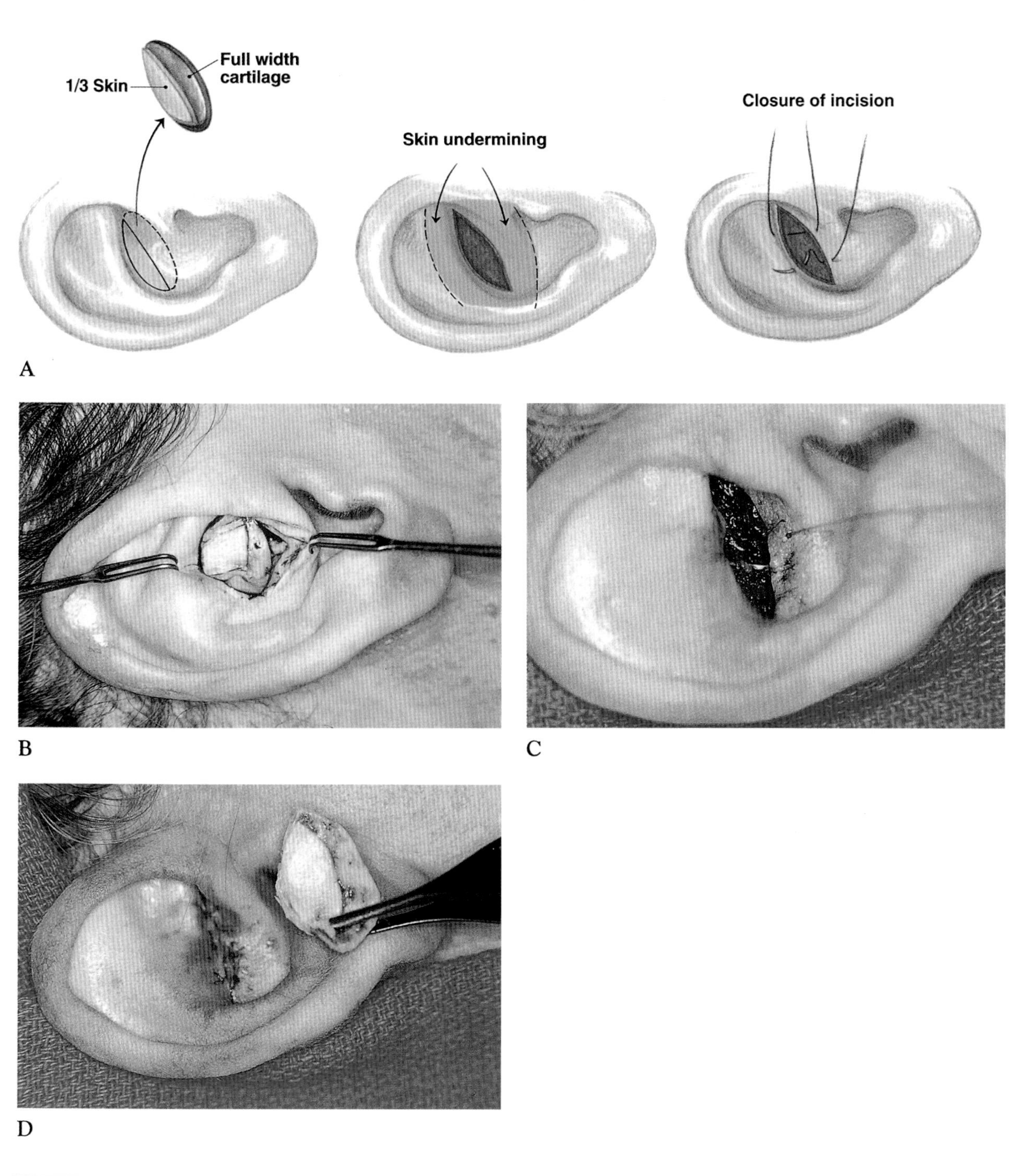


그림 6-21

## 비익연낮추기 (Lowering Alar Rim)

퇴축된 비익연(retracted alar rim)을 낮추기 위하여 비익연 2-3㎜ 뒤에서, 피부에 그린 비익연 절흔(notched rim)과 평행하도록 내비절개술을 한다. 그 다음, 결손의 크기를 결정하기 위하여 Steven 조직가위로써 절개선에 대하여 수직 방향으로 벌린다. 포켓을 '만들기(create)' 위한 시도는 하지 않으며, 오히려 외측각의 미측 연에 대하여 반대쪽으로 벌림으로써, 편 비익연을 자연스러운 수준으로 미측으로 내린다. 만일 비익연 자체를 박리하면 대단히 두껍고 모양이 좋지 않은 비익연에다가 복합조직이식물까지 보이게 될 것이다. 결손의 크기는 피부와 연골 둘 다를 고려하여 결정한다. 연골은 큰 것이 필요하지만 피부는 작은 것이 필요하다는 차이를 인정해서, 복합이식물을 채취할 때 '판에 박힌(cookie cutter)' 접근술을 사용하지 않는 것이 중요하다. 이식물을 결손에 맞도록 재단한다. 대부분의 증례에서 저자는 피부가 있는 쪽의 이식물을 비익연 측에 3-4개의 5-0 평장사로써 먼저 봉합한다(그림 6-22). 그 다음, 이식물을 내비 결손 안으로 전진시킨다. 그 다음, 비익연이 바람직한 길이로 미측으로 내려질 때까지 연골을 제 위치(in situ)에서 조절한다. 이식물이 비공 모양에 어떠한 영향을 미치는지를 알기 위하여 기저면에서 보는 것이 중요하다. 만족스러우면 두측의 피부를 비전정 결손에서 봉합한다. 항생제 연고를 바르며, 더 이상의 드레싱은 하지 않는다.

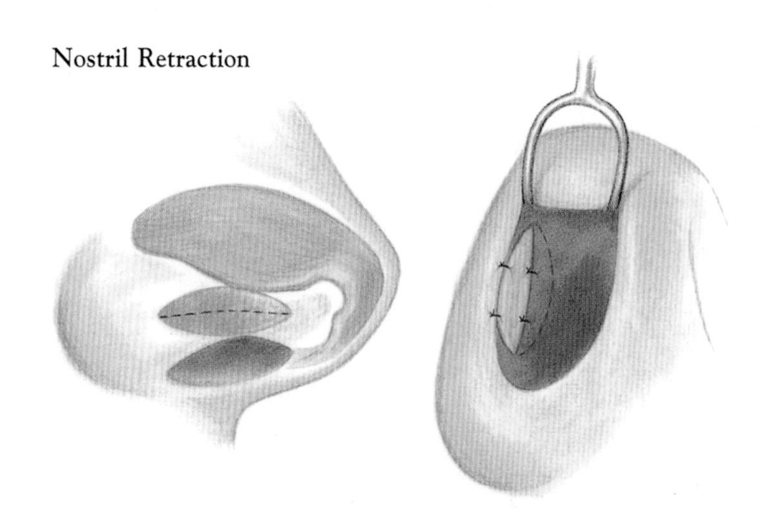


그림 6-22

### 비전정협착(Vestibular Stenosis)

이러한 문제점들은 이차비성형술에서 가장 흔히 나타나며, 제 5장에서 광범위하게 토론하였다. Sheen[21] 분류법을 사용하여, 저자는 0-15%의 제 1등급 폐쇄에서는 Z성형술이나 단순절단술(simple transection)을 하고 Telfa 부목을 넣는다. 15-40%의 제 2등급 폐쇄에 대하여 저자는 내측에 기저를 둔 피판(medially based flap)과 복합조직이식술이 유용한 조작임을 알게 되었다(그림 6-23). 반흔에 의한 비전정협착에 대한 쉬운 해결책은 없지만, 저자는 다음과 같은 기법을 사용한다. 1) 협착을 외측으로부터 내측으로 절개함으로써 내측에 기저를 둔 점막피판을 만든다.

2) 반흔조직 덩어리를 도려낸다. 3) 점막피판을 비중격까지 두측으로 전진시킨다. 4) 이개복합조직이식물로써 외측 벽 표면을 다시 만든다. 5) 내비부목을 2주 동안 제 자리에 봉합해 둔 다음, 비공유지 부목(nostril retainer splint)을 3개월 동안 밤에 착용한다. 이 방법으로써 대개 의미 있는 개선이 가능하다.

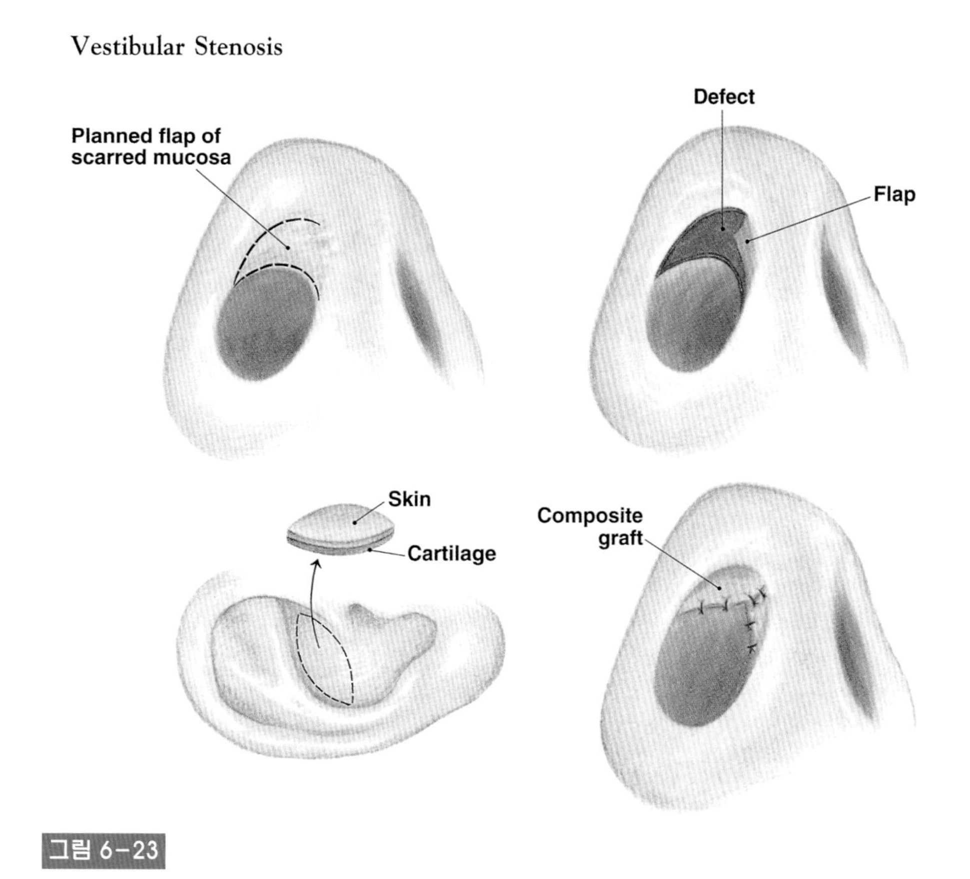


그림 6-23

## 내비판막붕괴(Internal Valve Collapse)

복합조직이식술은 점막 반흔 때문에 고착된 내비판막붕괴(fixed collapsed internal valve)를 치료하는데 분명히 가치가 있다. 첫 번째 단계는, 반흔이 있는 점막을 유리시키고, 상외측연골을 바깥으로, 그리고 내비판막까지 두측으로 벌린다. 복합조직이식물은 비중격 결손에서는 피부만으로, 그러나 외측으로는 구조상 강한 연골 부분으로써 도안한다(그림 6-24). 상외측연골과 비익연골 사이의 결손에 볼록한 이식물을 위치시키는 것이 필수적이다. 대개, 폭 10mm, 길이 15mm 크기의 큰 연골 부분이 필요하다. 피부를 먼저 봉합하되, 비내로 매듭을 짓는다. 이식물을 비배측 비중격과 같은 높이로 봉합함으로써 돌출을 피한다. 이식물의 폭이 퇴축된 비익연을 미측으로 밀 수 있다.

Internal Valve Contracture

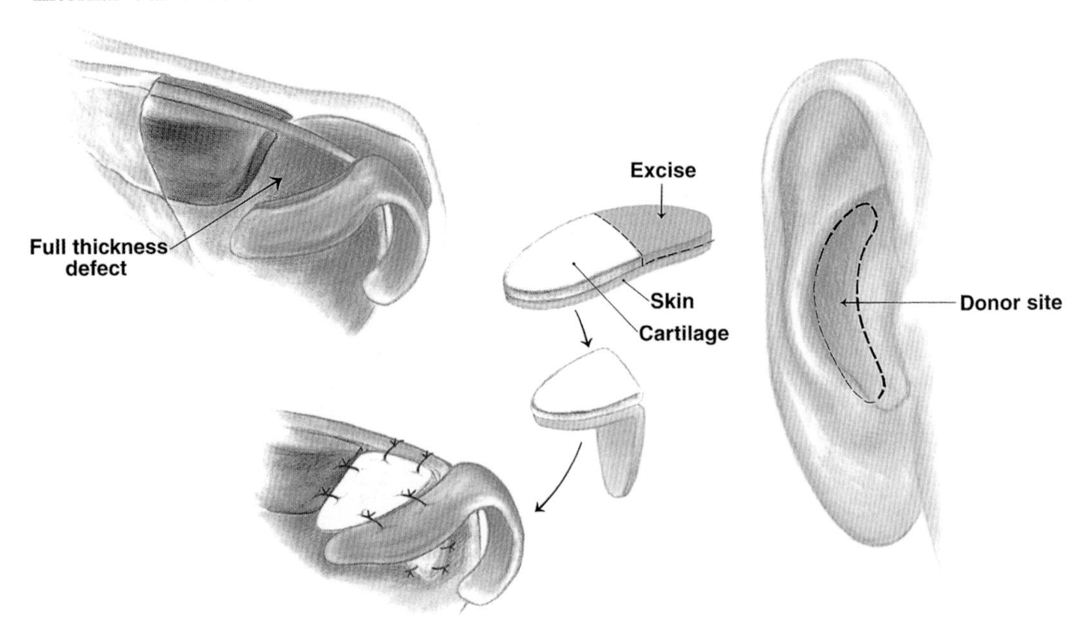


그림 6-24

## 문제점

비성형술에서 하였던 100개 이상의 복합조직이식술을 근거로, 저자는 복합조직이식술이 비익연절흔을 교정하며, 비익연을 4mm까지 낮추는데 매우 효과적임을 알았다. 이식물의 피부 부분의 폭이 8mm를 초과하기 때문에, 저자는 중앙 피부괴사를 경험하였지만, 빠른 상피화로 인하여 마지막 결과는 손상되지 않았다. 단점은, 비익연골과 비교할 때 원래 두께가 더 두꺼운 것과 '이식물 보임(graft show)' 이다. 이식물 보임은 특히, 절개를 비익연에 너무 가깝게 하거나, 비익연을 향하여 미측으로 박리할 때 생긴다. 연골을 삭절제(shave)할 수도 있지만, 피부가 얇은 환자에서 더 좋은 해결책은 이륜연(helical rim)의 아랫면을 사용하는 것이다.

## 근막(Fascia)

자가근막은 구조적 지지와는 달리 연조직 윤곽 충전(soft-tissue contour fill)이 필요할 때 비성형술에서 매우 유용한 이식물이다. Miller[16]와 Guerrerosantos[9]가 추천하는 심부측두근막(deep temporal fascia)이 Sheen[21]이 주장하는 표재측두근막(superficial temporal fascia)보다 더 좋다.

### 채취술

일반적으로 제안된 8-9cm 길이의 후면절개술과는 달리, 저자는 통상 2.5cm의 전이개절개선(preauricular incision)의 측두부 연장선을 통하여 5×5cm 크기의 근막을 얻는다(그림 6-25A). 심부측두근막이 덮개인 측두근(temporalis muscle)의 힘살(belly) 바로 위에 놓인 전측두동맥(anterior temporal artery)의 분지 사이에서 절개하도록 한다. 절개선을 표시하고, 원하는 근막량을  원형으로 점을 찍어서 표시한다. 머리털은 깍지 않는다. 부위에 epinephrine이 포함된 국소마취제를 주사한다. 수술도를 경사지게 해서 모낭이 잘리는 것을 피하며, 조직가위로써 가로로 벌려서 피하조직으로 아래로 내려간다. 이 시점에서 출혈을 점검한다. 표재측두근막을 관통하면, 느슨한 윤문층(areolar layer)이 아래에 있는 빛나고 흰 심부측두근막과 함께 발견된다(그림 6-25B). 그 다음, 2개의 Ragnell 견인기(retractor)를 사용하여 두피를 후방으로 견인한다. 심부측두근막에 길고 굽은 절개를 하면(그림 6-25C), 아래에 놓인 붉은 측두근이 드러난다. 그 다음, 다른 3개의 사분면(quadrant) 각각에서 두피를 견인하고 근막절개술을 한다. 근막을 근육으로부터 일으키며, 모든 출혈점을 소작한다. 채취한 근막을 젖은 거즈에 싸둔다. 지혈을 반복한다. 4-0 나일론사의 연속잠금봉합술(running locking suture)을 사용하여 두피, 근육, 그리고 다시 두피를 함께 통합시킴으로써 압박력 있는 봉합술을 한다. 배액관도 드레싱도 사용하지 않는다. 항생제연고를 바르며, 술후 2일에 머리를 감도록 한다.

### 비근(Radix)

제 1장에서 상세히 기술한대로, 저자는 모든 비근이식물로서 근막을 선호하는데, 이는 보임(show)의 위험 없이 그 부위를 증대시키기 때문이다. 필요한 양을 결정한 다음, 저자는 전체 한 장(5×5cm) 또는 부분(66%, 50%)을 사용한다(그림 6-25D). 저자는 25% 정도 과대이식 한다. 근막을 공처럼 봉합한 다음, 경피봉합사를 사용하여 수용부 포켓 안으로 인도한다(그림 6-25E, F).

Harvesting Fascia

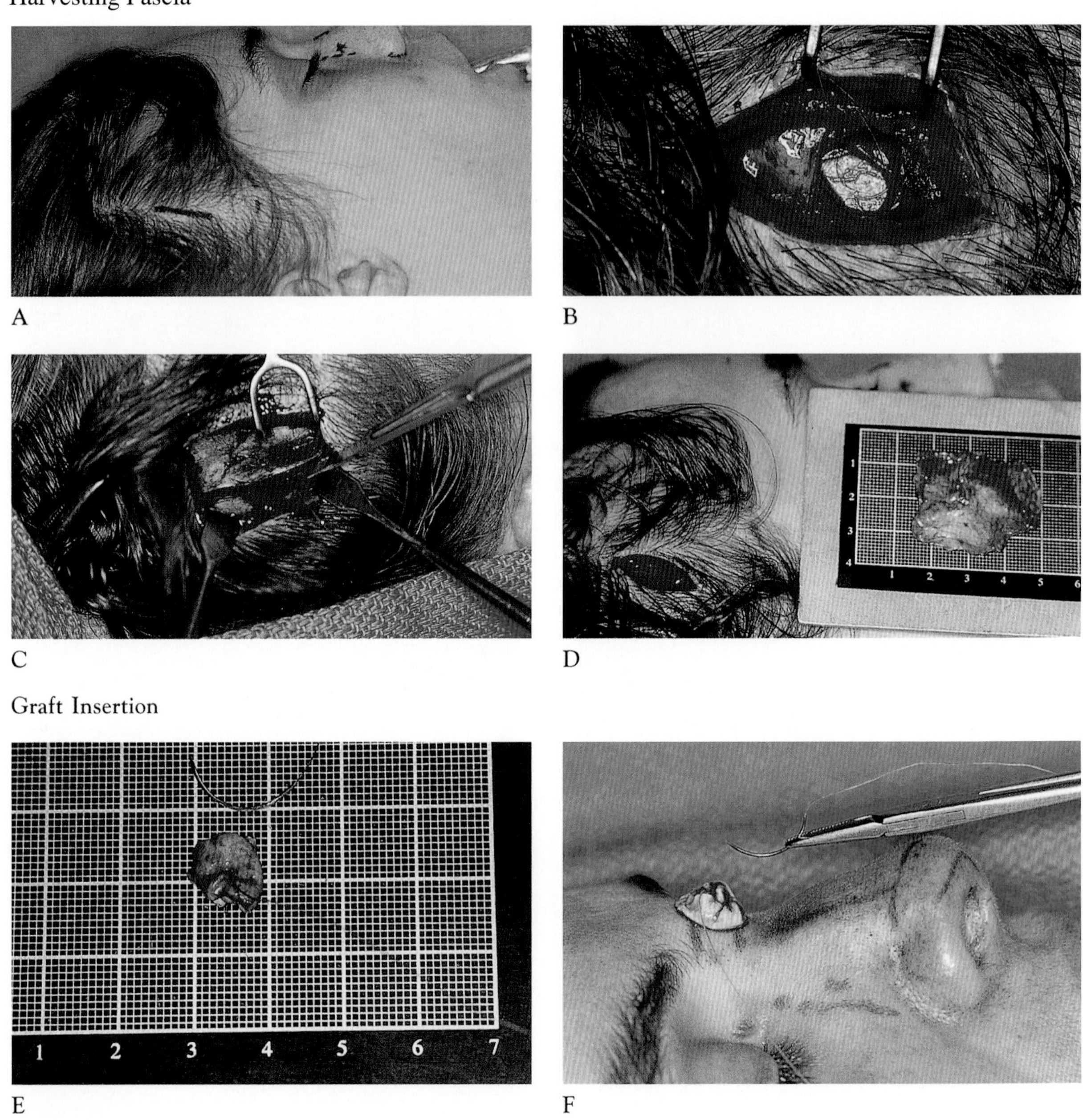


A B C D E F

그림 6-25

## 비배(Dorsum)

제 2장에서 상술한 대로, 저자는 다음의 3가지 상황에서 근막이식술을 사용한다. 1) 더 평탄한 윤곽이식물로서(contour graft), 2) 흔히, '연골충전(cartilaginous fill)'과 함께 1-2mm의 비배증대술로서(그림 6-25G), 그리고 3) 비배측 비중격이식물(dorsal septal graft)의 꼭대기에서 자연스러운 곡면을 주기 위하여 사용한다. 만일 비배피부가 매우 얇으면 저자는 피부와 거친 비배 사이에

Cartilage Fill

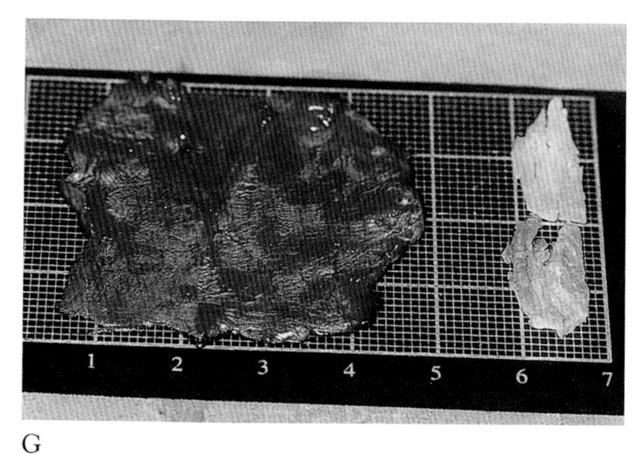


G

Septal Wrap

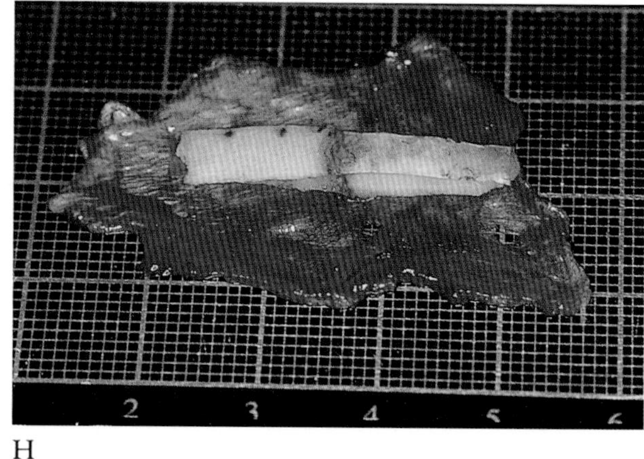

H

그림 6-25. 계속

완충을 제공함으로써 부착을 최소화하기 위하여 흔히 근막이식물을 집어넣는다. 1-2mm의 증대와 충전이 필요할 때에는 채운 연골조각을 근막으로 둘러싼 '부리토형이식물(burrito graft)'이 정상 내지 두꺼운 피부 아래에서 효과가 있다(그림 6-25H). 저자는 비중격을 사용한 비배이식물 위에 근막층을 흔히 위치시킴으로써 톱으로 자른 듯한 각진 비배(saw-off square dorsum)가 아니라 좀 더 자연스러운 비배 곡선을 만든다.

## 문제점

공여부 문제점은 대개 최소이며(1% 미만), 절개부 주위의 일시적 동통이나 탈모, 혈종이다. 절개선은 짧고 감추어져 있으며, 털을 깎지 않기 때문에, 환자가 잘 수용한다. Guerrosantos[9]는 일차미용비성형술에서는 문제점을 보고하지 않았지만, 복잡한 이차비성형술에서는 문제점의 빈도나 흡수가 12%(12/103)이었다고 한다. 이들 중 6개의 증례에서 이식물이 원래 가지는 한계라기보다는 아마도 수용부의 한계를 증명하는 '비배에서 작은 피부 노출'이 있었다는 것이 흥미롭다. Sheen은 연골이식물을 근막으로 쌌을 때 연골이식물의 불규칙성을 감추는 근막의 기능 실패를 보고하였다. 이러한 실패는 초기 6-12개월 동안에 발생하였다. 그러므로 다음의 3가지 점이 강조되어야 한다. 1) 공여부로서 표재근막(Sheen) 대 심부근막(Guerrosantos), 2) 근막이식물 대 이갑개연골이식물을 위한 얇은 덮개, 3) 이상적 수용부바닥 대 손상된 수용부바닥. 저자는 심부측두근막의 사용을 더 좋아 하며, 얇은 피부에서는 심부측두근막으로 싼 연골이식물만을 더 좋아한다. 반흔이 심하고 생존이 제한적인 얇은 피부에서 저자는 연조직을 재혈관화 하기 위하여 전두근 및 비근 판(frontalis/procerus muscle flap)을 전위시키기를 더 좋아한다. 근막은 훌륭한 연조직 충전물이지만, 모든 결손을 교정하거나 심하게 손상된 코(crucified nose)를 소생시킬 수는 없다.

## 늑이식술 (Rib Grafts)

비성형술에서 늑이식물을 적용할 때 공여부, 구성, 모양내기, 그리고 이용에 영향을 미치는 요소는 다양하다[7]. 요즈음, 대부분의 늑이식물은 어려운 증례에서 비배증대를 위하여 사용된다. 전통적으로 늑연골이식물(rib *cartilage* graft)은 이개와 코 둘 다의 재건을 위하여 제 5-7번늑의 연골결합으로부터 채취하였다. Gunter[12]는 늑연골의 사용을 선호하지만, 굽는(warping) 현실을 인정하고 이식물의 중심에 K-강선을 삽입하였다[12]. 좀 더 보편적인 기법을 찾아 본 결과, 저자는 골-연골늑이식물(osseocartilaginous graft)에 안착하였으며, 비주지주를 위하여 선택적으로 늑채취술을 한다. 이 기법의 장점은, 연골 굽기 위험의 최소화, 늑골 생존 가능성의 최대화, 그리고 술후 통증의 최소화이다. 이와 같은 이유에서, 저자는, Sheen[21]이 '비륵(nose rib)'이라고 하는 제 9번늑을 선택하였다. 수술 기법은 다음과 같다.

### 늑채취술(Rib Harvesting)

환자를 반듯이 눕히되, 오른팔을 팔억제대에 둔다. 옆구리를 올리기 하기 위하여 모래주머니를 우측 엉덩이 아래에 넣는다. 촉진해보면, 우측 제 9번늑은 늑곽(rib cage)에 인접한 가동 늑이며, 제 10번늑은 분리된 늑단을 가진 첫 번째 유리 늑(free rib)이다. 절개는 제 10번 늑단을 중심으로 하여 2개의 늑 사이의 늑간공간(intercostal space)에서 한다(그림 6-26). 늑은 1.5㎝의 절개를 통하여 채취술을 할 수도 있지만, 저자는 대부분의 환자에서 3㎝의 절개를 사용하며, 비만한 환자에서는 6㎝까지 절개한다. 늑채취술에 30분 정도 걸린다. 채취술은 대개 외래에서 하며, 동통 때문에 Percoset을 투여한다. 공여부에 8cc의 1% xylocaine-1:100,000 epinephrine을 주사한 다음, 칼날 끝을 가진 절단소작기(blade tip cutting cautery)를 사용하여 피하조직을 통하여 근막까지 도달한다. 제 9번늑은 압박에 의하여 위, 아래로 움직이는 길고 부유하는 늑(floating rib)으로서 촉진되며, 늑곽의 미측 경계를 따라서 달린다. 그 다음, 제 9번 늑 위에서 외복사근(external oblique muscle)을 소작기를 사용하여 근섬유 방향으로 분리시킨다. 소성공간(areolar space)에 들어가면 반짝이는 늑이 쉽게 드러난다. 골-연골접합부(osseocartilaginous junction)를 노출시켜서 파란 잉크로써 표시한다. 제 9번늑의 골부에서 골막을 자른 다음, 처음에는 Cottle 거상기를, 그 다음에는 Doyen 거상기를 사용하여 골막을 일으킨다. 이때, 늑간신경혈관다발에 손상을 피하기 위하여 하부 경계를 먼저 일으킨다. 최소 4㎝의 늑골채취술을 하며, 자를 사용하여 이 길이를 확인하는 것이 현명하다. 흉막(pleura)으로부터 떨어져 나온 늑골은 골절단기로 2번 자름으로써 쉽게 잘린다. 연골부는 낮게 맞추어 놓은 소작기를 사용하여 연골막 위로 자유롭게 박리한다. 첫 단계는 기흉(pneumothorax)을 검사하는 것이다. 창상을 최대한으로 수축시키고, 식염수로 채우고, 폐를 확장시킨 다음, 공기 거품이 있는지 주목한다. 만일 공기 누출의 증거가 없으면 골막을 3-0 Vicryl 봉합사로 닫고, 7㎜ 배액관을 넣는다.

### 비배이식술(Dorsal Grafts)

늑을 사용하여 미학적 비배이식물을 얻을 때 다음의 3가지 중요한 조작이 있다. 1) 수용부 준비, 2) 모양내기, 그리고 3) 고정. 술전에, 다음과 같은 표시를 하는 것이 중요하다. 1) 비배정중선, 2) 이상적 비근점의 수준, 그리고 3) 비근점 두측의 미간하부(infraglabellar area)에 있는 가로 선 또는 반흔.

Rib Harvest

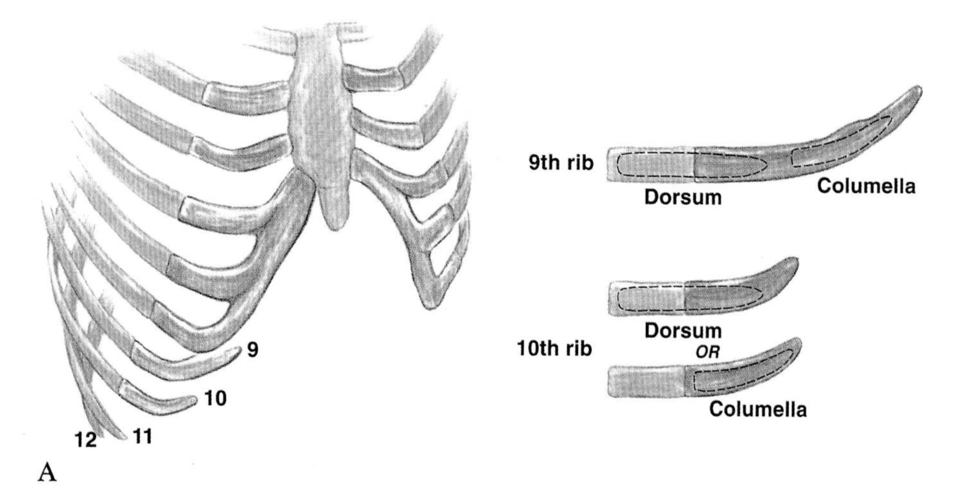


A

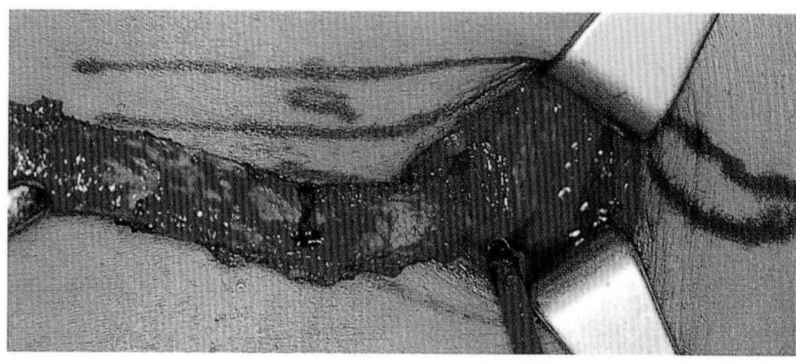

B

C

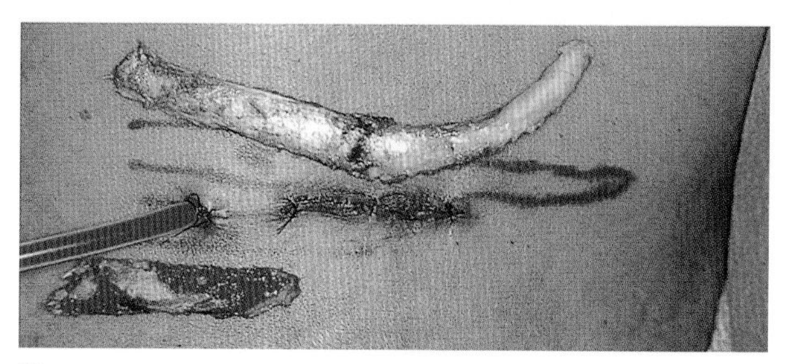

D

그림 6-26

## 모양내기(Shaping)

비배에서는 곧은 이식물이 필요하기 때문에 늑을 전면에서 평가하며 특히, 골-연골접합부를 지나서 연골의 곧은 부분을 평가한다. 이상적인 50 대 50의 구성으로 그리되, 골 길이는 적어도 3 ㎝로 한다. 제한 요소는 흔히, 양쪽을 대칭적으로 자를 때 연골 성분을 얼마나 바르게 자를 수 있는가이다. 흔히 이식물은, 2/3가 골성분이고, 1/3이 연골성분이 된다. 일단 '이식물 덩어리(block graft)'를 자르고 나면 이식물을 비배 결손 안으로 넣어서 형태를 점검한다. 이식물은 상비첨부(supratip area)에서 필요한 돌출의 양에 따라서 곡면을 미측으로 위치시키거나(curve down position), 또는 두측으로 위치(curve up position)시킬 수 있다(그림 6-28).

모양내기는 다양한 속력의 burr로써 한다. 통상적인 순서는 다음과 같다. 1) 이식물 후면의 골-연골접합부의 융기를 평탄하게 한다. 2) 늑골의 폭을 6㎜ 미만으로 좁힌다. 3) 이식물연을 부드럽게 한다. 4) 연골부를 원주처럼(circumferential manner) 점점 가늘어지게 한다. 비근에서 이식물에 압박을 가함으로써 최종 고정을 모사해 보아야 한다. 일단 이식물이 제 자리에 고정되면 마지막으로 제 위치(in situ)에서 모양내기를 한다.

Rib Shaping

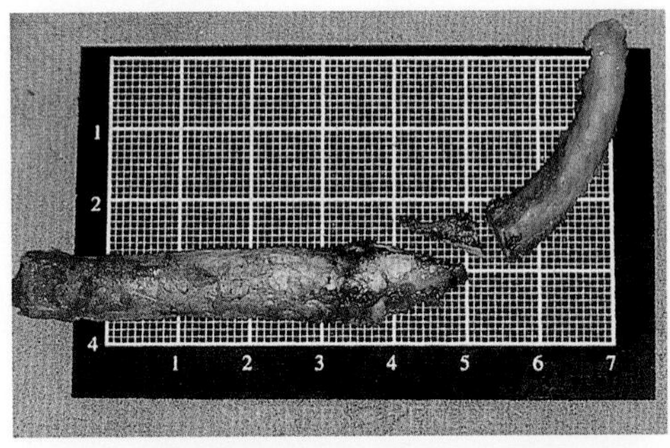

A

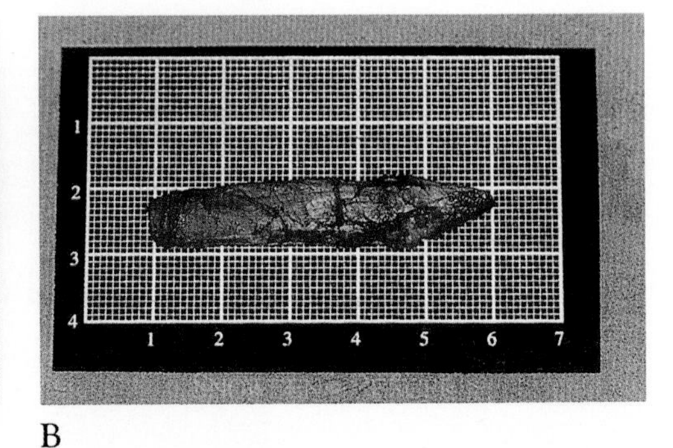

B

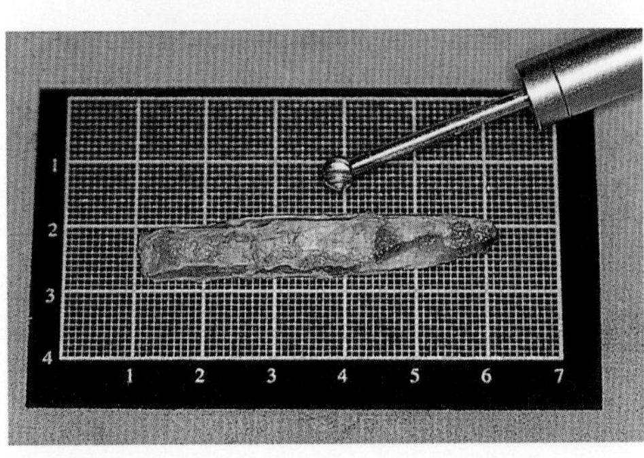

C

그림 6-27

Insertion

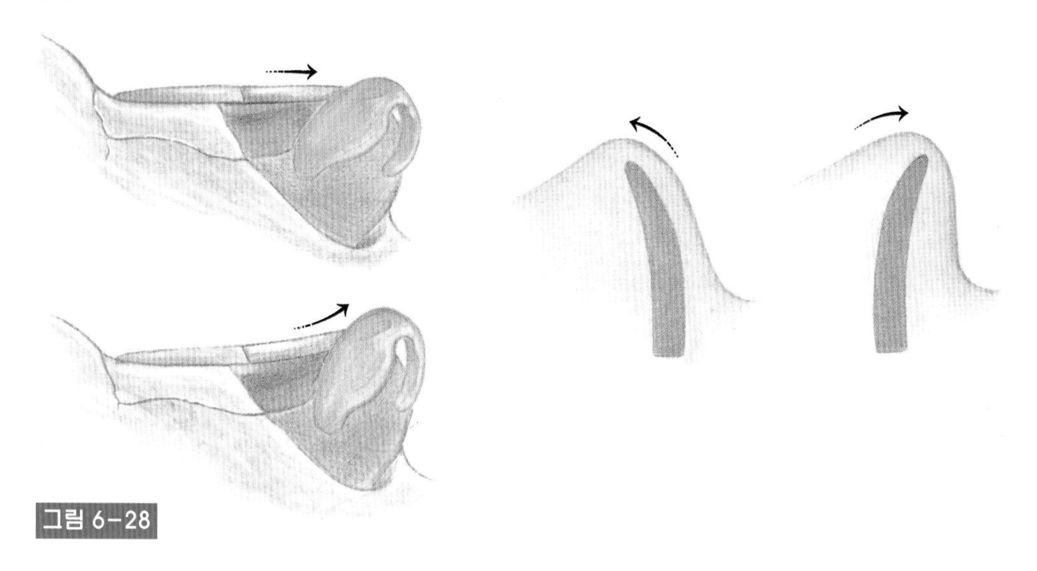

그림 6-28

## 수용부(Recipient Site)

수술은 개방접근술을 통하여 한다. 큰 비중격교정술을 하며, 전번 이식물의 제거가 흔히 필요하다. 수용부의 준비는 필수적인 비배변형술(dorsal modification)을 한 다음, 비근부에서의 *골고정대지(bony fixation platform)*를 형성함으로써 이루어진다. 코에 골이식술을 하였을 때 전형적인 결점인 비-전두각(nasofrontal angle)의 소실에 의한 비근충만(full radix)을 피하기 위하여 비근을 깊게 하고, 이식물의 두측 단을 점점 얇게 하며, 그리고 이상적인 비근점보다 두측으로의 전위를 방지하는 것이 중요하다. 비근부에 있는 골 덩어리는 보호절골도(guarded osteotome)를 사용하여 비-전두골봉합선에서 탈구시킨다. 그 다음, 골비배를 동력 달린 burr로 평탄하게 한다(그림 6-29).

Recipient Site

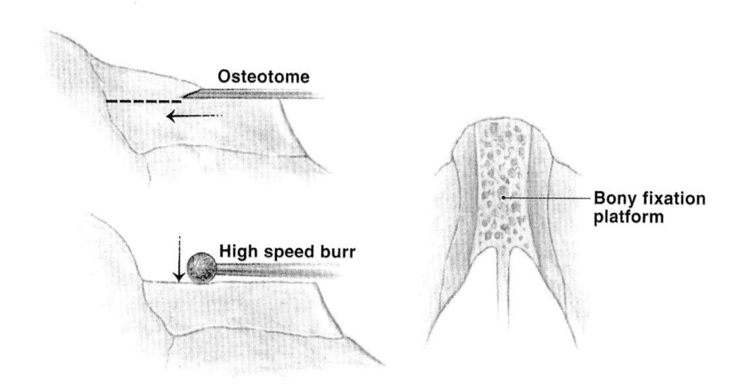


그림 6-29

## 고정술(Fixation)

이식물을 수용부 안으로 반복해서 넣어봄으로써 치수를 점검한다. 4㎜의 가로 자절(transverse stab)을 미간하부(infraglabellar area)에서 한다. 이식물의 위치를 매우 신중하게 점검한다. 즉, 이식물이 이상적 비근점보다 두측으로 연장되어서는 안 되며, 이식물은 비배 정중선에 중심을 두어야 한다. 술자가 이식물을 붙잡고 있으면서, 28번 K-강선을 이식물을 통하여 골고정대지 안으로 천공한다(그림 6-30). 이러한 임시 고정은 이식물을 세로로 정렬시키며, 폭을 점검하게 해준다. 만족하면, 2개의 9X1.2㎜의 미세나사(microscrew)를 세로축을 따라서 K-강선의 양쪽에 박은 다음, K-강선을 제거한다. 이러한 단단한 고정은 바람직한 골유합과 장기적 생존뿐만 아니라 정렬을 유지하게 한다.

**Dorsal Fixation**

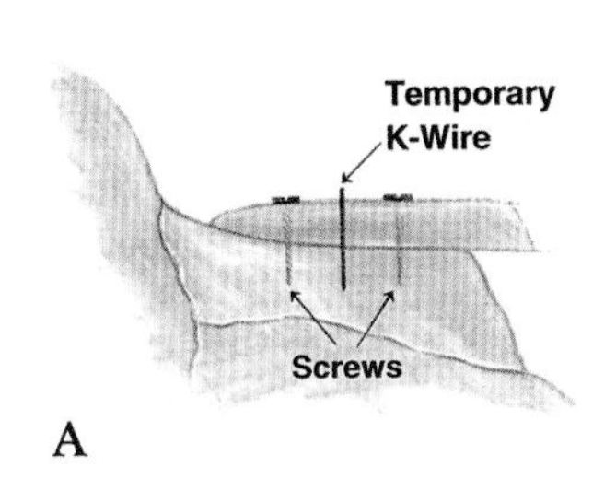


A

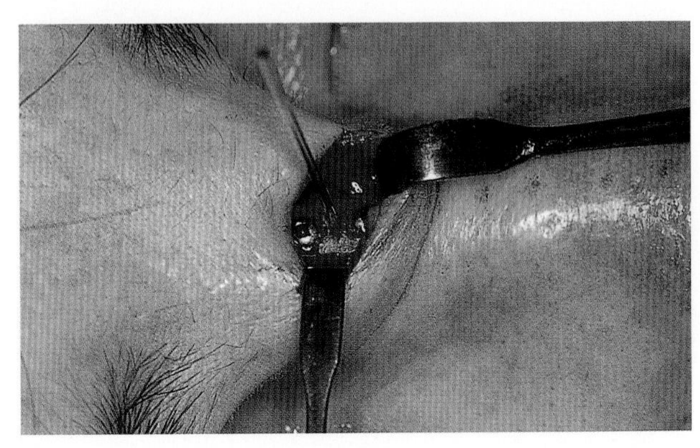

B

그림 6-30

## 비배 및 비주 이식술(Dorsal/Columellar Grafts)

대부분의 증례에서 비주이식술도 필요하다. 비중격이 비주의 최선책이지만, 흔히 유용하지 못하므로 이갑개가 대안으로 남게 된다. 일부의 증례에서 퇴축된 비주(retracted columella)는 강제적 연장술이 필요한 심각한 문제점이다. 끝이 점점 가늘어지는 굽은 4㎝의 늑연골 분절을 선택한다. 늑단의 자연적인 곡면을 장점으로써 이용할 수 있다. 11번 수술도를 사용하여 양쪽에서 동일한 양의 연골을 제거하는데, 특히 미측 1/2에서 제거함으로써 3-4㎜ 폭이 되도록 한다(그림 6-31).

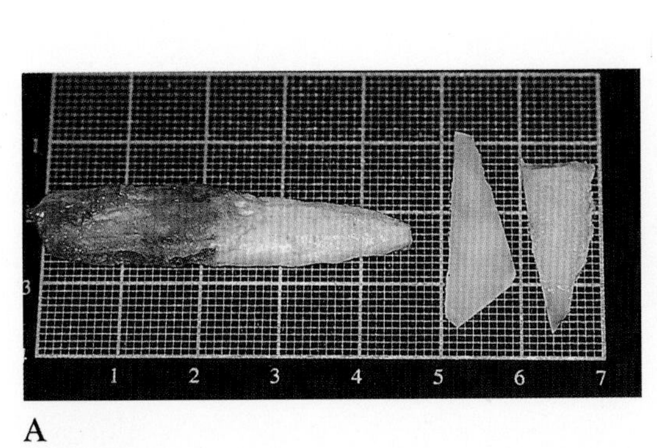


A

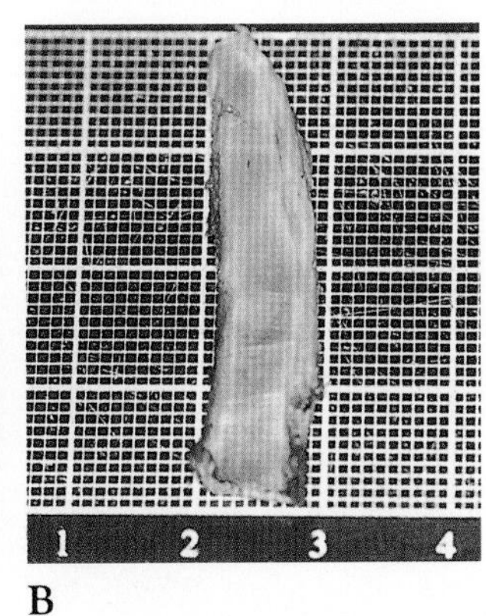


B

그림 6-31

## 이식술과 고정술(Fixation)

우선, 비주지주의 방위를 결정하여야 한다. 대부분의 증례에서 비주지주의 끝은 비근을 향하여 두측으로 굽히지만, 때때로 코를 길게 하기 위하여 미측으로 돌릴 수도 있다(그림 6-28). 비주지주를 양측 내측각과 중간각 사이에 위치시켜서 치은절개(gingival incision)로 꺼낸다(그림 6-32A, B). 고정은 3곳에서 한다. 즉, 전비극, 비배, 그리고 비첨. 비주지주의 기저를 11번 수술도를 사용하여 수직으로 1㎝ 길이로 분할한다. 전비극에 천공을 만든다. 그 다음, 이식물을 다음과 같이 전비극에 봉합한다. 즉, 3-0 prolene사를 분할된 비주지주의 기저의 한 분지를 통과시키고, 전비극의 천공을 통과시킨 다음, 비주지주의 반대편 분지를 통하여 나오도록 한다. 비주지주를 전비극에 걸터앉힌 다음, 매듭을 단단히 묶는다. 그 다음, 비주지주-비배이식물접합부에 관하여 결정을 하여야 한다(그림 6-32C). 가능하면, 두 이식물 끝의 가동성(tip mobility)을 허락하기 위하여 서로 분리시킨다. 만일 연장이 필요하면 약간의 유연성을 주는 간단한 '절흔(notch)'이 적당할 수 있다. 만일 연조직 외피가 수축되어서 최대한의 힘이 필요하면 사개맞춤(tongue-in-groove junction)을 새기고 홈을 판 이식물을 4-0 prolene으로써 고정시킨다. 그 다음, 양측 내측각과 중간각을 비주지주로 전진시킨다. 대부분의 증례에서 내측각과 중간각을 두측으로, 그리고 비주지주의 꼭대기로 전진시킬 수 있으며, 선택적으로 비첨이식물을 추가한다(그림 6-33). 심한 반흔이 있는 코에서는 내측각과 중간각을 비주변곡점까지 전진시킬 수 있을 뿐이어서 비첨이식물을 추가하지 않을 수 없다.

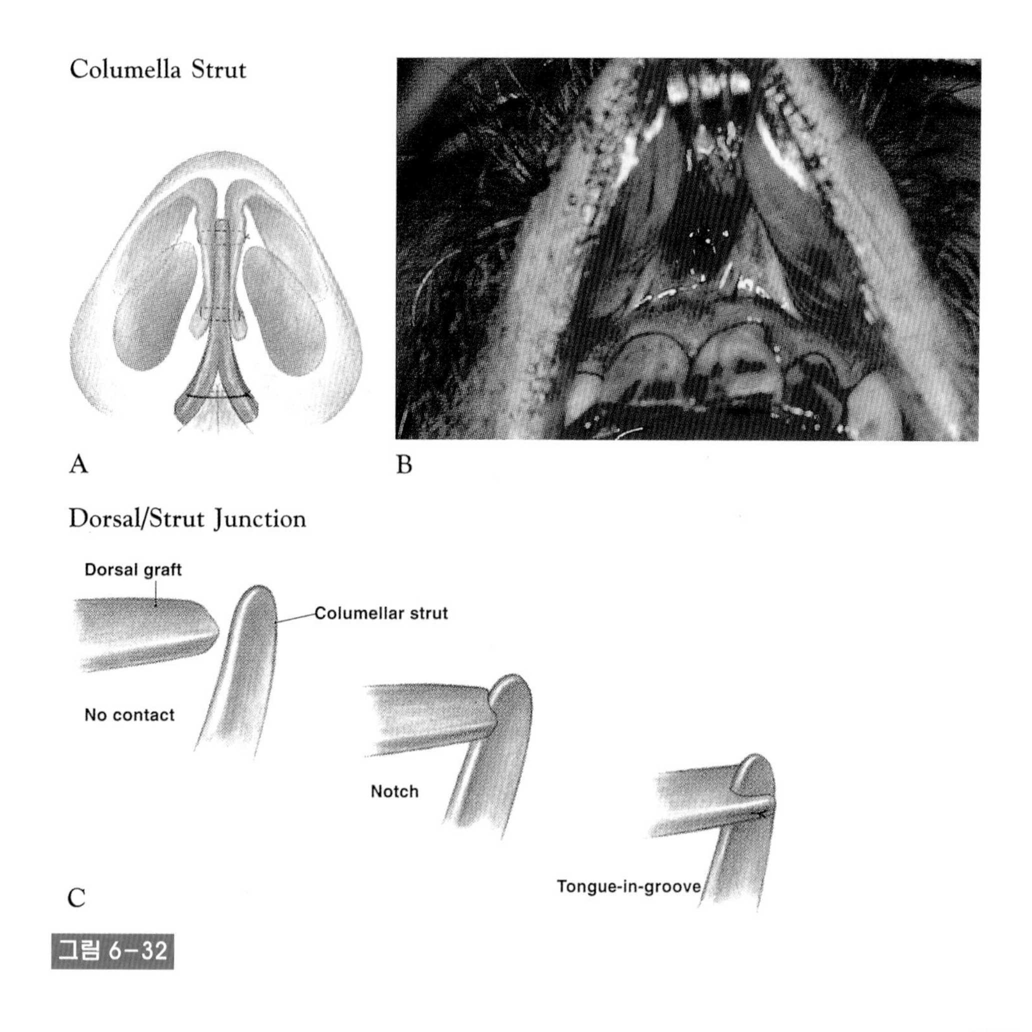


그림 6-32

Tip Reconstruction

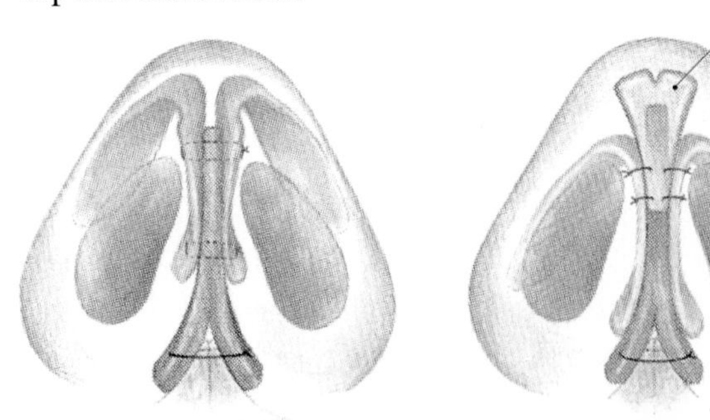


A

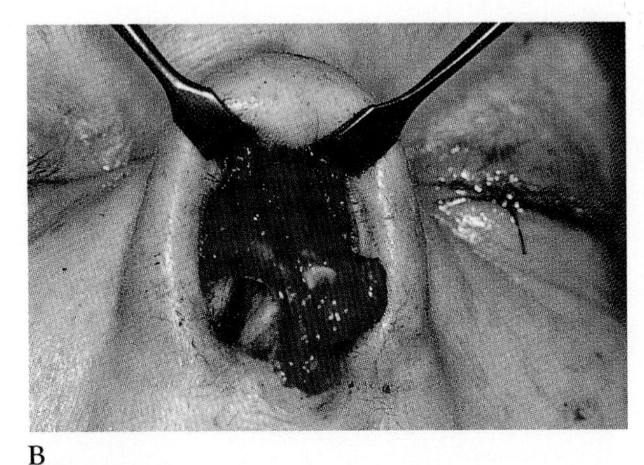

B

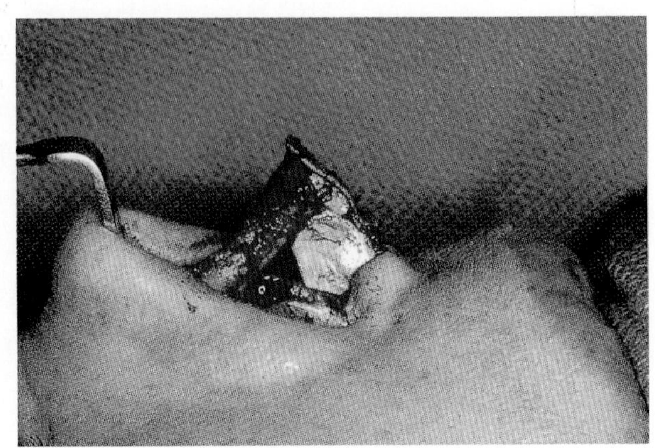

C

그림 6-33

## 문제점

반흔이 남는 것 외에는 늑채취술과 관련된 문제점은 거의 없다. 동통은 봉합하기 전에 Marcaine으로써 늑간차단마취 함으로써 줄인다. 기흉은 거의 문제가 안 되지만, 생기면 다음과 같이 처치한다. 1) 작은 Robinson 관을 천공을 통하여 삽관한다. 2) 주변의 근육층을 봉합한 다음, 관 주위를 2-0 Vicryl사로써 쌈지봉합술(purse string suture)을 한다. 3) 마취의사에 의한 최대한의 흉부 팽창. 4) 매듭을 묶으면서 관 제거. 술후 흉부X-선사진은 필수적이다. 때때로 늑간신경 손상이 일어날 수 있다. 일차적 관심은 이식물의 비정렬(malalignment)과 휨(warping)이다. 최근, 저자는 나사 고정으로부터 일시적(10일간) 경피K-강선고정으로 바꾸었는데, 비정렬을 최소화하였다. 골-연골이식물의 휨을 순수한 늑연골이식물과 비교하였을 때 거의 문제가 되지 않았다.

## 참고 문헌


1. Aiach G. *Atlas of Rhinoplasty.* St. Louis: Quality Medical Publishing, 1996.
2. Anderson JR, and Ries WR. *Rhinoplasty: Emphasizing the External Approach.* New York: Thieme-Stratton, 1986.
3. Beekhuis GJ. Saddle nose deformity. Etiology, prevention and treatment: Augmentation rhinoplasty with polyamide. *Laryngoscope* 1974;84:2.
4. Burget GC, and Menick, IJ. *Aesthetic Reconstruction of the Nose.* St. Louis: Mosby, 1994.
5. Byrd HS, Andochick S, Copit S, and Walton KG. Septal extension grafts: A method of controlling tip projection and shape. *Plast Reconstr Surg* 1997;100:999.
6. Daniel RK (ed). *Aesthetic Plastic Surgery: Rhinoplasty.* Boston: Little, Brown, 1993.
7. Daniel RK. Rhinoplasty and rib grafts: Evolving a flexible operative technique. *Plast Reconstr Surg* 1994;94:597.
8. Flowers RS. Rhinoplasty in oriental patients: Repair of the East Asian nose. In: Daniel RK (ed) *Aesthetic Plastic Surgery: Rhinoplasty.* Boston: Little, Brown, 1993.
9. Guerrerosantos J. Temporoparietal free fascial grafts to the nose. *Plast Reconstr Surg* 1985;76:328.
10. Gunter JP, and Rohrich RJ. Correction of the pinched nasal tip with alar spreader grafts. *Plast Recontr Surg* 1992;90:821.
11. Gunter JP. Secondary rhinoplasty: The open approach. In: Daniel RK (ed) *Aesthetic Plastic Surgery: Rhinoplasty.* Boston: Little, Brown, 1993.
12. Gunter JP, Clark CP, and Friedman RM. Internal stabilization of autogenous rib cartilage grafts in rhinoplasty: A barrier to cartilage warping. *Plast Reconstr Surg* 1997;100:161.
13. Johnson CM Jr., and Toriumi DM. *Open Structure Rhinoplasty.* Philadelphia: Saunders, 1990.
14. Juri J. Salvage techniques for secondary rhinoplasty. In: Daniel RK (ed) *Aesthetic Plastic Surgery: Rhinoplasty.* Boston: Little, Brown, 1993.
15. Kamer FM, and McQuown SA. Revision rhinoplasty. *Arch Otolaryngol Head Neck Surg* 1988;114:257.
16. Miller TA. Temporalis fascia grafts for facial and nasal contour augmentation. *Plast Reconstr Surg* 1988;81:524.
17. Onsley TG, and Taylor CO. The use of gore-tex for nasal augmentation: A retrospective analysis of 106 patients. *Plast Reconstr Surg* 1994;94:241.
18. Ortiz-Monasterio F, Olmedo A, and Oscoy LO. The use of cartilage grafts in primary aesthetic rhinoplasty. *Plast Reconstr Surg* 1981;67:597.
19. Peck GC. *Techniques in Aesthetic Rhinoplasty* (2nd ed.) Philadelphia: JB Lippincott, 1990.
20. Schuller DE, Bardach J, and Krause CJ. Irradiated homologous costal cartilage for facial contour restoration. *Arch Otolaryngol* 1977;103:12.
21. Sheen JH, and Sheen AP. *Aesthetic Rhinoplasty* (2nd ed.) St. Louis: Mosby, 1987.

22. Sheen JH. Tip graft: A 20-year retrospective. *Plast Reconstr Surg* 1991;91:48.
23. Tardy ME. *Rhinoplasty: The Art and the Science.* Philadelphia: Saunders, 1997.
24. Tebbetts JB. Shaping and positioning the nasal tip without structural disruption: A new systematic approach. *Plast Reconstr Surg* 1994;94:61-77.
25. Toriumi DM, Josen J, Weinberger M, and Tardy E. Use of alar batten grafts for correction of nasal valve collapse. *Arch Otolaryngol Head Neck Surg* 1997;123:802-808.
26. Welling DB, Maues MD, Schuller DE, and Bardach J. Irradiated homologous cartilage grafts: Long-term results. *Arch Otolaryngol Head Neck Surg* 1988;14:291.

### Additional References

Gryskiewicz JM, Rohrich RI, and Reagan BJ. The use of AlloDerm for the correction of nasal contour deformities. *Plast Reconstr Surg* 2001;107:561.

Lovice DB, Mingrone MD, and Toriumi DM. Grafts and implants in rhinoplasty and nasal reconstruction. *Otolaryngol Clin* North Am 1999;32:113.

Sheen JH. The ideal dorsal graft: A continuing quest. *Plast Recomtr Surg* 1998;102:2490.

# 일차비성형술 (Primary Rhinoplasty)

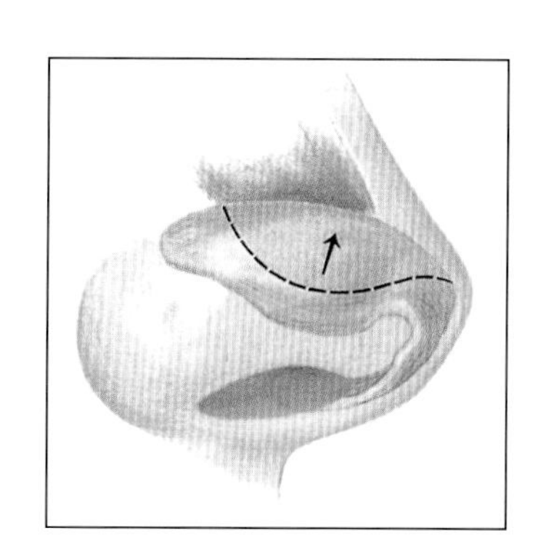

일차비성형술은 다음의 3가지 이유 때문에 가장 어려운 미용성형술이다. 1) 코의 해부는 매우 다양하기 때문에 '모두에 맞는 하나의 수술(one operation fits all)'이라는 수술은 불가능하다. 2) 수술은 형태와 기능 둘 다를 교정하여야 한다. 3) 뚜렷이 눈에 보이는 마지막 수술 결과로써 환자의 높은 기대를 충족시켜야 한다. 요즈음 우리는 다행스럽게도, 지난 10년 동안 일어났던 비성형술 혁명의 결실을 거둘 수 있다. 이 시기로부터 4가지 큰 발전이 나타났다. 첫째, 미학적 목표를 분명하게 결정함으로써 특정한 술자의 특징이 나타나는 코(specific surgeon' s signature nose)보다는 각 환자에게 맞는 개별적 수술 계획을 처방할 수 있게 되었다. 둘째, 기도를 교정하고 보존하는 기능적 수술이 미용비성형술의 필수 부분이 됨에 따라서 술후 비폐쇄의 빈도를 최소화하게 되었다. 셋째, 개방접근술은 경험이 적은 술자들의 학습곡선을 짧게 하였으며, 폐쇄접근술 시대에서 힘들었던 많은 문제 있는 코(problem nose)에 대한 해결책을 제공하였다. 넷째, 등급별 수술 순서에 따라서 환자의 변형 정도에 맞는 적절한 조작을 선택할 수 있게 되었다. 우리는 꾸준히 변하는 비성형술의 혁명 가운데 멋진 시기에 정말로 와있으며, 현안들은 비첨봉합술 대 비첨이식술, 이상적인 이물성형물의 연구, 그리고 컴퓨터로 운용되는 의학 장비의 사용에 따른 정확도의 증가이다.

이 장의 제 1부와 첨부된 DVD에서 저자는 일차미용비성형술의 단계적 수술법을 소개하고자 한다(DVD 참고). 모든 술자가 전공의 기간 중에 숙달하여야 할 기본적인 기법에 역점을 두었다. 이 장의 제 2부에서는 저자가 실제 임상에서 통상적으로 사용하는 기법들에 중점을 두고 수술 순서의 각 단계를 검토할 것이다. 이러한 정보는 100개의 연속적인 일차미용비성형술들을 검토하여 수집한 것이다. 단, 일차 목표가 기능인 증례뿐만 아니라 이민족코(ethnic nose), 구순열비변형(cleft nose), 그리고 외상후비변형(posttraumatic nose)은 대상에서 제외하였다. 저자에게 있어서 이 연구의 결과는 다소 놀라운 것이었으며, 독자에게도 아마 그러할 것이다.

## 상담(Consultation)과 환자 관리(Patient Management)

최초의 상담 중에, 저자는 환자에 대한 2가지 중요한 질문을 자신에게 한다. 첫째, 비성형술이 이 환자의 코를 *현저하게(significant)* 개선할 것인가? 둘째, 저자가 이 *사람(person)*을 치료하기를 원하는가? 만일 어느 하나의 질문에 대해서든 대답이 부정이라면 저자는 수술을 하지 않는다. 비성형술은 하찮은 수술이 아니며, 환자와 술자 둘 다가 수술을 신중하게 고려하여야 한다. 환자의 목표를 위험-보상율(risk/reward ratio)로써 현실적으로 평가하여야 하며, 환자가 독자를 술자로서 편안하게 느끼는지를 평가하여야 한다. 대조적으로, 술자들은 모든 비성형술에서 기법상의 난관과 경제적 이윤에 너무 흔히 집착한다. 그러나 적합하지 않은 환자를 선택하는 위험은 술자에게는 대단히 실제적인 것으로서 술자에게 좌절로부터 비참함, 육체적 학대까지, 심지어 죽음마저 초래할 수 있다[15].

### 비변형(Nasal Deformity)

일차비성형술에서 환자들은 대개 자신의 코에서 무엇이 잘못되어 있는지를 대단히 정확하게 파악하고 있지만, 흔히 자신의 코가 어떻게 보이기를 원하는 지에 대해서는 대단히 구체적이지 않다. 가장 쉬운 환자들은 분명한 변형(측면에서 융기, 둥근 비첨)을 없애 달라고 요구하는 경우이며, 가장 어려운 환자들은 자신이 원하는 것을 정확하게 말 할 수 없거나 특정한 '생김새(look)'를 요구하는 경우이다. 원래, 술자는 환자로 하여금 환자 자신이 원하는 것을 분명히 하도록 하여야 한다. 이러한 이유에서 저자는, 환자로 하여금 개선시켜야만 하는 3가지를 중요한 순서로 말하게 한다. 그 다음, 저자는 환자의 코를 상세하게 검사하며, 매력적이고 얼굴에 조화를 이루는 코를 만들기 위하여 무엇을 하여야 할지 목록을 만든다. 모든 상담의 95% 정도는 교정할 수 있는 비변형이다. 나머지 5%는 최소한의 변형을 가진 매력적인 여성들, '모델'의 세련미를 추구하는 남성들, 그리고 제한된 개선만이 현실적인데도 '기형 변화(基型 變化, type change)'를 원하는 환자들이다.

### 환자 요소(Patient Factors)

환자의 동기를 평가하는 것이 중요하다. 자유 해답식의 질문(open-ended question)들은 다음과 같으며, 흔히 환자의 동기가 드러난다. 즉, "당신의 코의 어느 부분이 마음에 들지 않나요?", "왜 지금 수술 받기를 원하시는지요?", "코수술을 받으면 인생에 어떤 영향을 줄 것 같나요?" 환자가 하는 말에 귀만 기울이기보다는 환자가 말하는 것을 정신적으로 '듣는(hear)' 것이 매우 중요하다.

저자가 일차비성형술을 거부하는 5가지 유형의 환자들은 누구인가? 첫째, Gorney가 SIMON(Single Immature Male Overexpectant Narcissistic: 과잉기대적 자기도취에 빠진 독신의 미성숙 남성)라고 명칭을 붙인 지나치게 자기도취적인 남성이다[15]. 둘째, 결코 만족하지 않을 완벽주의적 여성. 셋째, 비성형술이 자신의 인생을 바꿀 것으로 생각하는 불행한 환자. 넷째, 지배적인 부모에 의하여 수술을 강요받거나, 부모와 갈등 중인, 마지못해서 수술하는 결단성 없는 환자. 다섯째, 정신적으로 불안정하거나, 신경증 환자. 일단 수술을 결정하고 나면 술자는, 술자 자신이 합당하다고 생각하거나 술자 자신이 주기를 원하는 분량이 아니라, *환자*가 필요로 하는 보살핌과 관심을 제공하여야 한다. 따라서 자기 환자를 신중하게 선택하라.

마지막 한 가지 제안은 술자 자신의 '내면의 소리(inner voice)'에 귀 기울임으로써 환자들에 대한 실제적 직관력을 발전시키라는 것이다. 저자는 환자의 상담 의자에 달아놓은 가상의 '도깨비 상자(jack in the box)'를 가지고 있다. 그래서 환자가 정말 부적절한 말("코수술을 하면 승진을 할 수 있을 거예요")을 하거나, 사소한 말(코수술을 하면 좀 더 매력적이 될 거라는 말을 4번 하고, 마지막으로 결혼하게 될 것이라고 1번 말한다)을 계속한다면 환자 뒤에서 가상의 '도깨비 상자'가 '수술하지 말아요!' 라는 표지판을 들고 갑자기 튀어나온다. 저자는 언제나 이 표지에 잘 따르며, 그 환자들을 수술하지 않는다. 저자는 술전에 환자와 많은 시간을 보내면서 수술을 하여야 할지, 말아야 할지 결정하는데, 왜냐하면 "술전 과정은 유한(finite)하지만, 술후 과정은 *무한함(infinite)*"을 쓰라린 경험을 통하여 배웠기 때문이다.

## 분석(Analysis)

선택할 수 있다면 술자들은 황금의 손을 가진 거장이 되고 싶은가, 아니면 비판적인 심미안을 가진 책략가가 되고 싶은가? 체스와 마찬가지로 비성형술에서 이것은 결정적인 말(馬)을 옮기기 전에 하는 사고 과정이다. 만일 술전에 비근이 낮은 것을 알지 못했으면 비배는 지나치게 낮아질 것이고, 비첨돌출도 없어져서, 코가 붕괴된 수술 모습이 될 것이다. 대조적으로, 비근에 근막이식술을 간단히 추가하면 비배축소술을 좀 더 제한적으로 하게 되며, 또, 비첨돌출을 보존하게 됨으로써 좀 더 자연스럽고 우아하며 수술하지 않은 모습을 창출할 수 있다. 이러한 2가지 사례의 차이점은 외과적 기술이 아니라 술전 분석에 바탕을 둔 수술 계획의 설계에 있다.

### 분석

술자로서 평가를 하기에 앞서서, 저자는 환자에게 자신의 코를 평가해 보라고 한다. 그들은 거울을 보면서 가장 마음에 들지 않는 부분부터 저자에게 보여준다. 저자는 이러한 지적을 적어두었다가 교정할 수 있다는 가정 아래에서 수술 계획의 토대로 삼는다. 철저한 내비 및 외비 조사를 마친 다음, 저자는 두측에서 미측으로, 그리고 4부분을 검사한다. 측면에서, 비근을 비근부(radix area)와 비근점(nasion)으로 나누어 분석한다. 즉, 비근부(미간으로부터 외안각 수준까지)와 비근점(비-전두각에서 최심점). 이상적 비근점 수준은 상안검 속눈썹과 상검판주름(supratarsal crease) 사이에 있으며, 내안각보다 두측으로 10-14mm이다. 여기에서, 비근을 보존, 증대, 또는 축소시켜야 할 필요가 있는지 중요한 결정한다. 다행스럽게도, 대다수의 증례(82%)에서 비근을 변경시킬 필요가 없다.

그 다음, 골저폭(bony base width)을 평가하면서 비배의 높이와 폭을 평가한다. 비배높이의 중요한 결정인자는 비-안면각(nasofacial angle)으로서 비근점의 수직선과, 비근점으로부터 비첨까지의 선 사이의 각도를 계측하며 여성은 가운데가 조금 오목하면서 34도이며, 남성은 곧으면서 36도이다. 평행하는 '비배선(dorsal line)'의 폭은 대략 인중주(philtral column)폭과 비첨폭과 같으며, 여성 6-8mm, 남성 8-10mm이다. 연전이식술(spreader graft)은 비대칭인 연골비배를 넓히거나 교정하는 데 유용한 보조 방법이다. 코의 최대 골저폭은 'X-X' 로서 표시하는데, 내안각간격보다 작아야 한다. '비소엽(lobule)' 은 비익연골을 덮는 전체 부위인데 비하여, '내재 비첨(intrinsic tip)' 은 수평으로는 비첨정의점(tip-defining point) 사이의 부위와, 수직으로는 비주변곡점(columellar breakpoint)과 상비첨점(supratip point) 사이의 부위를 통합한 부위이다. 비첨분석은 복잡하지만, 다음의 8가지 특징에 초점을 맞춘다. 1) 용적, 정의, 그리고 폭의 내재 요소, 2) 비첨회전과 비첨돌출의 외재 및 내재 요소, 그리고 3) 비첨 모양과 피부외피의 전체 요소. 저자는 각각의 특징에 '등급' 을 매겨서, 긍정적 및 부정적 면 둘 다에서 변형을 이상적, 경증, 중간증, 그리고 중증으로 분류한다. 그 다음, 중요한 결정한다. 즉, 내재 비첨은 원래 매력적인지, 아니면 바꿀 필요가 있는지. 만일 내재 비첨이 매력적이고 경증의 변형만 있으면 외재 요소를 변형시킬 뿐만 아니라 폐쇄접근술을 사용하여 용적축소술을 할 것이다. 비첨의 문제점이 중간증이면 저자는 개방접근술로써 봉합술을 선호하는 경향이며, 중증의 비첨변형에서는 개방구조비첨이식술(open structure tip graft)을 추가한다.

비저는 비익저(alar base), 비공(nostril), 그리고 비주(columella)로써 구성된다. 미측 비중격(caudal septum), 전비극(anterior nasal spine), 그리고 상악골(maxilla)을 포함하여 여러 가지 요소들을 평가하여야 한다. 가장 흔히 내려야 하는 결정은 비공의 크기나 비익저 폭의 축소 여부이다. 일반적으로, 비익저는 안각간격보다 더 좁아야 하며, 비공상(nostril sill)은 전면에서 지나치게 가시적이어서는 안 된다. 저자는 이러한 문제점에 대처하기 위하여 비공상절제술, 쐐기형비익절제술 또는 비공상 및 쐐기형비익 동시절제술 등 간소화시킨 수술법을 개발하였다. 이때, 절제량은 보존적이지만, 적용은 제한하지 않아야 한다(47%). 비공의 비대칭이 이미 존재하고 있으면 술전에 환자에게 지적해 주어야 하는데, 현실적으로 조금밖에 개선되지 않기 때문이다.

## 수술 계획

수술 계획의 목표는 특정 환자를 위하여 최선의 *개별적인(individualized)* 수술 순서를 개발하는 것이다. 앞서 언급한 대로, 첫 번째 단계에서는 환자의 목표를 명확히 하며, 철저한 내비 및 외비 검사를 통하여 제안된 수술 절차를 기록한다(수술 계획 1). 코의 임상사진을 찍은 다음, 선택한 장면을 실물 크기로 확대한 뒤, 전형적인 지표와 각도를 사용하여 실제적(환자가 가진 변형의 실제 계측), 이상적, 그리고 현실적 가능성을 규정하는 세부 계획을 세운다(수술 계획 2). 환자가 술전 진찰을 받으러 다시 오면 다음의 질문으로써 환자의 코를 술자의 시각으로 검사한다. 즉, 저자는 환자의 코에서 무엇이 마음에 들지 않는가(부정적인 면)? 이 코에서는 어떠한 미학적 가능성이 있는가(상향 목표)? 주어진 환자의 조직 조건에서 저자 자신의 경험을 사용함으로써 무엇을 얻을 수 있는가(현실 점검)?(수술 계획 3)

환자가 가져온 사진을 본 다음, 실물 크기 임상사진을 환자에게 보여준다. 술전 진찰 마지막에 최종 수술 계획을 개발한다(수술 계획 4). 실제 술중에, '종가임금제(從價賃金制, sliding scale, 역자 주: 임금을 생계비에 따라서 어느 정도 조절함)' 처럼 수술을 변경할 수는 있지만, 한 단계를 생략하거나 계획을 극적으로 변경하는 일은 거의 없다. 수술 완성 단계에서, 실제 수술을 구술(dictation)로써 기록함과 동시에 그림을 포함한 점검표 데이터베이스에 기록 한다(수술 계획 5).

## 증례 연구 폐쇄비성형술(Closed Rhinoplasty)

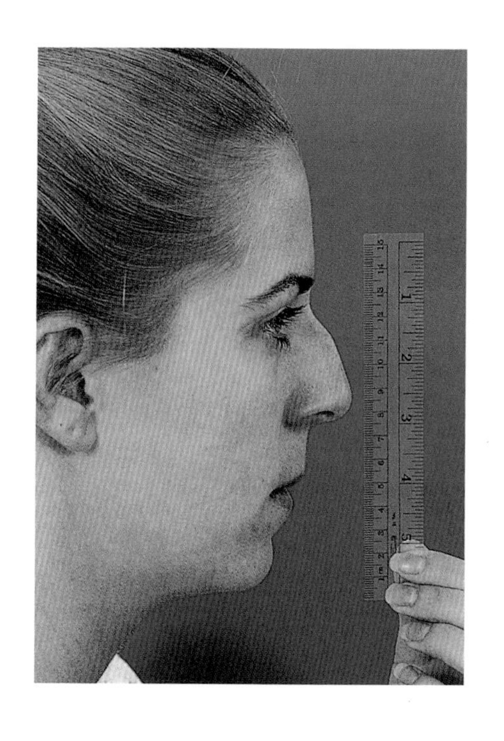

### 분석

20세 여대생으로서 자신 코의 측면이 마음에 들지 않는다는 유일한 불만을 갖고 있었다(그림 7-1). 외비검사 결과, 골-연골원개접합부에 역V형 변형(inverted-V deformity)뿐만 아니라 비배 융기(dorsal bump)가 있었다. 비첨이 조금 넓었으며, 비배축소술을 하면 정상적 비첨돌출이 없어질 위험이 있었다. 폐쇄접근술을 선택하여 통제된 순차적인 방법으로써 환자의 변형을 교정하기로 결정하였다(임상사진분석의 심도 있는 토론은 423쪽을 참고하시오).

### 외과 수기

외과 수기의 요점은 다음 사항들이다. 1) 경연골접근술(transcartilaginous approach)로써 두측 외측각2/3절제술, 2) 점증성비봉축소술(incremental hump reduction, 줄질로써 골 2.5mm, 수술도로써 연골 5mm), 3) 비중격채취술, 4) 횡단비절골술과 저-저위외측비절골술, 5) 양측연전이식술, 6) 절제해낸 연골로써 폐쇄비첨중첩이식술(closed tip onlay graft), 그리고 7) 양측하비갑개부분절제술. 연전이식술로써 형태(역V형변형의 교정)와 기능(긴장코의 내비판막의 개존)을 둘 다 교정한 한 예이다.

| Anterior | Lateral |
|---|---|
| EN–EN = 29 | C–N = 12 |
| X–X = 30 | AC–T = 31 |
| AZ–AL = 30 | N–T = 41 |
| AC–AC = 25 | N–FR = 125 |
| N–T = 41 | N–FA = 32 |
| N–C$^1$ = 48 | TA = 97 |
| N–SN = 48 | C Incl = 97° |
| AC–T = 31 | CLA = 108 |
| IDD = 11 | |
| MFH = 60 | |
| LFH = 61 | |
| SME = 42 | |

N–$T_i$ = 0.67 × MFH  N–$T_i$ = 40
AC–$T_i$ = 0.67 × N–$T_i$  AC–$T_i$ = 27
C–$N_i$ = 0.28 × N–$T_i$  C–$N_i$ = 12

| | Actual | Ideal | Change |
|---|---|---|---|
| N | ideal | eyelash | N.C. |
| T | ↓ → | 105° | ↑ 8°, ↓ 4 m |
| SN | o.k. | 105° | N.C. |
| NFA | 32° | 34° | ↑ 2° |
| TA | 97° | 105° | ↑ 8° |
| C Incl | 97° | 105° | ↑ 8° |
| C–N | 12 | 12 | N.C. |
| N–T | 41 | 40 | −1 mm |
| AC–T | 31 | 27 | −4 mm |

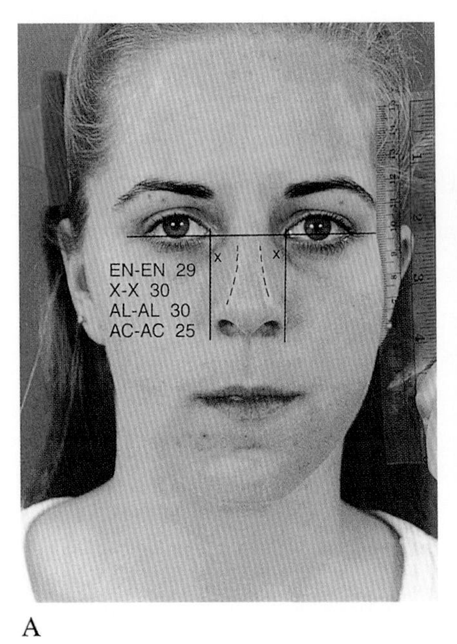


A

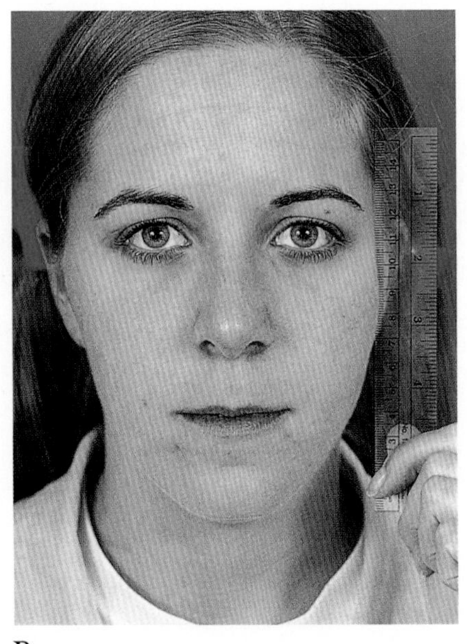

B

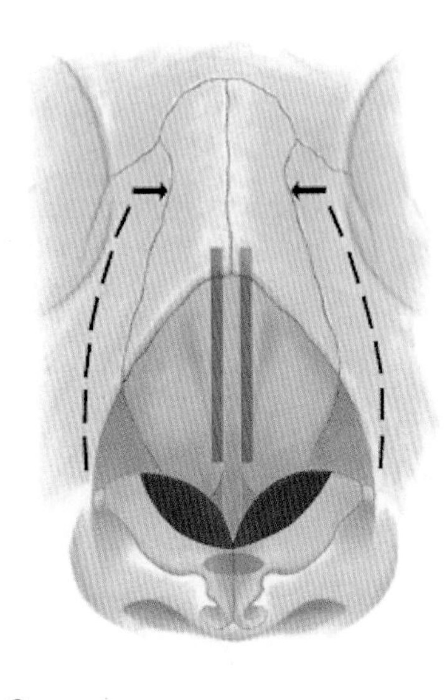

C

그림 7–1

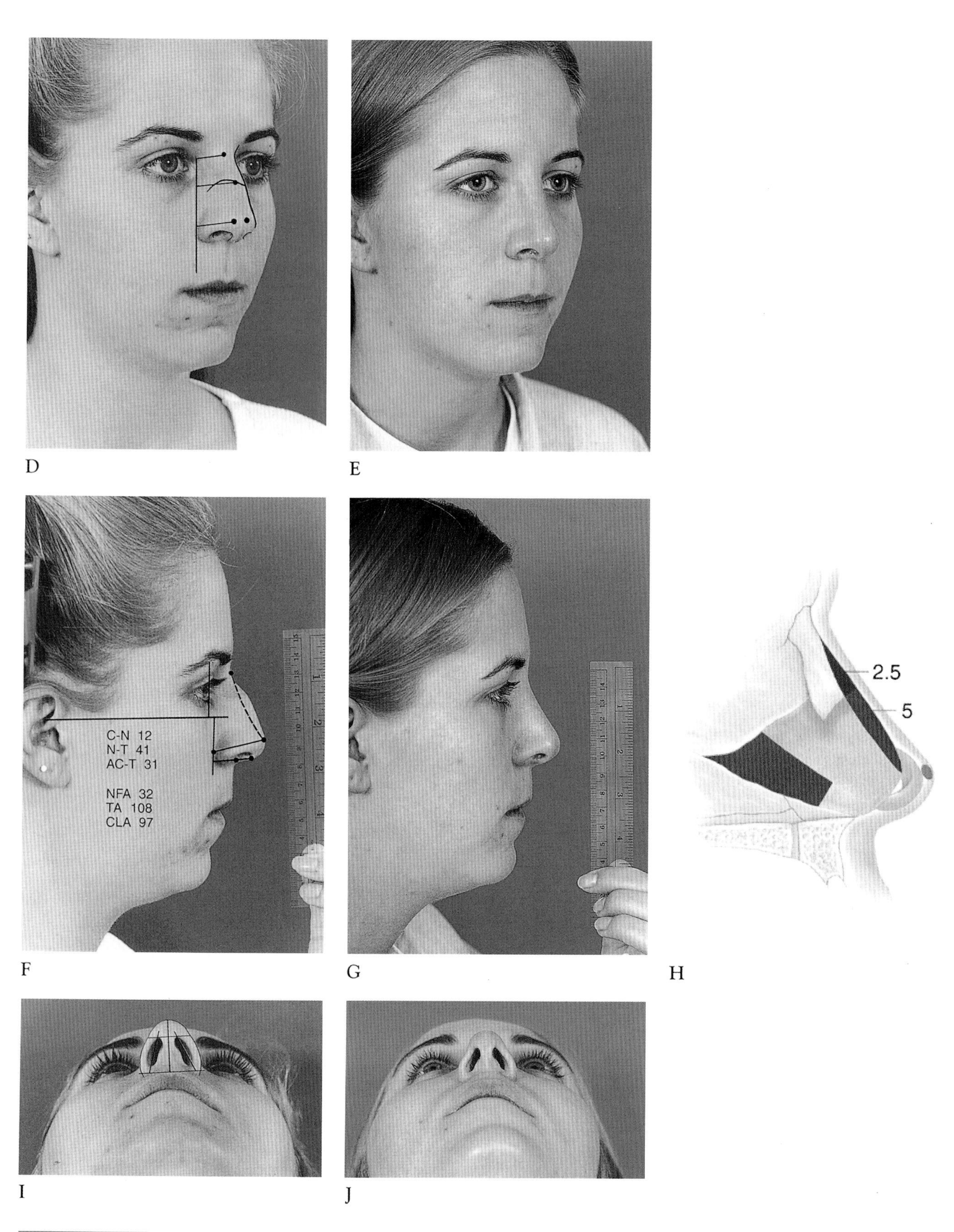

D E F G H I J

그림 7-1. 계속

## 마취

저자는 대부분의 비성형술에서 전신마취를 사용하는데, 환자와 저자 모두 전신마취를 더 좋아하기 때문이다. 환자들은 친구들로부터 마취에서 깨어나서 뼈가 부러지는 소리를 들었다는 이야기들을 너무 많이 들었고, 저자도 피가 스며 나오고 피를 뱉어내는 불안정한 환자들을 너무 많이 보아왔다. 비성형술이 20분짜리, 3단계 수술로부터 많은 이식술과 광범위한 비중격수술을 필요로 하는 수술로 변화됨에 따라서 많은 술자들은 대부분 전신마취로 전환하였고, 재수술과 더 간단한 미용성형술에서만 진정과 더불어 국소마취를 사용한다.

다음과 같은 주의 사항을 지키면 전신마취의 안전성이 향상된다. 1) 입술선을 반창고로써 표시한 Raye tube plus의 사용, 2) 삽관이 분리된 것을 5초 안에 알아채는 감지 장치, 그리고 3) 산소 및 이산화탄소 감지 장치의 통상적 사용. 추가적 주의 사항은 눈에 polysporin 연고를 사용하여 각막찰과상의 위험을 줄이며, 5cm의 습포로써 인두 충전(throat pack)함으로써 혈액이 넘어가는 것과 술후 구토를 방지한다. 술중에 1gm의 Ancef를 정맥주사로 투여한다.

일단 삽관을 마치고 나면 술자는 외비와 내비를 Betadine paint로써 철저히 닦는다. 그다음, 10cc 주사기에 3.8cm 길이의 25번 주사침을 사용하여 혈관수축제와 국소마취제(1% xylocaine with epinephrine 1:100,000)를 주사한다. 주사는 2가지 부분으로써 이루어진다. 즉, 액자형차단(picture frame block)으로써 국소 혈액공급을 감소시킨 다음, 수술하는 특정 부위에서 혈관수축과 수력박리(hydrodissection)를 제공한다. 만일 진정제를 사용하는 국소마취에서 이러한 방법을 사용하면 감각도 효과적으로 차단시킨다.

첫째, 비전정으로부터 안와하공(infraorbital foramen)을 향하도록 주사침을 넣은 다음, 빼면서 주사한다(그림 7-2). 그리고 다음의 3곳을 주사한다. 즉, 안와하혈관을 위한 안와하공, 외측안면혈관(lateral facial vessel)을 위한 외측비-안면구(lateral nasofacial groove), 그리고 각혈관(angular vessel)을 위한 비익저. 그 다음, 비주저에 주사하는데, 이때 비공상 미측에서 바깥쪽으로 연장하면서 주사 한다(비주혈관, columellar vessel). 그 다음, 주사침을 점막외터널에서 비중격의 꼭대기를 따라서 넣는다(전사골혈관, anterior ethmoidal vessel). 주사침을 뺄 때에는 비배를 따라서 통과하여야 나중에 할 박리가 쉬워지며, 양쪽 비근부에서 주사를 끝낸다(활차하혈관, infratrochlear vessel).

그 다음, 접근 절개선에 최소량의 국소마취제를 주사한다. '9점(nine dot)' 기법을 사용하여 비중격을 차단마취 하는데, 후방에서 시작하여(미측에서 중간을 지나서 두측으로) 중간과 전방을 차단한다.

개방접근술에서 저자는 비첨으로부터 외측으로, 그리고 미측으로 비주로 연장하면서 비익연골 위에 주사한다(그림 7-3). Toriumi[36]와 Rohrich[29]의 혈관해부학에 근거하여, 저자는 비첨, 비주, 그리고 외측비벽에 주사하는 경우가 점점 더 많아지고 있다. 특히, 주사하는 5부위는 1) 비첨과 비주, 2) 외측비벽, 3) 비배와 점막외터널, 4) 절개선, 그리고 5) 적절하다면 비중격이다. 비모(nasal vibrissae)는 가위로써 가장 쉽게 잘라서 다듬을 수 있지만, 아니면 15번 수술도로써 면도할 수도 있다.

내비를 시진한 다음, 1.7cm 폭, 46cm 길이의 거즈 조각에 다음의 3가지 용액 중 하나를 4cc 정도 적셔서 충전시킨다. 즉, 4% cocaine, 1% xylocaine with epinephrine 1:100,000, 또는 Afrin. 저자는 어느 하나가 다른 것들보다 더 나은지를 알지 못하지만, 즉각적인 유용성 때문에 1% xylocaine with epinephrine 1:100,000을 가장 흔히 사용한다.

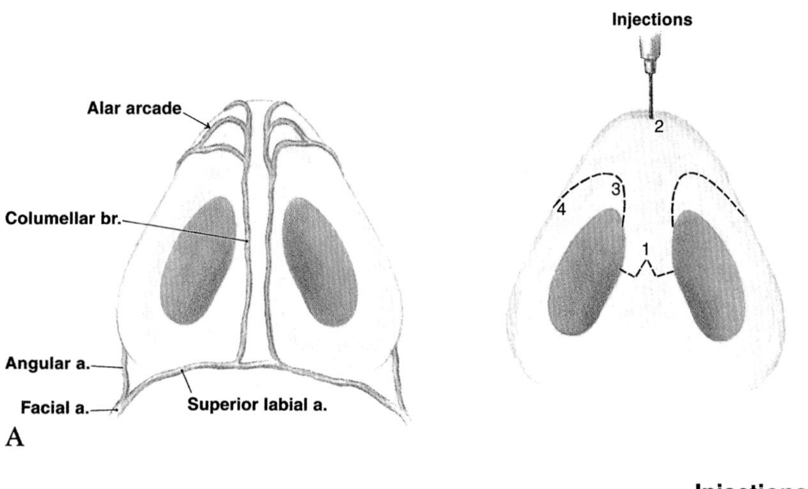


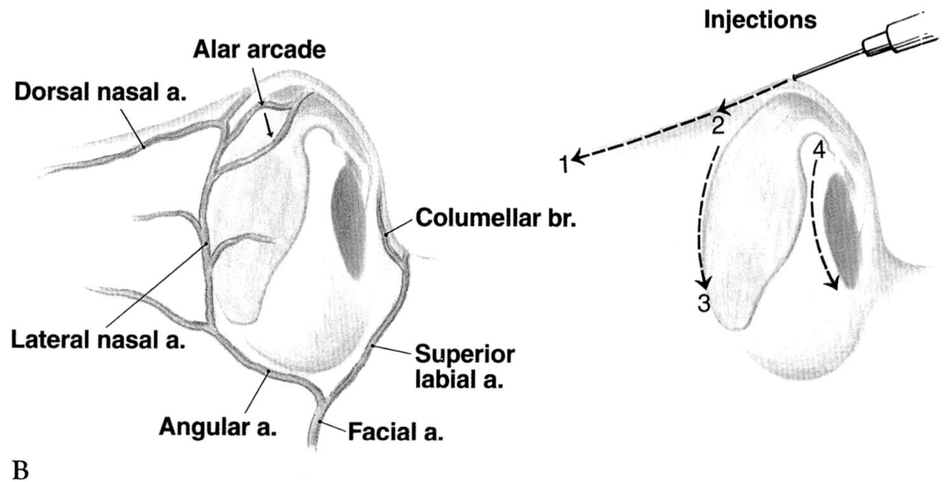


Injections
Alar arcade
Dorsal nasal a.
Columellar br.
Lateral nasal a.
Superior labial
Angular a.
Facial a.
2
1
C

그림 7-2

## 원칙

- 적절한 감지 장치와 인두 습포 충전과 함께 전신마취를 사용하라.
- 주사하기 전에 Betadine으로써 철저히 내비 준비를 한다.
- 혈관해부학에 근거하여 5 부위에 국소마취제를 주사한다.
- 개방접근술에서는 비익(alar arcade), 하비소엽, 그리고 모든 절개선에 주사한다.
- 국소 혈관수축제를 적신 1.7cm 폭의 거즈로써 코를 충전한다.
- 일단 주사하고 나면 15분을 기다린다. 본격적으로 준비하고 drape한다.

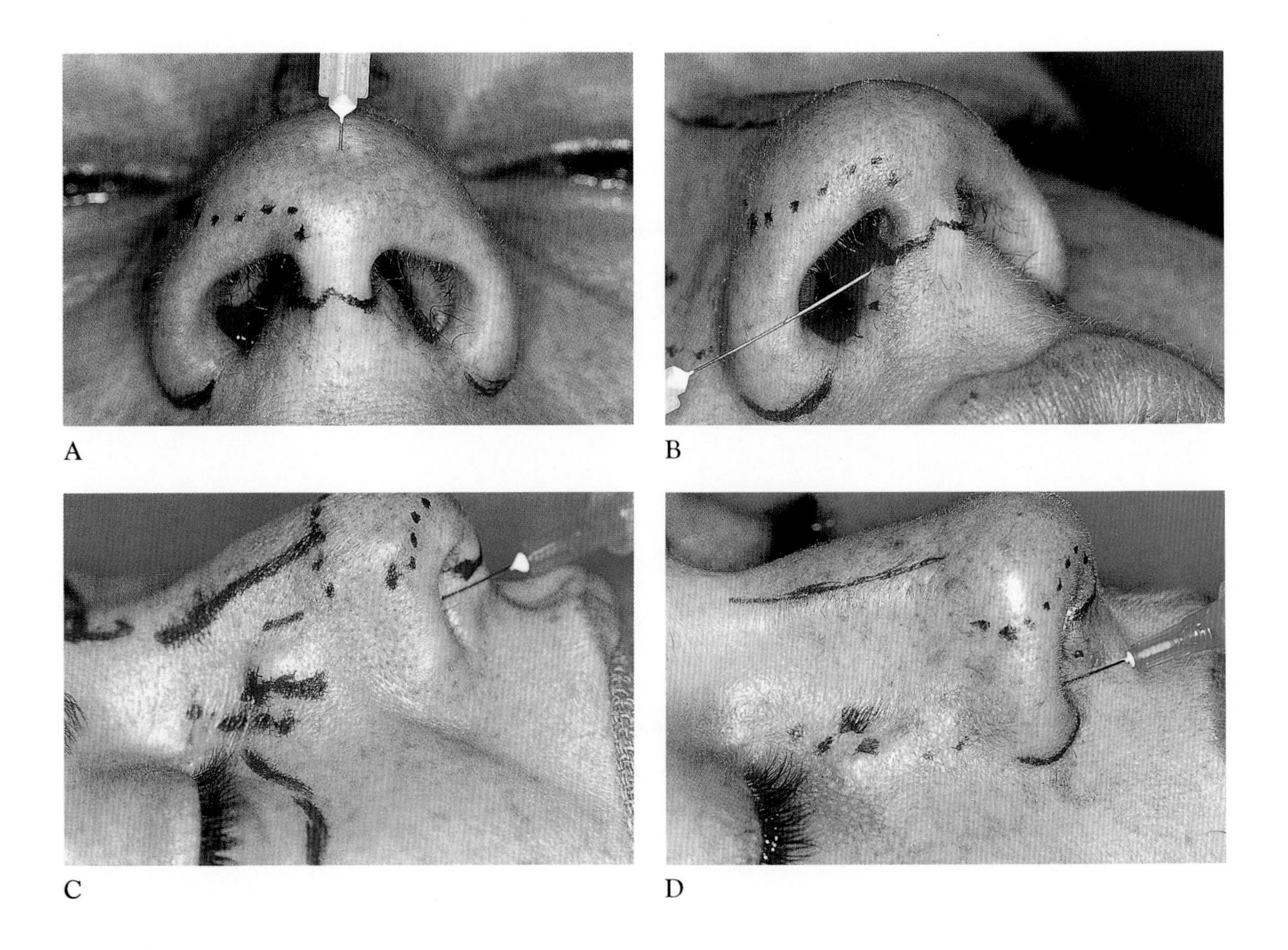


그림 7-3

## 폐쇄 절개술 및 접근술(Closed Incisions and Approaches)

선택한 폐쇄접근술에 따라서 최초의 절개를 한다. 술전에 다음 중 1가지의 방법을 결정한다. 1) 역행접근술(retrograde approach)이면 연골간절개술(intercartilaginous incision), 2) 경연골접근술(transcartilaginous approach)이면 연골내절개술(intracartilaginous incision), 3) 면신접근술(delivery approach)이면 연골간 및 연골하 절개술(intercartilaginous and infracartilaginous incisions). 추가적으로, 대개 비첨절개술과 관통절개술을 동시에 함으로써 비배와 비중격 둘 다에 접근한다.

표준 *연골간절개술(intercartilaginous incision)*은 2단계로 이루어진다(그림 7-4). 오른손잡이라면 왼손의 엄지와 인지 사이에 10mm의 양구겸자(double hook)를 잡고 비익을 견인하면서 비소엽에 압박을 가함으로써 비익연골을 외번시킨다. 그 다음, 두측 외측각과 상외측연골의 내측 접합부에서 비전정의 높은 곳을 15번 수술도로써 절개한다. 이 절개를 접합부를 따라서 10-15mm 외측으로 연장한다. 개념적으로, 이 두 연골 사이를 절개하려고 시도하기는 하지만, 두루마리(scroll) 접합부라는 해부학적 현실로 인하여 대부분의 절개는 외측각의 두측부를 지난다.

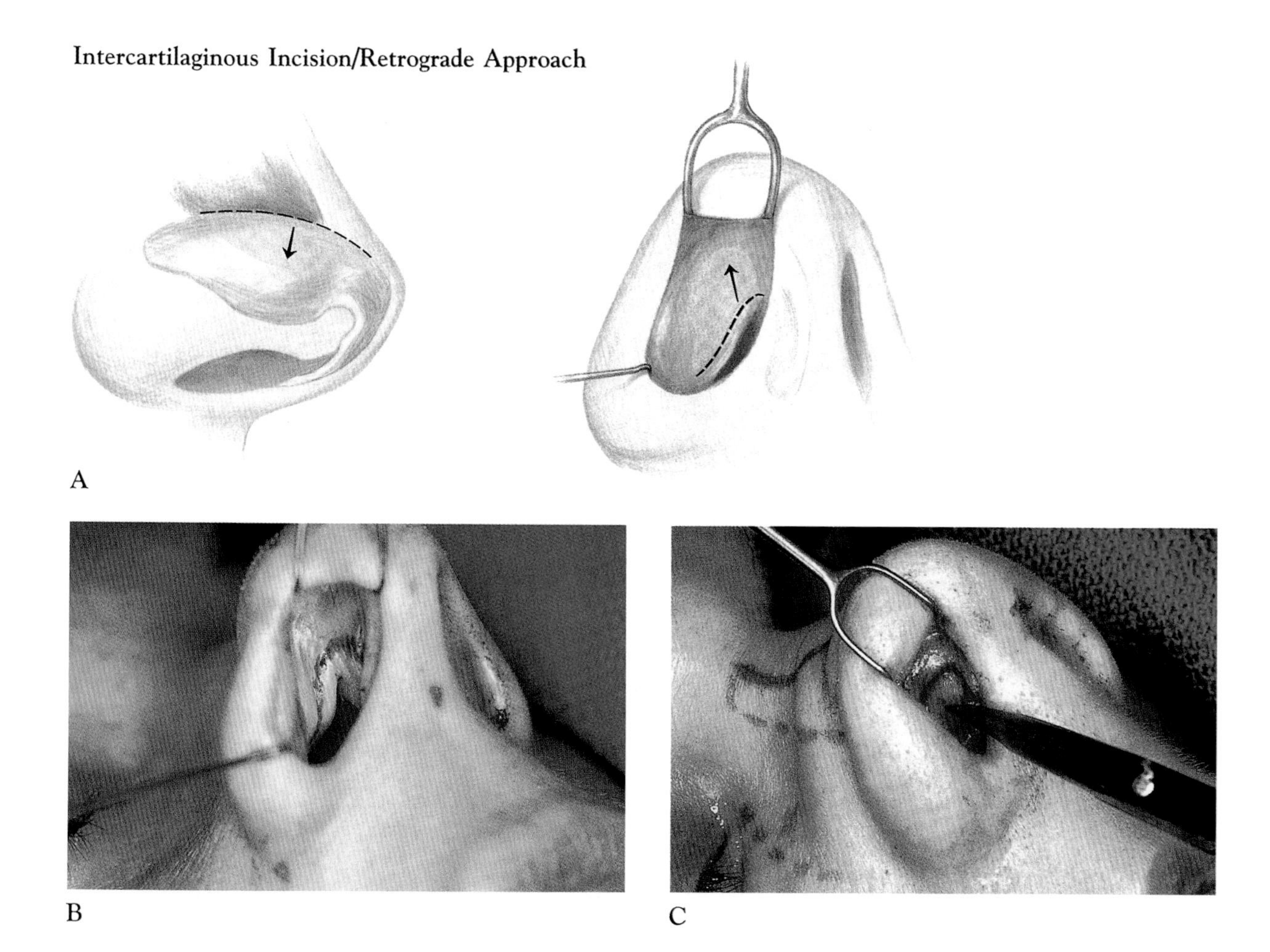


그림 7-4

일단 절개선을 외측으로 연장하고 나면 수술도를 내측에 놓고, 막비중격의 두측 1/3까지 미측 비중격의 경계를 따라서 미측으로 연장한다. 이러한 부분관통절개술(partial transfixion incision)은 비배변형술을 위한 비배 박리를 쉽게 하게 한다. 비중격교정술이나 비중격이식물의 채취가 필요하면 저자는 이 관통절개술을 한쪽(오른 손잡이는 보통 오른쪽으로)만 미측으로 연장함으로써 비중격 박리를 쉽게 한다.

*연골내절개술(intracartilaginous incision)*에서는 절제할 두측 외측각의 양을 결정하여 피부에 바람직한 절개선의 위치를 표시한다(그림 7-5). 그 다음, 점막표시기를 사용하여 이 선을 아래에 놓인 점막으로 옮긴다. 비익연을 같은 방식으로 견인하고, 절개선을 따라서 절개하는데, 절개는 비전정의 높은 곳에서 시작하여 외측으로 연장한다. 저자의 기법이 다른 기법과 큰 차이점은, 저자는 연골내절개선을 관통절개선에 결합시킬 때 나중에 비전정물갈퀴수축(vestibular web contraction)을 피하기 위하여 Z성형술을 사용한다.

*연골하절개술(infracartilaginous incision)*은 개방비성형술 때와 같으며, 외측각, 원개, 그리고 비주의 3 부분으로써 이루어진다. 첫 번째 절개는 원개로부터 외측으로, 비공연(nostril rim)으로

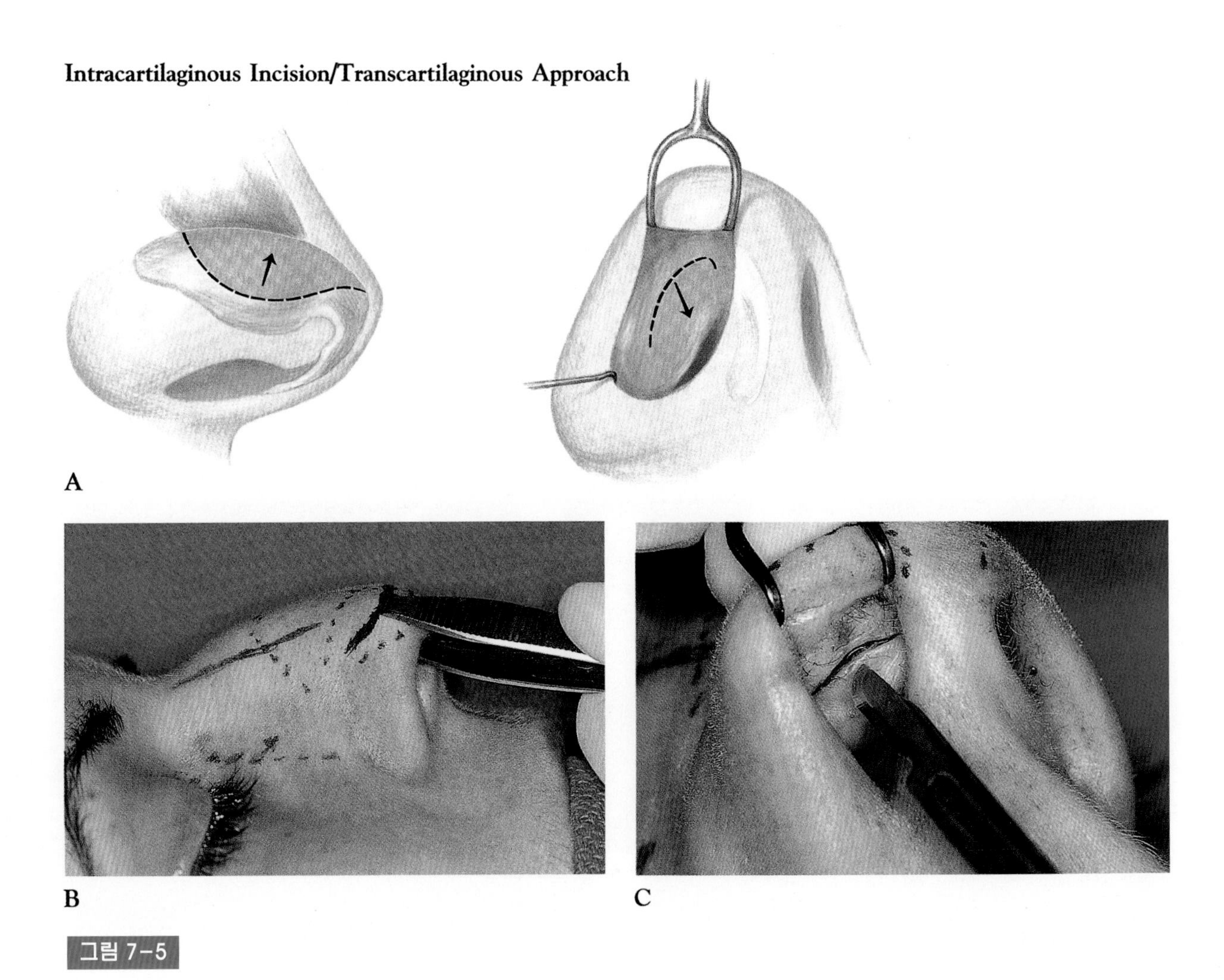


그림 7-5

부터 멀어져서 비익연골의 미측 경계를 따라간다. 그 다음, 수술도를 반대 방향으로 하여 윈개분절을 절개하고, 비주기둥(columellar pillar) 뒤에서 비주를 따라서 미측으로 계속 절개한다.

*관통절개술(transfixion incision)*은 비주와 미측 비중격 사이의 막비중격에서 한다. 관통절개술을 기술하는 용어로서 저자가 선호하는 것은 다음과 같다. 1) 완전 또는 부분(절개의 길이를 가리킨다), 2) 양측 또는 일측. 저자가 가장 흔히 사용하는 관통절개술의 조합은 우측은 완전관통절개술을 하며, 좌측은 부분관통절개술을 하는 것이다. 완전관통절개술은 미측 비중격으로 접근하게 하며, 부분관통절개술은 비배축소술을 하도록 해준다.

## 원칙

- *절개(incision)*와 *접근술(approach)*의 연결은 대단히 실제적이며, 술전에 신중하게 선택하여야 한다.
- 연골내절개술은 최소로부터 중간, 최대에 이르기까지 매우 다양하지만, 기본적으로는 용적축소술이다.
- 연골하절개술은 면신접근술(delivery approach)에서 연골간절개술과 함께 사용할 수 있으며(그림 7-6), 개방접근술에서는 경비주절개술과 함께 사용할 수 있다.

Delivery Approach

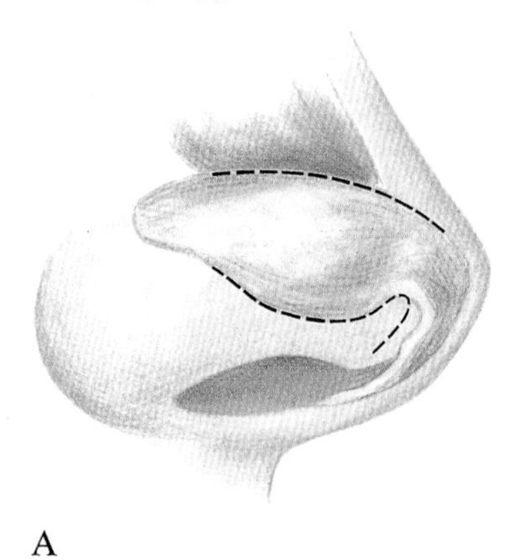

A

B

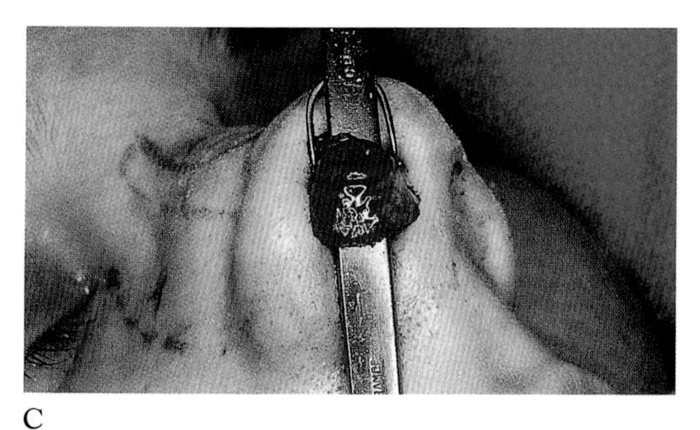

C

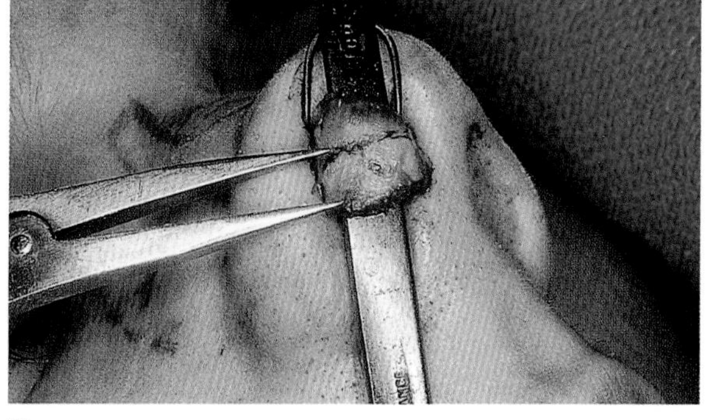

D

그림 7-6

## 개방절개술 (Open Incisions)

절개하기 직전에, 저자는 경비주절개선을 다시 그린다. 수년 동안 저자는 이차개방비성형술에서 모든 표준비주절개술에 어떤 매우 색다른 절개술을 추가하여 실제로 해 보았다. 그러나 저자는 여전히 Goodman 원래의 날개가 있는 역V형절개술(inverted V with wings)을 선호한다[13]. 3mm 길이의 작은 등변 역V자를 그리는데, V자의 정점이 비주변곡점 미측에 있는 비주의 최협점에 있도록 한다. 비주기둥(columellar pillar)을 가로 질러서 뒤로 가로로 날개를 그린다. 그 다음, 짧은 30번 주사침을 사용하여 비주부에 0.5cc의 국소마취제를 주사한다. 주사하는 목적은 경비주절개선 아래에 놓인 내측각과 중간각을 단단히 붙어있는 피부로부터 일으키기 위함이다. 내측각과 중간각이 잘리거나 원개가 찢어지는 것을 최소화하기 위하여 저자는 다음의 순서를 따른다. 1) 연골하절개술을 경비주절개선의 수준까지 한다. 2) 비주를 가로로 거상한다(그림 7-8D). 3) 경비주절개술을 한다.

표준연골하절개술은 외측각, 원개, 그리고 비주의 3부분에서 한다. 엄지와 인지 사이에 잡은 10mm의 양구겸자를 사용하여 비익연을 견인하면서 약지로써 반대 압력을 가한다. 15번 수술도를 원개에 댄 다음, 외측각의 미측 경계를 따라서 외측 절개를 한다(그림 7-8A). 그 다음, 양구겸자를 다시 조절하여 잡고, 원개에 반대 압력을 가하면 원개의 비전정 높은 곳으로부터 비주를 거쳐서 경비주절개선 수준까지 조심스럽게 절개선을 '찰상(scratched)' 하게 해준다(그림 7-8C).

많은 술자들이 연골하절개술을 다양하게 사용하고 있다. 연골하절개술의 외측부는 비익연절개술(alar rim incision)이 *아니며*, 오히려 비공연(nostril rim)으로부터 멀리 쓸어 올리면서 외측각의 미측 경계를 따라서 절개한다(그림 7-7C). 이차비성형술에서 연조직각면(soft tissue facet)이 왜곡된 것을 많이 보았기 때문에 저자는 연골하절개선의 비주부를 비주의 외측 경계의 3-4mm 뒤에서 하는데(그림 7-7A), Toriumi[34]와 Tebbetts[35]는 1-2mm 뒤에서 한다(그림 7-7B). 이렇게 하면 뒤이은 각지주(crural strut)의 봉합도 쉽게 해준다. 그 다음, 왼손의 엄지와 인지 사이에 비주를 잡고 기울인다. Converse 조직가위를 연골하절개선의 비주부로부터 비주피부 아래로 넣는다(그림 7-8D). 조직가위를 서서히 벌리면서 하비소엽피부를 내측각과 중간각으로부터 일으킨다.

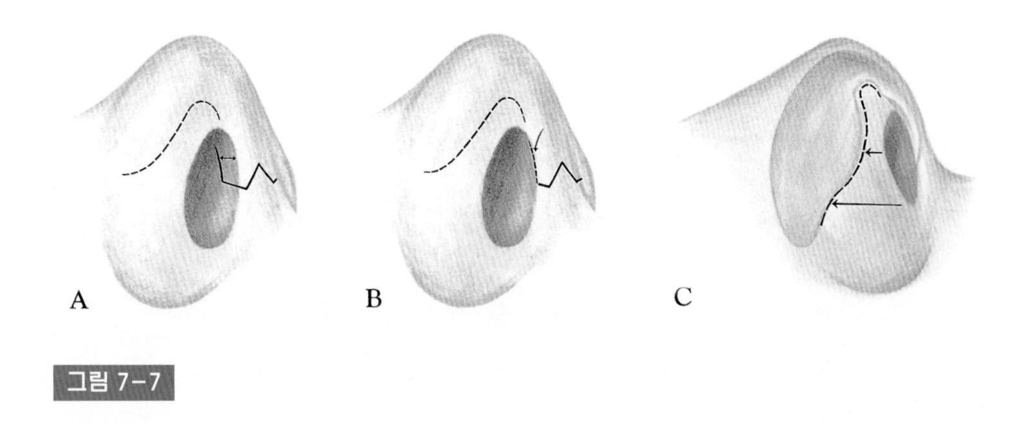


그림 7-7

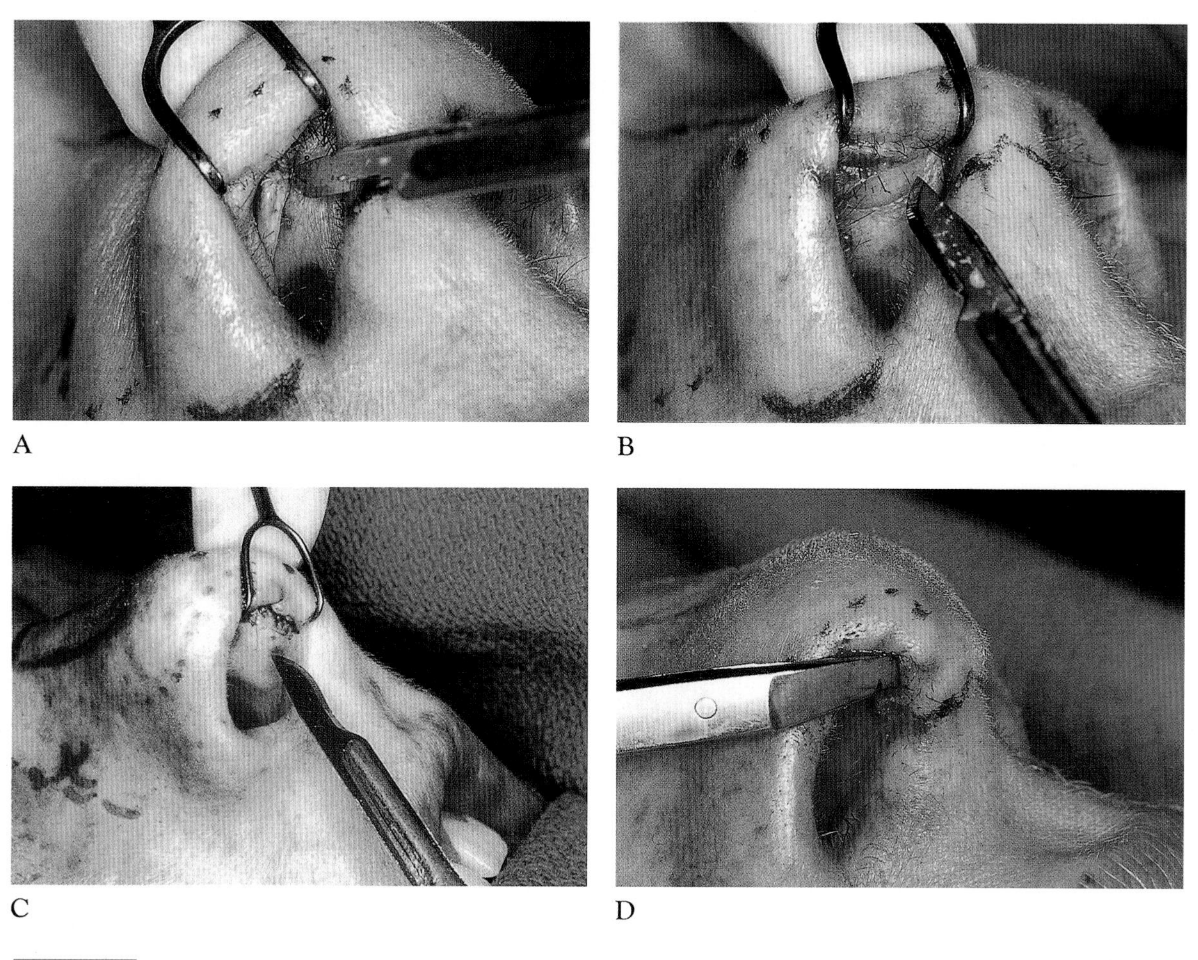


그림 7-8

이제 경비주절개술을 한다. 왼손으로써 비주를 잡고 11번 수술도를 사용하여 역V형절개술을 한 다음, 64번 Beaver 수술도나 15번 수술도를 사용하여 가로로 날개를 만드는데, 이때 연골을 덮고 있는 피부를 조심스럽게 찰상 한다(그림 7-9).

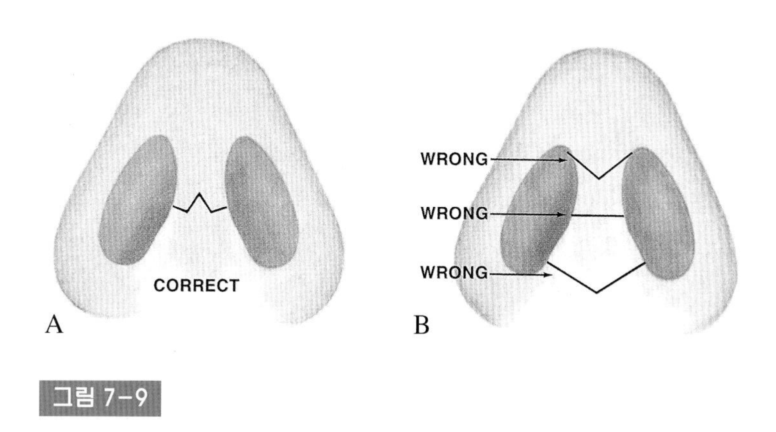


그림 7-9

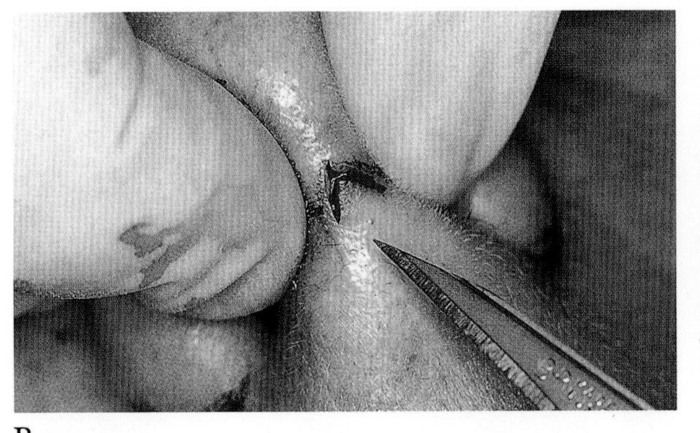
B

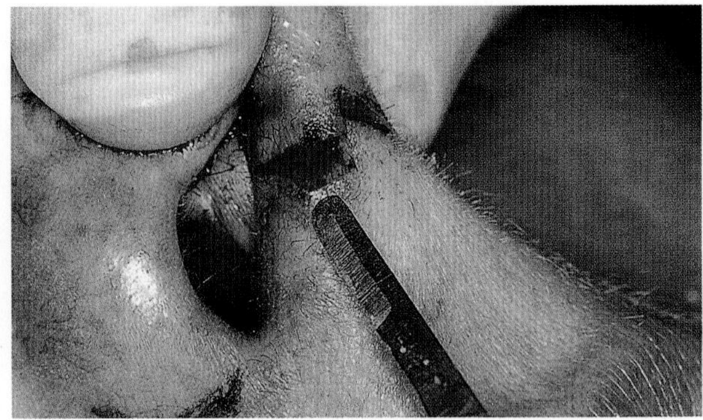
C

그림 7-9. 계속

비익연골과 비배를 노출시킨다. 절개를 다 하고 나서, 3점견인(3-point traction)하면서 비주로부터 비첨으로 박리한다(그림 7-10). 조수는 작은 양구겸자로써 비익연을 두측으로 견인하면서(그림 7-10A, 1), 단구겸자로써 원개를 미측으로 당긴다(그림 7-10A, 2). 그 다음, 술자는 작은 양구겸자로써 비주의 피부를 당기고(그림 7-10A, 3), 굽은 Converse 조직가위를 사용하여 두측으로 박리한다. 양쪽을 흔히 왔다 갔다 할 필요가 있으며, 원개에 가까워짐에 따라 극도의 주의를 기울여야 한다. 원개의 양쪽을 다 박리하면 연골을 손상시킴 없이 피부를 더 쉽게 일으킬 수 있다.

Exposure: Columellar to Tip

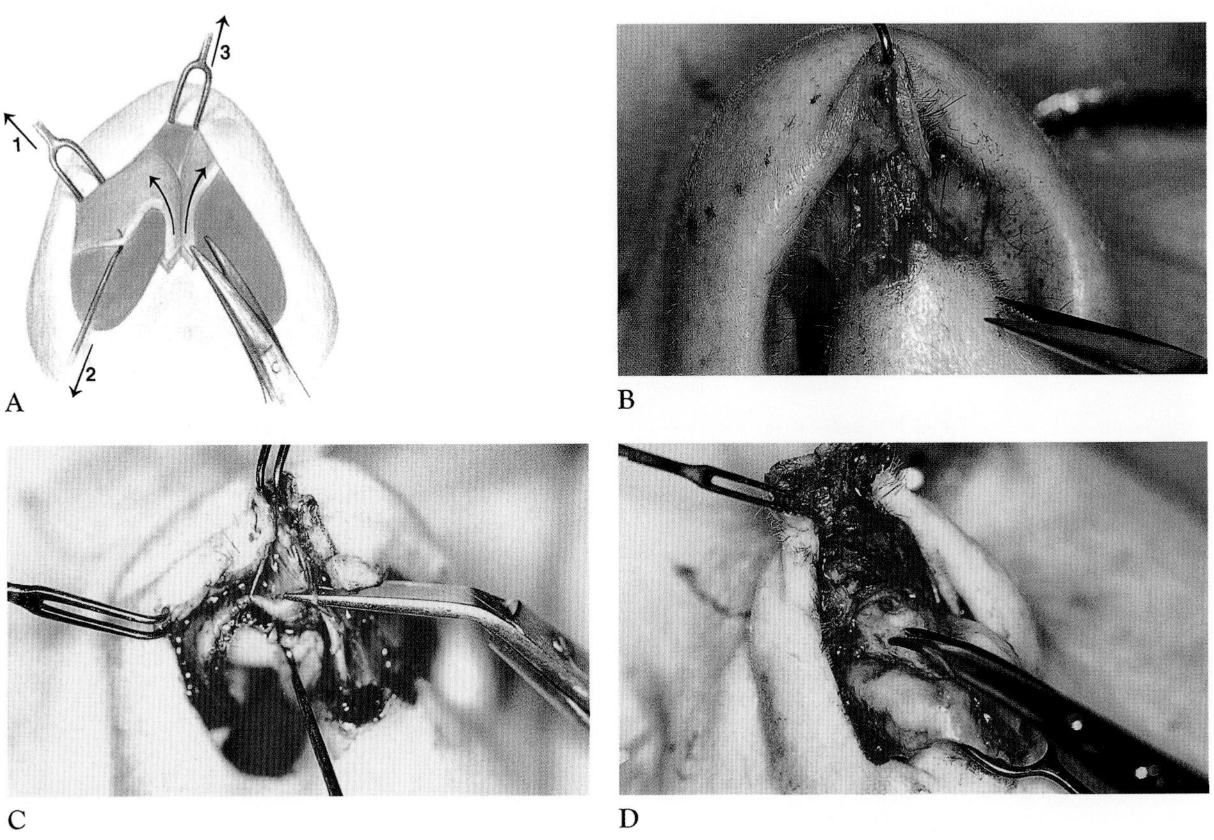


그림 7-10

피부를 두측으로 견인하자마자, 10mm의 양구겸자를 원개 아래로 넣고, 연골을 미측으로 당겨서 피부외피가 쉽게 일으켜지도록 한다. 외측각에서는 무딘 Q-tip으로써 박리한다. Ragnell 견인기(retractor)나 비첨기자(tip elevator)로써 피부외피를 두측으로 견인한 다음, 비배의 공간을 정중선에서 들어간다. 끝이 무딘 조직가위를 미측을 향하도록 해서 비중격각(septal angle)을 덮고 있는 부위로 들어가면 반짝거리는 연골원개가 보인다. 횡비근의 건막(aponeurosis of transverse nasalis muscle)은 비배에서 얽혀있으며, 연조직외피와 비배 사이에서 잠재적 윤활낭 공간(bursal space)을 가지므로 무혈관층을 따라서 쉽게 일으킬 수 있다. 필요하면 지혈하고, 초기 비첨수술을 시작할 수 있다.

'비주부터 비첨까지(columella to tip)' 노출이 전형적인 것이기는 하지만, '양방향(bidirectional)' 노출이 배우기가 더 쉽고 반흔이 있는 이차비첨성형술에서 매우 유용하다. 방법은 표준연골하절개술을 한 다음, 끝이 무딘 건절개가위(tenotomy scissors)를 사용하여 외측각을 박리한다(그림 7-11A). 초기 박리는 박리층을 얻기 위하여 박리층에 평행 하도록 조직가위 끝으로 한다(그림 7-11A, 1). 그 다음, 조직가위 끝을 수직으로 돌리고 벌려서 신속한 무혈관박리술을 하게하고, 원개를 향하여 계속 박리한다(그림 7-11A, 2). 그 다음, 연골하절개선의 비주부를 통하여 비주피부를 연골로부터 일으킨다(그림 7-11B, 3, D). 비주를 앞뒤로 왔다 갔다 하면서 연조직을 일으키며(그림 7-11C, 4, E), 원개를 향하여 외측각 박리를 한다(그림 7-11C, 5).

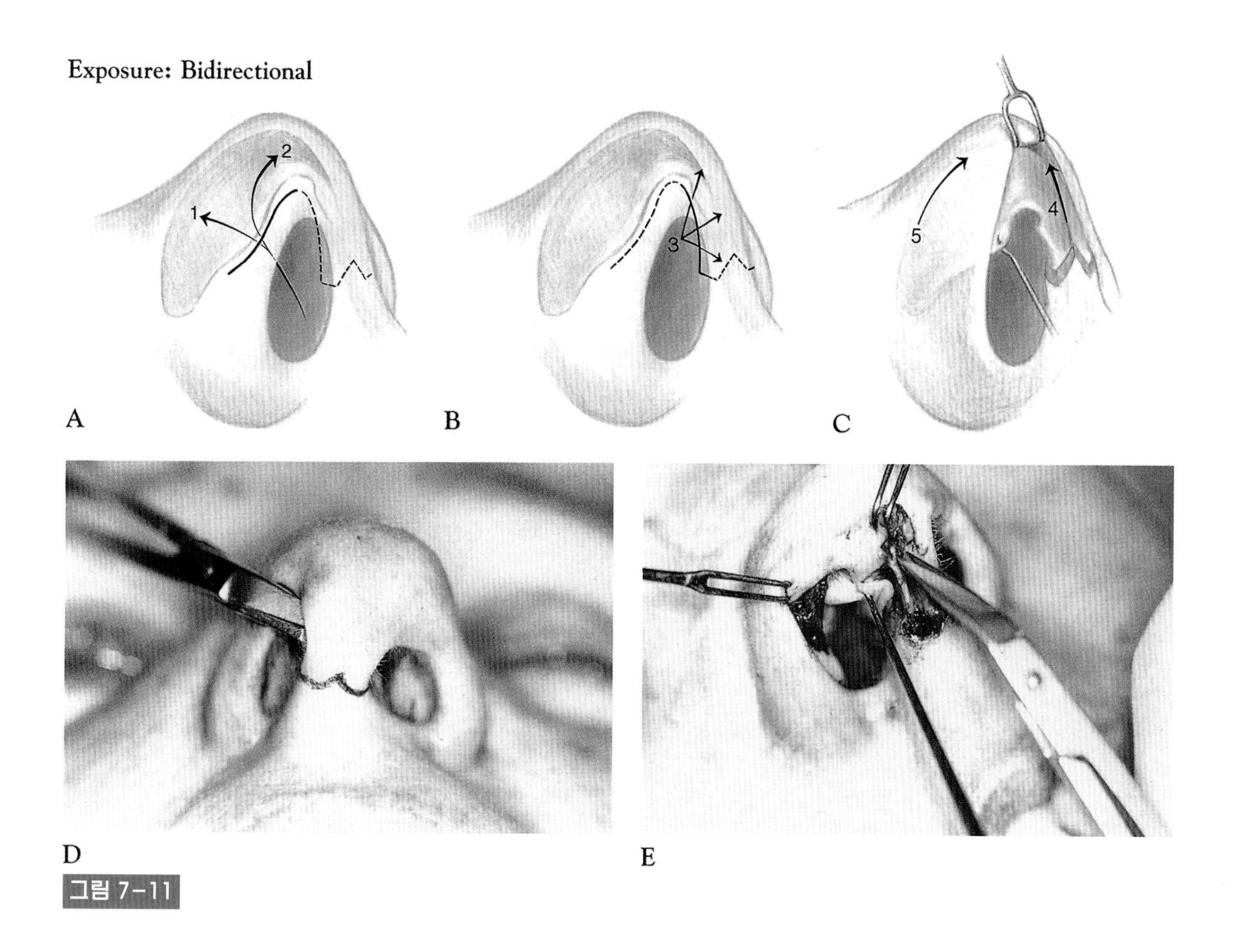


그림 7-11

## 개방접근술 (Open Approach)을 통한 점막외터널 (Extramucosal Tunnels)

점막외터널 형성의 목적은 점막내층을 비배로부터 멀리 떨어뜨림으로써 아래에 있는 점막을 파열시키거나 반흔형성 없이 비배비봉(dorsal hump)을 변형시키기 위한 것이다(그림 7-12B). 두측 및 미측 비중격뿐만 아니라 상외측연골을 포함하여 골-연골비배의 원개 아래에 국소마취제를 주사한다. 조수는 피부외피를 두측으로, 그리고 비첨연골은 미측으로 당김으로써 전비중격각(anterior septal angle)의 노출을 쉽게 하도록 해준다. 흔히, 비배측 비중격은 상외측연골과의 결합부로부터 전비중격각(anterior septal angle)까지 뻗는 8-10mm의 분리된 정중 구조물이다. 술자는 방정중 점막 및 연조직(paramedian mucosa/soft tissue)을 외측으로 견인하고, 각진 Converse 조직가위를 사용하여 연골막상공간(supraperichondrial space)으로 들어간다. 이상적으로는, 진성의 연골막하공간으로 들어가기를 원하지만, 흔히 어렵다. 그러므로 15번 수술도로써 연골막에 그물눈(cross-hatch)을 넣은 다음, 치과용 amalgam으로써 긁어 벗기는데, 이렇게 하면 실제로 언제나 비중격연골의 푸르스름한 색상이 드러난다.

대안은, 일측완전관통절개술을 사용하여 미측 비중격을 노출시키는 것이다. 일단 연골막하층에 들어가면 Cottle 거상기의 둥근 끝을 두측으로 통과시켜서 점막내층을 외측으로 젖히고, 비배측 비중격을 노출시킨다. 이 기법은 자연적인 박리면이 지워진, 반흔이 있는 이차비성형술에서 매우 유용하다. 일단 비배측 비중격이 분리되면 미측 비중격을 변형시킨다는 가정 아래에서 미측 비중격을 노출시킨다. 그 다음, 실제 점막외터널을 만든다. Cottle 거상기의 둥근 끝을 비배 아래로 지나게 한 다음, 비중격에서 미측으로 젖힌다. 만일 큰 비봉을 제거하려면 점막을 상외측연골의 아랫면으로부터 박리하여야 하는데, 이때에는 Brown Addson 겸자로써 연골을 세로로 당긴 다음, Cottle 거상기로써 점막을 조금 쓸어 올림으로써 점막을 유리시킨다.

### 원칙

- 각(crura)의 해부, 특히 원개분절의 형태를 신중하게 분석한다.
- 점막외터널을 만들기 *전에* 아래에 놓인 점막에 주사한다.
- '푸른색 연골'이 보일 때까지 언제나 치과용 amalgam을 사용하여 비중격연골막을 긁어 벗긴다.
- 만일 연골비배를 1mm 이상 낮추려면 점막외터널을 만든다.

Extramucosal Tunnels

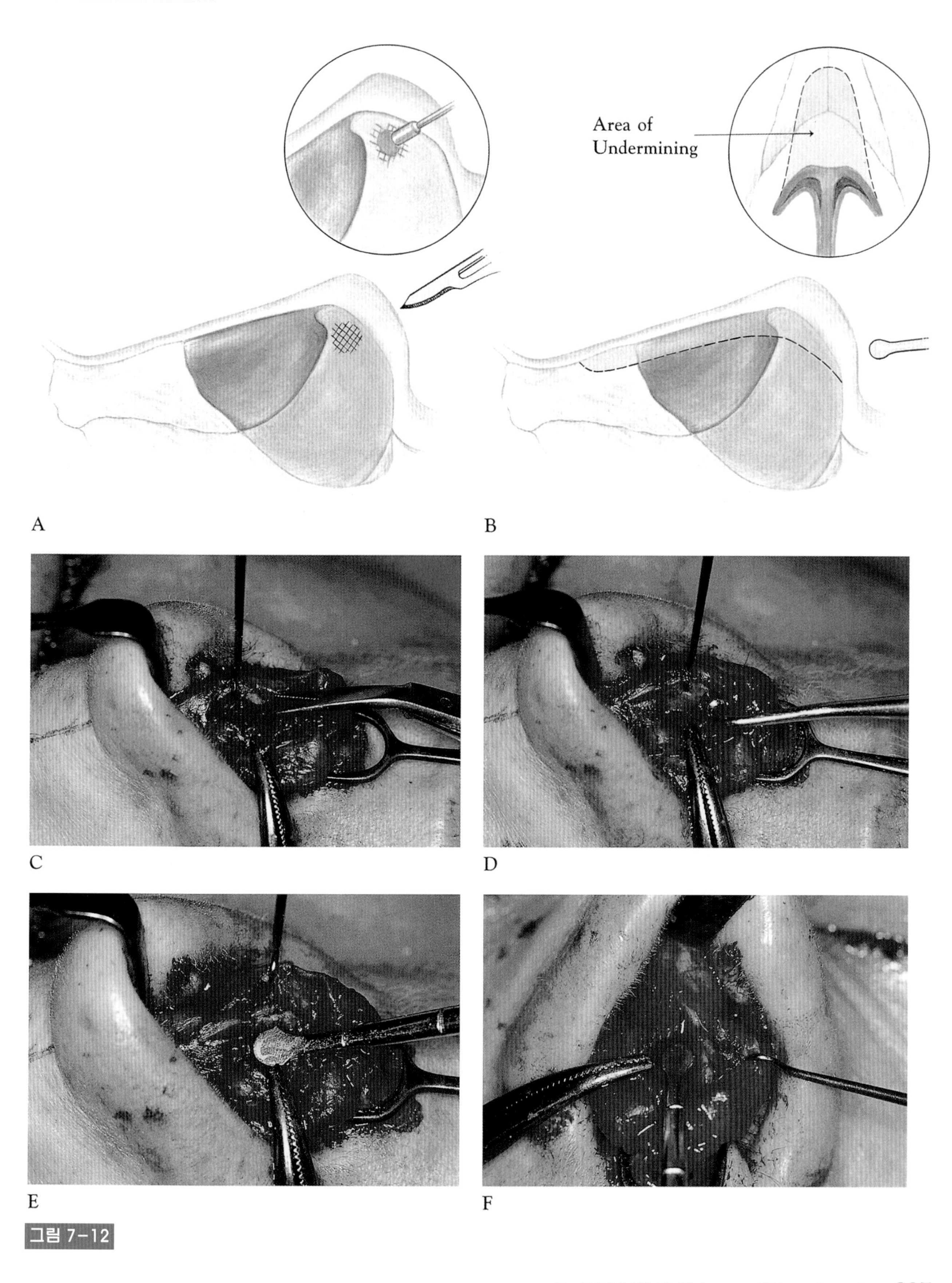


그림 7-12

## 비배변형술 (Dorsal Modification)

술전에, 비배의 높이(축소술, 증대술, 보존, 또는 동시교정술), 폭(좁히기, 넓히기, 또는 비대칭 교정), 그리고 길이(단축술 또는 연장술)에 관하여 결정을 하여야 한다. 가장 흔한 선택은 골비봉에 대하여 줄질로써, 그리고 연골비봉에 대하여 11번 수술도로써 점증성축소술(incremental reduction)을 하는 것이다. 골을 먼저 수술하는데, 골을 제거하면 진성의 연골 돌출이 드러나기 때문이다. 저자는 좁은 견인줄(puller rasp)의 사용을 선호하는데, 정중선을 축소한 다음, 각각의 비골을 따로 대개 4-6차례 미만의 줄질을 하게 해주기 때문이다(그림 7-13A). 일단 골비배가 피부에 그려놓은 이상적 측면선(ideal profile line)과 일치하게 되면 연골비봉을 제거한다. Aufricht 견인기로써 피부를 일으킨 다음, 끝을 부러뜨린 11번 수술도를 이상적 비배선에 평행하도록 넣은 뒤 비종석부로부터 비중격각으로 미측으로 자른다(그림 7-13B). 만일 반대쪽이 절개되지 않으면 곧은 톱니형조직가위(straight serrated scissors)를 사용하여 비봉절제술을 마친다. 이 시점에서, 피부를 외측으로 당기고 측면선을 점검한다. 불규칙한 골은 모두 세밀한 줄로써 최소화시키고, 비중격을 추가적으로 내릴 때에는 11번 수술도를 사용하여 아주 작은 량을 자르며, 상외측연골은 곧은 톱니형조직가위로써 잘라서 다듬는다.

대안으로서, 연골비봉을 3부분(비중격과 2개의 상외측연골)으로 분리한 다음, 곧은 톱니형조직가위로써 낮출 수 있다(그림 7-14). 피부외피를 견인하여서 직시하면서 조직가위 날을 비중격에 평행하도록 갖다 댄 다음, 비중격-상외측연골접합부(septum-upper lateral cartilage junction)를 양쪽에서 절단한다. 조직가위로써 비중격축소술을 한 다음, 각각의 상외측연골을 축소시킨다. 이러한 '비봉분할술(split hump)'의 장점은 조절이 쉬운 것이며, 단점은 절제해낸 연골이 작기 때문에 이식물로 사용하려면 작은 것이다. 매우 큰 코에서(8-12mm의 비봉축소술), 저자는 일괄비봉제거(en-bloc hump removal)를 위한 비절골술을 사용하는데, 절제해낸 비봉의 연골부를 변형시킨 다음, 다시 이식함으로써 좀 더 자연스러운 비배를 만들 수 있게 해준다. 이러한 비절골술은 가끔 사용하기에는 너무 위험하다(그림 7-15).

이 시점에서, 전비중격각 가까이에 있는 연골비배를 점검해 보는 것이 매우 중요하다. 전비중격각 가까이에 있는 연골비배에 돌출이 꽤 자주 남아 있는데, 그 이유는 술중에 조직가위나 수술도가 비종석부를 향하여 미측으로 기울어짐에 따라서 비중격각 가까이에서 비배절제가 최소화되기 때문이다. 이렇게 남아있는 돌출은 조직가위나 수술도로서 쉽게 제거할 수 있다. 이때, 비배선을 신중하게 점검하고, 미세하게 조절하여야 한다.

Rasp/Knife Reduction

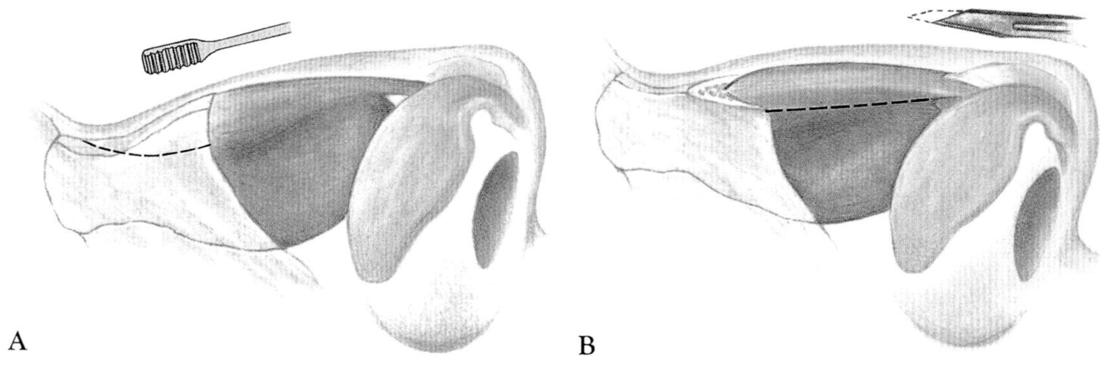

A B

그림 7-13

Dorsal Split Reduction

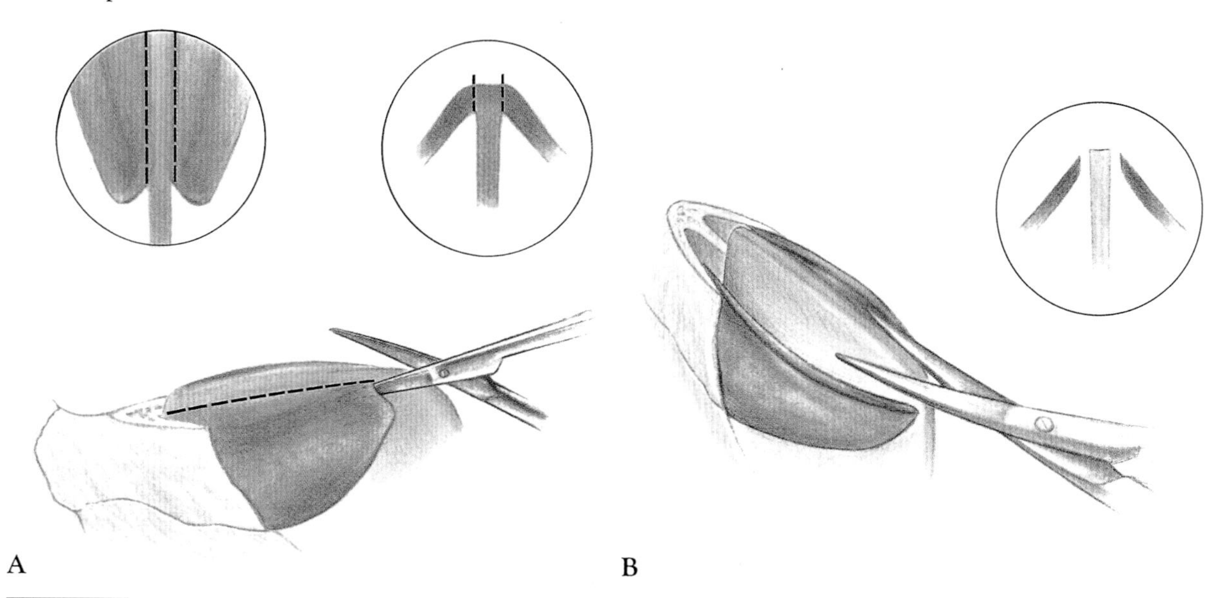

A B

그림 7-14

Osteotome Reduction

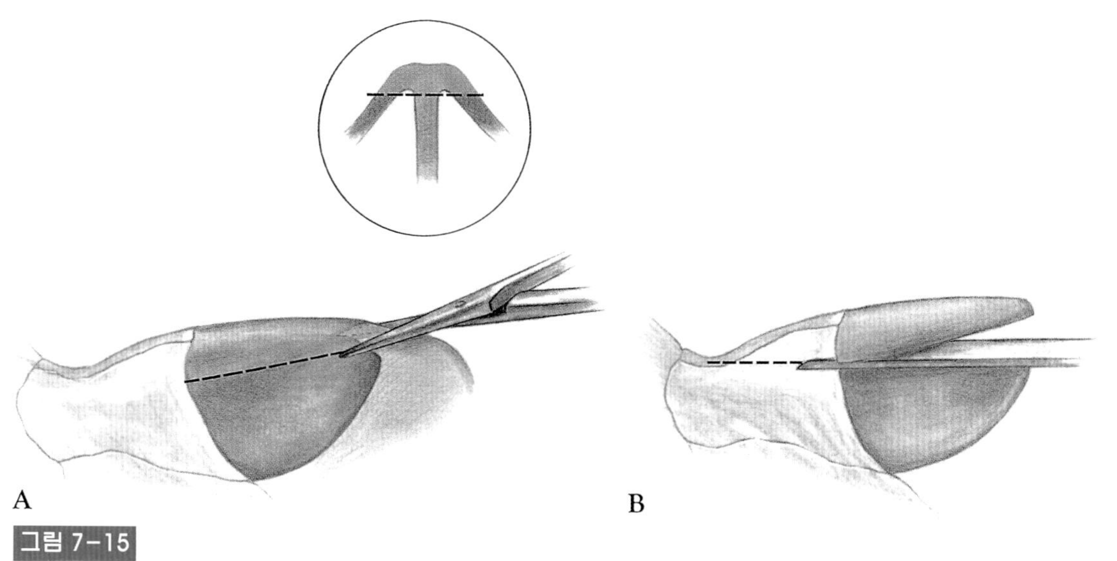

A B

그림 7-15

## 미측 비중격(Caudal Septum)과 전비극(Anterior Nasal Spine)

이 부위의 변형술은 보존적으로 하여야 한다. 코의 다른 모든 부위와 마찬가지로, 술전에 보존, 절제술, 증대술, 또는 동시 수술에 관하여 선택하여야 한다. 이 부위는 비익연골의 '비첨분할술(tip split)'을 통하여 접근할 수 있지만, 관통절개술을 사용하면 더 잘 조절할 수 있으며, 유연성이 더 크다(그림 7-16B).

다음의 3가지 변화를 고려하여야 한다. 1) 두측 1/2을 절제하면 비첨이 회전된다. 2) 미측 1/2을 절제하면 코가 단축된다. 3) 전비극의 윤곽교정술이나 절제술을 하면 비주-상구순분절이 변화된다. 최소의 변화를 얻는 방법에는 대개 회전을 위하여 두측으로 각진 연골만 절제하거나(2-3mm), 대안으로서 단축을 위하여 이중변곡(double break)을 유지한 채로 전체길이를 평행하게 절제하는 방법이 있다(그림 7-16A). 중간의 변화를 얻으려면 조금 더 절제하는 경향이며(3-5mm), 양측 점막을 포함하여 절제하기도 한다. 최대의 변화를 얻으려면 절제가 더 넓으며, 점막과 인접한 막비중격을 모두 포함하여 절제한다. 전비극은 축소시키거나(윤곽은 유지하면서 돌출만 절제), 절제함으로써 비주-상구순분절의 윤곽을 계획대로 변화시킨다. 보존적 수술뿐만 아니라 휴식기나 미소 지을 때 시진 및 촉진적 평가의 중요성은 아무리 강조해도 지나침이 없다.

이식술은 대개 비주경사를 미측으로 밀기 위한 비주지주의 형태로 하거나, 비주-상구순분절 아래에서 작은 연골이식술의 형태로 한다. 심한 이차비성형술이나, 특정한 이민족에서만, 이상구(pyriform aperture)를 지나서 골막하로 가로로 GoreTex 삽입술을 한다.

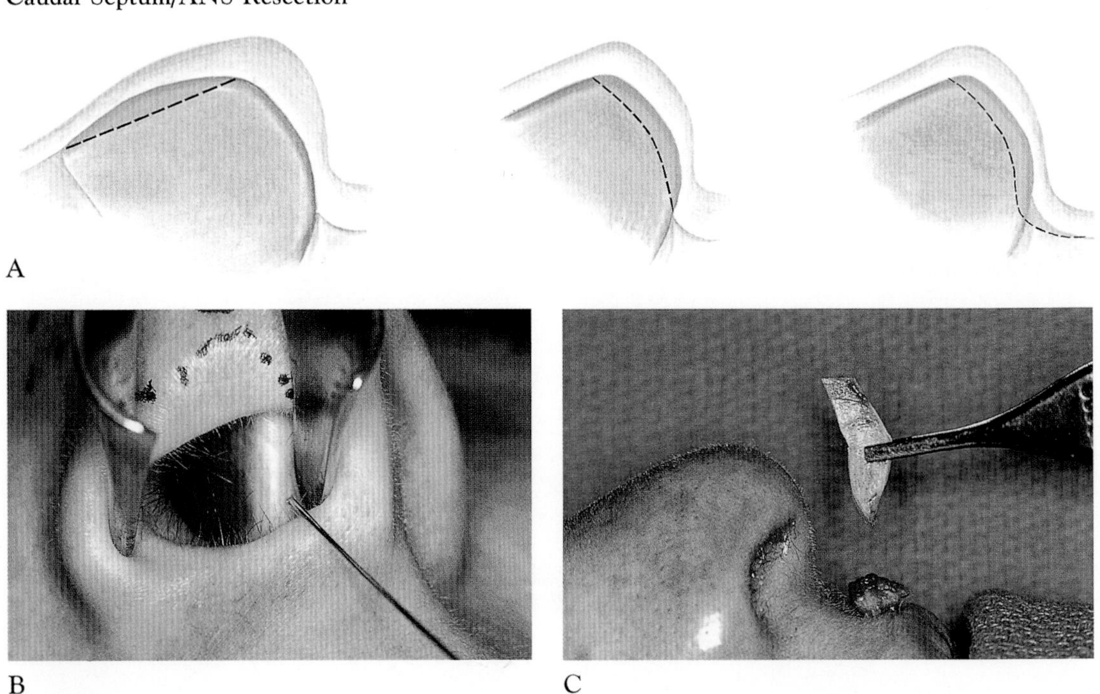


그림 7-16

## 비중격수술 (Septal Surgery)

일단 코 측면이 바람직하게 되면 비중격 교정술 및 채취술을 안전하게 할 수 있다. 비배축소술을 하기 전에 비중격수술을 하는 대안은 비중격지주(septal strut)가 부적절해지거나, 심지어 비중격이 분열될 위험이 있다. 코 지지를 위하여 10mm의 L형지주를 언제나 남겨두는데, 만일 비중격연골이 매우 얇고(1mm 미만) 취약하면 미측 L형지주를 15mm로 증가시킬 수 있다. 비중격수술에 대한 분명한 목적을 가져야 하며, 진성의 '비중격성형술(septoplasty)'을 단순한 '채취술(harvesting procedure)'과 구별하여야 한다.

비중격*채취술*에서 필수적인 지주는 유지하면서 필요한 만큼의 연골을 취하려는 경향이 있다. 흔한 변법은 다음과 같다. 1) 비주지주이식술 및/또는 연전이식술을 위한 연골의 하부 1/2 채취술, 2) 비첨이식술과 비주지주이식술을 위한 사변형연골채취술, 3) 비배이식술 및/또는 여러 가지 이식술을 위한 광범위한 연골과 골의 일괄채취술(흔히 32mm 이상의 길이).

대조적으로, *비중격성형술*은 여러 부위의 만곡을 다루어야 하는데, 하부에서 고착된 변형(절제술이 필요함)이나, 미측비중격만곡(재배치술이 필요함)이 흔한 문제점이다.

수술의 이 시점에서 흔히 내비를 다시 시진하고, 수력박리를 위하여 적은 양의 국소마취제를 추가로 주사하는 것이 현명하다. 점막외터널을 만들 때 비중격 점막내층의 박리층을 이미 명확히 해 두었기 때문에 대개는 비중격 점막내층을 일으키기가 상당히 쉽다. Cottle 거상기의 둥글고 날카로운 끝을 관통절개선으로 넣고, 작은 검경(speculum)을 비배측 비중격에 걸터앉히고, 비중격연골의 상부에서 점막을 미측으로부터 두측으로 일으킨다. 그 다음, 거상기를 비중격에 평행하도록 비배로 넣고, 사골수직판 뒤에서 서골까지 수직으로 쓸어내린다(그림 7-18A). 그 다음, 비중격연골의 하부를 박리할 때에는 후부의 서골로부터 앞으로 나오면서, 뒤로부터 앞으로 박리하면 융합된 연골막섬유와 골막섬유들을 더 쉽게 분리할 수 있다. 비중격만곡이 현저하면 더 쉬운 오목한 쪽에서 시작함으로써 더 어려운 볼록한 면을 박리하기 전에 조직의 느낌을 얻는 것이 언제나 가장 좋다.

일단 노출이 만족스러우면 구체적인 필요에 따라서 이식물을 채취할 수 있다(제 6장 참고). 가장 전형적인 절제술은 완전채취술이다. 점막을 외측으로 젖힌 채로, 64번 Beaver 수술도로써 바람직한 L형지주의 비배부와 미측부에 평행하도록 절개한다. 즉, 미측 절개는 비중격연골-서골

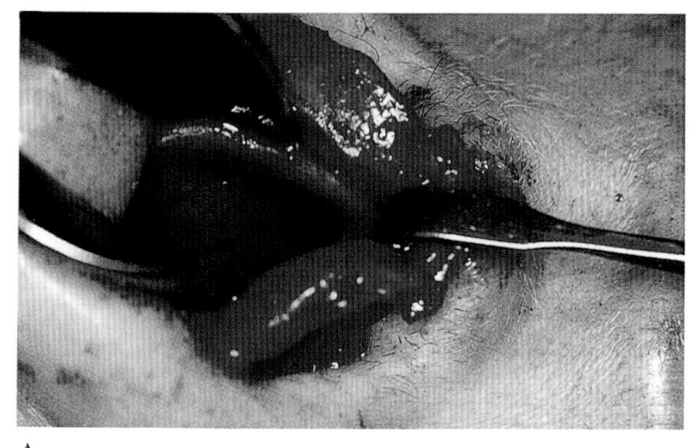

A

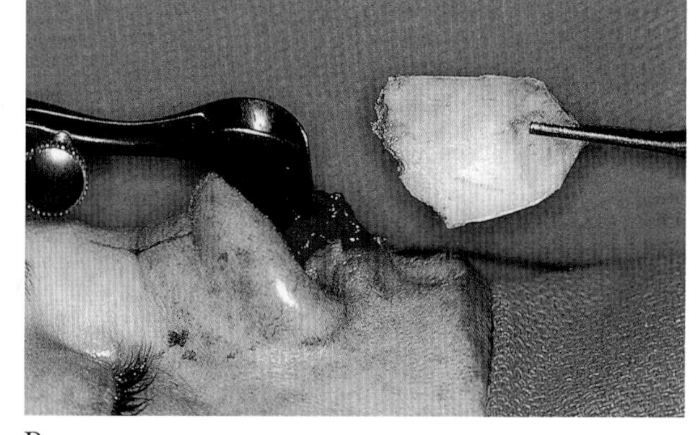

B

그림 7-17

접합부까지 미측으로 연장하는데, 이때 미측 비중격 경계와 평행하도록 하며, 10mm의 지주를 보존한다(그림 7-18C). Tebbetts 비중격가위(septal scissors)를 사용하여 비배 절개를 연골-골접합부까지 두측으로 연장한다. 이때, 비배 경계와 평행하며, 10mm의 지주를 보존하는 것이 중요하다. 그 다음, Cottle 거상기의 둥글고 날카로운 끝을 이용하여 서골구로부터 비중격연골을 가능한 한 뒤로 멀리까지 박리한다(그림 7-18D).

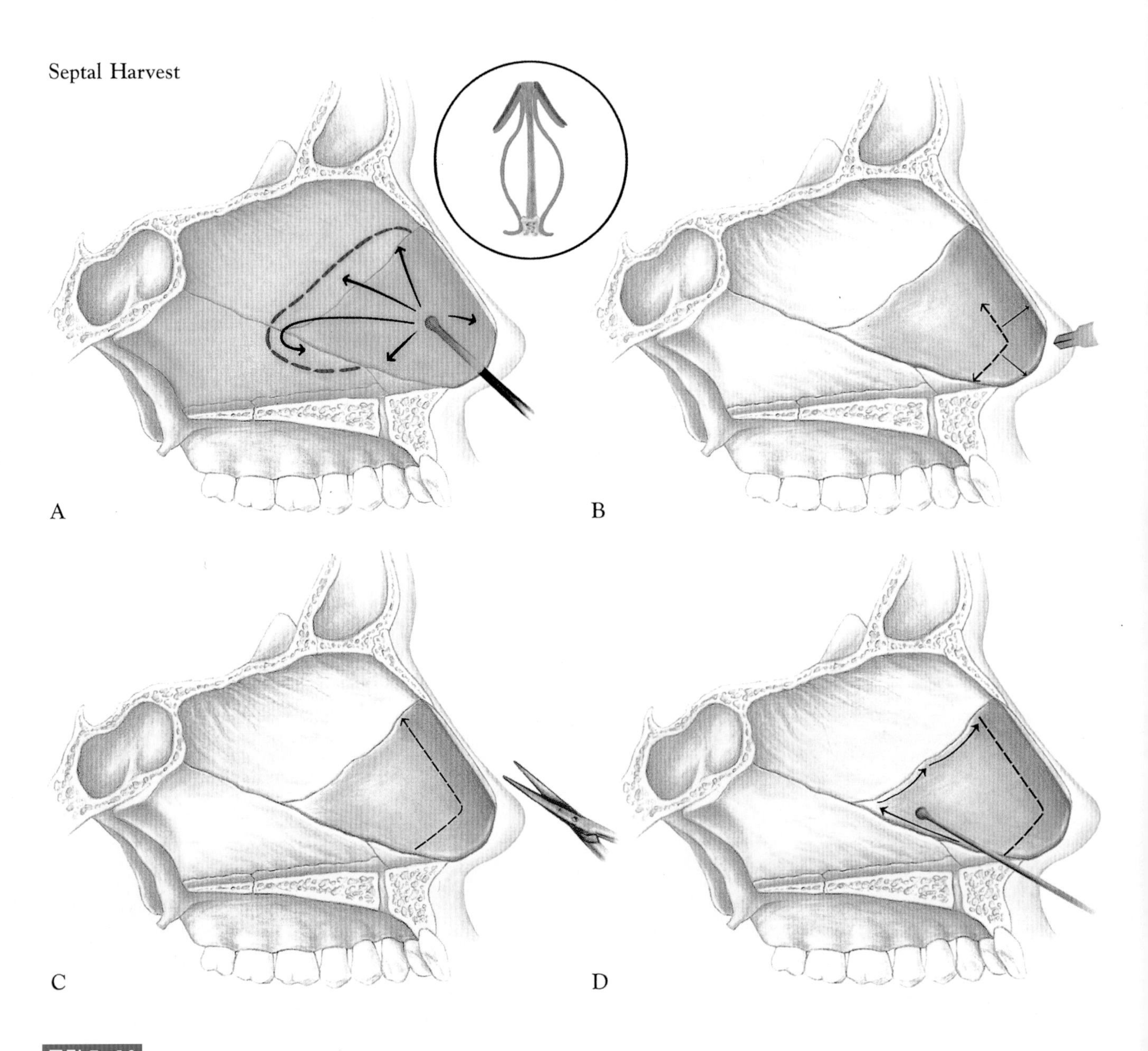


그림 7-18

이식물을 떼어낼 때에는 2가지 방법이 유용하다. 첫째, 더 작은 순수한 연골이식물이 필요하면 사골수직판-비중격연골접합부를 따라서 수직으로 골로부터 연골을 분리하는데, 이렇게 하면 겸자로써 쉽게 떼어낼 수 있다. 둘째, 최대길이의 이식물이 필요하면 미측 박리를 연장한 다음, Tebbetts 비중격집게(septal grasper)를 사용하여 후부의 골결합을 부러뜨려서 이식물을 떼어낸다. 이식물을 흔들어서 움직일 때에는 원형으로 비틀어서 비중격을 분열시키기 보다는 가로로 점잖게 하는 것이 중요하다. 그 다음, 이식물을 식염수용액의 그릇에 넣는다. 저자는 점막공간을 접합시키기 위한 비중격점막봉합술을 사용하지는 않으며, 오히려 수술의 마지막에 Doyle 부목을 넣고 봉합함으로써 사강을 압박한다.

## 비중격점막열상(Septal Mucosal Tear)의 복원

대개 볼록한 사골-서골접합부와 비중격연골-서골접합부나 뾰족한 비중격 돌기(septal spur)에서 부득이하게 점막이 크게 찢어진다. 작은 전방 열상이면 작은 M-1(#742) 봉합침과 4-0 평장사를 사용하여 비공을 통하여 직접봉합술을 하는 것이 어렵지 않다. 열상이 더 크고 좀 더 후방에 있을수록 개방접근술을 사용하며, 비공을 통하기 보다는 '비중격측'에서 꼭대기로부터 복원하면 더 간단하다. 그러나 폐쇄접근술에서 찢어졌으면 어두운 곳에서 깊은 봉합사를 묶어야 하므로 저자는 Drumheller의 '올가미기법(lasso technique)'을 사용한다. 이 기법은 다음 단계들로써 구성되어 있다. 1) M-1 봉합침을 사용한다. 2) 봉합사의 끝을 잡고 흡입관 끝(suction tip)에서 외과 매듭을 짓는다(그림 7-19A). 3) 봉합사를 흡입관 끝에서 빼내며, 원형의 '올가미'를 유지한다. 4) 총검형봉합침집게(bayonet needle holder)를 사용하여 봉합침을 점막열상의 두측 단으로 통과시킨다. 5) 봉합침을 비공 밖으로 빼내어서 '올가미'에 통과시킨다(그림 7-19B). 6) 올가미를 코 안으로 잡아당기는 봉합사에 긴장을 줌으로써 올가미를 꼭 맞도록 조인다. 7) 열상이 모두 닫힐 때까지 계속해서 봉합하며, 비공구(nostril aperture) 가까이에서 앞쪽으로 매듭을 짓는다. 올가미 기법의 장점은 단순성과, 코에서 깊게 매듭을 지을 때 점막열상을 방지하는 것이다.

A

B

그림 7-19

## 비절골술 (Osteotomies)

비절골술은 목적보다는 시술 방법에 따라서 흔히 분류된다. 외측비절골술의 목표는 열린 비배지붕(open dorsal roof)을 닫는 것뿐만 아니라 가장 넓은 코의 골저폭(base bony width, X-X)을 좁히는데 있다.

가장 흔히 사용하는 2가지 방법은 저-고위외측비절골술과 저-저위외측비절골술로서 방향, 골절의 정도, 그리고 이동의 정도가 서로 다르다. *저-고위외측비절골술(low-to-high lateral osteotomy)*은 상악골의 전두돌기(frontal process of maxilla)에 있는 이상구(pyriform aperture)에서 시작하며, 이를 접하여 지나다가, 내안각 수준에서 가로질러서 비골봉합선까지 간다(그림 7-20). 그 다음, 외측비벽에 수지압박술(digital pressure)을 하면 횡단부에서 *약목비골절(greenstick fracture)*이 되며, 외측비벽이 완만하게 기운다.

대조적으로, *저-저위외측비절골술(low-to-low lateral osteotomy)*은 2단계로 이루어진다(그림 7-21). 첫째, 횡단비절골술은 내안각 바로 두측에 한 작은 수직 좌절(stab incision)을 통하여 위치시킨 2mm 폭의 절골도로써 한다. 이 절골도를 가볍게 두드려서 외측비벽을 완전히 수직절골 한다. 둘째, 저-저위외측비절골술은 곧은 절골도로써 한다. 상악골의 전두돌기에 있는 이상구에서 시작하여, 외측비벽을 직선으로 지나서, 내안각 수준에서 끝난다. 수지압박술을 함으로써 외측비벽을 *완전히 움직이며(complete mobilization),* 코를 뚜렷이 좁힌다. 두 방법의 근본적 차이점은, 저-고위외측비절골술은 이동을 제한하는 약목비골절에서 골접촉을 유지하는데 비하여, 저-저위외측비절골술은 외측비벽을 완전히 이동시키는 횡단의 완전비절골술을 하는 것이다.

비절골술을 하는데는 2가지 방법이 있다. 즉, 내비접근술(endonasal approach)과 경피접근술(percutaneous approach)이다. 본질적 차이점은, 경피접근술은 골에 뚫은 여러 개의 작은 구멍을 필요로 하는데 비하여, 내비접근술은 굽거나 곧은 보호절골도(guarded osteotome)의 촉지에 의하여 유도된다. 경피접근술의 지지자들은 조절성과 정확성을 선호하며, 어려운 점(부적절한 이동과 깊이 조절)을 간과하는데 비하여, 내비접근술의 지지자들은 단순성과 완전한 이동성을 더 좋아하지만, 한계들(일단 시작하면 특정한 선에서만 시행하여야 하는 것과 추가적 외상)을 간과한다. 비절골술의 종류의 선택은 코의 골저폭(X-X)에 따라서 결정하며, 이때 코는 내안각간격보다 좁아야 한다.

절골부에 1cc의 국소마취제를 피하 및 점막하 둘 다로 다시 주사한다. 작은 검경을 비공에 수직으로 넣고, 이상구에 걸터앉힌다. 이상구에 가로 절개를 함으로써 비첨절개선과 연결되는 것을 피한다. 보호기(guard)가 바깥쪽을 향하도록 절골도를 넣음으로써 촉지되도록 한다. 술자는 오른손으로써 절골도를 잡고, 왼손으로는 절골도의 보호기를 촉지할 수 있다. 그 다음, 조수는 두드림과 쉼의 기간이 같도록 망치를 리듬감 있게 연속적으로 '톡톡(tap-tap)' 절골도를 친다. 이렇게 상칭적(相稱的)인 시간 간격으로 두드리는 사이에서 술자는 절골의 방향과 각상(angulation)을 미세하게 조절할 수 있다. 외측비절골술은 내안각 수준이나, 미리 해둔 횡단비절골술의 기저까지 계속 한다. 저-저위외측비절골술에서는 절골도를 90도 회전시키는데, 이때 절골도의 날은 상악골 반대쪽으로 밀어서 외측비벽을 안 쪽으로 밀어 넣는다. 저-고위비절골술에서는 절골도를 빼내고 수지압박술을 사용하여 횡단약목비골절술을 하면 외측비벽이 적절한 경사를 이룬다. 그 다음, 코를 몇 분 동안 잡고 있음으로써 출혈이나 부종을 최소화한다.

골저폭을 좁히는 외측비절골술과는 달리, *내측사선비절골술(medial oblique osteotomy)*은 넓은 비배를 좁힌다(그림 7-22). 굽은 절골도를 열린 지붕의 두측 단에 위치시키고, 내안각을 향하

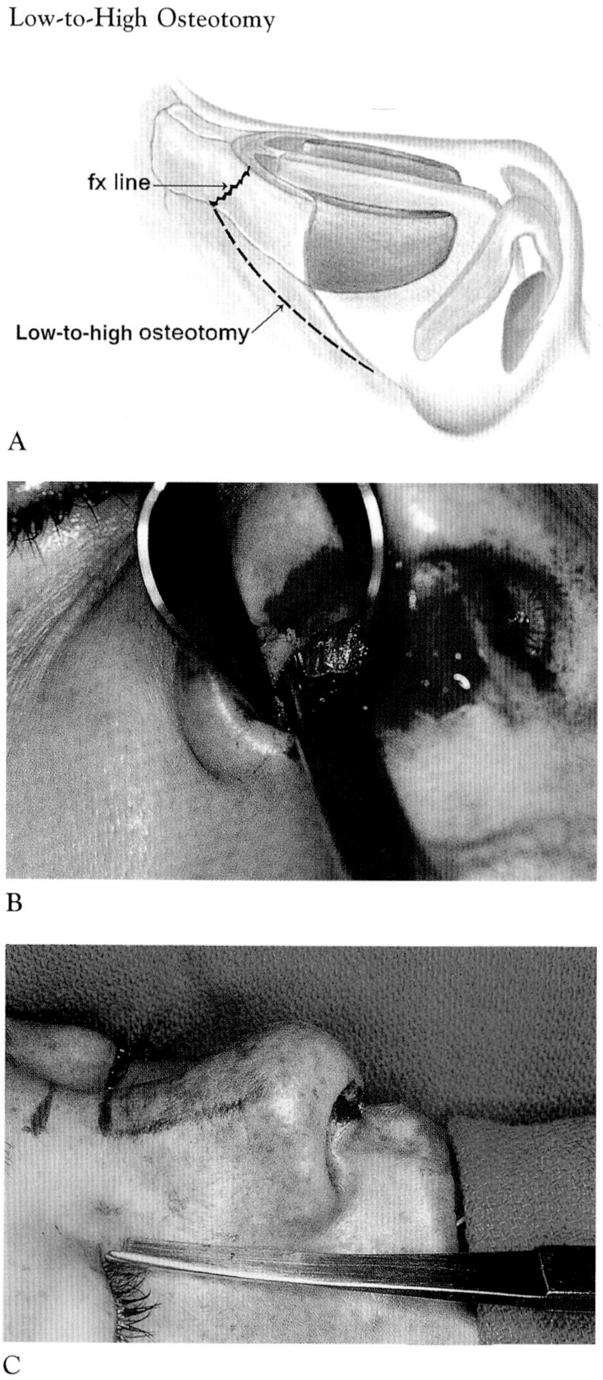

Low-to-High Osteotomy

fx line

Low-to-high osteotomy

A

B

C

그림 7-20

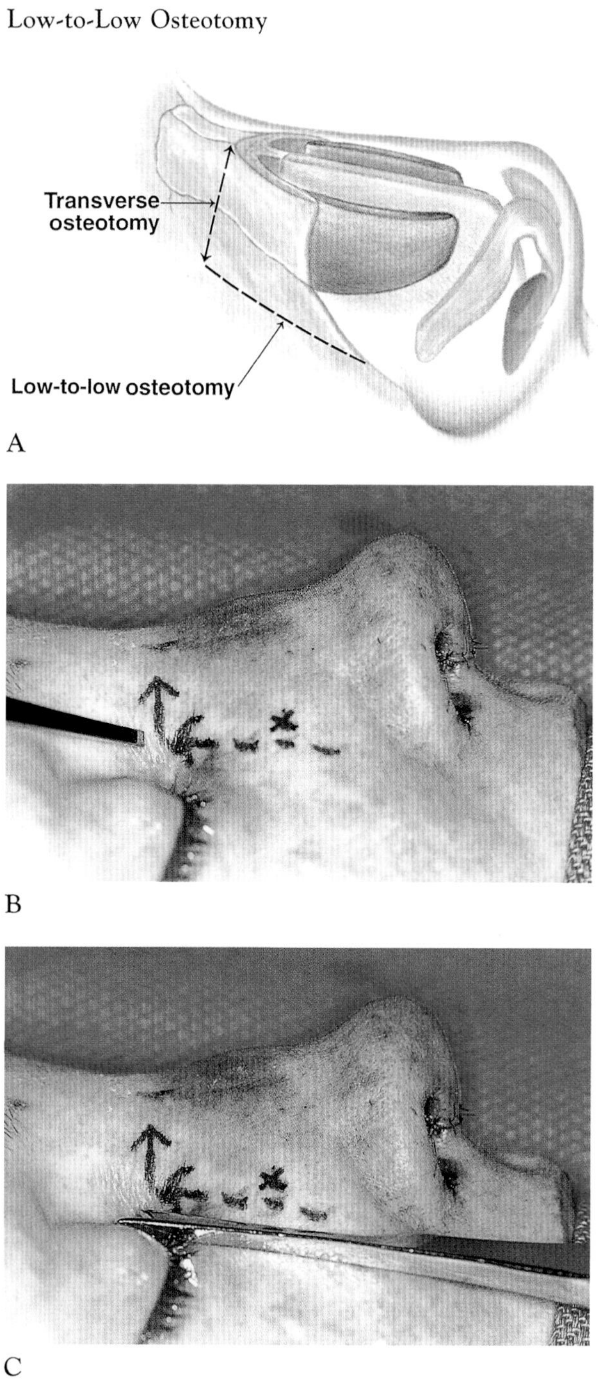

Low-to-Low Osteotomy

Transverse osteotomy

Low-to-low osteotomy

A

B

C

그림 7-21

여 반쯤 외측으로 지난다. 그 다음, 저-저위외측비절골술을 한 다음, 수지압박술을 통하여 횡단 비절골술을 완성한다. 이로써 비배폭이 매우 뚜렷하게 축소된다.

## 원칙

- 전면에서 비절골술의 *적응증(indication)*을 결정 한다. 이때, 골저폭이 중요하다.
- 외측비벽의 필요한 *이동(movement)* 량에 따라서 비절골술의 *방법*을 결정한다. 경사 시키려면 저-고위외측비절골술, 외측비벽의 완전 축소가 필요하면 저-저위외측비절골술.
- 절골 *기법*을 결정하고 숙달 한다. 즉, 내비접근술(endonasal approach) 대 경피접근술(percutaneous approach)

Medial Oblique Oseotoy

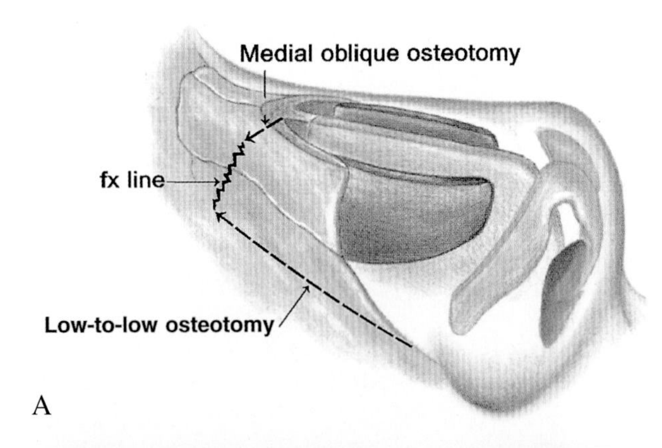


A

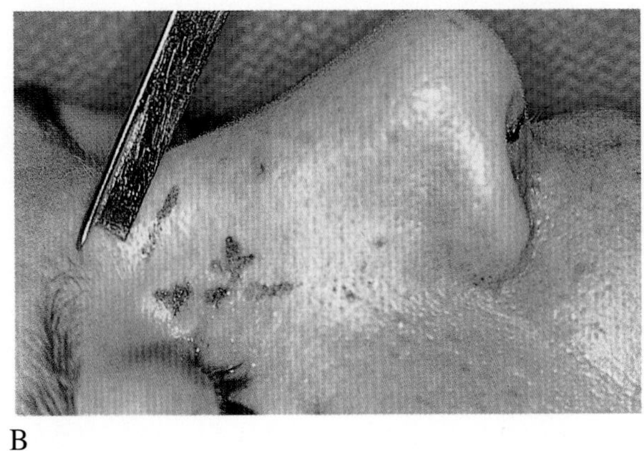

B

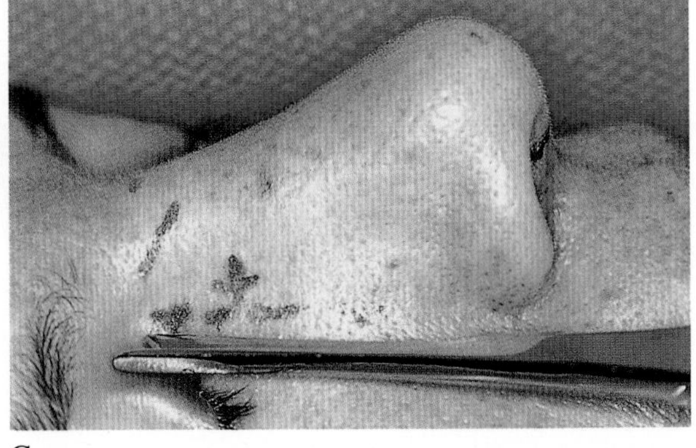

C

그림 7-22

## 이식물 준비(Graft Preparation)

조수가 코를 압박하고 있는 동안에, 술자는 절제해낸 조직(비배, 두측 외측각), 비중격, 이갑개, 그리고 근막을 포함하여 유용한 이식물들로써 이식술을 준비한다(그림 7-23). 요즈음, 저자는 이식물을 가능한 한 거의 변형시키지 않으며, 고형의 연골이식물을 압좌시키거나 타박한 이식물보다 더 좋아 한다. 왜냐하면 후자는 예측 불가능한 흡수의 위험이 있다. 다양한 공여부로부터 이식물을 채취하여 가장 효과적으로 이용하는 것이 중요하다.

많은 이차비성형술에서 이식물의 필요와 공급 사이에 심한 차이가 있다. 한 가지 예로서, 제자리에 봉합하기 위하여 천공시켜 놓은 서골을 연전이식물이나 비주이식물로써 사용하는 경우가 있다. 비배이식물을 도안하는 동안에 어려운 선택을 하게 되는데, 특히 얇은 피부 아래에서 다층이 필요할 때 그러하다. 이식물에서 모양내기 하는 양과 잘라 버리는 양은 경우에 따라서 다르다. 즉, 연전이식물과 비주지주는 대개 한 번에 딱 맞게 잘라낸다. 그런데 비배이식물은 자른 다음, 흔히 cautery scratch pad로써 사포질하여 경사지게 한다. 비첨이식술에는 3단계의 절차가 필요하다. 즉, 본(pattern)의 도안과 자르기, 일반적인 모양내기, 그리고 제 위치에서 본격적 다듬기(definite in-situ refinement).

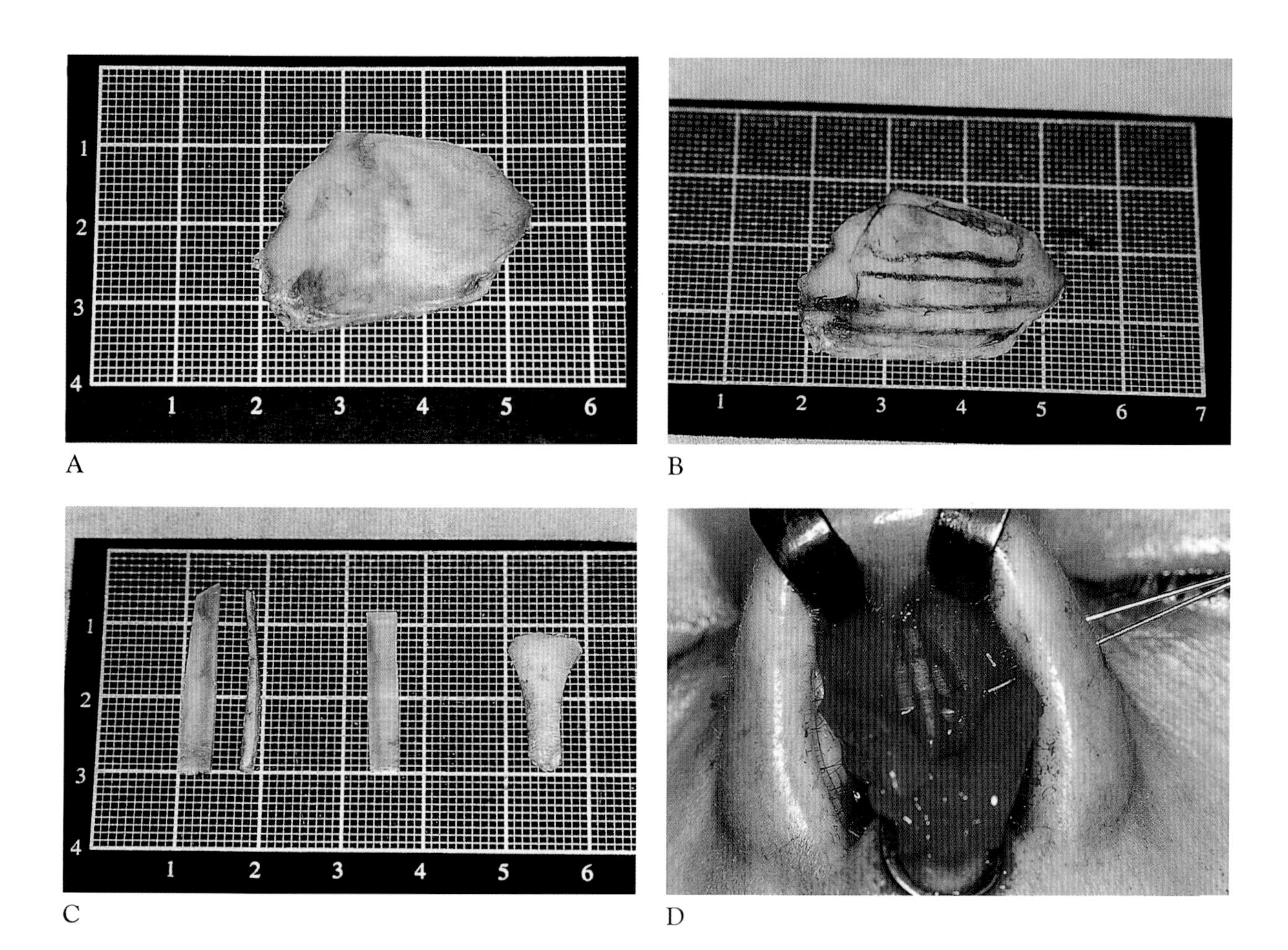


그림 7-23

## 본격적 비배 및 연전 이식술(Definite Dorsum/Spreader Graft Insertion)

비절골술을 한 다음, 비배의 평탄성과 최종 측면을 다시 점검한다(그림 7-24). 비종석부에서는 최소한의 연골절제술뿐만 아니라 추가적인 줄질도 한다. 일단 비배가 만족스러우면 연전이식술을 한다(그림 7-25). 연전이식물은 성냥개비 크기의 연골 조각이나 서골이며, 이를 사용함으로써 비배축소술로써 잃어버렸던 비중격의 정상적인 비배폭을 복원한다. 연전이식술로써 비대칭을 교정하며, 역V형변형을 방지하며, 그리고 집게형코(pinched nose)를 피할 수 있다. 기능적으로, 연전이식물은 상외측연골을 바깥쪽으로 벌림으로써 내비판막의 구멍을 10-15도로 회복하며, 자연스러운 중간원개도 미학적으로 유지시킨다. 연전이식물은 바람직한 길이(20-25mm) 및 높이(2.5-3.5mm)로 쉽게 자를 수 있으며, 폭(0.5-3.5mm)은 중간원개의 미학적 또는 비대칭의 교정에 따라서 다르다. 원래는 점막하(submucosal) '포켓'에 이식하였지만, 이제 대부분의 술자들은 비배측 연골비중격(dorsal cartilaginous septum)에서 점막을 일으키고, 두측에 남아있는 건재한 비배 아래로 작은 포켓을 만든다. 그 다음, 이식물을 제 자리에 붙들어 두고, 경피적으로 통과시킨 2개의 25번 주사침으로써 잠정 고정한다. 이식물을 비배측 비중격과 같은 수준에 있게 하고, 내비판막보다 조금 두측으로 위치시키며, 그리고 건재한 비배 아래로 연장시키는 것이 중요하다. 그 다음, 이식물을 제 자리에서 봉합한다. 5-0 PDS사로써 이식물을 비중격에 봉합(3층)하거나, 4-0 PDS사를 사용하여 상외측연골도 포함(5층)시킬 수도 있다. 요즈음, 저자는 수평석상봉합술의 사용을 줄이고, 연전이식물의 상승을 방지하는 표준십자형봉합술(standard criss-cross suture)을 선호한다.

### 원칙

- 이식술의 요구 조건과 유용한 이식물을 신중하게 판단한다. 우선순위: 비배이식술, 비첨이식술, 비주이식술, 그리고 연전이식술
- 비배를 신중하게 점검한다. 피부를 외측으로 잡아당겨 보고, 젖은 손가락으로 촉지하여 모든 부위가 평탄한지를 점검한다.
- 연전이식술을 할 때에는 문턱(threshold)을 낮춘다. 이렇게 함으로써 후회한 적은 없으며, 하지 않아서 후회한 적은 있다.
- 연전이식물은 제 자리에 봉합하여야 한다. 그렇지 않으면, 이식물이 비배로 미끄러지거 나, 치켜 올라간다.

Dorsal Smoothing

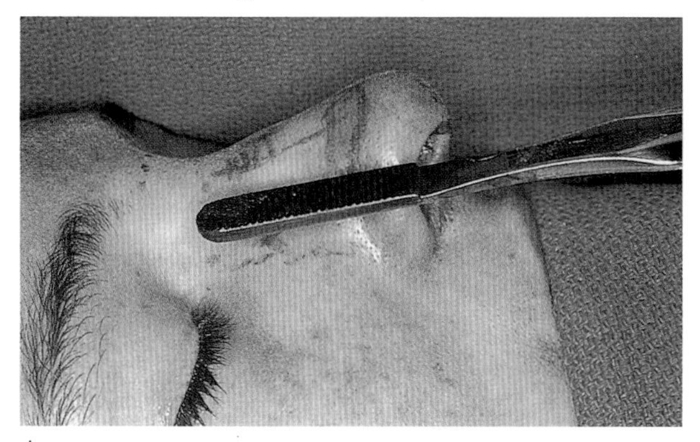

A

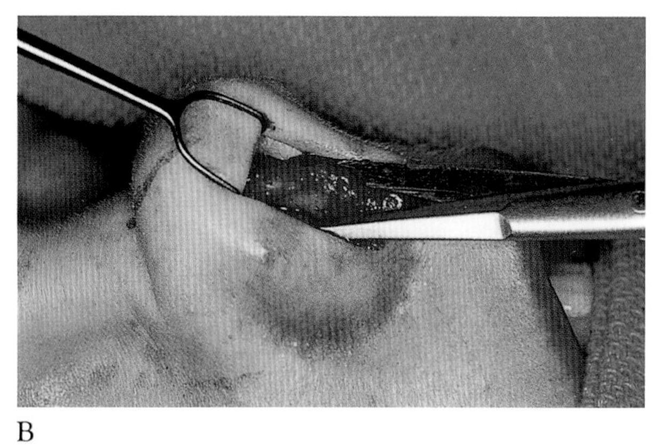

B

그림 7-24

Spreader Grafts

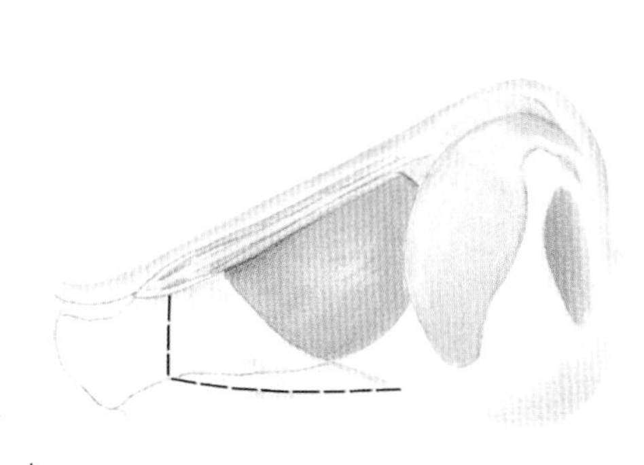

A

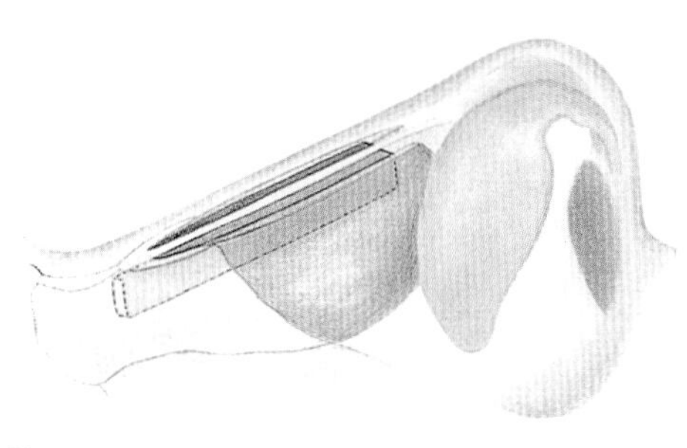

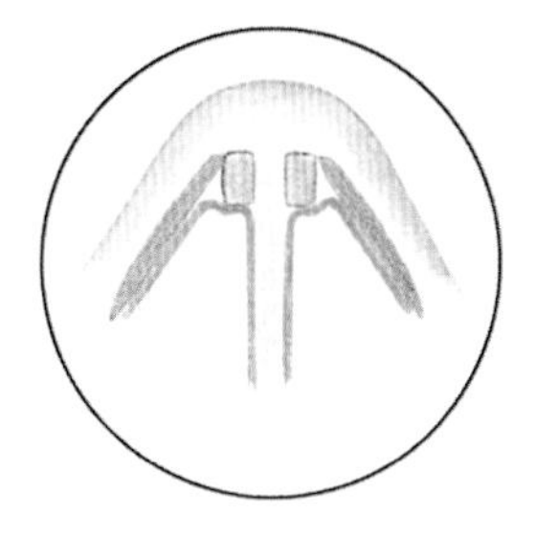

B

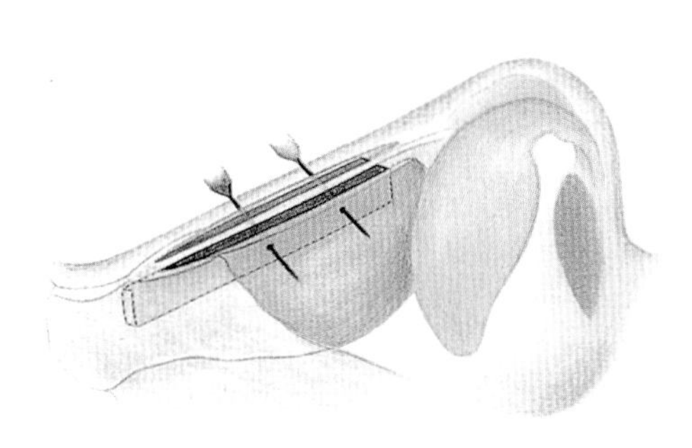

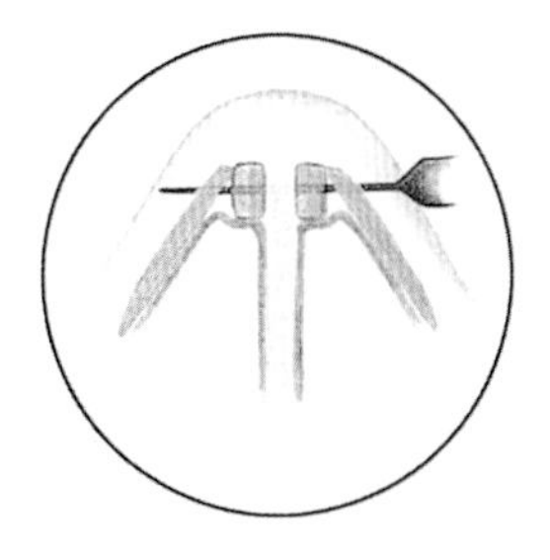

C

그림 7-25

## 비주지주 (Columella Strut)와 비첨 완성 (Definite Tip)

비첨수술은 임의로 절제술, 봉합술 또는 이식술로 분류할 수 있다. 비주지주는 본격적인 비첨 봉합술이나 비첨이식술을 하기 전에 비첨을 지지하기 위하여 사용된다. 예외는 최소한의 비첨수술, 단순절제술, 또는 한두 번의 봉합술을 하는 증례이다. 때때로 절제해낸 비배연골로부터 비주지주를 만들 수는 있지만, 비중격연골로부터 더 흔히 만든다.

이식물의 치수와 모양은 목적에 따라서 다양하다. 1) 중간각과 내측각을 지지하고 모양내기를 위한 *각지주*(*crural* strut), 2) 비주경사각과 비주-상구순분절에 영향을 주기 위한 *비주지주*(*columella* strut), 3) 전체 돌출을 증가시키기 위한 *구조이식술*(*structural* graft). 가장 흔한 형태는 곧은 각지주(20X3mm)이다. 각지주이식술을 하기 전에, 비익 및 원개의 대칭을 점검하는 것이 중요하다. 즉, 경증 내지 중간증의 비대칭은 각지주 위로 내측각과 중간각을 비대칭으로 전진시킴으로써 조정할 수 있다. 건절개가위(tenotomy scissors)를 사용하여 내측각과 중간각 사이에서 미측의 전비극을 향하여 수직의 포켓을 만든다(그림 7-26). 각지주를 내측각과 중간각의 미측 경계 뒤에서, 그리고 전비극을 향하여 포켓 안에 위치시키되, 전비극까지는 가지 않는다. 25번 경피주사침을 사용하여 각지주를 정확한 위치에 잡아둔다. 비주변곡점에 중심을 두고, 5-0 PDS 석상봉합사로써 내측각과 중간각과, 각지주를 함께 봉합한다(crura and strut complex). 봉합할 때에는 조금 느슨하게 함으로써 정상적 원개 분리(domal separation)를 보존하여야 한다.

Columella Strut Insertion

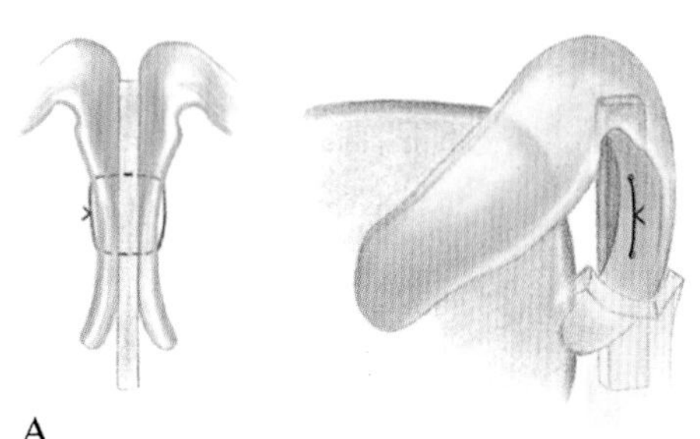
A

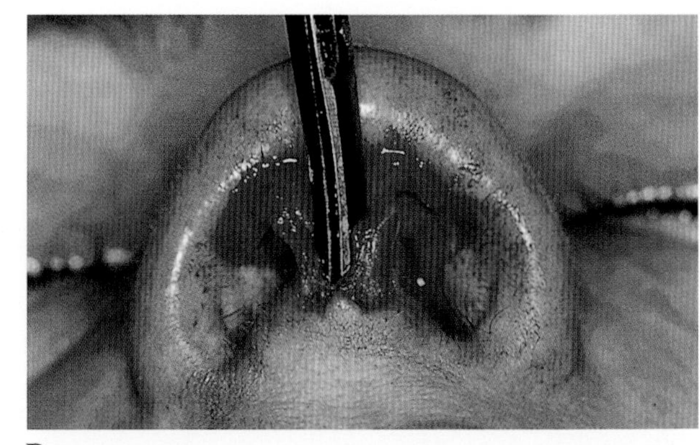
B

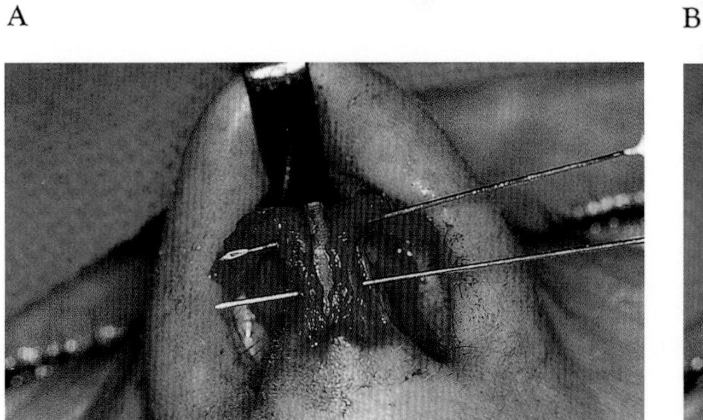
C

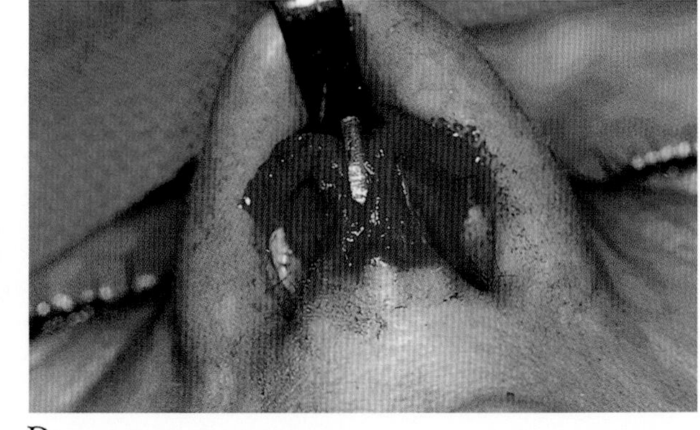
D

그림 7-26

각지주를 제 자리에 위치시킨 다음, 비첨에서 사용할 기법에 대하여 마지막 결정을 내린다. 비첨의 모양내기만으로도 바람직한 목표를 이룰 수 있을 때에는 언제나 봉합술을 선호하지만, 비익연골이 부적절하거나, 피부외피가 싸고 있어서 가리고 있을 뿐이지 비익연골이 부적절하거나 변형되었을 때에는 언제나 이식술을 선호한다.

봉합 기법은 봉합의 숫자, 순서, 그리고 복잡성에서 매우 다양하다. 저자가 비첨다듬기(tip refinement)를 위하여 사용한 방법은 다음과 같다. 1) 각지주이식술, 2) 원개형성봉합술(domal creation suture), 그리고 3) 비첨회전과 함께 원개등화봉합술(domal equalization suture). *원개형성봉합술*은 원래 중간각의 미측 경계에 있는 '원개절흔(domal notch)'이 뚜렷이 나타나는 원개분절에 위치시킨 5-0 PDS사를 내측에서 매듭짓는 비대칭 수평석상봉합술이다(그림 7-27, 28). Mustarde의 이개성형술에서처럼 목표는 원개에 말림(curl)을 만들며, 특히 오목한 외측각 옆에 볼록한 원개분절을 미학적으로 결합시키는 것이다. 입구와 출구에서 봉합의 뜸(bite)은 두측(4-6mm)보다 미측 경계 (3-4mm)에서 더 작은 경향이 있는데, 이는 미측에서 더 뚜렷하게 말기 위함이다. 양측 원개는 각각 독립적으로 이상적인 정의를 얻게 한다. 그 다음, *원개등화봉합사*를 양측 원개분절의 두측부로 지나게 함으로써 원개간격을 좁히고 확실히 대칭이 되도록 한다(그림 7-27, 28). 만일 추가적인 비첨의 두측회전이 필요하면 4-0 PDS사를 비주지주-각복합체(columella strut crural complex)로부터 전비중격각 바로 두측에 있는 비배측 비중격으로 넣어서 조인다. 조이는 정도가 회전량을 결정한다. 각-지주복합체의 어디를 잡느냐에 따라서 비첨회전과 비첨돌출 둘 다를 조절할 수 있다. Tebbetts[33]는 봉합술 사용에서 다음 사항들을 강조하였다. 1) 모든 봉합사를 단단히 매듭지어서는 안 된다. 2) 봉합술은 술중에 가역적(reversible)이다. 3) 모든 봉합술을 다 사용할 필요는 없다. 더욱이, 저자는 바람직한 정의와 돌출이 이루어지지 않았으면 봉합한 비첨에 비첨이식술을 추가한다(그림 7-29). 적어도, 봉합술은 더 좁고 좀 더 다듬어진 기저를 만들며, 그 위에 비첨이식물을 위치시킨다. 개방구조비첨술(open structure tip)에서 원개분절절제술에 의존하였던 Johnson[19]과는 달리, 저자는 비첨이식술을 하기 전에 절제술보다는 원개형성봉합술을 통상 사용한다. 이렇게 봉합술과 이식술을 동시에 하면 환자에게 '자연스러운' 미학적 코를 가질 가능성을 최대한으로 제공할 뿐만 아니라 술자로 하여금 최대의 유연성과 경험을 쌓게 한다.

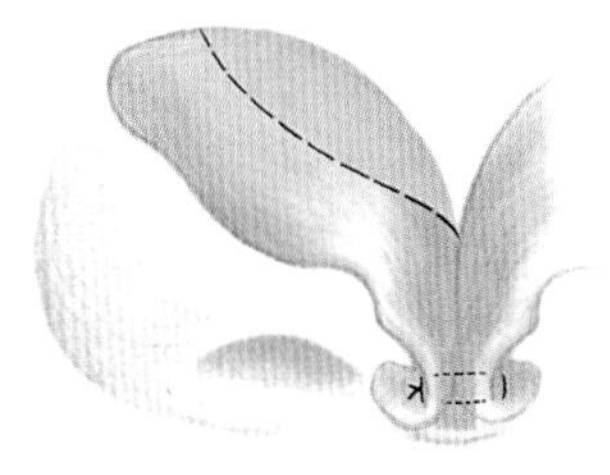
Strut suture

Domal creation suture

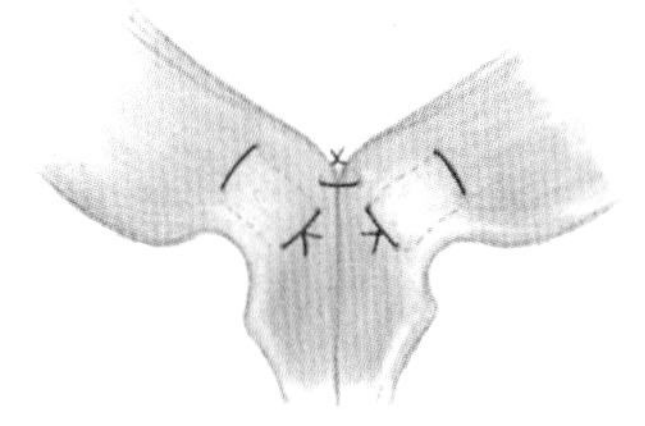
Domal equalization suture

그림 7-27

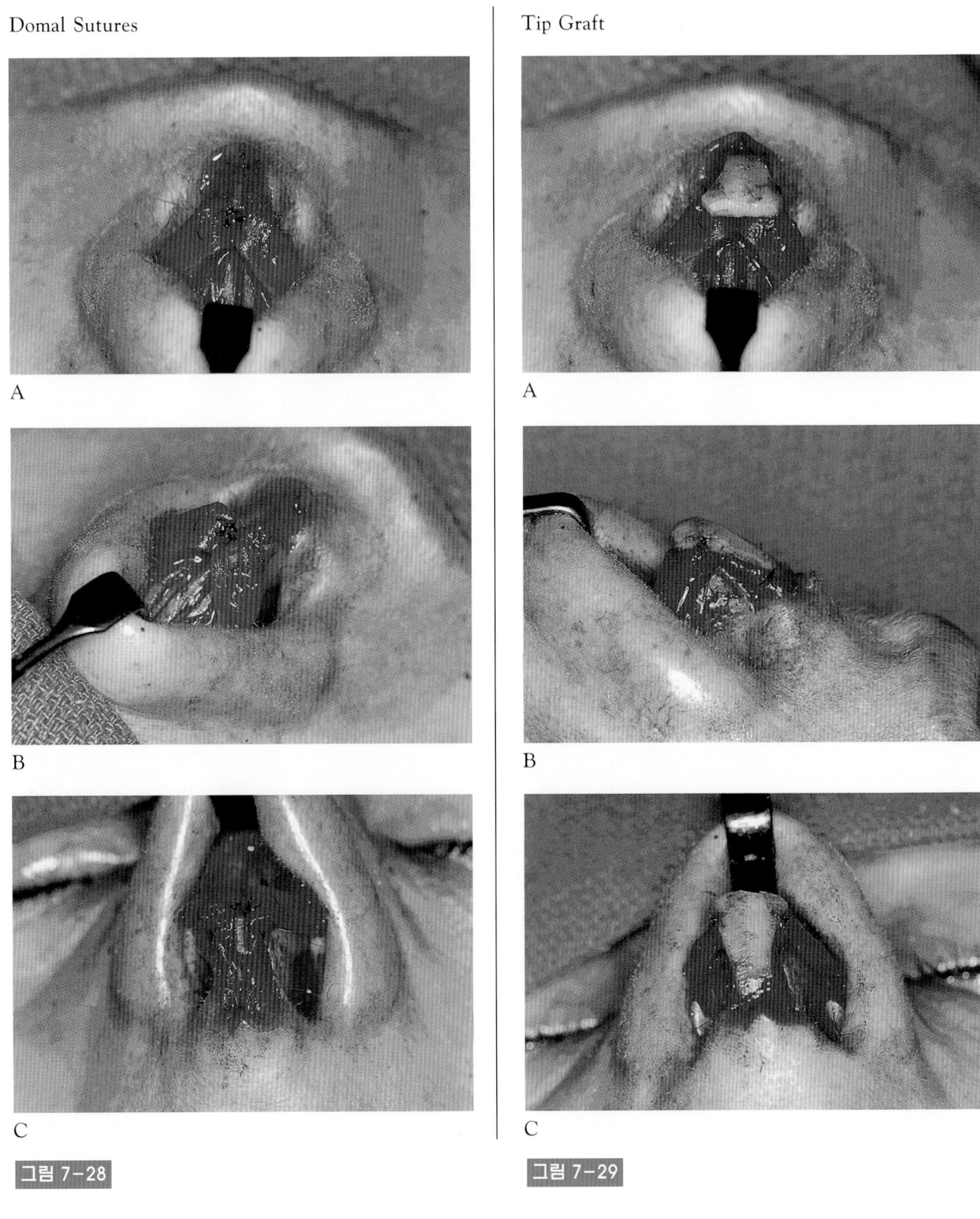


그림 7-28

그림 7-29

## 원칙

- 만일 개방접근술을 사용하면 구축력(contracture force)에 저항할 각지주를 계획하라.
- 비주를 지나치게 좁히지 말고, 하비소엽은 비주와 분리시켜서 유지하라.
- 비첨봉합술은 효과적이며, 극적인 변화를 가져올 수 있다. 그러나 남용하지 말라.

## 봉합술

모든 절개선을 봉합한다. 저자는 경비주절개선부터 시작하며, 다음의 첫 3가지 봉합술을 한다(그림 7-30A). 즉, 첫째, 정렬시키기 위하여 V자의 정점에서 정중선봉합술(midline suture). 둘째, 피부의 재배치를 위하여 외측구석봉합술(lateral corner suture). 셋째, 비주기둥봉합술(columellar pillar suture). 필요하면, 추가적인 단속봉합술을 하는데, 흔히 합계 10-12개 정도 된다. 그 다음, 연골하절개선을 2개의 5-0 평장선으로써 봉합한다. 연골하절개선을 있는 그대로 봉합하기(line-up)보다는 저자는 Toriumi가 권고하는 대로, 외측으로부터 원개로 2개의 각진 봉합술(angulated suture)을 선호한다(그림 7-30B). 그러나 이동성이 있는 비익연을 끌어다가 퇴축된 비익연골에 봉합함으로써 비익연에 절흔을 만드는 것은 피하여야 한다. 이때, 긴장 없이 봉합하기 위하여 외측각의 점막을 박리할 필요가 때때로 있다. 그 다음, 4-0 평장사 2-3개로써 관통절개선을 봉합한다.

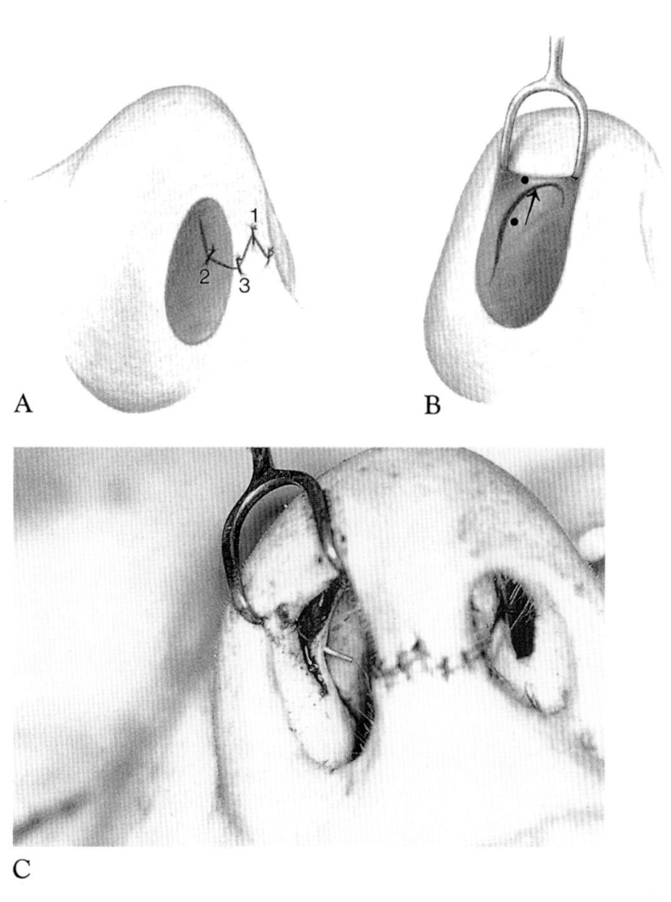


그림 7-30

## 비익저변형술 (Alar Base Modification)

비익저변형술은 술전에 신중하게 계획하여야 하며, 매우 보존적으로 시술하여야 한다. 과감한 절제술의 결과는 비참하며, 실제로 복원할 수 없다. 절제술의 종류와 절제량의 결정은 비익장개(alar flare)와, 내안각간격에 대한 비익폭뿐만 아니라, 비공의 모양과 비공상폭에 근거한다. 비익폭(AC-AC)은 비익주름에서 계측하며, 비익장개(AL-AL)는 비익의 가장 넓은 점에서 계측하는데, 비익장개는 대개 비익주름 두측 4-5mm 지점이다. 내안각간격(EN-EN)과 마찬가지로, 이러한 비익폭과 비익장개는 환자에서 활주측경기(sliding caliper)로써 직접 계측한다. 비공상폭은 전면에서 가장 흔히 평가하며, 과대하게 보이는지, 아니면 정상인지를 쉽게 결정할 수 있다. 술전에 비익폭(AL-AL)이 내안각간격(EN-EN)보다 더 넓은지, 또는 술중에 비배지지와 비첨돌출이 축소됨에 따라서 비익폭이 더 넓어질 것인지를 결정하는 것이 중요하다.

기본적으로, 다음의 3가지 외과 수기가 있다. 1) 비공보임(nostril show)을 감소시키기 위한 단순비공상절제술(simple nostril sill excision), 2) 비공장개(nostril flare)를 감소시키기 위한 쐐기형비익절제술(alar wedge excision), 그리고 3) 비익폭뿐만 아니라 비익장개를 감소하기 위하여 비공상 및 쐐기형비익 동시절제술(combined nostril sill/alar wedge excision). *비공상*절제술(*nostril sill* excision)을 위하여, 2.5-3.5mm 폭의 역사다리(inverted trapezoid)를 그린다(그림 7-31A, B). 양쪽은 수직이며, 비전정과 피부 표면으로 각각 똑같이 연장되면서 삼각형을 그린다. 이러한 도안은 상구순의 쐐기형절제술과 비슷하다. 국소마취제를 주사한 다음, 쐐기형절제술을 한다. 4-0 평장선의 수평석상봉합술로써 비공상의 절반과 비전정을 닫는데, 봉합연을 외번 시켜서 함몰반흔을 방지한다. 비공상의 절반과 피부는 6-0 나일론사로써 봉합한다.

*쐐기형비익*절개술(*alar wedge* excision)에서는 비익주름 두측 0.5-1.0mm에서 절개하는 것이 중요하다(그림 7-31C, D). 너무 높으면 눈에 띄는 반흔이 생기며, 주름에 절개하면 자연스러운 곡면이 영구적으로 파괴된다. 측경기의 정확도를 이용하여 절제선(평균 2.5-4mm)을 그리는데, 양쪽에 양적 변화를 줌으로써 비대칭을 조절한다. 국소마취제를 비익저에 주사하고, 새로운 15번 수술도를 사용한다. 단구겸자를 사용하여 수술 부위를 안정시키고, 아래에 놓인 점막을 관통하지 않으면서 V형쐐기형절제술을 한다. 지혈한 다음, 6-0 나일론사를 사용하여 절개연을 닫는데, 좀 더 늘어진 쪽(dependent side)에 매듭을 위치시킨다.

비공상 및 쐐기형비익 *동시절제술*(*combined* nostril sill/alar wedge excision)에서는 비익주름 두측의 비익절개선을 비공상절제선의 내측 수직 부분의 기저로 연장시킨다(그림 7-31E, F). 절제선을 대단히 보존적으로 그리는데, 특히 비공상 부분에서 그러하다. 외측 비공상절제선을 좁게(최대한 2-3mm) 그린 다음, 쐐기형비익부에서는 3-4mm로 넓히는 것이 가장 좋다. 동시절제술은 비전정에서는 비전정의 원래 구조를 보존하는 V형쐐기절제술이지만, 비공상에서는 완전한 쐐기형절제술이다. 지혈이 언제나 필요하다. 외번시킨 반흔을 확인하면서, 비전정과 비공상의 연경계(rim border)가 정렬되도록 4-0 평장사의 수평석상봉합술로써 봉합을 시작한다. 여러 개의 6-0 나일론사 봉합을 더 사용하며, 때로는 비전정에 평장사로써 추가적 봉합술이 필요하다.

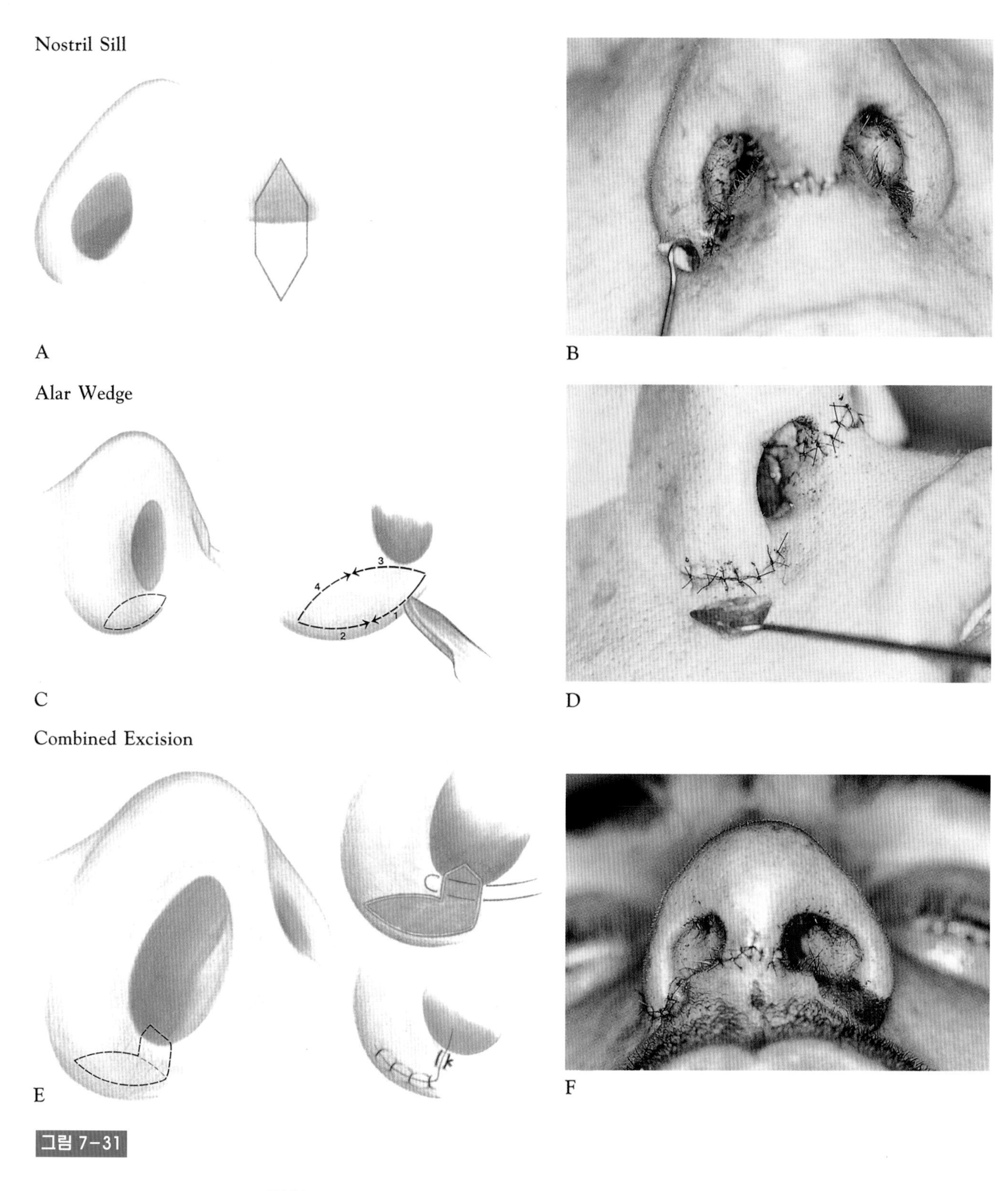


그림 7-31

## 원칙

- 경비주절개선을 상세하게 봉합하는 세심한 주의가 최종 반흔을 결정한다.
- 비익저변형술은 정확하고 보존적으로 하여야 한다.
- 복합절제술을 하기 전에, 각각의 쐐기형비익절제술과 비공상절제술에 숙달하여야 한다.

## 드레싱과 술후 관리

전형적인 비충전은 하지 않는다. 이것은 필요하지도 않으며, 환자들도 싫어한다. 만일 비중격수술이나 비갑개수술을 하였으면 polysporin 연고를 바른 Doyle 부목을 비기도 안으로 넣는다(그림 7-32). 점막편(mucosal leaflet)을 압박하기 위하여 1개의 4-0 나일론사의 수평석상봉합술로써 서로 봉합하는데, 언제나 좌측에서 매듭을 만든다. 이러한 부목들은 비중격혈종의 위험을 최소화하며, 유착형성을 방지한다. 큰 비중격바루기(septal straightening)를 하였으면 관(tube)들을 남겨두지만, 다른 경우에서는 제거함으로써 쉽게 호흡하도록 해준다.

그 다음, 1.2cm 폭의 Steri-strips를 코에 붙임으로써 피부외피를 압박하며, 부종을 줄이고, 비첨의 모양을 잡는다. 반창고는 다음 순서에 따라서 붙인다(그림 7-33). 1) 비근으로부터 상비첨까지 비교 위에서 조금씩 중복되도록 3개의 가로 반창고를 붙인다. 2) 비교연(edge of nasal bridge)을 따라서 2개의 반창고를 세로로 붙인 다음, 그 끝을 서로 맞물리게 붙임으로써 비첨을 좁히고 또 비첨을 좀 더 두측회전 된 위치에서 지지되도록 한다. 3) 또 다른 가로 반창고를 붙여서 상비첨피부를 압박한다. 작은 Telfa 거즈 조각(4×1cm)을 비배를 따라서 위치시킴으로써 다음에 코 부목을 쉽게 제거하도록 해준다. 플라스틱중합체 부목(plastic polymer splint)을 끓는 물에 넣어서 유연해지면 비골부 위에서 형을 뜬 다음, 얼음물을 부어서 즉시 '굳힌다'. 그 다음, 2.5cm의 반창고 조각을 양 볼에 붙이고, 점적 거즈(gauze drip pad)를 비공 아래에 위치시킨다. 거즈를 반창고로써 붙잡게 한 다음, 양 볼에 붙여놓은 '반창고로부터 반창고로(from tape to tape)' 반창고를 붙임으로써 볼의 찰과상을 피한다. 술자는 즉시 수술기록지를 구술(dictation), 작성하고, 수술 진행표와 도해를 작성한다.

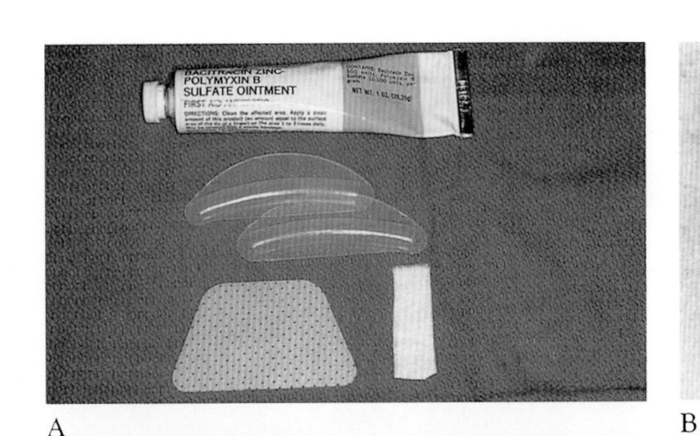


A

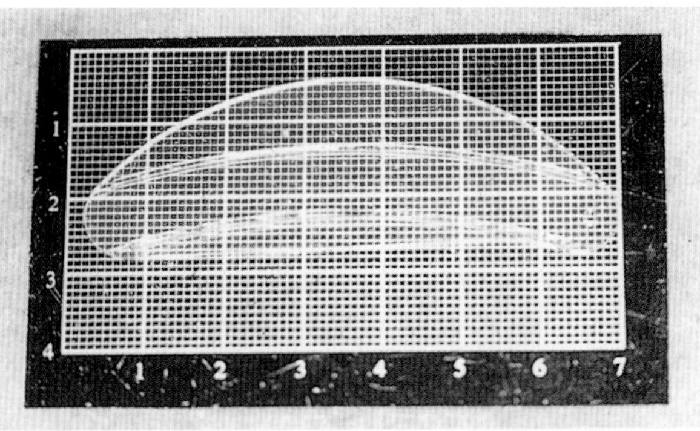


B

C

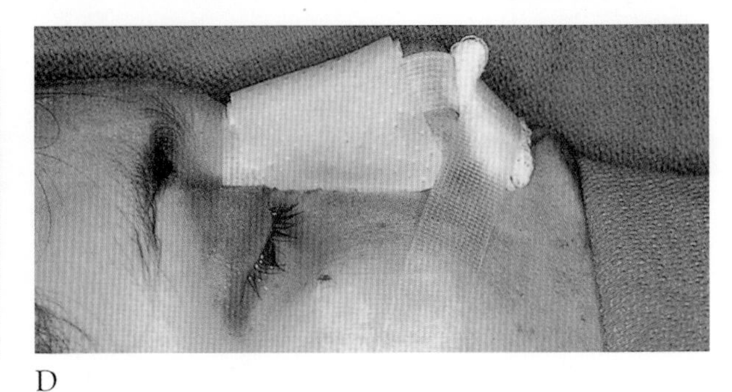

D

그림 7-32

술후 과정의 순탄함은 술전 진찰에서 환자에게 기대할 수 있는 것을 설명하는데 얼마만큼의 시간을 사용하였는지에 직접 비례한다. 외래 환자 수술실로부터 환자가 퇴원할 때, 환자는 술후 지시 사항을 받으며, 술후 약제 처방(진통제로서 Vicodin, 항생제인 cephalosporine, 5일 동안)을 받을 뿐만 아니라 술후 1주일에 진찰 예약을 확인한다. 술자는 수술날 저녁에 환자에게 전화를 걸어서 질문에 대답한다. 또, 환자에게 하루 2-3번씩 과산화수소수로써 딱지(crust)가 없도록 모든 수술선을 깨끗이 할 것과 polysporin 연고를 바르기를 일러준다. 술후 6일에, 드레싱을 다음 순서에 따라서 제거한다. 1) 외비부목은 옆으로 흔들면 비배에 붙여둔 Telfa 층 때문에 쉽게 제거된다. 2) Steri-strips 제거. 3) 좌측에 있는 봉합선을 잘라서 내비부목을 제거한다. 4) 비주 및 비익 봉합사를 발사한다.

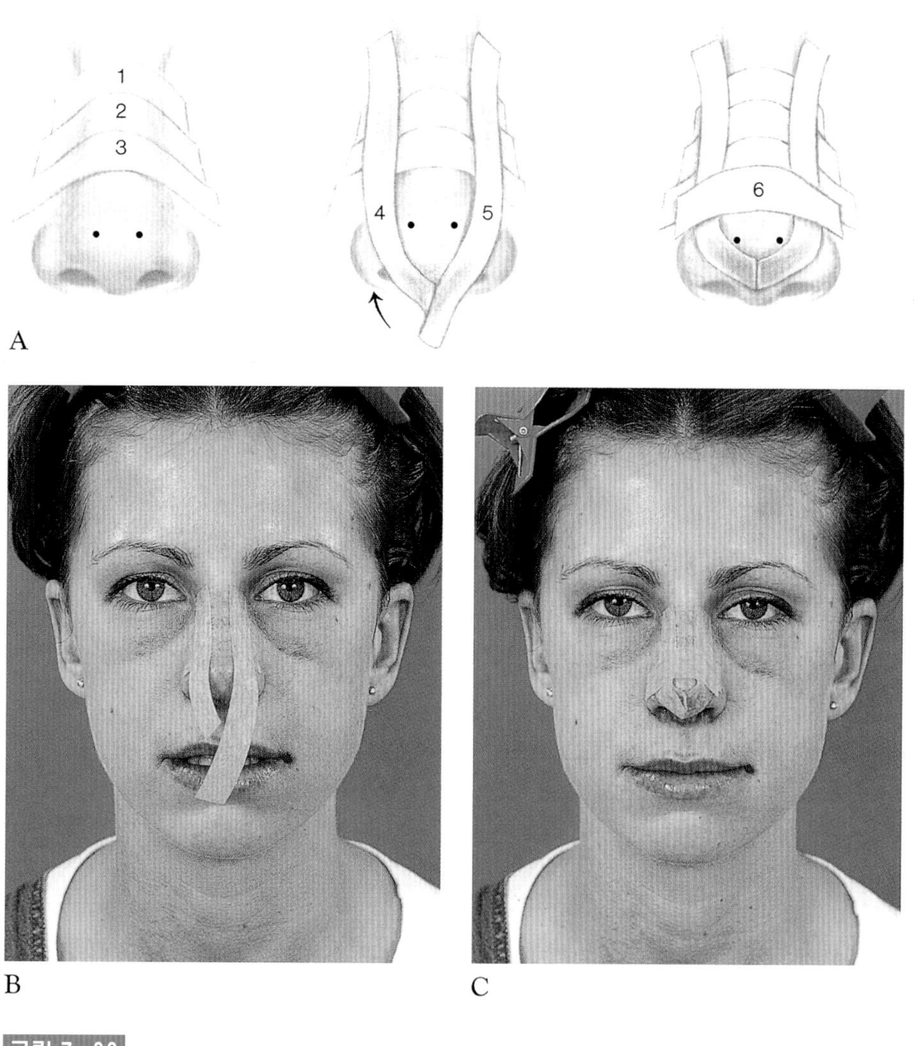


그림 7-33

대개, 극적으로 더 좋아진 측면을 거울에서 환자에게 먼저 보여준 다음, 부어있을 것으로 기대되는 전면을 보여준다. 그 다음, 환자에게 6조각의 1.2cm 폭의 피부색 반창고를 사용하여 Steri-strips와 비슷한 방식으로써 코에 붙이는 방법을 가르친다. 거울을 보면서 어떻게 붙이는지 환자에게 보여준 다음, 잘 준수하도록 도해와 반창고를 준다. 반창고는 2-3일 동안 붙여둔다. 그 다음, 환자가 누워있으면 부종을 피할 수 없으므로 3주 동안은 밤에 반창고를 붙이도록 한다. 딱지를 제거하기 위하여 하루에 2-3차례 식염수 용액(Ocean 코분무기를 포함하여 처방 없이 판매대에서 살 수 있는)으로써 코를 세척하도록 환자에게 권고한다. 술후 2주와 6주에 환자를 재진한 다음, 3개월, 6개월, 그리고 12개월 뒤에도 재진한다. 진료할 때마다, 술후 도해와 진행표를 재검토함으로써 수술적 원인과 그 영향을 이해하도록 한다.

## 원칙

- 항생제는 술중(Ancef 1gm, IV)에, 그리고 술후 5일(Keflex 500mg QID)동안 사용한다.
- 아크릴 부목은 사용하기 쉽고, 부종을 최소화하며, 제 자리에서 유지되며, 또 제거하기 쉽다.
- Doyle 부목은 비중격점막을 압박하며, 환자로 하여금 호흡하게 하면서 유착의 위험을 줄인다.
- 술후 3-4주 동안 밤에 반창고를 붙임으로써 누워있어서 생기는 부종을 최소화하고, 아침에 코가 부어있기보다는 좋아 보이도록 해 준다.
- 환자에게 술후 부종은 두측에서 미측으로 진행되면서 감소됨을 일러준다. 즉, 골비배(3개월), 연골비배(6개월), 상비첨(9개월), 그리고 비첨(12개월).

Rhino Rockets

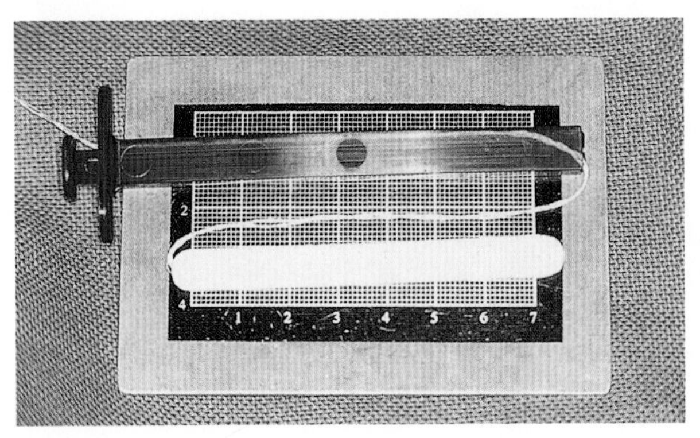

A

Nostril Retainers

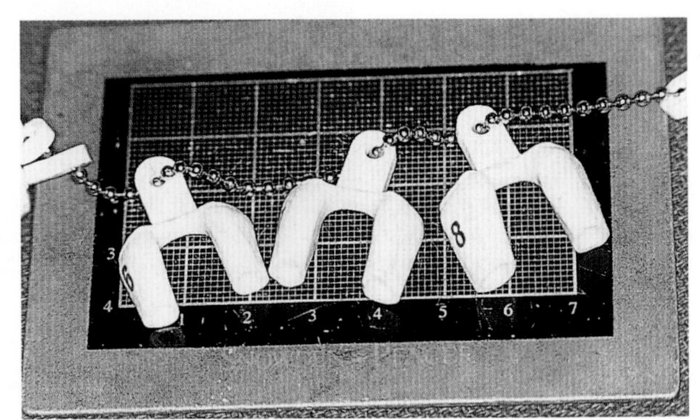

B

그림 7-34

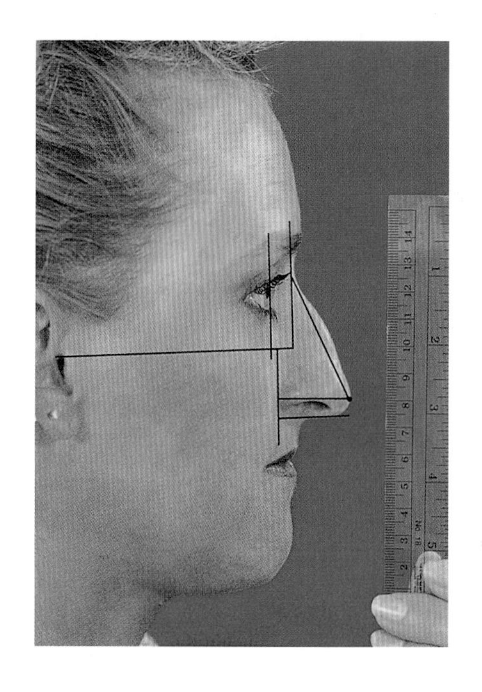

## 분석

30세의 건강관리사로서 다른 성형외과의사로부터 비중격-비성형술(septorhinoplasty)을 의뢰받았다. 환자는 심한 비폐쇄를 호소하였으며, 동시에 코의 외형을 개선하고자 하였다. 내비검사 결과, 미측 비중격이 좌측으로 만곡 된 채로 비중격이 심하게 만곡 되었으며, 비중격만곡에 의하여 우측 기도가 완전폐쇄 되어 있었다. 좌측 비갑개는 3+의 골비후를 보였다. 과거력에서 외상이나 수술을 받은 적은 없었다. 전면에서 코는 분명히 길고, 처진 비주(hanging columella)를 가지며, 외측비벽은 볼록하고, 전체 코가 비대칭이었다. 이 증례는 분명한 비대칭발육만곡비(ADDN: asymmetric developmentally deviated nose)이었다. 측면에서 문제점은 여러 가지였다. 즉, 상구순이 지나치게 길면서 바싹 붙어 있고(crowing), 비첨각과 비주경사각이 90도이며, 큰 비봉을 가졌다. 문제를 더 복잡하게 만드는 것은, 피부가 종이처럼 얇았다. 이 증례야말로 폐쇄 및 개방 접근술을 증명해 보여야 할 경우였다. 바람직한 측면을 위하여, 특히 비배축소술과 미측비중격 및 전비극 단축술을 할 때에는 폐쇄접근술로 수술하여야 한다. 그 다음, 개방비첨접근술로써 복잡한 비중격교정술, 비배의 비대칭 교정술, 그리고 비첨수술을 한다(임상사진분석의 심도 있는 토론은 423쪽을 참고하시오).

## 외과 수기

1. 연골간절개술과 우측관통절개술을 통한 폐쇄접근술.
2. 점증성비배축소술(incremental dorsal reduction): 줄로써 2mm 골, 수술도로써 연골 4.5mm(그림 7-35A).
3. 8mm의 미측비중격절제술. 단, 전비극절제술은 하지 않았음. 특이한 비중격변형이 있었음.
4. 경비주절개술과 연골하절개술을 통한 개방접근술.
5. 비중격 노출하였을 때 미측 비중격 전체길이의 횡단분할(transverse split)을 드러냄(그림 7-35B). 비중격체취술 완료.
6. 미측 비중격을 '이중이동술(double shift)'로서 대체. 술전 변형과는 반대의 위치로 즉, 두측부는 우측에, 미측부는 좌측에 이식(그림 7-35C, D).
7. 저-저위외측비절골술로써 완전한 이동.
8. 최소한 2mm의 두측외측각절제술. 원개형성봉합술과 원개등화봉합술의 비첨봉합술. 비배접근술로써 비주회전봉합술.
9. 모든 절개선의 봉합술. 좌측부분하비갑개절제술. Doyle 부목 넣기.

A

B

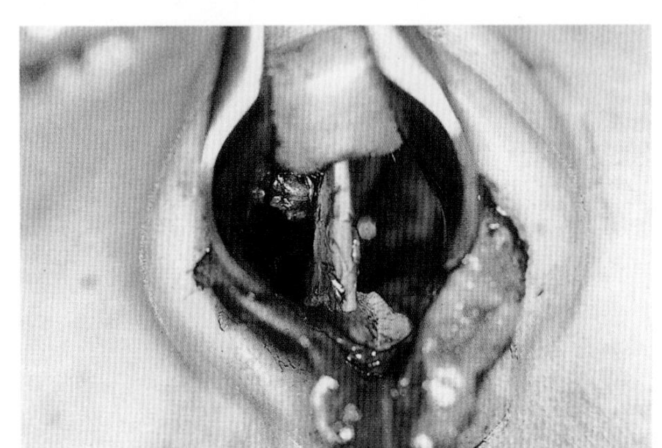

C

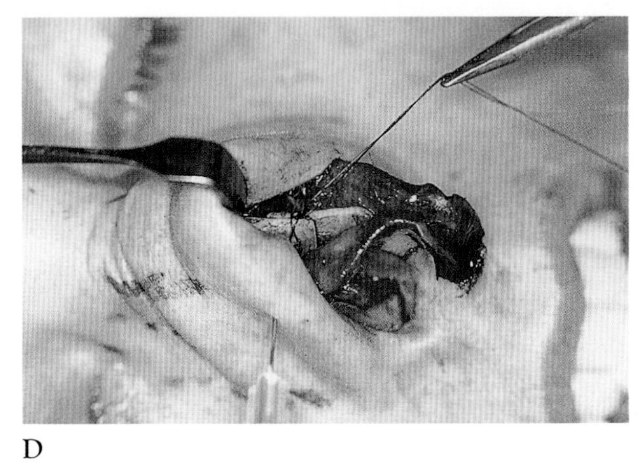

D

그림 7-35

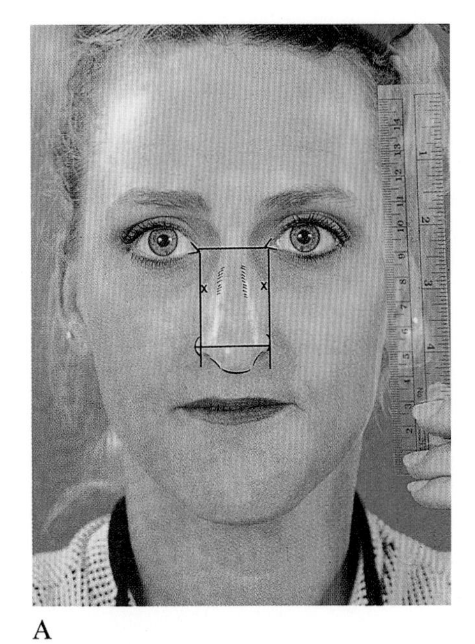

A

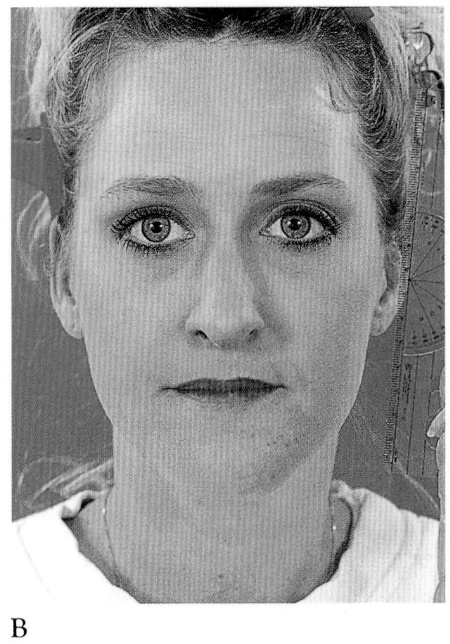

B

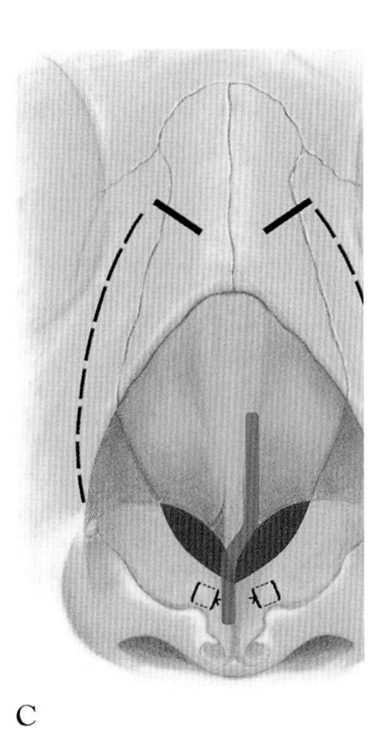

C

그림 7-36

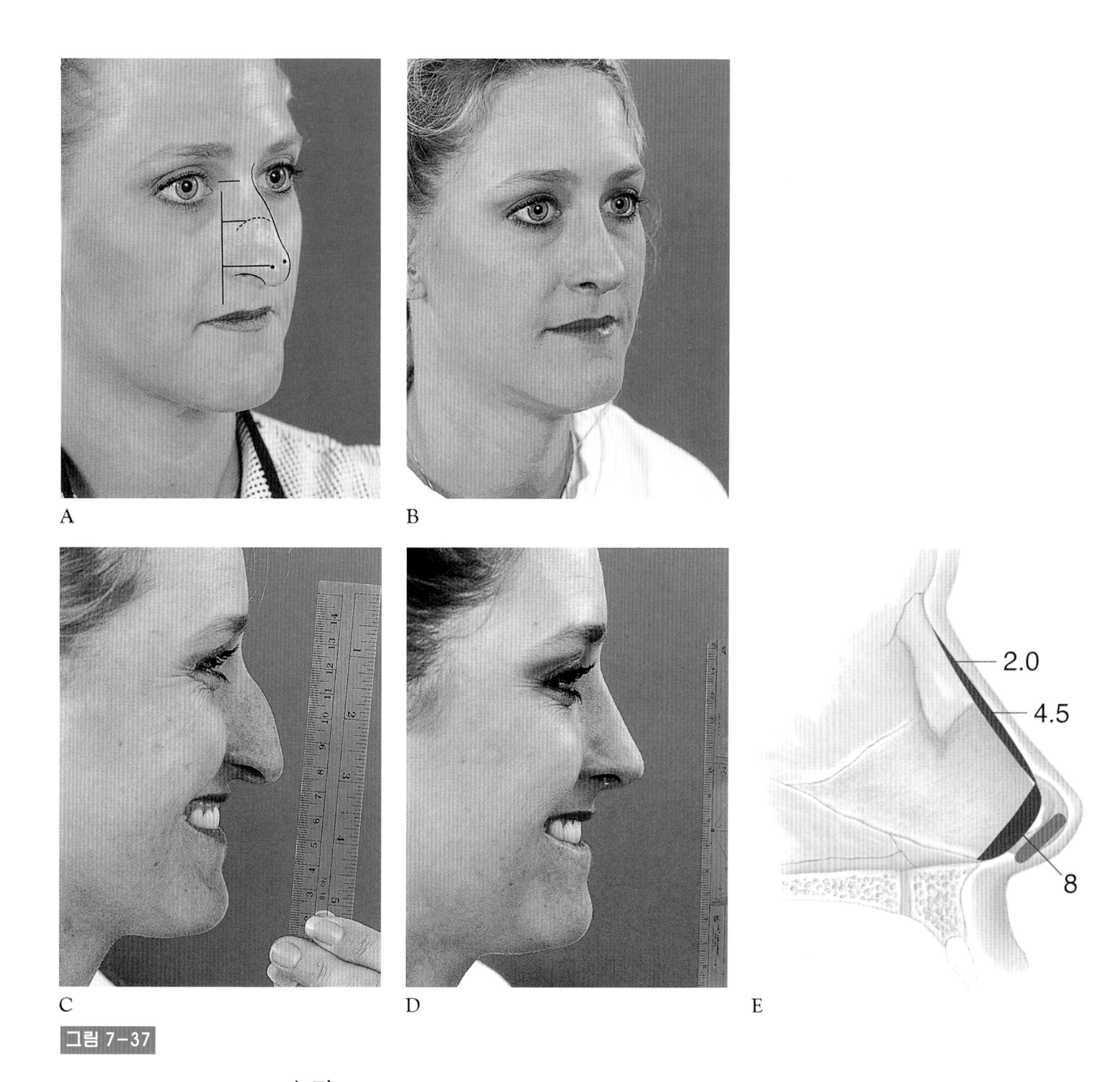

그림 7-37

## 논평

술후 1년에, 호흡이 뚜렷이 개선되었으며, 미적 개선으로 만족하였다(그림 7-36, 37). 그녀는 측면이 특히 마음에 들며, 미소 지을 때 더 이상 '마녀' 처럼 보이지 않아서 좋다고 하였다. 폐쇄 및 개방 접근술을 사용하였는데, 우선 폐쇄접근술로써 순차적인 절제술 즉, 골원개절제술, 연골원개절제술, 그리고 미측비중격절제술을 하였을 때 직접적인 반응이 있어서 측면선을 만들 수 있었다. 그 다음, 개방접근술을 사용하여 비중격과 비배에 접근하였다. 미측 비중격이 횡단 분할되어서 붕괴된 것이 뚜렷하였으며, '이중이동술(double shift)'을 사용하는 대체술이 엄밀한 해결책이었다. 저자는 폐쇄접근술로써 이러한 조작을 하는 것은 상상할 수 없다. 최종 결과, 비대칭이 남아있는 것은 ADDN에 의하여 부과된 한계를 예증하지만, 환자의 미소가 결과를 정당화해준다.

# 제 2부 100례의 연속적 미용비성형술의 분석(ANALYSIS OF 100 CONSECUTIVE COSMETIC RHINOPLASTIES)

## 접근술과 수술 순서

지난 10년 동안 계속된 개방접근술 대 폐쇄접근술의 논쟁 끝에, 이제는 갈등이 존재하지 않으며, 환자의 개별적 문제점과 술자의 경험에 근거하여 가장 좋은 접근술을 단순히 선택할 시기임을 깨달아야 한다. 여기에는 옳은 방법이나 그릇된 방법은 존재하지 않으며, 각 접근술에 대한 마법과 같은 비율도 존재하지 않는다. 술자의 시술 경험이 변화함에 따라서, 각 접근술을 사용한 실제 횟수도 바뀌게 될 것이다. 두 번째 요점은, 세 번째 접근술이 존재한다는 것인데, 폐쇄 및 개방 접근술이 바로 이것이다. 저자는 좀 더 어려운 일차비성형술에서 이 접근술이 대단히 유용함을 알게 되었다. 최근 100개의 연속적 미용비성형술 증례들에 근거하면, 40%는 폐쇄접근술로써, 41%는 개방접근술로써, 그리고 19%는 폐쇄 및 개방 접근술로써 수술하였다. 저자에게 개방접근술의 증례는 7%(1983)로부터 최고조였던 72%(1988)까지 도달하였다가, 개방접근술과 폐쇄 및 개방 접근술 둘 다를 추가하더라도 60%(1997)로 감소하였다.

### 폐쇄접근술(Closed Approach)

세 가지의 폐쇄접근술이 존재하지만(역행접근술, retrograde approach; 경연골접근술, transcartilaginous approach; 면신접근술, delivery approach), 저자는 경연골접근술만 사용하고 있다. 역행접근술은 비첨이식물을 넣는 포켓을 파열시키지 않으면서 두측외측각절제술을 하도록 고안되었다. 역행으로 접근하지 않으면 노출이 너무 제한적이어서 사용할 수 없다. 또, 저자는, 면신접근술은 두측외측각 절개술 및 절제술에서 유연성을 크게 해줌을 알게 되었지만, 이러한 기법들은 원래 불안정하며, 더 이상 지지하는 사람도 없다. 면신접근술을 통한 폐쇄비첨봉합술은 부담이 되지만, 개방비첨봉합술을 하면 좀 더 정확하게 할 수 있다. 그러므로 저자의 폐쇄접근술에서의 최선책은 경연골접근술로서 선택적 비첨이식술을 하는 것이다. 내재 비첨이 이상적일 때 폐쇄접근술을 하면 최소한의 위험으로 최대한으로 개선할 수 있다. 단점은, 중간증 내지 중증의 비첨변형에서는 절개술과 절제술이 불안정하기 때문에 결과가 불확실한 것이다.

### 개방접근술(Open Approach)

개방접근술은 양측연골하절개술과 경비주절개술을 통한 접근으로서 놀라울 정도로 표준화되어 있다. 장점과 적응증은 다양하다. 장점은 1) 개선된 가시성, 2) 직접적인 기법 접근(direct technique access), 그리고 3) 비첨, 비배, 그리고 비중격에 관한 무제한의 외과적 선택. 한 가지 예로서 비첨봉합술에서 기법 적용의 급상승을 들 수 있다. 봉합술은 원래 폐쇄면신접근술(closed delivery approach)에서 개발되기는 하였지만, 개방접근술을 통하여 좀 더 정교하고 더 쉽게 할 수 있다. 대부분의 술자들이 중증 비중격천공의 복원술에서 개방접근술을 선호하는 것과 꼭 같이, 특히 복잡한 비배만곡을 포함하는 큰 비중격교정술에서도 비슷한 변화가 일어날 것이다.

단점은, (환자가 호소하는 것이 아니라) 술자의 견지에서 때때로 반흔이 남는 것 외에는 최소임이 밝혀졌다. 그렇다면, 왜 모든 증례에서 개방접근술을 사용하지 않는 것일까? 그 대답은 조절을 할 수 없음과 추가적 위험이 있기 때문이다. 폐쇄접근술에서는 각 조작을 할 때마다 하나하나씩 단계적으로 개선되며, 이러한 개선을 쉽게 알아 볼 수 있다. 그러나 개방접근술에서는 피부외피를 일으키면서 술자는 조작에 따른 반응을 보지 못하며, 마침내 피부 표면의 미학보다는 비첨의 해부학적 형태에 따라서 수술하게 된다. 더 큰 위험이 발생하는 요인은, 눈에 띄는 반흔, 꼭 필요하지 않은 추가적 박리, 비중격이식물의 상습적 사용(대부분의 봉합술이나 비첨이식술에서 100%), 그리고 해부학적 종점(anatomical endpoint)이다. 그러나 경험이 적은 대부분의 술자들은 이러한 위험을 감수하고서라도 개방접근술을 사용하고자 하는데, 그 이유는 개방접근술이 재수술이 필요한 모호한 결과가 생길 가능성을 줄이기 때문이다.

## 폐쇄 및 개방 접근술(Closed/Open Approach)

의문의 여지없이, 폐쇄 및 개방 접근술은 2가지 접근술의 가장 좋은 점, 즉 폐쇄접근술의 조절과 순서와, 개방접근술의 가시성과 융통성 둘 다를 결합시킨 것이다. 대부분의 증례에서 폐쇄접근술 즉, 양측연골간절개술과 일측관통절개술을 통하여 측면을 교정한다. 연조직외피를 일으키고, 비배를 낮춘 다음, 미측비중격 및 전비극 변형술을 한다. 비중격교정술이나 비중격채취술을 할 수도 있다. 그 다음, 개방접근술을 추가하여 비첨변형술과 비첨이식술을 할 수 있다. 두 가지의 큰 변법이 가능하다. 첫째, 복잡한 비중격수술에서 비중격수술을 연기하고 있다가 개방접근술을 추가한 다음, 비중격 전체를 노출시켜서 다방향수술(multidirectional surgery)을 한다. 둘째로, 만일 개방접근술의 필요성이 증명되면 폐쇄접근술에다가 개방접근술을 추가할 수 있다. 즉, 비첨변형이 남아있으면 이를 교정하기 위하여 저자는 절개선이 서로 근접함에도 불구하고, 폐쇄경연골접근술(closed transcartilaginous approach)에다가 연골하절개술과 경비주절개술을 추가하기를 주저하지 않는다. 이러한 혼성의 폐쇄 및 개방 접근술(hybrid closed/open approach)은 술후에 실망하는 것을 막기 위하여 술중 필요에 의하여 사용한다. 술전에 계획한 폐쇄 및 개방 접근술은 중증의 측면 문제점과 의존비첨(dependent tip) 또는 구상비첨(bulbous tip)에서 사용된다.

## 수술 순서

적절한 접근술의 선택은 수술 순서 결정에서 틀림없는 첫 번째 단계이다. 저자의 선택 과정은 증례의 복잡성과 특히, 필수적인 비첨수술에 의하여 흔히 결정된다. 비첨, 비중격, 그리고 비첨의 수술이 더 어려울수록, 저자는 개방접근술과 함께 가장 어려운 증례에서 이용되는 폐쇄 및 개방 접근술을 선호한다. 일단 접근술을 선택하고 나면 저자는 본격적인 비첨수술이나 비배수술을 하기 전에 변형된 구조물을 제거하기를 선호하는 경향이 있다. 예를 들면, 저자는 중증의 긴장코(tension nose)에서 비첨성형술을 하기 전에 흔히 비배축소술을 한다. 왜냐하면 그렇게 하지 않으면 내재 비첨의 특징을 평가하기가 불가능하기 때문이다. 그러나 경증의 비첨변형을 위하여 보류해두는 대부분의 폐쇄비성형술에서 저자는 두측외측각절제술을 함으로써 본격적인 비첨수술을 한 다음, 비배축소술을 하고 마지막으로 비절골술을 한다.

대조적으로, 중간증과 중증에서는 비배 다음으로 비첨을 수술하기를 선호하는데, 이상적 측면선을 먼저 확립한 다음, 여기에다가 비첨을 맞출 수 있기 때문이다. 예외는 복잡한 이차비성형술로서 저자는 언제나 비중격수술을 하기 전에 비배축소술을 하는데, 이렇게 함으로써 중요한 비중격지주(septal strut)의 단절을 최소화할 수 있기 때문이다. 모든 비익저변형술은 모든 절개선을 봉합한 다음에만 하며, 비익연이식술은 언제나 비익저변형술 다음에 한다. 수술 순서에서 모든 조작은 뒤이을 조작에 영향을 주기 때문에 술전 검사에서 각 환자에 맞는 수술 순서를 기록한 다음, 수술을 할 때 수술실에 붙여두는 것이 매우 중요하다.

Operative Sequences*

| Open Rhinoplasty | Closed Rhinoplasty | Closed/Open Rhinoplasty |
|---|---|---|
| Incision/skin flap elevation | Incision/Approach | Intercartilaginous/transfixion incisions |
| ↓ | ↓ | ↓ |
| Tip analysis/cephalic crura excision | Exposure | Skin elevation/extramucosal tunnels |
| ↓ | ↓ | ↓ |
| Extramucosal tunnels | Dorsal modification | Rasp bony hump/excise cartilaginous hump |
| ↓ | ↓ | ↓ |
| Dorsal modification | Radix modification | Radix reduction |
| ↓ | ↓ | ↓ |
| Caudal septum/ANS | Caudal septum/ANS | Check profile line/septal angle |
| ↓ | ↓ | ↓ |
| Septoplasty/harvest | Septal surgery | Caudal septum/anterior nasal spine |
| ↓ | ↓ | ↓ |
| Osteotomies | Tip surgery | Infracartilaginous/transcolumellar incisions |
| ↓ | ↓ | ↓ |
| Graft preparation | Osteotomies | Tip exposure and analysis |
| ↓ | ↓ | ↓ |
| Definitive dorsum/spreader grafts | Grafts | Septal correction/harvest |
| ↓ | ↓ | ↓ |
| Tip: Columella stryt/tip sutures | Closure | Osteotomies |
| ↓ | ↓ | ↓ |
| Closure | Alar base modification | Definitive dorsum/spreader grafts |
| ↓ | ↓ | ↓ |
| Alar base modification | Dressing | Tip/columellar modification |
| ↓ | | ↓ |
| Dressing/postop management | | Closure |
| | | ↓ |
| | | Alar base/rim modification |

*Only steps appropriate for each patient are done.

## 분석

23세의 미용사가 다음과 같이 호소를 하였다. "코끝이 너무 넓어요... 코끝에 공이 하나 있는 것처럼 보여요...근본적으로, 귀여운 코를 원해요." 외비검사로써 이러한 호소를 확인하였으며, 비종석부(keystone area)에서 좌측이 우측보다 더 넓은 심한 비대칭이 있고, 비주가 특히 짧은 것을 추가로 관찰하였다. 비첨은 정의가 좋지 않으면서 분명히 넓었고, 용적이 과대하였으며, 내재 돌출이 감소되었으며, 중간층 두께의 피부로써 덮여 있었다. 내비검사에서 특이한 점은 없었다. 좀 더 정교한 비첨을 얻고, 비주 문제점을 다루게 해주는 개방비성형술을 선택하였다(임상사진분석의 심도 있는 토론은 423쪽을 참고하시오).

| Anterior | Lateral |
|---|---|
| EN–EN = 28 | C–N = 12 |
| X–X = 27 | AC–T = 27 |
| AZ–AL = 31 | N–T = 41 |
| AC–AC = 27 | |
| N–T = 41 | N–FR = 137° |
| $N–C^1$ = 44 | N–FA = 32° |
| N–SN = 45 | TA = 100° |
| AC–T = 27 | C Incl = 100° |
| IDD = 16 | CLA = 113° |
| MFH = 60 | |
| LFH = 61 | |
| SME = 43 | |

| | |
|---|---|
| $N–T_i$ = 0.67 × MFH | $N–T_i$ = 40 |
| $AC–T_i$ = 0.67 × $N–T_i$ | $AC–T_i$ = 27 |
| $C–N_i$ = 0.28 × $N–T_i$ | $C–N_i$ = 11 |

| | Actual | Ideal | Change |
|---|---|---|---|
| N | → | eyelash | N.C. |
| T | ↓ | 105° | ↑ 5° |
| SN | → | 105° | N.C. |
| NFA | 32° | 34° | ↑ 2° |
| TA | 100° | 105° | ↑ 5° |
| C Incl | 100° | 105° | ↑ 5° |
| C–N | 12 | 11 | N.C. |
| N–T | 41 | 40 | −1 |
| AC–T | 27 | 27 | N.C. |

## 외과 수기

1. 연골하절개술과 경연골절개술로써 개방접근술.
2. 피부외피거상술. 비첨의 3점견인(3 point traction).
3. 관통절개술. 미측 비중격 노출. 점막외터널 형성.
4. 비익연골의 중간각과 내측각 사이에서 선천적 결손 보임(그림 7-38A).
5. 비배축소술: 2번의 줄질로써 골, 절제술로써 연골 1mm.
6. 10mm의 L형지주를 남기면서 비중격채취술.
7. 약목비골절술 후 수지압박술과 저-고위외측비절골술로써 골원개좁히기.
8. 비대칭연전이식술: 우측 1.0mm, 좌측 1.5mm.
9. 비첨의 재형성. a) 5mm의 비익연연골조각을 남긴 채로 두측외측각절제술(그림 7-38B), b) 20 ×4mm의 각지주이식술, c) 원개형성봉합술과 원개등화봉합술로써 비익좁히기(그림 7-38C), d) 새로운 비배 구조에 비첨이식물의 '통합(integration)' (그림 7-38D).
10. 비대칭쐐기형비익절제술: 우측 3.0mm, 좌측 2.5mm.
11. Doyle 부목 넣기. 외비부목 대기.

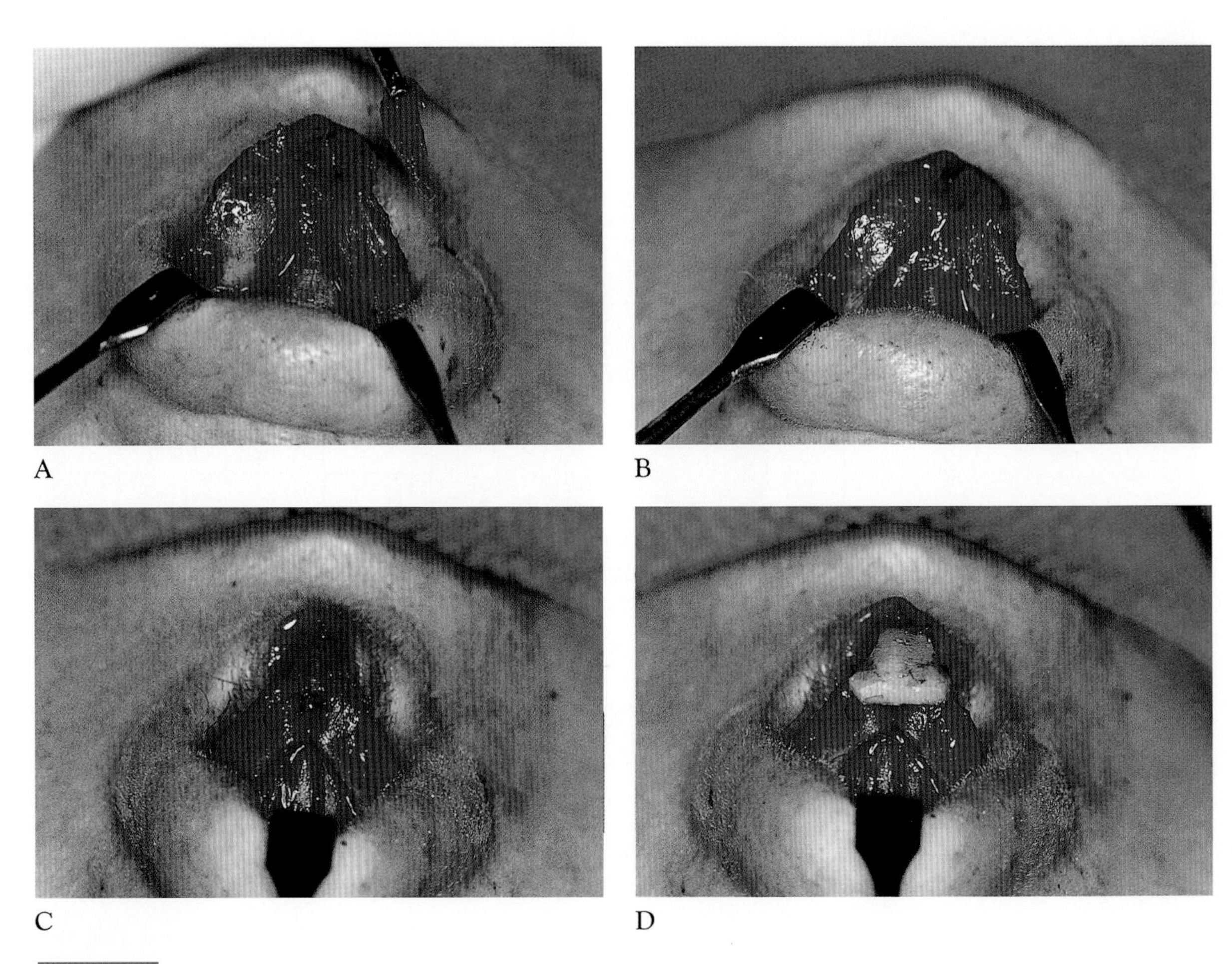

그림 7-38

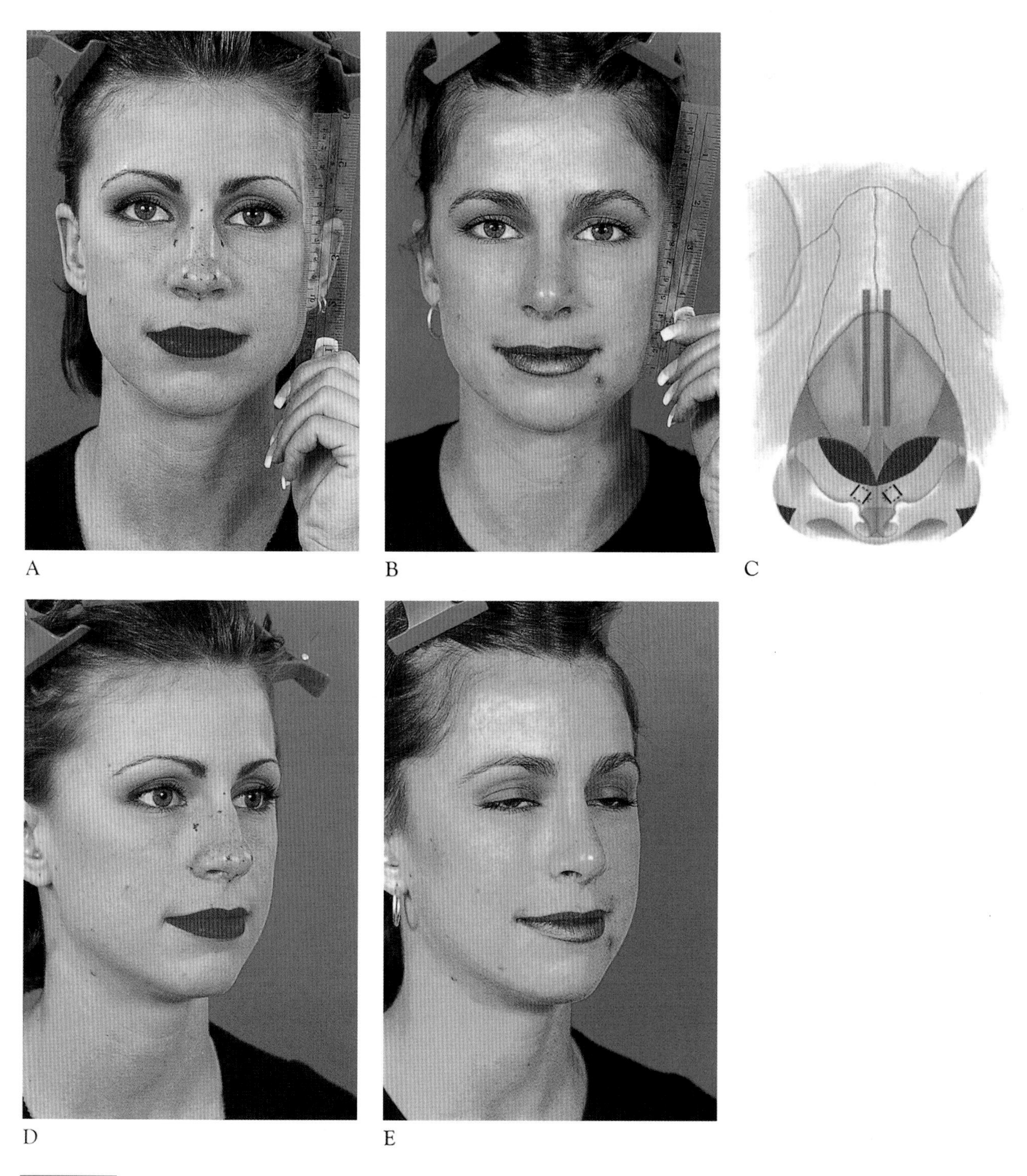


그림 7-39

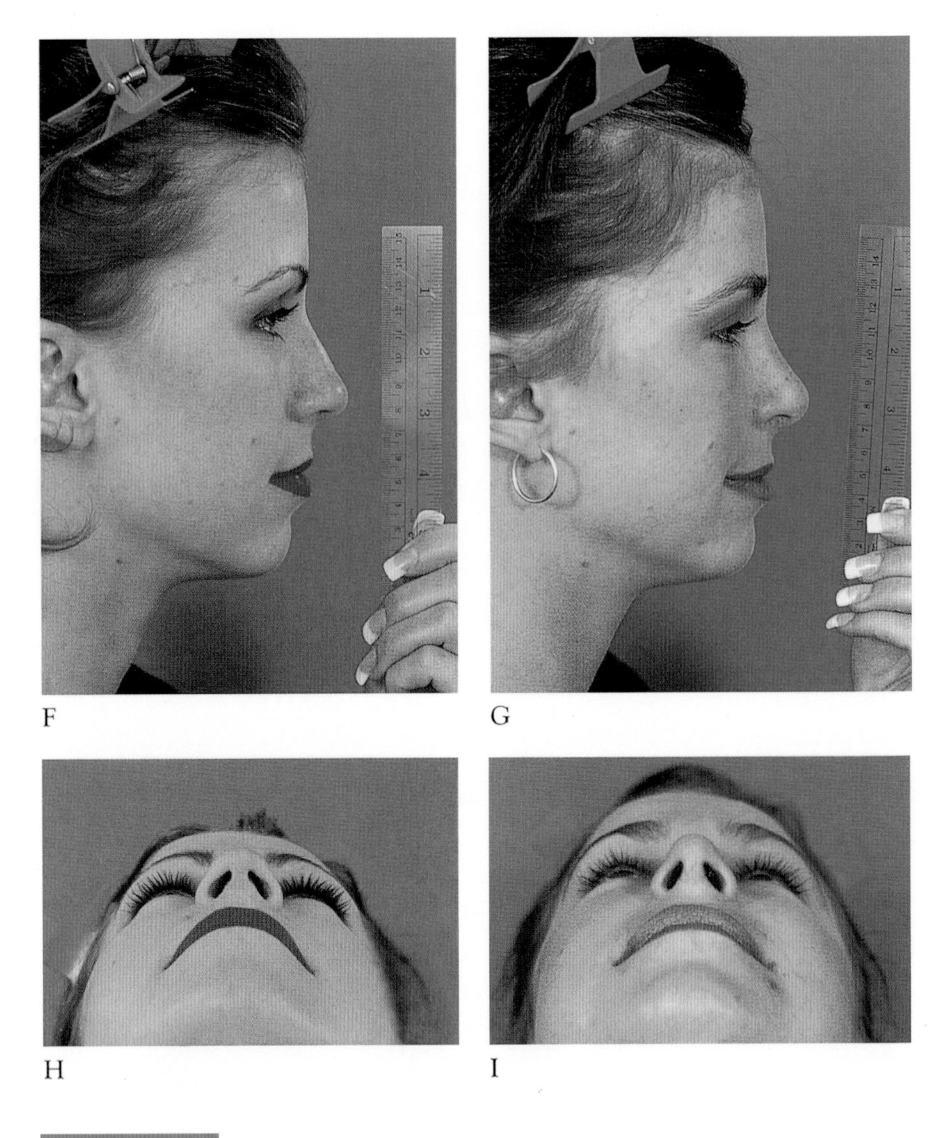

F G H I

그림 7-39. 계속

## 논평

술후 1년에, 비첨이 더 좁고 더 세련되어 보였다. 측면에서 비주가 좁아지고 연장됨으로써 비주보임(columellar show)이 조금 있지만, 기저면에서는 훨씬 더 삼각형이다. 폐쇄접근술을 고려하기도 하였지만, 수술의 목표가 단순한 다듬기가 아니라 오히려 비첨 구조의 근본적 변화가 목표였기 때문에 폐쇄접근술을 하지 않았다. 이 증례를 통하여, 개방접근술이 비첨의 해부학적 변형을 분석하고 이용하게 해주는 데 가치가 있음을 알 수 있다.

## 골-연골원개(Osseocartilaginous Vault)

골-연골원개를 다룰 때에는 다음을 고려하여야 한다. 1) 비근의 높이 및 수준, 2) 비배 높이 및 폭, 3) 골저폭, 그리고 4) 미측 비중격의 길이 및 형태.

### 비근(Radix)

대안들이 분명히 있기는 하지만, 저자는 저자가 비근를 만들기 위하여 실제로 선택한 기법을 보고 놀랐다. 즉, 보존(82%), 축소술(10%), 그리고 증대술(8%). 비근변형술의 빈도가 낮은 이유를 간단히 설명하면, 대부분의 환자들이 비배비봉(dorsal hump)을 가지고 있으면서 더 작은 코를 원하였으므로 흔히 기존의 비근점에 맞추어서 비배교(dorsal bridge)를 낮추는 것이 수술의 전부이기 때문이다. 저자는 비근 및 비배 이식술을 더 흔히 하는 '균형수술(balanced approach)'을 사용하고 있다는 인상을 갖고 있었다. 그러나 저자는 실제로는 '비근부(radix area)'를 비배와 분리된 구조물로서 따로 이식술을 하고 있었으며, 근막이식술을 전적으로 사용하고 있었다. 지금까지 저자는 이러한 근막을 사용한 비근이식술을 재수술할 필요가 없었는데, 이것은 점차 가시적이 되어서 재수술을 필요로 하여 귀찮은 연골이식술과는 비교할 수 없는 확실한 업적이다. 비근축소술은 코의 시작점이나 '비근점(nasion)'에서 비근 높이를 깊게 하고, 비근 수준을 낮춤으로써 이루어진다. 만일 개방접근술을 사용하면 전동 burr로써 기존의 비근을 깊게 할 수 있기는 하지만, 저자에게는 이중보호절골도(double-guarded osteotome)가 여전히 가장 효과적인 도구이다. 모든 증례에서 자문해 보아야 할 중요한 질문이 하나 있다. 즉, 비근을 정말 변형시킬 필요가 있는지, 아니면 있는 그대로 받아드릴 수 있는지?

### 비배원개(Dorsal Vault)

비배수술의 대안들은 서로 비교가 되기는 하지만, 백분율로 비교해 보면 매우 다르다. 즉, 축소술(89%), 변형술(7%), 그리고 증대술(4%). 다시 말하면, 환자가 주로 요청하는 것은 측면을 교정하는 것으로서 융기(bump)를 없애거나, 더 작고 귀여운 코를 얻는 것이다. 진성의 기형은 예외이지만, 모든 축소술은 줄을 사용하여 골원개부터 시작한 다음, 연골원개에서는 11번 수술도를 사용한다. 축소량의 범위는 최소한으로부터 12mm 이상까지이며, '평균'은 골 1.5mm, 연골 3.0mm이다. 비배변형술은, 비배높이는 변경시키지 않지만, 원개 자체를 평행한 내측비절골술(parallel medial osteotomy)로써 좁히거나(3), 연전이식술로써 넓히거나(3), 아니면 단지 평탄화시킨 것(1)을 의미한다. 이러한 '전면(anterior view)' 변형 외에도, 미세한 만곡을 교정하기 위하여 비대칭연전이식술을 15%에서 사용하였다. 저자는 비배증대술이  힘들다는 것을 알기는 하지만, 다층의, 그리고 전체길이의 비중격을 사용한 비배이식술을 4명의 증례에서 아무 문제점 없이 사용하였다. 비배증대술은 백인 코에서는 요구가 드물다. 비배증대술의 복잡성 때문에 저자는 골-연골비배(osseocartilaginous dorsum)는 비근과 비첨을 단순히 연결하는 '수동적(passive)' 인 직선 또는 곡선이 아니라고 결론을 내렸다. 이 보다는 최종 결과가 수술한 것처럼 보일지, 아니면 자연스럽게 보일지를 결정하는 매우 까다로운 이중성을 가지고 있다.

### 골저폭(Bony Width)

골저폭(base bony width)은 외측비절골술의 필요와 방법을 결정짓는 일차적 요소이다. 저자는 초기에 일차비성형술의 20%에서 외측비절골술을 하지 않았으며, 이를 재수술 하는 시기를 거쳤음에도 불구하고, 여전히 12%의 증례에서 외측비절골술을 하지 않는 것을 알고 놀랐다. 분명히, 술전에 골원개가 충분히 좁았으며, 술중의 비배축소 량도 매우 적어서 비절골술을 사용할 필요가 없었기 때문이다. 외측비절골술을 기법으로 분류할 수 있기는 하지만, 좀 더 정확한 분류법은 이동에 의하여 이루어진다. 즉, 두측횡단약목비골절술(cephalic transverse greenstick fracture)과 저-고위외측비절골술을 하는 *부분이동술(partial movement)*(42%)과, 두측횡단분리골절술(cephalic transverse separated fracture)과 저-저위외측비절골술을 하는 *완전이동술(complete movement)*(43%)이다. 세 증례에서는 외측비벽이 매우 볼록하여서 비골과 상악골전두돌기가 만나는 봉합선을 따라서 골절, 분리시키는 이중수준비절골술(double level osteotomy)을 하였다. 비절골술의 선택은 골저폭과 얼마나 많은 이동이 필요한 지에 따라서 이루어진다. 즉, 이동 없음(12%), 조금 이동(42%), 그리고 최대 이동(43%).

### 미측 비중격(Caudal Septum)

미측비중격변형술이 비저와 비중격만곡을 교정하는 데 필수적이기는 하지만, 대개는 미측비중격단축술이 골-연골원개를 변화시키는데 필수적이다. 대부분의 증례에서 저자는 비첨수술을 하기 전에, 그리고 본격적인 L형비중격지주를 완성하기 전에, 미측비중격단축술을 하여서 모든 외력을 제거해준다. 보존주의(conservatism)가 원칙이기 때문에, 저자는 45%의 증례에서 부분절제술을 하였음을 알고 무척 놀랐다. 부분절제술은 1) 비첨회전을 위하여 두측1/2절제술(10%), 2) 비첨회전과 비첨단축을 위하여 미측연완전절제술(complete caudal edge excision)(22%), 그리고 3) 최대의 변화를 위하여 미측비중격 및 전비극 동시절제술(11%)을 포함한다. 여기에다가 13% 빈도의 미측비중격재배치술(relocation)을 추가하면 이 부위를 대단히 신중하게 고려해야 함을 알 수 있다.

## 기능적 요소 (Functional Factors)

만일 저자가 앞서 언급한 소견들에 놀랐다면 미용비성형술의 84%에서 비중격수술을 하였음을 알고는 아찔하였다. 분명히, 60%에서는 비중격이식물을 채취하였으며, 24%에서는 심한 비중격만곡에서 만곡을 교정하면서 이차적으로 이식물을 채취하였다. 여기에다가 35% 빈도의 부분전방하비갑개절제술, 72%의 연전이식술, 그리고 13%의 미측비중격재배치술을 추가하면, 이 수술은 더 이상 간단한 '코수술(nose job)'이 아니라 복잡한 *미용비중격-비성형술(aesthetic septorhinoplasty)*임이 분명해진다.

## 비중격채취술(Septal Harvest)

비중격연골이 최선의 이식물이기 때문에 이식물이 필요하면 비중격을 채취하였으므로 빈도가 분명히 높을 것으로 생각하지만, 흥미롭게도, 절제해낸 이식물이 첫 번째 공여이식물이었다. 왜냐하면 이환성(morbidity)이 최소이기 때문이다. 모든 증례에서 비중격은 비배축소술과 미측비중격단축술 *후에* 접근함으로써 10mm의 L형지주를 안전하게 보존할 수 있었다. 접근을 위하여 일측관통절개술을 사용하는데, 예외는 개방접근술이 필요한 큰 비배축소술로서 '두측에서 미측으로(top down)' 접근술을 선호하였다. 양측 전방터널(bilateral anterior tunnels)을 만든 다음, 비중격절제술을 하였다. 이 기법은 이식술 종류에 따라서 다양하지만, '하부 절반(inferior half)'을 제거하는 것이 가장 흔한 기법이다. 최대한의 비중격연골이 필요하면 비배절개에 큰 주의를 기울여서 사골의 수직판까지 연장한 다음, 미측 비중격연골을 서골구(vomerine trough) 밖으로 완전히 이동시키고 연골 '꼬리' (cartilaginous 'tail' )의 박리도 한다. 그 다음, 비배측 골지주(dorsal bony strut)의 골절을 피하기 위하여 최소한의 회전으로써 단일 조각(monobloc)으로 떼어낸다. Doyle 부목을 제 자리에 넣고 봉합함으로써 점막공간을 압박한다.

## 비중격만곡(Septal Deviations)

외과적 교정을 필요로 하는 심한 비중격만곡이 증례의 24%에서 존재하였다. 이러한 환자의 대부분에서는 술전에는 증상이 없지만, 술후 비폐쇄의 위험을 고려해야 하므로 기능적 교정술이 필요하다. 이러한 모든 증례들에서는 비중격체만곡(septal body deviation)과 미측비중격만곡을 고려해야 하며, 동반된 문제점으로서 내비판막각(internal valve angle)의 손상을 가질 수 있다. 치료는 원래 절제술이다. 즉, 만곡 된 연골비중격을 잘라내어서 이식물로서 다시 사용하고, 골만곡은 절제하거나 골절시키며, 미측 비중격은 기능적 및 미학적 이유로 재배치시킨다. 전체비중격교체술(total septal replacement)을 한 증례는 없었으며, 중증의 미측비중격변형을 보인 증례가 하나 있었다.

## 비갑개절제술(Turbinectomy)

저자는 비갑개의 상당 부분을 제거하는 것에 대하여 여전히 조심스럽고 염려하고 있다. 저자는 미용비성형술에서 부분전방하비갑개절제술의 빈도가 35%임을 알고는 저자의 좌우명이 "의심스러우면 제거하기 전에 외골절술(outfracture)을 하라"이기 때문에 조금 혼란스러웠다. 아마도, 굳이 설명하자면 저자는, 심한 비중격만곡의 반대쪽에 있는 제 3급 비갑개비후는 모두 제거하는데, 이것이 35개의 증례 중에 24개에 해당한다. 나머지 11%를 살펴보면 심한 골비갑개비후를 가졌거나(6 증례), 일시적 개선이 보장되는 뚜렷한 알레르기성비갑개비후를 가졌다. 전체하비갑개절제술은 하지 않았으며, 부분절제술만 하였다.

### 비판막수술(Valvular Surgery)

72% 빈도로 연전이식술을 사용한 것은 저자에게 또 다른 완전한 놀라움이었지만, 대부분이 기능적 이유보다는 미학적 이유에서 사용되었을 것이라는 것이 저자의 느낌이다. 미학적 이유에서 사용하는 대칭연전이식술의 변법인 비대칭연전이식술(15 증례)이나 일측연전이식술(8 증례)을 23증례에서만 한 것을 볼 때 연전이식술은 압도적으로 미학적 개선에 적용하였음을 알 수 있다. 그러나 저자의 느낌은 미용비성형술의 적어도 25%에서는 증상이 없는 일측 또는 양측 내비판막각의 붕괴를 가지며, 이 문제점은 비성형술 후에 더 악화될 수 있다. 저자는 이러한 환자들에서 술후 문제점을 피하기 위하여 술전에 해부학적 변형을 치료하고자 '예방적(preventive)' 연전이식술을 한다. 세 명의 환자들에서 저자는 외측각-A1접합부를 절제하고, 사골수직판으로써 대체함으로써 해부학적 비전정판막붕괴(vestibular valve collapse)를 교정하였다. 이러한 환자들은 모두 깊은 비익주름 '패임(dimple)'과 기저면에서 폐쇄된 비전정 정류장치(baffle)를 갖고 있었다. 이러한 환자들 중 아무도 심흡기에서 눈에 띄는 비공판막붕괴(nostril valve collapse)를 보이지는 않았지만, 13례는 재배치술이 필요한 심한 미측비중격만곡을 가지고 있었다.

## 개방비첨수술 (Open Tip Surgery)

이상적 내재 비첨을 가진 증례는 쉬워서 폐쇄접근술을 하기 때문에 저자가 더 어려운 증례를 위하여 개방접근술을 남겨두는 것은 분명한 일이다. 개방비첨성형술의 60%에서는 봉합술(33%)이나 이식술(27%)을 사용하였다. 그리고 이식술을 하기 전에 원개는 봉합술(14%)을 하거나, 절제술(13%)을 하였다. 실제로, 모든 증례에서 마지막 비첨수술을 하기 전에 과대한 두측 외측각을 절제하고 비주지주이식술을 하였다. 15년 동안, 저자는 개방비첨성형술에서 봉합술과 이식술 둘 다를 사용해왔으며, 그 결과, 특정한 지침들과 다듬어진 기법들이 나타나기 시작하였다.

### 개방비첨봉합술(Open Tip Sutures)

피부외피와 비익의 형태가 허락하기만 하면 비첨봉합술은 언제나 저자가 선호하는 개방비첨성형술이다. 매우 복잡하고 정밀한 봉합 기법이 옹호되고는 있지만, 저자는 '진행하면서 봉합하는(sew as you go)' 수술을 선호한다[10]. 과대한 두측 외측각을 절제하고, 비주지주이식술을 한다. 지주를 고정하는 봉합사를 비주변곡점에 걸터앉히고, 비주변곡점 두측에서 중간각이 지나치게 좁아지는 것을 피하는 것이 중요하다. 그 다음, 저자는 원개절흔(domal notch)을 지표로 삼아서 5-0 PDS사로써 원개형성봉합술을 사용하여 비첨정의를 얻는다. 그 다음, 원개간봉합술(interdomal suture) 또는 원개등화봉합술을 원개 사이에 함으로써 비첨폭을 좁힌다. 그 다음, 비주-비중격봉합술을 추가함으로써 비첨회전이나 조금의 비첨돌출을 얻을 수 있다. 모든 봉합술의 비결은 바람직한 효과를 얻을 정도로 충분히 단단히 조이되, 지나치게 조여서는 안 되는 것이다. 비첨봉합술의 장기적 효과는 증명되었다. 그러나 놀랍게도, 이차비성형술에서 비첨봉합술은 부분적으로 '되돌아갔다(reversed)'.

## 개방비첨이식술(Open Tip Graft)

본질적으로, 원개와 이식술에 관해서는 2가지의 서로 다른 기법을 사용한다. 저자는 가능하면 언제나 원개절제술보다는 원개봉합술을 더 좋아한다. 저자는 비익연연골조각(crural rim strip)의 볼록함을 줄이기 위하여 원개형성봉합술을 사용한다. 비첨이식술을 하기 전에 원개절제술을 하는 전형적인 Johnson[19]법은 용적, 비대칭, 또는 돌출을 최대한 축소시켜야 하는 지나치게 크거나 변형된 비첨을 위하여 남겨둔다. 원개절제술에서 중요한 첫 번째 단계는 비주지주이식술 및 봉합고정술이다. 그 다음, 비주변곡점을 표시하고, 비주변곡점 두측 6-8mm에서 중간각을 절단한 다음, 원개분절을 박리하고, 연골을 중첩시켜서 2-8mm의 원개분절을 다양한 모양으로 절제한다. 분리된 비익연연골조각은 5-0 PDS사로써 봉합한다.

일단 원개 기초(domal pedestal)가 완성되고 나면 비첨이식물을 추가한다. 비첨이식물은 골프 구좌(golf tee)와 비슷한 모양으로서 원래 선호하던 것보다 허리가 더 좁고 두측 연이 더 곧다. 최종 윤곽은 제 위치에서(in-situ) 모양내기를 함으로써 얻을 수 있다. 위치를 결정하는 것이 중요한데, 비첨이식물을 각(crura) 구조물에 *통합(integration)*시키거나, 이식물을 각 구조물을 넘어서 *돌출(projection)*시킬 수 있다. 전자는 피부가 얇은 환자들과 자연스럽고 부드러운 비첨을 바라는 환자들에게서 선호되며, 후자는 두꺼운 피부를 가진 환자와 최대의 정의를 원하는 환자들에게서 사용된다. 비첨이식술의 주요한 위험은 하비소엽충만(infralobule fullness)과 가시성이다.

## 장래 방향(Future Directions)

비첨봉합술의 경험을 많이 얻게 됨에 따라서, 파괴와 재건술인 원개절제술과 비첨이식술은 잘 사용하지 않는 대신, 저자는 점점 봉합술 및/또는 이식술을 향하여 가고 있다. 봉합술로써 가능한 한 많은 것을 얻은 다음, 마지막 수단으로서 비첨이식술을 추가한다. 그러나 저자는 원개절제술과 원개이식술을 해야 하는 대단히 크거나 변형된 비첨이 존재할 것이라고 언제나 생각한다.

## 폐쇄비첨수술 (Closed Tip Surgery)

저자는 아직도 비성형술의 40%를 폐쇄접근술로써 하고 있음을 알고 놀랐으며, 폐쇄비첨수술을 세분하면 아무것도 하지 않았음(2%), 절제술(33%), 그리고 절제술과 이식술(5%)이었다. 어떤 기법을 사용할 것인지를 결정하기 전에 답해야할 할 2가지 질문이 있다. 즉, 내재 비첨이 얼마나 좋은가, 그리고 외재 요소들이 비첨에 어떤 영향을 주고 있는가이다. 원래, '내재 비첨(intrinsic tip)' 은 비첨정의점(tip defining point), 하비소엽변곡점(infralobular breakpoint), 그리고 상비첨변곡점(supratip breakpoint)으로 이루어진 미학적 다이아몬드(aesthetic diamond)를 일컫는다. 만일 내재 정의와 내재 폭이 훌륭하면 폐쇄접근술이 가능하다. 그 다음, 돌출과 회전 같은 외재 요소를 평가하는데, 특히 연골비배와 미측 비중격의 영향을 평가한다. 이러한 요소들의 변형술이 비첨을 이상적 돌출과 회전에 가깝게 해줄 것이라는 가정 아래에서는 폐쇄접근술이 선호되는데, 폐쇄접근술이 최소의 위험이 따르는 제어된 순차적 방법이기 때문이다.

## 기법

기본 조작은 경연골절개술을 통한 두측 외측각의 용적축소술로서 내재 비첨을 더 뚜렷하게 보이게 하며, 미묘하게 회전시킨다. 외측각에서 절개 위치는 높은 수준(특히 연골간절개술)으로부터, 중간 수준, 그리고 낮은 수준까지 다양하게 할 수 있지만, 건재한 비익연연골조각(rim strip)을 적어도 4mm 남겨야 한다. 좀 더 과감한 절제술은 불안정성, 주먹결절형성(knuckling), 또는 붕괴의 위험이 있다. 중요한 조작은 술전에 바람직한 선을 표시한 다음, 점막표시기(mucosal marker)를 사용하여 코 안으로 옮기는 것이다. 절개는 견인한 비익연골의 미측 경계에 평행하도록 하여야 하며, 곧은 교차절개(straight across incision)나 비익연절개(alar rim incision)를 피하여야 한다. 두측외측각절제술에서 가장 난제는 절개선의 내측 연장과 노출을 위한 비익연의 적절한 외번이다. 절제해낸 연골은 중첩비첨이식물로서 사용될 가능성이 있으므로 보관해 둔다. 그 다음, 비배변형술을 하고, 필요하면 미측 비중격도 변화시킨다. 비첨정의와 비첨위치는 바람직하여야 한다. 40례 중 5례에서 저자는 비첨이식술을 추가하였는데, 실제로 모두 계획된 것이었다. Peck의 중첩이식술을 사용하여 더 뚜렷한 비첨정의를 얻었는데, 그 방법은 절제해낸 2층의 비익연골(8×4mm)을 경피봉합사로써 비첨정의점을 덮는 폐쇄적 포켓 안으로 유도하였다. 다른 3례에서 저자는 큰 비배축소술로 인하여 비첨이 더 넓어진 것이 불만스러워서 개방접근술로 바꾸었다(사실, 술전 계획하지 않은, 술중의 필요에 의한 폐쇄 및 개방접근술이었음). 또 서로 인접한 경연골절개술과 연골하절개술을 동시에 하더라도(만일 점막절제술을 하지 않고 모든 절개선을 신중하게 봉합한다면) 어떤 문제점도 생기지 않는다.

## 사용하지 않는 기법들(Rejected Techniques)

저자와 비슷한 연배의 많은 술자들처럼, 저자도 모든 비첨을 폐쇄접근술로써 수술하였었으며, 이러한 수술을 5년 동안 한 다음에서야 개방접근술을 사용하게 되었다. 다음 10년 동안에도, 저자는 대부분을 폐쇄접근술로써 수술 하다가 서서히 숫자를 줄였다. 저자가 사용하지 않게 된 첫 번째 기법은 돌출이나 정의를 크게 증가시키기 위하여 고안된 좀 더 과격한 것들이었는데, 비익연연골조각(rim strip)을 단절시키는 것이었다(Goldman tip, universal tip). 이 기법의 결과는 예측할 수 없었으며, 잘못 적용하였을 때 파국적 문제점을 초래하였다. 둘째로, 저자는 면신접근술(delivery technique)과 이와 관련된, 더 뚜렷한 정의를 얻기 위한 깍지낌절개술(interdigitating cuts)을 포기하였다. 이러한 기법은 두꺼운 피부 아래에서는 효과가 없었으며, 얇은 피부 아래에서 주먹결절형성(knuckling)과 원개변형의 빈도는 용납할 수 없었다. 경연골절개술과, 돌출을 변화시키기 위한 깍지낌절개술을 위한 '가는 구멍 면신접근술(slot delivery)' 도 마찬가지로 포기하였다.

5년 동안, 저자는 다층비첨이식술(multilayer tip graft)을 시도하였는데, 다양한 결과를 가져왔다. 뒤 이어서 2가지 이유에서 이 기법을 포기해야한다고 확신하게 되었다. 첫 번째 이유는, 이식물을 피하에 위치시켰을 때 불그스레한 공 같은 반점이 생겼으며, 좀 더 압좌시키고 타박한 연골이식물(crushed and bruised graft)을 사용하였기 때문에 흡수 되면서 장기적인 결과가 좀 더 의심스러워졌기 때문이다. 둘째 이유는, 문제가 더 복잡할수록 수술이 더 과격하게 되었기 때문이다. 예를 들어서, 괄호형비첨(parenthesis tip)을 폐쇄접근술로써 교정하려면 원개 및 외측각 연골절제술을 한 다음, 다층비첨이식술과 비익연이식술로써 교체술을 한다. 만일 다층비첨이식술에 완전히 숙달되지 않으면 비첨 비대칭과 연조직각면(soft tissue facet)의 파괴 위험이 너무 크다. 교정할 수 없는 비첨변형의 위험을 감수하기보다는 개방접근술로써 약간의 봉합술을 하는 것이 더 낫다. 마지막 기법은, 폐쇄비첨봉합술로써 원개형성봉합술이나 경원개봉합술(transdomal suture)을 하는 것이다. 저자는, 이 기법의 비대칭성과 부적확성이 너무 큰 것을 알고, 지금은 개방접근술을 선호한다.

### Kiss

마침내, 저자는 폐쇄비성형술을 하는 동안에 "Keep it simple, stupid(간단하게 해, 바보야!)" 라는 권고를 따르게 되었다. 저자는 경연골절개술을 통하여 용적축소술을 할 때 최소한의 비첨 증대를 얻기 위하여 폐쇄비첨이식술을 선택적으로 하기도 한다. 그러나 만일 술중에 봉합술이나 다른 변형술이 필요하면 저자는 개방접근술로 전환한다. 이러한 합리적 방법을 사용함으로써 미용비성형술의 40%를 최소 위험으로 가장 자연스럽고 비성형술을 받지 않은 것 같은 매력적인 비첨을 최대로 얻을 수 있게 되었다.

## 이식술(Grafts)

Sheen이 관찰한대로, 대부분의 술자들은 이식술이 일차비성형술의 한 부분이 아니었던 옛날을 그리워한다. 저자는 25%의 증례에서 이식술을 사용한다고 느끼고 있었는데, 자료에 의하여 완전히 일소되었다. 즉, 미용비성형술의 90%에서 이식술을 사용하고 있었다! 많은 환자에서, 여러 개의 이식술이 사용하였으며, 100개의 증례에서 실제로 사용한 이식술은 다음과 같다. 즉, 연전이식술(72%), 비주이식술(54%), 비첨이식술(32%), 비근이식술(10%), 비배이식술(6%), 외측비벽이식술(5%), 그리고 비익연이식술(4%). 이식물의 재료는 비중격(70%), 근막(13%), 그리고 여러 환자들의 여러 부위에서 떼어낸 이식물들이었다(12%). 놀랍게도, 이갑개이식물이나 늑이식물이 필요한 적은 없었는데, 이 연구에서 이민족의 증례를 제외하였기 때문이다. 다음과 같은 약간의 해설이 가치가 있을 것이다.

### 연전이식술(Spreader Grafts)

72% 빈도의 연전이식술을 세분하면, 양측(49%), 비대칭(15%), 그리고 일측(8%)이었다. 가장 중요한 점은 연전이식술의 이중의 이점, 즉 미학과 기능이다. 의문의 여지없이, 연전이식술의 3/4는 미학적 이유로 사용되었다. 즉, 비배의 비대칭을 교정하고, 술전에 좁았던 코를 넓히거나, 역V형변형을 피하기 위해서였다. 나머지 1/4은 기존의 내비판막붕괴를 교정하거나 악화시키지 않기 위하여 사용되었다. 연전이식술 사용의 비결은 다음과 같다. 1) 건재한 두측 비배 아래에 잘 맞도록 충분한 길이의 이식물을 만듦으로써 나중에 가시적이지 않도록 한다. 2) 이식물을 내비판막각 자체 안으로 미측으로 가져와서는 안 된다. 3) 경피봉합침을 사용하여 잠정적으로 고

정시킨다. 4) 두 곳에서 봉합하는데, 이 가운데 하나는 십자형중첩봉합술(criss-cross overlapping suture)로써 한다.

## 비주이식술(Columellar Grafts)

54% 빈도의 비주이식술 가운데, 48%는 각지주(crural strut)이었으며, 6%는 비주-상구순각에 영향을 주기 위하여 고안된 비주지주이었다. 때때로, 절제해낸 비배로부터 만든 이식물을 예외로 하고는, 이식물은 비중격연골로부터 만든다. 이식물의 도안은 곧은 것으로부터 조금 각 진 것까지 다양하다. 현재, 저자는 비주-비소엽각의 교정이 필요할 때에는 조금 각 진 이식물을 선호하는 경향이 있으며, 다른 경우에서는 곧은 지주를 사용한다. 진성의 비주이식물은 두측 2/3 및 미측 1/3 접합부가 훨씬 더 길고(25-30mm) 더 넓다(6-8mm). 실제로 모든 비주이식술은 개방접근술을 통하여 한다. 이식물을 전비극에 놓이도록 도안한 증례는 없었기 때문에 소리가 나는(click) 문제점은 없었다.

## 비첨이식술(Tip Grafts)

폐쇄비첨이식술은 5례에서 사용하였으며(Peck의 중첩이식술 4례, Sheen의 다층이식술 1례), 개방비첨이식술은 27례에서 사용하였다. Peck의 중첩이식술은 2층의 절제해낸 비익연골로 하며, 비첨정의를 개선하기 위하여 사용한다. Sheen의 다층이식술은 하비소엽충만과 비첨정의를 얻기 위하여 사용한다. 저자는 경증의 변형에서만 폐쇄비첨이식술을 사용하기 때문에 대부분의 비첨이식술은 개방접근술로써 하였으며, 중간증 및 중증의 변형을 교정하기 위하여 사용하였다. 때때로, 절제해낸 비배로부터 만든 이식물도 사용하기도 하였지만, 고형의 모양을 잡을 수 있는 이식물을 얻기 위하여 비중격연골을 사용하였다. 대칭성이나 비첨을 돋보이게 하기 위하여 작은 보조이식물(booster graft)을 흔히 추가하였다. 이식물의 모양내기가 대단히 강조되기는 하였지만, 중요한 것은 미묘한 정의를 얻기 위하여 이식물을 내측각과 중간각에 통합시킬 것인지, 아니면 두꺼운 피부에서 더 뚜렷한 정의를 위하여 원개보다 두측으로 돌출시킬 것인지 결정하는 것이다.

## 비근 및 비배 이식술(Radix/Dorsal Grafts)

이 이식술들에 관하여 앞에서 토론하였지만, 2가지 관점이 남아 있다. 즉, 비근에 이식한 근막이식물이 가시적인 선 없이 충만을 얻을 수 있을 지, 그리고 자가조직으로써 만든 전체길이의 비배이식물이 미용비성형술에서 필요한지. 비배이식술에서 저자는 길고(30-35mm) 좁은(4-5mm), 매우 경사지게 한 자가비중격이식물의 사용을 선호하는데, 두측경피봉합술을 이용하여 꼭 끼는 포켓 안으로 유도한 다음, 4점고정봉합술(4-point suture fixation)로써 연골원개에 고정시킨다. 그 다음, 저자는 말은 근막이식물(rolled fascial graft)을 그 위에 놓음으로써 자연스러운 비배 곡면을 얻으면서 비중격이식물연이 보이는 것을 최소화한다. 이러한 이식술은 일차비성형술이기 때문에 충분한 량의 비중격이 언제나 유용하다.

## 비익저(Alar Base)

비저는 비익저, 비주, 비첨, 그리고 하비소엽을 통합하는 대단히 복잡한 부위이다. 수술 계획 면에서 비익저변형술의 빈도만 토론할 것이다. 53%의 증례에서 비익저를 변경시키지 않았으며, 47%에서 변형술을 하였다(비공상절제술, nostril sill excision 4%; 쐐기형비익절제술, alar wedge excision 21%; 동시절제술, combined excision 18%). 저자의 증례의 절반에서 실제로 비익저의 일부분을 절제하는 것을 알고는 저자 자신은 마음에 들어 할까? 역사적으로, 이 방법은 비첨돌출이 소실된 뒤에 필수적인 것으로서 흔히 고려되었기 때문에, 그렇지 않다고 말할 것이다. 그러나 현실적으로는 술전에 결정을 하여야 하며, 전면에서 비익저의 폭과 비공상보임(nostril sill show)에 전적으로 근거하여 결정을 하여야 한다. 반흔형성은 동양인에서는 예외이지만, 큰 문제점으로 간주하지 않는다. 비익절개선은 비익주름보다 1mm 두측에 위치시킴으로써 주름을 보존하면서 그 그늘에 반흔을 감출 수 있다(술자는 반흔을 만들며, 하느님만이 주름을 만들 수 있다). 비익저변형술을 한 다음, 비저가 극적으로 개선된 것을 본다면 그 가치는 확실하며 완전히 정당화된다.

아마도 저자가 비성형술을 한 환자의 5%에서는 결과가 어느 정도 좋지 않아서 불만족스러운 까닭에 비익저변형술을 함께 했었더라면 좋았을 것을 하고 생각한다. 게다가, 저자는 거의 무한한 비익절제술의 종류를 간단하고, 쉽게 숙달할 수 있는 3개의 조작으로 줄일 수 있어서 기쁘다.

### 비공상절제술(Nostril Sill Excision)

만일 비익간격이 정상적이더라도, 전면에서 비공저(nostril floor)가 과대하게 보이면 비공상절제술을 한다. 이러한 절제술은 작아서 폭이 2.0-3.5mm이며, 비공상저(floor of nostril sill)에서 한다. 비공상저에서는 사각형이며, 내비와 외비로는 삼각형으로 연장된다. 양쪽의 절제량이 조금 다를 수도 있지만, 대칭적 위치에서 절제부를 표시하는 것이 중요하다. 언제나 측경기(caliper)를 사용하여서 국소마취제를 주사하기 전에 표시한다. 표시된 부위를 절제하고, 소작하고, 그리고 편평하게 하는 4-0 평장사의 수평석상봉합술로써 봉합하는데, 필요하면 1-2개의 6-0 나일론 봉합사도 사용한다.

### 쐐기형비익절제술(Alar Wedge Excision)

'비익장개(alar flare)' 즉, 전면이나 기저면에서 보이는 볼록한 비익저 또는 비익저의 외측 곡면(lateral bowing)을 축소시키기 위하여 쐐기형절제술을 한다. 이 조작의 미학적 필요성은 비익간격(AL-AL)을 내안각간격(EN-EN)에 비교해 봄으로써 확인한다. 이 절개선은 비익주름보다 1mm 두측에 위치시키며, 절제량(2-4.5mm, 평균 3mm)을 측경기로써 계측한 다음, 절제선을 타원형으로 그린다. 국소마취제를 주사한 다음, 단구겸자로써 긴장을 준 뒤 4군데를 절개하여 절제술(4-cut excision)을 한다. 절제는 아래에 놓인 비익근육까지 연장하지만, 비전정 내층은 절단하지 않도록 한다. 기저를 소작한 다음, 6-0 나일론사로써 단속봉합술을 하는데, 깊이 봉합할 필요는 없다. 술후 1주일에 발사할 때까지 환자가 하루에 2-3차례 봉합선을 깨끗하게 하고, 국소항생제를 바르는 것이 중요하다. 봉합 자국과 좋지 않은 반흔이 문제된 적은 없었다. 오히려, 절개선을 비익주름보다 2-3mm 두측에 부주의하게 위치시킴으로써 반흔이 가시적이어서 재수술을 하였던 1례가 있었다.

## 동시절제술(Combined Excision)

비공상 및 쐐기형비익 동시절제술은 비공보임(nostril show)과 비익장개를 축소시킬 뿐만 아니라 절대적 의미에서는 비익간격도 좁힌다. 도안은 기본적으로 비공상절제술과 비익절제술을 합친 것이다. 즉, 비공상 안에 있는 내측 수직선을 비익주름보다 두측 1mm에 있는 쐐기형비익 절개선으로 연장시킨다. 그 다음, 비공상이나 비익에 따라서 절제량이 다양하도록 절제선을 그린다. 쐐기형비익절제량(3-4mm)이 비공상절제량(2-3mm)보다 더 넓은 것이 가장 흔하다. 일단 절제하고 나면 기저를 소작하고, 비공상부터 외번시키는 4-0 평장사의 수평석상봉합술로써 봉합한다. 그 다음, 쐐기형비익을 6-0 나일론사로써 봉합한다. 이러한 절제술은 효과가 강력하기 때문에 보존적으로 절제하는데, 특히 비공이 작은 경우에 그러하다. 또, 비대칭은 예외이기보다는 관례이기 때문에 술자는 언제나 가장 비정상적인 쪽을 먼저 수술한 다음, 완성된 쪽에 맞추어서 반대쪽을 수술하여야 한다.

## 술후 관리

술후 과정의 순조로움은 철저한 술전 준비에 직접 비례한다. 상세한 술후 지시 사항을 적은 안내문을 환자와 보호자에게 1부씩 준다. 환자에게는 진통제와 경구항생제를 복용하기 시작하도록 지시한다(5일 동안 Keflex, 500mg QID). 36시간 동안 머리를 올리며, 눈을 얼음찜질 하도록 권고한다. 필요하면 점적 거즈(drip pad)를 바꾸어준다. 하루에 2-3 차례 과산화수소수로써 모든 봉합선을 세심하게 닦고, 항생제연고를 바를 것을 강조한다. 수술한 날 밤에 환자에게 전화를 걸어본 다음, 1주일 뒤에 진료한다. 드레싱을 제거하는 순서는 다음과 같다. 즉 1) 아크릴 부목을 부드럽게 (옆으로) 흔들어서 들어올린다(Telfa 비배조각이 있어서 피부를 잡아당기지 않으면서 제거하게 해준다). 2) Steri-strips를 제거한다. 3) 봉합사를 좌측에서 자른 다음, 내비부목을 빼낸다. 4) 모든 외비봉합사를 발사한다. 5) 과산화수소수로써 코를 부드럽게 닦아준다. 환자에게 거울로써 코, 특히 측면을 보게 하는데, 술전 측면 임상사진을 머리 옆에서 대어서 보여줌으로써 비교하도록 해준다. 그 다음, 환자에게 반창고 붙이는 방법을 가르쳐주고, 설명하는 도해와 반창고를 준다. 반창고를 바르는 기법은 다음과 같다. 1) 1.2 cm 폭의 피부색 반창고를 길이 2cm 4개, 4cm 1개, 6cm 1개로 자른다. 2) 세 개의 짧은 반창고를 조금씩 겹쳐서 비배에 붙인다. 3) 중간 길이 반창고와 긴 반창고를 비배연을 따라서 세로로 붙인다. 4) 반창고의 원위단을 맞물리게 붙임으로써 비첨을 좁히며, 더 긴 반창고를 반대쪽으로 돌려놓는다. 5) 마지막 짧은 반창고를 가로로 붙여서 비첨이 돋보이도록 한다. 부종을 가라앉히기 위하여 3주 동안 밤에 반창고를 붙이라고 환자에게 권고한다. 피부가 두꺼운 환자에서는 4-6주 동안 반창고를 붙이기도 한다. 비갑개수술과 복잡한 비중격수술을 하였으면 일반 소금물 분무기로써 코를 세척하도록 권고한다. 환자를 2주 뒤에 재진한 다음, 정기적으로 1개월, 3개월, 6개월, 그리고 12개월마다, 그 다음부터는 매년 재진한다. 통상적으로 관심을 가지는 것은 타박상, 부종, 호흡, 미소, 무감각, 그리고 초기 외양이다.

## 반상출혈(Ecchymosis)과 부종(Edema)

타박상(bruising)과 부종은 비성형술을 한 다음에 정상적으로 생긴다. 환자는 수술 받기 전 2주 동안 aspirin을 복용하지 못하게 하므로 타박상은 1주 이상 거의 지속되지 않는다. 일부 환자들은 관골부에 타박상이 남아있을 수 있는데, 이는 화장으로 가릴 수 있으며, 소수의 불행한 환자들에서 공막출혈(scleral hemorrhage)이 3-6주 동안 지속되기도 한다. 매우 드물지만, 지중해 출신의 한 환자는 눈 밑에 dark circle이 생겨서 4%의 solaquin forte 과정이 필요하였다. 술전에 환자에게 미리 부종이 예상되며, 2단계로 회복될 것이라고 말하여야 한다. 제 1단계는 일반화된 부종으로서 처음 2-3주 동안에 고르게 줄어든다. 제 2단계는 반흔이 재개조 되는(scar remodelling) 점진적인 기간으로서 부위별로 일정한 방식을 따른다. 즉, 골비배 3개월, 연골비배 6개월, 상비첨 9개월, 그리고 비첨 12개월.

## 호흡(Breathing)

대부분의 환자들은 숨을 잘 쉬는데, 특히 내비부목을 제거하면 그러하다. 부목이 점막을 압박하고 있었기 때문에 약 1주 정도 반발성 종창(rebound swelling)이 발생할 수 있음을 환자들에게 경고하여야 한다. 술후에 일시적으로 흔히 감소되는 코 분비물을 대체함과 동시에 기계적 세척을 위하여 코분무기를 사용하도록 권고한다. 겨울에는 강제적인 공기 난방에 의한 건조에 대항하기 위하여 가습기를 사용하고, 비전정과 미측 비중격에 Vaseline 바르기를 권고한다.

## 초기 외양(Initial Appearance)

부목을 제거하기 전에, 환자에게 다음과 같은 술전 경고를 상기시킨다. 1) 코가 부을 것이다. 2) 전면에서는 코가 부어 보이지만, 측면에서 코선은 가시적일 것이다. 3) 비첨은 처음에는 조금 들려 보일 수 있다. 부목을 제거하면 코가 술전보다 더 보기 좋을 것이며, 시간이 지날수록 점점 더 좋아질 것이라고 환자에게 안심시킨다. 또, 누우면 코가 부을 것이며, 잘 때 눕는 방향에 따라서 한쪽이 더 부을 수 있으므로 놀라지 않아야 한다는 점도 말한다.

## 미소(Smiling)

미측비중격재위치술(relocation of caudal septum)을 포함하여 광범위한 비중격수술을 하면 미소가 약하고 윗니가 덜 노출된다는 환자의 호소는 드문 일이 아니다. 비중격하체근(depressor septi nasalis)의 유리가 원인이며, 대개 4-6주까지 완전히 회복된다. 술전에 이러한 가능성에 관하여 환자에게 미리 경고하는 것이 가장 좋다.

## 무감각(Numbness)

많은 환자들은 술후에 코가 무감각하다고 호소한다. 전사골신경(anterior ethmoidal nerve)이 절단되었기 때문에 발생한다. 대부분의 술자들이 이 현상을 6개월 안에 언제나 해결되는 사소한 문제점으로 치부해 버리지만, 저자의 경험은 달랐다. 저자는 회복 기간이 훨씬 더 길다(12-18개월)는 인상을 흔히 받았으며, 흔히 완전하기 보다는 불완전하게 회복되었다. 다시 말하지만, 마음의 준비가 된 환자는 감각이 조금 감소되더라도 것을 좀 더 쉽게 용납할 것이다.

### 피부 변화(Skin Changes)

비성형술 후 심한 피부 변화가 없다고 추정한다. 그러나 실제로는 심한 문제점(반흔, 주름)뿐만 아니라 단기 변화(탄성의 감소, 모세혈관확장, telangectasia)와 장기 변화(얇아짐)가 있다. 첫 1년 동안 피부는 상당히 단단한데, 이는 아래에 놓인 반흔조직이 완곡하게 말해서, '종창(swelling)' 되기 때문이다. 게다가, 교감신경 지배의 소실에 의하여 확장된 작은 모세혈관들이 비배에서 나타나기도 한다. 흥미롭게도, 피부가 단단한 것은 두꺼운 피부(비첨)에서 더 심하며, 모세혈관은 가장 얇은 피부(비배점)에서 가장 흔히 나타난다. 둘 다 1년까지 개선되어야하는데, 모세혈관확장이 문제점이면 laser로써 치료한다. Tardy[32]가 보여준 대로, 비배 및 비첨 피부는 비성형술 후 10-15년 동안 서서히 얇아지는데, 때로는 초기의 좋은 결과를 손상시키기도 한다. 즉각적인 만족과 장기간의 행복이라는 환자의 2가지 요구에서 균형을 잡아야 한다. 물론, 과감한 비첨탈지술(tip defatting)과 심지어 steroid 주사는 가능하면 언제나 피하여야 하는데, 흔히 예측할 수 없는 결과를 가져오기 때문이다.

## 합병증

모든 수술에 동반되는 이환성(morbidity)과는 달리, 합병증은 바람직하지도 않으며, 환자가 쉽게 받아들이지도 않는다. 통상적인 위험에 대하여 환자에게 미리 알려주어야 하며, 그 빈도와 처치에 대한 약간의 지식을 주어야 한다. 일부 술자들이 저지르는 가장 큰 실수는 합병증의 발생이 아니라, 오히려 그 합병증을 무시하거나 잘못 처치하는 것이다. 솔직 하라, 정직하라, 억지로라도 하라, 그리고 관심을 가지라는 충고를 따르면 가장 큰 곤경조차도 해결될 것이다. 게다가, 불만족하는 환자들을 다루는 방법에 대한 Gorney[15]의 견해를 주기적으로 다시 읽는 것도 가치가 있다.

### 빈도(Incidence)

술후 합병증의 정확한 수치를 얻기란 실제로 불가능하다. 저자가 미용비성형술을 했던 100명의 환자들을 평균18개월 동안 추적 검사하였을 때 합병증을 단호히 말하면 다음과 같다. 즉, 출혈 1%, 감염 0%, 비중격천공 1%, 피부 가피(skin slough) 0%, 가시적 반흔 0%, 비폐쇄 1%, 그리고 재수술 5%. 자료가 정확한 것이기는 하지만, 이 결론은 특정 기간 동안 저자가 한 수술의 '속사(速寫, snapshot)' 에 지나지 않는다. 예를 들면, 저자는 7년 동안 술후 출혈이 없었지만, 그 다음 3개월 동안 3건이 발생하였다. 저자가 아는 한에는, 지난 6년 동안 1,000건 이상의 비성형술을 하였지만 비중격천공은 이것이 첫 번째이다. 그렇다면, 비중격천공의 빈도는 진정 1%인가, 아니면 0.1%인가? 그러나, 저자의 술후 추적 조사는 완벽한 것과는 거리가 멀다. 술자들의 속담인 "수술을 많이 하면 결국 모든 합병증을 경험하게 될 것이다" 라는 말이 진실이거나, 아니거나 간에 술자들은 준비를 하여야 한다. 저자는 지난 20년 동안 마주쳤던 경험, 합병증, 그리고 불운을 여기에서 공유하고자 한다.

## 출혈(Hemorrhage)

Salicylate가 술후 출혈에서 하는 역할을 인식하고 난 다음부터 출혈의 빈도는 현저히 줄었다. 대부분의 증례에서 술중 출혈은 소작하거나, epinephrine을 적신 거즈로써 적절히 충전함으로써 조절할 수 있다. 5-10분 이상 부드럽게 압박하면 더 나은 가시성과 소작이 가능하다. 저자의 느낌으로는, 대부분의 큰 출혈은 골원개의 높은 곳에서 전사골동맥(anterior ethmoidal artery)을 가로지르는 내측비절골술(medial osteotomy)이나, 과감한 비갑개절제술 후에 나타났다. 광범위한 비중격수술과 비갑개수술을 포함하는 대부분의 큰 외상후비변형에서 저자는 내비 삽관과 gelfoam 거즈 삽입으로써 기도를 완전히 충전시키며, 그대로 5-7일간 유지한다. 술후 출혈의 관리는 비탬폰(Rhino Rocket)의 도입으로써 크게 단순화된 것은 확실하다. 저자가 최근에 경험한 3번의 출혈 사건들에서 저자는 비탬폰의 삽입이 훌륭한 첫 번째 단계이며, 소작이나 후비충전(posterior pack) 과정이 필요 없다는 것을 알게 되었다.

## 감염(Infection)

비성형술 후 급성감염은 1% 미만으로 감소되었다. 저자는 이식술을 많이 하기 때문에 여전히 술후 5일 동안 예방적 항생제를 계속해서 사용한다. 저자는 2례의 급성감염을 경험하였는데, 둘 다 비중격수술이나 이식술을 하지 않은 작은 재수술에서 였다. 이들 증례에서 다음과 같은 과감한 치료가 필요하였다. 1) 절개술과 배농, 2) 거즈 충전, 3) 즉각적인 광범위항생제 사용과 대량의 페니실린 투여, 4) 뒤이은 항생제 조정을 위한 배양, 그리고 5) 해결될 때까지 매일 외래치료. 처음의 끔찍한 외양에도 불구하고 둘 다 반흔 없이 창상이 치유되었으며, 더 이상의 수술은 필요하지 않았다. 주기적 종창(swelling)과 홍반(erythema)을 동반한 만성감염은 점막낭종(mucosal cyst)과 관련이 있을 수 있다. 저자는 다른 술자가 의뢰한 2례를 보았는데, 2례 모두 내비배농(intranasal drainage)을 여러 차례 시도한 다음, 결국 개방접근술을 통하여 문제를 일으킨 비전정내층(vestibular lining)을 절제하였다. 비성형술 후에 *중독성쇼크증후군(TSS: Toxic shock syndrome)*이 발생하므로 다음과 같은 그 증상들을 알고 있어야 한다. 1) 발열(섭씨 38-39도), 2) 저혈압, 3) 위장관계 증상(설사, 구토), 4) 결과적으로 표피탈락(desquamation)하는 홍반성반점성발진(erythematous macular rash), 그리고 5) 다른 감염질환 배제. 이에 대한 모든 증례 연구에서 기면(嗜眠, lethargic), 저혈압, 그리고 대단히 아픈 것이 동시에 나타남이 분명하였다. 비충전이 원인으로 간주되고 있기는 하지만, 그 역할은 불확실하다. 확실한 것은 생명을 위협하는 응급으로서 치료하여야 한다. 즉, 입원시키고, 감염질환 자문의사가 진료하고, 모든 비충전을 제거하고, 그리고 비기도를 깨끗이 한다. 저자는 1례의 중독성쇼크증후군도 경험하지 못하였지만, 언제나 방심하지 않고 있다.

## 비중격 문제점(Septal Problems)

불행하게도, 비중격 출혈, 농양, 그리고 천공은 여전히 발생한다. 술후 비중격출혈(septal hematoma)로 인하여 배액이 필요한 환자가 있었다. 저자는 일측하부절개술을 한 다음, 양측 실리콘부목을 대었다. 압박은 적절하였으며, 충전을 하지 않아도 되었다. 비중격농양(septal abscess)은 비중격수술을 *하지 않은*, 작은 비배의 재수술을 한 다음에 발생하였다. 환자는 비폐쇄를 호소하였다. 양측 점막의 너덜거림이 두드러졌으며, 절개술 후 배농시켰다. 저자는 6mm 폭의 짧은 Penrose 배액관을 공간 안으로 넣고 봉합함으로써 배액을 촉진하였다. 4일 뒤에 배액관을 제거하였으며, 뒤이은 문제점은 없었다. 비성형술에 뒤이은 비중격천공(septal perforation)은 다행스럽게도 드물게 발생한다. 저자는 2,500건의 비성형술 가운데 적어도 3례에서 비중격천공이 발생한 것으로 아는데, 모두 작고 증상이 없는 후부의 천공으로서 치료가 필요하지 않았다. 천공이 왜 발생하였는가? 설명하자면, 한번은 서툰 기법 때문이었고(한쪽에서 연골막이 비중격과 함께 떼어졌다), 또 한번은 점막 요소 때문이었으며(약한 비중격점막에 심한 기도 문제를 가진 한 목수의 경우였다), 마지막은 원인이 불명확하였다. 모든 환자에게 천공이 있으며, 앞으로 자각증상이 있으면 외과적 교정술이나 실리콘 단추(silastic button)가 선택적이라고 말해주었다.

## 누계(Lacrimal System)

비성형술을 받은 다음, 눈물 흘림 또는 유루(epiphora)는 대개 일시적이며, 적어도 1-2주 동안 지속된다. 유루는 부종이 누배액(tear drainage)을 일시적으로 막아서 나타난다. 수술톱도 사용하지 않았고, 골막하박리도 하지 않았다면 외측비절골술에 의하여 누계가 직접 손상을 받았을 가능성은 희박하다. 굽은 절골도를 사용하여 비-상악구(nasomaxillary groove)를 따라서 저항이 적은 길로 절골하는데, 누릉(lacrimal crest)으로부터 4-7mm 떨어진 곳에 위치시킨다. 예외는, 이차비성형술과 외상후비변형에서 기존의 골절선 때문에 누계 손상의 위험이 분명할 때이다. 최근에 한쪽 누관(lacrimal duct)이 막힌 환자를 처음 보았는데, 9개월이 지나서 자연 치유되었다.

## 반흔(Scars)

지금까지, 저자는 비익저절제술이나 개방비성형술을 받은 뒤에 따로 반흔재수술(scar revision)을 요청한 환자는 없었다고 말할 수 있다. 그러나 코의 다른 부위를 재수술 받으면서 동시에 반흔을 개선시킬 수 있는지 문의하는 환자들은 있었다. 이 2가지 부류의 차이는 반흔 자체는 대부분의 환자들에서 거의 문제점이 아니지만, 모든 것이 완벽하기를 원하는 완벽주의자 환자에게는 반흔이 관심사인 것이다. 대개, 문제점인 것은 반흔의 한 부분이며, 직접절제술과 봉합술로써 재수술할 수 있다. 예외는, 이차비성형술에서 남게 되는 반흔으로서 위치, 박리층, 그리고 부주의한 봉합술이 진정한 문제점을 만들 수 있다.

## 비폐쇄(Nasal Obstruction)

비성형술 후에 발생한 비폐쇄의 보고 된 원인이나 빈도는 다양하다. *초기*비폐쇄에서 통상적인 원인은 내비종창과 정상적 생리기능의 부족이다. 점액섬모 운반(mucociliary transport)이 확실히 느려서 정체와 심지어는 폐쇄가 발생한다. 의사나 처방전 없이 판매대에서 구할 수 있는 식염수 분무기로써 환자가 내비를 깨끗이 하면 대개 상태가 호전 된다. 만일 폐쇄가 지속되면 충혈완화 전후에 상세한 과거력 조사와 내비검사를 한다. 저자의 증례 가운데 1례에서 술후 3개월에서야 일측내비부목을 제거하였을 때 폐쇄되었던 기도가 즉시 회복되는, 몹시 당혹스러웠던 경험을 하였다.

*후기*비폐쇄에서는 의학적 원인이나, 해부학적 원인을 고려하려는 경향이 있다. 술전 설문 조사로써 알레르기성비염 또는 혈관신경성비염(vasomotor rhinitis)의 정도를 분명히 밝혀두어야 하는데, 이는 기류 증가와 관련된 환경 노출에 의하여 때때로 악화된다. 충혈 완화와 코분무를 적절히 결합하여 실시할 수 있다. 해부학적으로, 5개의 내비 부위, 특히 4개의 판막을 모두 철저히 검사하여야 한다.

비성형술을 한 다음, 실시한 비계측학적 연구(rhinometric study)를 철저히 검토해보면 서로 다른 임상 증례들에 주된 근거를 두고서 매우 다양한 지견들을 알 수 있다. 가장 유용한 연구는 아마도 Constatinides(제 5장)의 연구인데, Cole(제 5장)이 Constatinides의 환자를 수술 전후에 평가하였다. 그들은 다음과 같은 4가지 결론에 도달하였다. 1) 술전에 정상적 비저항을 가진 환자들은 술후에 비저항이 증가될 수 있지만, *증상이 없다*(4/10). 2) 비중격성형술은 비중격만곡단독에 의한 폐쇄를 교정하는데 매우 효과적이다(5/5). 3) 코의 개존성에 대한 주관적 평가는 객관적 개존성 계측, 즉 비저항 계측과 큰 상관관계가 없다. 4) 미용비중격-비성형술(cosmetic septorhinoplasty)은 코의 개존성을 변화시킬 수 있다. 결국, 술후 비폐쇄에서는 비중격성형술 또는 판막안정화(valvular stabilization) 형태의 추가 수술이 필요할 수 있다.

## 재수술(Revisions)

술자들은 자기 자신의 증례를 재수술하기를 좋아하지 않는데, 그들이 가지는 반감의 범위는 재수술이 실패를 상징하기 때문에 우울함으로부터 또 다른 학습의 경험을 의미하기 때문에 단순히 실망하는 것까지이다. 다음은 환자들의 비평에 근거해 볼 때 0%의 재수술율을 얻는 방법들이다. 술전에 환자의 코가 얼마나 엄청나게 어려운지, 그리고 독자를 술자로서 만나게 된 것이 얼마나 행운인지를 말하지만, 단지 작은 개선만 가능하다고 환자에게 말한다. 또, 수술이 얼마나 힘들고 복잡한지를 강조하고, 사실 "재수술은 피부 아래에서 수류탄이 터지는 것과 같다"고 말하라. 수술 직후에는 환자의 해부적 구조가 얼마나 비정상적이었는지, 얼마나 희귀한 문제점을 갖고 있었는지, 그리고 가능한 개선 정도가 얼마나 제한적이었는지를 강조하라. 술후에 환자가 실망하였다고 토로하면 분명히 보이는 것도 볼 수 없는 것으로 발전시키고, 모든 것을 종창이나 반흔조직의 탓으로 돌리라. 다음 진찰할 때 환자의 코가 얼마나 아름다운지, 그리고 술자가 한 수술 중 가장 잘 된 것 중 하나라고 감탄하라. 술후 1년에 환자가 교정을 요구하면 수술하는 것은 좋지만, 비용은 일차비성형술 때와 같다고 말하거나, 지금의 결과는 어떤 '정상적인' 환자

( 'normal' patient)도 만족스러워 할 것이라고 간단하게 넌지시 말해주라. 만일 비폐쇄가 문제점이라면 '호흡을 잘하는 큰 코나, 아니면 호흡이 불편한 귀여운 코' 가운데 하나를 선택했어야 했다고 말하라.

저자는 이차비성형술을 하는 증례들로부터 상기한 모든 비평들을 들었다. 재수술을 피하기보다는 저자는 받아들여서 이로부터 배우려고 노력한다. 저자의 재수술율이 3년 동안에 8-10%라는 점과, 물품 및/또는 마취 비용만이 필요하다고 환자에게 설명한다. 저자의 재수술율이 왜 이렇게 높을까? 첫째, 저자는 다른 성형외과의사가 의뢰한 더 어려운 일차비성형술을 수술하는 경향이 있으며, 또 대부분의 증례에서 최대의 미학적 개선을 꾀하는 경향이 있다고 생각한다. 둘째, 저자는 재수술을 피하려고 하지 않으며, 환자들이 원하는 목표를 얻는데 힘들게 만들려고 하지 않기 때문이다. 저자는 저자를 비방하는 실망한 환자보다는 저자를 추천하는 행복한 환자들을 갖고 싶다. 셋째, 저자는 처음 비성형술에서 최선을 다하였기 때문에 무엇이 잘못되었는지 언제나 알고 싶어 한다. 술자만이 자기 자신에게 외과적 원인과 결과를 가르쳐 줄 수 있음을 기억하라. 비근이식술(그림 7-40)에서 압좌시킨 비중격을 사용하였을 때 언제나 가시적이었기 때문에 절제해낸 비익연골이식술로 바꾼 결과, 문제점이 10%로 줄일 수 있었다. 그 다음, 근막이식술을 사용하였는데, 0%의 가시율을 달성하였다. 연전이식술에서 비배융기(dorsal bump)가 때때로 어려운 문제점이었는데, 이는 이식물의 두측 단이 열린 지붕을 통하여 밀고나왔기 때문이다. 해

Errors of Commission

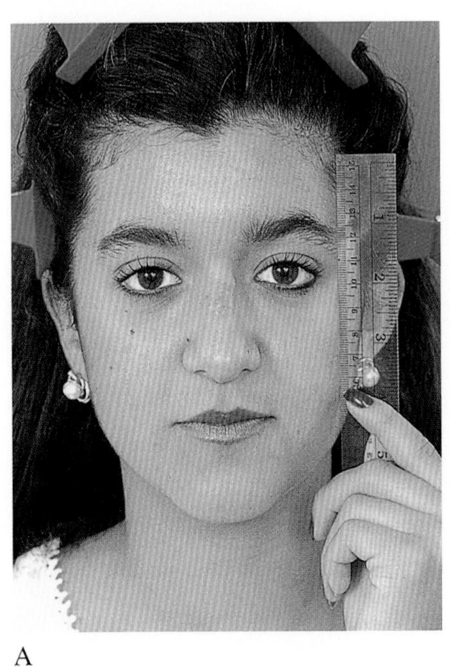

A

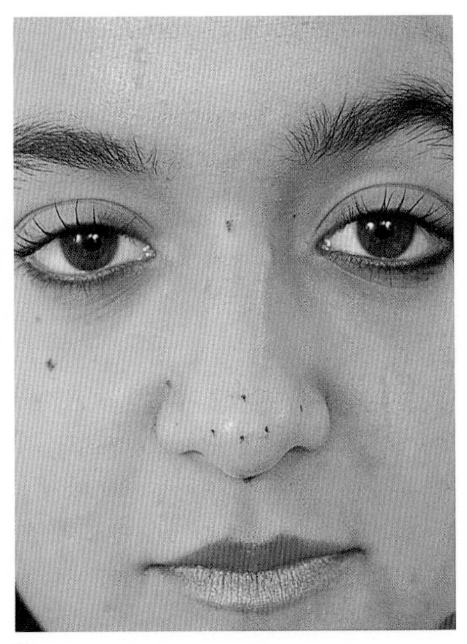

B

그림 7-40

A

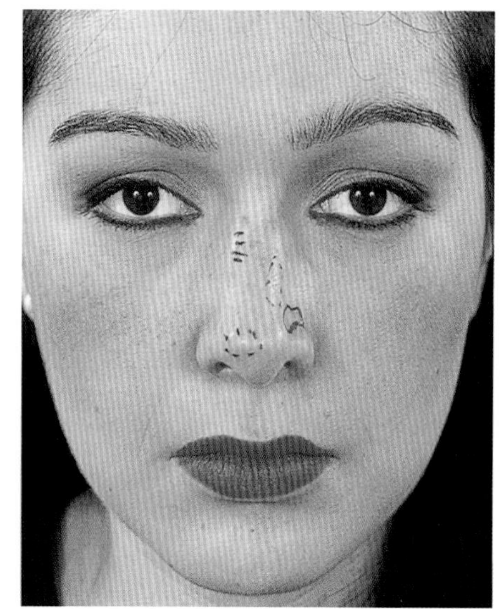

B

그림 7-41

결책은 이식물을 2지점에서 봉합하는 것이었다. 수술을 생략(omission)하는 잘못은 흔히 술전 분석에서 실패하였기 때문이며, 절골술이나 비공상절제술이 여기에 속한다(그림 7-41).

개방비첨 봉합술 및 이식술은 비성형술에 대변혁을 일으켰지만, 그 선구자와 추종자 모두에게 학습곡선이 없었던 게 아니다. 피해야 할 첫 번째 경향은 각지주이식술을 할 때 비주를 지나치게 좁히는 것이다. 둘째, 양쪽 내측각과 중간각끼리 봉합하면 비첨이식물이 하비소엽에 달라붙게 됨으로써 통합된 비첨이 만들어지기 보다는 처진 비주를 만든다(그림 7-42A, B). 셋째, 돌출시키는 비첨이식술(projecting tip graft)에서는 반드시 '받침이식술(cap graft)'이나 단단한 포수형이식물(backstop)을 사용함으로써 반흔조직에 의한 접는 힘을 저항하여야 한다. 이러한 단단한 비첨이식술은 수술실에서는 완벽한 돌출을 보이지만(그림 7-42C), 술후 6년에 이식물과 비첨이 좀 더 둥글게 되어서 재수술이 필요하였다(그림 7-42D).

Tip Graft Problems

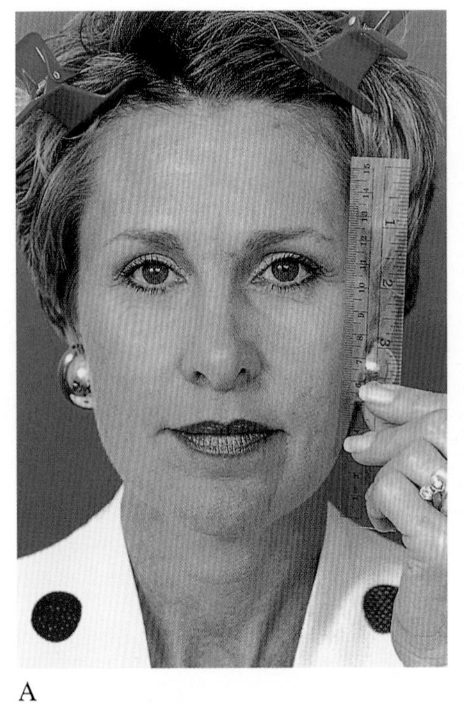

A

Tip Graft Projection

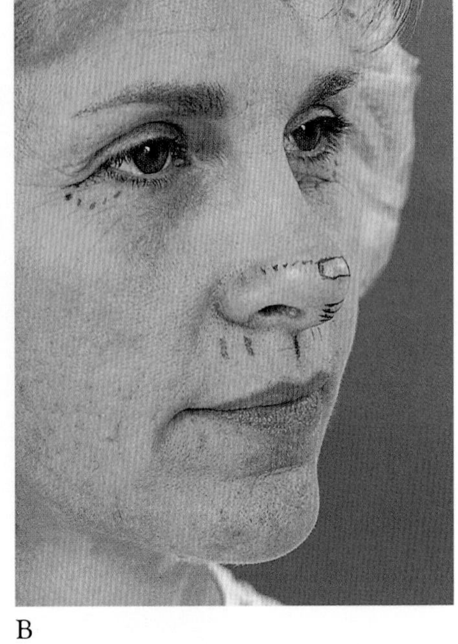

B

Six Years Later

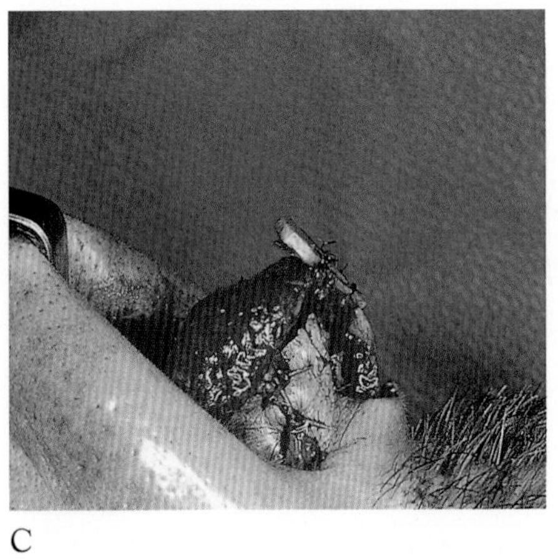

C

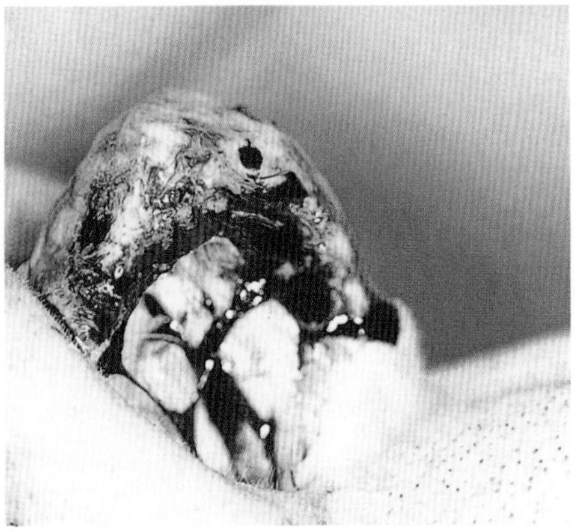

D

그림 7-42

의문의 여지없이, 부적절한 환자 선택과 과도한 봉합술은 '으르렁거리는 비첨(snarl tip)'과 회전된 비첨을 포함한 어려운 문제점들을 야기할 수 있다. 다시 말하지만, 경고는 존중되어야 한다. 즉, 모든 봉합사를 단단히 묶지 말고, 오히려 바람직한 효과를 얻을 때까지 봉합사를 조인 다음 멈추라. 각봉합술(crural suture)을 두측에서 지나치게 조여서 처진 비주를 만든 다음, 외측각간봉합술(lateral crural spanning suture)을 하여 비익연을 두측으로 당기는 기법을 동시에 하는 것이 가장 위험하며, 으르렁거리는 비첨을 초래한다(그림 7-43A, B). 하비소엽의 길이는 원개등화봉합술에 의하여 지나치게 길어질 수 있는데, T점(비첨점)보다 미측에서 가비첨(pseudotip)을 만듦으로써 하비소엽이 4-6mm 더 길어진다(그림 7-43C, D). 모든 재수술은 환자의 미학적 유익과 술자의 학습 경험을 위하여 해야 한다.

Tip Suture Problems

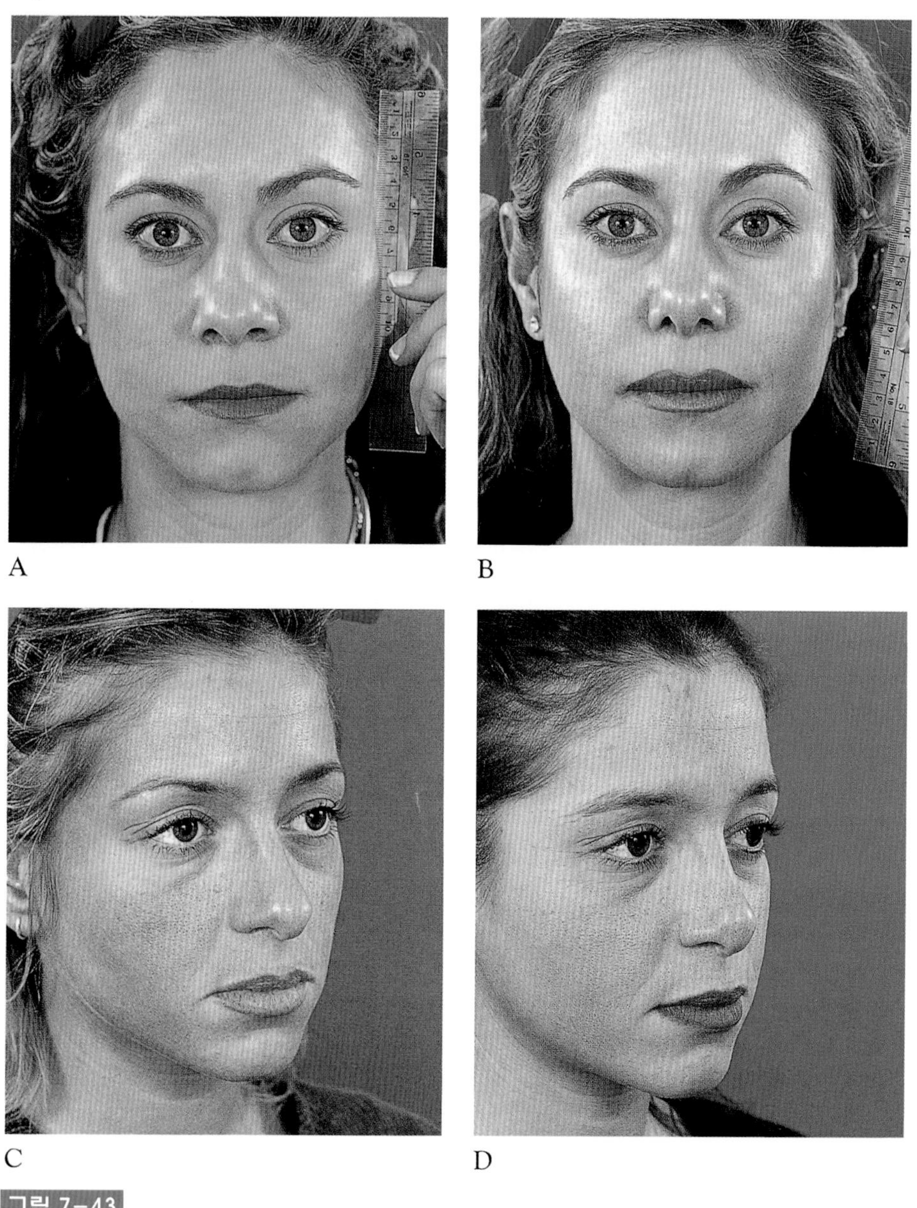

A B C D

그림 7-43

저자는 언제 재수술을 하는가? 대개 1년 이전에는 하지 않는다. 단 하나의 예외는 큰 비배이식물 또는 비첨이식물이 분명히 변위된 경우이다. 저자는 변위된 비배이식물을 술후 10일에 재수술하였는데, 재수술한 것이 매우 기뻤다. 또, 저자는 대단히 요구가 많은 환자를 진정시키기 위하여 술후 6주에 수축된 비공정점에 복합조지이식술을 한 적도 있다.

## 참고 문헌


1. Anderson JR. The future of open rhinoplasty. *Facial Plast Surg* 1988;5:189.
2. Anderson JR. Rhinoplasty: Emphasizing the External Approach. New York: Thieme-Stratton, 1986.
3. Anderson JR, Johnson CM, and Adamson JR. Open rhinoplasty: An assessment. *Otolaryngol Head Neck Surg* 1982;90:272.
4. Burgess LPA, Everton DM, Quilligan JJ, et al. Complications of the external (combination) rhinoplasty approach. *Arch Otolaryngol Head Neck Surg* 1986; 112:1064.
5. Burgess LP, Quillagan JJ, Van Sant TE Jr., et al. The external (combination) rhinoplasty approach for the problem nose. *J Otolaryngol* 1985;14:113.
6. Conrad K. Correction of the crooked nose by external rhinoplasty. J Otolaryngol 1978;7:32.
7. Daniel RK. *External rhinoplasty-A 7% solution.* Presented at the Annual Meeting the American Society of Plastic and Reconstructive Surgeons, Los Angeles. October 7-12, 1983.
8. Daniel RK. Rhinoplasty: Creating an aesthetic tip. *Plast Reconstr Surg* 1987;80:775.
9. Daniel RK. The nasal tip: Anatomy and aesthetics. *Plast Reconstr Surg* 1992;89:216.
10. Daniel RK. Open rhinoplasty: Operative techniques. In: Daniel RK (ed) *Aesthetic Plastic Surgery: Rhinoplasty.* Boston: Little, Brown, 1993.
11. Daniel RK. Secondary rhinoplasty following open rhinoplasty. *Plast Reconstr Surg* 1995;96:1539.
12. Freidman GD, and Gruber RP. A fresh look at the open rhinoplasty technique. *Plast Reconstr Surg* 1988;82:973.
13. Goodman WS. External approach to rhinoplasty. *Can J Otolaryngol* 1973;2:207.
14. Goodman WS, and Charles DA. Why external rhinoplasty? J Otolaryngol 1978;7:9. (Entire Issue)
15. Gorney M. Patient selection in rhinoplasty: Practical guidelines. In: Daniel RK (ed) *Aesthetic Plastic Surgery: Rhinoplasty.* Boston: Little, Brown, 1993.
16. Gruber RP. Open rhinoplasty. *Clin Plast Surg* 1988;15:95.
17. Gunter JP, and Rohrich RJ. External approach for secondary rhinoplasty. *Plast Reconstr Surg* 1987;80:161.
18. Guyuron B. Dynamic interplays during rhinoplasty. Clin Plast Surg 1966;23:223. (Entire Issue)
19. Johnson C, and Toriumi DM. *Open Structure Rhinoplasty.* Philadelphia: Saunders, 1990.
20. Jugo SB. Complications of external rhinoplasty (abstract). *Otolaryngol Head Neck Surg* 1984;92(suppl):85.
21. Jugo SB. Total septal reconstruction through decartication (external) approach in children. *Arch*

*Otolaryngol Head Neck Surg* 1987; 113:173.

22. Kridel RWH, Appling WD, and Wright WK. Septal perforation closure utilizing the external septorhinoplasty approach. *Arch Otolaryngol Head Neck Surg* 1986;112:168.
23. Kridel RWH, and Szacitowicz EH. Noncaucasian rhinoplasty with the open approach. *Facial Plast Surg* 1988;5:179.
24. Padovan IF. External approach in rhinoplasty. *Surg Orl Lung* 1966;3:354.
25. Padovan IF. Combination of extranasal and intranasal approach in surgery of the nasal pyramid and nasal septum. *Can J Otolaryngol* 1975;4:522.
26. Rethi A. Right and wrong in rhinoplastic operations. *Plast Reconstr Surg* 1948;3:361.
27. Rethi A. Raccourcissement du nez trop long. *Rev Chir Plast* 1934;4:85.
28. Regnault P, and Daniel RK. Septorhinoplasty. In: Regnault P and Daniel RK (eds) *Aesthetic Plastic Surgery*. Boston: Little, Brown, 1984.
29. Rohrich R, Gunter JP, and Friedman RM. Nasal tip blood supply: An anatomic study validating the safety of the transcolumellar incision in rhinoplasty. *Plast Reconstr Surg* 1995;95:795. Updated, *Plast Reconstr Surg* 2000;106:1640.
30. Sercer A. Dekartikation der nase. *Chir Maxillofac Plast* 1958;1:149.
31. Sheen JH, and Sheen AP. *Aesthetic Rhinoplasty* (2nd ed.) St. Louis: Mosby, 1987.
32. Tardy JW. External rhinoplasty. *Laryngoscope* 1980;90:1626.
33. Tebbetts JB. Open rhinoplasty: more than an incisional approach. In: Daniel RK (ed) *Aesthetic Plastic Surgery: Rhinoplasty*. Boston: Little, Brown, 1993.
34. Tebbetts JB. Rethinking the logic and techniques of primary tip rhinoplasty. *Clin Plast Surg* 1996;23:245.
35. Toriumi DM. Open rhinoplasty. *Facial Plast Surg Clin* 1993;1:1. (Entire Issue)
36. Toriumi DM, et al. Vascular anatomy of the nose and the external rhinoplasty apach. *Arch Otolaryngol Head Neck Surg* 1996;122:24.
37. Voight T. Tip rhinoplastic operations using a transverse columellar incision. *Aesthetic Plast Surg* 1983;7:13.
38. Vuyk HD, and Olde Kalter P. Open septorhinoplasty: Experiences in 200 patients. Rhinology 1993;3:175.
39. Wright WK, and Kridel RWH. External septorhinoplasty: A tool for teaching and improved results. Laryngoscope 1981;91:945.

# 어려운 코를 위한 상급 기법 (Advanced Techniques for the Difficult Nose)

# 8

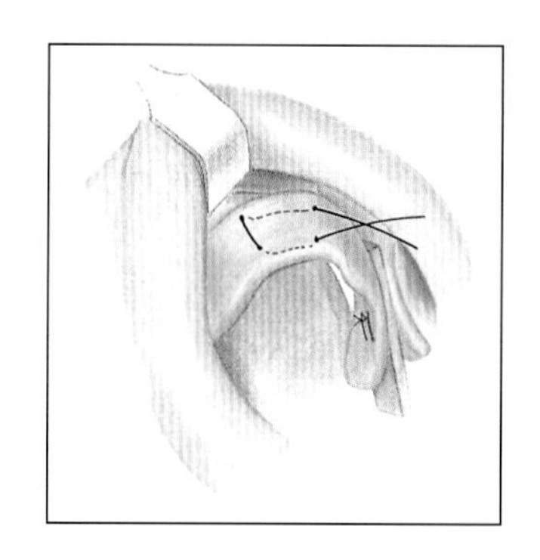

이 장은 어려운 코를 설명하고 정의하기 위하여 시도되었다. 어떤 독자들은 코를 분석하고 효과적인 수술 계획을 고안하는 것을 희망적으로 배우는 반면, 많은 독자들은 그것이 숫자와 관계된 몹시 괴로운 시도로 알고 있다. 대부분의 임상사진분석은 각도와 비율을 포함하며, 이것은 컴퓨터 화면이나 투명피복지(transparent overlay)를 사용한 측면 임상사진에서 5분 안에 쉽게 구할 수 있다. 이 장의 목표는 고정된 해결책을 제공하는 것이 아니라 술자의 사고 과정을 자극하는 것이다. 저자가 본격적인 수술 계획을 고안하도록 저자 스스로를 돕기 위해서는 경증으로부터 중간증을 거쳐서 중증으로 진행하는 것이 매우 효과적임을 알게 되었다. 분석이 좀 더 정확하면 정확할수록, 수술 계획이 좀 더 세련되고 정확해지는데, 수술을 더 간단히 하게 되며, 더 나은 결과를 가져오게 한다. 의문의 여지없이, 분석할 때 소비한 시간을 술중에 아낄 수 있다. 또, 외과적 재난을 겪지 않으려고 애쓰는 것보다는 임상사진에서 지우개를 사용하는 것이 더 낫다.

마지막 경고는 초기 시술에서는 어려운 증례를 수술하지 말라는 것이다. 전통적 외과 격언은 정말로 진실이며, 아마도 비성형술로부터 발전되었을 것이다. 첫째, 외과적 판단은 외과적 경험으로부터 나오며, 이것은 흔히 실수로부터 얻는다. 둘째, 모든 좋은 결과는 술자에게 3명의 환자를 가져다주지만, 모든 나쁜 결과는 술자에게서 9명의 환자를 잃게 한다. 얻을 것이 별로 없고 잃을 것이 많은 상황에서 왜 어려운 증례를 수술하려 하는가? 셋째, 술전 과정은 유한이지만, 술후 과정은 무한하다. 모든 사람이 수술실을 즐기지만, 시술과 관련된 행복은 검사실에서 결정될 것이다. 만일 환자가 수술 결과에 대하여 호소하는 것을 듣기가 걱정되면 처음부터 문제점을 만들지 않아야 한다. 어느 누구도 수술하라고 강요하지 않는다. 더 어려운 증례를 수술하기 전에 더 쉬운 환자를 수술하면서 기본을 배우는 점진적인 과정에서 비성형술의 필수적인 기술을 가장 잘 얻을 수 있음을 기억하라.

## 과대돌출비 (Overprojecting Nose)

과대돌출비에서는 신중한 분석, 특이한 원인의 확인, 그리고 융통성 있는 연속적 수술 계획이 필요하다. 돌출은 비근, 비종석부(keystone area), 그리고 비첨에서 평가해야 하지만, 최종 결정은 다음의 2가지 요소에 의하여 가장 흔히 내려진다. 즉, 비첨돌출과 이상적 비배측면선. *비첨돌출(tip projection)*은 비익주름으로부터 비첨까지의 거리(AC-Ti)로서 정의되며, 내재 요소인 비익과 외재 요소인 골-연골원개로부터 영향을 받는다(그림 8-1A). 이상적 비배*측면선*(dorsal *profile line*)은 비-안면각의 비배 부분을 일컫는다(그림 8-1B). 임상사진분석을 즐기는 술자에게는 Byrd 비율(ratios)을 사용하는 것이 대단히 쉽다. 즉, 중안면높이(midfacial height, MFH)의 2/3가 이상적 비배길이(N-Ti)이며, 이상적 비배길이의 2/3가 비첨돌출(AC-Ti)이다. 그 다음, 2개의 각도를 그린다. 즉, 비익주름으로부터 비첨각(tip angle)과, 이상적 비근점으로부터 비-안면각이다. 이것에 의하여 각각 비첨돌출과 비배길이가 결정된다. 대부분의 증례에서 저자는 비첨돌출과 비첨각 둘 다를 가장 중요시한다. 수술 계획을 진행시키기 위하여 각 부위에 대한 표준적 분석을 한 다음, 그것을 완전한 계획에 포함시킨다. 문제점이 복잡하면 할수록 저자는 폐쇄 및 개방 접근술을 더 선호한다.

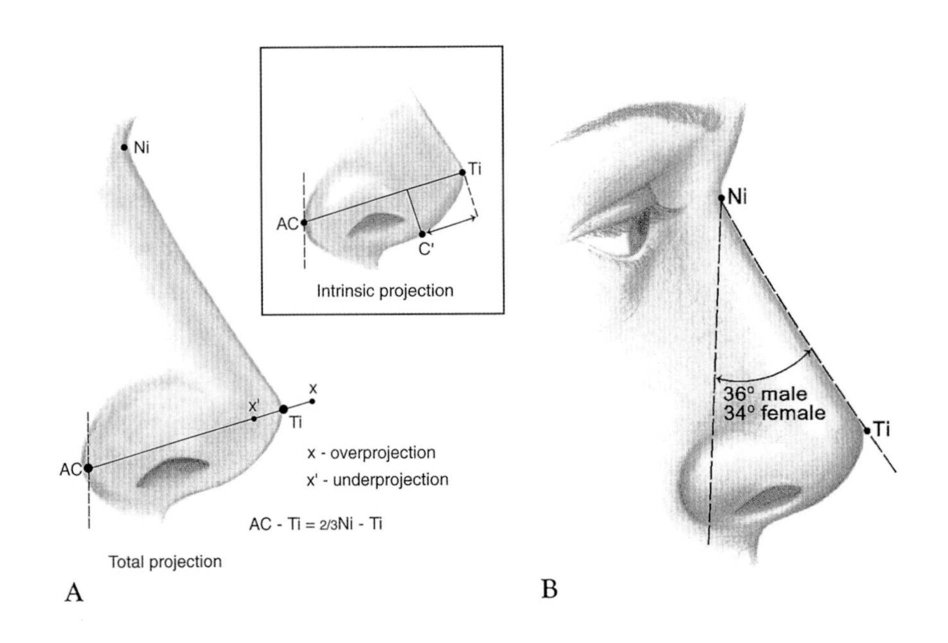


그림 8-1

## 경증 과다돌출(Minor Overprojection)

이러한 증례는 비첨돌출을 2-3mm 정도 줄이기를 원하는 '강인한 코(strong nose)'이며, 원인은 주로 외재적이다(그림 8-2). 원래, 비첨은 아래에 놓인 골-연골원개와 비중격으로부터 바깥쪽으로 뻗쳐 있다. 내재 비첨이 상대적으로 이상적이라는 가정 아래에서 저자는 연골내절개술을 통하여 비첨용적축소술을 한다. 이때, 연골내절개술 자체만으로도 비첨돌출을 1mm 정도 줄일 수 있다. 그 다음, 이상적 측면선에 맞추어서 비배축소술을 하며, 이에 맞도록 미측비중격 및 전비극 절제술을 한다. 대부분의 증례에서 이러한 보존적이고 연속적인 수술이면 충분하다. 만일 추가적인 비첨함입술(tip deprojection)이 필요하면 양측완전관통절개술 및/또는 비주-비중격봉합술을 추가할 수 있다(114쪽 참고).

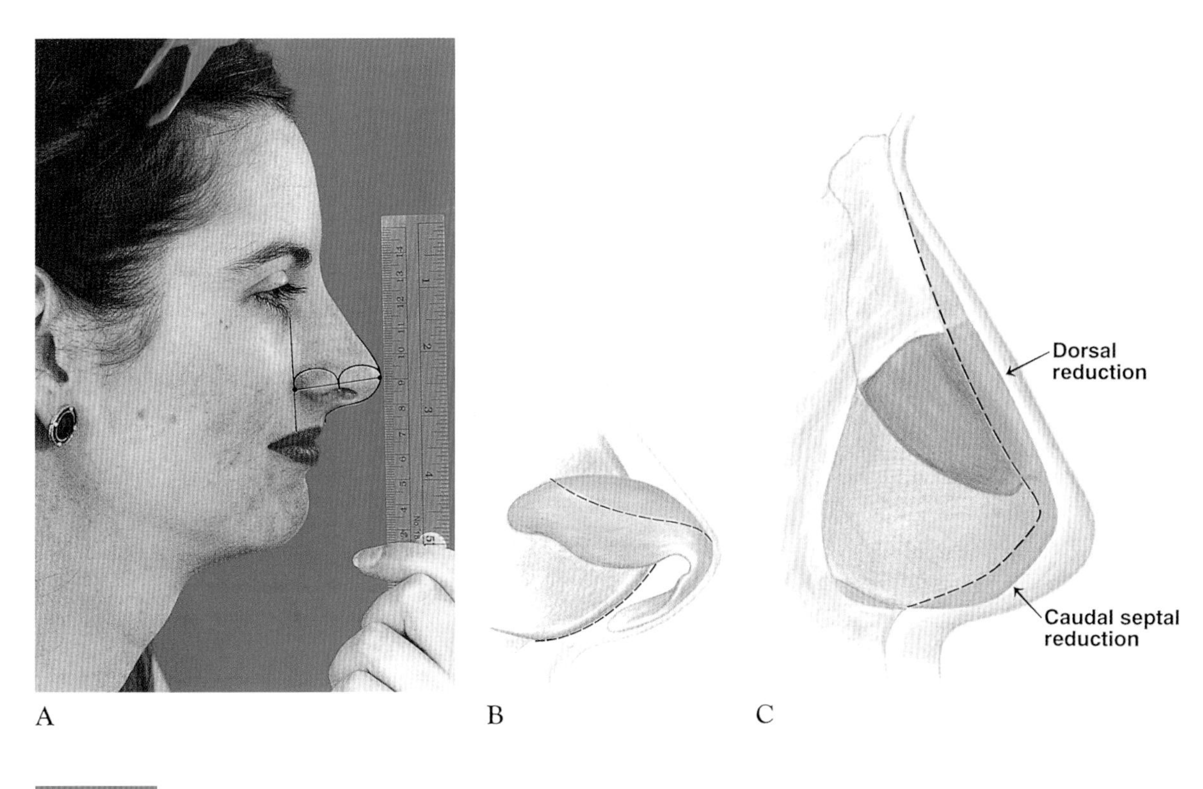


그림 8-2

## 중간증 과다돌출(Moderate Overprojection)

이러한 증례는 비첨함입량이 3-6mm로서 더 크며, 원인으로는 흔히 외재력과 내재 요소가 동시에 관여한다(그림 8-3). 저자의 목표는 남아있는 내재 요소의 정도와 구성을 뚜렷이 밝히기 위하여 우선 외재력을 제거하는 것이다. 첫 단계는 연골간절개술과 양측완전관통절개술을 통하여 이상적 측면선을 만드는 것이다. 이때, 양측완전관통절개술은 흔히 비첨돌출을 2mm 정도 떨어뜨린다. 비배와 비근점도 술전에 계획하였던 이상적 측면선을 얻을 때까지 낮춘다. 그 다음, 미측비중격 및 전비극 변형술을 한다. 이 시점에서, 비첨에 영향을 주는 모든 외재력이 제거되었으므로 수술 계획을 다시 평가하여야 한다. (비주-비중격)봉합술 또는 외측각의 작은 구멍절제술(slot excision)로써 비첨돌출을 조절할 수 있을지, 아니면 개방접근술로써 비첨을 열 필요가 있을지. 대부분의 증례에서 저자는 수술대에서 흔히 좋게 보이게 하는 작은 기교에 의존하기 보다는 비첨을 열고 변형술로써 직접 다루기를 더 좋아한다. 그러나 오래 동안 수술하지는 않는다. 바람직한 비첨정의를 얻을 때까지 원개형성봉합술과 원개등화봉합술을 추가한다. 중간각의 단독절제술은 사용하지 않는데, 매우 불안정하고 합병증이 잘 생기기 때문이다.

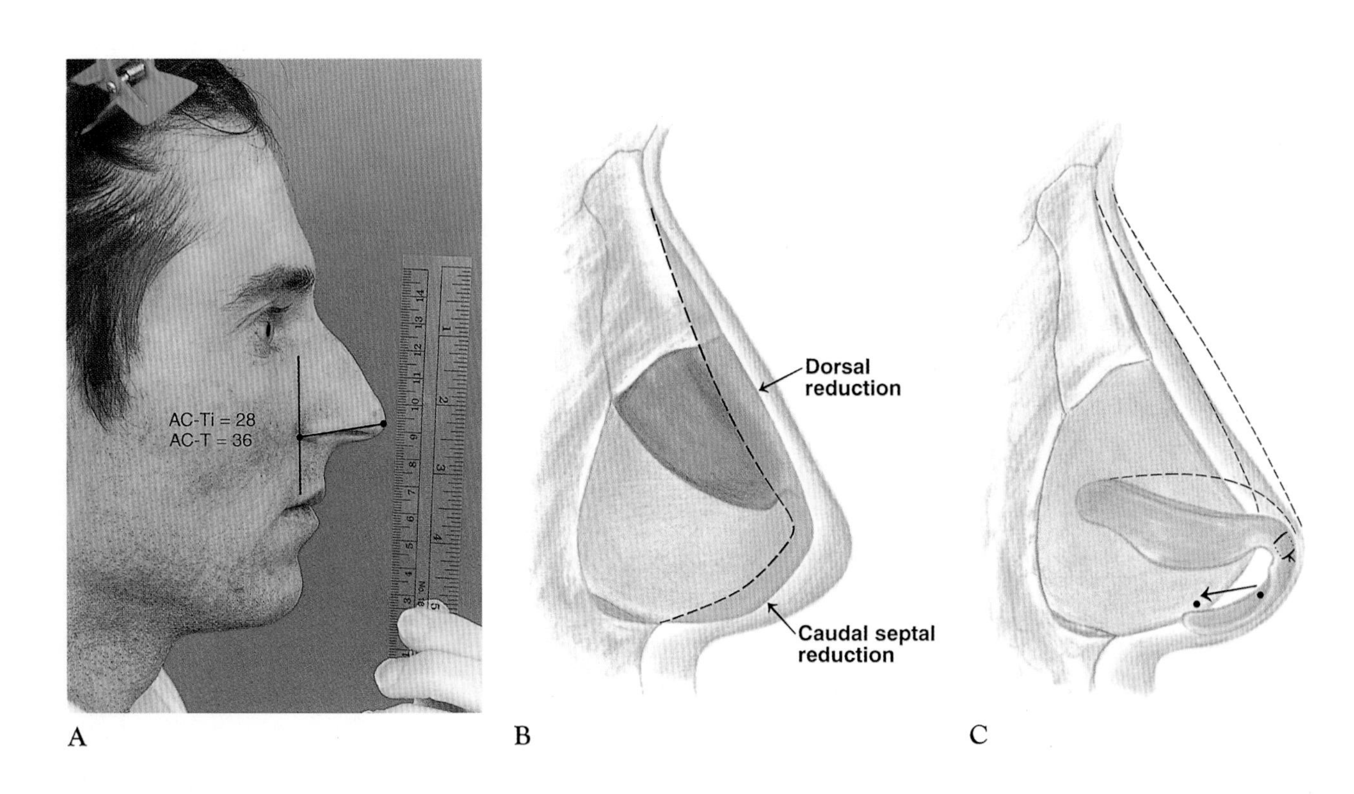


그림 8-3

## 중증 과다돌출(Major Overprojection)

이러한 증례에서 과다돌출은 매우 크며(6mm 이상), 내재 요소가 심각하고, 비첨연골은 흔히 변형되어 있다(그림 8-4). 접근술은 중간증의 변형 때와 매우 비슷하다. 즉, 폐쇄접근술로써 이상적 측면선을 만든 다음, 비첨을 연다. 이러한 증례에서 봉합변형술(suture modification)은 실제로는 불가능하며, 저자는 개방구조비첨술(open structure tip)을 더 좋아한다. 두측 외측각을 적절히 절제하고, 5-6mm의 비익연연골조각(rim strip)을 남긴다. 그 다음, 20X3mm 크기의 각지주를 제 자리에 봉합한다. 봉합하는 자리는 비주변곡점보다 6-7mm 두측에서 정한다. 중간각을 통하는 가로 절개를 한 다음, 외측부를 점막하로 박리한다. 넓은 원개분절을 적절히 절제하면(4-8mm), 돌출이 극적으로 낮아진다. 원개절제는 5-0 PDS사로써 봉합한다. 비첨이식물의 모양을 만든 다음, 비주에 봉합한다. 이 기법은 비첨돌출을 좀 더 조절할 수 있는 매우 융통성이 있는 기법이다. 그 방법은, 첫째, 이식물의 *위치(position)*를 결정하기 위하여 봉합술을 사용하거나, 둘째, 비소엽의 돌출을 증가 또는 감소시키기 위하여 비주-비중격봉합술을 사용하거나, 셋째, 둘 다 한다. 이 수술은 12mm까지 비첨함입이 필요한 환자에서 효과적이다(389쪽 참고).

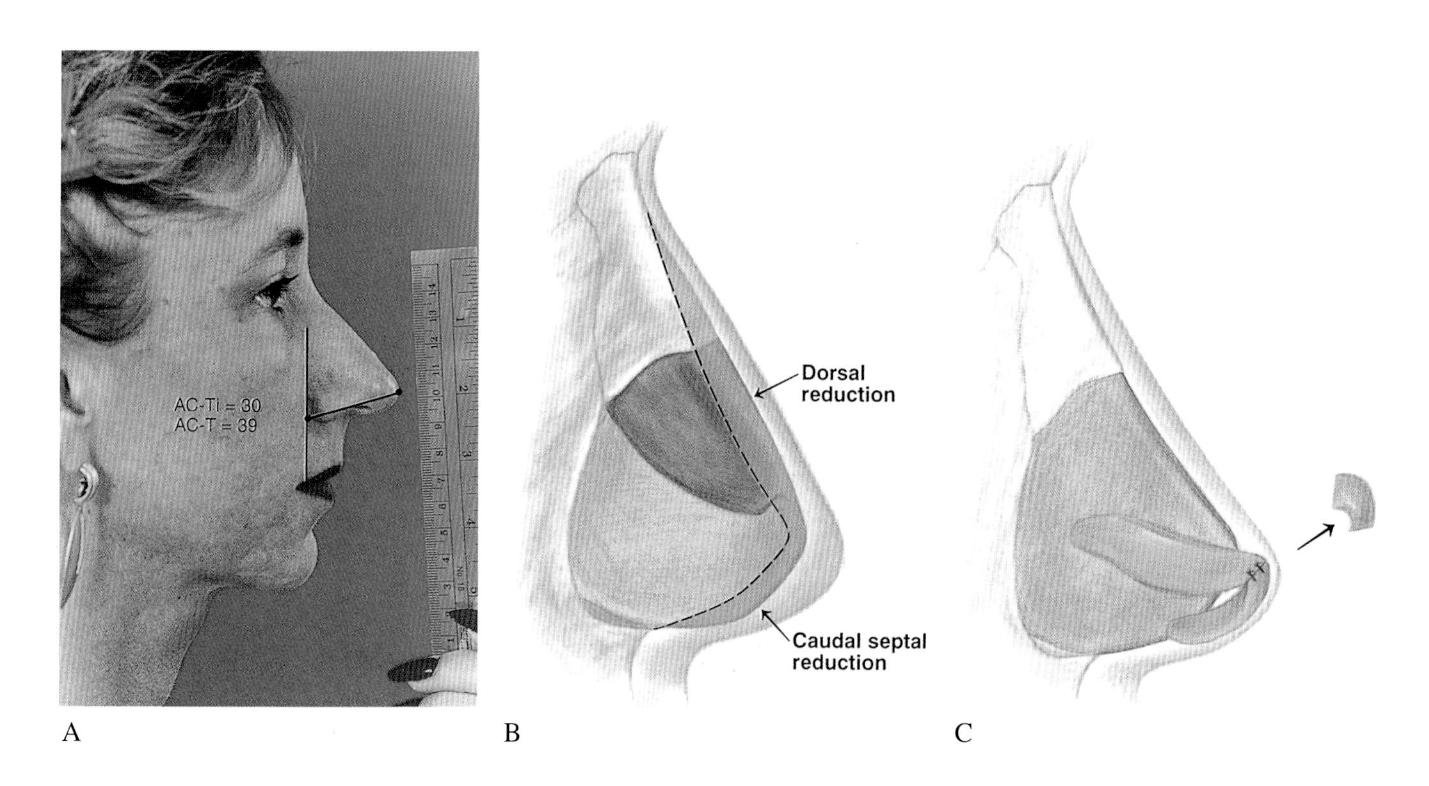


그림 8-4

## 증례 연구 과대돌출비(Overprojecting Nose)

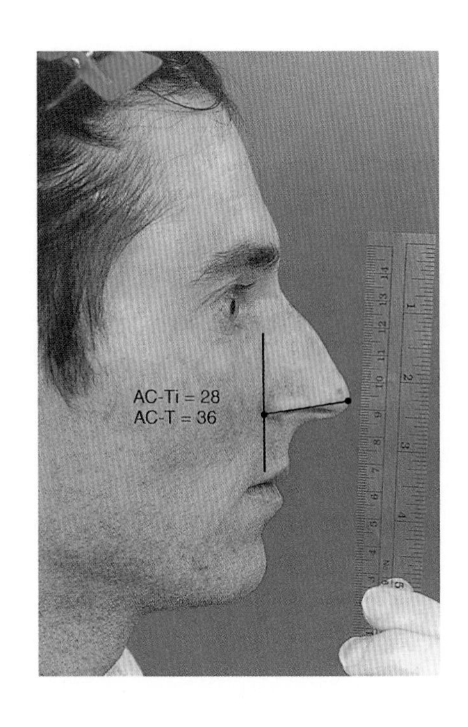


### 분석

36세의 기술자로서 작은 키(160cm)에 비하여 코가 너무 크다고 호소하였다. 이학검사에서 골-연골골격구조가 대단히 크고, 촉진에서 전비극이 뚜렷하였다. 비첨돌출(AC-T) 36mm, 중간원개높이 27mm이었다. 임상사진분석 결과, 그의 이상적 비첨돌출은 28mm로서 8mm를 떨어뜨려야 하였다(실제 AC-T는 36mm이고, 이상적 AC-Ti는 28mm이므로 8mm의 차이가 남). 저자는 골-연골골격구조의 과다한 돌출 때문에 생긴 꽤 표준형의 과다돌출비로 생각한다. 또, 저자는 변형을 일으킨 외재력이 제거될 때까지는 진성의 비첨 특징을 평가하기가 거의 불가능하므로 폐쇄 및 개방 동시접근술을 사용한다.

### 외과 수기

1. 비첨돌출을 떨어뜨리기 위한 양측완전관통절개술.
2. 배부축소술: 끌질로써 골 6mm, 수술도로써 연골 11mm.
3. 3mm의 미측비중격절제술. 관통절개술을 통하여 비중격채취술.
4. 경비주절개술과 연골내절개술을 통한 개방접근술.
5. 5mm의 비익연연골조각만 남기고 두측외측각절제술. 비첨회전을 위하여 삼각형외측분절절제술(triangular lateral segment excision).
6. 양측연전이식술. 저-고위외측비절골술.
7. 봉합술과 하비소엽잠복이식술(infralobular concealer graft)로써 원개간격 단축.
8. 모든 절개선의 봉합술. 비공상(3mm) 및 쐐기형비익(3mm) 동시절제술.

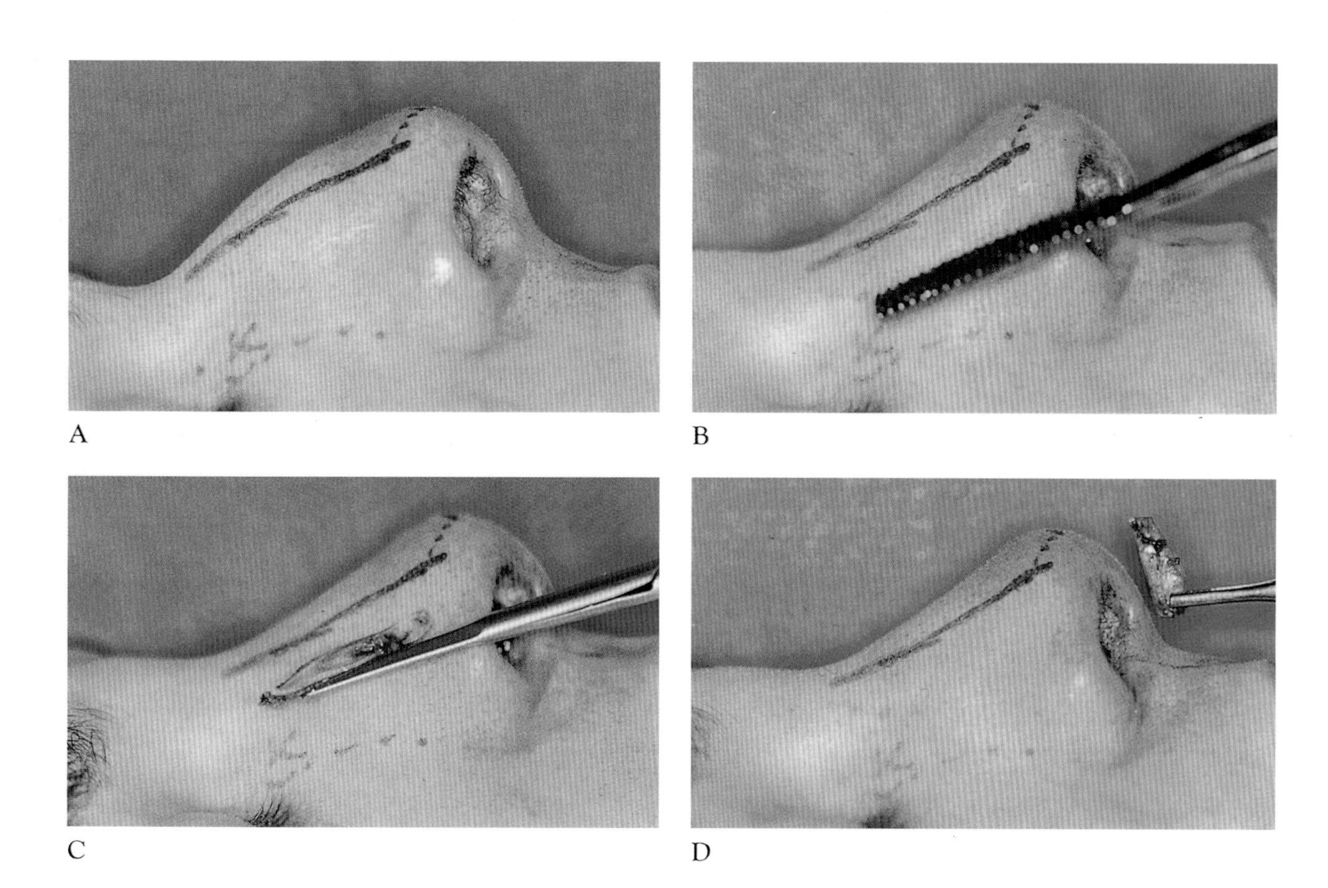


그림 8-5

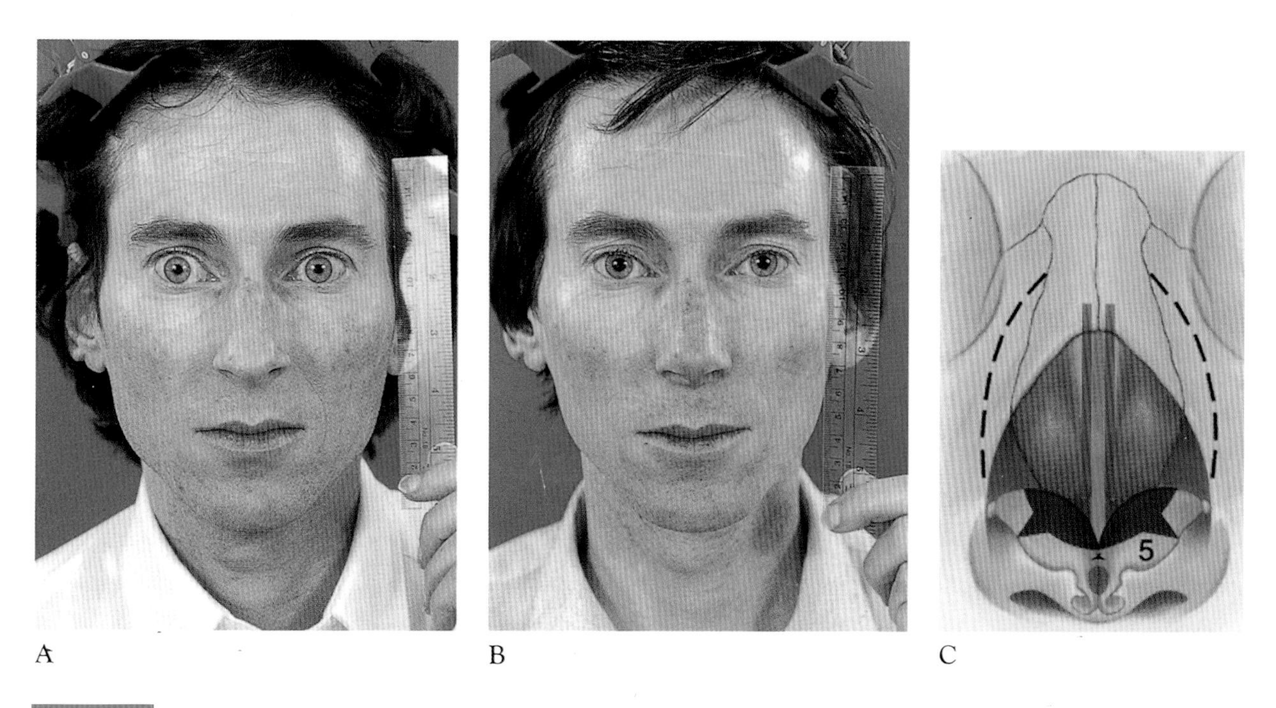


그림 8-6

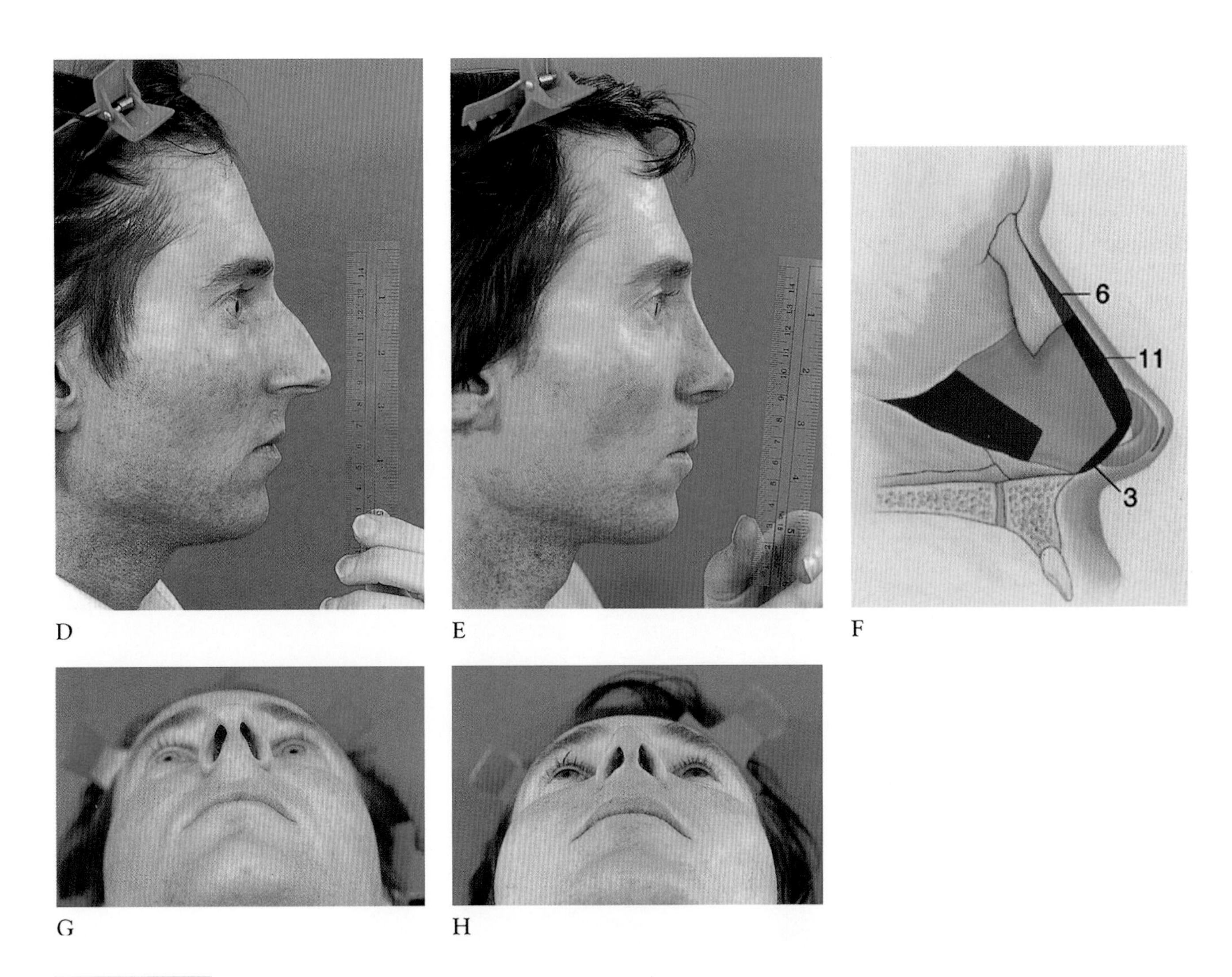


그림 8-6. 계속

## 논평

이 환자는 부드럽고 정교한 여성적인 코를 원하였다. 과다돌출을 일으키는 외재 요소를 제거하기 위하여 큰 폐쇄축소술을 하였다. 이렇게 하여야만 비첨을 평가할 수 있다. 이렇게 순차적으로 수술하여야 하는 증례에서는 폐쇄 및 개방 접근술이 이상적이다. 얇은 피부 때문에 저자는 가능하면 원개 전체를 보존하기를 원하였고, 돌출을 떨어뜨리고 회전을 얻기 위하여 외측분절절제술을 하였다. 양측 중간각 사이의 '분할(split)' 을 숨기기 위하여(피부가 그만큼 얇았음) 절제해낸 비익연골로써 만든 작은 잠복이식물(concealer graft)을 중간각에 봉합하였다. 술후 3년에도 비첨돌출은 36mm에서 27mm로 9mm 떨어져 있었다.

## 과소돌출비 (Underprojecting Nose)

과다돌출비의 원인이 다원적인 것과는 정반대로, 과소돌출비의 주요 원인은 내재 비첨의 부족이며, 외재력은 좀 더 제한적으로 영향을 미친다. 평가할 때에는 비첨돌출, 비익-비소엽비율(alar/lobule ratio), 그리고 분절비첨돌출(segmental tip projection)을 고려한다(그림 8-7A, B). 비첨돌출은 측면에서 비익주름으로부터 비첨까지의 거리(AC-T)로서 가장 잘 정의되며, 이상적인 거리는 중안면높이(MFH)의 44%이다(AC-Ti=0.66XN-Ti with N-Ti=0.66XMFH)[3]. 이 3가지 거리를 종이에서 기술하기는 복잡하지만, 환자에서 직접 또는 표준화된 측면임상사진에서 투명한 플라스틱 자를 사용하여 30초 만에 쉽게 계측할 수 있다. 최소한의 노력으로 수집한 정보도 매우 유용하다. 대부분의 환자에서는 이상적 비첨각(여성 105도, 남성 100도)에서 벗어나 있기 때문에 비첨회전에 대한 결정을 하는 것도 현명하다. 비익-비소엽비율은 측면에서 보이는 비익과 비소엽, 2가지 부분의 상대적인 용적을 일컬으며, 50:50이 이상적이다. 비소엽 부분이 절대적인 한계까지 줄어들면(〉60:40), 과소돌출비첨은 좀 더 뚜렷해진다. 전체적인 분절비첨돌출은 이상구, 비주, 그리고 하비소엽의 3가지 요소에 달려있다[11]. 이 3가지 요소가 각각 부족할 수 있으며, 특히 비주가 짧고, 하비소엽이 편평한 것이 강조된다. 결국, 술자는 외과적 해결책에 바탕을 두고 비첨돌출을 분류하는 개인적인 기준을 발전시켜야 한다. 저자의 기준은 다음과 같다.

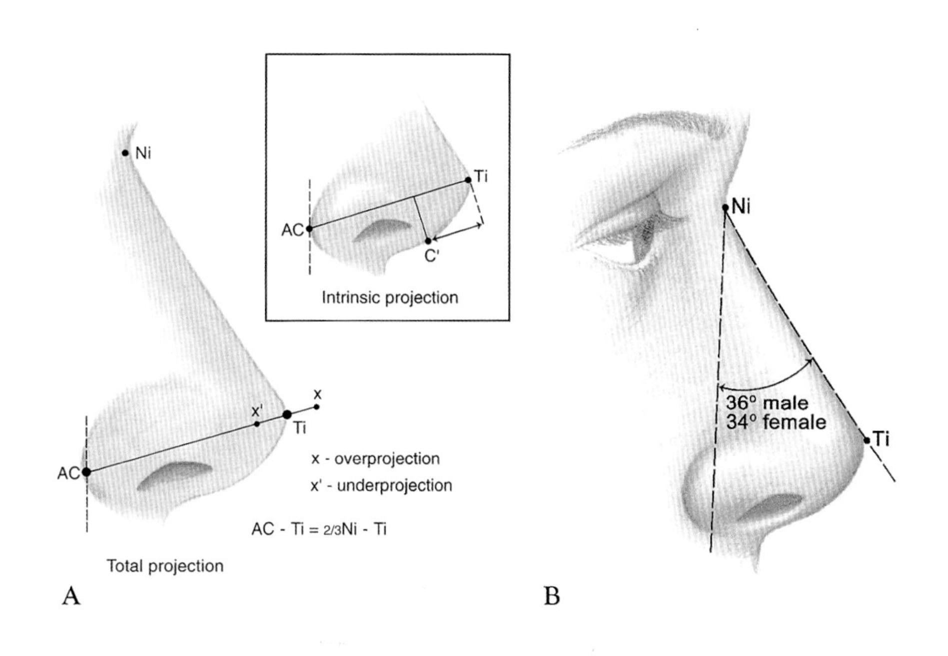


그림 8-7

## 경증(Minor)

일반적으로, 이러한 증례들은 2가지 부류로 이루어진다. 즉, 조금 과소돌출 된 부류(1-2mm)와, 외재 요소에 의하여 왜곡되기 때문에 과소돌출된 것으로 *착각(illusion)*되는 부류이다(그림 8-8A, B). 돌출을 절대적 한계에서 조금 증가시키는 것은 폐쇄비첨중첩이식술 및/또는 비주-비중격돌출봉합술로써 이룰 수 있다. 대조적으로, 비첨돌출이 증가한 것으로 *착각(illusion)*하게 하기 위해서는 비배낮추기 및/또는 새로운 비배선보다 더 두측으로 비첨회전 시키기를 한다.

## 중간증(Moderate)

비첨돌출이 진성으로 2-3mm 부족하면 먼저 내재 비첨이 이상적인지, 비주-비중격봉합술로써 비첨을 두측으로 돌출시킬 수 있는지를 결정하여야 한다. 대부분의 증례에서 내재 비첨은 이상적이지 않으며, 개방비첨봉합술이 필요하다(그림 8-8C, D). 특히 강한 비주지주는 중간각을 두측으로 전진시키게 한다. 그 다음, 원개형성봉합술을 하여 외측각을 원개부(domal area)로 가져온 다음, 단단한 지지를 제공하기 위하여 비주지주 위에서 원개간봉합술(interdomal suture) 또는 원개등화봉합술을 한다. 봉합술이 부적절하다고 판단되면 비첨이식술을 추가할 수 있다.

## 중증(Major)

비첨돌출이 4mm 이상 부족하면 불량한 비첨의 3대 요소인, 감소된 돌출, 최소의 정의, 과대한 폭이 대개 존재하며, 이는 두꺼운 피부외피에 의하여 더욱 심해진다. 다행히도, 개방비첨이식술이 이러한 문제점을 흔히 해결할 수 있다(그림 8-8E, F). 비결은 크고 견고한 비주지주를 사용하며, 비주분절(columella segment)의 연장을 위하여 *내측각*(*medial* crus)을 독립 단위로서 두측으로 전진시킨 다음, 하비소엽분절(infralobular segment)의 연장을 위하여 *중간각*(*middle* crus)을 더욱 두측으로 전진시키는 것이다. 이때, 5-0 PDS사로써 수평석상봉합술을 각각 따로 하여 고정한다. 일단 외재 요소를 최대로 하고나면 적절한 방법으로써 원개변형술을 한다. 최종 내재 비첨돌출은 비첨이식물의 돌출로써 얻는다. 받침이식술(cap graft)은 견고함을 오래 동안 유지하는데 필수적이다.

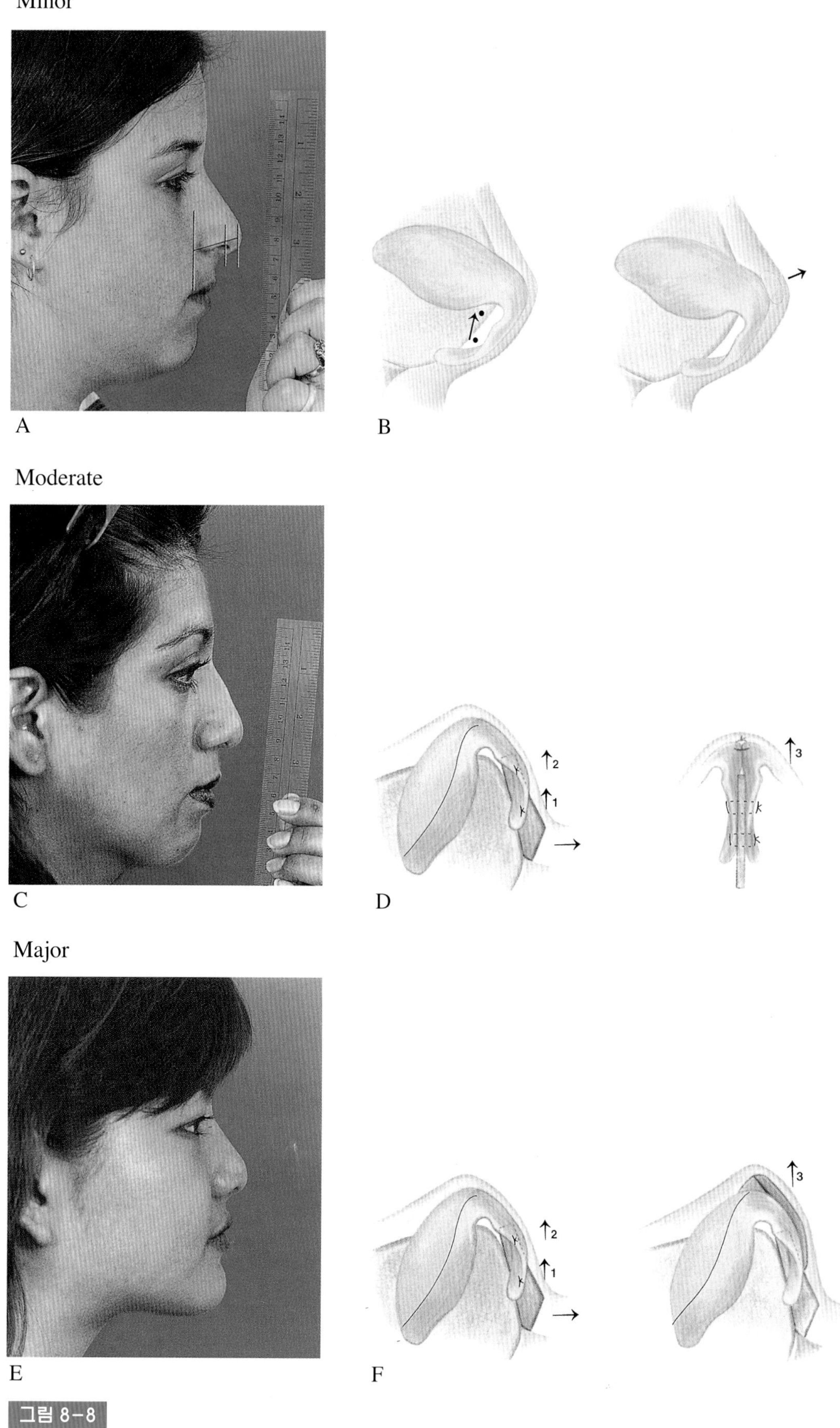


그림 8-8

## 증례 연구 과소돌출비의 분석(Underprojecting Nose Analysis)

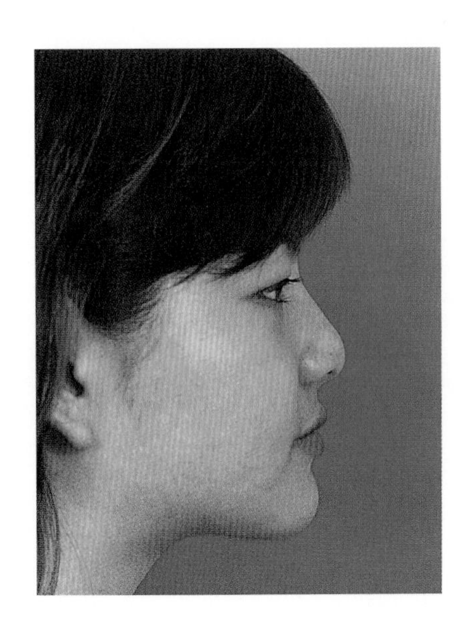

### 분석

중국 혈통인 15세의 여학생은 좀 더 뚜렷하고, 덜 구상인 비첨, 그리고 쌍꺼풀을 원하였다(그림 8-10). 이 환자는 수술 받기 전에 3번 진찰하였는데, 그녀의 진정한 요구를 평가하기 위하여 부모를 동반하게도 하고, 동반하지 않게도 하였다. 가장 큰 난제는 정면에서 넓고 구상의 외양이며, 측면에서 '사자코형비첨(snubbed off)'을 나타내는 내재 비첨부족이었다. 이러한 비첨부족은 비배증대술에 의하여 더욱 심해질 수 있다. 경비주반흔은 이민족코(ethnic nose)에게서 문제점이 아니었다.

### 외과 수기

1. 경비주절개술과 연골하절개술을 통한 개방접근술.
2. 일측관통절개술을 통한 전체비중격채취술.
3. 35X6mm 크기의 2층의 비배이식술. 이때 둘째 층은 두측으로 위치시킴.
4. 깃발형이식술(pennant graft)로써 비주를 미측으로 밈.
5. 6mm의 비익연연골조각만 남기고 두측외측각절제술. 2층의 비첨이식술.
6. 모든 절개선의 봉합술. 비절골술이나 비익저절제술은 하지 않았음.
7. 7mm 높이의 상안검고정성형술(upper-lid anchor blepharoplasty).

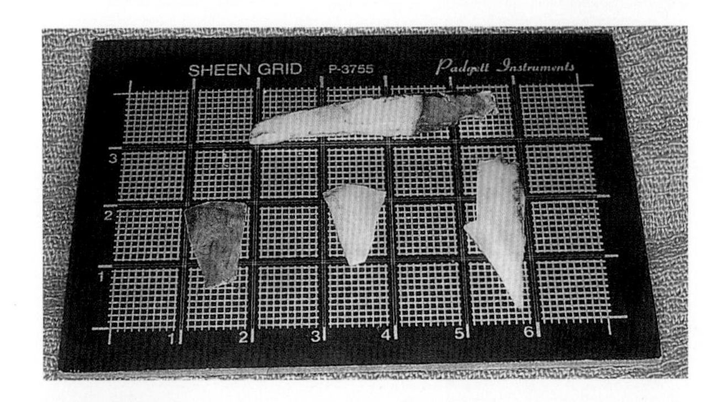


그림 8-9

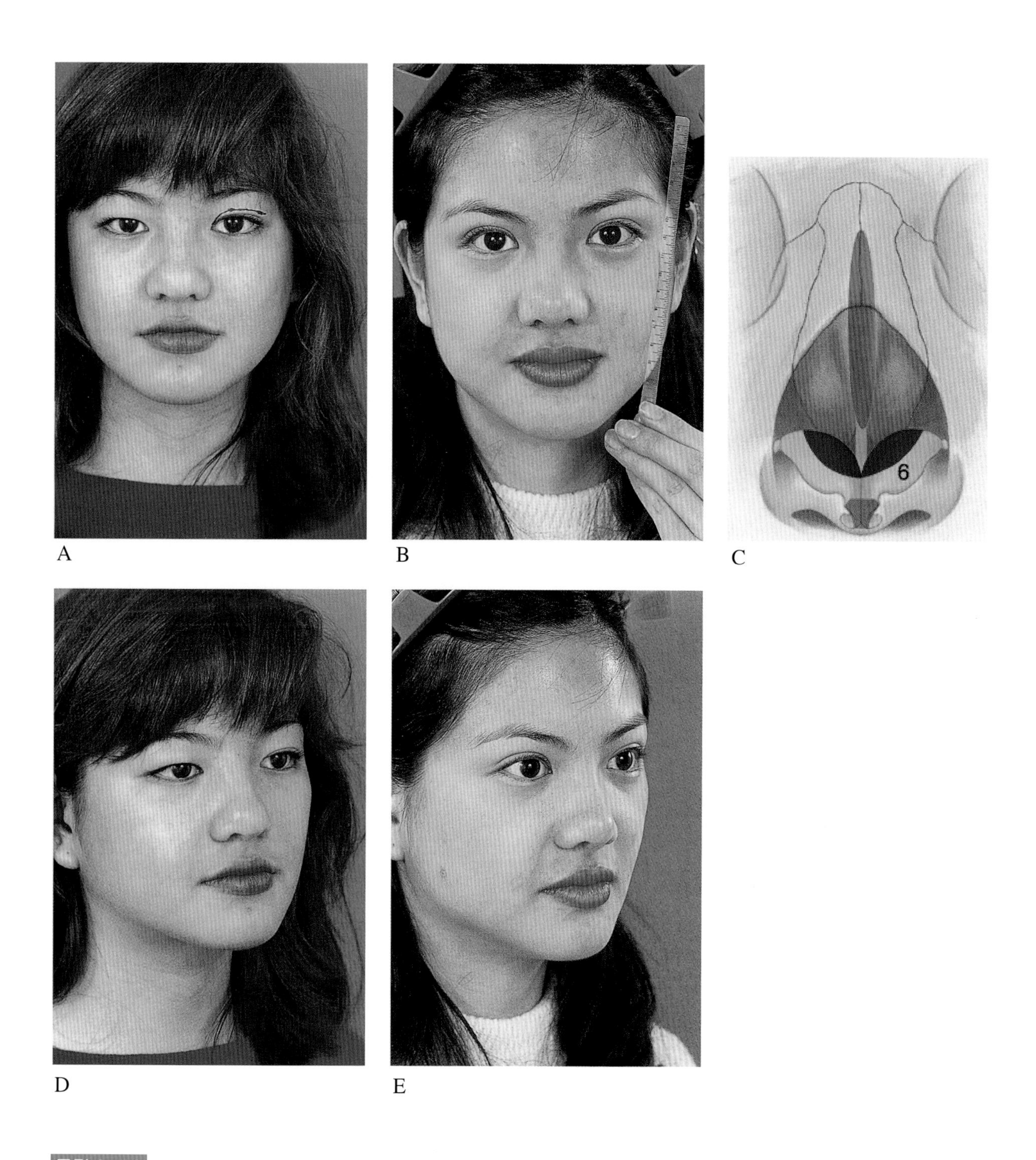


A B C D E

그림 8-10

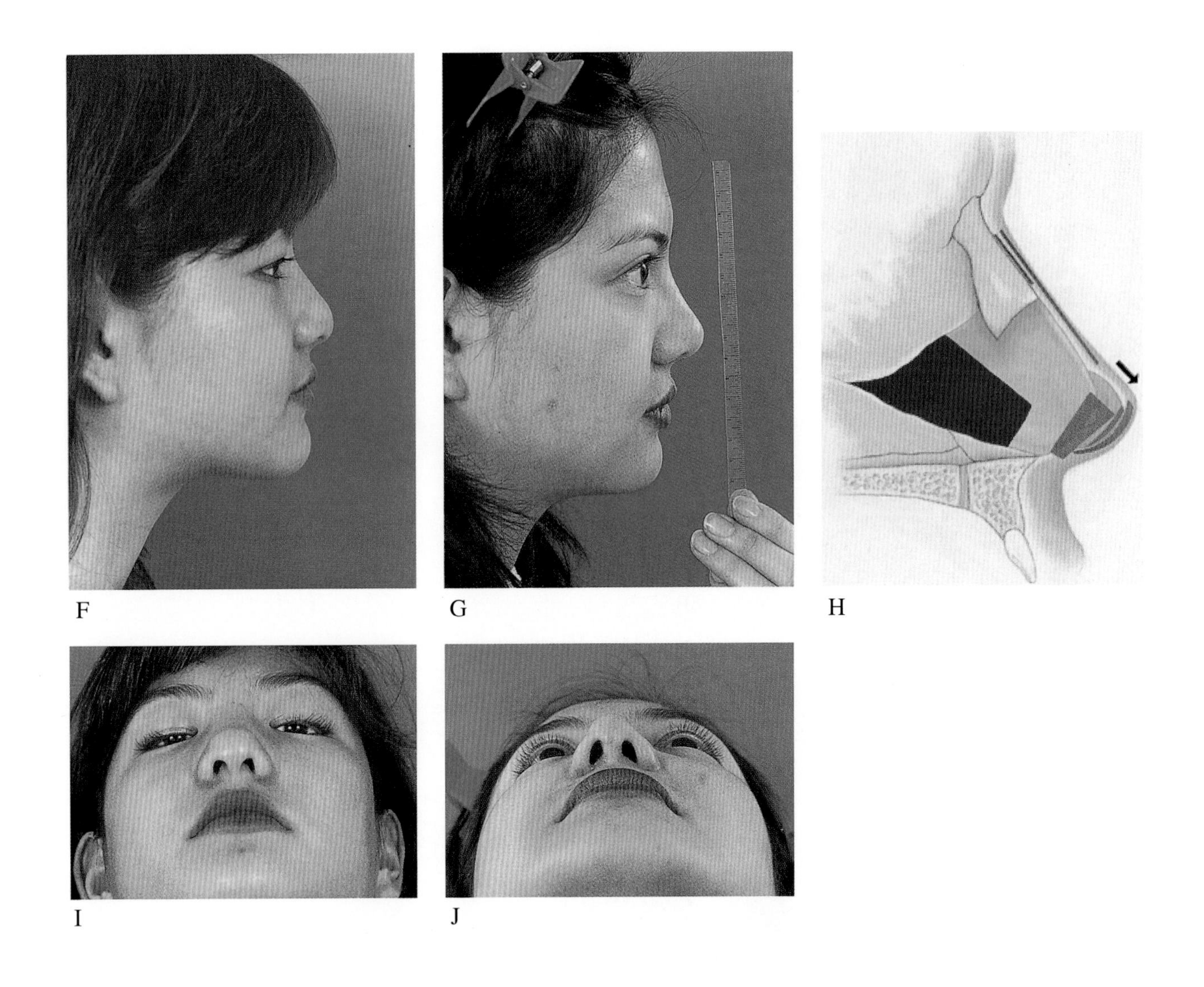


그림 8-10. 계속

## 논평

동양인과 흑인에서 비첨돌출과 비첨정의를 얻기는 가장 어려운 난제이다. 좋은 결과 얻기를 어렵게 만드는 3대 요소는 짧은 비주, 약한 비익연골, 그리고 두꺼운 피부외피이다. 이 환자에서는 자가조직을 채취하여 비배이식술, 비주지주이식술, 그리고 비첨이식술에 사용하였다. 비첨을 좁히고 뚜렷하게 한 것은 견고한 비주지주와, 날카롭고 뚜렷한 이식물의 결합 때문이다. 저자는 흑인 환자에서는 쐐기형비익절제술을 무사히 하지만, 동양인에게는 색소 침착된 반흔(pigmented scar) 때문에 큰 쐐기형비익절제술 하기를 꺼린다. 술후 9년에 이식물은 변하지 않았으며, 결과는 꽤 매력적으로 남아있다.

## 짧고 두측회전 된 코 (Short Upwardly Rotated Nose)

일차비성형술의 98%에서 짧은 코는 실제로 두측회전 되어있다. 그러나 이차비성형술에서 문제점은 회전(rotation)과 단축(shortening)이 흔히 함께 존재하는 것이다. 회전과 단축을 어떻게 구분하나? 비첨*회전*(tip *rotation*)은 비첨각(tip angle)으로서 결정되는데, 비첨각은 비익주름에서 내린 수직선으로부터 비첨까지의 각도로서 계측되며, 정상치는 여성 105도, 남성 100도이다(그림 8-11). 길이를 계측할 때에는 코길이와 비배길이를 구분하여야 한다. *코길이(nasal length)*는 비근점(nasion)으로부터 비하점(subnasale)까지의 길이(N-SN)이며, *비배길이(dorsal length)*는 비근점으로부터 비첨까지의 길이(N-T)이다. 문제점을 규정하는 비결은 비근점, 비-안면각, 그리고 비첨각의 이상적 지점과 각도를 결정하는 것이다. 그 다음, 실제와 이상적 비배길이를 서로 비교함으로써 연장술에 필요한 길이를 결정할 수 있다. 이 시점에서 실제적 난제는, 코길이연장술이 실제로 필요한지? 만일 필요하면 이것으로 인하여 비익연(alar rim)이 후퇴되어 보이진 않을지? 비점막내층(nasal lining)은 제한적인지? 다행히도, 이러한 난제는 외상성이 아닌 일차비성형술에서는 거의 없지만, 이차비성형술에서는 악몽이다.

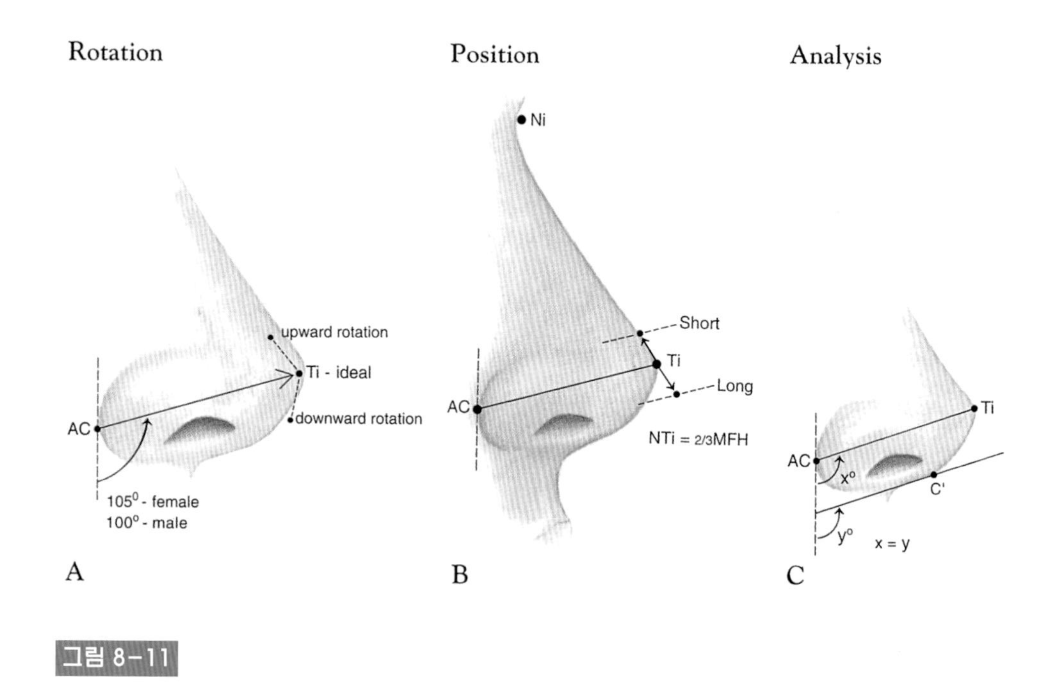


그림 8-11

### 경증(Minor)

이러한 증례는 짧은 코로 '착각(illusion)' 하는 정도이지만, 2가지 외재 요소, 즉 높은 비배비봉(dorsal hump)과 긴 미측 비중격 둘 다에 의하여 비첨두측회전을 나타낸다. 다행히, 비첨돌출은 대개 비-안면각에 따라서 증가한다(그림 8-12A, B, C). 수술적 해결책은 비교적 간단하다[15]. 비배비봉축소술과, 미측비중격하부 및 전비극 절제술에 의하여 비주경사를 깊게 하는 것이다. 측면선을 정확하게 만들게 해주는 폐쇄접근술을 흔히 사용하며, 중간증과 중증의 문제점이 있을 때에는 개방접근술이 거의 필수적이다.

## 중간증(Moderate)

짧고 두측회전 된 코에서 비첨돌출과 비배높이가 정상이면 대부분의 외과 접근이 문제점을 악화시킬 수 있기 때문에 위험하다. 목표는 비첨을 비회전(derotation)시키고, 바람직한 비배길이를 얻은 다음, 이러한 비첨위치를 영구적으로 유지하는 것이다. 분명히, 어떤 종류의 연골부벽이식물(cartilage buttress graft)을 견고한 비중격과 비익연골 사이에 위치시켜야 한다. 흥미롭게도, Dallas 이식술의 3대요소인 연장형연전이식술(extended spreaders)[22], 비중격연장이식술(septal extenders)[4], 그리고 깃발형이식술(pennants)[1]이 유용하다. 저자는 Byrd의 비중격연장이식술(septal extender graft)을 선호하지만(그림 8-12D, E, F), 대부분의 술자는 연장형연전이식술이 가장 하기 쉬움을 알게 될 것이다. 원래, 연전이식물은 가능한 한 길고(30mm 이상), 견고하게 만들어서 중간각 사이로 연장되도록 하여야한다. 개념은, 비첨연골을 하비소엽 안에서 미측으로 밈으로써 비배길이를 증가시키는 것이다. 기법 면에서는 여러 번의 조정이 필요하기 때문에 이식물을 27번 경피주사침으로써 잠정적으로 고정시키는 것이 필수적이다. 이식물을 위치시킴으로써 미측으로 미는 힘이 적용되면 비주-비소엽각(columellar lobular angle)을 왜곡시킴 없이 이식물을 비익연골에 고정하는 것이 난제이다. 저자의 경험으로는 한 쌍의 이식물을 사용하는 것이 중요하다. 왜냐하면, 하나의 이식물은 흔히 굽거나, 비첨을 반대쪽으로 밀기 때문이다. 또, 비해부학적 위치에서 이식할 때에는 술후에 호기심 많은 손가락으로써 이식물을 발견할 수 있음을 술전에 환자에게 경고하여야 한다. 또, 내비판막각을 조금이라도 막는 큰 이식물은 피하여야 한다.

## 중증(Major)

다행히도, 이러한 증례는 드물며, 5mm 이상 비배길이를 증가시키는 것과 10도 이상 비첨의 미측회전이 필요한 증례라고 임의로 정의할 수 있다. 이러한 증례에서 저자는 구순열비변형에서 사용하는 것과 비슷하게 크고 견고한 비주간격판이식물(columellar spacer graft)을 사용한다(그림 8-12G, H, I). 한편, 비점막내층에 유연성이 있으면 복합조직이식술에 의지할 필요가 없으며, 골-연골원개를 분리할 필요도 없다. 원래는, 적어도 20X20mm 크기의 큰 비중격연골이식물을 미측 비중격과 비익연골 사이에 위치시켜야 한다. 이때, 정확하게 위치시키게 해주는 경피주사침을 사용한다. 비배 및 비첨 동시분할술(combined dorsal/tip split)을 사용하면 접근이 쉬우며, 막비중격을 절개함이 없이 길게 할 수 있으므로 이차구축을 피할 수 있다.

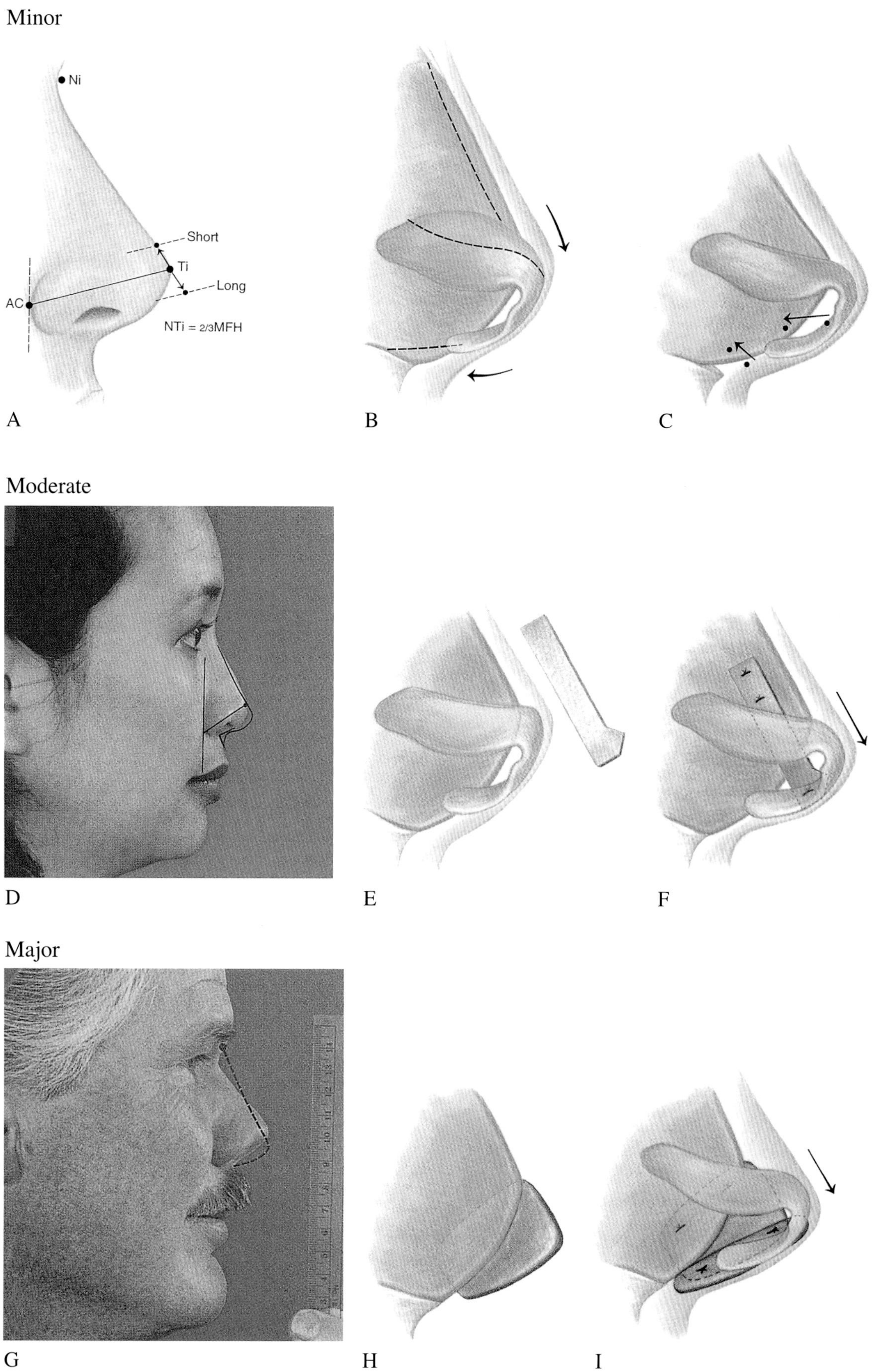

Minor

Ni

Short

Ti

Long

AC

NTi = 2/3MFH

A

B

C

Moderate

D

E

F

Major

G

H

I

그림 8-12

## 증례 연구 짧고 두측회전 된 코(Short Upwardly Rotated Nose)

### 분석

190cm, 110km의 청부업자는 자기 코가 너무 들렸으며, 모든 사람이 자기의 비공을 본다고 호소하였다(그림 8-14). 전에 코의 외상이나 수술 경력이 없었다. 검사 결과, 약간의 주목할 만한 계측치가 있었다. 비첨각 115도, 비주-상구순각 120도, 중안면높이(MFH) 60mm, 턱끝높이(chin height, SME) 45mm이었다. 그리고 이상적 비배길이(N-Ti)는 45mm이지만, 실제 비배길이(N-T)는 37mm로서 적어도 8mm의 비첨연장술과, 약 15도의 비회전술이 필요하였다. 쉬운 작업이 아니다.

### 외과 수기

1. 경비주절개술과 연골내절개술을 통한 개방접근술.
2. 비익연골의 분석에서 오목한 원개분절이 전체적으로 안쪽으로 접혀져 있었음(total inward folding). 외측각의 두루마리(scroll)절제술(3mm).
3. 비종석부(keystone area)에서 0.5mm의 골비배절제술과 1.5mm의 연골비배절제술.
4. 부족한 미측 비중격의 연장을 위하여 22X15mm 크기의 이식술(그림 8-13A, B, C).
5. 비중격각으로부터 비배면을 따라서 15mm의 효과적인 연장술을 위하여 미측으로 각진 비주지주(25X8mm)의 고정(그림 8-13D).
6. 비익연골을 비주지주로 전진시킨 다음, 봉합고정술.
7. 저-고위외측비절골술. 비공상(3mm) 및 쐐기형비익(3mm) 동시절제술.
8. 큰 비근이식술. 모든 절개선의 봉합술.

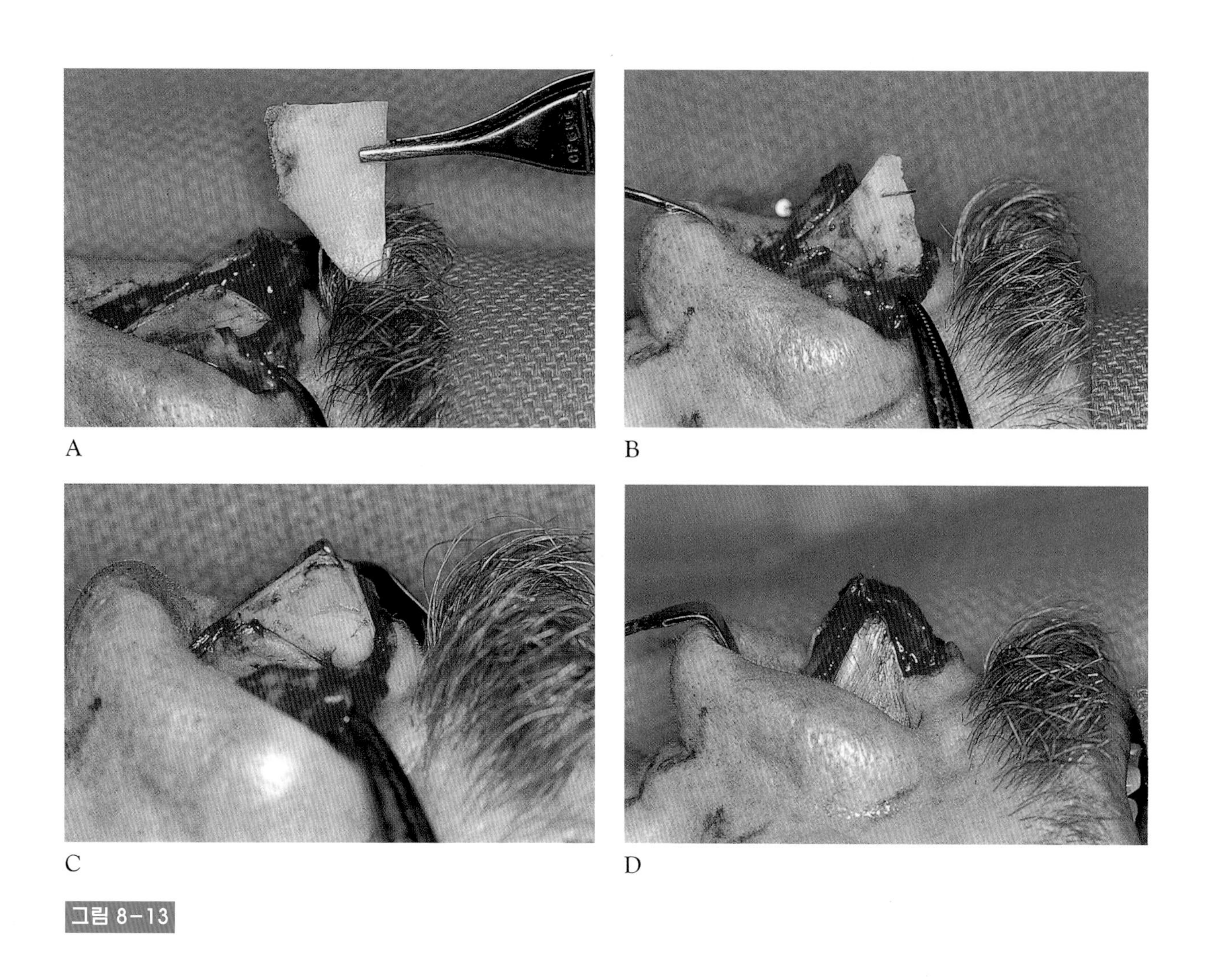

A B C D

그림 8-13

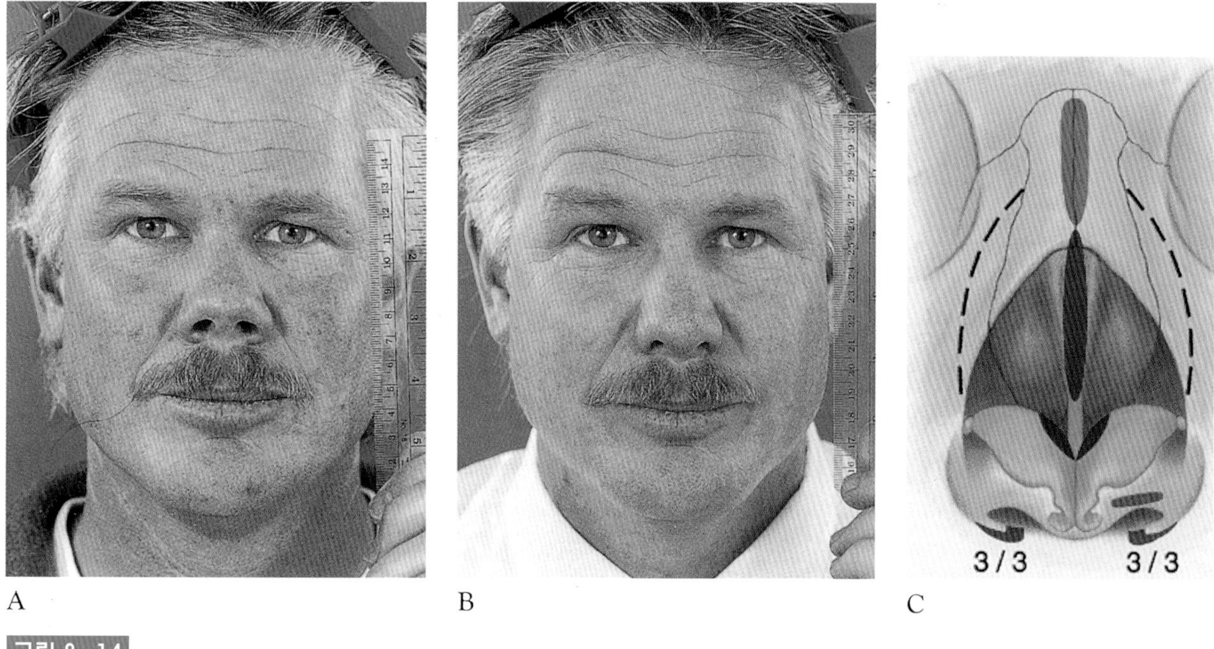


A B C

그림 8-14

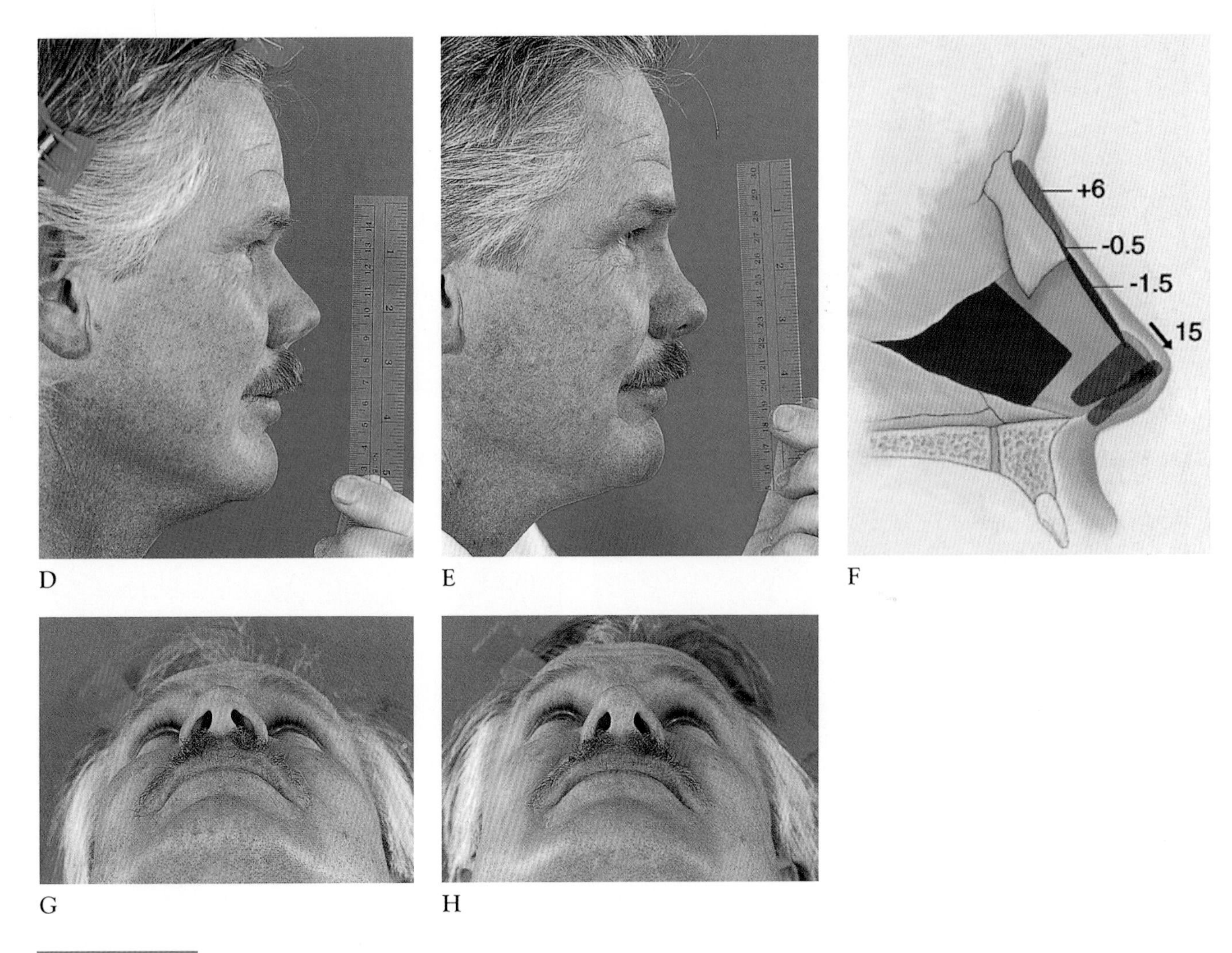


그림 8-14. 계속

## 논평

이 환자는 매우 색다른 증례로서 원인은 미측 비중격이 덜 발달되고, 비익연골이 크게 안쪽으로 접힌 것(infolding)이었다. 이렇게 안으로 접혀서 무거운 조직에 의하여 문제점이 복잡해지므로 결과로서 일어날 퇴축과 단축을 피하기 위하여 강력한 골격구조가 필요하다. 또, 일차비성형술에서 8-12mm의 비배길이연장술이 목표라는 것을 실제로 들어본 적이 없다. 저자는 견고한 골격구조를 확보하기 위하여 비중격연장이식술(septal extension graft)보다는 큰 비중격연장이식술(septal lengthening graft)을 사용하기로 결심하였다. 절제해낸 연골비배는 비근과 비배에서 '표면이식물(surface graft)' 로서 사용하였는데, 고형의 이식물을 작게 잘라서 비근과 비배 아래에서 채워 넣었다. 비공상 및 비익저 동시절제술은 비저폭과 비공보임(visible nostril)을 줄였다. 저자는 두측회전 된 여성적인 코로부터 길고 남성적인 코로 전환된 결과에 만족한다(그림 8-14).

## 길고 미측회전 된 코 (Long Downwardly Rotated Nose)

모든 사람이 긴 코를 알기는 하지만, 긴 코를 정의하고 분류하기는 매우 어렵다. 그러나 치료하기는 상대적으로 쉽다. 직선 계측을 하려면 2개의 점이 필요하다. 비근점(N)은 분명히 두측에서 사용되는 점이지만, 미측에서는 어느 점을 선택할까? 비첨(T), 비주변곡점(C'), 또는 비주-상구순각(SN)? 불행히도, 미측에서는 단독적 또는 복합적 문제점이 있을 수 있기 때문에 이 3가지 점 모두를 평가할 필요가 있다. 비근의 분석과 변형술은 다른 장에서 철저히 토론하였기 때문에(제 1장 참고), 이 장에서는 반복하지 않을 것이다. 긴 코를 분석하는 첫 단계는 현재의 비근점(N)과 이상적인 비근점(Ni) 둘 다를 표시한 다음, 이상적 비근점을 얻을 수 있을 지를 결정하는 것이라고만 말해둔다. 세 개의 점(T, C', 그리고 SN)을 표시하고, 계측한다(그림 8-15). 분명히, N-T는 비배길이이며, 이상적 비배길이(N-Ti)는, N-Ti=0.67XMFH이다. 일반적으로, N-SN은 N-T보다 더 긴데(여성 6mm, 남성 5mm) 비하여, N-C'는 N-SN보다 약 2mm 더 짧다. N-C'가 N-SN보다 더 길면 언제나 처진 비주(hanging columella)가 존재한다. 진정한 난제는 SN의 이상적 위치를 결정하는 것이다. Guyuron[16]은 다음 단계를 사용하여 SN을 결정하였다. 1) 비근점으로부터 구각점(stomion)까지의 거리를 3등분하고, 2/3:1/3접합부의 2mm 미측에서 수평선을 그린다. 2) 상구순의 경계 2mm 후방에서 수직선을 긋는다. 3) SN은 이 2선이 교차하는 점에 위치한다. 중요한 요소는, 상구순이 코에 의하여 얼마나 '꽉 차느냐(crowded)' 와, 비단축술을 하면 상구순이 길어지는지의 여부이다. 악안면변형이 있는지 분명히 찾아보아야 하며, 이러한 환자들의 대부분은 악안면교정수술을 원하지 않는 현실을 알아야 한다. 동적 및 정적 위치에 대한 촉진뿐만 아니라 평가가 필요하다.

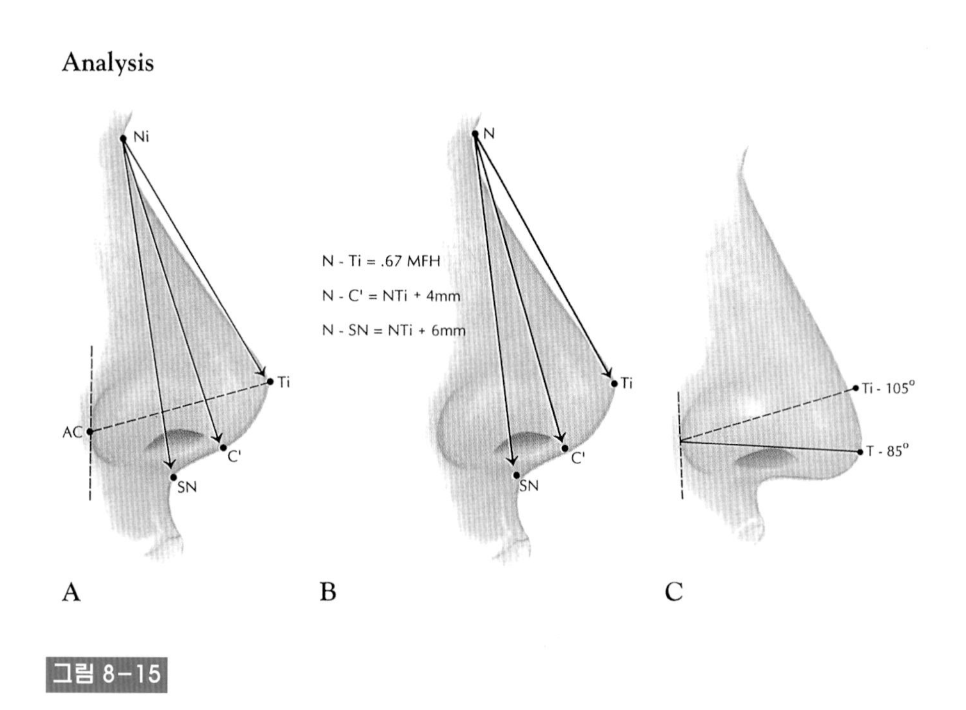


그림 8-15

## 동반 변형(Combined Deformities)

대부분의 증례에서 코는 3점(T, C' , 그리고 SN) 모두에서 지나치게 길며, 미측비중격 및 전비극 전체길이절제술의 적응증이 된다. 저자는 절제술에서 다음의 3가지 개념을 계속해서 고수하고 있다. 1) 두측1/3절제술은 비첨회전을 야기한다(N-T shortening). 2) 중간1/3절제술은 N-C'을 짧게 한다. 3) 미측1/3절제술은 연골이든 골이든 상관없이 N-SN과 비주-상구순각을 변화시킨다. 이러한 조작의 대부분은 일측관통절개술을 이용한 폐쇄접근술로써 쉽게 할 수 있다. *경증* 변형에서 저자는 목적하는 모양에 따라서 단지 연골과 골만 절제한다(2-4mm). *중간증* 변형에서 저자는 경조직과 위에 놓인 점막 둘 다를 양쪽에서 절제하는 경향이 있다. *중증* 증례에서는 위에 놓인 점막을 포함하여 좀 더 많은 경조직(4-7mm)을 절제하며, 막비중격의 일부까지도 자를 수 있다. 예외는 노인 환자로서 우선 늘어진 막비중격을 절제한 다음, 회전을 위하여 상부의 미측비중격을 절제하고, 마음이 내키진 않지만 미측 비중격과 전비극을 전체길이로 절제한다.

## 단독 불균형(Isolated Disproportions)

과대한 길이의 N-T에서는 통상의 비첨수술대로 한다. 두측외측각절제술을 한 다음, 미측 비중격의 상부 1/2를 절제하면 코가 단축된다. 이때, 미측비중격절제술을 하면 지나치다고 추정되며, 비첨을 미측으로 밀게 된다. 마지막으로, 상외측연골의 미측 단 3-4mm를 점막하절제술을 할 수 있다. 과대한 길이의 N-C'는 처진 비주(hanging columella)를 만들며, 그 원인은 외재, 내재, 또는 둘 다이다. 교정은, 외재 요소를 우선 교정한 다음, 내재 비익변형을 다룬다. 미측 비중격과 전비극을 촉진하고, 미소 지을 때 신중하게 시진하는 것이 원인을 결정하는데 중요하다. 대부분의 증례에서 문제점은 긴 미측 비중격과 전비극이며, 심한 정도에 따라서 위에 놓인 점막을 절제하든지, 하지 않든지 간에 미측 비중격과 전비극을 절제할 수 있다(그림 8-16A, B, C). 문제점이 비익연골에 내재하면 비주변곡점으로부터 미측까지 비주-비중격봉합술을 하는데, 볼록함을 편평하게 만든다(그림 8-16D, E, F). 이것이 효과가 없으면 개방접근술로써 모양을 다듬은 비주지주를 이식한다(그림 8-16G, H, I). N-SN이 과대하면 미측비중격 및 전비극 절제술이 통상적 해법이다. 절제술의 목표는 정상적이며, 부드럽고 오목한 곡면의 비주-상구순분절을 얻기 위한 것이어야 한다. 피할 수 없는 변수는 변형을 일으키는 연골(미측 비중격)-골(전비극) 비율이다. 대부분의 증례에서 3-5mm의 미측비중격절제술을 한 다음, rongeurs로써 전비극의 윤곽을 다듬어서 교정한다.

Minor

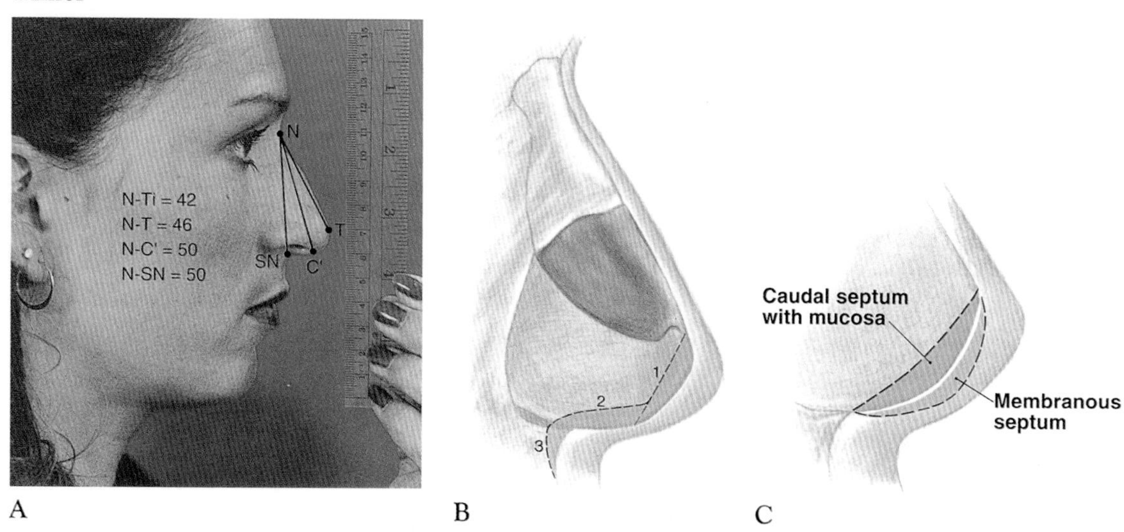


Moderate

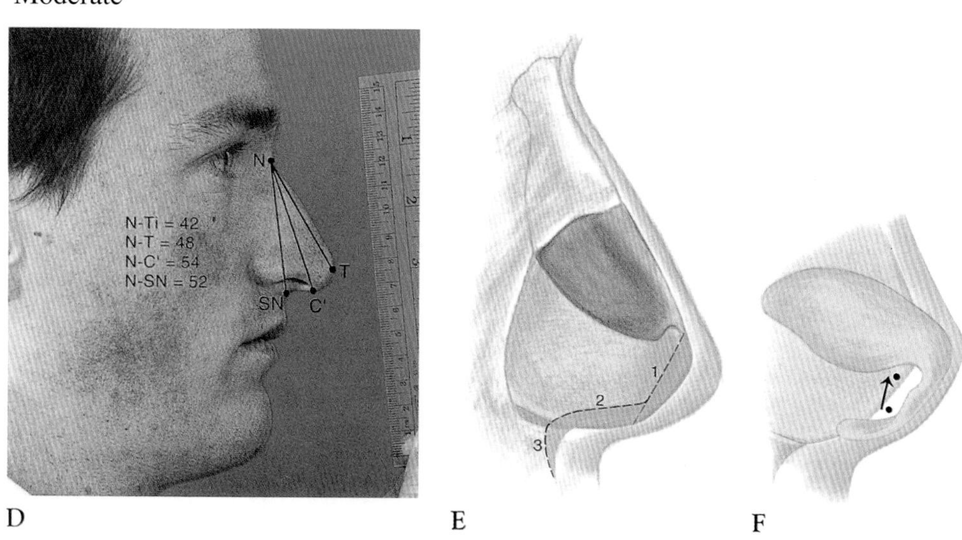


Major

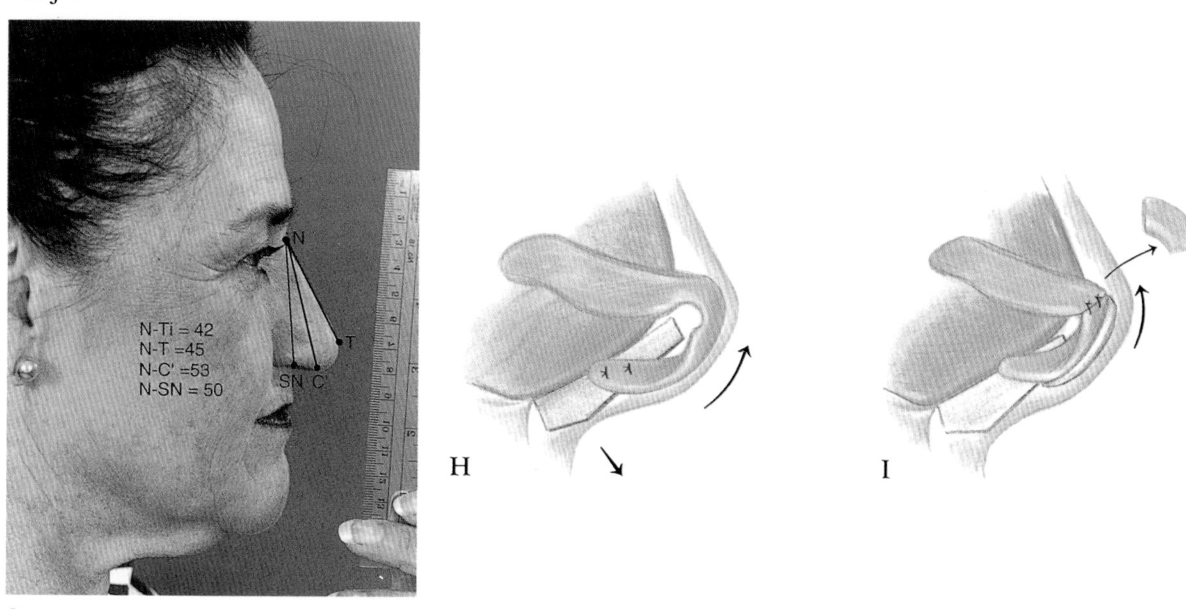


그림 8-16

## 증례 연구 길고 미측회전 된 코(Long Downwardly Rotated Nose)

### 분석

22세의 남성으로서 코가 너무 길고, 너무 처지고, 너무 '매처럼(hawkish)' 생겨서 마음에 들지 않는다고 호소하였다(그림 8-17). 비첨은 매우 의존적(dependent tip)이며, 원개분절은 말리고 비대칭이었다. 측면에서 비첨각은 90도이었으며, 비첨돌출은 34mm이었다. 수술 계획은 폐쇄 및 개방 접근술이며, 우선 폐쇄접근술로써 인접한 구조물을 절제함으로써 비첨을 변형시키는 모든 외력을 제거한 다음, 개방접근술로써 비첨을 재평가하는 것이다.

### 외과 수기

1. 연골간절개술과 우측관통절개술.
2. 점증성비봉축소술(4mm의 연골원개절제술).
3. 점막과 함께 4mm의 미측비중격절제술.
4. 개방접근술과 비첨 분석.
5. 순차적 비첨교정술. 즉, 비주-비중격봉합술로써 비첨위치 잡기, 원개봉합술, 그리고 비대칭의 개선을 위한 최종 비첨이식술.

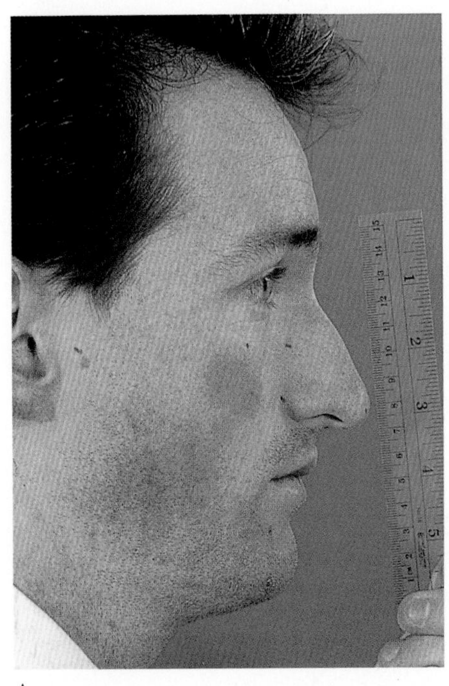
A

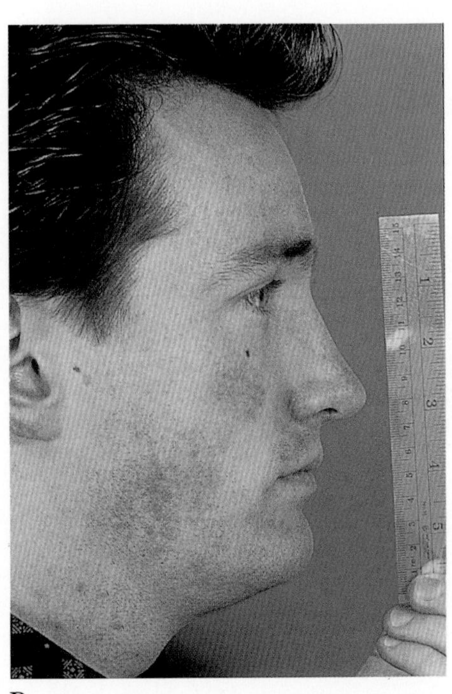
B

그림 8-17

## 증례 연구 길고 미측회전 된 코처럼 보이는 '착각' ("Illusion" of Long Downwardly Rotated Nose)

### 분석

56세의 여성 사무직원이 비중격만곡에 의한 비폐쇄와, 코가 너무 길고, 너무 처지고, 그리고 너무 구상임을 호소하였다(그림 8-18). 그녀는 심한 비중격만곡과 피부의 제한에 대해서는 잘 알고 있었지만, 비주퇴축이 의존비첨(dependent tip)과 예각의 비주-상구순분절을 악화시키고 있는 것을 모르고 있었다. 구상비첨과 제한된 비배축소술 때문에 저자는 개방접근술을 선호하였다.

### 외과 수기

1. 비종석부에서 1mm의 비배축소술로써 비배평탄화(dorsal smoothing).
2. 최대비중격채취술을 포함하는 비중격성형술.
3. 28X6mm 크기의 비주지주이식술. 비주-상구순각에 고형의 연골이식술.
4. 원개형성봉합술과 원개등화봉합술의 비첨봉합술.
5. 비첨돌출과 비첨회전을 위한 비주-비중격봉합술.
6. 절제해낸 비익연골로써 만든 2층의 비근이식술.

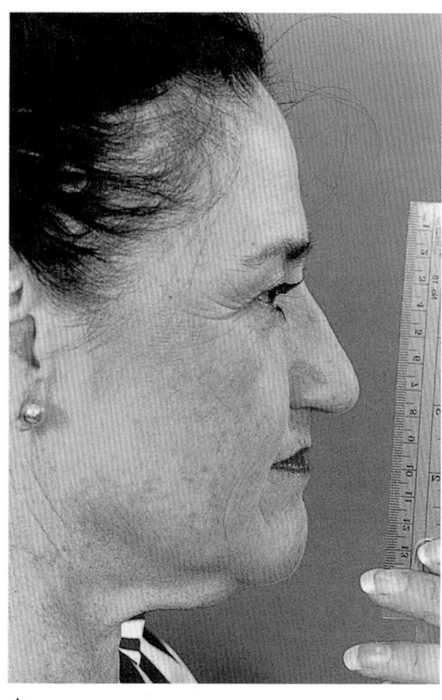
A

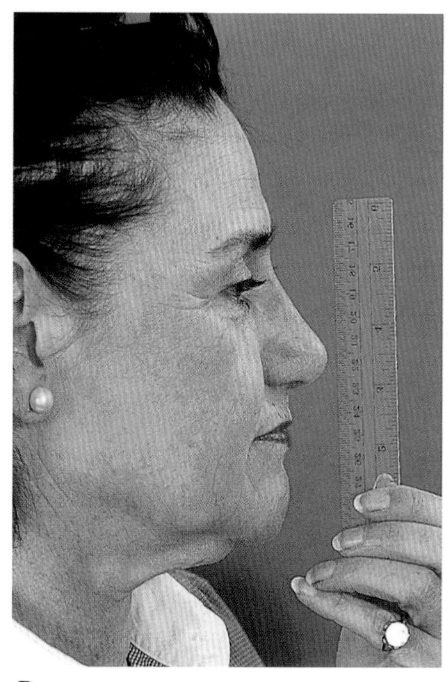
B

그림 8-18

## 넓은 코 (Wide Nose)

넓은 코에서는 비배, 골기저폭, 그리고 비익저간격을 포함한 코 전체에서 폭의 증가가 나타난다. 골기저폭(X-X)과 비익저간격(AL-AL)은 내안각간격(EN-EN)과 긴밀한 상관관계가 있다. 즉, 골기저폭과 비익저간격은 내안각간격보다 더 좁아야 한다. *비배선(dorsal line)*의 폭은 상구순의 인중주(philtral column)의 폭과 밀접한 상관관계가 있으며, 흔히 여성 6-8mm, 남성 8-10mm이다. 수술을 결정하는 중요한 요소는 *비배높이(dorsal height)*이다. 높은 비배를 가진 대부분의 넓은 코는 실제로 '큰 코(big nose)' 이므로, 간단한 축소비성형술(reduction rhinoplasty)에 의하여 교정될 수 있다. 코는 넓지만 비교(bridge)가 정상 높이이거나 낮으면 난제가 된다.

### 넓은 코와 정상 비교높이(Wide Nose/Normal Bridge Height)

이러한 증례는 정면에서는 넓은 코이지만, 측면에서는 거의 이상적 측면을 가지고 있는 이분법적인 난제이다. 외과적 책략은 측면을 변화시킴 없이, 코를 현저히 좁히는 것이다. 개방접근술을 하여 다음의 기법으로써 비배선을 좁힐 수 있다. 1) 골-연골원개를 노출시키고, 점막터널(mucosal tunnel) 만들기, 2) 정중선을 표시하고, 폭을 계측하기, 3) 대부분의 여성에서 정중선의 양쪽에 2.5-3.0mm의 조각(strip)을 평행하게 표시하기, 4) 15번 수술도로써 이 선을 따라서 연골원개절개술, 5) 곧은 절골도를 사용하여 골원개에 방정중비절골술(paramedian osteotomy), 6) 횡단비절골술과 외측비절골술을 하여 골저폭 좁히기, 7) 과잉의 상외측연골절제술, 그리고 8) 상외측연골을 비배측 연골원개에 봉합하기. 흔히, 비배는 5-6mm까지 좁혀지며, 피부를 재배치시키면 7-9mm가 된다. 비첨정의점(tip defining point)은 봉합술이나 이식물로써 좁힌다. 비공이 충분히 크면 비익저는 비공상 및 쐐기형비익 동시절제술을 사용하여 좁힌다.

### 넓은 코와 낮은 비교높이(Wide Nose/Low Bridge Height)

이 복합적인 문제점은 이민족(동양인) 코와 이차비성형술에서 가장 흔히 발견되지만, 때때로 일차비성형술에서도 본다. 비배증대술이 코를 바람직하게 좁힐지, 아니면 외측비절골술도 필요할지를 결정하여야 한다. 코가 넓을수록 비절골술이 더 필요하다. 이상적 비배높이는 비근점과 비첨 사이의 선을 의미하는 비-안면각에서 유래된다. 얼마나 많이 높여야 하며, 어떤 이식물이 유용한지? 궁극적으로는, 비배이식술이 더 많이 필요하면 할수록, 비절골술이 더 적게 필요하다는 역관계가 존재한다(제 2장 비배이식술 참고).

## 증례 연구 넓은 코와 정상 비교(Wide Nose/Normal Bridge)

### 분석

28세의 판매 관리직 여성으로서 '코가 너무 넓고, 비첨이 물방울처럼 너무 작다(too blobby on the end)'고 호소하였다. 그러나 자신의 측면선은 좋아하였다. 흥미롭게도, 다른 3명의 성형외과의사들이 코를 좁히기 위해서는 비배이식술이 필요할 것이라고 환자에게 이야기하였다고 한다. 원개간격은 믿을 수 없을 정도인 21mm이었으며, 인중주 폭은 8.5mm인데 비하여 비종석부(keystone area)에서의 비배폭은 14mm이었다. 그녀의 비첨돌출은 이상적인 28mm이었다. 코의 양쪽에 비대칭이 있었다. 그러므로 이 증례는 비배높이나 비첨돌출을 변화시킴 없이, 비배와 비첨 둘 다를 좁혀야 하는 난제이다. 비배와 비첨에 직접 접근하기 위하여 개방접근술을 선호하였다(그림 8-19).

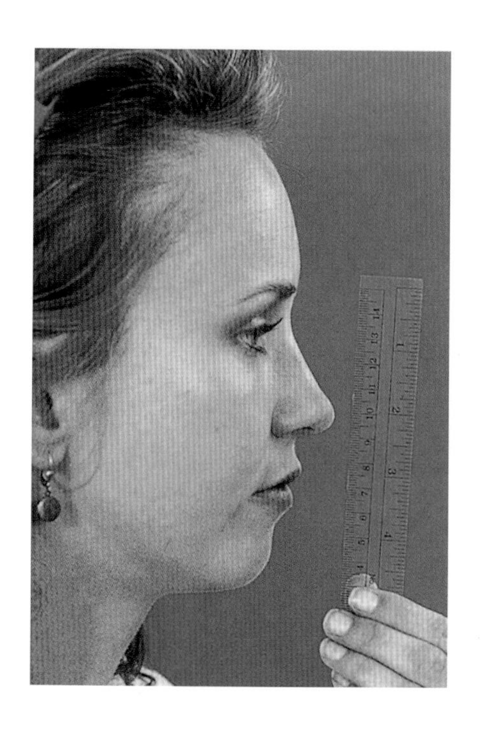

### 외과 수기

1. 비배좁히기. 연골비배에서 5mm 떨어져서 방정중절개술 한 다음, 곧은 절골도를 사용하여 골원개로 연장하였음(그림 8-19).
2. 완전한 이동을 위한 저-저위외측비절골술.
3. 과대한 상외측연골을 절제한 다음, 비배에 봉합.
4. 5mm의 비익연연골조각을 남기고 두측외측각절제술을 한 다음, 비중격연골로써 각지주이식술.
5. 원개형성봉합술. 통합비첨이식술(integrated tip graft).

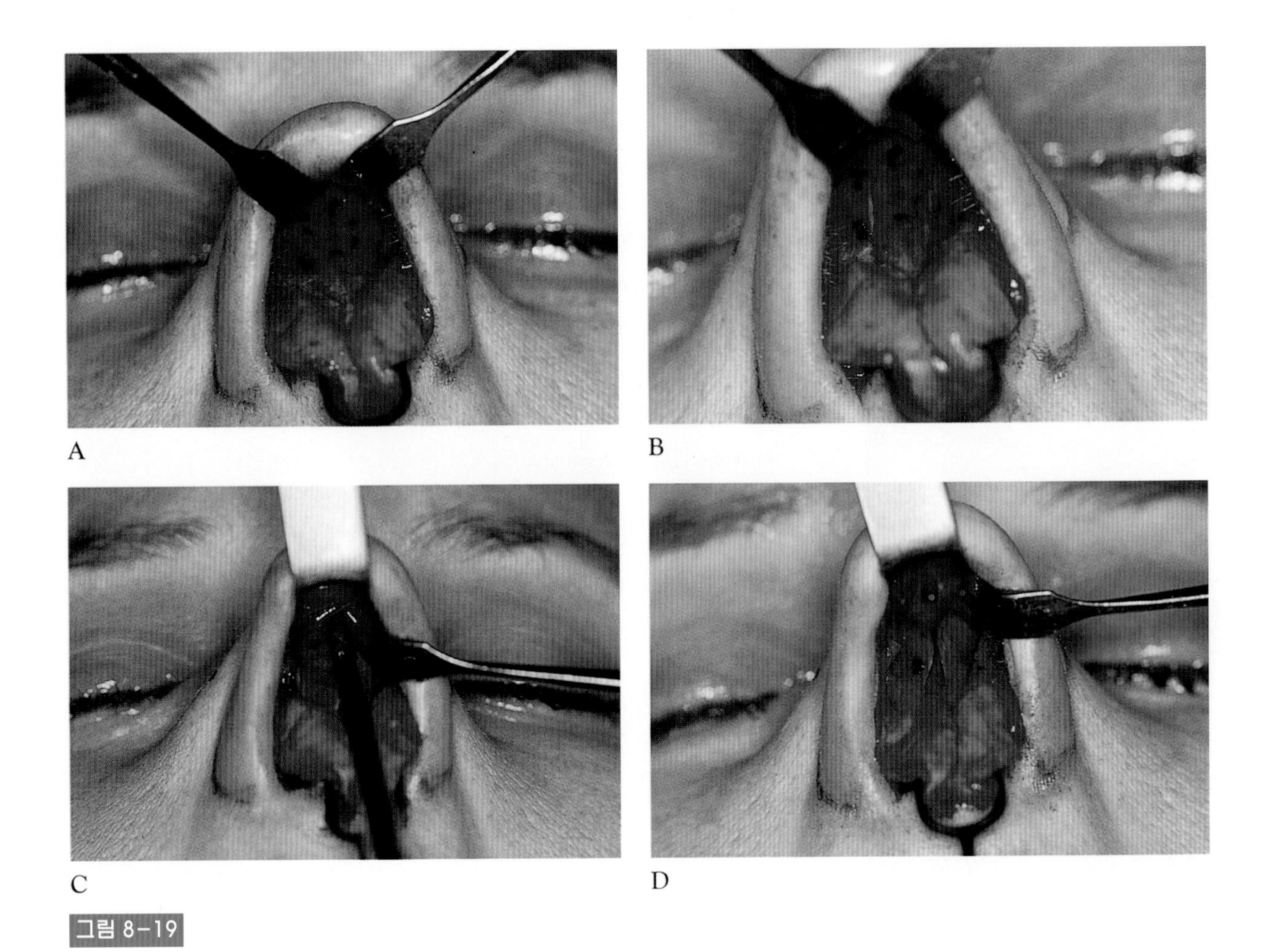

A B C D

그림 8-19

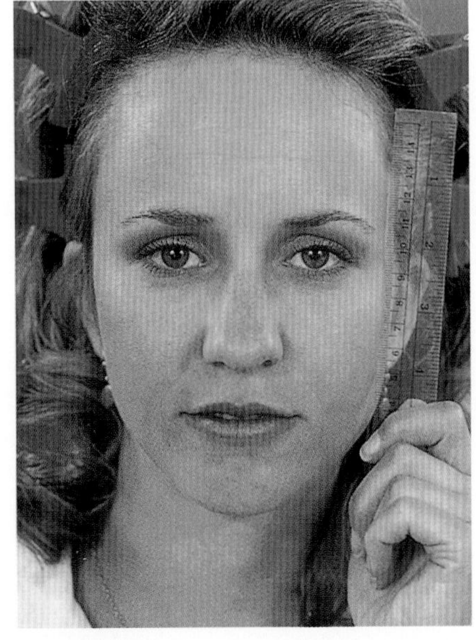

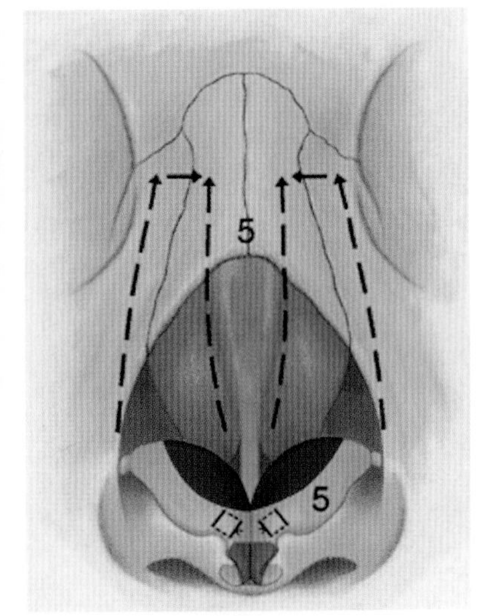


A B C

그림 8-20

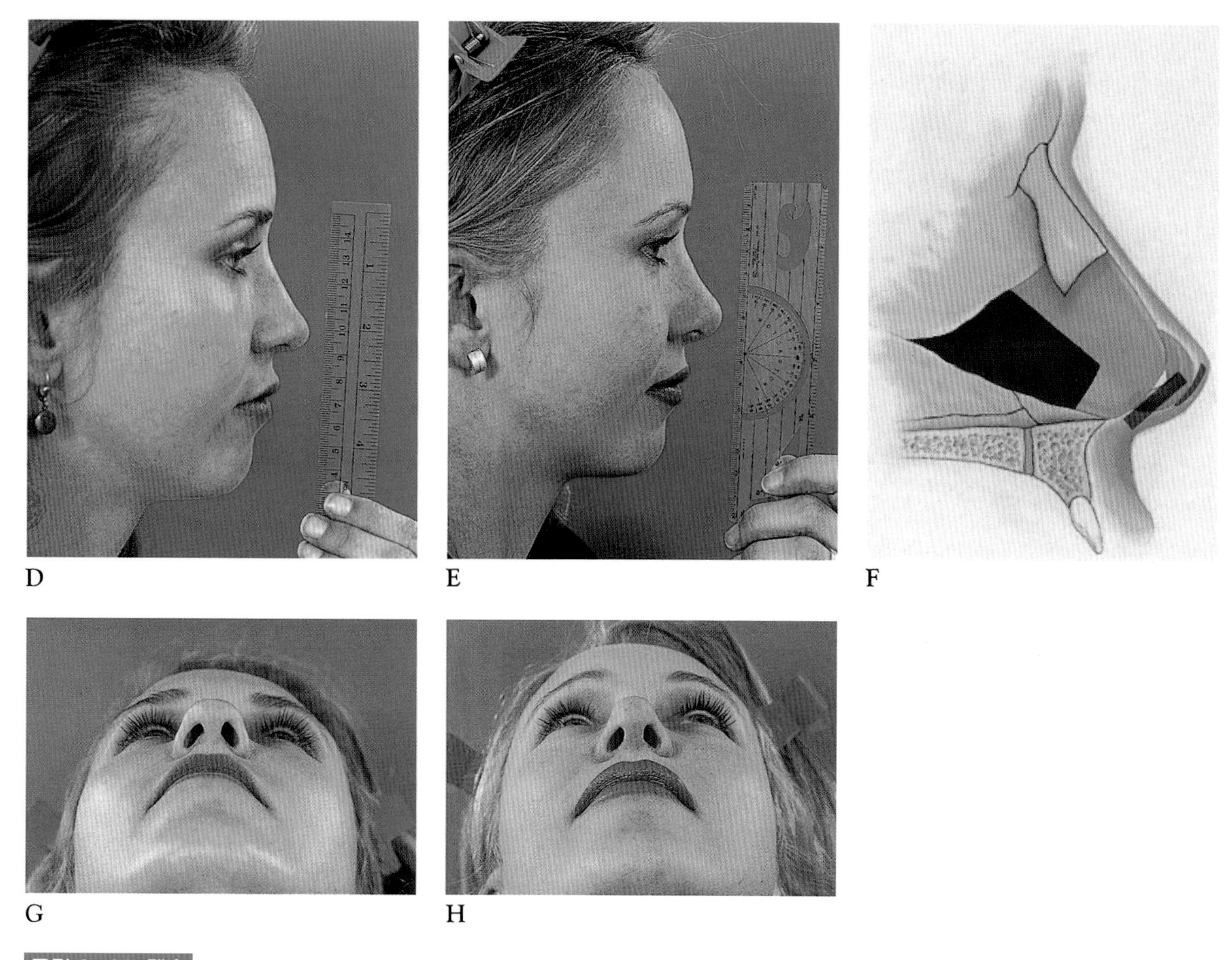


그림 8-20. 계속

## 논평

수년 동안, 이상적 측면을 가진 넓은 코를 어려운 미학적 문제점으로 생각하였지만, 지금은 비교적 쉽다고 생각한다. 즉, 개방접근술로써 정중선을 결정하고, 바람직한 폭을 계측하고, 표시선을 따라서 자른다. 외측비벽을 이동시킨 다음, 비배와 같은 높이에서 3-6mm의 상외측연골을 절제한 다음, 상외측연골단끼리 서로 봉합하는 것이 중요하다. 판단하고 결정하여야 할 것은 비대칭을 다루는 것과 피부외피 두께의 관용을 평가하는 것이다.

## 비대칭인 좁은 코 (Asymmetric Narrow Nose)

좁은 코는 국소적이거나, 전반적일 수 있지만, 불행히도 흔히 비대칭적이다. 외상후비변형과는 달리, 비대칭과 변위는 그 기원이 발육적(developmental)인 것이므로 해부학적으로 비슷하지 않다. 이러한 소견을 수술하기 전에 거울을 보면서 환자에게 지적하여야 하며, 수술 결과가 '제한적 개선'을 보인다고 이야기한다. 마찬가지로, 비중격만곡과 내비판막붕괴(internal valve collapse)가 흔하기 때문에 내비검사를 신중히 하여야 한다.

### 국소적(Localized)

골원개와 비익저 사이에는 약간의 불일치가 있을 수는 있지만, 연골원개의 비배선이 뚜렷한 비대칭을 흔히 나타낸다. 이러한 비대칭은 골-연골원개접합부의 융기(bump)에서 시작되어, 비배를 따라서 강조되며, 양쪽 상외측연골의 대조적인 오목함과 볼록함에 의하여 복잡해지며, 나란히 놓인 오목한 상외측연골과 볼록한 외측각에 의하여 더욱 강조된다. *경증* 및 *중간증* 변형에서는 비대칭연전이식술(asymmetric spreader graft)이 통상적인 비배축소술과 두측외각절제술과 함께 흔히 현명한 해결책이다. *중증*의 불일치에서는 해부학적으로 정확한 중첩이식물을 상외측연골 위에 만든 작고 꼭 맞는 공간에 위치시킨다.

### 전반적(Generalized)

저자의 미용비성형술의 약 25%는 어느 정도의 비대칭발육만곡비(ADDN, **A**symmetric **D**evelopmental **D**eviated **N**ose)를 가지고 있다. 저자는 외상후비만곡으로부터 발육만곡비를 구별하기 위하여 이 용어를 만들었다. 실제로, 얼굴 전체와 코 사이에는 현저한 차이가 있은데, 가장 흔한 형태는 짧고 넓은 얼굴 쪽에 있는 절반의 코는 각 지고 더 넓으며, 길고 좁은 얼굴 쪽에 있는 절반의 코는 수직이고 좁은 것이다. 심한 코 외상의 과거력이 없다. 술전에 거울을 들고 환자에게 이러한 불일치를 지적하면 술후 불평이 훨씬 더 적어지므로 중요하다. 일단 비중격만곡을 교정하고 나면 목표는 절제술을 질적으로 다르게 함과 동시에 적절한 곳에서 비대칭이식술을 함으로써 불일치를 최소화하는 것이다. 비대칭을 조절하기 위하여 개별적 수술 단계를 다음과 같이 변형시켰다. 1) 양적 차이(quantitative discrepancies), 2) 일측수술(unilateral steps), 그리고 3) 반대측 수술(opposite procedures). 예를 들어서, *양적* 차이는 비익저절제술을 한쪽은 2.5mm, 다른 쪽은 3.5mm를 절제하는 것이다. *일측수술*이란 반대쪽에는 하지 않고, 오목한 쪽의 상외측연골에 중첩이식술을 하는 것이다. 반대측 수술은 드물게 하지만, 예를 들면 오목한 쪽에는 외골절술을, 볼록한 쪽에는 내골절술을 하는 것이다.

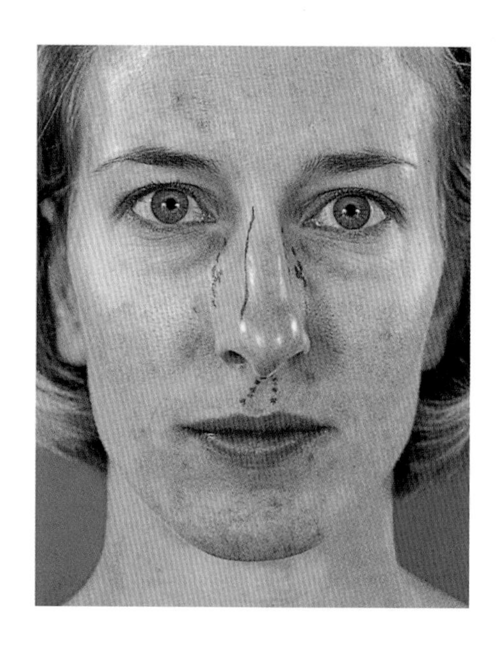

## 분석

28세의 판매 관리직 여성으로서 비만곡과 비폐쇄를 교정하기를 원하였다. 그녀는 어떠한 외상이나 수술의 과거력도 부인하였다. 이학검사에서 심한 비대칭발육만곡비(ADDN, Asymmetric Developmental Deviated Nose)인 것이 분명하였으며, 각 진 인중주로써 부분적으로 확진하였다. 해부학적 폐쇄를 나타내는 곳은 1) 좌측 비공판막, 2) 좌측 내비판막, 3) 우측 중간비중격(midseptum), 4) 양측 비갑개비후(2+), 5) 전체적 긴장코(tension nose). 미학적으로, 목표는 코바루기(nose straightening), 비배 낮추기 및 단축술, 그리고 비첨용적축소술이었다. 이러한 목표는 폐쇄접근술로써 이룰 수 있다(그림 8-21). 그런데, 저자가 zig-zag 변형에 대하여 알고 난 다음부터는 개방접근술을 추가하였다.

## 외과 수기

1. 양측연골내절개술을 통한 폐쇄접근술로써 비첨용적축소술.
2. 피부외피거상술. 점막외터널거상술.
3. 비배축소술(끌질로써 골 2mm, 수술도로써 연골 4mm). 5mm의 미측비중격단축술.
4. 비중격성형술로써 연골채취술을 하고 미측 비중격을 좌측에서 우측으로 재배치.
5. 골만곡바루기를 시도함으로써 결과적으로 골비중격과 연골비중격을 비배측에서 서로 분리시킴(그림 8-21A)
6. 경비주절개술과 연골하절개술을 통한 개방접근술로 전환.
7. 연전부목이식술(spreader 'brace' graft)을 위하여 미측비중격하부연골채취술(그림 8-21B).
8. 5층의 샌드위치봉합술(2개의 상외측연골, 2개의 연전이식술, 1개의 비중격)로써 비배측 비중격 고정. 목표는 연골비중격과 골비중격을 다시 합치지 않고, 비배 지지 및 정렬을 확실히 하는 것임(그림 8-21C, D).
9. 저-고위외측비절골술.
10. 원개등화봉합술. 비첨을 이미 만들었으므로 지주나 다른 봉합술을 하지 않았음.
11. 모든 절개선의 봉합술. 좌측에 2.5mm 비공상절제술. 좌측에 비익연이식술.
12. 양측하비갑개부분절제술(좌측은 골 포함).

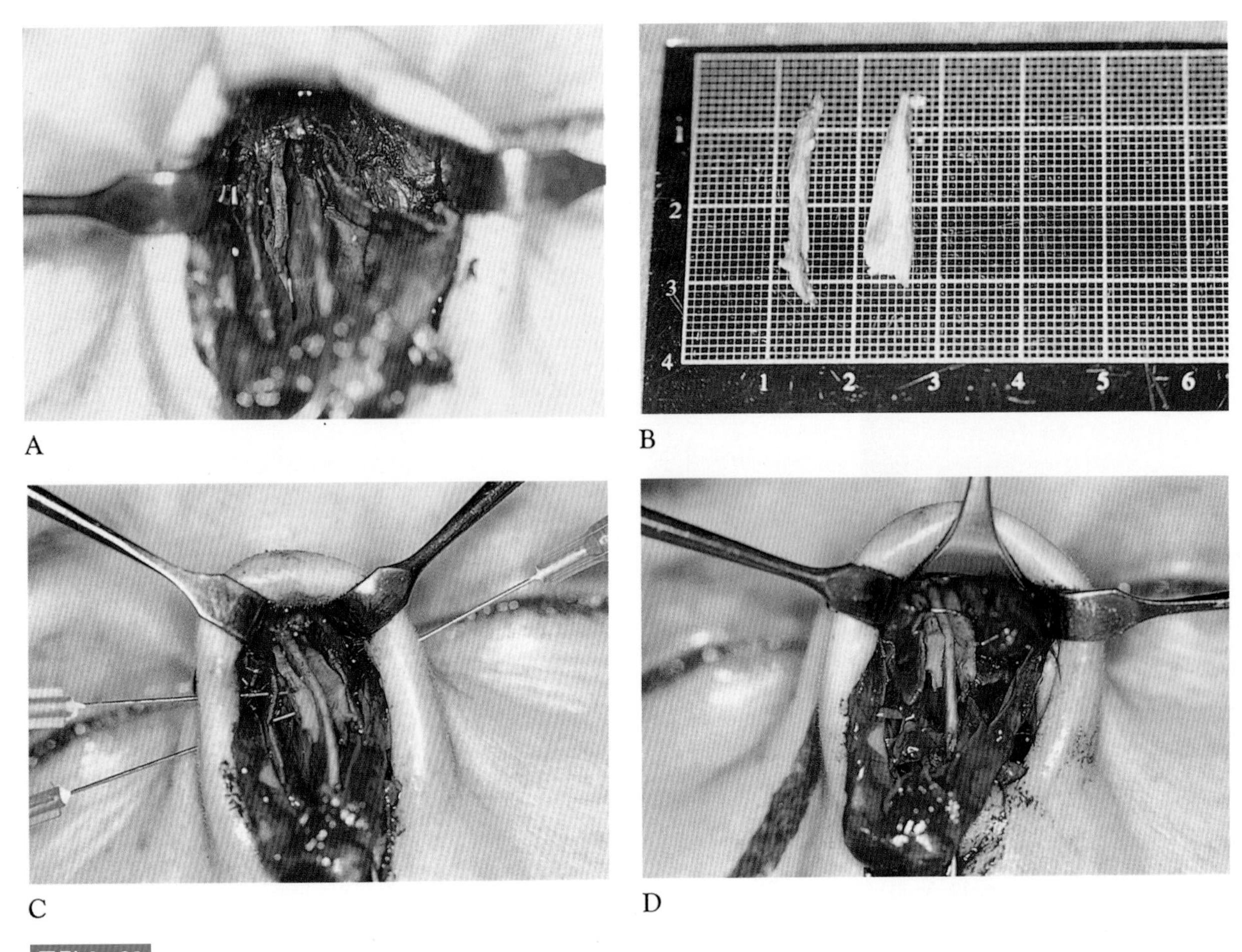

그림 8-21

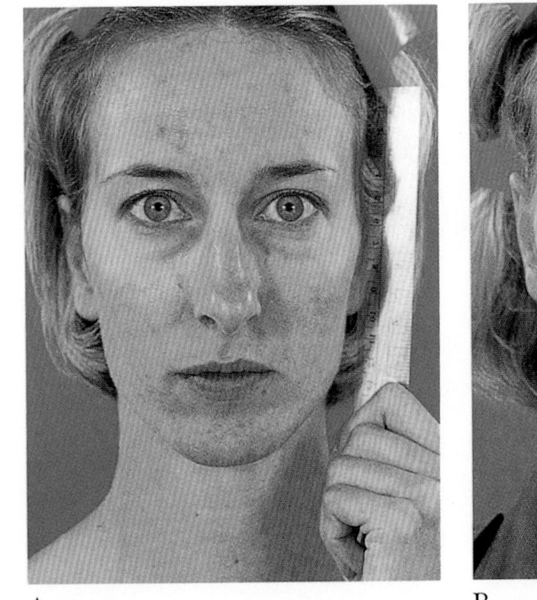

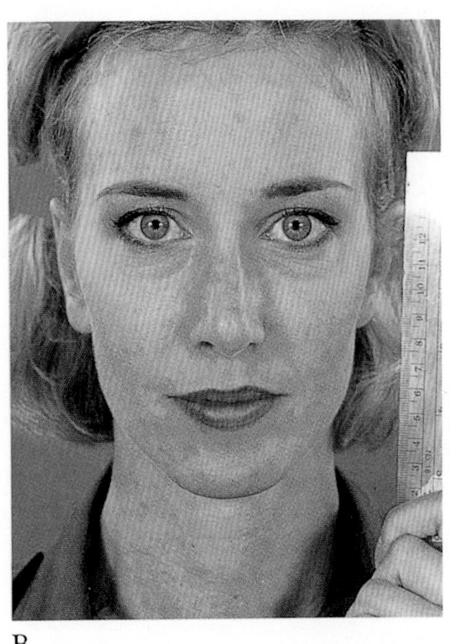

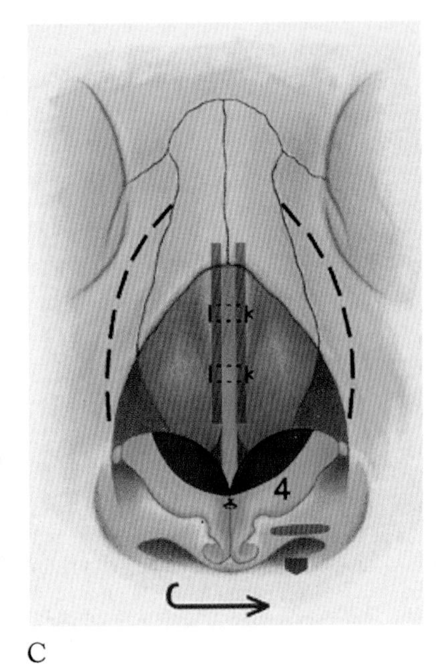


그림 8-22

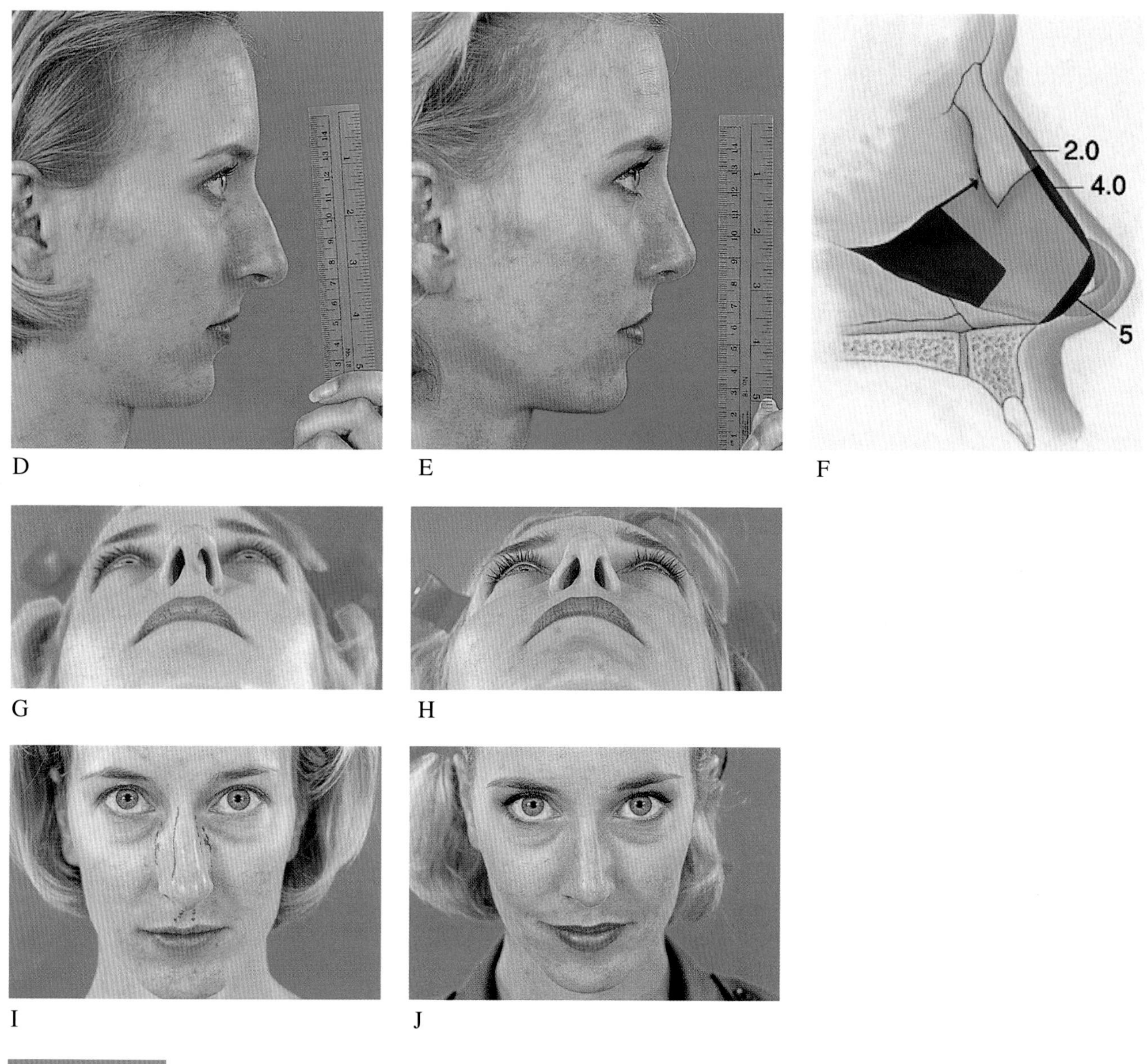

D E F
G H
I J

그림 8-22. 계속

## 논평

이 증례는 심하게 만곡 되고 비대칭적인 코가 난제임을 확인시켜 주었다. 술전 계획에 없었던, 폐쇄접근술에서 개방접근술로의 전환은 술중에 비중격을 분리시킬 필요가 있었기 때문이다. 양측 연전이식물 및 상외측연골 사이에 비중격을 끼워 넣는 샌드위치 봉합술은 견고한 지지를 제공하고, 술후 안장화(saddling)를 방지한다. 또, 비중격성형술을 하기 전에 비배측면선을 만드는 것의 중요성을 보여준다. 술후 호흡이 깨끗해지는 것과 코바루기(인중주의 변화를 관찰하시오) 모두 대단히 좋아졌다. 결과적으로, 저자는 이 증례를 골-연골접합부에서 생긴 zig(골)-zag(연골) 변형으로 생각한다(그림 8-22).

## 외상후비만곡 (Posttraumatic Deviated Nose)

외상후비만곡은 대단히 복잡하며, 복잡한 비중격수술과 골-연골원개를 변형시키는 여러 가지 기법 둘 다에 자신이 있어야 한다. 현재의 문제점뿐만 아니라 사고, 손상을 당한 나이, 초기와 그 뒤의 외과적 치료에 대한 상세한 과거력을 얻어야 한다. 일반적으로, 저자는 외비를 기준으로 3가지 유형(직선형, C형, 그리고 S형)으로, 그리고 비중격을 기준으로는 5등급으로 분류한다.

**직선형(Straight Line)** 비중격만곡이 있지만, 흔히 미측 비중격과 전비극에서 극에 달하여 한쪽으로 가장 많이 치우쳐 있다. 이러한 유형은 "비중격이 가면 코도 따라 간다(as the septum goes, so goes the nose)"는 Cottle의 격언의 전형(典型)이다. 본질적으로, 미측 비중격재배치술(caudal septum relocation)을 강조한 표준 기법이 좋은 결과를 낳는다. 이러한 증례는 비대칭발육만곡비(ADDN)와 매우 비슷하다.

**C형(C-Shape)** C형비만곡은 비중격뿐만 아니라 골-연골원개 모두를 따로 분석할 필요가 있다. 필수적으로, 비절골술의 종류와, 연골변형이 얼마나 심한지를 결정하여야 한다. 만일 어떤 축소술을 계획하였으면 비중격수술을 하기 전에 한다. 대개, 표준횡단연골비봉절제술(standard transverse cartilaginous hump resection)보다는 조직가위로써 방비중격수직절개술(paraseptal vertical cut)을 사용하여 비중격으로부터 상외측연골을 분리하는 것이 아마도 더 현명할 것이다. 이론적 근거는 상외측연골의 비대칭을 좀 더 정확히 조절할 수 있으며, 필요한 이식술의 수를 줄일 수 있는 것이다. 일단 측면선이 만들어지고 나면 본격적인 비중격수술을 한다. 연골원개는 바루기를 한 다음, 비대칭연전이식술로써 L형비중격지주(L-shape septal strut)를 보강함으로써 교정한다. 그 다음, 남아있는 변형을 위장하기 위하여 중첩이식술을 할 수 있다.

**S형(S-Shape)** S형비만곡에서 골원개는 한쪽으로 밀려 있고, 연골원개는 반대쪽으로 밀려 있으며, 그리고 미측 비중격은 다시 반대쪽으로 가로질러 있어서 더욱 복잡하다. 즉, 정중선에 대하여 이중으로 가로지른다(double cross). C형비만곡의 한 변형이 아닌지를 생각해 보아야 한다. 첫째, 비중격 문제점은 대단히 난제일 수 있으므로 전체비중격교체술(total septal replacement)이 흔히 정당화된다. 골원개는 비대칭 끌질(asymmetric rasping)이 필요한데, 길고 각 진 쪽에서는 더 많이 하고, 짧은 수직인 쪽에서는 덜 한다. 길고 각진 쪽을 단축시키기 위해서는 2개의 비대칭적 저-저위외측비절골술이 흔히 필요하며, 연골원개에서는 고착된 오목한 외측비벽을 교정하기 위하여 이중수준*외골절술*(double-level *outfracture*)이 흔히 필요하다. L형교체이식술(L-shaped replacement graft)을 흔히 사용한다. 또, 비배측 비중격에 적절한 연전이식술을 하며, 미측 비중격의 정렬을 교정하기 위하여 전비극에 고정시키면 미측 코가 더 곧게 된다.

## 증례 연구 외상후비변형(Posttraumatic Nose)

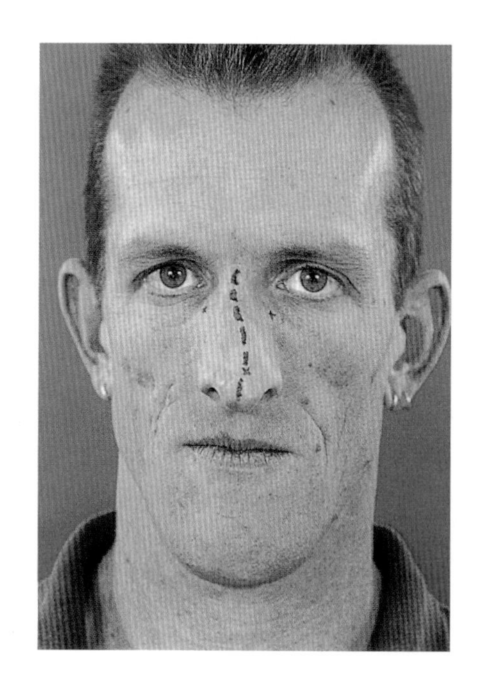

### 분석

33세의 남성 운전수로서 술집에서 싸워서 여러 번 코를 다친 과거력이 있고, 코로는 숨을 전혀 쉴 수가 없었다(그림 8-23). 골원개는 오른쪽으로, 연골원개는 왼쪽으로, 그리고 비첨은 다시 오른쪽으로 굽은 분명한 S자형변형이었다. 내비검사에서 비중격은 균등하게 만곡 되었고, 우측 비갑개가 비후되었다. 저자는 환자와 코와 턱끝의 관계에 관하여 토론하였지만, 환자는 강한 턱끝을 좋아하기 때문에 턱끝성형술(mentoplasty)을 거절하였다. 저자는 환자에게 "코가 더 좋게, 더 곧게는 되지만, 완벽하게 곧게 되는 것은 불가능하다"고 강조하였다. 주어진 비중격만곡이 너무 심해서 저자는 폐쇄 및 개방 동시접근술보다 개방접근술을 선택하였다.

### 외과 수기

1. 비배만곡을 표시한 다음, 통상의 절개술을 사용한 개방접근술 하였음.
2. 분석 결과, 놀랍게도 '성장성(developmental)' 원개비대칭을 보였음. 6mm의 비익연연골조각을 남기고 두측외측각절제술.
3. 비중격접근을 위하여 비배 및 비첨 동시분할술(combined dorsal/tip split). 심한 만곡 때문에 12mm의 비배연골을 남기고 전체비중격제거술.
4. 수건에 비중격을 올려놓고, 윤곽을 그리고, 비중격을 전도시킨 다음(flipped), L형지주로 자르되, 남아있는 비배연골에 봉합고정으로써 겹치기 위하여 두측 연장을 남김(그림 8-23A, B).
5. 골원개바루기를 위한 비절골술. 우측은 이중수준비절골술과 횡단비절골술, 좌측은 저-저위비절골술.
6. 우측에서 L형지주이식술을 한 다음, 전비극의 천공, 수용부에 남아있는 비중격연골(septal cartilage stump), 그리고 상외측연골에 3점고정술(그림 8-23C).
7. 비익연골을 L형지주에서 전진시킴. 좌측의 날카로운 원개에 맞추기 위하여 우측에서 원개형성봉합술(그림 8-23D).
8. 모든 절개선의 봉합술. 양측비공상절제술. 우측하비갑개절제술.
9. 양측비익연이식술.

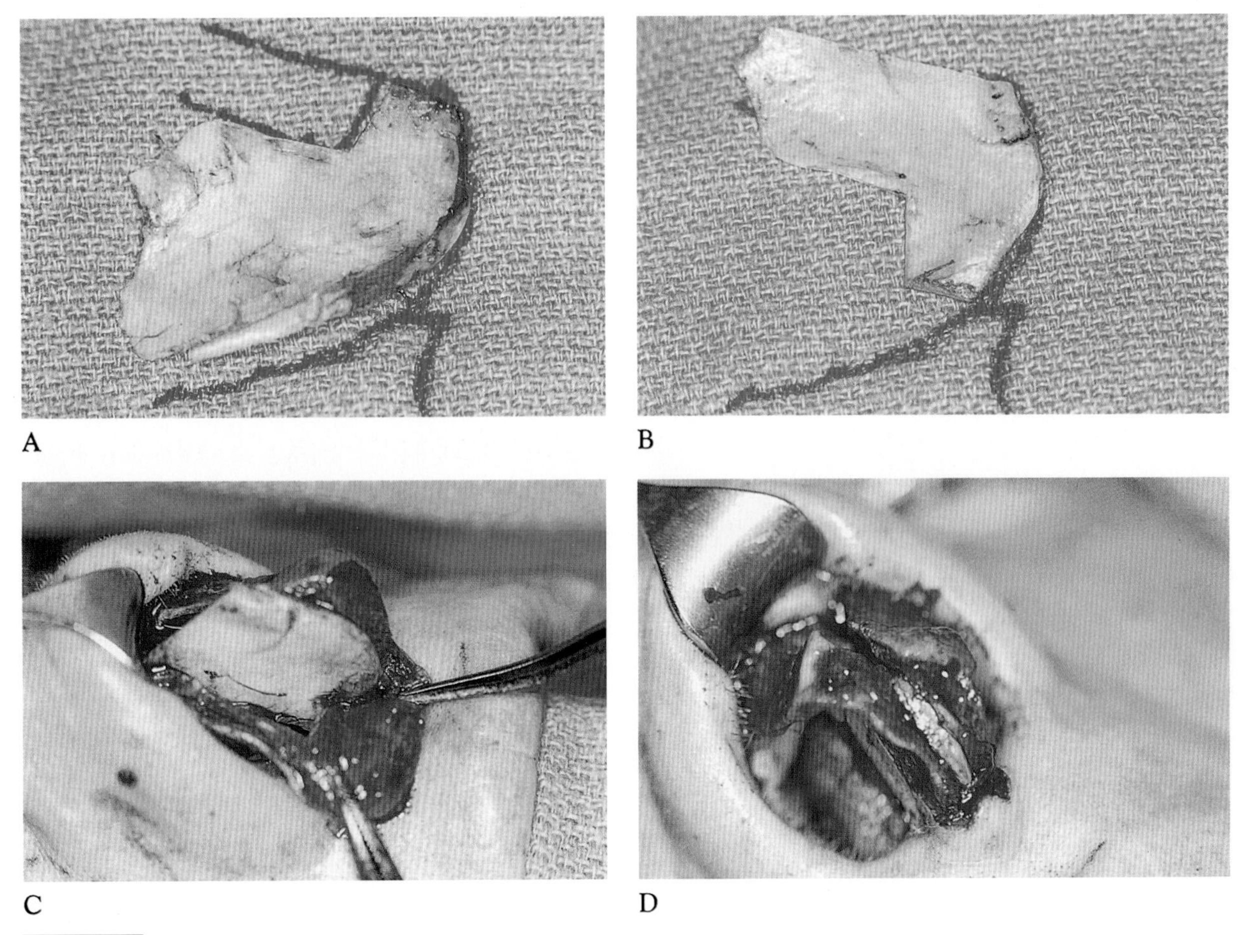

A B C D

그림 8-23

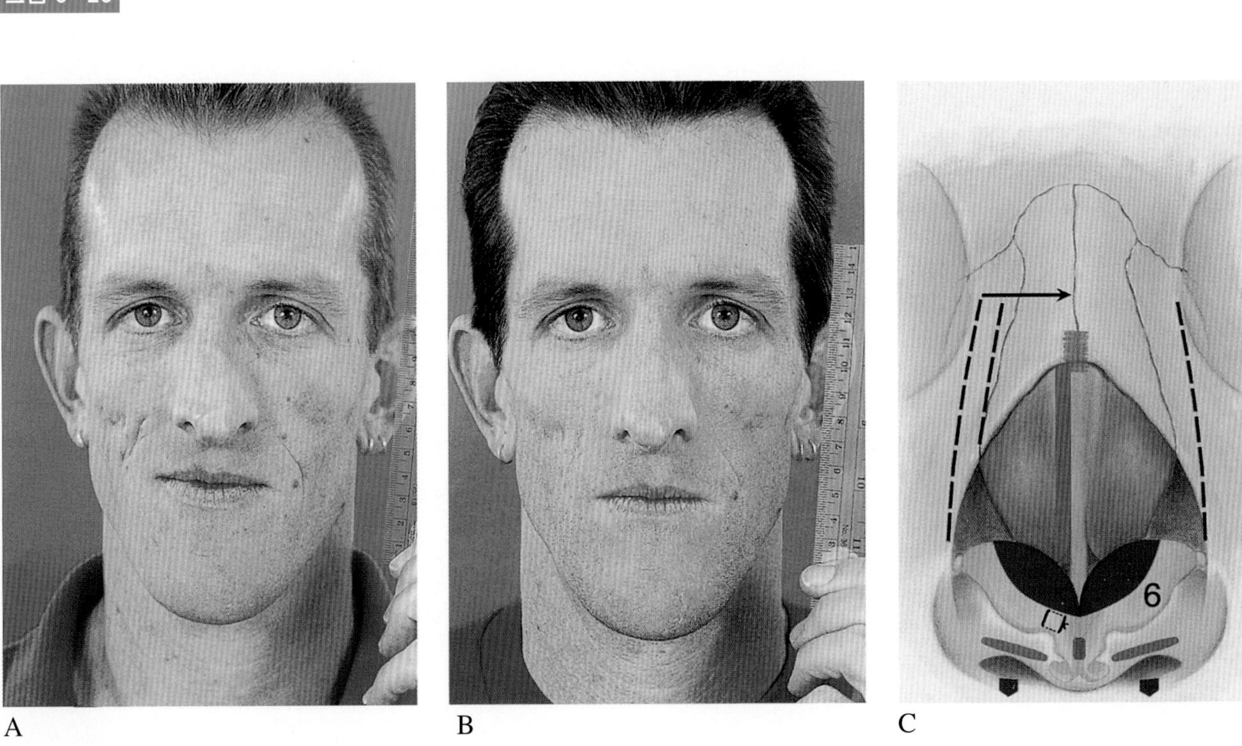


A B C

그림 8-24

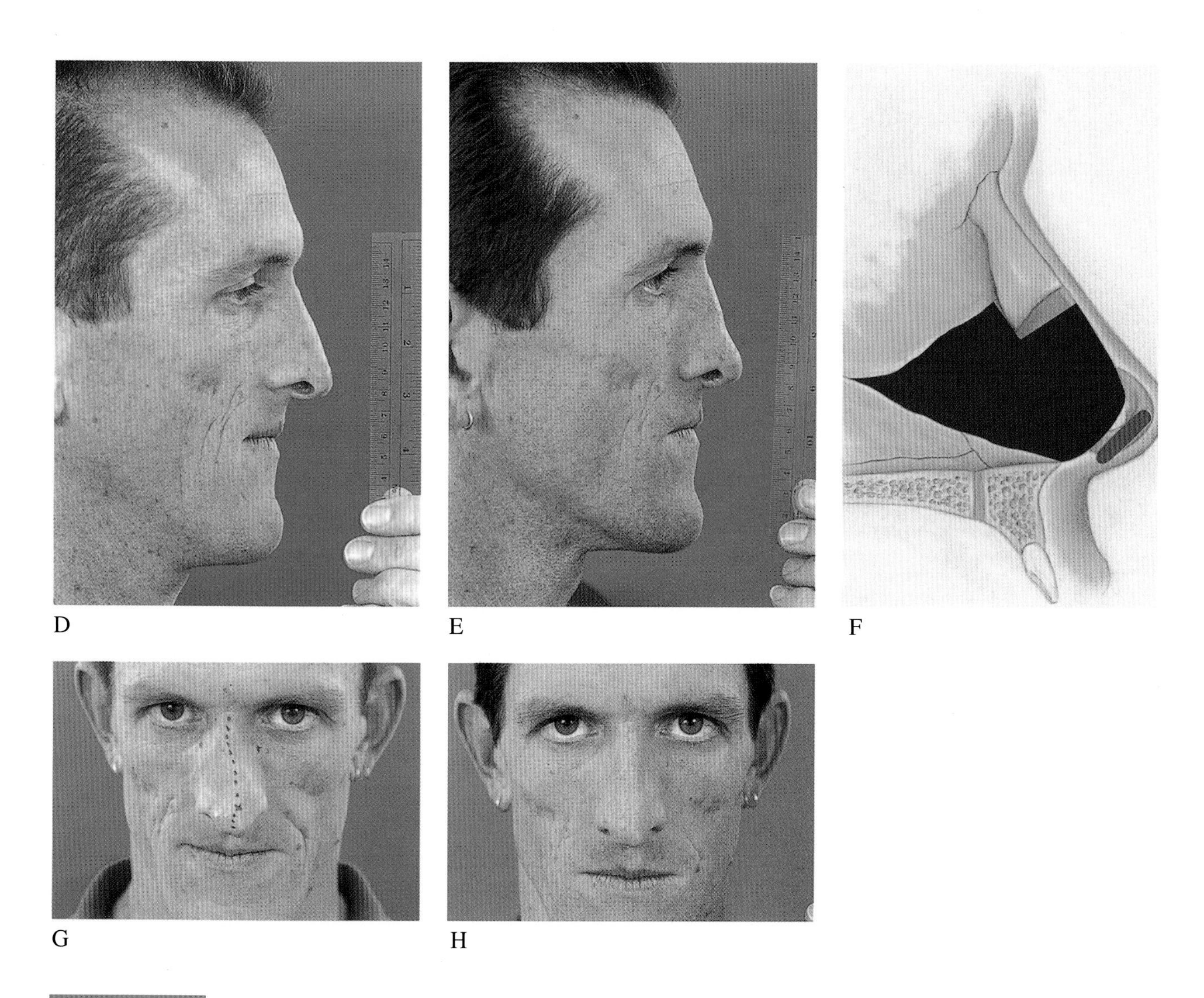


그림 8-24. 계속

## 논평

이 수술은 결국, 코를 부위별로 나누고, 각각을 적절히 다룬 다음, 코를 곧은 안정 구조물로 다시 짜 맞추는 것이다. 골원개에서는, 우측에서는 이중수준비절골술과 횡단비절골술을 함으로써 정중선으로 다시 돌아오게 하고, 좌측에는 저-저위외측비절골술을 하였다. 연골원개에서는, 상외측연골의 비대칭절제술을 한 다음, 좌측에서 L형지주를 일측연전이식물로서 재이식하였다. 비첨이 가장 놀라웠다. 비중격만곡을 일으킨 예상되는 원인과는 달리, 원개는 선천적 차이 때문에 뚜렷이 비대칭이었다. 술후 1년에 코는 곧고, 호흡도 뚜렷이 개선되었다(그림 8-24). 환자는 아주 만족해하였지만, 저자는 비중격지주의 재이식술로 인하여 비배 측면선이 함몰된 것이 실망스러웠다.

## 피부외피 문제점 (Skin Envelope Problems)

술전에 피부외피와 피하조직외피에 어떠한 제한 요소가 있는지를 알아보는 것이 중요하다. 문헌[6, 7]을 보면, 축소비성형술(reduction rhinoplasty)을 할 때 수축되지 않는 피부외피와 비참한 기능적 결과에 대하여 많이 기술되어 있다. 그러나 축소비성형술은 기능적 문제점의 빈도가 높지 않으면서 수십 년 동안 하여왔다. 이러한 의견 대립을 해결하기 위하여 저자는 연속적인 50명의 일차미용비성형술 환자를 분석하였으며, 크기와 탄성(compliance)에 따라서 연조직외피를 +3에서 -3까지 등급을 매겼다. 등급은 다음과 같다. 즉, (+)는 두꺼운 것을 나타내며, (-)는 얇은 것을 나타내고, 0은 정상이다. 이러한 등급은 1) 피부외피에 따른 외과 수기의 조절을 의미하며, 2) 연조직 압박(soft tissue constraints) 때문에 특별한 조작의 추가가 필요한지를 나타내며, 3) 피부외피에 의하여 결과가 제한될 수 있음을 나타낸다. 자료를 분석하였을 때 여러 가지 요점이 분명해졌다. 즉, 문제점은 연조직외피의 *크기(size)*가 아니라, 오히려 탄성의 부족이었다. 특히 심한 반흔을 가진 딸기코(acne rosacea) 피부에서 그러하였다. 큰 피부외피를 만들기 위하여 흔히 상악골 위로, 때때로 외안각으로부터 비배를 가로질러서 반대쪽 외안각까지 박리를 연장하기도 한다. *두께(thickness)*는 비첨에서 일차적 관심사이며, 개방구조비첨이식술(open structure tip graft)로써 극복할 수 있다. 얇음은 비배에서 일차적인 관심사이며, 아래에 놓인 구조물의 가시성을 방지하기 위하여 말은 근막이식술(rolled fascial graft)로써 증대시킨다. 이러한 압박의 빈도와 심각성은 일차비성형술보다 *이차비성성형*에서 더 문제점이다. 해부학적 분열, 혈액공급 감소, 그리고 반흔조직도 관여 한다. 반흔 때문에 수축되지 않는 연조직외피와 과도하게 수축된 지지골격 사이의 불일치가 자주 존재한다.

## 비배-비저불균형 (Dorsal/Base Disproportion)

임상적 비변형이 비성형술을 변혁시킨 것은 거의 없었지만, 비배-비저불균형은 Sheen[24]으로 하여금 '균형비성형술(balanced rhinoplasty)'의 개념을 유도하도록 하였다. 대부분의 증례에서 이 용어는, 기저가 넓고 구상이며, 비배가 정상이거나 큰 것을 의미한다. 비배축소술, 비근이식술, 그리고 비첨변형술을 하는 균형수술을 시도하는 것이 해결책으로서 제시되었다. 사람들은 코의 부위별 불일치는 원래 존재하는 것이며, 비저축소술이 적응증이 되지 않거나 기법적으로 할 수 없는 증례가 있다고 말한다. 이러한 문제점에서 저자의 수술은 Sheen의 수술과 조금 다르다. 저자의 대부분의 환자는 더 작고 좀 더 매력적인 코를 원하기 때문에 저자는 비첨-비소엽(tip lobule)과 비익저 둘 다를 포함한 비저의 크기를 줄임으로써 최대의 미학적 개선과 최대의 비저축소를 얻기를 선호한다. 일단 이러한 목표에 도달하게 되면 이에 맞추어서 비배축소술 및/또는 비근이식술을 할 수 있다. 결론적으로, 다음과 같은 문제의 핵심에 도달하게 된다. 즉, 비저축소술로써 비저에서 이상적인 목표를 얻을 수 있을까? 아니면, Constantian[6]이 말하는 수축할 수 없는 연조직외피인 연조직 압박이 존재하여 불가능한가?

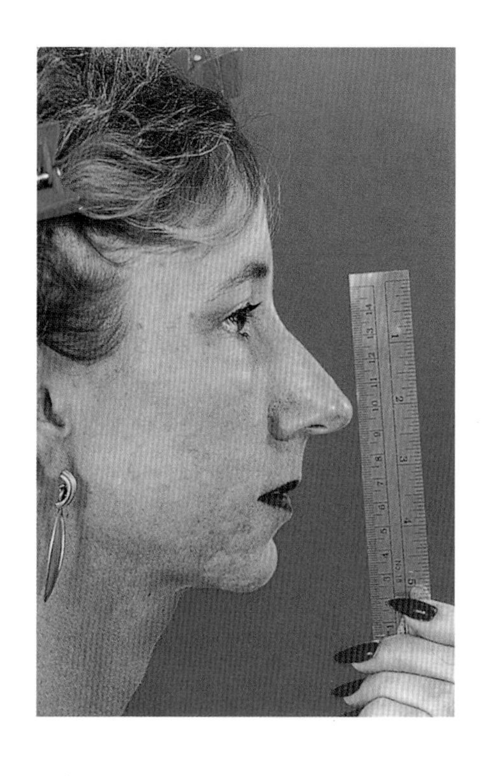

## 분석

32세의 여성 사무원으로서 자신의 코가 너무 크고, 너무 못 생겼다고 호소하였다. 검사 결과, 피부외피는 매우 크고, 피부는 두껍고, 탄력이 없으며, 얼굴 전체에서 그런 것처럼 여드름에 의하여 심한 반흔이 있었다. 저자와 환자의 같은 관심사는 비배-비저불균형으로서 크게 변화시키기가 거의 불가능하게 보였다. 그녀가 가지고 온 작고 정교한 코 사진과는 달리, 단지 제한된 개선만 가능하다고 설명하였다. 또, 코와 얼굴의 상관관계를 개선시키기 위하여 턱끝삽입술(chin implantation)을 하여야 한다고 설명하였다. 몇 차례 진찰을 받은 다음, 폐쇄 및 개방 접근술을 하기로 하였다(그림 8-25). 폐쇄접근술로써 비첨돌출을 낮추고, 비배선을 잡고, 미측 비중격과 전비극을 짧게 한 다음, 개방접근술로써 개방구조비첨술을 하여 비첨돌출을 낮추고, 구상비첨을 축소시킨다.

## 외과 수기

1. 비배축소술: 끌질로써 골 2mm, 11번 수술도로써 연골 6mm.
2. 비첨회전과 상구순단축을 위한 미측비중격각상절제술(angled caudal septal resection).
3. 5mm의 비익연연골조각을 남기고 두측외측각절제술을 하여서 절제해낸 연골로써 양측 연전이식술.
4. 코로부터 상악골을 따라서 동공까지 광범위한 골막상박리.
5. 저-고위외측비절골술
6. 각지주이식술. 비주변곡점 두측에서 7mm의 중간각절제술. 원개분절절제술(우측 8mm, 좌측 10mm)
7. 돌출된 위치로 비첨이식술.
8. 비첨회전과 비첨함입(tip deprojection)을 위한 비주-비중격봉합술.
9. 모든 절개선의 봉합술. 쐐기형비익절제술(우측 2.5mm, 좌측 5.0mm)

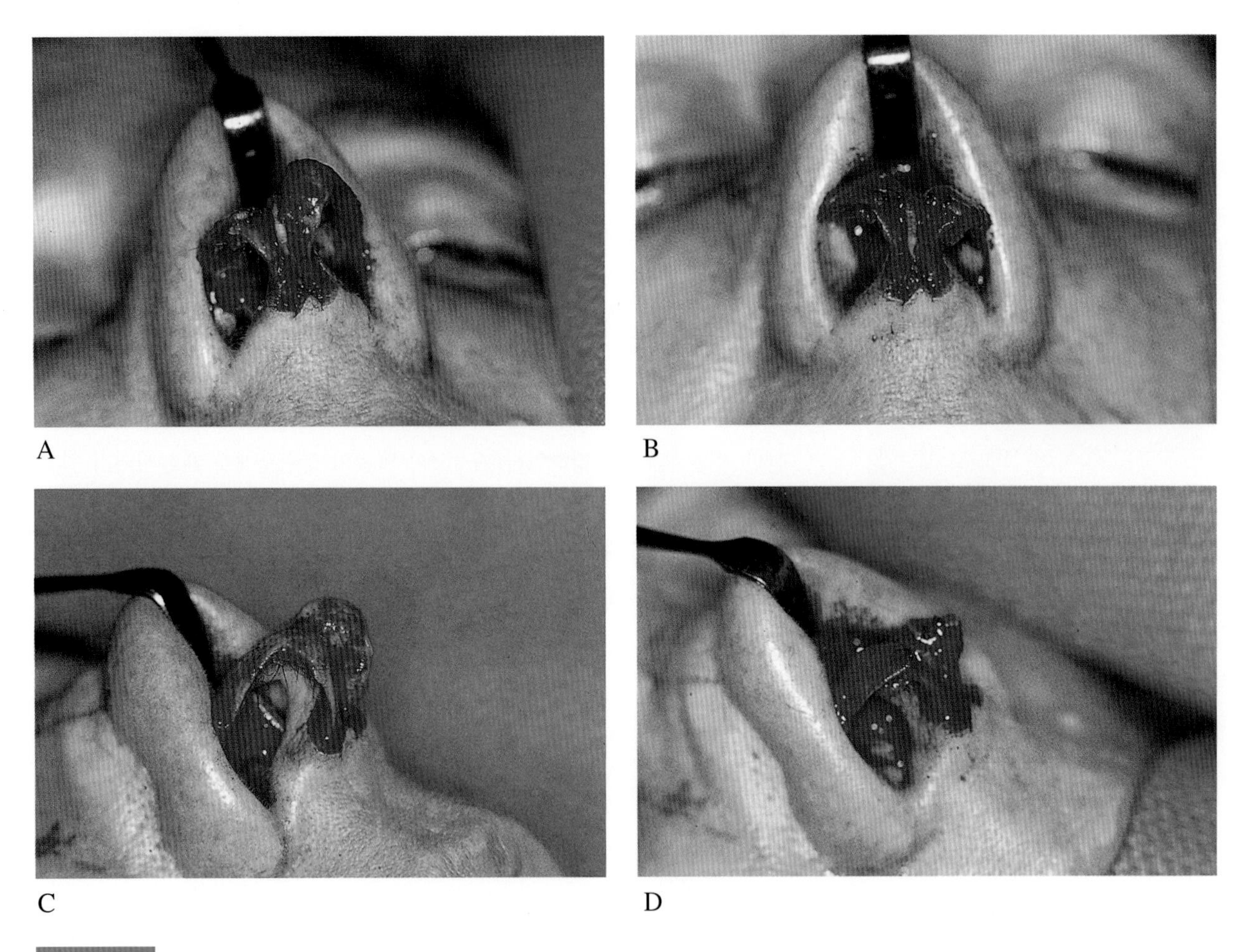

A B C D

그림 8-25

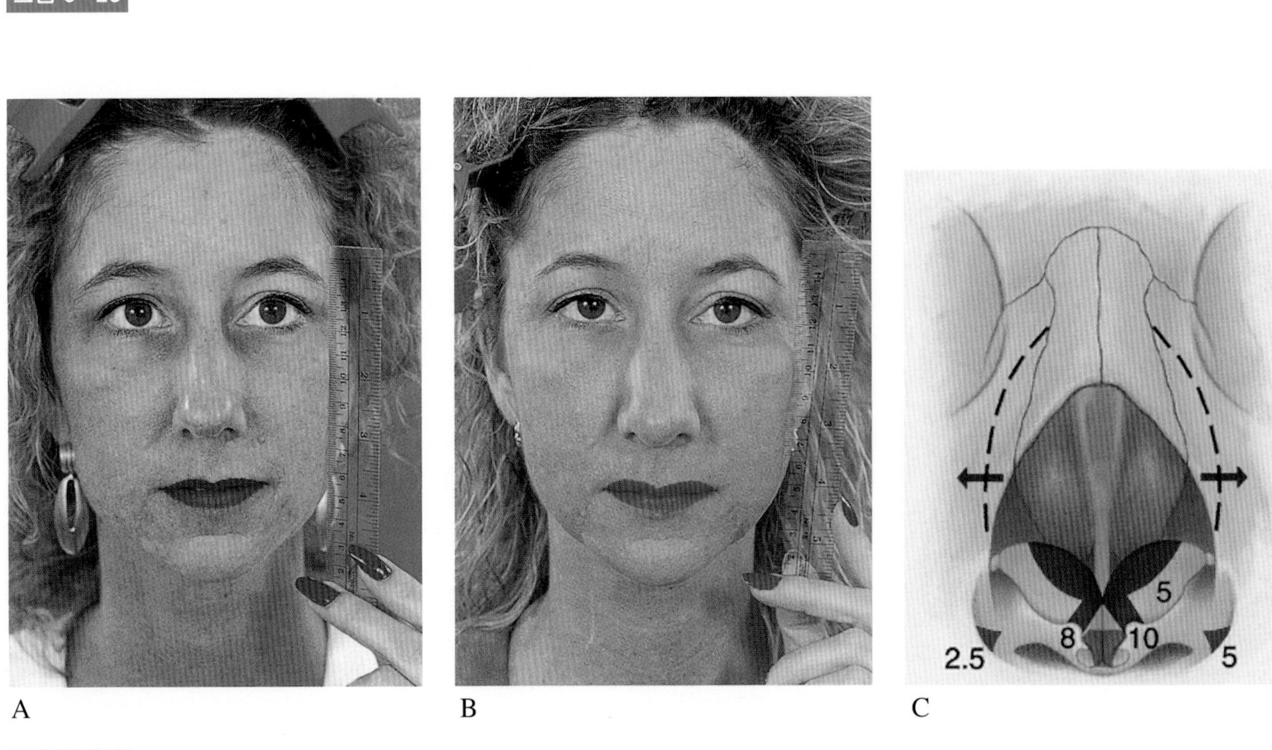


A B C

그림 8-26

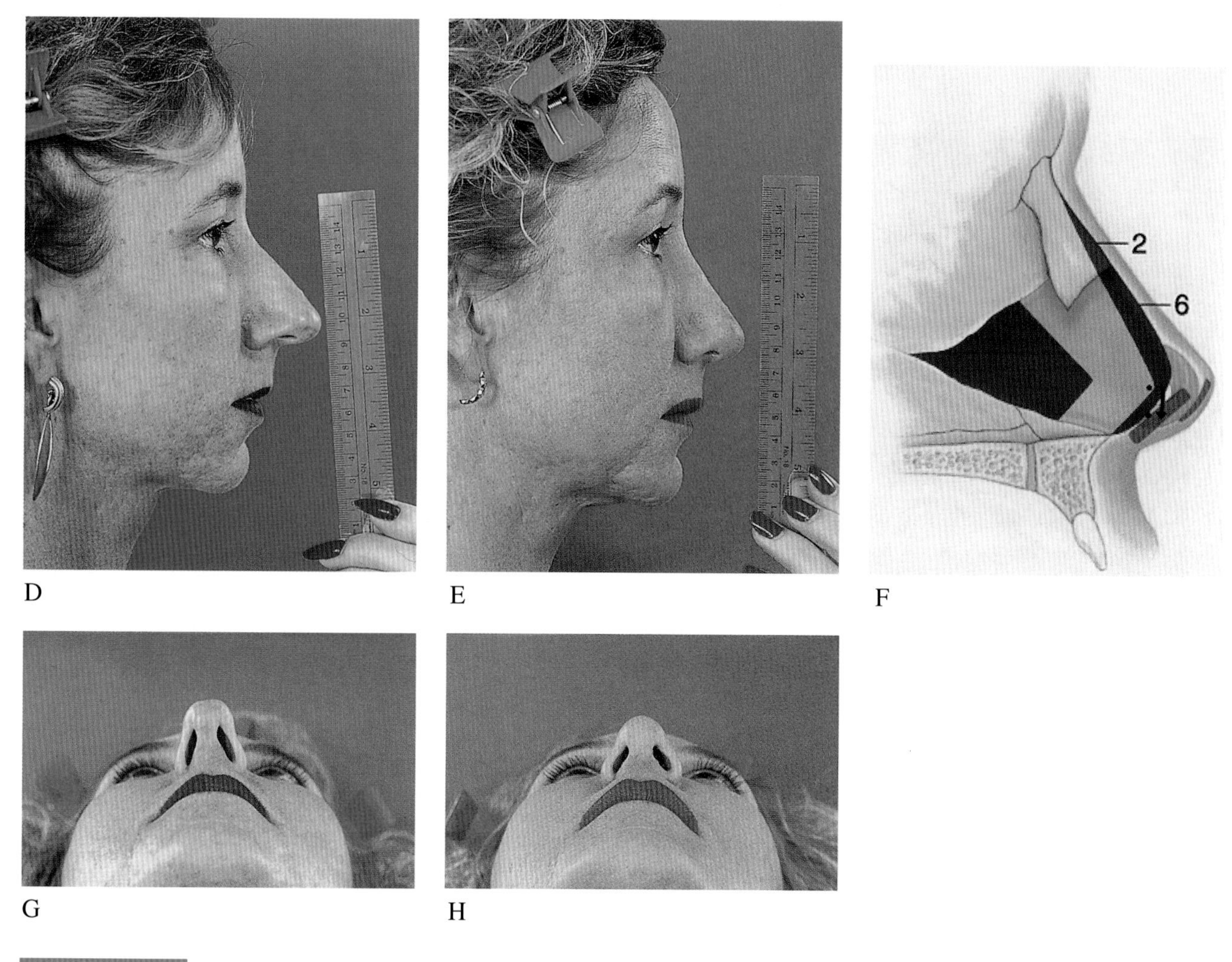


그림 8-26. 계속

## 논평

술후 18개월에, 코는 돌출이 39mm에서 31mm로 줄어서 원래 코보다 더 작게 보였다. 비첨돌출을 줄이고, 두꺼운 피부외피를 처치하기 위하여 6단계의 기법을 이용하였다. 1) 양측관통절개술, 2) 비배축소술, 3) 수직 방향으로 원개절제술, 4) 비주-비중격함입봉합(columella septal deprojection suture), 5) 쐐기형비익절제술, 그리고 6) 광범위 피부박리술. 100명의 일차미용비성형술에서 최종 결과가 환자의 피부외피에 의하여 제한받았다고 저자가 말하는 *유일한* 증례이다. 여러 가지 이식술을 하였음에도 불구하고 코를 확장시킴 없이 그녀에게 더 작은 코를 만들어 줄 수 있었다.

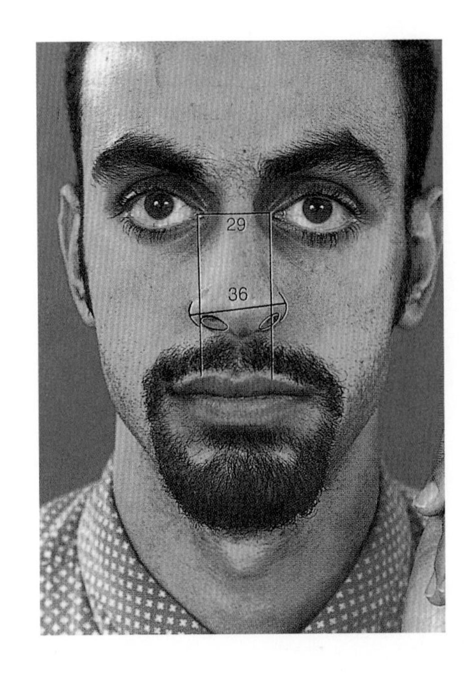


## 분석

26세의 Algeria 혈통의 남성으로서 코가 큰데도 불구하고 코로 숨을 쉴 수 없다고 호소하였다. 전번에 코의 외상이나 수술 받은 과거력은 없었다. 내비검사 결과, 비중격이 내비판막에서 우측으로 만곡 되었지만, 미측 비중격은 좌측으로 만곡 되었다. 과다돌출된 비첨(AC-T=42mm)을 가진 대단히 큰 코였지만, 가장 큰 관심을 끈 것은 무거운 기저이었다. 비배 측면선을 만들고, 심한 비중격만곡을 교정하는 것 둘 다 필수적이었기 때문에 저자는 폐쇄 및 개방 접근술을 선택하였다(그림 8-27).

## 외과 수기

1. 비배축소술(끌질로써 골 3mm, 연골 6 mm). 5mm의 미측비중격절제술.
2. '비첨전도술(tip flip)' 로써 접근하여 비중격 노출과 전체비중격절제술.
3. 골원개를 좁히기 위하여 이중수준비절골술과 횡단비절골술.
4. 비중격으로부터 L형지주 만든 다음, 수용부 비배연골의 두측에서 10mm 중복시켜서 재이식술.
5. 큰 비주지주이식술. 원개형성봉합술과 원개등화봉합술.
6. 모든 절개선의 봉합술. 양측비공상 및 기저 동시절제술(각각 3mm, 6mm)(제 4장 참고).

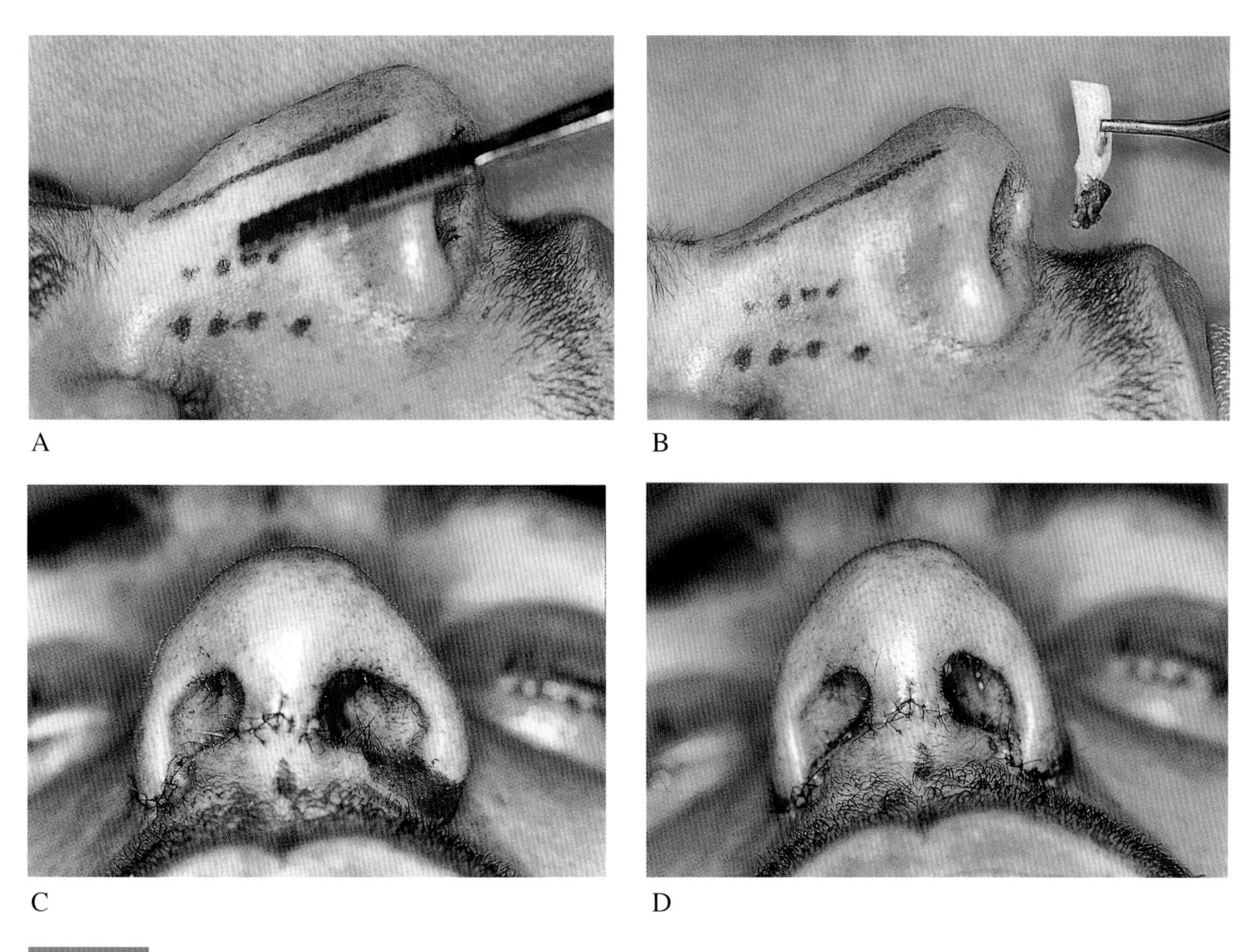
A B C D

그림 8-27

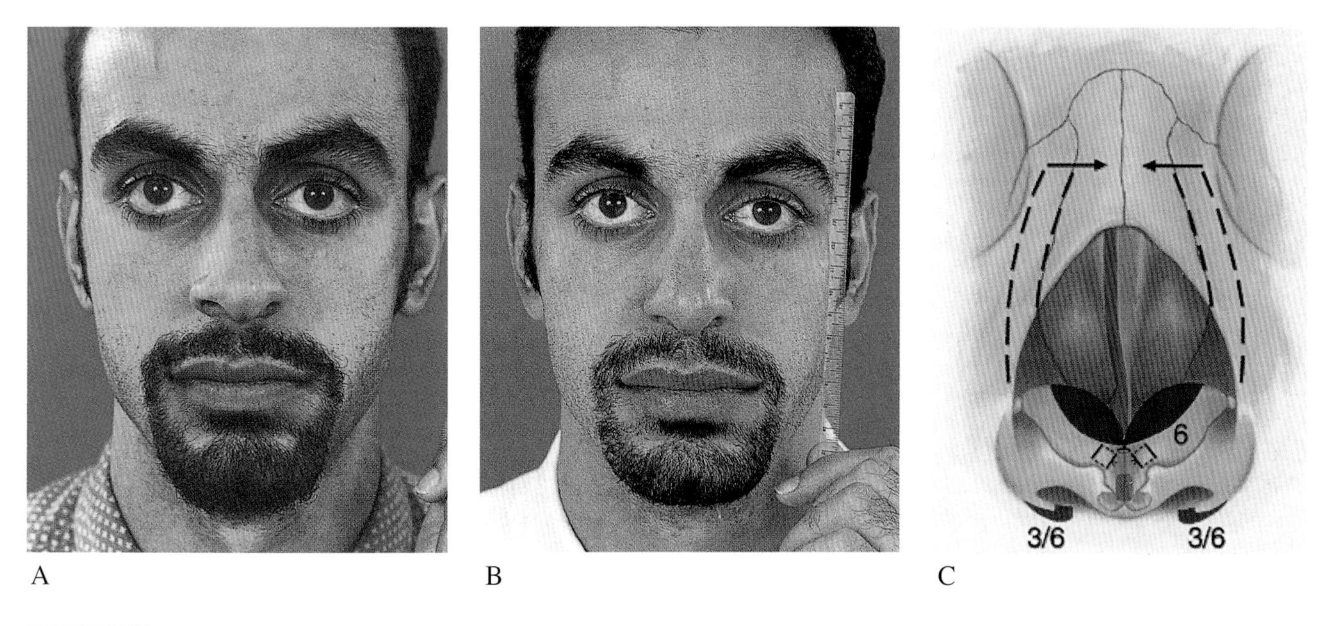

A B C

그림 8-28

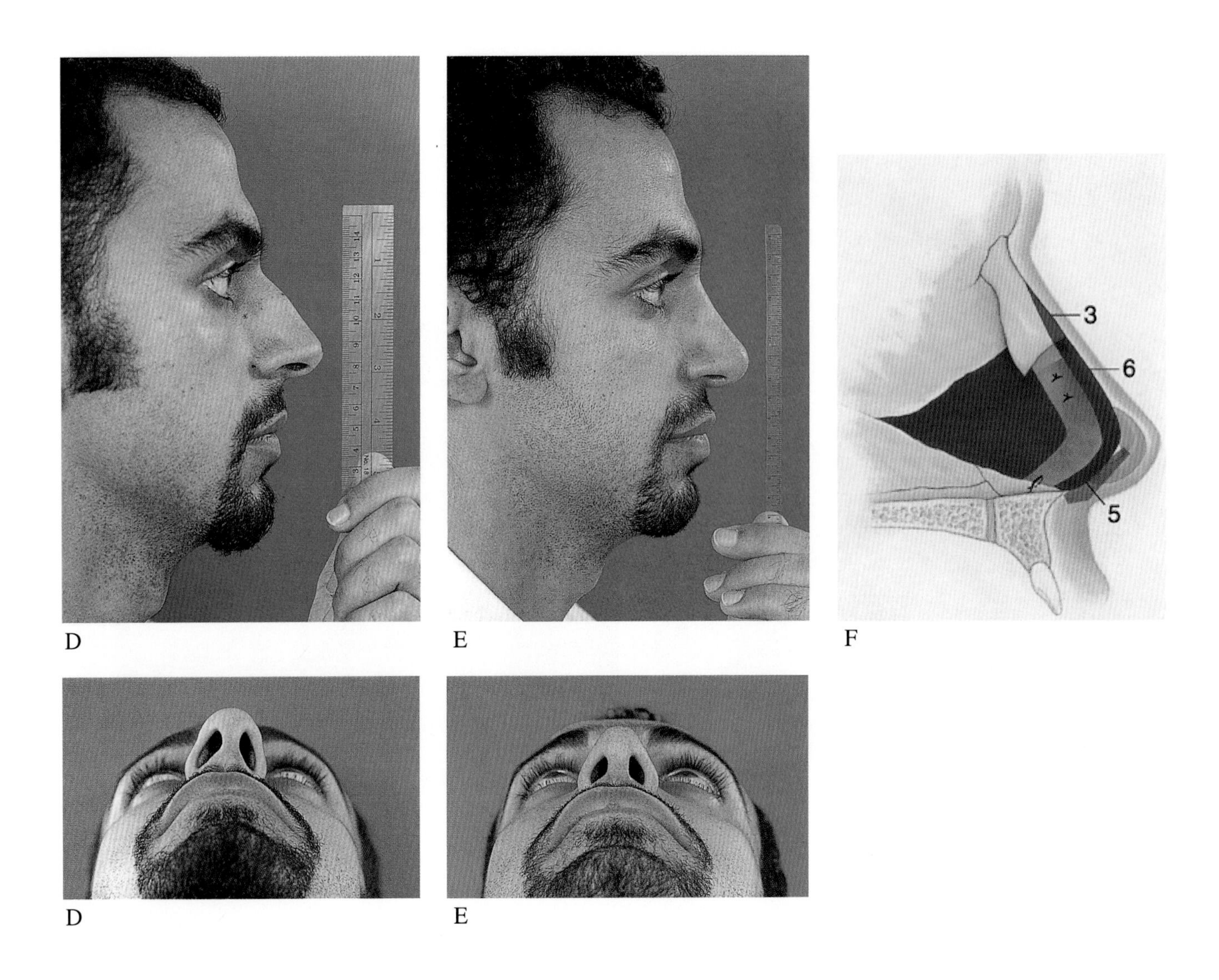


그림 8-28. 계속

## 논평

이 환자에서 목표는 코바루기와 가능한 많이 비저축소술을 하는 것이었다. 전체비중격성형술과 과감한 비공상 및 쐐기형비익저 동시절제술을 함께 한 것이 비저의 많은 문제점을 교정하였다. 또, 비배축소술은 환자에게 더 작은 코를 선사하였다. 피부외피는 분명히 크지만, 더 작아진 골격구조 주위에서 잘 수축되었다. 저자는 이 환자에게서 이식술하지 않았어야 했다.

## 코카인코 (Cocaine Nose)

코카인코의 심한 정도는 다양하지만, 완전히 붕괴된 코는 비성형술의 범위를 넘어서 비재건술의 영역에 들어간다. 대부분의 증례에서 비중격천공으로부터 시작하여 비중격지지가 소실되고 완전히 수축되는 과정을 겪는다. 코카인이 비중격을 통하여 흡수되면 비점막내층을 침범하고, 코카인의 흡입 방향에 따라서 상외측연골과 비익연골까지 증발시킨다. 코의 내부는, 반흔조직으로 된 벽받이(flying buttresses)와 양측 상악동이 넓게 열려있어서 마치 고딕양식의 대성당 같아 보인다. 미학적 문제점은 비중격지지의 소실 때문에 비배안장화(dorsal saddling)와 비주퇴축(columellar retraction)이 발생하기 때문에 떨어진 비첨(falling tip)으로 착각될 정도로 복잡해진다. 다음 단계는 비점막내층과 연조직외피변형의 교정이다.

### 비중격천공(Septal Perforation)

저자는 과거에는 폐쇄접근술과 개방접근술 둘 다를 사용하여 비중격천공을 닫았지만, 개방접근술이 유일한 방법이다. 왜냐하면, 점막내층을 더 쉽게 움직인 다음, 천공연(edges of perforation)끼리 직접 봉합할 수 있기 때문이다. 만일 점막이 적절히 낫지 않으면 큰 원반(disc)형의 근막을 발판으로서 역할을 하도록 점막 사이에 위치시켜서 4개의 모서리에서 봉합한다(그림 8-29D). 저자는 코카인에 의한 비중격천공이 기법적으로 교정이 가능하더라도 환자가 2년 동안 코카인을 사용하지 않아서 '깨끗하고(clean)', 천공이 2 cm 미만일 때까지 수술을 서두르지 않는다. 이렇게 환자가 가해자인 상황에서 당신이 영웅이 될 필요는 없다.

Septal Perforation Repair

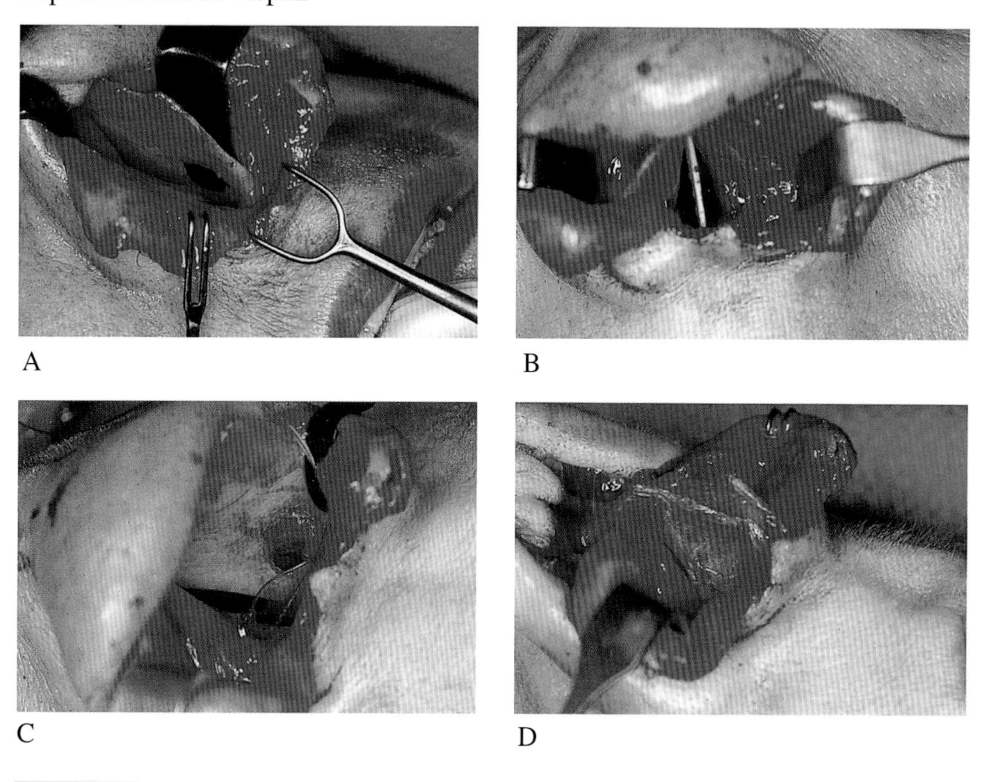


그림 8-14

## 비중격지지(Septal Support)

가장 인기 있는 수술 중의 하나는 비배안장화(dorsal saddling)와 이상구(pyriform aperture) 주위의 붕괴를 교정하기 위하여 이갑개연골이나 이물성형물로써 일종의 잠복이식술(concealment graft)을 하는 것이다. 저자는 비중격지지를 재확립하기 위하여 좀 더 재건적 수술을 사용한다. 두 증례에서 저자는 35mm 길이의 제 9번 연골늑단을 구조적 비주지주(structural columella strut)로 이식하였다. 이식물의 기저는 분할하여 전비극에 맞춘 다음, 3-0 prolene사를 전비극의 천공으로 통과시켜서 고정하였다. 건재하지만, 지지되지 않는 연골비배는 바람직한 측면선이 재건될 때까지 비주지주를 따라서 수준을 올린 다음, 비배를 비주지주에 사개맞춤(tongue-in-groove) 방식으로 고정시킨다. 비익연골을 비주지주 위에서 서로 봉합한다. 비주지주의 활(bow)은 비주경사와 비주-상구순분절을 재건한다. 이 기법은 비배 및 비주 문제점을 본격적으로 교정하며, 진행되는 수축력을 저항할 수 있지만, 미학적으로 교정하지는 못한다.

## 전체재건술(Total Reconstruction)

늑이식술로써 문제점을 교정하는 완전한 수술의 적응증은 다음과 같은 3대요소뿐만 아니라 비중격지지의 소실이 있을 때이다. 1) 연골원개의 파괴, 2) 비점막내층의 심한 수축, 그리고 3) 중간 1/3 연조직이 비원개(nasal vault) 안으로 붕괴. 재건원칙을 사용하는데, 우선 Meyer의 'sleeve' 기법을 사용하여 비점막내층을 다룬다. 즉, 점막내층을 골원개 아래, 높은 곳에서 유리시킨 다음, 점막을 미측으로 끌어당기며, 이때, 공여부는 두측의 점막을 전진시켜서 치유시킨다. 이러한 증례에서 저자는 비첨을 비회전(tip derotation)시키기 위해서는 연골원개 아래에 있는 심한 반흔이 있는 점막을 절제하여야 할 필요가 있음을 알게 되었다. 그 다음, 골-연골늑이식물로써 비주지주뿐만 아니라 비배이식술도 한다. 이 2가지는 비첨을 미측으로 밀기 위하여 사개맞춤(tongue-in-groove) 방식으로 결합시킨다. 흔히, 지지를 제공하기 위하여, 이갑개연골이식물로써 비첨이식술을 비주지주 위에서 하여야 하며, 단단한 늑연골이식물을 비익저 내부 절개를 통하여 큰 비익연이식술을 하여야 한다. 비주의 봉합은 어려울 수도 있으며, 내비에서 여러 가지 V-Y 기법과 피부이식술이 필요할 수 있다. 이러한 증례에서 쉬운 것은 없다. Sheen[24]은 이러한 불행한 환자를 기꺼이 도움으로써 많은 명성을 들을 만 하다.

## 증례 연구 코카인 코(Cocaine Nose)

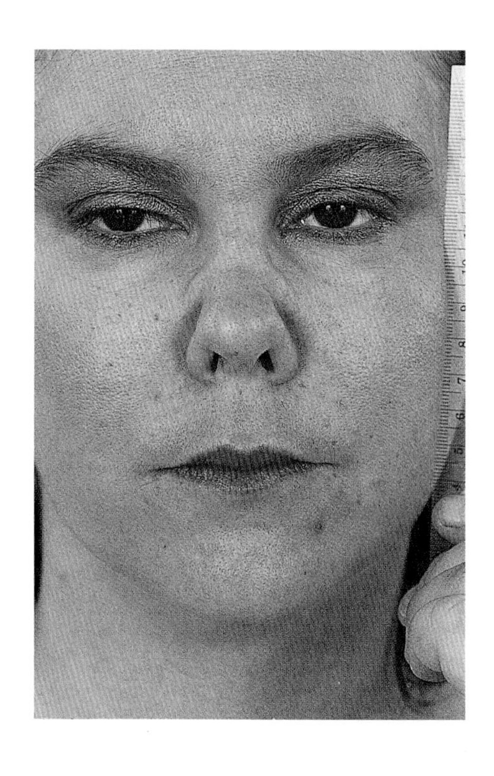

### 분석

32세 여성 치과기공사는 몇 개월 동안의 코카인 오용으로 인하여 전체 코의 붕괴를 가지고 내원하였다. 내비검사에서, 실제로 비중격지지가 없고, 양측 상악동 안으로 통하는 입구가 보였다. 후비공부(後鼻孔部, posterior choanal area)는 비중격 잔존물과 여러 비갑개 사이에서 반흔조직으로 된 벽받이(flying buttresses)로 되어 있었다. 더욱 불길한 것은 심하게 반흔이 있는 점막내층이었다. 유일한 목표는 전체비재건술로써 정상적 외양을 만들어주는 것이었다(그림 8-30).

### 외과 수기

1. 분리된 채취 도구를 사용하여 제 9번 늑채취술.
2. 경비주절개술과 연골하절개술을 통한 개방비성형술.
3. 골원개 아래에서 비점막내층 박리, 높은 두측에서 점막 절단, 점막의 미측 이동, 반흔이 있는 점막절제술, 그리고 점막봉합술.
4. 5mm의 비근축소술. 75:25 비율의 골-연골늑이식물로써 비배이식술 후 2개의 나사고정.
5. 연골늑단이식물로써 비주이식술과 전비극에서 경구봉합고정술(transoral suture fixation).
6. 비주지주 위로 비익연골 전진.
7. 모양을 낸 늑연골로써 큰 외측비벽이식술(20X10mm)과 비익연이식술.
8. 어려운 비주봉합술.

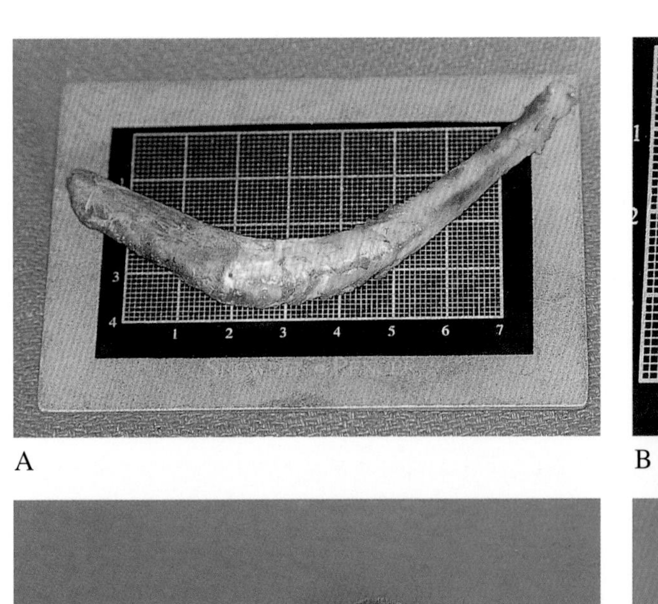

A

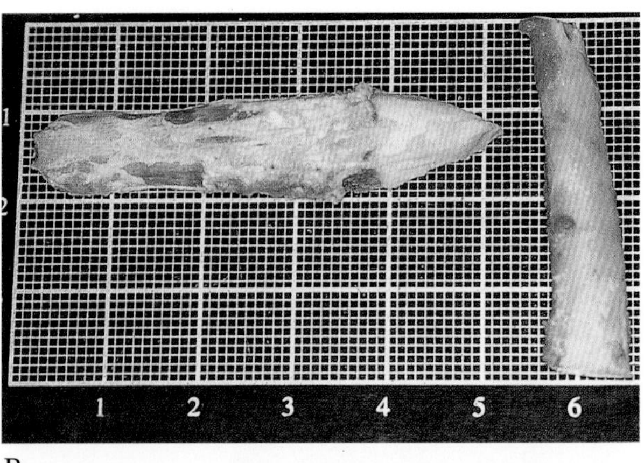

B

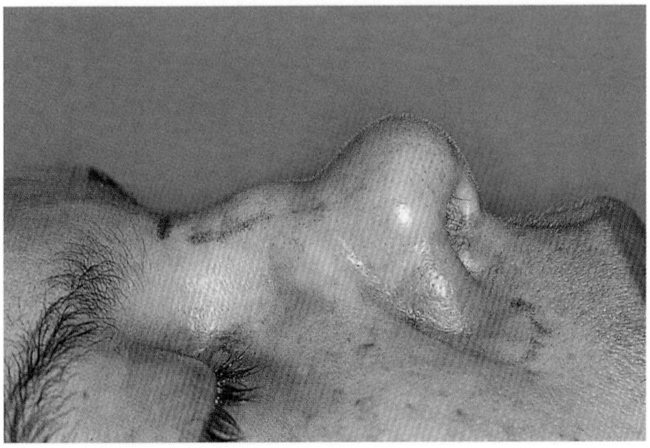

C

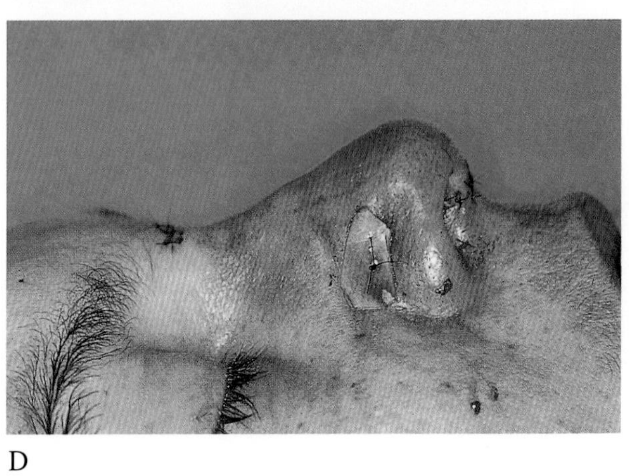

D

그림 8-30

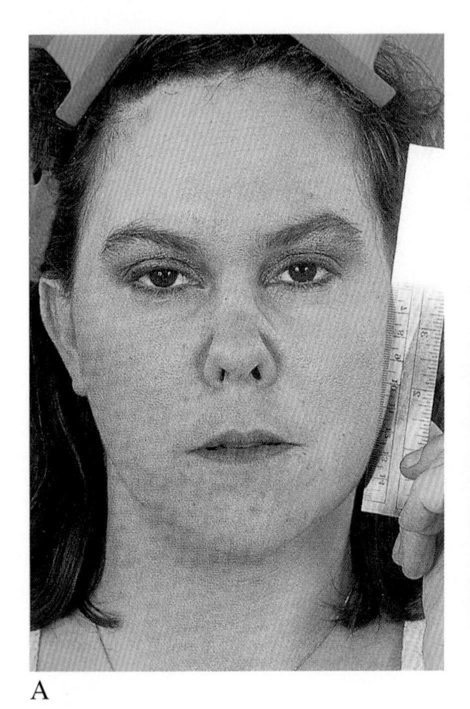

A

B

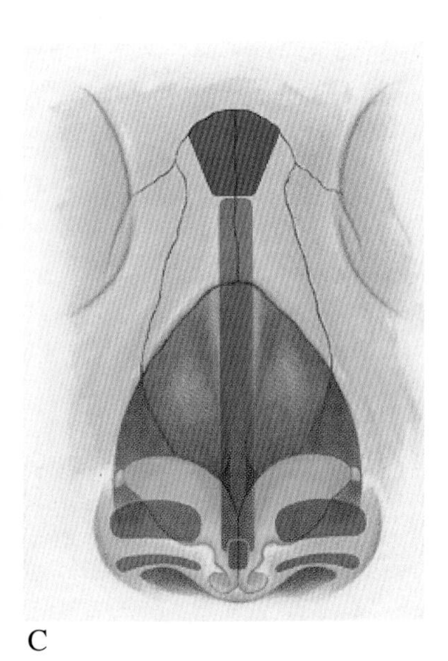

C

그림 8-31

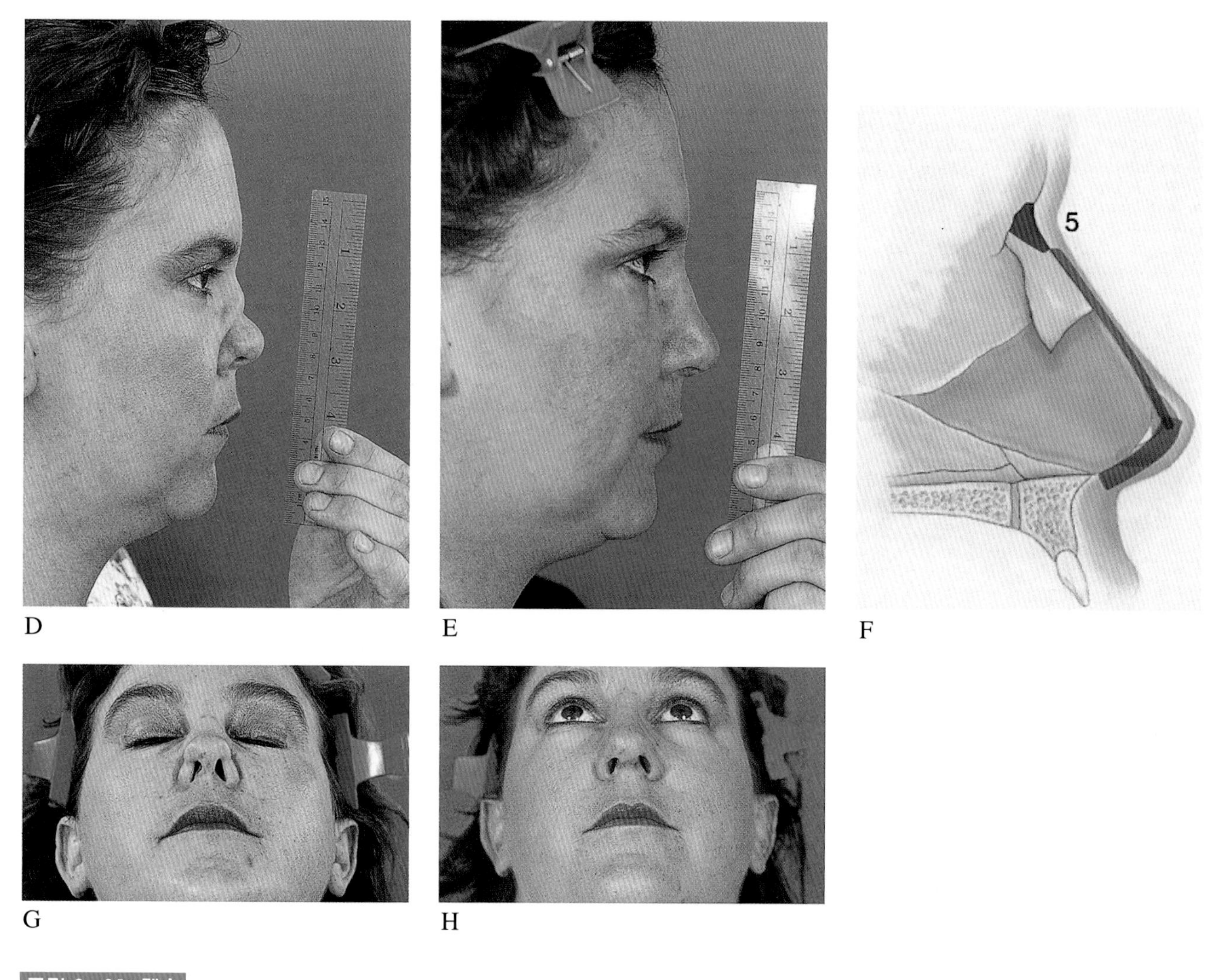


그림 8-31. 계속

## 논평

이 환자는 대단히 어려운 증례로서 완전히 술중에 '뒤범벅(scramble)' 이 된다. 연골원개가 없고 점막내층과 연조직외피 둘 다에서 반흔구축을 발견하였을 때 무엇을 할 것인가? 상외측연골이 완전히 없고, 그 결과로서 연조직외피가 심하게 구축되어 있는 증례를 만난 것은 이것이 처음이었다. 연조직외피를 세로로 늘리기 위해서는 비배와 비주 사이에 매우 견고한 골격구조물을 만드는 것이 필요하였다. 지지를 위하여 대단히 큰 외측비벽이식술이 필요하였으며, 비공붕괴를 방지하기 위하여 비익연이식술이 필수적이었다. 술후 2년에, 넓은 비주 외에는 결과가 좋았다(그림 8-31). 결과적으로, 저자는 현재 비재건술에서 늑연골이식물을 3-4mm로 좁히며, 늑이식물 앞에서 비익연골을 봉합한다.

## 이민족코 (Ethnic Nose)

개인별로 매우 다양하겠지만, 이민족의 코는 흔히 낮은 비배, 구상의 과소돌출비첨, 넓은 비익저, 그리고 퇴축된 비주-상구순각을 함께 가지고 있다(그림 8-32A, B). 관심이 있는 독자는 동양인[13]과 흑인[21]의 비성형술의 훌륭한 개관을 재검토하여야 한다. 이러한 증례는 쉽지 않으며, 훌륭한 결과를 얻기 위하여 필요한 중요한 시술을 기꺼이 할 수 있어야 한다.

### 비배(Dorsum)

의문의 여지없이, 이민족 환자의 비배삽입물에서는 이물성형물을 사용하도록 저자를 유혹한다. 그러나 저자는 저자의 많은 동양인 환자들에서 여러 가지 치수의 측정기(sizer)를 사용하였음에도 불구하고 선택한 실리콘의 모양에 대하여 환자들이 불만족해 하는 것을 기억한다. 저자는 술후 1주일에 실리콘을 흔히 교환하여야만 하였다. 따라서 저자는 이중(2mm) 또는 삼중(3-4mm)으로 쌓아올린 연골이식물이나, 4mm 이상의 높이가 필요할 때는 늑이식물 등의 자가조직을 계속 사용한다. 비중격연골이 이상적인 이식물이긴 하지만, 고형의 비중격연골로써 비첨이식술 하기를 흔히 원하기 때문에 비배에서는 이갑개연골에 흔히 의존하여야 한다(그림 8-32D-F). 술자는 이갑개연골이식물을 비배이식물로 사용하기 위하여 바루기가 필요한데, 곡면을 없애기 위하여 2층의 이갑개연골을 '상반(reciprocal)' 위치로써 봉합한다. 골-연골늑이식술이 필요할 수도 있으며, 앞에 기술한 방식대로 사용한다.

### 비첨(Tip)

대부분의 증례에서 중요한 비주지주이식술을 먼저 하고, 비주를 효과적으로 연장시키기 위하여 내측각과 중간각을 두측으로 전진시킨다. 그 다음, 비익연골을 비주지주의 꼭대기에서 봉합한다. 날카로운 이식물연(graft edge)을 가진 고형의 비중격연골의 비첨이식물을 대개 돌출 위치시켜야 두꺼운 피부를 통하여 비첨정의를 얻을 수 있다. 흔히, 고형의 연골로서 '포수형' 이식물('backstop' graft)을 비첨이식물 뒤에 위치시킴으로써 미측으로 밀며, 받침이식술(cap graft)에서처럼 저항을 제공한다. 하비소엽 전체가 편평하면 저자는 유연성과 유용성을 위하여 접은 이갑개이식술(folded conchal cartilage)을 더 좋아한다. 드물게, 이민족 환자의 비중격으로부터 바람직한 비배이식물, 비주이식물, 그리고 긴 비첨이식물을 얻을 수 있다. 25X10mm 크기의 이갑개연골의 한쪽 끝에서 비첨이식물처럼 모양을 낸 다음, 원개간선(interdomal line)을 따라서 경첩(hinged)이 되도록 구부려서 중간각에 고정시킨다(그림 8-32G, H). 두측부는 바람직한 비첨의 비회전(derotation)과 비첨돌출을 얻을 때까지 비배를 따라서 미측으로 내려서 비배에 고정시킨다.

### 비저(Base)

확실히, 비저가 대단히 넓으며, 비익장개(alar flare)가 있고, 비공상이 보인다. 만일 비주지주가 효과적이면 비공이 흔히 원형으로부터 타원형으로 바뀌며, 비공축(nostril axis)도 수평에서 45도로 바뀐다. 저자는 흑인에서 3mm 및 6mm 또는 4mm 및 7mm 크기의 과감한 비공상 및 쐐기형 비익 동시절제술을 주저하지 않는다. 중앙안면삼각부(central facial triangle)에서 keloid 반흔이

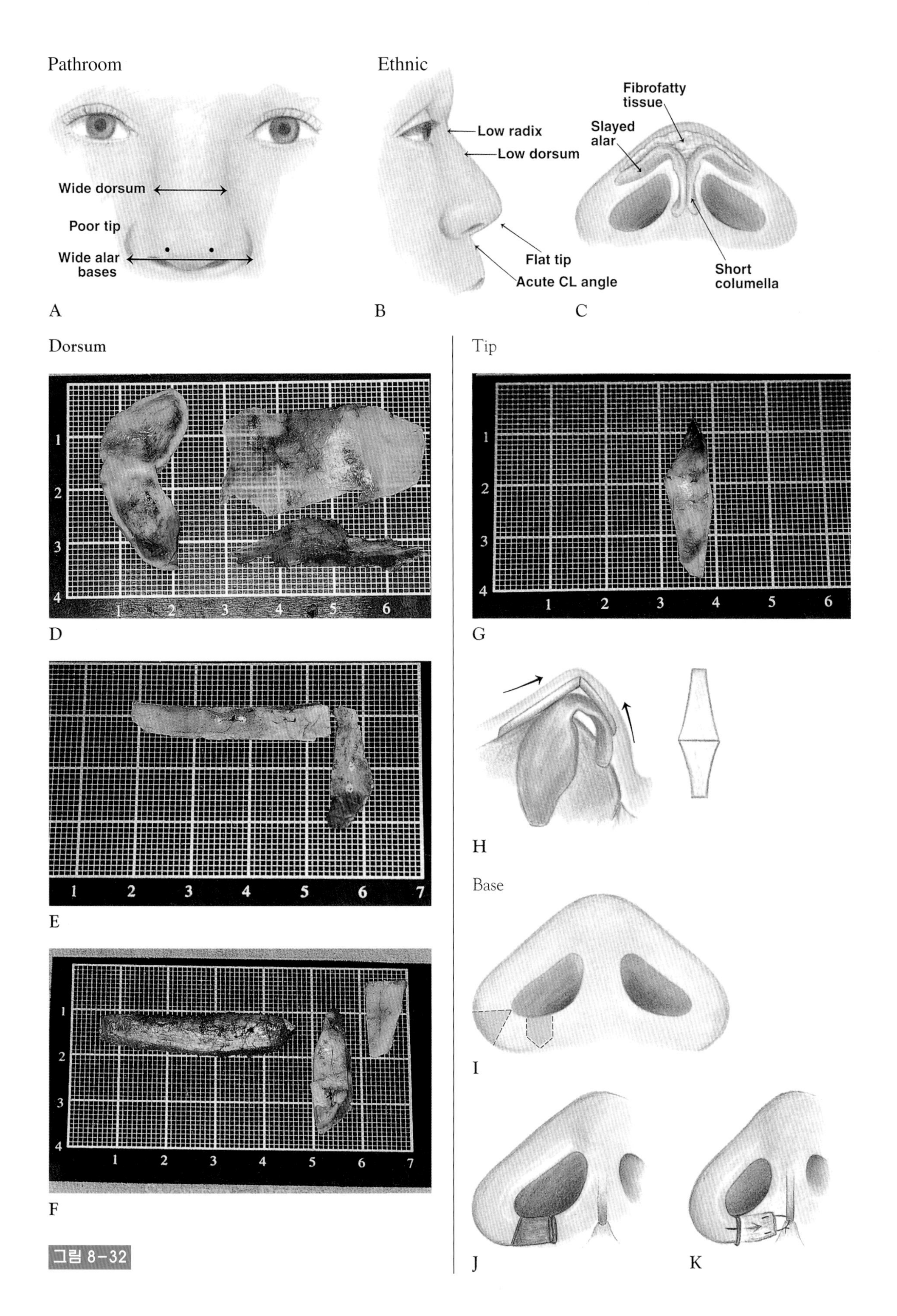
Pathroom
Ethnic
Fibrofatty tissue
Slayed alar
Low radix
Low dorsum
Wide dorsum
Poor tip
Wide alar bases
Flat tip
Acute CL angle
Short columella
A
B
C
Dorsum
Tip
D
G
E
H
Base
I
F
J
K

그림 8-32

보고 되지 않아서 그렇지 실제로는 남을 것으로 추정하고 있다. 동양인에서, 저자는 과색소침착반흔(hyperpigmented scar)에 대한 두려움 때문에 비익저절제술을 하기를 주저한다. 저자는 확실히 비공상절제술과 비익봉양술(alar cinch procedure)은 할 것이지만(그림 8-32J, K), 비공상 및 쐐기형비익 동시절제술은 대단히 선택된 증례에서만 할 것이다.

## 증례 연구 동양인 환자(Asian Patient)

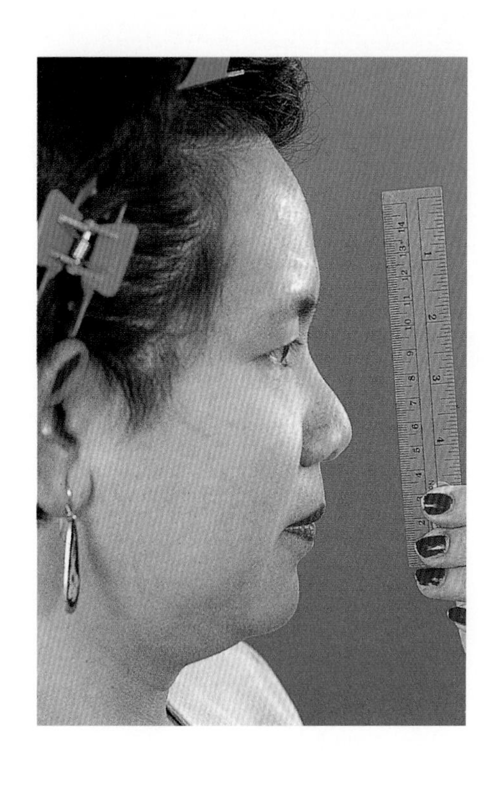

### 분석

43세의 필리핀 혈통의 여성으로서 코, 특히 비첨이 너무 무겁다고 호소하였다. 이물성형물과 자가조직의 선택을 토론하였다. 그녀는 자기 직업이 간호사여서 인지, 자신의 자가조직을 더 좋아하였다. 이 증례는 비배-비저불균형과 비주퇴축이라는 동양인 코의 전형적 집합을 가지고 있었다(그림 8-33).

### 외과 수기

1. 개방접근술을 해 보니 비익연골의 형성저하 심함.
2. 비중격채취술을 하였지만, 유용한 조직이 적음.
3. 30X8mm 크기의 서골로써 비주지주이식술.
4. 33X5mm 크기의 비중격연골로써 비배이식술.
5. 두층의 이갑개연골로써 비첨이식술.
6. 비공상 및 비익저 동시절제술(3mm, 3mm).

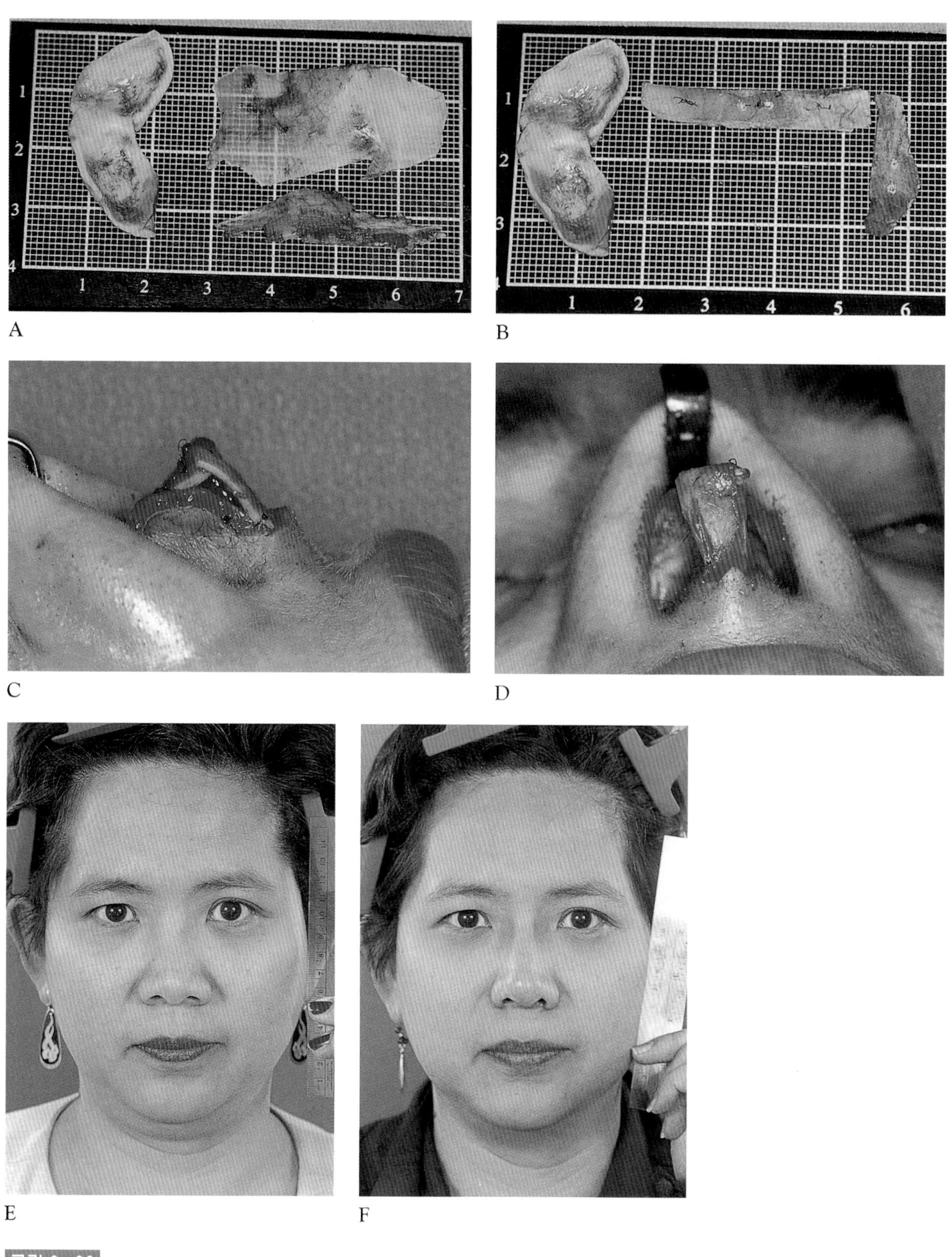


그림 8-33

## 증례 연구 흑인 환자(Black Patient)

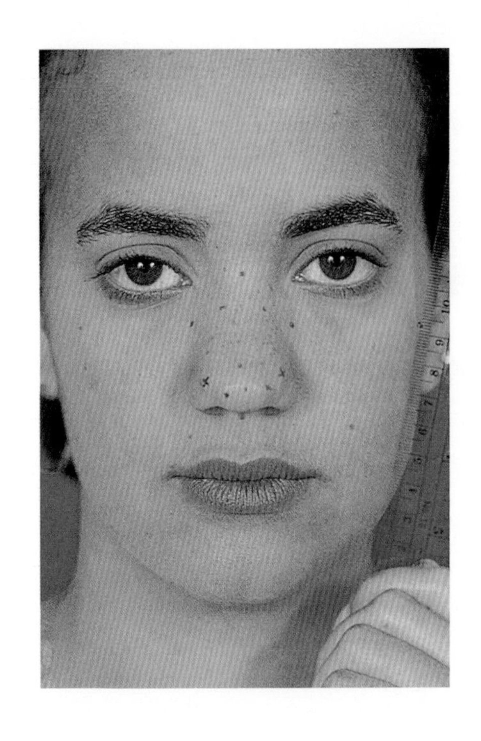

### 분석

19세의 여학생으로서 미용비성형술을 원하였다. 그녀는 자신의 코가 넓고 무거운 것을 싫어하였지만, 근본적인 인종의 변화는 원치 않았다(그림 8-34). 문제점은 비교(bridge)가 대단히 넓고, 비첨이 둥글고 편평한 것이었다.

### 외과 수기

1. 개방접근술. 진피하연조직절제술.
2. 작은 두측 외측각으로부터 3mm 절제술.
3. 방정중절제술(paramedian cuts)로써 5mm의 비배좁히기.
4. 3중비절골술(triple osteotomies). 즉, 방정중비절골술, 횡단비절골술, 그리고 저-저위외측비절골술.
5. 30X5X2.5mm 치수의 비배이식술.
6. 각지주이식술. 원개봉합술. 비첨이식술.
7. 4mm의 쐐기형비익절제술.

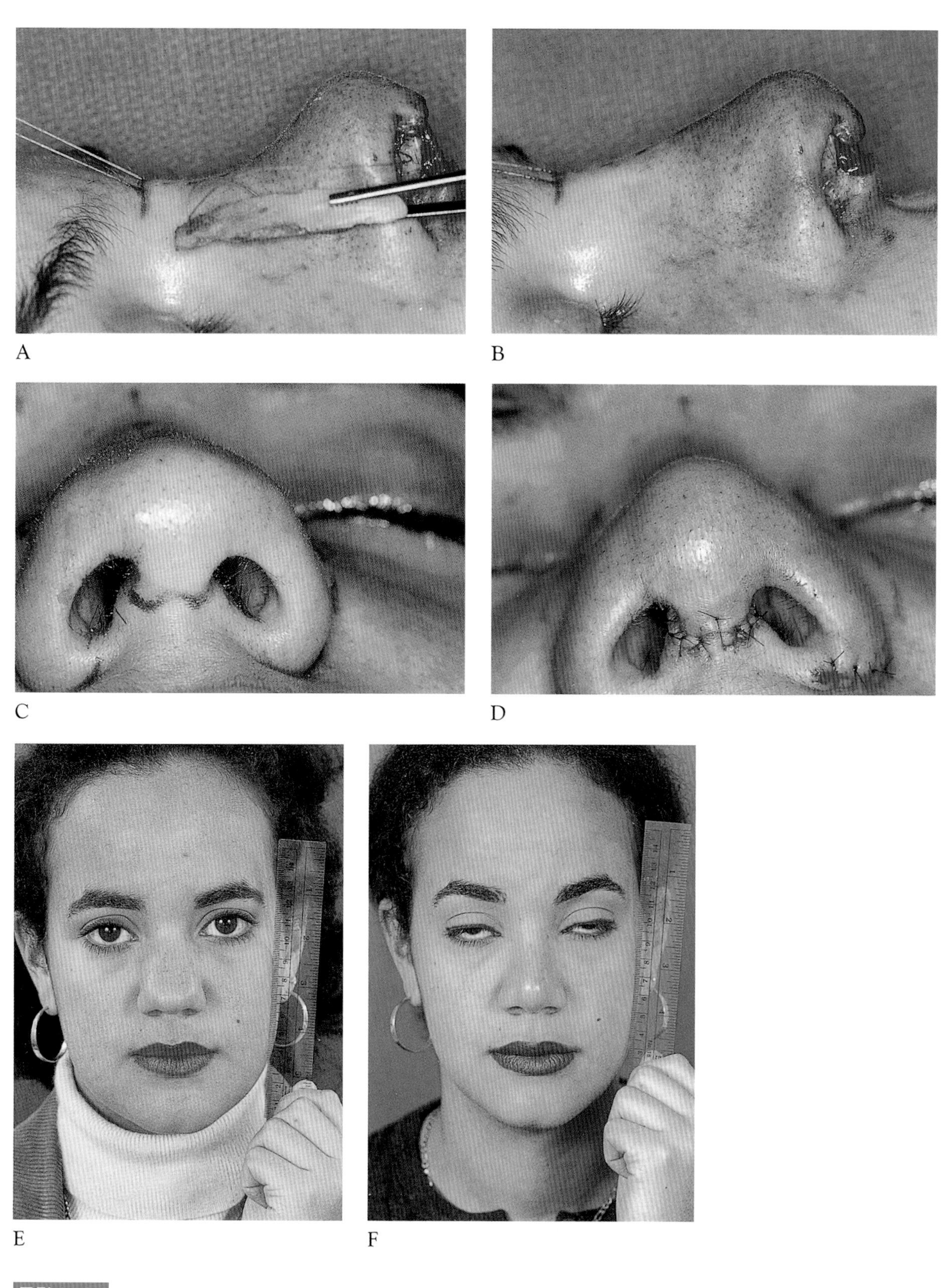

그림 8-34

## 양측구순열비변형 (Cleft Lip Nasal Deformity/ Bilateral)

구순열비는 비성형외과의사에게 큰 기법적 및 철학적 난제이다(그림 8-35). 첫 번째 의문은 환자를 현저히 개선시킬 수 있는 경험과 책임감을 가지고 있느냐는 것이다. 이러한 환자들은 가장 어려운 이차비성형술만큼 난제이며, 대부분의 일차비성형술에서는 하지 않는 다양한 연골이식술이 확실히 필요하다. 동시에, 반흔이 있고 제한된 피부외피와 중증의 기능적 문제점들은 외과적 전문 기법을 많이 요구한다. 성장에 의하여 유도되는 변화를 보상하기 위하여 장기간 추적조사를 하여 이에 따른 수술을 해주는 것이 술자의 책임감 가운데 일부이다. 외과적 난제의 복잡성을 이해하기 위하여 Gorney[14], Black[2] 등의 논문들을 재검토하여야 한다. 3년 동안 40명의 환자들을 수술한 저자의 경험에 근거하여 양측구순열비를 가진 사춘기 환자에게는 단계별 접근술(step-by-step approach)을 제안한다. 양측구순열비는 기법적으로 일측구순열비보다 덜 어렵고, 여기서 배운 원칙을 일측구순열비로 연장할 수 있다. 저자가 문헌과 크게 다른 한 가지 차이점은, 저자는 짧은 비주가 제한임을 발견하지 못 하였을 뿐만 아니라 비주에 복합조직이식술을 하거나 삼지창형피판(forked flap)이나 저장한 삼지창형피판(banked forked flap)을 이용할 적응증을 보지 못하였다.

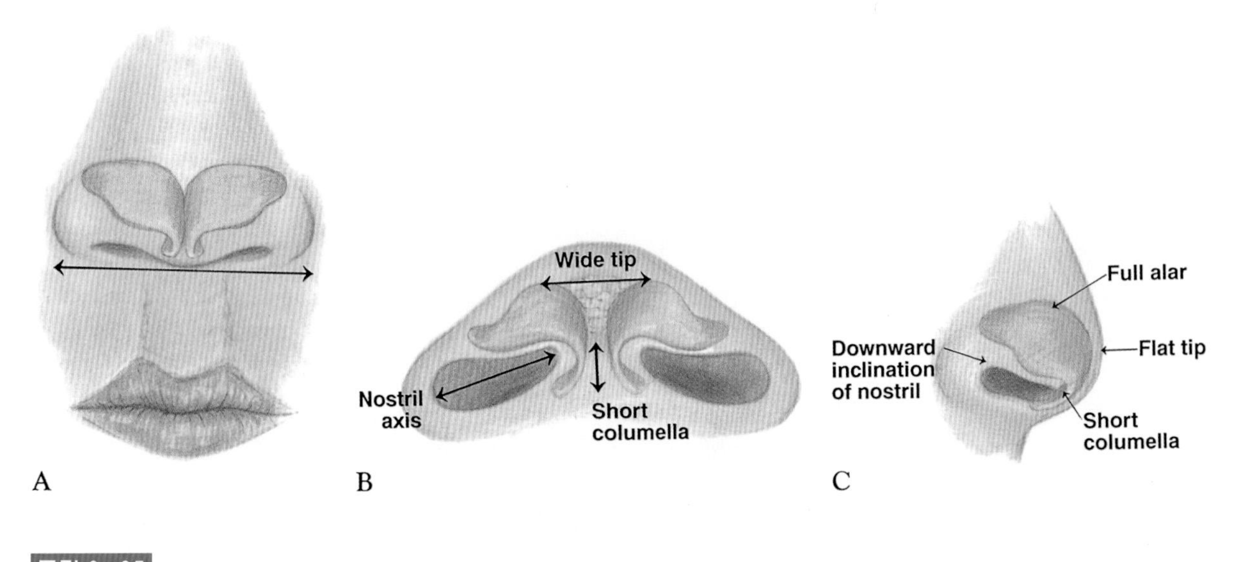


그림 8-35

### 개방접근술(Open Approach)

가능할 때마다, 저자는 표준역V형절개술(standard inverted V-incision)과 연골하절개술을 사용하는데, 역V형절개선을 미측의 비주에 위치시키지만, 비주-상구순각에는 위치시키지 않는다. 그러나 기존의 반흔 때문에 바뀔 수 있다.

## 비중격수술(Septal Surgery)

대부분의 양측구순열비에서 비중격은 하부 1/3에서 부족하지만, 심하게 만곡 되어있지는 않다. 비중격은 '비첨분할술(tip split)'을 통하여 접근한다. 관통절개술은 막비중격의 원래 구조를 보존하기 위하여 피하며, 이렇게 하면 비중격-비주지지이식술(septocolumellar support graft)을 더 잘 조정할 수 있다. 대부분의 비중격체(septal body)를 채취한다. 비갑개는 뚜렷이 비대해질 수 있으며, 편평하고 넓은 비첨은 광비형(廣鼻形, platyrrhine configuration)을 나타낸다. 적응증이 되면 비갑개절제술을 적절히 한다.

수많은 지지이식물을 비주에 이식하였지만, 실제로는 Nishimura와 Kumoi[18]의 개념에서 나온 것으로서 이차적 왜곡을 방지하도록 미측 비중격과 비주를 연결하는 큰 구조이식물(structural graft)이다(그림 8-36). 이러한 이식물은 흔히 커서(25X20mm), 길이를 연장(10-15mm)하고 돌출을 증가(5-8mm)시킬 수 있다. 이식물은 일측연전이식물로서 경피주사침으로써 미측 비중격과 나란히, 그리고 전비극의 꼭대기에 위치시킨다. 4-0 PDS사를 사용하여 전비극에 먼저 봉합 고정한 다음, 비중격에서는 여러 지점에서 고정한다.

Septocolumellar

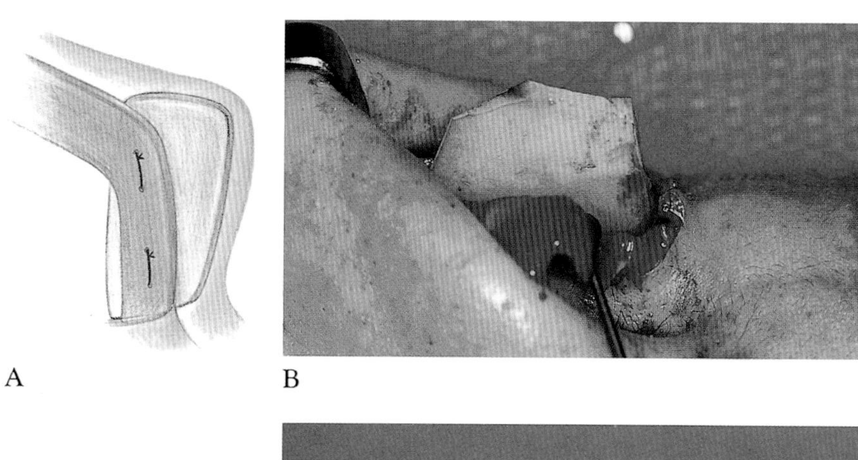

A B

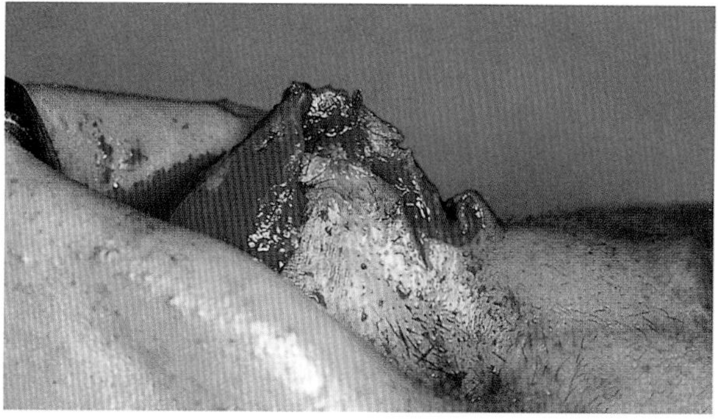

C

그림 8-36

## 비첨형성(Tip Creation)

일단 비중격-비주이식물을 제 위치에 이식하고 나면 비공정점에 위치시킨 양구겸자를 사용하여 비익연골을 두측으로 전진시킨다. 강하게 당겨보면 비주저를 박리할 필요가 있는지, 그리고 상구순을 넘어서 추가적으로 피부를 이동시킬 필요가 있는지를 결정할 수 있다. 어려운 증례에서는 연조직을 두측으로 잡아당겨서 비주지주에 다가 4-0 PDS사를 가로로 지나게 해서 봉합 고정한다. 그 다음, 비익연골을 지주 위에서 전진시키는데, 족판으로부터 시작한 다음, 비주변곡점, 결국 중간각까지 전진시킨다(그림 8-37). 대부분의 증례에서 비중격-비주이식물의 두측 연(top edge)은 바람직한 비배선과 일반적인 비첨돌출을 얻는 지점에서 고정한다. 그 다음, 비익연골에서 원개형성봉합술을 하고, 지주의 꼭대기에서 원개간봉합술을 한다. 대부분의 증례에서 피부가 너무 두꺼워서 바람직한 비첨과 최종 돌출을 얻기 위하여 견고한 비첨이식물을 사용한다.

Tip Graft

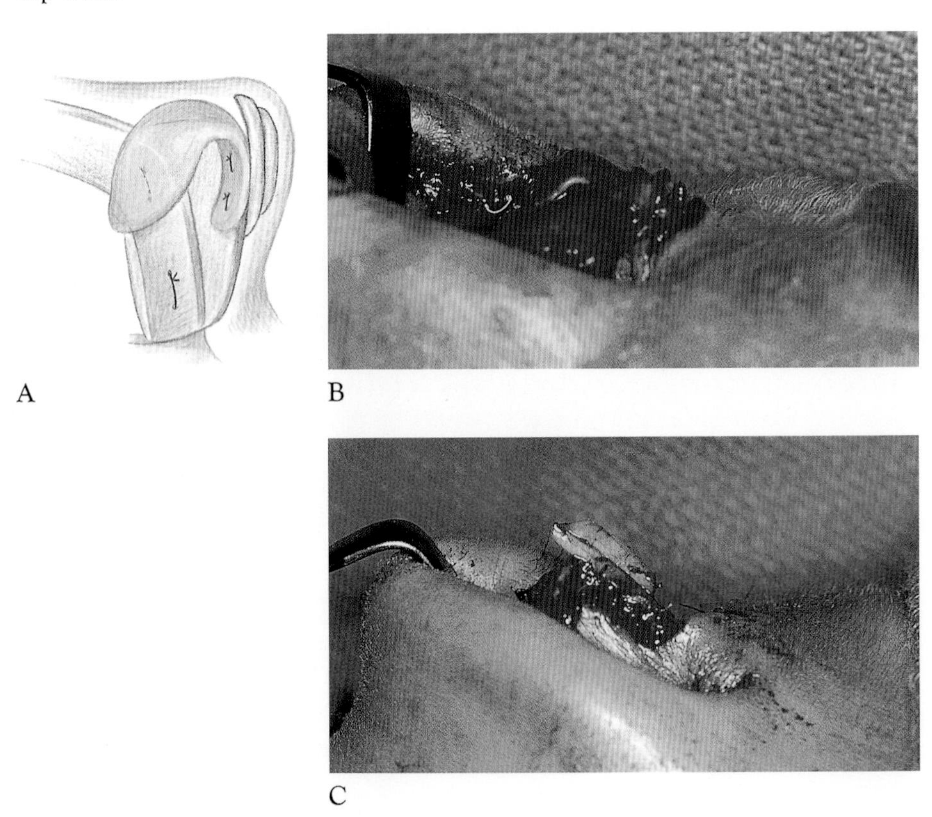


그림 8-37

## 봉합술(Closure)과 비익저(Alar Base)

모든 절개선을 봉합하는데, 이미 비익저를 두측 전위시켰기 때문에 봉합할 때 긴장은 거의 문제가 되지 않는다. 심한 증례에서는 비공상이 바람직하지 않게 두측으로 견인되어서 비주저가 넓어질 수 있다. 비주저를 다시 전진시키고 횡봉합술(transverse suture)로써 좁히거나, 나중에 작은 재수술을 할 수 있다. 실제로, 모든 양측구순열비에서 비익저좁히기(alar base narrowing)가 필요하며, 비공상 및 쐐기형비익 동시절제술이 통상적 해결책이다(그림 8-38). 비대칭인 증례에서는 더 심한 쪽을 먼저 교정하며, 수술하는 양을 다르게 하는 것이 중요하다. 저자는 비공이 작거나 비공상폭이 좁은, 드문 증례에서는 비익봉양술(alar cinch)을 보류한다.

Base

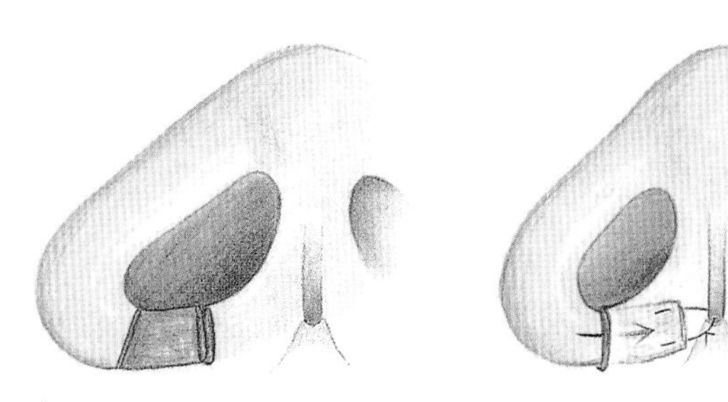

A

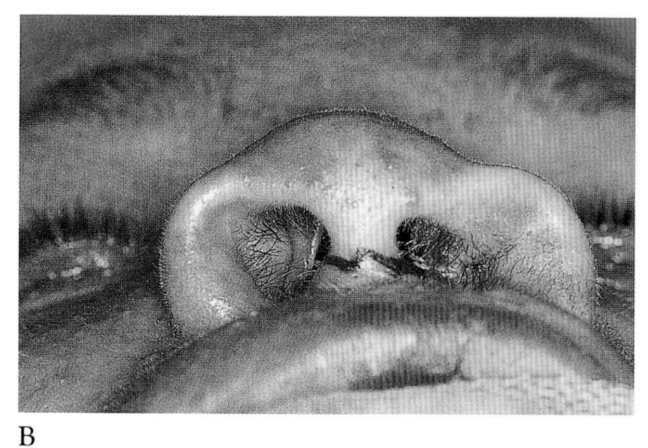

B

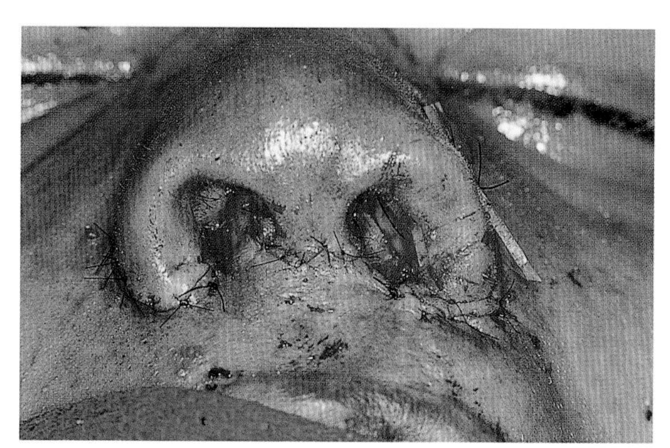

C

그림 8-38

## 일측구순열비변형 (Cleft Lip Nasal Deformity/ Unilateral)

왜 일측구순열비변형이 양측구순열비변형보다 무한히 더 어려울까? 대답은 분명하다. 즉, 대칭성이 부족하기 때문이다. 외과적 재건을 위하여 우리가 시도하더라도 정상적인 코쪽과 대조되어서 더욱 더 나쁘게 보이게 된다. 과거 수년 동안 기법이 개선되었기 때문에 지금은 웃을 때 최소한의 왜곡은 있지만, 자연스럽게 보이고 매력적인 코를 만들 수 있다. 저자는 구순열비변형의 문헌으로부터 얻은 지식과, 미용비중격-비성형술(aesthetic septorhinoplasty)에서 발전된 비재건술을 합치려고 노력하였다. 기저면에서 비공의 대칭성의 한계는 일차적인 문제점으로서 언제나 남아있다.

### 해부학적 한계성(Anatomical Limitations)

일측구순열비는 얼굴의 개열측 전체의 진정한 변형으로서 사춘기 때의 표출은 초기의 심한 정도, 성장의 효과, 그리고 전번의 수술에 따라서 다르다(그림 8-39A, B). Gorney[14]는 다음의 9가지 문제점을 강조하였다. 1) 개열측의 원개가 더 낮으며, 2) 외측각이 주름잡혀있고(crimped), 3) 외측각이 미측으로 기울어져 있고, 4) 비첨이열(tip bifidity), 5) 비주-비공각(columella nostril angle)이 둔각이고, 6) 비공골저(nasal bony floor)가 함몰되어 있고, 7) 비공각(nostril angle)이 수평이며, 8) 비공상이 없고, 9) 미측 비중격이 건측으로 만곡 되어있다. Black[2]은 비첨변형은 다음의 3대 요소를 포함한다고 강조하였다. 1) 개열측 비익연골 덩어리(lower cartilage mass)가 미측 변위되었으며, 2) 비익연골 덩어리가 상악골을 향하여 변위되었고, 그리고 3) 외측 비익연골이 비정상적 방위에서 고착되어 있다. 선진국에서는 전번 수술에 의한 변화와 왜곡이 증가하고 있으므로 이를 추가하여야 한다.

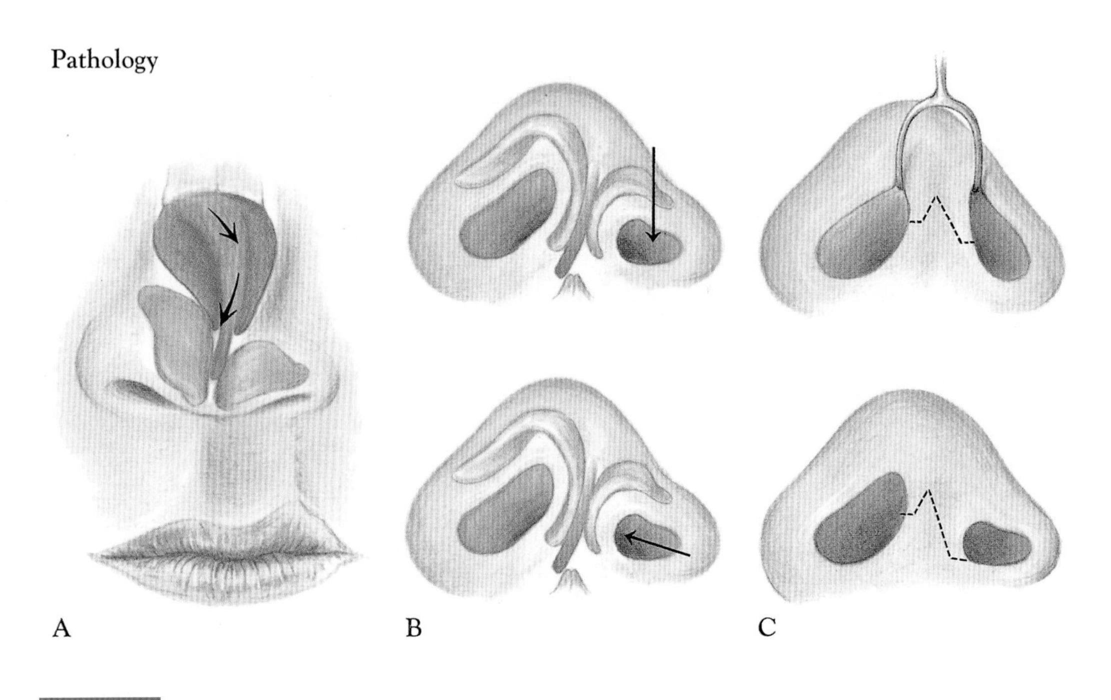


그림 8-39

## 외과 수기

사춘기가 수술하기에 더 좋은 시기이지만, 더 어린 소아(5-12세)에서도 좀 더 보존적인 방법을 사용하면 수술을 할 수 있다. 변형의 심각성과 다양성 때문에 가능한 기법의 일반화 된 개요만 소개한다.

1. 절개술. 단구겸자를 비공에 위치시키고, 개열측에서 더 미측인 사다리형절개선(stair step incision)을 그린다(그림 8-39C). 비주저의 절개는 비주-상구순분절의 정상적인 굴곡을 파괴하기 때문에 사용하지 않는다.
2. 노출. 코피부를 일으키고, 비배 및 비첨 동시분할술(combined dorsal-tip split)을 통하여 점막하터널을 만든다. 비익연골을 신중하게 분석한다. 만일 비배축소술이 필요하면 비절골술과 함께 이때에 한다.
3. 비중격. 언제나, 비중격의 중간부는 개열측으로 만곡 되어있으며, 미측 비중격은 정상측으로 만곡 되어 있다. 전체비중격 절제술 및 교체술은 비중격변형을 교정할 뿐만 아니라 견고한 비첨지지를 얻게 하므로 분명한 해결책이다. 이때, 봉합 고정을 위하여 약 5-10mm의 두측 비배연골을 남겨둔다. 큰 비중격-비주지주(septo/columella strut)를 제 자리에서 봉합 고정한 상태에서 비첨돌출과 결정적인 비배경사를 위하여 지주의 미측부를 조각한다. 비첨이식물을 위하여 비중격의 일부를 남겨둔다.

Structural Support

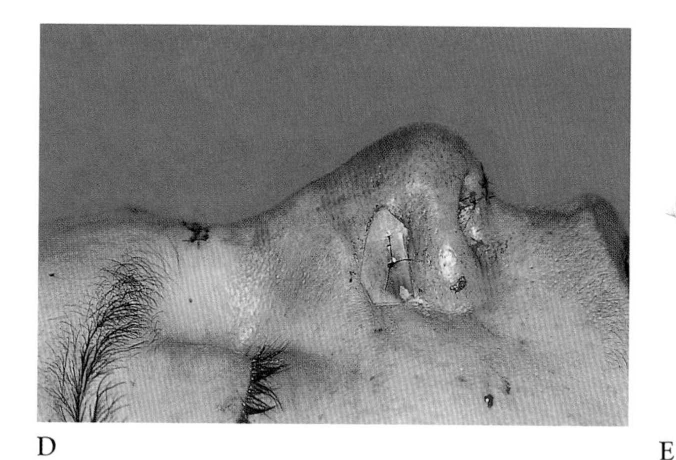

D

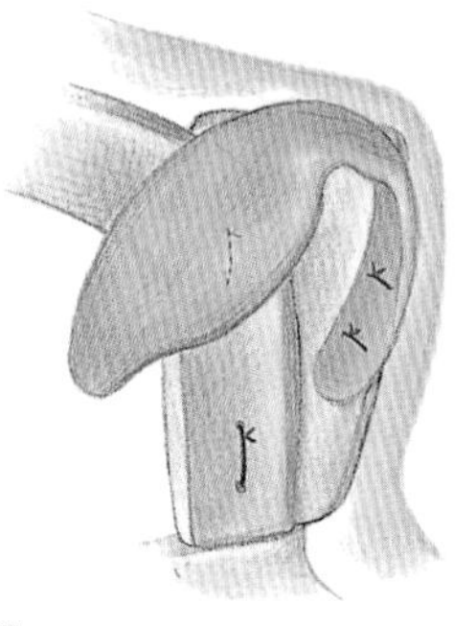

E

그림 8-39. 계속

4. 비첨형성(tip creation). 내측각과 중간각을 비중격-비주지주에서 전진시킨다. 흔히, 부연골(accessory cartilage)이나 상외측연골에 부착되어있는 외측각을 유리시킬 필요가 있다. 일반적으로, 원개형성봉합술을 한 다음, 지주의 꼭대기에서 봉합한다. 바람직한 비첨돌출과 비첨정의를 얻기 위하여 고형의 연골비첨이식물을 언제나 추가하여야 한다. 개열측의 외측각이 자주 의존적이거나 왜곡되어있다. 함몰되어 오목한 외측각을 볼록하게 되도록 뒤집거나, 이갑개연골로써 완전히 교체한다(그림 8-40A).

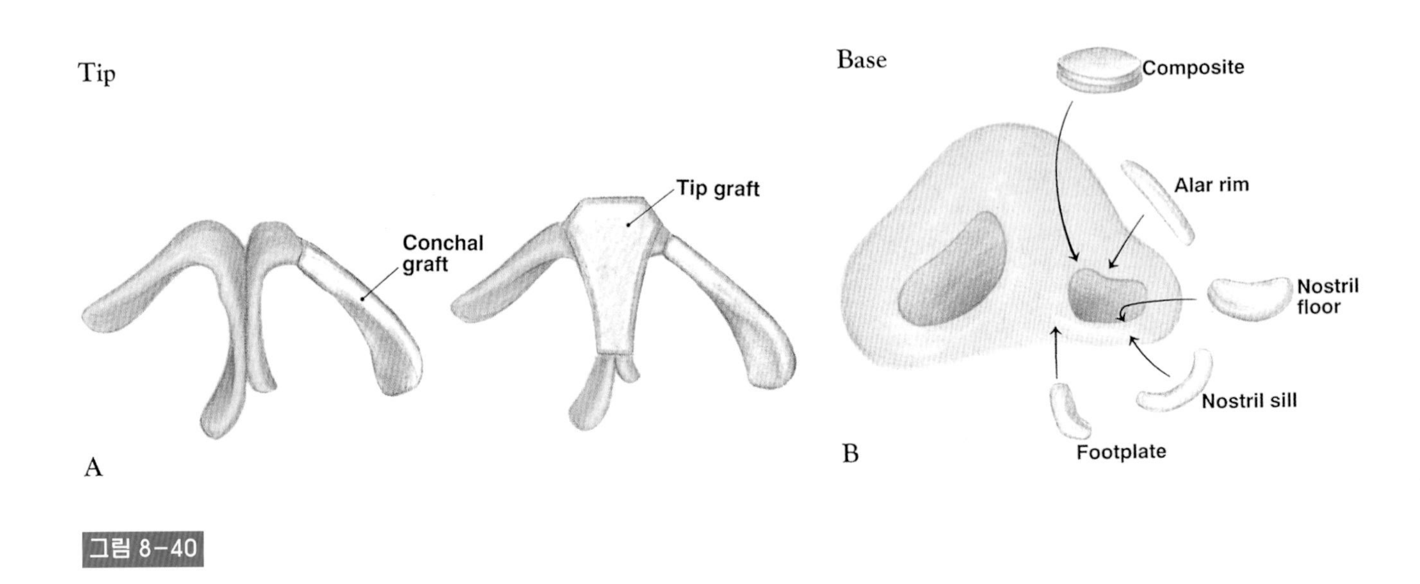


그림 8-40

5. 비저와 비공. "일단 모든 절개선을 봉합하고 나면 수술이 시작 된다!" 라는 말이 있다. 변수는 정말로 무한하며, 술자는 비공의 크기, 모양, 축, 그리고 위치를 고려하여야 한다. 이러한 차이점들은 술전 기저면 임상사진에서 다른 색깔의 연필로써 윤곽을 복사한 다음, 정중선에서 임상사진을 접어봄으로써 명확해진다. 놀랍게도, 흔히 전체적 윤곽의 둘레는 같지만, 축(axis)뿐만 아니라 4가지 소단위(subunit) 사이의 분포가 근본적으로 다른 것을 볼 수 있다. 또, 외측비벽과 비공저(nostril floor) 둘 다에서 엄청나게 두꺼운 비전정반흔을 볼 수 있는데, 큰 이갑개복합조직이식술이 유일한 해결책이다(그림 8-40B).

6. 뉘앙스(nuances). 수많은 작은 단계가 필요하다. 대부분의 심한 증례에서는 비주에 2층 또는 3층으로 쌓아올린 '족판이식술(footplate graft)'을 추가하고, 또, 개열측의 비익저 아래에 hydroxyapatite과립을 추가하는 것이 필요하다. 또, 개열측 비공연(nostril rim)이 흔히 붕괴되어 있기 때문에 이갑개복합조직이식술 및/또는 비익연이식술로써 윤곽을 호전시킨다. 술후, 비공구축을 최소화하기 위하여 비공유지부목(nostril retainer splint)을 3달 동안 밤에 착용시킨다.

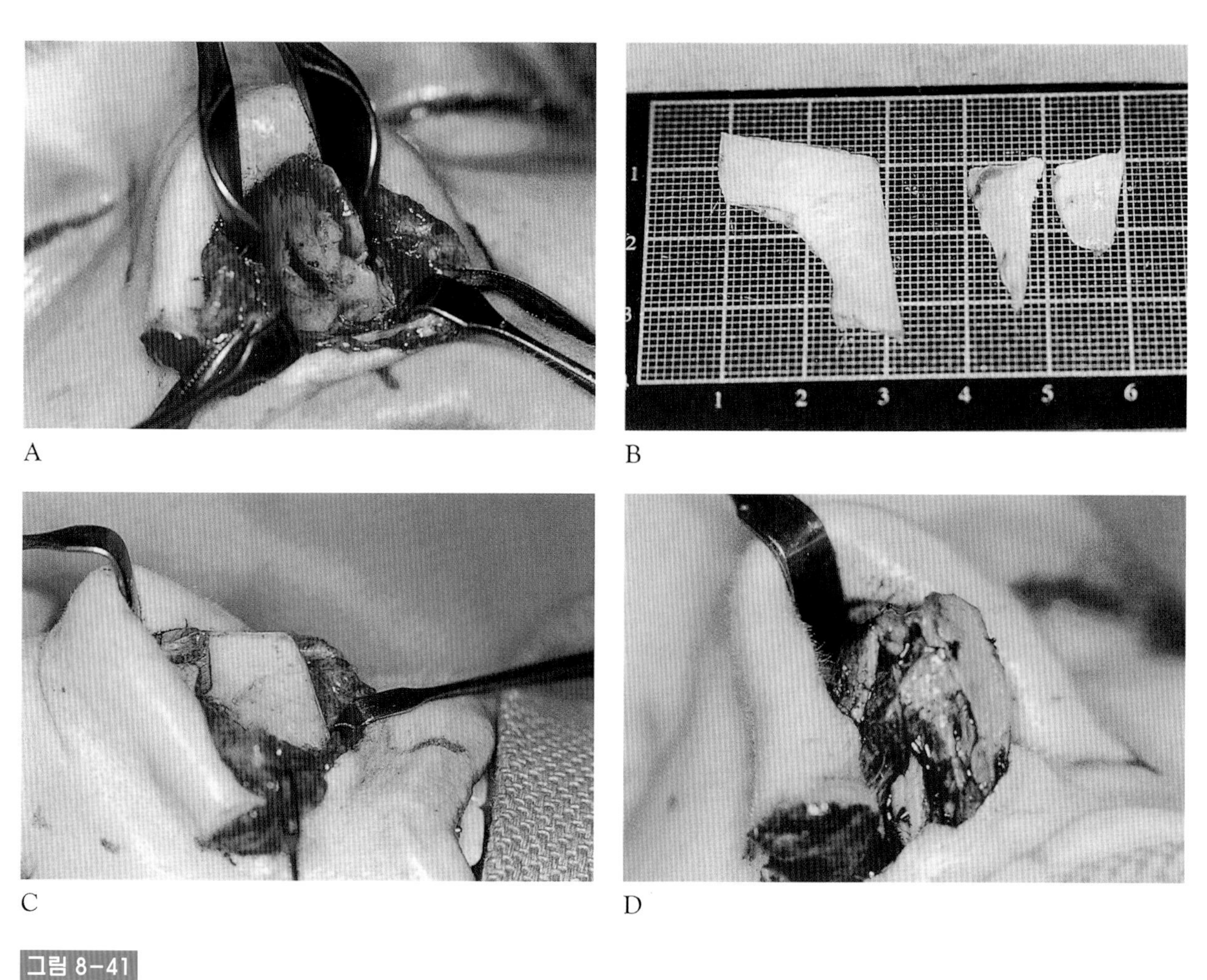

A B C D

그림 8-41

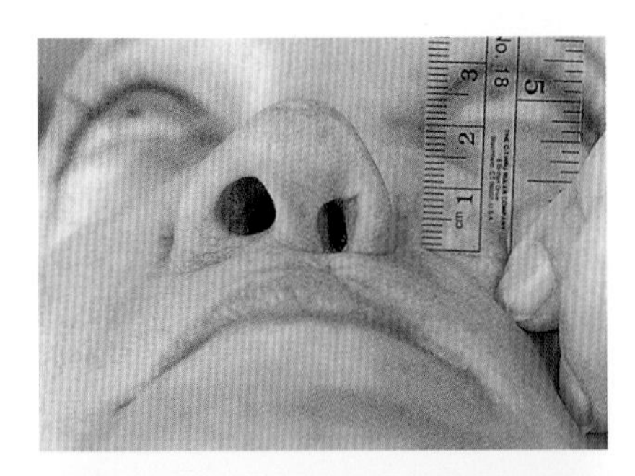

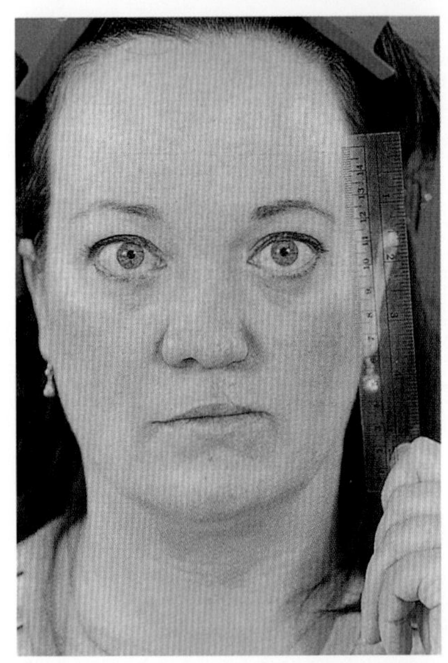

## 분석

37세의 여성, 호흡기 의료기술자로서 구순열비와 형성저하된 상악골을 교정하기 위하여 여러 차례 수술을 받은 과거력이 있었다. 대단히 상세한 병력을 청취하였으며, 대단히 제한적인 개선만 가능하다고 생각하였다. 정면에서 좌측 비익저 전체와 상악골이 정상인 우측에 비하여 형성저하되어 있었다. 측면에서 낮은 비배뿐만 아니라 비주 및 이상구의 퇴축이 뚜렷하였다. 기저면에서 양측 비공의 크기와 비공상의 수준에서 좀 더 심한 차이가 있었다. 이러한 유형의 증례에서는 깊은 비첨반흔을 포함하여 한계점을 인식할 수 있다. 즉, '갈매기형(seagull)' 절개술과 다른 외비첨절개술을 사용하면 즉각적인 이득은 있지만, 변형은 영원하다.

## 외과 수기

1. 개열측 비주피부를 늘이기 위하여, 양구겸자로써 비첨을 당긴 상태에서 경비주절개선 도안.
2. 피부외피를 일으키고, 비중격에 접근하기 위하여 비배분할술(dorsal split). 전번에 점막하비중격절제술(SMR)하여서 유용한 비중격연골 없었음.
3. 제 9번늑전체채취술. 골-연골늑의 비배이식물을 2개의 나사로써 고정.
4. 늑이식물로써 만든 비주지주를 '거꾸로(reverse)' 이식함으로써 비연장(그림 6-28).
5. 비익연골을 비주지주에서 전진시킴. 좌측 원개를 만들기 위하여 개열측 비익연골을 사용하고, 좌측 외측각 전체를 교체하기 위하여 이갑개연골이식술(그림 8-42B)
6. 이중으로 쌓아 올린 Peck의 중첩이식술(그림 8-42C).

7. 경비주절개선의 봉합술. 비익저 아래에 있는 좌측 상악골과 좌측 관골에 hydroxyapatite삽입술.
8. 좌측 비익연 지지를 위하여 복합조직이식술. 비주-상구순각에 3층으로 쌓아올린 이식술.
9. 외비부목 대기. Manish Batra의 수술주위처치(perioperative management) 사용
10. 개열측에 Doyle 부목의 튜브만 내비에 넣기.

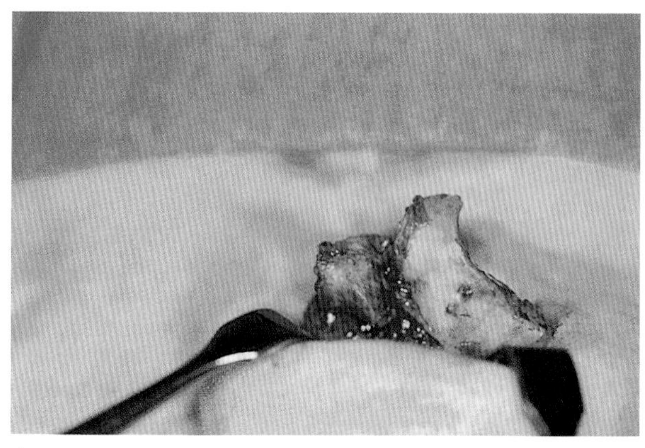
A

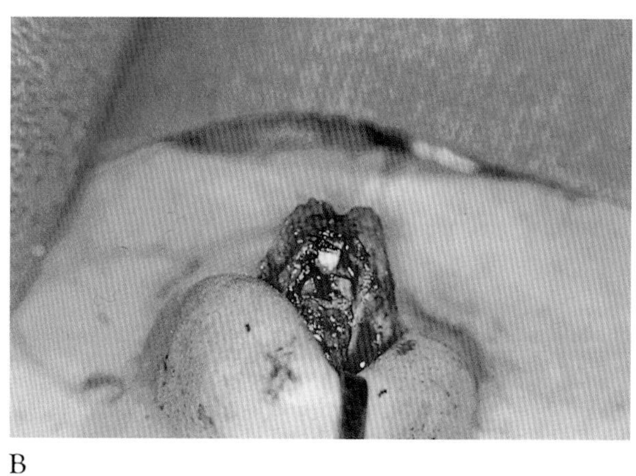
B

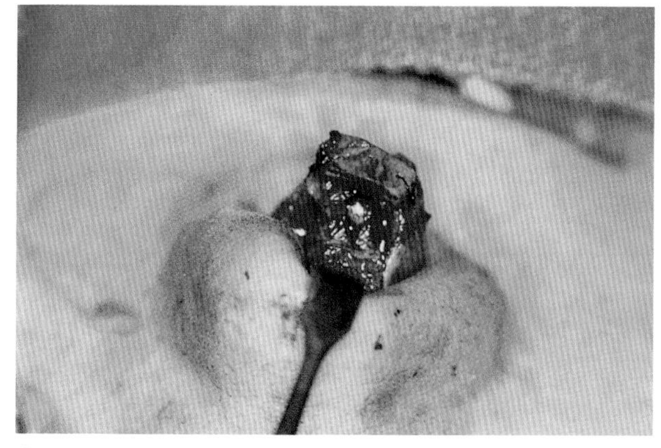
C

그림 8-42

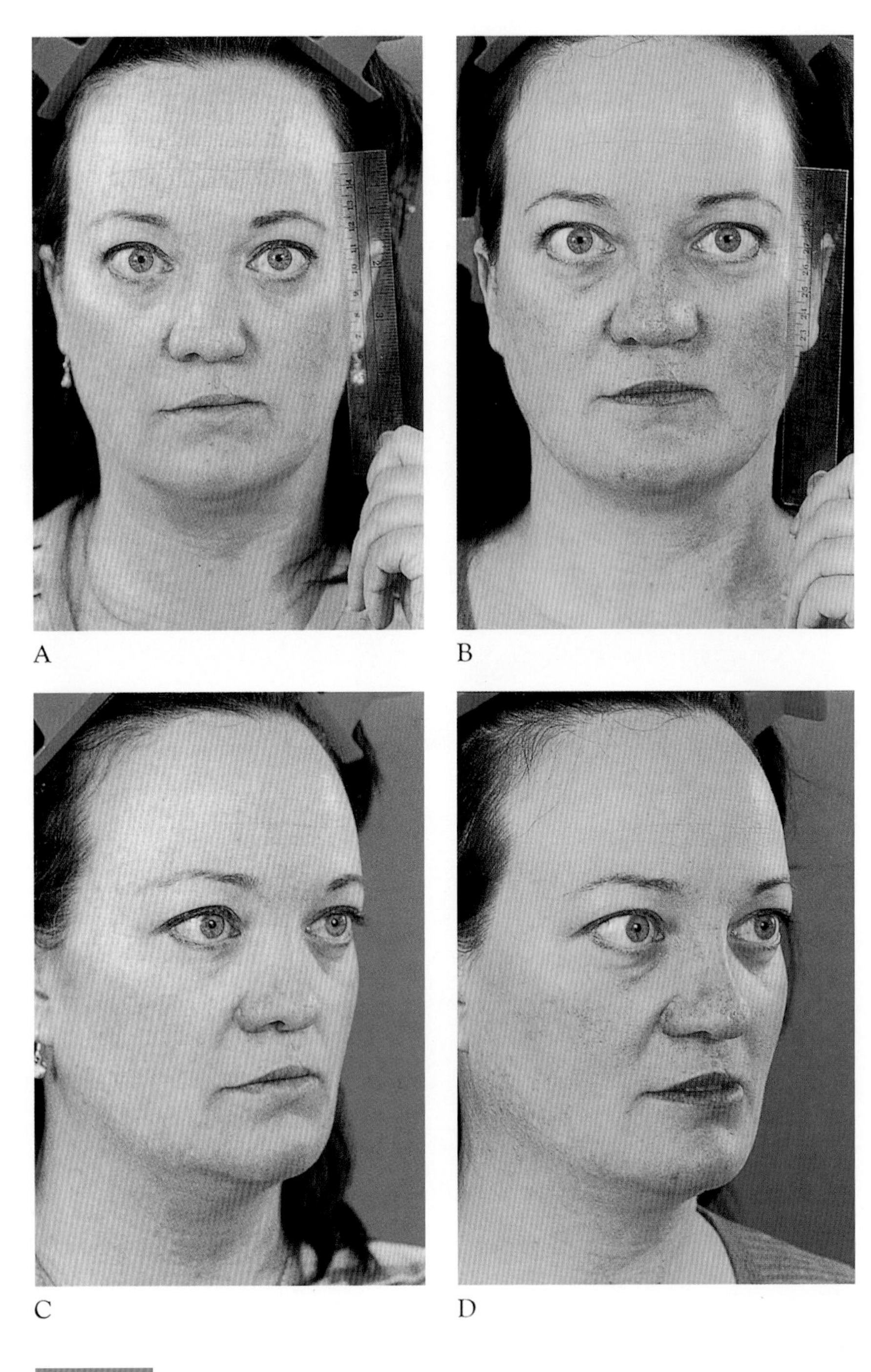


그림 8-43

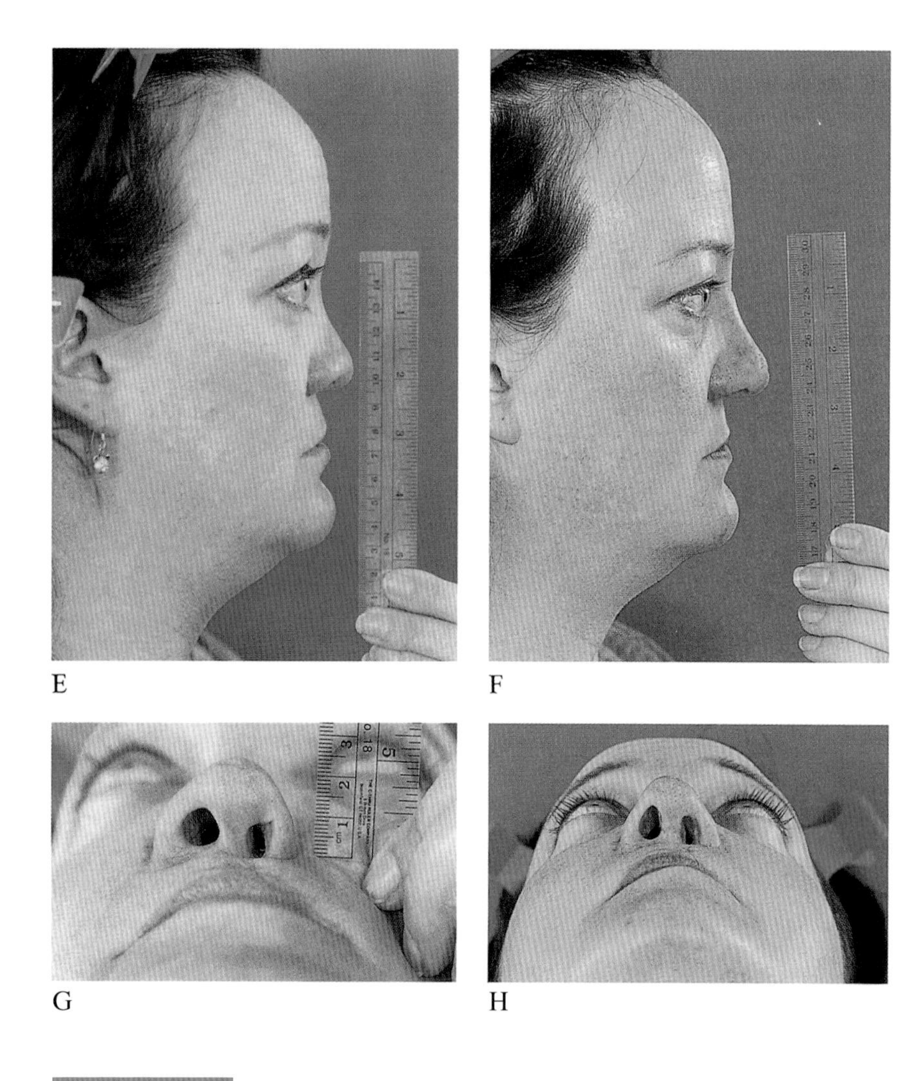

그림 8-43. 계속

## 논평

이식질이 부족하고 광범위한 골의 형성저하 때문에 hydroxyapatite 과립뿐만 아니라 늑이식술의 사용이 필요하다. 코가 뚜렷이 개선되는 이유는, 주로 코에 모양을 주는 늑의 골격구조 때문이다. 원개를 만들기 위하여 외측각을 이용하고, 이갑개연골이식술을 비익연을 따라서 해부학적 위치와 다르게 이식하는 것이 비첨의 모양을 더 좋게 하는 경향이 있다. 기저면에서 분명하게 보이는데, 대칭적 비공을 얻는데 실패하였다(그림 8-43). 비공을 크게 만들기 위하여 모든 노력을 다하였지만, 비공은 여전히 작다. 그러나 비소엽 및 비저 윤곽이 점 더 대칭적이며, 구멍(비공 모양)보다는 도넛(코 표면 주위)에 더 집중하여야한다. 환자는 결과에 기뻐하고, 더 큰 자신감을 가지게 되었다.

## 참고 문헌


1. Adamson P, Smith O, and Cole P. The effect of cosmetic rhinoplasty on nasal patency. *Laryngoscope* 1990;100:357.
2. Black PW. Cleft lip-type nasal deformity. In: Gruber RP and Peck GC (eds) *Rhinoplasty: State of the Art*. St. Louis: Mosby, 1993.
3. Byrd HS, and Hobar PC. Rhinoplasty: A practical guide for surgical planning. *Plast Reconstr Surg* 1993;91:642.
4. Byrd HS, Andochick S, Copit S, and Walton KG. Septal extension grafts: A method of controlling tip projection shape. *Plast Reconstr Surg* 1997;100:999.
5. Cole P. Nasal and oral airflow resistors. *Arch Otolaryngol Head Neck Surg* 1992;118:790.
6. Constantian MB. An alternate strategy for reducing the large nasal base. *Plast Recon Surg* 1989;83:41.
7. Constantian MB. Experience with a three-point method for rhinoplasty. *Ann Plast Surg* 1993;30(1):1-12.
8. Constantinides M, Adamson PA, and Cole P. The long-term effects of open cosmetic septorhinoplasty on nasal air flow. *Arch Otolaryngol Head Neck* 1996;122:41.
9. Daniel RK. Rhinoplasty: Creating an aesthetic tip. *Plast Reconstr Surg* 1987;80:775.
10. Daniel RK. Anatomy and aesthetics of the nasal tip. *Plast Reconstr Surg* 1992;89:216.
11. Daniel RK. Analysis and the nasal tip. In: Daniel RK (ed) *Aesthetic Plastic Surgery: Rhinoplasty*. Boston: Little, Brown, 1993.
12. Daniel RK. Rhinoplasty: Nostril/tip disproportion. *Plast Reconstr Surg* 2001;107:1874.
13. Flowers RS. Surgical correction of the East Asian nose. In: Daniel RK (ed) *Aesthetic Plastic Surgery: Rhinoplasty*. Boston: Little, Brown, 1993.
14. Gorney M. Patient selection rhinoplasty: Practical guidelines. In: Daniel RK (ed) *Aesthetic Plastic Surgery: Rhinoplasty*. Boston: Little, Brown, 1993.
15. Gunter JP, and Rohrich RJ. Lengthening the aesthetically short nose. *Plast Reconstr Surg* 1989;83:794.
16. Guyuron B. Precision rhinoplasty. Part 1: The role of life-size photographs and soft-tissue cephalometric analysis. *Plast Reconstr Surg* 1988;81:489.
17. Johnson CM, and Toriumi DM. *Open Structure Rhinoplosty*. Philadelphia: Saunders, 1990.
18. Nishimura Y, and Kumoi T. External septorhinoplasty in the cleft lip nose. *Ann Plast Surg* 1991;26:526.
19. Peck GC. *Techniques in Aesthetic Rhinoplasty* (2nd ed.) Philadelphia: JB Lippincott, 1990.
20. Rees TD, and La Trenta GS. *Aesthetic Plastic Surgery* (2nd ed.) Philadelphia: Saunders, 1994.
21. Rohrich RJ. External approach to Black rhinoplasty in aesthetic plastic surgery. In: Daniel RK (ed) *Aesthetic Plastic Surgery: Rhinoplasty*. Boston: Little, Brown, 1993.
22. Rohrich RJ, and Sheen JH. Secondary rhinoplasty. In: Grotting J (ed) *Reoperative Plastic*

*Surgery*. St. Louis: Quality Medical Publishing, 1994.

23. Sheen JH. Spreader graft revisited. *Perspect Plast Surg* 1989;3:155.
24. Sheen JH, and Sheen AP. *Aesthetic Rhinoplasty* (2nd ed.) St. Louis: Mosby, 1987.
25. Tardy ME. *Rhinoplasty: The Art and the Science*. Philadelphia: Saunders, 1997.
26. Tebbetts JB. Shaping and positioning the nasal tip without structural disruption: A new systematic approach. *Plast Reconstr Surg* 1994;94:61.
27. Thomas JR. The relationship of lateral osteotomies in rhinoplasty to the lacrimal drainage system. *Otolaryngology* 1986;94:362.
28. Tobin G, Shaw RC, and Goodpasture HC. Toxic shock syndrome following breast and nasal surgery. *Plast Reconstr Surg* 1987;80:111.
29. Wagner R, and Toback JM. Toxic shock syndrome following septoplasty using plastic septal splints. *Laryngoscope* 1986;96:609.

# 이차비성형술 (Secondary Rhinoplasty)

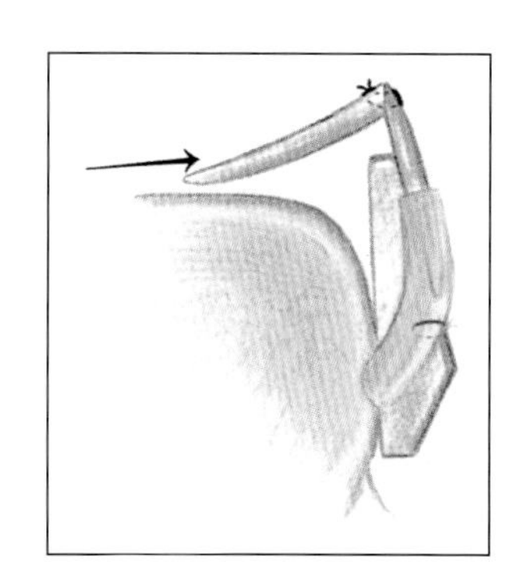

'이차비성형술을 가르칠 수 있을까?" 하는 한 가지 의문 때문에 이 장을 쓰는데 2년을 미루었다. 그러나 다음의 피할 수 없는 3가지 사실 때문에 쓸 수 없었다. 1) 고도로 다양한 정상 해부가 흔히 수술에 의하여 파괴되고 반흔구축에 의하여 왜곡되어있다. 2) 술중 소견이 술전 분석과 다를 때에는 수술 계획을 근본적으로 바꾸어야 한다. 3) 증례가 다양하기 때문에 수년 동안 복잡한 수술을 많이 해보지 않고는 외과적 원인과 효과를 배울 수 없다. 결국, 이차비성형술은 일차비성형술에서 배운 기초적인 원칙에 근거하여 가르쳐야만 한다는 결론에 이르게 되었다. 이차비성형술의 복잡성을 다루는 전문 지식이나 기술을 초심자에게 알기 쉽게 제공할 수는 없다. 의과대학에서 전공의를 거쳐 임상연구원이 된 것과 꼭 마찬가지로, 대부분의 술자들은 일차비성형술로부터 이차비성형술을 스스로 재수술(revision) 할 때까지 3-5년 이상 소요된다. 가장 어려운 환자의 가장 어려운 코의 교정을 가장 적은 경험을 가지고서 서두르지 않아야 한다. 예를 들어서, 기능적 이유와 이식물 채취 둘 다를 위한 비중격수술은 이차비성형술에서는 필수 분야인데, 저자가 하는 이차비성형술의 75%에서 비중격연골은 전번 수술로써 절제되고 없다. 만일 술자가 이차비성형술을 하다가 L형지주(L-shaped strut)가 절단된 것에 부닥치면 졸지에 술자 자신의 문제점이 되어버리는데, 이러한 어려운 증례에서 비중격수술을 배워서는 안 된다. 만일 술자가 이차비성형술을 훌륭하게 온전히 잘 하면 환자와 술자 둘 다에게 보상은 크다. 저자는 이 장에서 이차비성형술과 일차비성형술을 분리시키지 않고 이차비성형술이 일차성형술과 어떻게 다른 지의 관점부터 기술하였다. 또, 실제의 수술법을 결정하기 위하여 느낌에 의존하기 보다는 100개의 연속적인 이차비성형술을 재검토하였다. 결국 이차비성형술이라는 난제에 착수하기 전에 일차비성형술에서 유능한 술자가 되어야 한다. 주: 이차비성형술은 일차비성형술을 다른 술자가 하였던 경우에 하는 이차수술이며, 자기가 하였던 일차비성형술을 다시 수술할 때에는 재수술(revision)로서 정의한다.

## 상담(Consultation)

환자는 왜 이차비성형술을 받으려 하는 것일까? 다음의 3가지 이유가 있다고 생각한다. 1) 가시적 및/또는 기능적 문제점이 있기 때문이다. 2) 수술을 잘 하였더라도 그릇된 해부학적 구조물에서는 결과가 나쁘기 때문이다. 3) 환자가 원하거나 마음속에 가지고 있는 결과가 아니기 때문이다. 환자는 실망하거나 불행해 하지만, 소송을 거의 하지 않는다. 일차비성형술의 결과가 정말로 어떻게 나쁜지를 물어보아야 한다. 일차비성형술을 위하여 준비(임상사진 촬영, 분석, 그리고 수술 계획)하고 있는 중에 다른 술자에게 가서 일차비성형술을 받은 다음, 다시 이차비성형술을 저자에게 받기 위하여 수줍어하며 돌아오는 환자가 수년 동안 5-10명 있었다. 다른 술자의 수술 결과를 술전 임상사진과 비교하여 볼 때 모든 증례에서 일차비성형술을 받기 전보다 미학적으로 더 나아졌는데도 환자가 불만족해하는 것을 발견하였다. 이러한 증례의 일차비성형술에서 환자의 기대에 못 미치거나, 환자가 좋아하지 않는 모습을 만든 것이다. 환자의 불행 가운데 중요한 요인은, 숨쉬기가 불가능한 것이 분명할 것이다. 최근에 와서야 저자는 의료 과오의 구실이 되는 이차비성형술을 보게 되었으며, 이러한 증례들은 판단이 서툴고 조기 재수술을 많이 한 때문이었다(술후 6주에 이식술과 지주이식술을 하고, 술후 8주에 과감한 피하지방절제술을 포함하여 첫 6개월 동안 4회의 수술한 증례가 있었음).

일반적으로, 이차비성형술 환자의 상담의 첫 부분은 일차비성형술 때와 정말 비슷하다. 환자로 하여금 거울을 손에 잡게 하고, 환자가 자신의 코에서 좋아하지 않는 3가지를 보이라고 요구한다. 흔히, 환자는 어떻게 하면 코가 완전해지는지 수술별 근거를 알기 위하여(전번에 수술하였던) 순차적인 임상사진과 수술기록지를 갖추어서 저자에게 주기를 원한다. 저자는, 그런 것들은 나중에 보기를 원한다고 설명하며, 우선 "당신의 코에서 마음에 들지 않는 것을 이야기해 보세요. 더 중요한 것으로는, 당신이 원하는 것을 말해 보세요." 라고 한다. 저자는, 환자가 특별한 미학적 목표를 언명하도록 노력한다. 그 다음, 코를 철저히 검사하며, 환자의 조직 상태와 저자의 전문 기술이 환자의 목표를 얻게 해줄 수 있을 지를 결정한다. 저자의 미학적 목표를 환자에게 강요하지도 않으며, 조직의 한계를 숨기지도 않는다. 저자는, 환자가 원하는 것을 성취시킬 수 있지만, 만일 성취시킬 수 없으면 수술을 할 가치가 없다. 동시에, 환자의 성격과 정신 안정성을 평가한다. 최종적으로, 저자는 저자 자신에게 2가지 중요한 질문을 한다. "이 환자는 정신적으로 좋은 수술 대상자인가?" 그리고 "이 환자가 일차비성형술이라면 수술하겠는가?" 만일 이러한 질문 중 하나의 대답이 "아니오" 이면, 어떠한 조건이라도 수술하지 않는다. 저자의 동료 중에 한 사람은, 자기가 수술하지 않는 일차적 이유는 환자가 수술비를 지불하지 않기 때문이라고 말하는 것과 달리, 저자는 정신적 이유가 있으면 이차비성형술을 받을 환자를 50%로 줄인다. 수술하지 않는 두 가지 가장 흔한 요인은 환자의 불안정과 강박성이다. 많은 환자들, 특히 남성은 자신의 코에 집착하게 되어 갖가지 사소한 불완전함까지 교정을 추구한다. 만일 술자 자신이 수술 목표를 제한하고, 또 바람직한 수술 결과를 얻었더라도 환자에게는 수술 탓으로 돌려버리는 또 다른 문제점이 흔히 있다. 이러한 장래는 시작하지 않는 게 더 낫다. 대조적으로, 여성들은 흔히 "완벽을 추구 한다." 저자는 "당신의 코는 95% 완전하며, 이 방에 있는 사람의 95%가 당신이 전에 코수술을 받은 적이 있다고 말하지 않으므로 나머지 5%를 얻기 위하여 지금의 좋은 결과를 잃어버릴 모험을 할 가치가 없다" 고 환자에게 자주 말한다.

의심의 여지없이, 변형에 관한 환자의 관심을 측정하는 최선의 방법은 Gorney 도표이다(그림 9-1). 저자는 환자의 임상기록지에 이 도표를 자주 그린다. 만일 환자를 수술하지 않기로 결정하

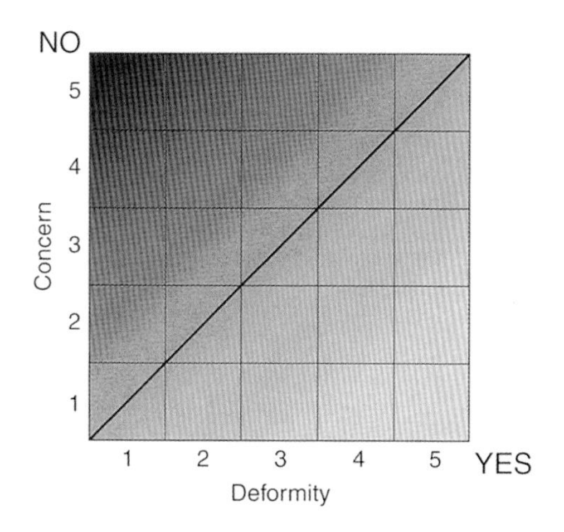


**그림 9-1** Gorney 도표. 환자의 변형에 관한 술자의 객관적 평가에 대하여 자신의 변형에 관한 환자의 객관적인 관심을 구상한다. 가장 불량한 수술 대상자는 경증의 변형을 가지지만, 관심은 최대인 경우이며(좌상단), 가장 양호한 수술 대상자는 중증의 변형을 가지면서 관심이 거의 없는 경우이다(우하단). 이 선의 상부에 위치하는 모든 환자는 2차 상담 때 재평가하여야 한다.

면 환자에게 위험-보상율(risk/reward ratio)이 좋지 않음을 이야기하며, 그 기법적 이유를 상세하게 설명한다. 만일 환자가 수술을 종용하면 이 도표를 보여준다. 그래도 환자가 여전히 수술을 종용하면 "나는 정말로 당신의 문제점들을 해결할 기술을 갖고 있지 않습니다." 라고 이야기를 끝낸다. 이 말은 대체로 효과가 있다.

## 분석과 수술 계획

경험 많은 술자에게 분석은 다음의 3가지 이유에서 일차비성형술보다 이차비성형술에서 아마 좀 더 중요할 것이다. 1) 다양성의 범위가 '정상(normals)' 안에 있지 않고, 오히려 비정상이며 심지어는 기괴하기까지 하다. 2) 결손과, 거의 이상적이지 못한 과잉이 흔히 함께 나란히 존재한다. 3) 부정적 요인을 제거하기보다는 바람직한 모습을 만들어야 한다. 좋은 예는 1960년대의 특징적인 비성형술의 결과로서 '싹둑 잘린(snipped off)' 비첨이 연골비배상비첨(cartilaginous dorsal supratip)과 낮은 골비배와 나란히 함께 존재하는 것이다. 어디서부터 시작할 것인지가 문제인데, 일차비성형술에서 배운 순서를 언제나 사용하여야 한다. 1) 내비충혈 완화 후 전반적인 외비 및 내비 검사. 2) 비근, 비배, 비첨, 비저, 그리고 피부 등의 부위별 검사. 3) 비중격, 비갑개, 그리고 4개의 비판막에 대한 내비검사 반복. 4) 최초의 수술 계획. 5) 임상사진 촬영 후 임상사진 분석. 6) 술전 진료 때 완전한 재평가.

### 최초 검사(Initial Examination)

큰 이차비성형술에서 중요한 질문은 "코에서 무엇이 잘 못 되었는지?", "왜 수술한 것으로 보이는지?", "자연스럽고 수술하지 않은 것 같은 매력적인 코를 만들기 위하여서 무엇을 하여야 하는지?" 이다. 검사가 진행됨에 따라서 "조직이 수술 목표를 달성하도록 해줄 것 인지?", " 어떤 외과 조작이 필요할 지?"를 계속하여 자신에게 묻는다. 기능의 재평가가 중요하다. 왜냐하면 일단 수술해버리면 수술에 의하여 생기는 한계점들을 고스란히 물려주므로 이를 고쳐줘야 하기 때문이다. 진성의 해부학적 기도폐쇄와 점막질환에 의한 기도폐쇄를 구분하는 것이 굉장히 중요하다. 또, 환자와 술자 둘 다를 위한 위험-보상율(risk/reward ratio)을 항상 결정하여야 한다.

## 부위별 검사(Regional Examination)

*피부외피(skin envelope)*는 일차비성형술에서보다 이차성형술에서 더욱 더 제한 요소이다. 피부의 두께, 크기, 탄성(compliance), 구성, 그리고 전번 수술에 의한 손상(반흔, 주름, 그리고 스테로이드성변화)을 계속하여 평가한다. 수년 동안, 저자는 다음의 이차비성형술을 위한 분류법을 개발하였다. 제 1급(정상)에서는 박리층을 바꾸어야 한다. 제 2급에서는 피부외피를 보상하기 위하여 외과 수기를 바꾸어야 한다. 제 3급에서 환자는, 바람직한 수술 목표가 피부에 의하여 제한받게 될 것을 술전에 받아드려야 한다.

*비근(radix)*은 코의 시작점으로서, 보존, 축소술, 또는 증대술을 하게 된다. 비근은 비-안면각(nasofacial angle)에서 중요한 기여를 하며, 비-안면각은 코길이와 비배의 무거움(dorsal heaviness)을 결정하는데 중요하며, 이 2가지가 균형을 이루어야 한다. 비근에서의 가장 흔한 환자의 불만은 함요(notch, 陷凹)가 없어서 코가 지나치게 길어 보이는 것이다. 이상적 비근점(nasion)은 코의 적절한 기초로서 수준은 속눈썹과 쌍꺼풀선(supratarsal crease) 사이에, 그리고 깊이는 내안각으로부터 10-12mm 전방에 있도록 정한다. *비배(dorsum)*는 이차비성형술에서 아마도 결점이 가장 많아서 난제일 것이다. 세 가지 중요한 요소는 높이, 곧기, 그리고 통합(integration)이다. 측면에서 비첨과 비근에 대한 비배의 높이 및 경사는 흔히 비성형술이 얼마나 잘 될 것인지를 결정하게 한다. 놀랍게도, 대부분의 문제점은 연골원개가 지나치게 높게 남아 있는 것인데, 교정하기가 비교적 쉽다. 전면에서 비배만곡(dorsal deviation)이 있으면 환자가 빨리 주목하는데, 흔히 지속적인 비중격만곡(septal deviation)이 있기 때문이다. 좀 더 미묘한 비대칭의 비만곡은 상외측연골의 붕괴에 의하여 가장 흔히 발생하며, 연전이식술(spreader graft)로써 쉽게 교정된다. 비대칭을 교정하거나 간단히 코를 좁히기 위하여 비절골술이 필요한 지도 평가하여야 한다. *비첨(tip)*은 모든 비성형술에서와 마찬가지로, 이차비성형술에서도 일차적 초점으로 남는다. 비첨에서는 대개 정의(definition), 폭, 그리고 돌출에 대하여 관심을 가지는데, 왜곡, 변형, 그리고 결손에 관해서도 추가적으로 관심을 가져야 한다. 이상적인 것을 얻기 위하여 정상조직까지 변형시키기보다는 환자의 잘 못된 것과 환자가 받아드리는 것에 초점을 맞추어야 한다. 어떤 면에서는 이차비첨성형술이 일차비첨성형술보다 더 쉽다. 왜냐하면 환자가 좀 더 현실적이 될 뿐만 아니라 완벽보다는 개선만 되더라도 더 기꺼이 받아들이기 때문이다. 불행히도, 이차비첨성형술에서는 조직이 손상되었을 뿐만 아니라 다양한 기법이 필요하므로 목표를 낮추어야 상쇄된다. 손상되지 않은 유용한 구조물이 있는지, 이식물이 필요한지를 꼭 평가하여야 하며, 얻을 수 있는 것을 결정하기 위하여 노력하여야 한다. 환자들은 *비저(base)*에 관해서는 비주만곡(columella crookedness), 비공의 비대칭, 그리고 과대한 비익폭을 빨리 알아차리기는 하지만, 특별한 불만을 거의 하지 않는다. 흔히, 이러한 문제점들은 기존의 해부학적 비대칭, 수술을 빠뜨린 잘못(과대한 비익폭과 미측비중격만곡), 또는 수술 잘못(비주퇴축, retracted columella과

비익연절흔, notched alar rim)의 3가지로 분류할 수 있다. 전면에서 볼 때 '나는 갈매기(seagull-in-flight)'와, 비주, 비익연, 그리고 비익저에서 문제점들을 나타내는 비익간격이 복합된 변형이 흔하다. 촉진뿐만 아니라 정적 및 동적 자세에서도 평가하는 종합 검사가 필요하다.

## 임상사진분석 (Photographic Analysis)

많은 술자들은 자신의 예술적 명성을 깍이지 않으려고 임상사진분석을 달갑지 않아 하는데, 어리석은 생각이다. 임상사진분석은 비변형을 정확하게 정의하도록 해주며, 수술 계획의 대안이나 고안을 평가하게 해준다. 예를 들어서, 비공-비첨불균형(nostril/tip disproportion)에서 내재 비첨뿐만 아니라 비공, 비익연, 그리고 비주의 철저한 분석이 필요하다. 비공을 적절히 변화시킴 없이 비첨이식술을 완벽히 한들 무슨 소용이 있겠는가? 그러나 이러한 변형에서 적절한 비공축소술이나 미측비중격축소술 없이 큰 비첨이식술을 한 것을 흔히 본다. 그러나 임상사진분석으로부터 얻는 이득이 숫자 지향인 것에 강박적일 필요는 없다. 다음의 요약은 대부분의 술자들에게 충분할 것이며, 임상사진분석의 좀 더 철저히 단계별 토론을 원하는 술자는 다른 논문을 참고하라[5]. 세 단계는 다음과 같다. 1) 비변형을 분석한다. 2) 이상적 모형을 겹친다. 3) 환자 개개인에 맞는 적절한 수술 계획을 최종적으로 선택할 때까지 대안의 수술 계획을 평가한다.

### 분석

실물 크기의 임상사진이 이상적이긴 하지만, 4X6인치 크기의 표준임상사진을 acetate 피복지(acetate overlay)와 함께 사용하여서 분석할 수 있다. 어떻게 하나? 세 가지 중요한 요소는 다음과 같다. 3점(비근점, nasion; 비첨, tip; 그리고 비하점, subnasale), 3각도(비-안면각, nasofacial angle; 비첨각, tip angle; 그리고 비주경사각, columella inclination), 그리고 3길이(비근깊이, 비배길이, 그리고 비첨돌출)이다. 계측치를 빈 도표에 채워 넣는다. 분석에는 lead #2 연필을 사용한다.

*전면(Anterior View).* 다음의 참고선을 그린다. 1) 수직정중선(vertical midline)과 내안각을 지나는 수직선. 2) 수평내안각간선(horizontal intercanthal line)과 비익간선(interalar line). 비대칭과 불연속을 나타내는 '비배선(dorsal line)'에 음영을 준다. 비첨정의점(tip defining point)과 비익연-비주윤곽(alar rim/columella contour)을 표시한다. 다음의 거리를 계측한다. 즉, 내안각간격(intercanthal width, EN-EN), 골기저폭(base bony width, X-X), 비익간격(interalar width, AL-AL), 중안면높이(mid-facial height, MFH), 하안면높이(lower facial height, LFH), 그리고 턱끝높이(chin height, SME).

*측면(Lateral View).* 다음 점들을 표시한다. 즉, 비근점(nasion, N), 비첨점(T), 비하점(subnasale, SN), 그리고 비익주름점(alar crease, AC). 다음 참고선을 그린다. 1) Frankfort 수평선, 2) 비익주름에서 내린 수직선과 각막에 접하도록 내린 수직선. 다음 각도들을 그리고 계측한다. 즉, 비-전두각(nasofacial angle), 비첨각(tip angle), 그리고 비주경사각(columella inclination). 다음의 길이를 계측한다. 즉, 비근돌출(radix projection, C-N), 비배길이(N-T), 그리고 비첨돌출(tip projection, AC-T).

*비저면(Basilar View).* 비공과 비익연의 윤곽을 그린다. 만곡을 나타내는 비주의 수직축을 그린다. 비익장개간격(interalar flare width, AL-AL)과 비익주름간격(interalar crease width, AC-AC)을 계측한다. 이 시점에서 환자의 비변형의 실제 구성 요소를 기록하여야 한다.

## 이상적 모형 겹치기(Superimpose the Ideal)

대부분의 술자는 이상적인 것이 존재한다고 믿기를 꺼리기는 하지만, Leonardo로부터 Wyeth에 으르는 모든 예술가들은 얼굴의 상호관계를 정의하기 위하여 격자(grid)와 표준(canon)을 사용하였다. Byrd[1]는 Farkas, Guyuron, 그리고 Daniel의 많은 계측치들을 개별화 하였는데, 코길이를 중안면높이에 관련 지웠다. 세 요소로 이루어진 3조를 철저히 토론 할 것이다. 이상적 모형은 붉은 연필을 사용함으로써 환자의 변형과 확연히 구분하도록 한다.

*비근점(Nasion, N)*은 비-전두각(nasofrontal angle)에서 최심점이다. 수준은 속눈썹과 쌍꺼풀선 사이이며, 높이는 0.28XMFH이다. 비근점은 미간 후방 4-6mm에 있어야 한다. *비첨점(T)*은 측면에서 볼 때 비소엽(lobule)의 최대돌출점이다. *비하점(Subnasale, SN)*은 비주와 상구순을 결합시키는 비주-상구순각(columella labial angle)에서 최심점이다.

*비-안면각(Nasofacial Angle, NFA)*은 비근점에서 내린 수직참고선과, 비근점과 비첨 사이의 직선(N-T, 비배길이) 사이의 각도로서, 이상적인 각도는 여성 34도, 남성 36도이다.

*비첨각(Tip Angle, TA)*은 비익주름을 지나는 수직참고선과, 비익주름점과 비첨 사이의 직선(AC-T, 비첨돌출)이 이루는 각도로서, 이상적인 각도는 여성 105도, 남성 100도이다. *비주경사각(Columella Inclination Angle, CIA)*은 비익주름을 지나는 수직참고선과 비주의 접선 사이의 각도로서, 이상적인 각도는 비첨각과 동일하다. 이 경사각을 옛날에는 비주-상구순각(columella labial angle) 또는 비-상구순각(nasolabial angle)이라고 하였다.

*비배길이(Dorsal Length, N-T)*는 비근점으로부터 비첨까지 거리로서 중간에서 비봉(hump)이 가로 지르며, 이상적인 비배길이 즉, N-Ti=0.67XMFH이다. *비첨돌출(Tip Projection, AC-T)*은 비익주름을 가로 지르는 수직참고선으로부터 비첨까지 거리이며, 이상적인 비첨돌출 즉, AC-Ti=0.67N-Ti이다. *비근점높이(Nasion Height, C-N)*는 각막에 접한 수직참고선으로부터 비근점까지의 거리로서, 이상적인 비근점높이 즉, C-Ni=0.28XN-Ti이다.

## 수술 대안(Operative Alternatives)

대부분의 증례에서 실제와 이상의 차이는 꽤 분명하다. 그러나 수술 결과는 현실적이어서 모양이 좀 덜 바뀌더라도 환자가 받아 드리기를 요구하게 되는데, 이 때 외과적 해결책으로서 대안이 가장 잘 이용된다. 예를 들어서, 환자가 큰 비근증대술이 마음에 들지 않는다고 하면 대안으로서 비배축소술과 비첨돌출술 둘 다를 계획하고 그 영향을 결정하여야 한다. 마찬가지로, 연조직 때문에 비주-상구순각이 둔각이면 미측비중격절제술이 아니라 대안인 연조직절제술을 하여야 한다. 이것이 큰 가치를 가진 서로 다른 수술법들을 평가할 수 있는 기회이다.

<table>
<tr><th>Anterior</th><th>Lateral</th><th colspan="4" rowspan="2">$N\text{-}T_i = 0.67 \times MFH$   $N\text{-}T_i =$<br>$AC\text{-}T_i = 0.67 \times N\text{-}T_i$   $AC\text{-}T_i =$<br>$C\text{-}N_i = 0.28 \times N\text{-}T_i$   $C\text{-}N_i =$</th></tr>
<tr><td rowspan="5">EN-EN =<br>X-X =<br>AL-AL =<br>AC-AC =<br>IDD =<br>MFH =<br>LFH =<br>SME =</td><td rowspan="5">C-N =<br>AC-T =<br>N-C′ =<br>N-SN =<br>N-FA =<br>TA =<br>CIA =<br>CLA =</td></tr>
<tr><td></td><td>Actual</td><td>Ideal</td><td>Change</td></tr>
<tr><td>N<br>T<br>SN</td><td></td><td></td><td></td></tr>
<tr><td>NFA<br>TA<br>CIA</td><td></td><td></td><td></td></tr>
<tr><td>C-N<br>N-T<br>AC-T</td><td></td><td></td><td></td></tr>
</table>

## 수술 계획

분명히, 수술 계획 제 1호는 일단 검사를 세밀하게 끝낸 다음에, 환자의 요구와 술자의 견해를 통합시킴으로써 이루어진다. 수술 목표, 필수적인 접근술, 코의 4부위 각각에 필요한 변화, 유용한 이식물, 그리고 기능적 요소에 대하여 좋은 지식을 가지고 있어야 한다. 임상사진은 계측할 뿐만 아니라 찍어 둬야 한다. 그 다음, 실제에서 이상으로, 더 나아가서 현실적인 변화까지 진행되는 철저한 연구가 이루어지면 수술 계획 제 2호에 도달하게 된다. 다음 진료를 할 때에 저자는 환자를 전번에 한 번도 본 적이 없는 것처럼 다시 검사하여 코에서 잘못 된 것이 무엇인지 생각이 떠오르도록 하며, 무엇을 교정할 필요가 있는지, 그리고 무엇이 교정 가능할 지를 결정한다. 저자는 최종적인 단계별 계획에 들어가기 전에 총괄적인 목표를 본질적으로 설정한다(수술 계획 제 3호). 저자는 환자로 하여금 정보를 입력 해주기를 요청하며, 환자가 가지고 온 어떠한 사진이라도 검토한다(이차비성형술 환자에서는 조금은 불길한 징조이다). 그 다음, 기능적 요구를 확인하기 위하여 또 다시 내비검사를 하며, 최초 검사와 대조해 본다. 각 부위를 현실적으로 평가하여야만 수술실에서 할 수술 계획 제 4호에 이르게 된다. 술자들은 이러한 단계별 수술 계획을 단지 계획일 뿐이라고 생각하여야 한다. 왜냐하면 실제로 유용한 조직이 없으면 변형을 극적으로 변화시킬 수 없기 때문이다. 이차비성형술에서 '수술 계획'을 '수술'로 변환시키는 것이 외과적 현실에서는 고통스러운 수업일 수 있다.

증례 연구를 위한 실제의 수술 계획은 어떻게 본격적인 계획에 도달하게 되는 지를 설명해 준다(그림 9-2). 전면에서 볼 때 코는 우측으로 만곡 되었으며, 중간원개(middle vault)는 특히 좌측이 붕괴되었다(그림 9-2A, B). 측면에서는 비근점이 눈썹 수준에 있는데, 비근점의 수준뿐만 아니라 높이 둘 다 지나치게 높은 것이 분명하다(그림 9-2E, F). 이렇게 비근이 *높기* 때문에 비-안면각이 낮으며(NFA 22도), 이렇게 비근의 *수준*이 높아서 코가 지나치게 길다(N-T 48mm). 또, 비첨각은 증가하였지만(TA 108도), 비주경사각은 감소되었다(CIA 96도). 이 둘 다 비익퇴축(alar retraction)에 의한 '비공보임(nostril show)'을 증가시키는데 기여하였다. 다양한 수술 대안을 생각하며, 실제로부터 이상으로, 또 가능성으로 진행시킨다. 임상사진 투사나 컴퓨터 프로그램을 이용한 임상사진분석은 *술전에* 문제점을 확인하고 수술 대안을 평가하는데 효과적인 방법이다.

| Anterior | Lateral |
|---|---|
| EN-EN = 34 | C-N = 15 |
| X-X = 22 | AC-T = 32 |
| AL-AL = 32 | N-T = 48 |
| AC-AC = 30 | N-FR = 153 |
| N-T = 48 | N-FA = 22 |
| N-C′ = 55 | TA = 108° |
| N-SN = 57 | C Incl = 95° |
| AC-T = 32 | CLA = 96° |
| IDD = 11 | |
| MFH = 64 | |
| LFH = 62 | |
| SME = 52 | |

$N\text{-}T_i = 0.67 \times MFH$ $N\text{-}T_i = 42$

$AC\text{-}T_i = 0.67 \times N\text{-}T_i$ $AC\text{-}T_i = 28$

$C\text{-}N_i = 0.28 \times N\text{-}T_i$ $C\text{-}N_i = 11.7$

| | Actual | Ideal | Change |
|---|---|---|---|
| N | Eyebrows | Eyelash | ↓, ← |
| T | 108° | 105° | ↓, ← |
| SN | | | N.C. |
| NFA | 22 | 36° | ↑ 14° |
| TA | 108° | 100° | ↓ 8° |
| C Incl | 96° | 100° | ↑ 4° |
| C-N | 15 | 11.7 | −3.3 |
| N-T | 48 | 42 | −6 |
| AC-T | 32 | 28 | +4 |

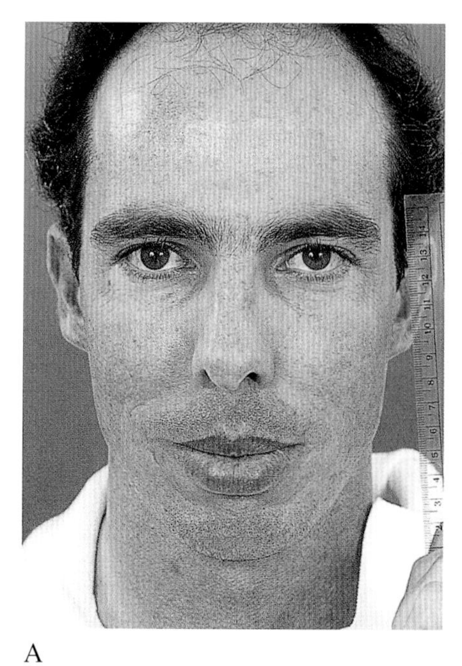

A

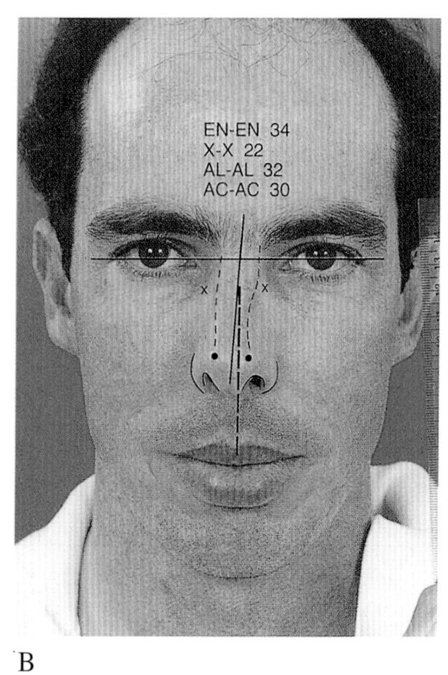


B

그림 9-2

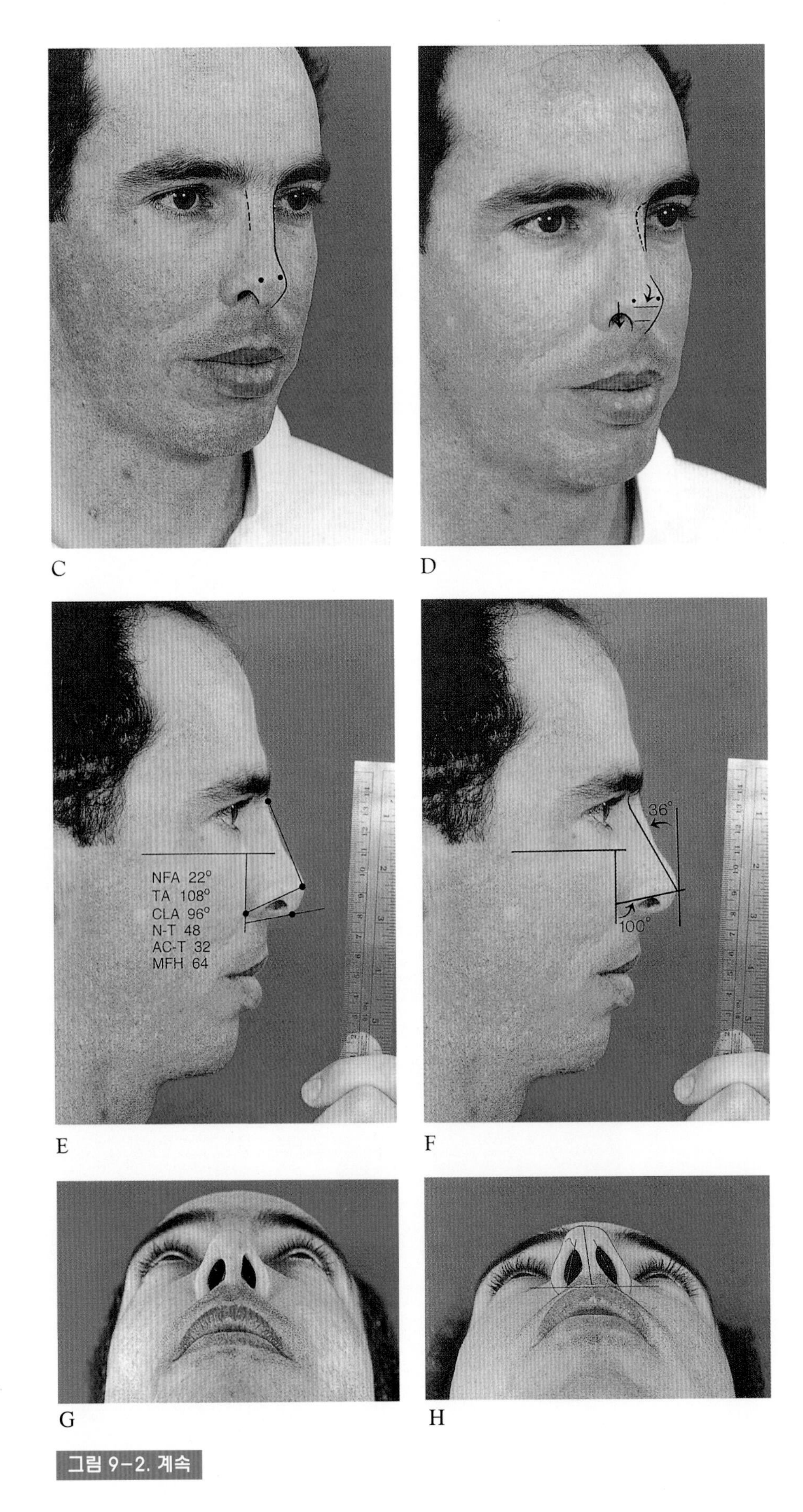


그림 9-2. 계속

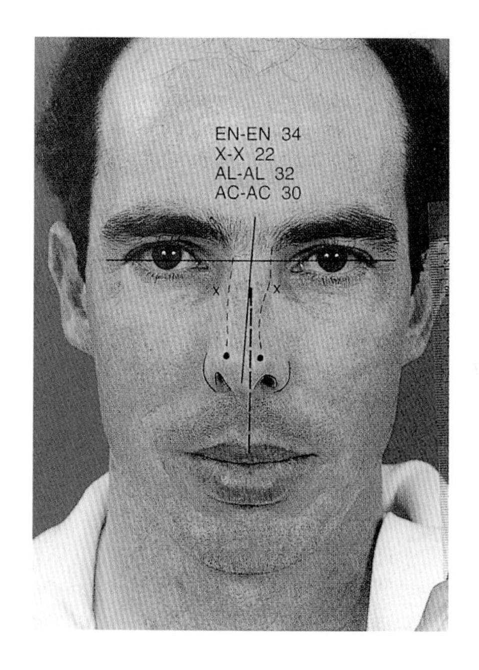


## 분석

31세 남성으로서 13세에 비골골절을 당하였으며, 18세에 비중격-비성형술(septorhinoplasty)을 받았다. 현재의 문제점은 심한 비폐쇄이며, 보통 남성들의 의견인 '더 보기 좋게 만들 수 있는 만큼 긴 코'를 원하였다. 전술한 분석을 요약하면 큰 문제점은 4부위에 다 있다. *비근*은 지나치게 높아서 코가 눈썹에서 시작한다. 비배는 만곡 되고, 중간원개는 붕괴되었다. *비첨*은 지나치게 두측회전되고 각지다. 비저는 미측비중격만곡에 의하여 현저히 각져 있으며, 비익연은 퇴축되었다. 비근-비배선을 얻기 위하여 폐쇄접근술을 사용한 다음, 나머지 문제점들(심한 비중격만곡, 비배만곡, 그리고 비첨변형)을 교정하기 위하여 개방접근술을 선택하였다.

## 외과 수기

1. 양측연골간절개술과 두측관통절개술(upper transfixion incision).
2. 점증성비배축소술(incremental dorsal reduction): 줄질로써 골 1mm, 절골술로써 연골 1mm.
3. 이중보호절골도(double-guarded osteotome)를 사용하여 7.5mm의 비근축소술(그림 9-3A, B).
4. 개방비성형술로써 비익연골 전체 노출.
5. 비배분할접근술(dorsal split approach)로써 비중격 전체 노출: 비중격의 미측 1/3은 전번 비중격성형술에 의하여 만곡 되었으며, 수직절개선이 아직도 보임(그림 9-3C).
6. 비중격연골채취술. 약화된 미측비중격만곡에 부목으로서 L형지주이식술(그림 9-3D).
7. 저-저위외측비절골술.
8. 이갑개연골채취술을 하여 33X6mm 크기의 비배감입이식술(dorsal inlay graft) 및 봉합술.
9. 이갑개연골을 사용한 각지주(conchal crural strut)를 양측 내측각과 중간각(원개분절) 사이에 이식술 및 봉합술.
10. 하비소엽충만(infralobular fill)과 비첨정의를 위하여 비중격연골을 사용한 비첨이식술(그림 9-3E, F).
11. 이개복합조직이식물로써 비익연이식술: 좌측보다 우측을 더 크게 함.
12. 절개선의 봉합술. Doyle 부목 넣기. 부목 대기.

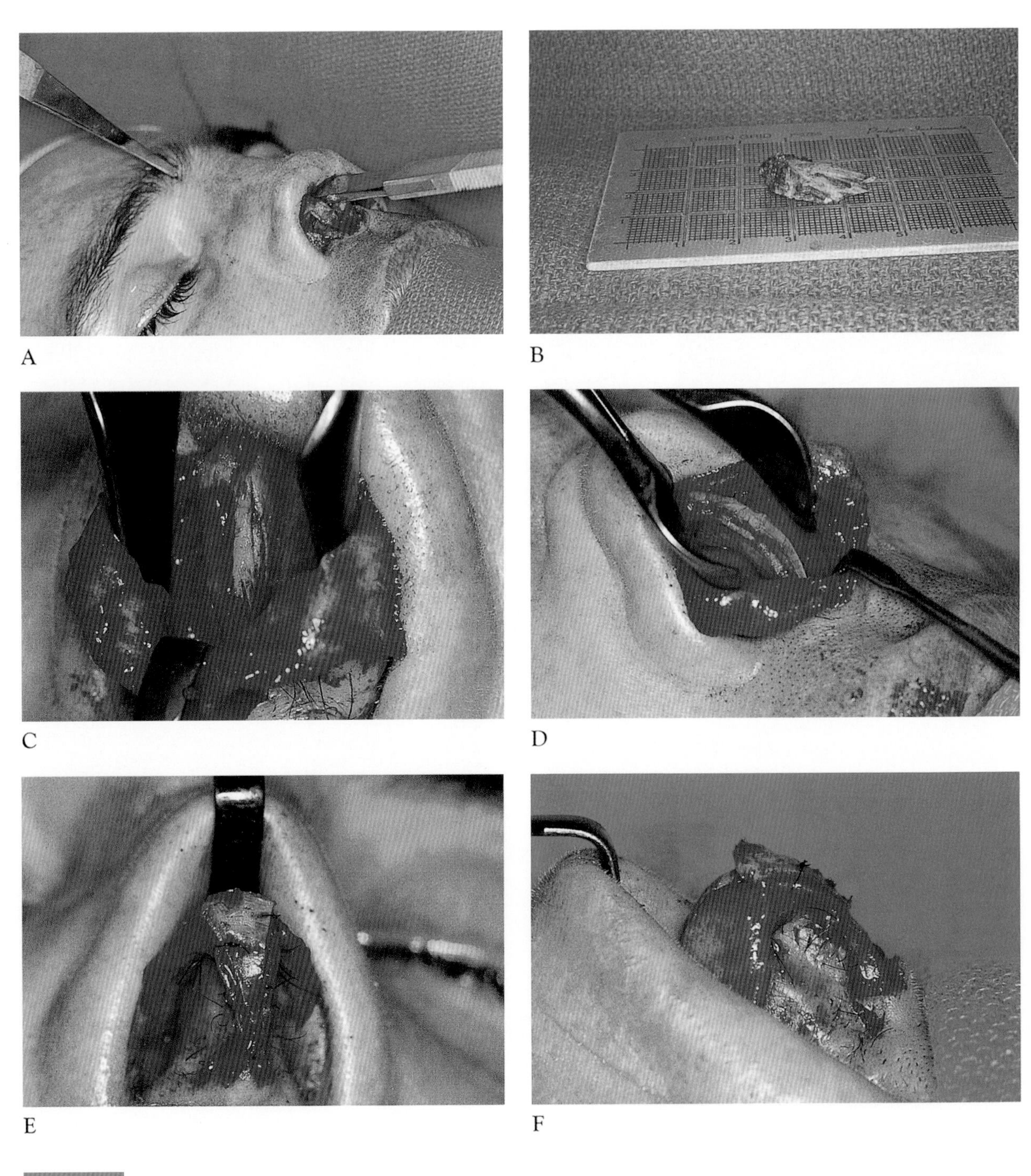
A B C D E F

그림 9-3

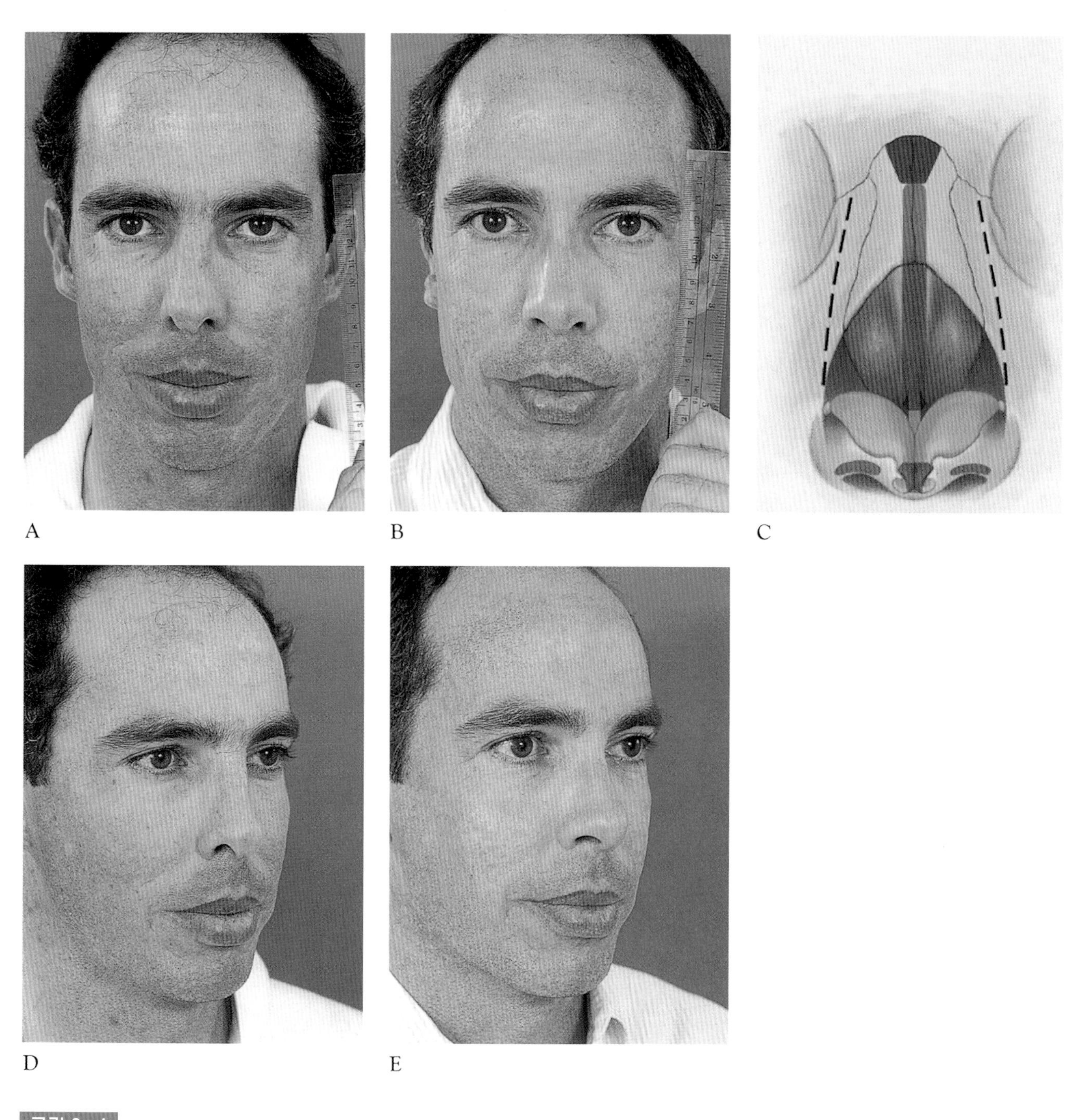


그림 9-4

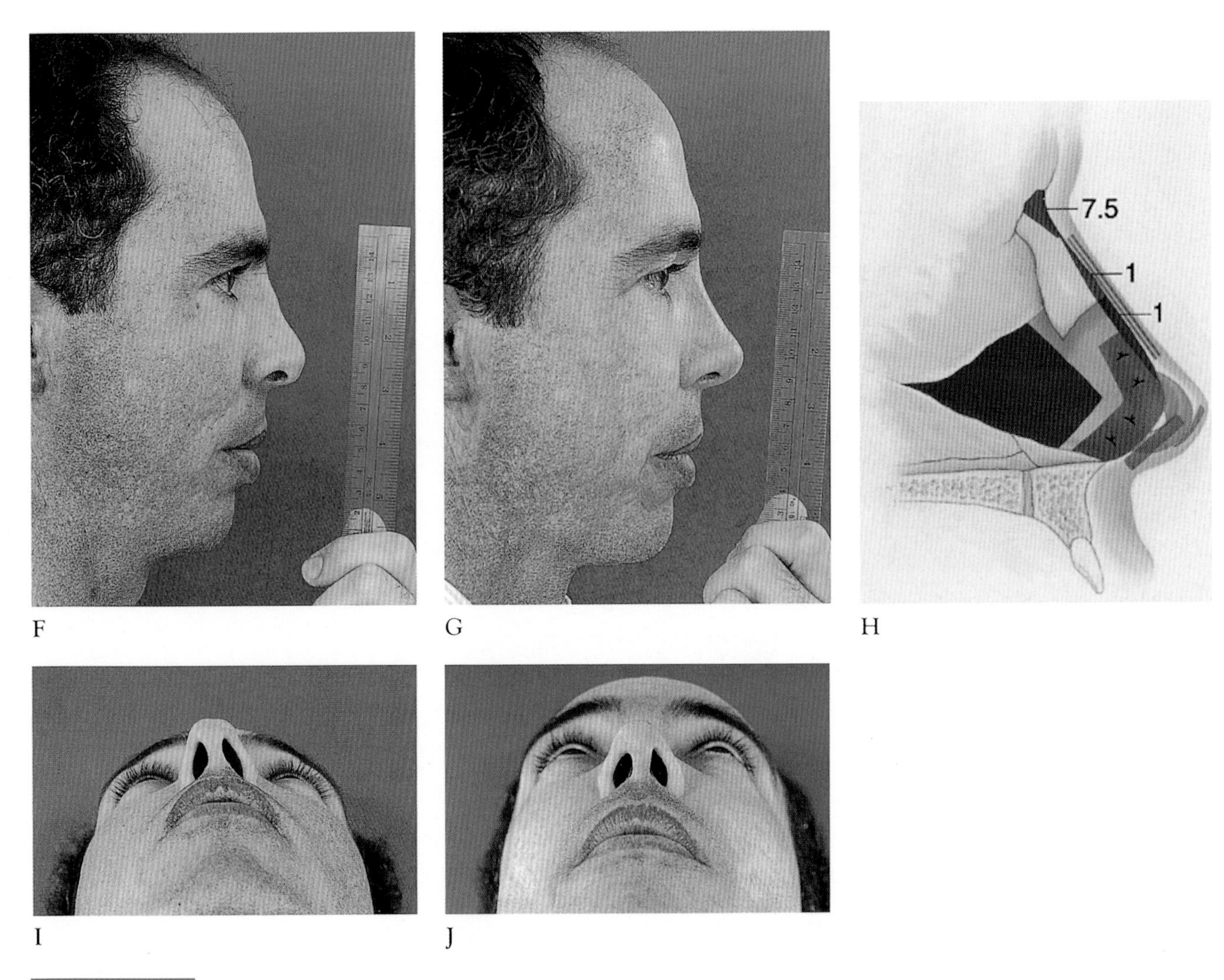


그림 9-4. 계속

## 논평

이 환자는 큰 이차비성형술의 상당히 전형적인 증례이다(그림 9-4). 전번 비중격성형술에 의한 결손을 교정할 뿐만 아니라 코의 4부위 모두를 교정할 필요가 있었다. 폐쇄 및 개방 접근술은 매우 유용하였다. 즉, 폐쇄접근술로써 비배선을 조절하였으며, 개방접근술로써 비익연퇴축이 비익연골절제술에 의한 것일 것이라는 술전 추정을 반증하였다. 또, 개방접근술을 하였기 때문에 외측각을 이용할 수 있었으며, 따라서 이식술의 횟수를 줄일 수 있었다. 전번의 비중격수술 때문에 비중격연골을 사용하는데 제한이 있었으며, 이차비성형술에서는 이갑개연골이식술이 필요함을 확인하였다. 술후 3년에 코는 자연스럽고 수술 받지 않은 외양이며, 기능이 개선되었다(그림 9-4).

## 접근술(Approach)

질문의 여지없이, 개방접근술은 5가지 이유에서 이차비성형술에 변화를 가져다주었다. 1) 가시화는 해부적 변형을 분석하게 해주었다. 2) 나머지 구조물들을 사용하게 함으로써 이식술을 수요가 적어졌다. 3) 비중격과 판막부(valve area)에 더 쉽게 접근하게 되었다. 4) 더욱 다양한 수기를 구사하게 되었다. 5) 학습곡선이 더 짧게 되어서 시술이 더 쉬워졌다. 미처 깨닫지 못하였던 것은 폐쇄 및 개방 접근술의 무한한 가치로서 폐쇄접근술로써 비배선을 정확하게 조절한 다음, 본격적인 개방비첨성형술을 하게 해준다. 폐쇄접근술은 축소술이나 증대술만 필요한 증례에서 여전히 유용하다. 국소절제술이나 작은 이식술로써 교정될 수 있는 한두 가지의 작은 결함만 있는 증례에서도 가치가 있다.

### 개방접근술(Open Approach)

가능하면 표준경비주절개술(transcolumellar incision)과 연골하절개술(infracartilaginous incision)을 사용한다. 이러한 통상적인 절개술에 2가지 예외가 있다[7]. 첫째, 하비소엽피부(infralobular skin)가 너무 얇아서 피부를 일으킬 때 피부소실의 위험이 있는 경우이다. 둘째, 전번에 한 경비주절개선이 비주저에 너무 낮게 위치하고 있어서 다시 거상할 때 피부소실의 우려가 높을 때이다. 저자는 이차비성형술 때 이 2가지 예외 외에는 경비주절개술의 사용을 주저하지 않으며, 95% 이상의 증례에서 통상 사용하고 있다. 저자는 전번에 한 경비주절개선의 모양이나 위치에 관계없이 그 절개선을 그대로 이용하지만, 전번에 비익연절개술(rim incision)을 하였으면 그 절개는 그대로 놔둔 채 진성의 연골하절개술을 한다. 연조직각면(soft tissue facet)이 파괴되어서 이를 조금이라도 개선시키기 위하여 복합조직이식술(composite graft)을 고려하여야 하는 경우에는 어려운 선택을 하여야 한다. 반흔이 심한 비첨에서는 3점견인(3-point traction)을 사용하여 경비주절개로부터 두측으로 비첨으로 박리함으로써 피부를 일으키는 것이 최선책이다. 일차비성형술 때와는 달리, 원칙적인 해부층으로 박리하기 보다는 아래에 놓인 변형된 연골이나 이식물로부터 피부만 일으키는 것이 필수적이다.

### 폐쇄 및 개방 접근술(Closed/Open Approach)

비배는 일측관통절개술과 양측연골간절개술을 함께 하여 접근한다. 피부외피를 일으킨 다음, 비중격을 노출시킨다. 이 때 비중격을 평가하여 계획하였던 연골비배절제술(cartilaginous dorsal resection)과 미측비중격절제술(caudal septal resection)이 가능한 지를 결정하는 것이 현명하다. 그 다음, 비배의 골은 줄로써, 그리고 연골은 11번 수술도나 조직가위로써 낮춘다. 만일 필요하면 비근축소술도 이 때에 한다. 그 다음, 미측 비중격을 적절하게 변형시킨다. 일단 코의 측면이 만족스러우면 전술한 원칙대로 개방접근술로써 비첨을 노출시킨다. 이제는 비중격의 양쪽에서 접근할 수 있으므로 비중격의 복잡한 문제점을 다룰 수 있다. 폐쇄 및 개방 접근술의 장점은 이 2가지 접근술의 가장 좋은 것을 결합한 것이다.

### 폐쇄접근술(Closed Approach)

대개, 절개술은 연골내절개술(intracartilaginous incision, 축소시키고자 하는 용적에 따라서 고위, 중간 또는 하위연골내절개술로 나눈다)과 관통절개술(비중격 접근을 위해서는 일측, 때때로 비첨돌출을 줄이기 위해서는 양측)을 사용한다. 연골내절개술은 상비첨(supratip)의 반흔조직을 절제함으로써 비첨정의점(tip defining point)을 돋보이게 하고자 할 때 자주 사용하며, 이 절개를 통하여 이갑개연골을 사용한 비첨중첩이식술(conchal tip onlay graft)을 선택적으로 할 수 있다. 그 다음, 비배축소술을 한 다음 연전이식술(spreader graft)과 비공보임(nostril show)을 줄이기 위한 비익연이식술을 흔히 한다. 폐쇄접근술의 장점은 반응이 바로 나타나는 것으로서 코가 각각의 외과적 조작으로써 개선된다.

| OPEN | CLOSED | CLOSED/OPEN |
|---|---|---|
| **Advantages**<br>• Maximum upside gain<br>• Multiple operative techniques<br>• Total flexibility<br>• Complete septal access<br>• Easier to master | **Advantages**<br>• Minimum downside risk<br>• Sequential incremental improvement<br>• Tight pockets, limited dissection<br>• Result based on surface aesthetics<br>• Shorter operative time | **Advantages**<br>• Sequential improvement<br>• Accurate setting of profile line<br>• Total access to septum<br>• Accurate tip analysis, utilization<br>• Open tip: sutures or grafts |
| **Disadvantages**<br>• Take it apart, must reassemble<br>• Anatomy is goal, not surface aesthetics<br>• Longer operative time | **Disadvantages**<br>• Restricted exposure<br>• Limited utilization of structures<br>• Overreliance on grafts/augmentation<br>• Difficult to master | **Disadvantages**<br>• Increase number of incisions<br>• Total take down, reassembly required |

## 증례 연구 폐쇄접근술(Closed Approach): 전형적 매부리코(Classic Polybeak)

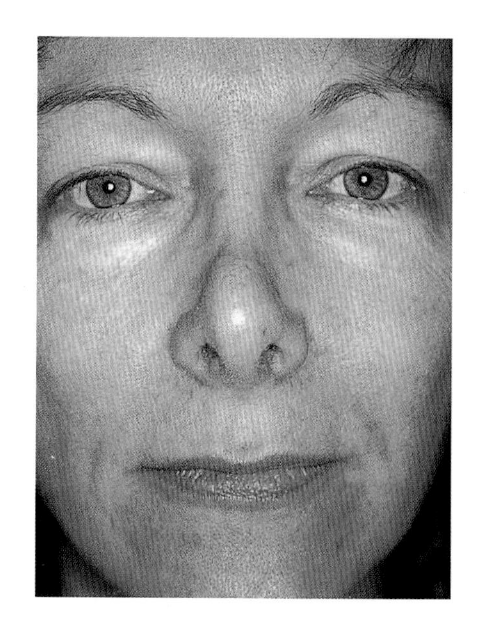

### 분석

40세 여성으로서 15세에 받은 비성형술 후 결과를 좋아하지 않았으며, 숨을 쉴 수 없다고 호소하였다. 이학검사에서 외비 및 내비 판막이 붕괴되었는데, 내비판막붕괴는 중증의 역V형변형(inverted-V deformity)으로서 외부에 나타났다. 수술법을 의논하던 중에 환자는 "비배이식술을 받았을 때 분명히 코가 커졌지만, 내 친구들조차 내가 코수술을 받았는지 모르더라."고 지적하였다. 두말할 필요도 없이, 전번에 이 환자와 상담을 많이 하였었다.

### 외과 수기

1. 일측관통절개술을 통한 비중격 평가: 비중격은 건재하였음.
2. 양측연골간절개술을 통한 노출 후 점막하터널 형성.
3. 4mm의 연골비배축소술. 골비배축소술은 하지 않았음.
4. 상악골까지 외측으로 연장된, 광범위한 비배피판의 박리.
5. 양측연전이식술(25X3X2mm) 및 봉합술(그림 9-5A, B)
6. 미측 비중격의 하부 1/2의 점막을 포함한 3mm의 절제술 후 비주경사각을 일으키기 위한 비주-비중격봉합술(columellar septal suture).
7. 모든 절개선의 봉합술 후 하비소엽에 압좌시킨 작은 연골이식술(crushed cartilage graft).
8. 비대칭비익연이식술(우측 12X4mm, 좌측 12X2mm)(그림 9-5C, D).

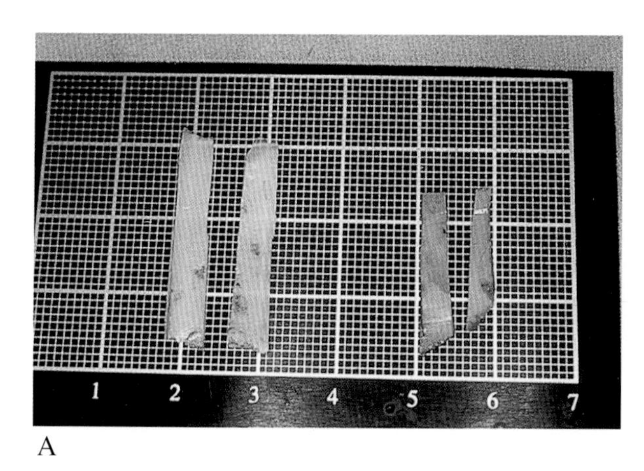


A

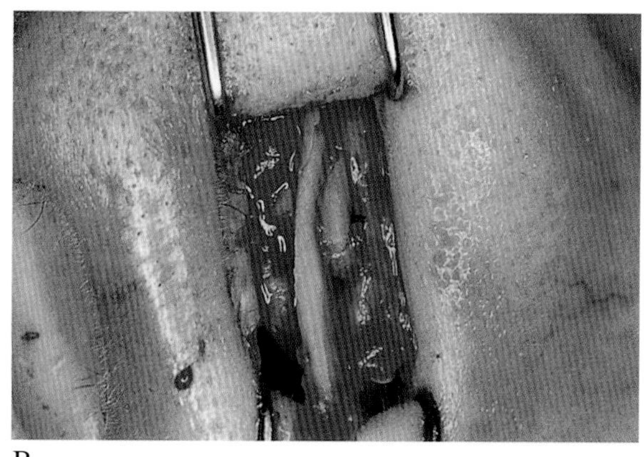

B

그림 9-5

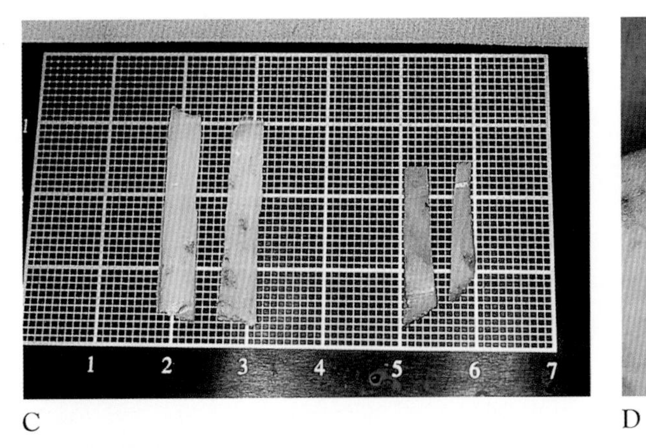

C

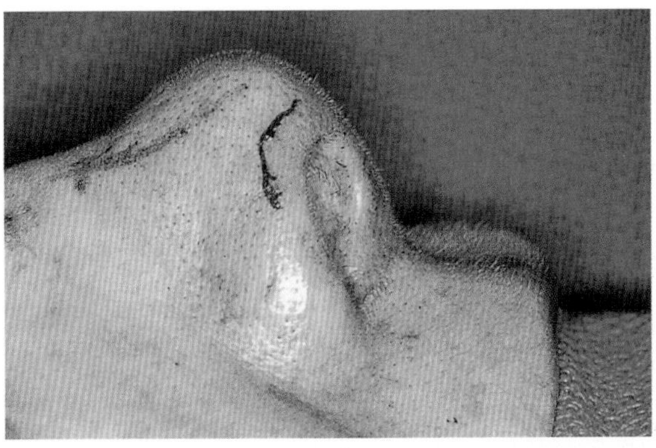
D

그림 9-5. 계속

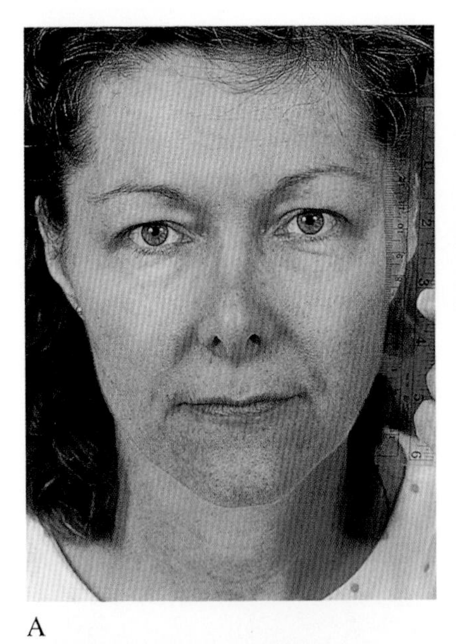
A

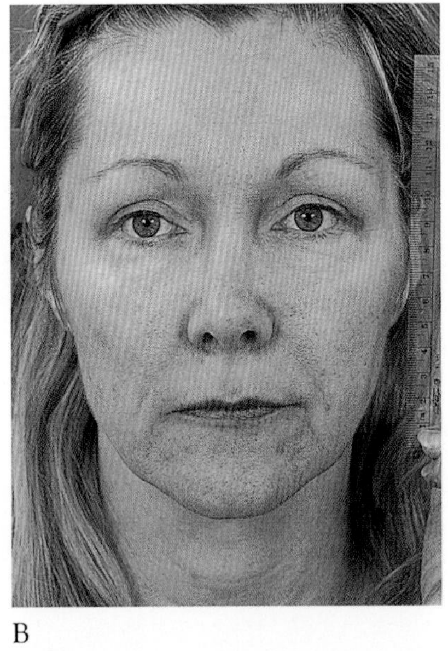
B

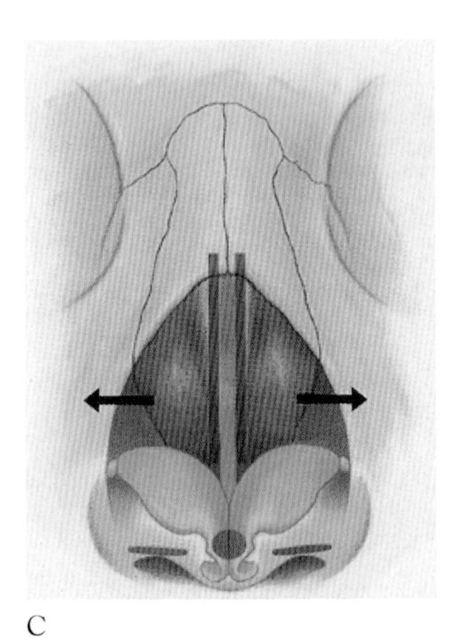
C

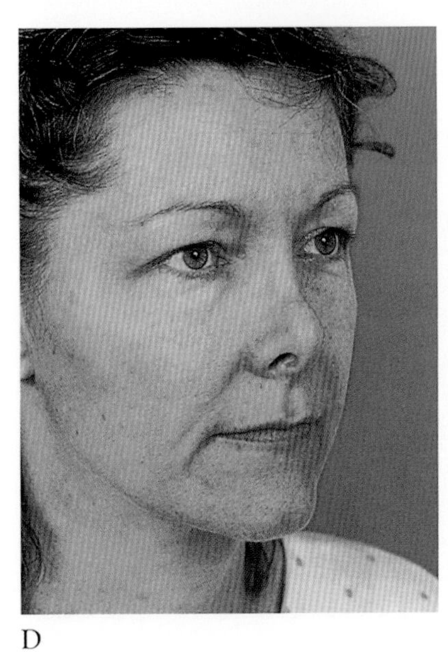
D

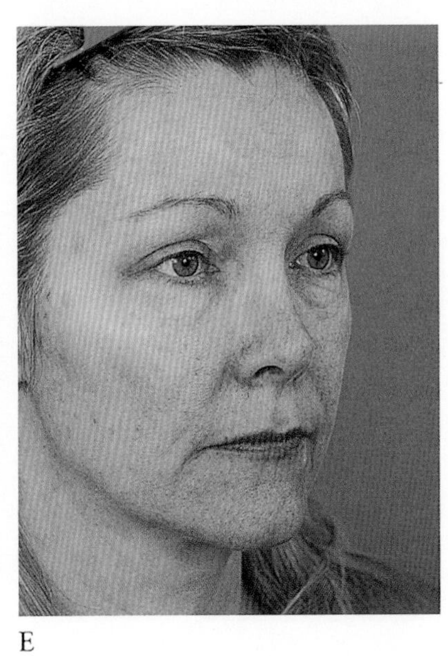
E

그림 9-6

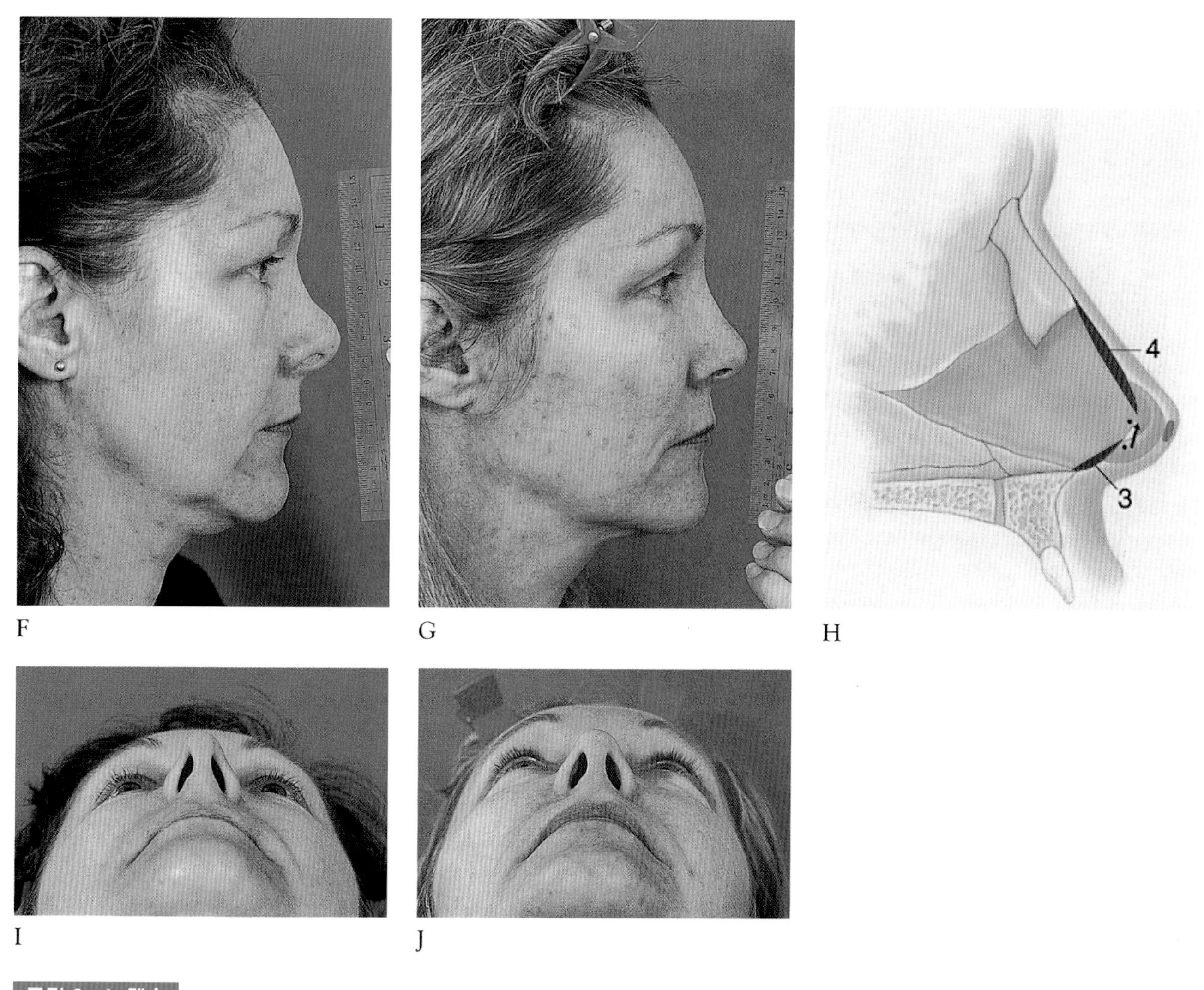


그림 9-6. 계속

## 논평

술후 2년에 보았을 때, 연전이식술로써 역V형변형은 교정되었으며, 환자는 숨을 잘 쉴 수 있었다(그림 9-6). 비익연이식술로써 비공판막붕괴(nostril valve collapse)를 방지하면서, '집게형비첨(pinched tip)'이 교정되었다. 두측회전 되었던 비첨이 비배축소술과 비주퇴축술(columella deepening)에 의하여 경감되었다. 중요한 첫 단계는 비중격을 평가하는 것이며, 만일 전번에 비중격절제술을 받았으면 L형지주의 약화를 피하기 위함이다. 전번에 한 비중격수술은 이차비성형술의 숨겨진 틈이므로 세심한 평가가 필요하다. 광범위한 피부박리를 하였기 때문에 두개골이식술을 하지 않더라도 큰 비배피판의 혈행을 조심하여야 한다. 폐쇄접근술은 각각의 조작으로써 최대의 이득과 최소의 위험으로 코를 개선시켜 준다.

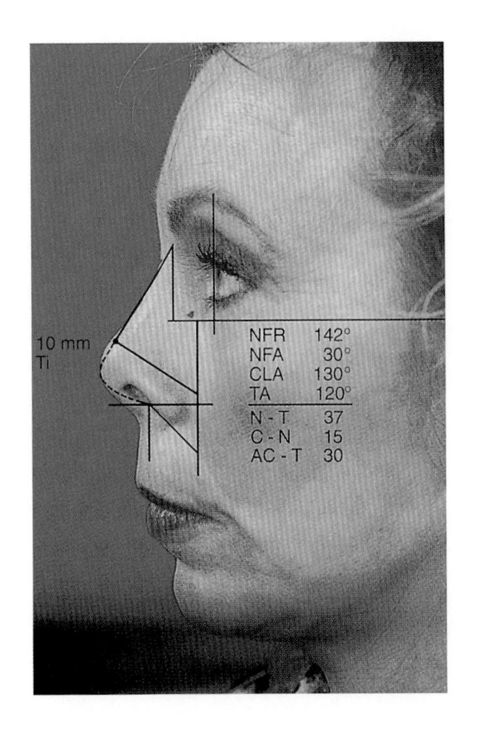


## 분석

57세 여성으로서 5년 전에 받은 폐쇄비성형술 후 코가 너무 들려서 "선생님은 내 콧구멍을 볼 수 있지요?"라고 호소하였으며, 저자는 동의하였다. 비폐쇄는 없었다. 외비 및 내비검사 결과, 대단히 짧고 들린 코였으며, 막비중격(membranous septum)에 대단히 실제적인 제한이 있었다. 비주-상구순각은 비극적인 135도이었으며, 상구순이 전번의 미측비중격절제술 때문에 편평하고 길어졌다. 난제는 분명한 비점막내층의 제약에도 불구하고 코를 길게 하는 것이었다. 대부분의 술자들은 2mm의 연장이 최대치라고 생각하지만, 저자의 목표는 8-10mm이었다. 문제점들은 폐쇄접근술 때문에 발생하였으며, 해결책은 개방접근술이다.

## 외과 수기

1. 경비주절개술과 연골하절개술을 통한 개방접근술.
2. 비첨 분석: 싹둑 잘린 원개이지만, 5mm의 비익연연골조각(rim strip)은 건재.
3. 비중격 접근을 위한 비배 및 비첨 동시분할접근술(dorsal and tip split approach). 작은 비중격이 건재하여 채취.
4. 두루마리부(scroll area)에서 최대한 반흔조직 유리. 잔존 연골 사이를 10mm 확장.
   좌측간격판이식술(spacer graft). 반흔이 있는 점막을 교체하기 위한 10mm 폭의 좌측 이갑개복합조직이식술(그림 9-7A, B).
5. 비주저를 미측으로 밀기 위한 큰 골비중격연장이식술(bony septal lengthening graft)(그림 9-7C, D).
6. 비익-소엽(alar lobule, 비주변곡점, columella break point)을 미측으로 밀기 위한 비중격연장이식술(septal extension graft)(그림 9-7E, F).
7. 비첨정의점(tip defining point)을 미측으로 밀기 위한 이갑개연골의 비첨이식술 추가.
8. 저-고위외측비절골술.
9. 모든 절개선의 봉합술. 내비부목 넣기. 외비부목 대기.

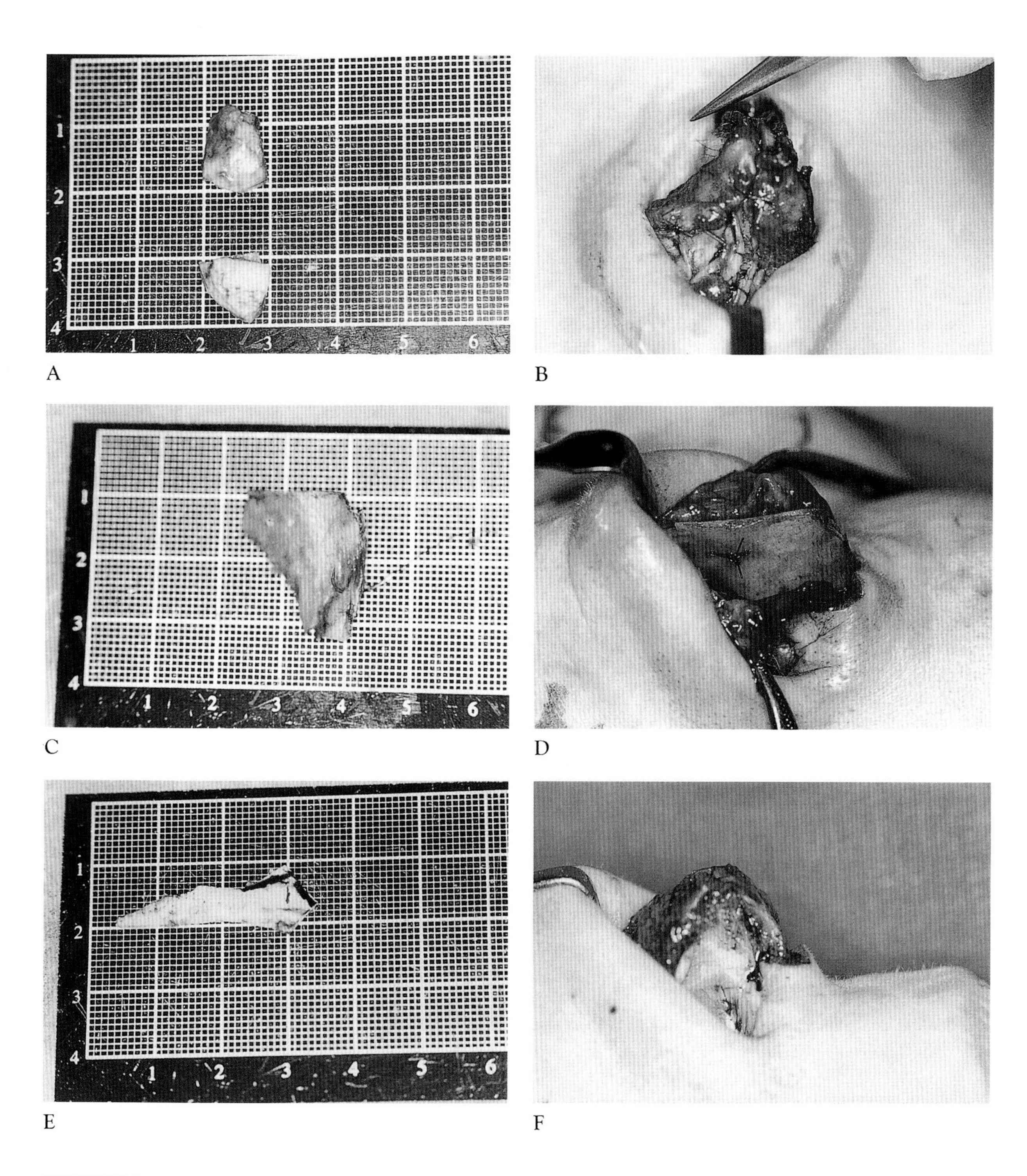


그림 9-7

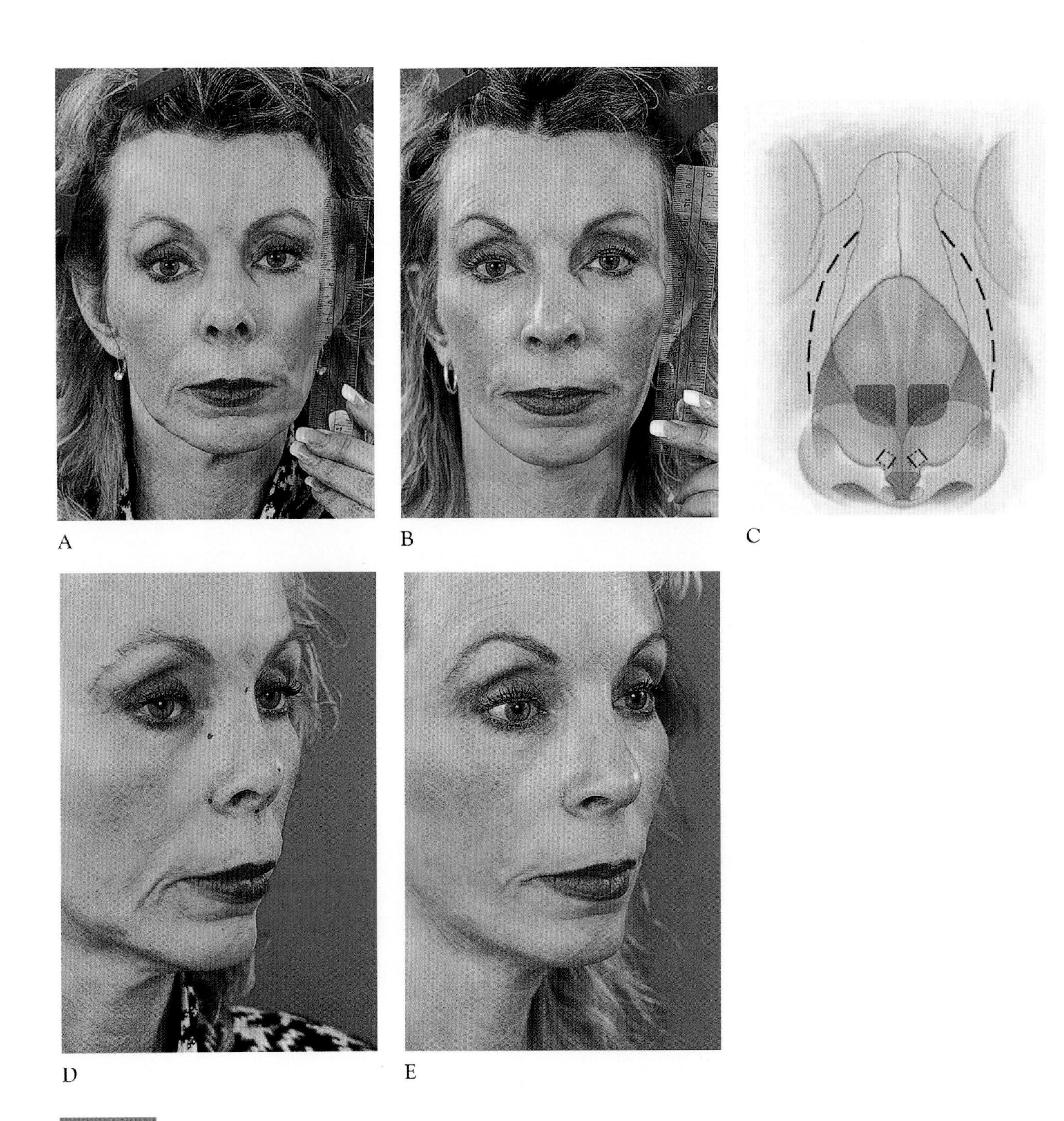


그림 9-8

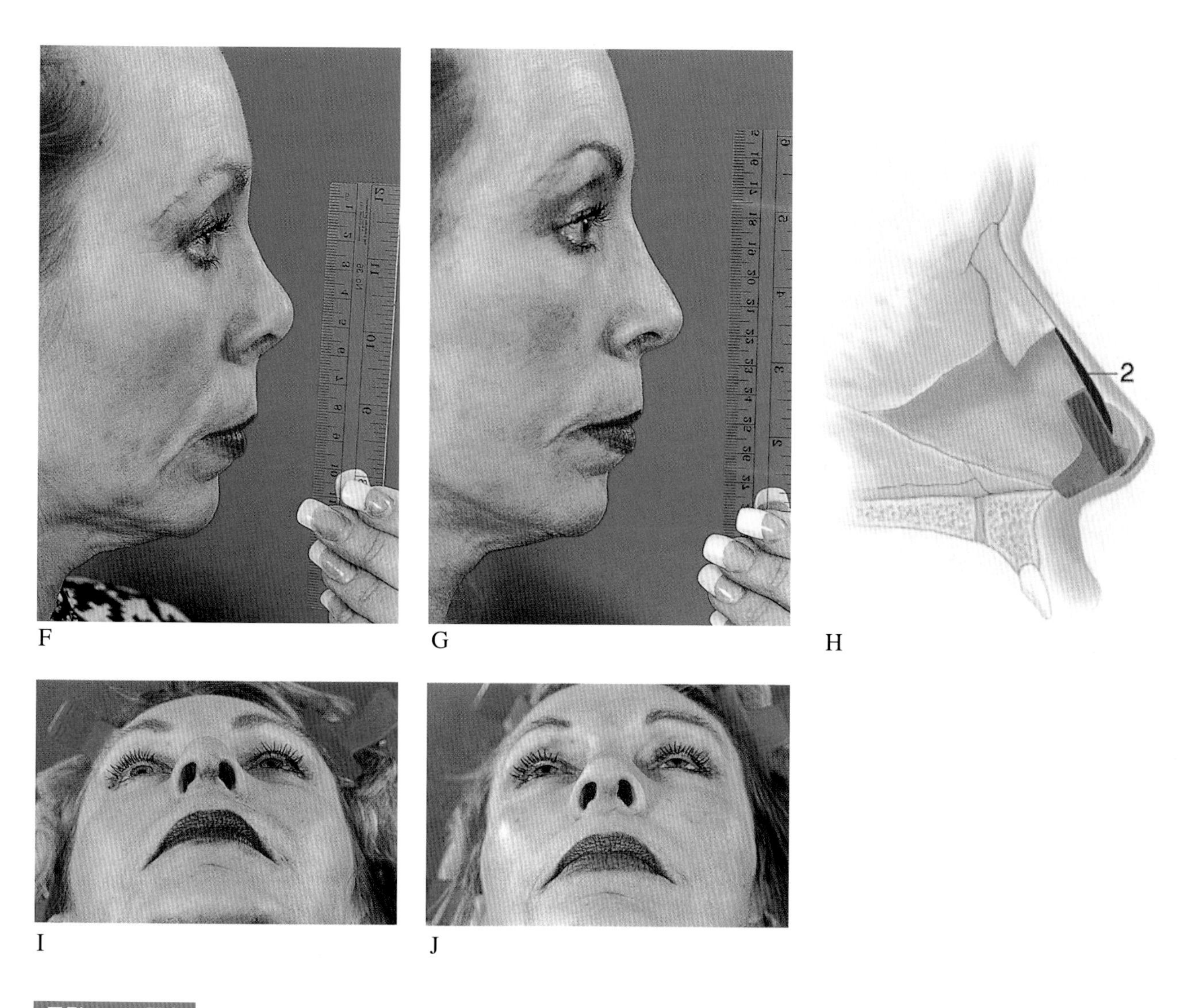


그림 9-8. 계속

## 논평

술후 1년에 보았을 때, 점막유리술(mucosal release)과 3가지 연장술(tripartite lengthening)은 개방접근술의 장점을 증명하였다(그림 9-8). 내비판막에 봉합한 이갑개복합조직이식술은 직시하면서 하더라도 캄캄한 구멍 안에서 일하는 것을 연상시키는 난제이었다. 모든 연장이식술(lengthening graft)은 경피바늘로써 제 자리에 잠정 고정시킨 다음, 직접봉합술을 하였다. 골비중격이식술은 비주저를 미측으로 밀기 위하여 하였으며(N-SN), 비중격연장이식술은 비주변곡점(columella break point)을 밀기 위함이었다(N-C'). 비첨이식술은 비첨의 위치를 낮출 뿐만 아니라 하비소엽에 용적을 보태었다(N-T). 비중격 접근 및 이식술은 경점막절개술(transmucosal incision) 없이 하였다. 전체길이를 10mm 연장시켰다.

## 비근(Radix)과 비배(Dorsum)

축소술, 증대술 또는 균형수술(balanced procedure)을 일차적으로 선택할 때 비배바루기(dorsal straightening)와 비배고루기(dorsal smoothening)를 추가하여야 한다. 흔히, 분석은 이차비성형술에서 좀 더 복잡하다. 왜냐하면 중요한 지표가 이상적인 것은 하나도 없으며, 각 지표가 서로 난제를 만들기 때문이다. 마찬가지로, 비배의 피부외피도 비배점(rhinion)에서 얇은 지, 상비첨부(supratip area)에서 비탄력적으로 두꺼움을 나타내는지 중요한 현안이 된다. 이러한 현안을 더욱 복잡하게 만드는 것은 전번에 하였던 비절골술의 횟수, 다양한 위치, 그리고 효과이다. 게다가, 전번에 한 자가이식물과 동종이식물(allograft)을 술중에 발견하면 대단히 놀라게 된다. 또, 적절한 비중격이식물이 부족하면 비배이식술에 큰 문제를 일으킬 수 있다. 다행히도, 대부분의 증례에서 비배다듬기(dorsal refinement)와 적절한 비절골술이 필요한데, 비배이식술은 운이 좋아서 흔히 하지 않는다.

### 비근(Radix)

놀랍게도, 비근은 다음의 방법으로써 치료하였음을 알 수 있었다. 즉, 수술 안 하였음(88%), 증대술(1%), 그리고 축소술(11%, 더 세분하면 순수 축소술은 5%, 늑이식술의 일부분으로서 6%)이었다. 비근축소술은 다음과 같이 비교적 간단하다. 1) 우선, 바람직한 비배선을 확립한다. 2) 비배-비근접합부에 이중보호절골도(double-guarded osteotome)를 위치시킨다. 3) 절골도를 60도 회전시킨 다음, 망치질하여 비-전두골봉합선에 도달하면 두개골에서 나는 소리('thud')로써 알 수 있다. 4) 절골도를 회전시키면 골이 대개 탈구된다. 5) 만일 골분리가 실패하면 2mm 절골도를 눈썹 아래로 넣어서 미리 넣어 둔 더 큰 절골도를 가로 지르도록 망치질한다(그림 9-9A-D). 비근축소술의 중요성은 전술한 증례 연구에서 설명하였다. Sheen[22]의 균형비성형술(balanced rhinoplasty) 개념에 충실하여 비교해 보았을 때 저자는 일차비성형술과는 판이하게 이차비성형술에서 비근이식술을 최소한으로 한 것에 깜짝 놀랐다. 게다가, 이러한 소견은 대부분의 이차비성형술에서의 2가지 개념, 즉 수축되지 않는 피부(irreducible skin sleeve)와 더 큰 코를 만들 필요가 있음에 분명히 모순 된다.

### 비배다듬기(Dorsal Refinement)

'이상적 비배선(ideal dorsal line)' 을 얻기 위하여 비배변형술(dorsum modification)을 다음과 같이 하였다. 즉, 비배축소술(57%), 비배증대술(28%), 그리고 하지 않았음(15%). 많은 이차비배성형술에서 비배축소술, 비대칭의 교정, 그리고 연전이식술(spreader graft)의 3가지가 필요하다. 일반화된 비배축소술은 골원개를 줄질로써, 그리고 연골비배를 11번 수술도로써 잘라 내는 것이다. 증례의 42%(24/57)에서 *연골비배(cartilaginous dorsum)*만을 축소한 것이 흥미롭다. 비배증대술은 비중격연골이든 이갑개연골이든 언제나 전체길이의 이식물을 사용하였다. 비배수술을 하지 않은 경우는 2가지로서 전번의 술자가 이상적 비배선을 잘 만들었거나, 수술 목표가 비첨만 변경시키고자 할 때였다.

## 비절골술(Osteotomies)

이차비성형술이 일차비성형술과 큰 차이는 비절골술의 빈도이다. 즉, 46%에서는 비절골술을 *하지 않았으며*, 절골한 54%는 저-고위외측비절골술 12%, 저-저위외측비절골술 39%, 그리고 이중수준외측비절골술(double level osteotomy) 3%이었다. 요점은 증례의 절반에서 비절골술을 올바르게 한 것이다. 저-고위외측비절골술보다 저-저위외측비절골술을 더 많이 하였는데, 그 이유는 첫째, 아마도 비절골술을 골추체(bony pyramid)에서 시작하기가 좀 더 어려웠기 때문이며, 둘째, 전번에 잘못된 선택으로서 약목비골절술(greenstick fracture)을 한 다음, 최소한 이동시켰기 때문이다. 이러한 증례의 대부분에서는 전체비절골술을 한 다음, 완전히 이동시켜서 골추체의 기저폭을 좁힐 필요가 있다.

Radix Reduction

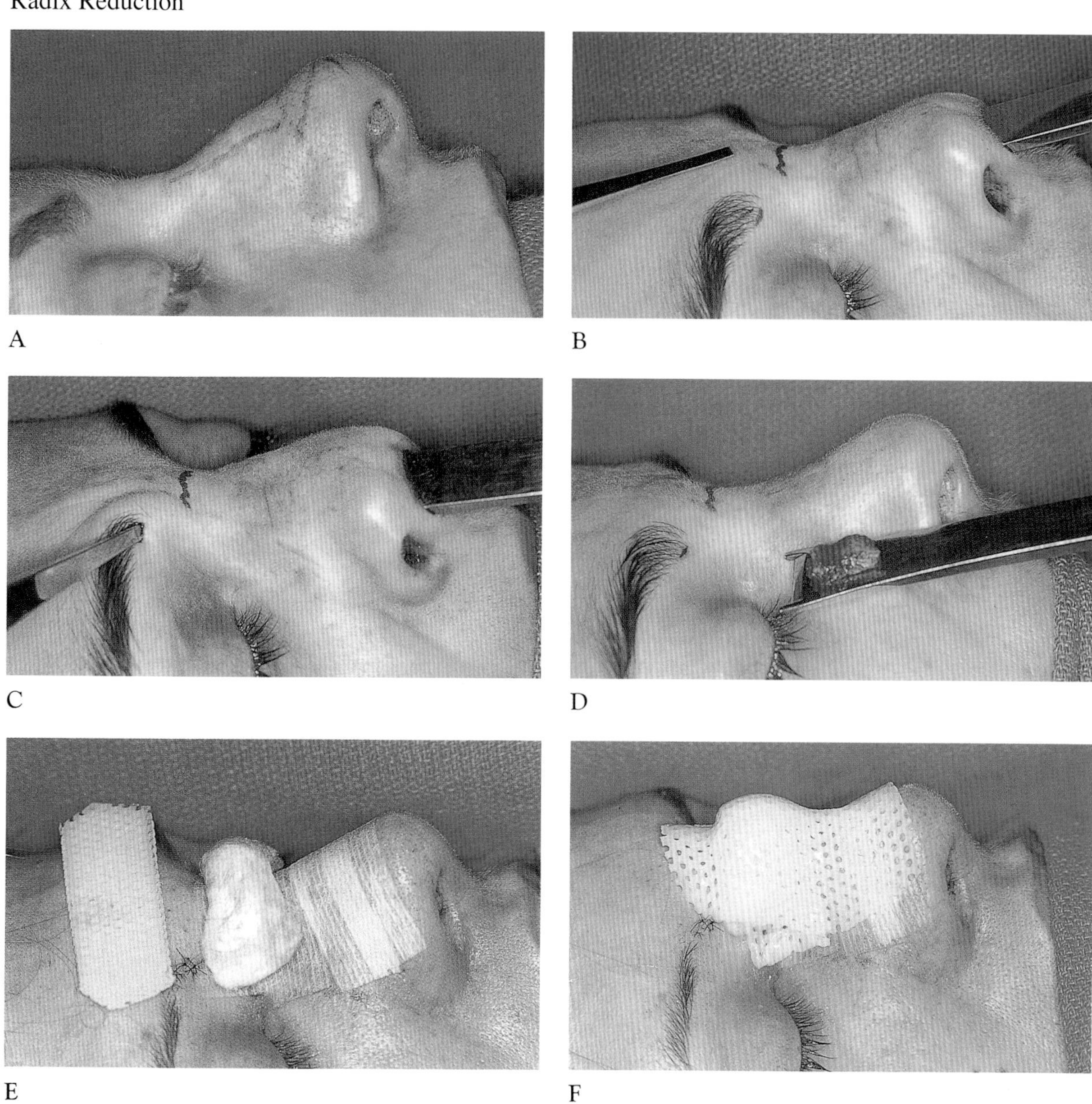

A B C D E F

그림 9-9

## 증례 연구 비배바루기(Dorsal Straightening)

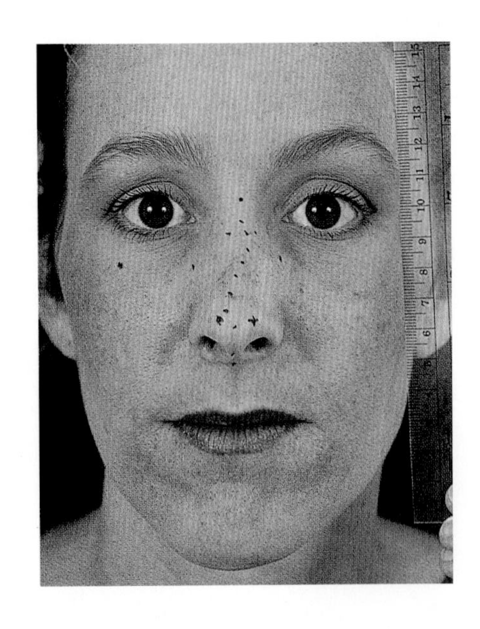

### 분석

26세 여성 가정주부로서 비기도폐쇄와 비변형을 호소하였다. 구 년 전에 비중격-비성형술(septorhinoplasty)을 받았으며, 전번 수술을 했던 술자를 찾았을 때 코바루기는 불가능할 것 같으며, 실리콘삽입술이 필요할 지도 모른다고 하였다고 한다. 상담하고 내비검사 한 결과, 미측 비중격의 우측 만곡이 뚜렷하였으며, 좌측고위비중격체만곡(high septal body deviation), 우측에 큰 유착(synechia), 그리고 확장된 골비갑개(bony turbinate)를 나타내었다. 개방접근술을 하면 바로 연전이식술을 하고, 또 필요하면 비배이식술을 할 수 있으므로 동종이식술(allograft)을 피할 수 있을 것으로 추정하였다. 미적으로, 환자는 곧은 코와 어쩌면 더 부드러운 측면을 원하였을 것이다.

### 외과 수기

1. 연골하절개술과 경연골절개술을 통한 개방접근술.
2. 비첨 분석: 더 이상의 수술이 불필요하였음.
3. 일측관통절개술과 비배접근술을 통한 비중격 노출. 비중격에서 비배면을 향하여 다발성수직절개술을 하고, 좌측으로 끼워 넣어서 단축시킴(telescoping)(그림 9-10A-D).
4. 고착된 비중격체만곡(septal body deviation)절제술. 미측 비중격을 우측에서 좌측으로 재배치술.
5. 비중격만곡에 부목을 대는 우측연전이식술.
6. 30X6mm 크기의 비배갑입이식술(dorsal inlay graft)을 상외측연골(upper lateral cartilage) 사이에 봉합(그림 9-10,E, F).
7. 비첨지지를 위한 18X3mm 크기의 각지주(crural strut)이식술.
8. 저-저위외측비절골술.
9. 양측하비갑개부분절제술.
10. 절개선의 봉합술. Doyle 부목 넣기. 외비부목 대기.

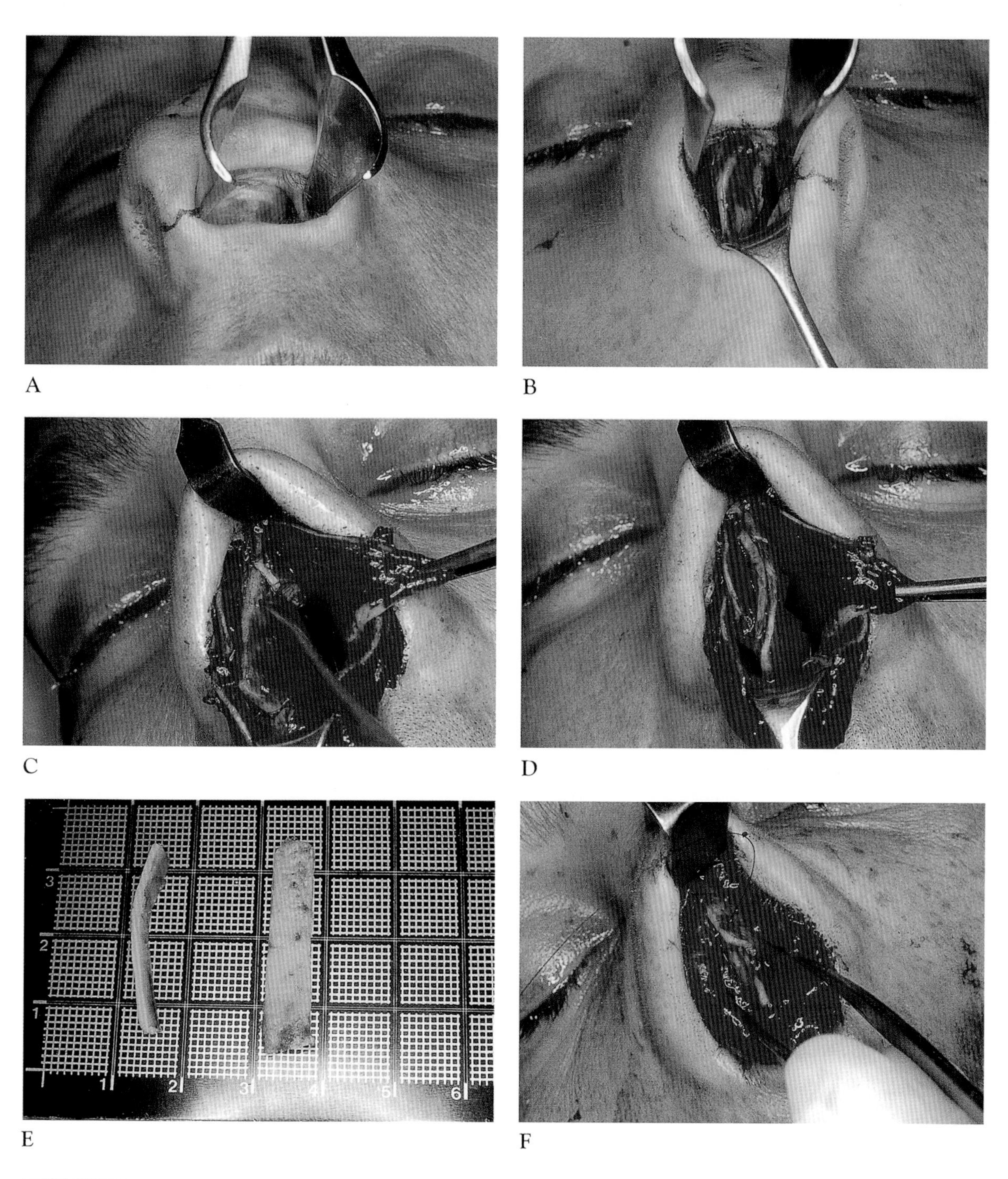

A B C D E F

그림 9-10

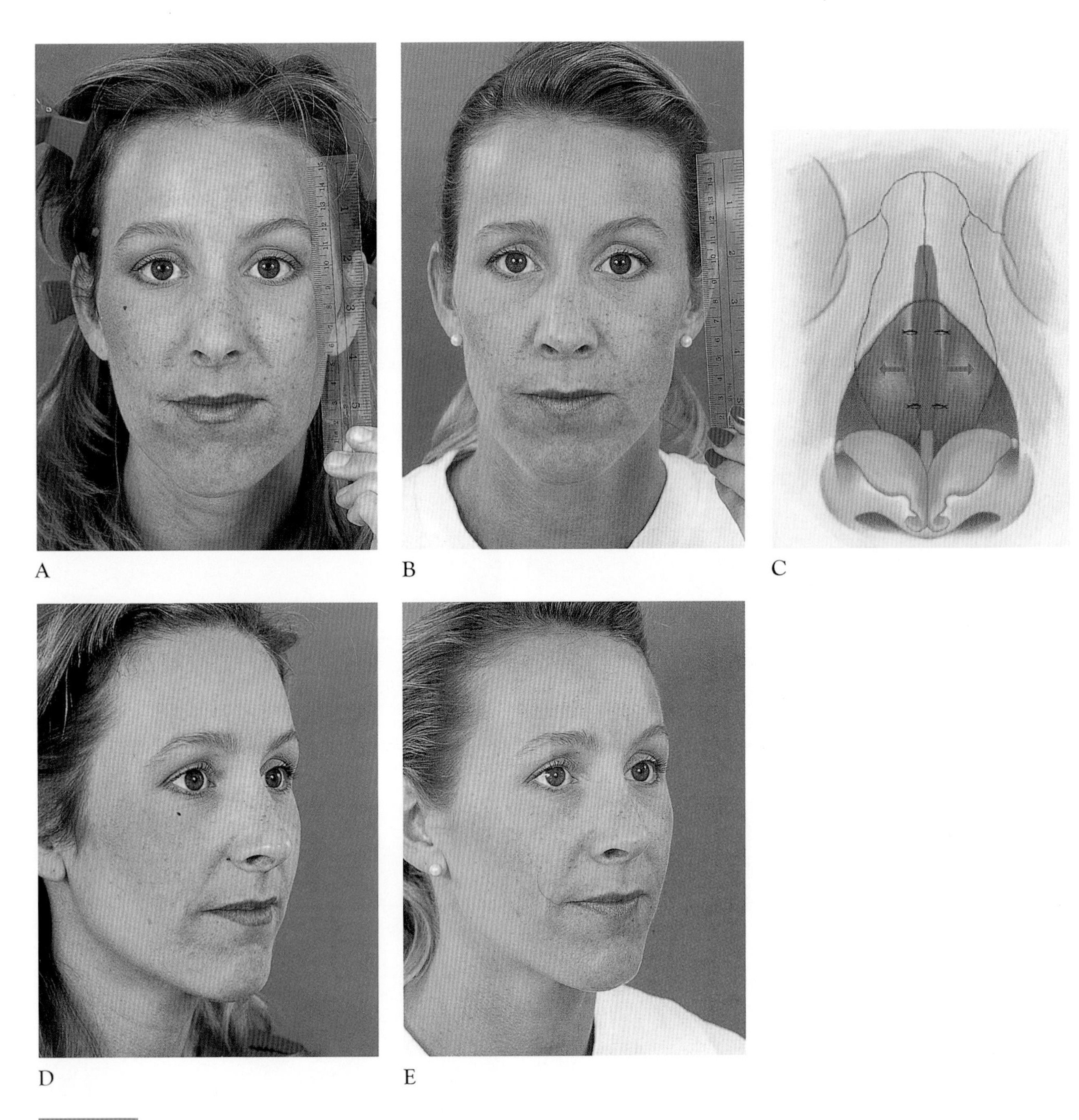


그림 9-11

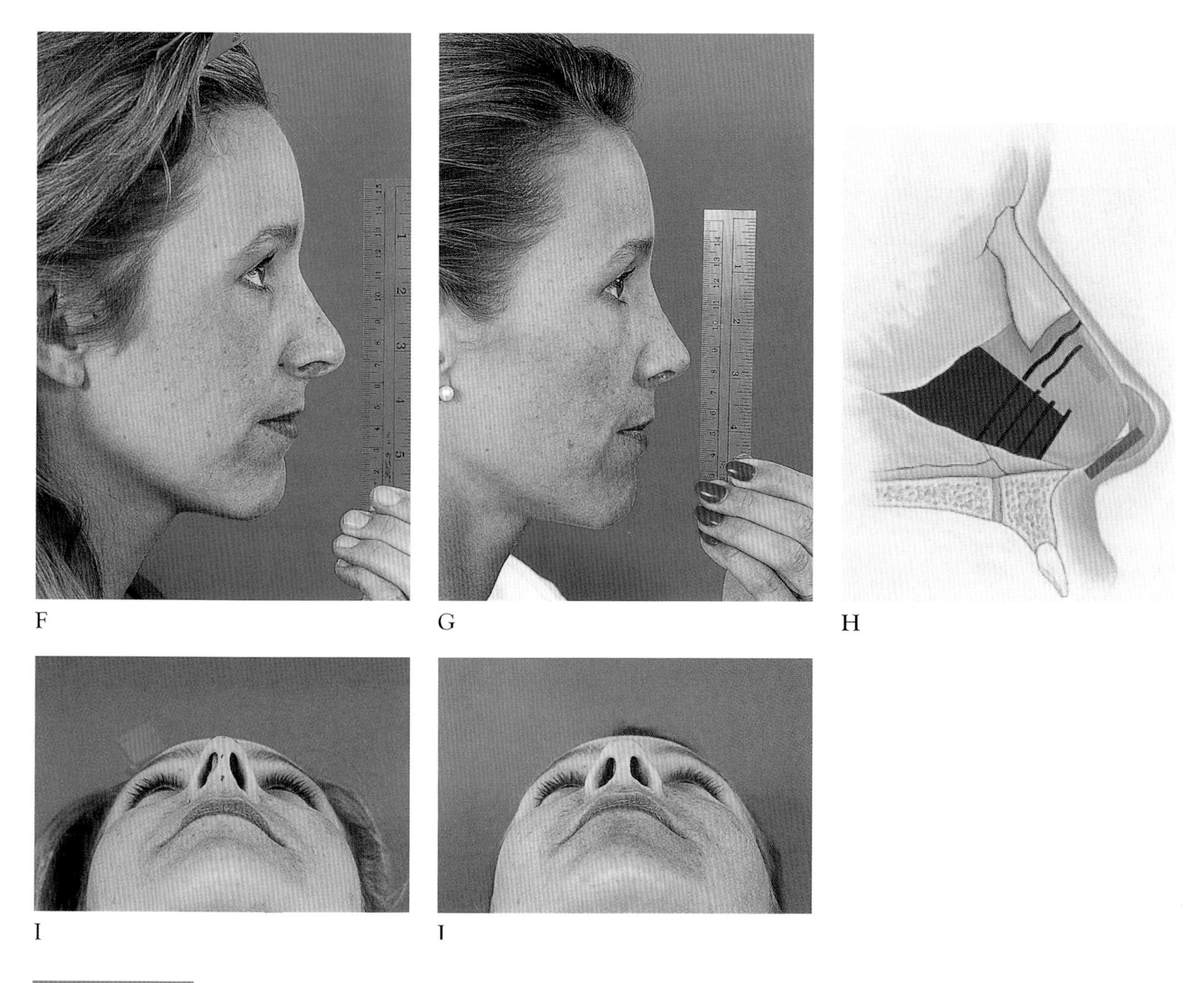


그림 9-11. 계속

## 논평

술후 3년에, 코는 바루어졌으며, 호흡도 개선되었다(그림 9-11). 이 증례에서 2가지 요점을 예증하였다. 첫째, 비배부 L형지주(dorsal L-strut)에 가한 비중격성형술의 수직절개술의 파괴적 효과, 둘째, 비배문제점을 교정하기 위한 개방접근술의 역할. 고위비배측비중격만곡(high dorsal septal deviation)은 폐쇄접근술로는 교정하기가 불가능하지만, 개방접근술을 하면 안정적이고 내구적 방식으로 교정하기가 더 쉽다. 순수한 비중격수술에서 개방접근술을 사용하는 것을 반대하는 분들이 아직도 있다.

## 증례 연구 비배축소술(Dorsal Reduction)

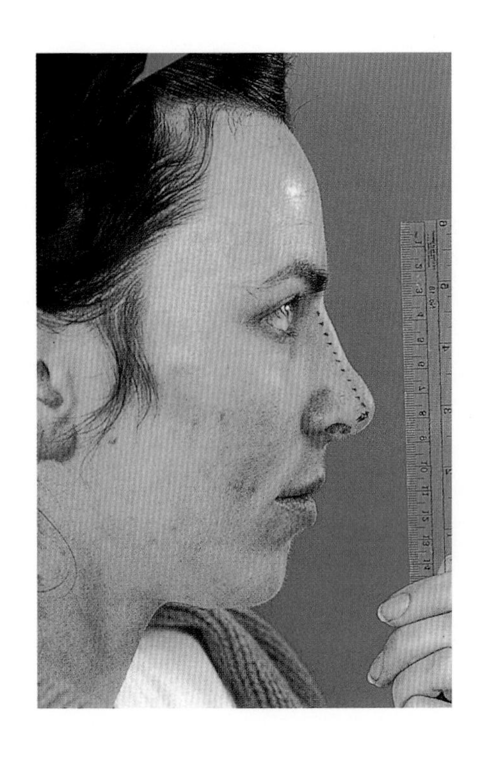

### 분석

28세 텔레비전 방송 진행자로서 6번째 비성형술을 받기 위하여 내원하였다. 세 명의 서로 다른 술자로부터 5번의 수술을 받았는데도 불구하고 코는 여전히 너무 크며, 원하는 코가 아니라고 느낀다고 하였다. 수술기록지를 통하여 알아보았을 때 2번째 수술에서 비근이식술을 받았으며, 5번째 수술에서 연조직에 의한 상비첨융기변형(soft tissue supratip polybeak)을 최소화하기 위하여 GoreTex 삽입물을 사용한 비배증대술을 받았다. 또, 좌측 비공이 폐쇄되어서 숨을 쉴 수 없었다. 철저하게 검사한 다음, 코를 더 작게 만들 수 있으며 호흡도 개선시킬 수 있지만, 더 나은 얼굴 균형을 위하여서는 턱끝증대술(chin augmentation)이 필요하다는 결론을 내렸다. 저자는 전번 수술로 남은 조악한 경비주반흔을 사용하는 개방접근술을 선호한다.

### 외과 수기

1. 전번 절개술로 남은 비주의 함몰 반흔의 절제술을 겸한 재개방.
2. 외피거상술. 연조직이 내성장한 GoreTex 이식물을 조금 어렵게 제거(그림 9-12A). 2.5mm의 연골비배축소술.
3. 4mm의 상비첨반흔절제술 후 비익연연골조각(alar rim strip)이 건재함을 발견.
4. 관통절개술과 비배접근술을 사용한 양방향 비중격 노출 결과, 미측 비중격의 완전 붕괴와 점막하비중격연골절제술(submucous resection, SMR)의 흔적 발견(그림 9-12B). 비중격연골의 상부와 하부로부터 연골채취술.
5. 미측비중격절제술. 좌측에 '대체이식물(replacement graft)'을 집어넣음(그림 9-12C, D). 우측연전이식술(spreader graft).
6. 각지주이식술 후 원개형성봉합술(domal creation suture)(그림 12-9E, F). 절제해낸 비첨이식물을 우측 두피에 저장.
7. 횡단비절골술과 저-저위외측비절골술.
8. 비후된 골을 포함한 양측하비갑개부분절제술. 절개선의 봉합술.
9. 턱끝밑절개술(submental incision)을 통한 중간 크기의 이물성형물의 턱끝삽입술(medium chin implantation)(비성형술 전에 미리 하였음).

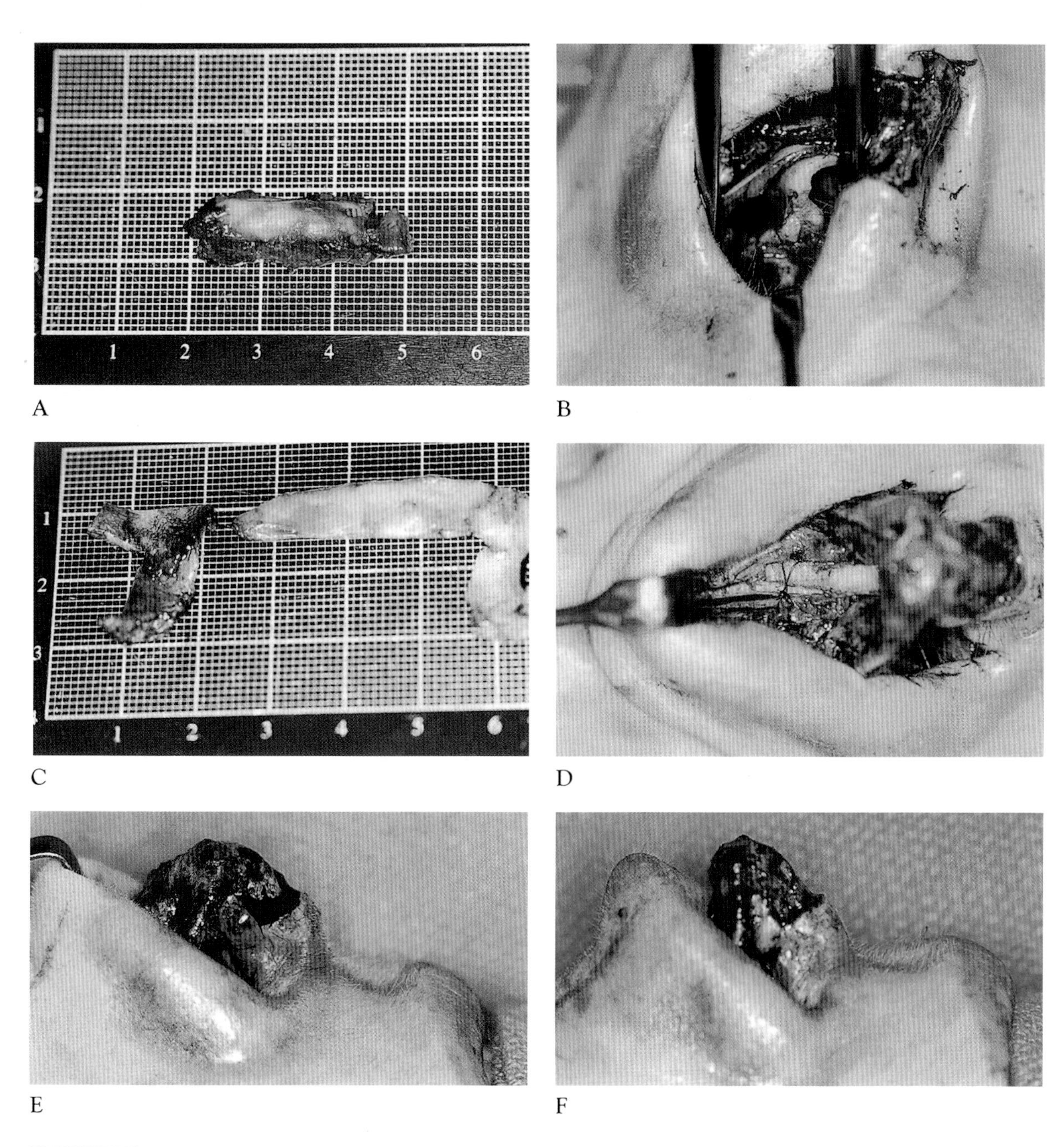

A B C D E F

그림 9-12

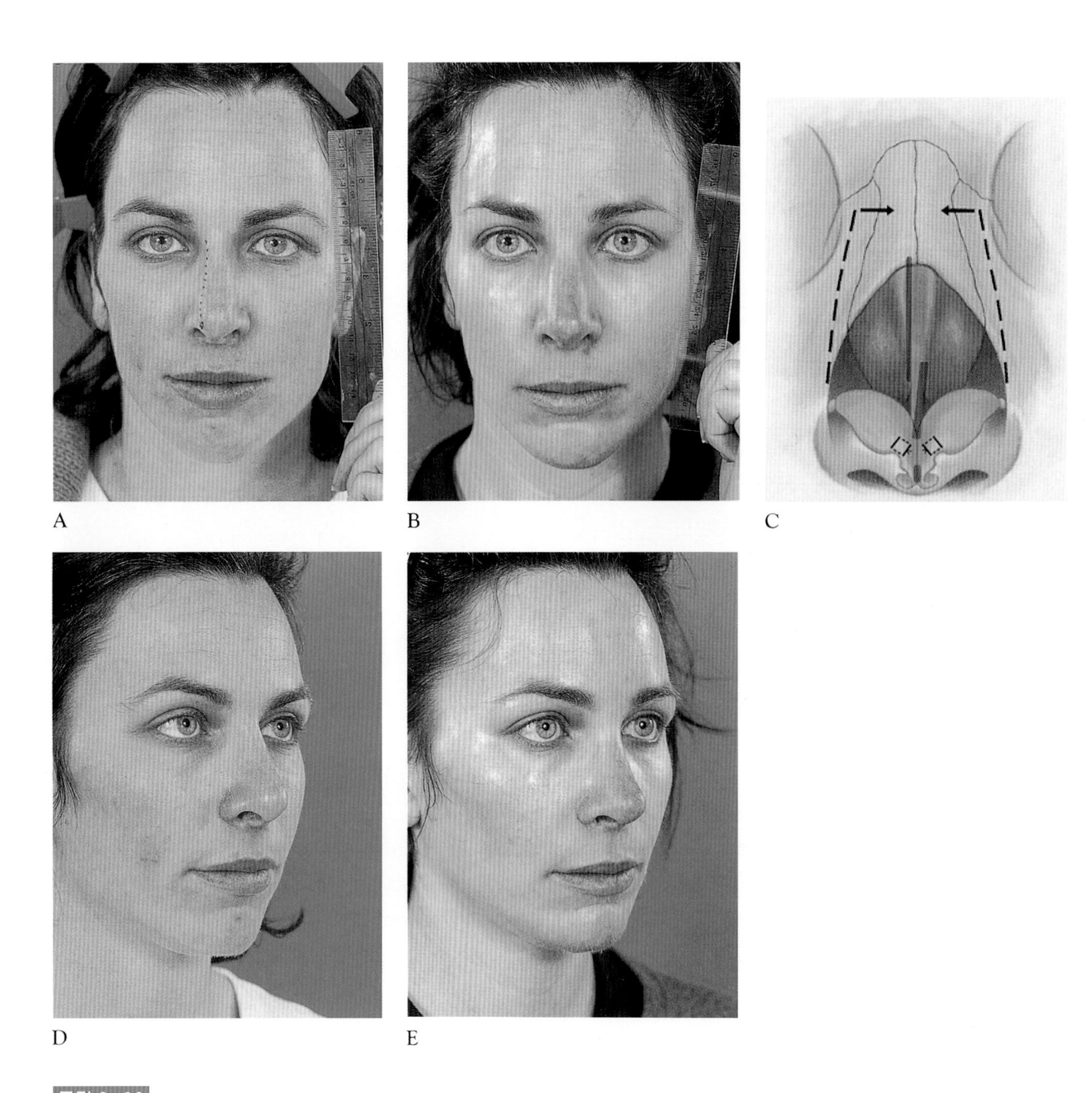


그림 9-13

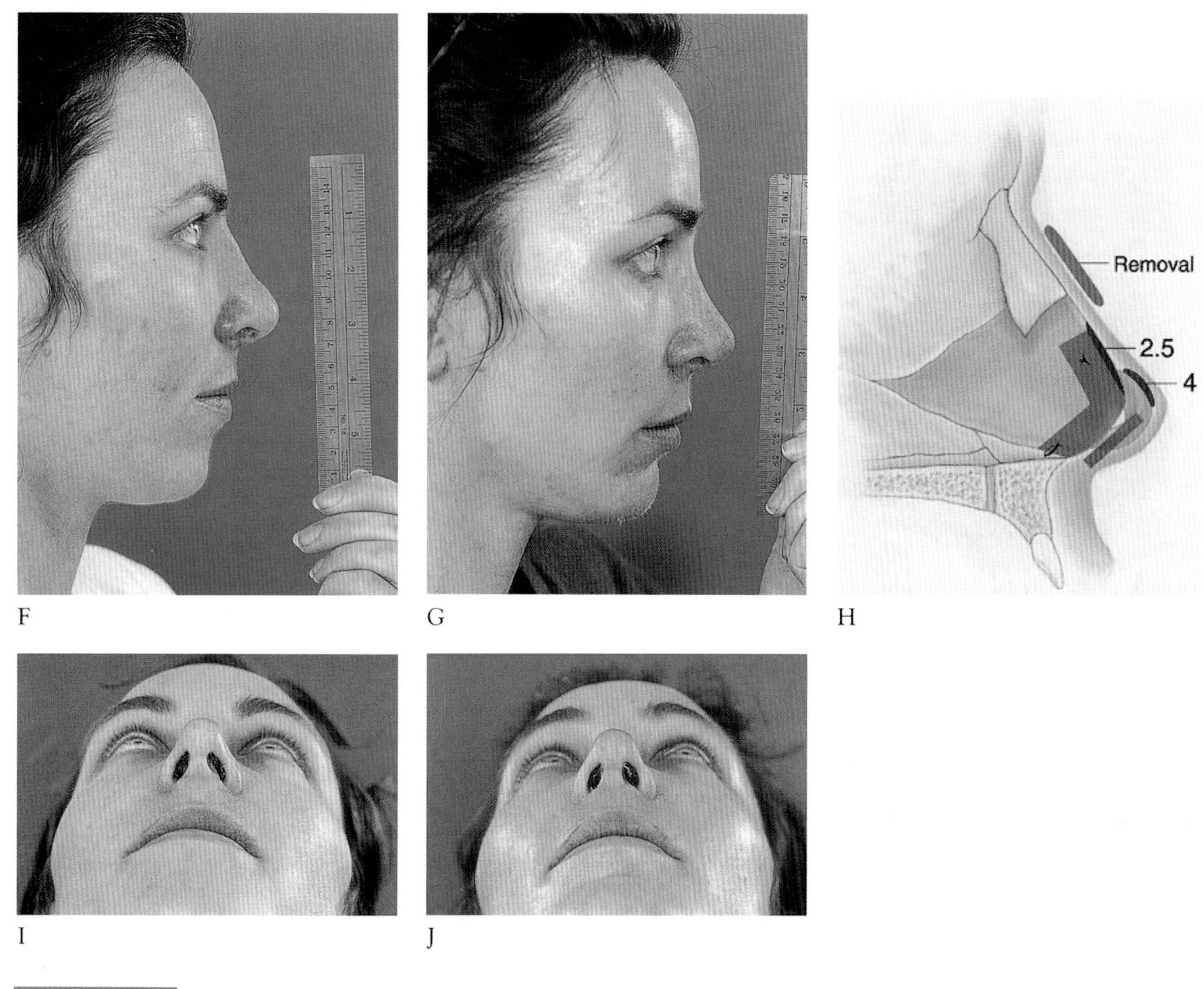


F G H I J

그림 9-13. 계속

## 논평

술후 3년에, 환자는 새로운 측면과 코로 숨을 쉴 수 있어서 대단히 만족해하였다(그림 9-13). 술전과의 큰 차이점은 비근 및 비배 축소와, 비근점의 시작점이 눈썹으로부터 상부 동공으로 이동한 것이다. 배울 만 한 수기적 요점들이 많았다. 1) 피부는 고정된 구조물이 아니다. 2) 비폐쇄는 5차례의 수술 후에도 여전히 교정될 수 있다. 3) GoreTex는 감염되지 않으면 제거하기가 쉽지 않다. 4) 전번에 점막하비중격연골절제술(SMR)을 받았더라도 비중격연골이 흔히 남아 있다. 5) 코의 기초는 피부가 수축되더라도 견고하여야 한다. 아마도 가장 중요한 것은, 매력적인 비배 측면선에 어울리는 부드러운 비-안면각을 가지는 작은 코를 기대하는 것이 이루어질 때까지 환자가 만족하지 않는 것일 것이다.

## 증례 연구 비배증대술(Dorsal Augmentation)

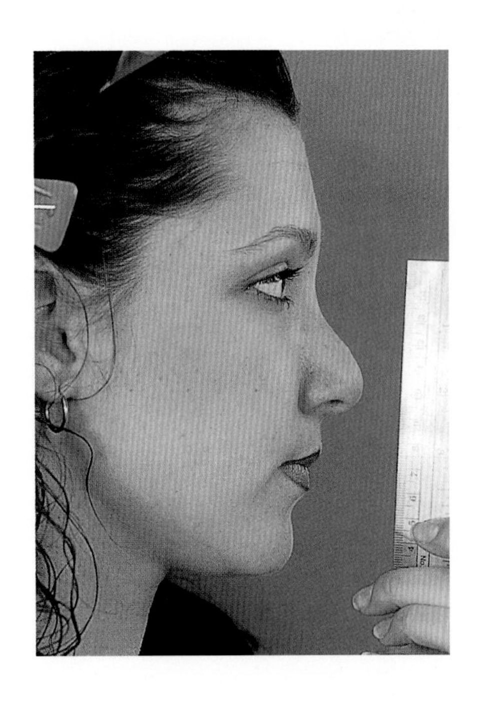

### 분석

18세 여성이 3번에 걸친 비성형술 후 비변형으로 내원하였다. 가장 최근의 수술은 3년 전에 받은 개방구조비성형술(open structure rhinoplasty)이었다. 임상사진 등의 자료에 의하면 술후 6개월에 결과는 우수하였지만, 점점 나빠진 것을 알 수 있었다. 분석 결과, 전형적인 3대 요소 즉, 낮은 비배, 연조직상비첨융기변형(soft tissue supratip polybeak), 그리고 비첨돌출 및 비첨정의의 결여를 나타내었다. 수기적 측면에서 비중격연골이 유용하지 않을 것이므로 가능하면 전번 수술의 이식물을 재사용하는 것과 함께 이개연골을 전체재건술에 사용할 것을 분명히 하였다. 개방비성형술을 계획하였다. 술후 3년의 결과로써 큰 비첨재건술의 정당성이 증명되었다.

### 외과 수기

1. 전번 수술의 경비주절개술과 연골하절개술을 사용한 개방접근술. 비첨 노출과 전번의 비첨이식물 제거.
2. 일측관통절개술로써 비중격을 탐사하여 소량의 비중격연골채취술.
3. 후면절개술(posterior incision)로써 양측이개연골채취술(그림 9-14A).
4. 두층의 이갑개연골(25×5mm)을 사용한 비배이식술(그림 9-14B).
5. 3조비첨재건술(tripartite tip reconstruction): 이갑개연골의 비첨이식술(concha tip graft), 비중격연골의 지주이식술(septal post graft), 그리고 이갑개연골의 상비첨이식술(conchal supratip graft)(그림 9-14C-F).
6. 절개선의 봉합술 후 비대칭비공상 및 비익저 동시절제술(우측 1.5mm/3mm, 좌측 3mm/3mm)
7. 비절골술은 안했음.

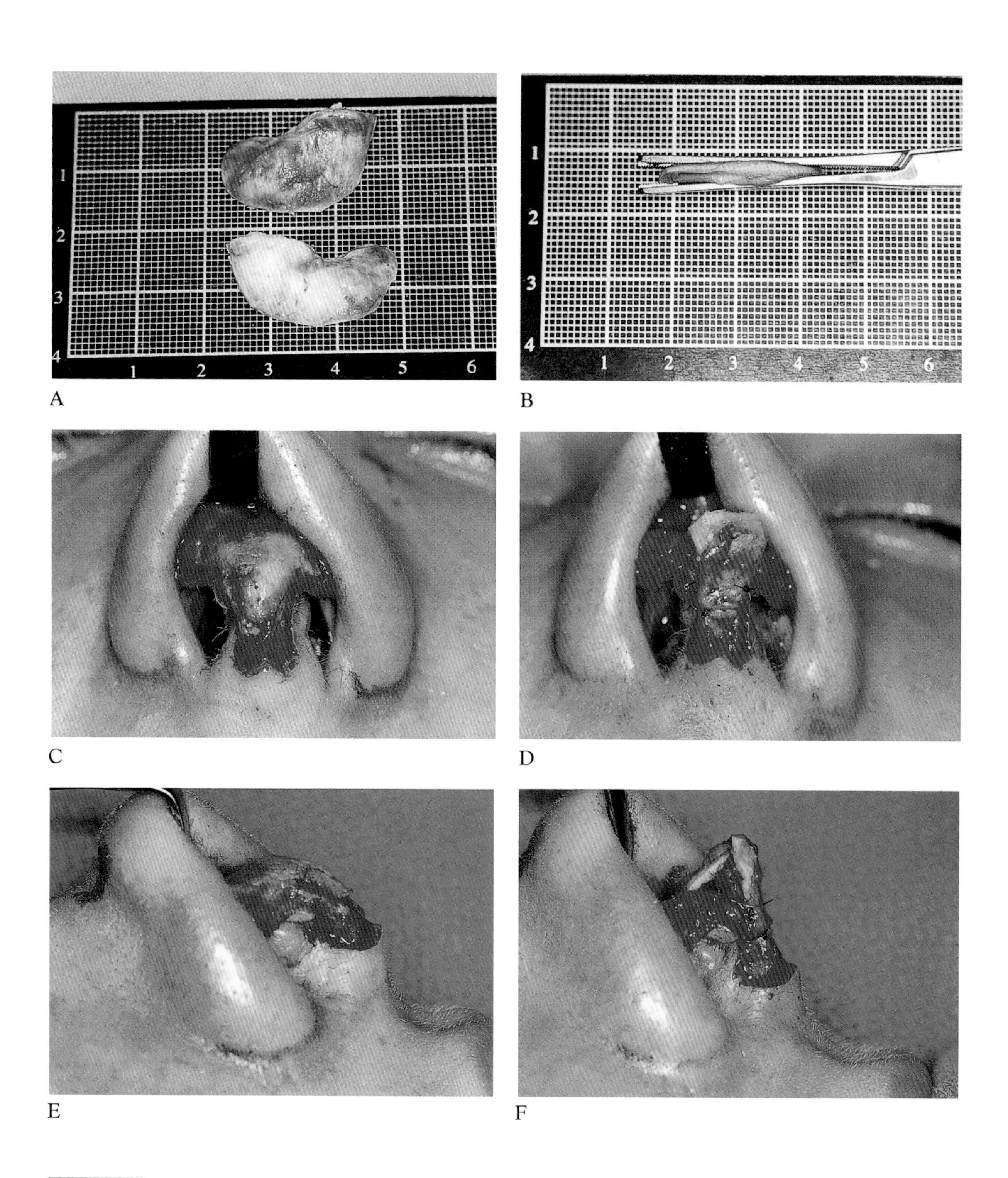


그림 9-14

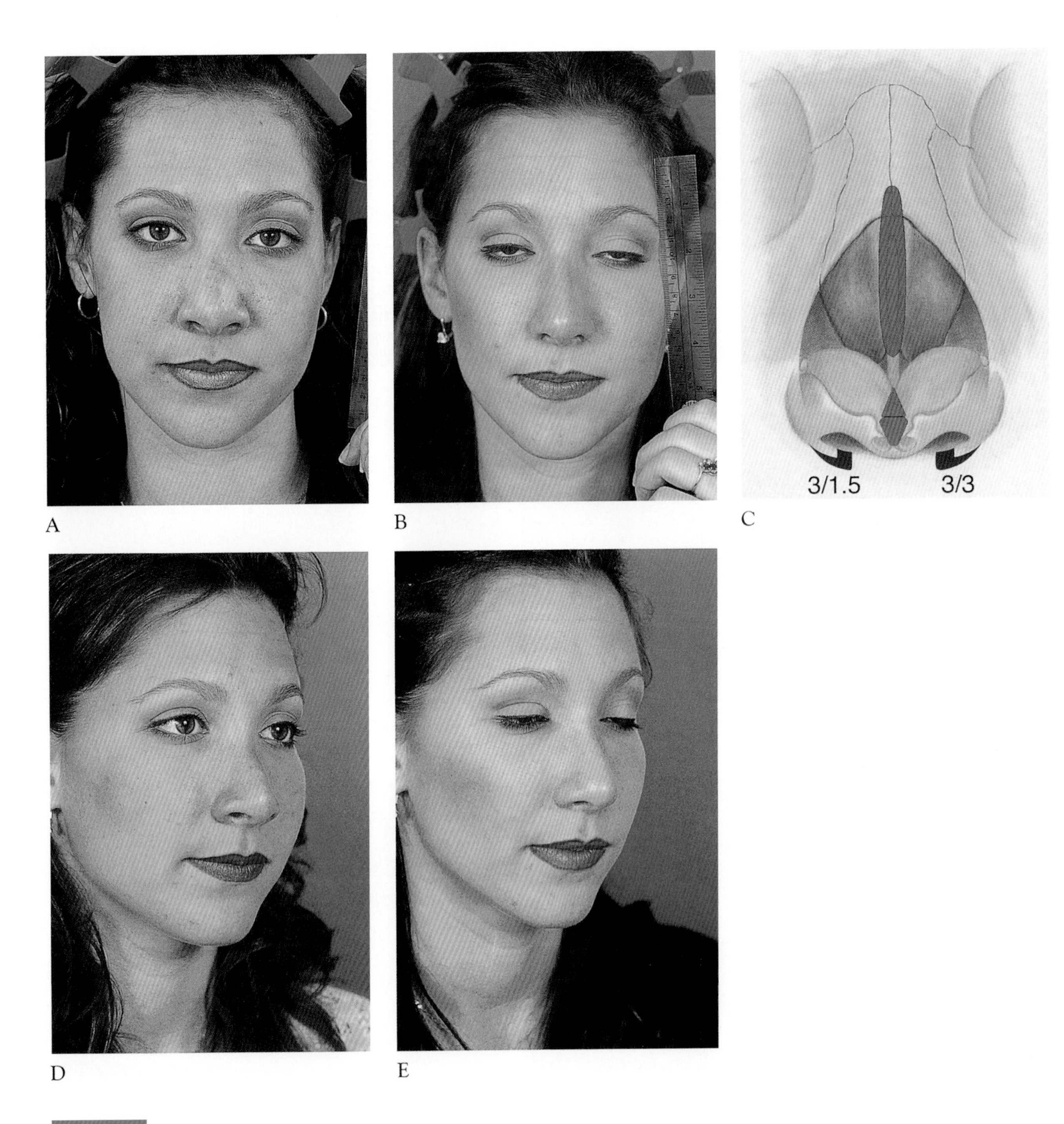


그림 9-15

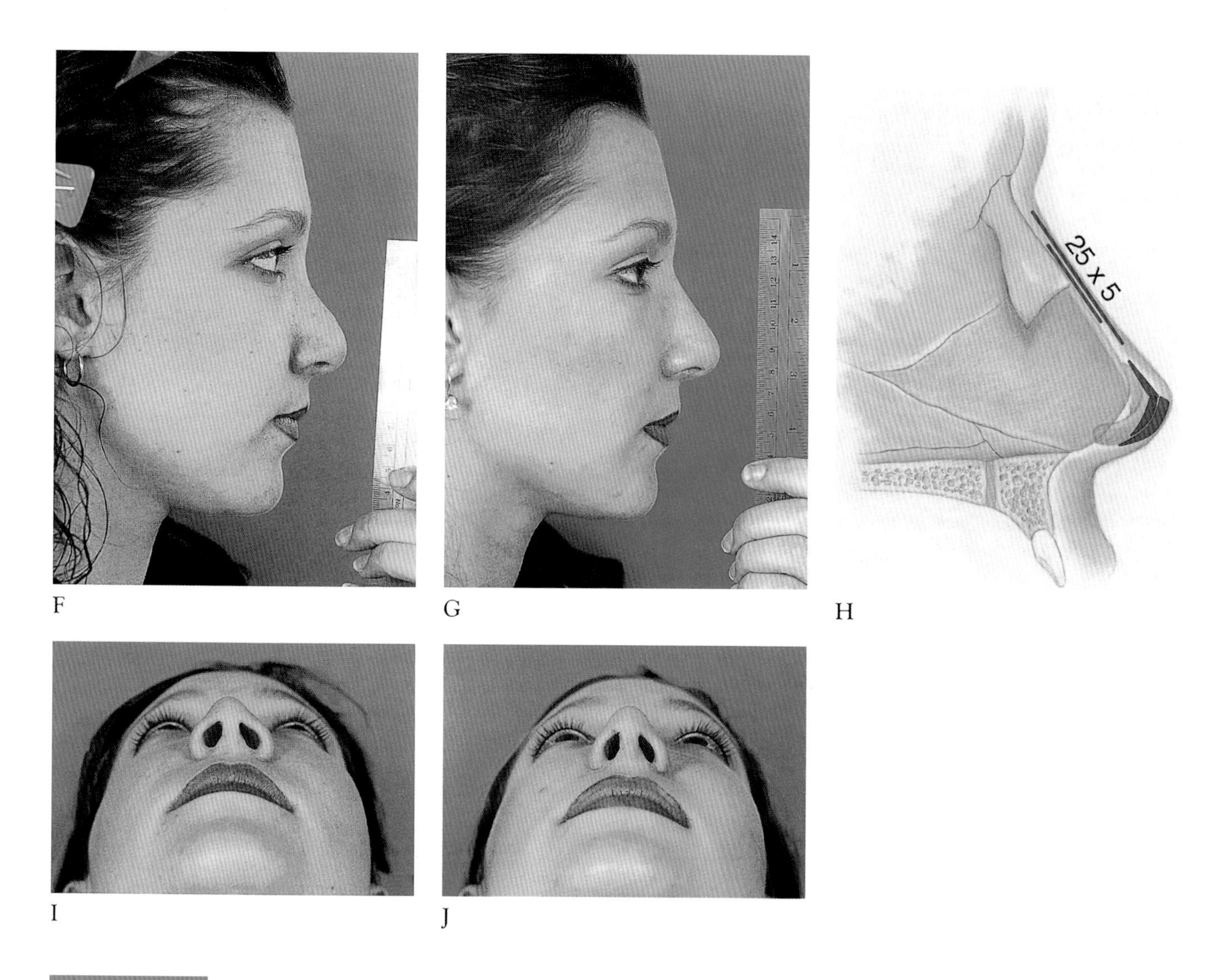


F G H

I J

그림 9-15. 계속

## 논평

이 증례에서 간단한 것은 아무것도 없었다. 왜냐하면 이 환자는 큰 변형을 가지고 있었으며, 최소한의 이식물밖에 없었으며, 우수한 결과를 가져올 가치가 있었기 때문이다. 이물성형물(alloplastic)을 사용한 비배이식술에 대한 유혹도 이해할 수는 있지만, 정당화 될 수는 없다. 그래서 모든 이식물은 이갑개연골로부터 얻어야 했다. 비배는 전형적인 2층의 이갑개연골을 사용한 Juri의 선형이식술(boat graft)을 하였으며, 비첨에는 2부분의 이갑개연골이식술과 이를 지지하기 위한 배경(backdrop for support)으로서 비중격연골이식술(septal post graft)을 하였다. 반흔이 심한, 남은 비익연골을 평가하거나 사용하는 등의 어떠한 시도도 하지 않았음에 유의하라. 상비첨반흔은 연골비배와 같은 높이가 되도록 파내었으며, 비첨반흔도 다듬어서 윤곽을 만든 뒤 비첨에는 이식술을 추가하였다. 술후 3년에 환자와 저자 모두 결과에 정말 만족하였다(그림 9-15).

## 비첨(Tip): 개관(Overview)

이차비첨성형술은 간단한 것에서부터 복잡한 것까지 다양하다. 증례의 15% 정도에서 내재 비첨은 이상적이라고 생각하며, 이 가운데 6%는 상비첨반흔조직절제술로써 좀 더 개선되었으며, 9%는 *외재*절제술(*extrinsic* excision)이나 봉합술을 사용하여 위치나 회전을 변화시킴으로써 좀 더 재위치 시켰다. 일단 이러한 증례들을 빼고 나면 비첨성형술은 다음의 이유 때문에 매우 어려워진다. 1) 전번에 상당량의 연골을 절제하였을 뿐만 아니라, 남은 연골에도 절개술을 하였다. 2) 연골의 왜곡과 반흔. 3) 피부외피의 손상과 반흔. 4) 정의상 이차비성형술에서 더 쉽고 간단한 비첨성형술은 제외하기 때문이다. 그러므로 일차비첨성형술의 60%에서 개방접근술을 사용하는데 비하여, 이차비첨성형술에서는 94%에서 개방접근술을 하는 것은 놀라운 일이 아니다. 이차비첨성형술에서 *개방접근술*이 정당화되는 명백한 해답은 볼 수 있으며, 분석할 수 있고, 사용할 수 있고, 그리고 꼭 필요할 때에만 남아 있는 비익연골에다가 이식물을 봉합 할 수 있기 때문이다. 이차비첨성형술의 72%에서 비첨지지를 위하여 비주지주(columella strut)이식술을 하였음에 유의하여야 한다.

### 분석

일차비성형술에서는 내재 비첨뿐만 아니라 비첨돌출과 비첨회전에 영향을 미치는 외재 요소를 평가한다. 이차비성형술에서도 비슷하게 분석을 시작하지만, 피부, 비주지지, 그리고 비익연형태 등의 추가적 요소도 분석한다. 내재 비첨으로 시작하는 일차비첨성형술의 분석과는 달리, 대부분의 어려운 이차비첨성형술의 분석은 비저로부터 시작하여 두측으로 올라갔다가 비배에서 다시 내려와서 비첨정의에서 끝난다. 비첨 미측회전이 좋은 예로서 전번 수술에 의한 의존비첨(dependent tip)을 흔히 마주친다. 전번 수술에서 한 미측비중격절제술(caudal septal resection)의 문제점은 원개분절(domal segment) 사이도 분리시켰고 피부외피가 두꺼우면 흔히 더 복잡해진다. 이것의 해결책은 비익연골을 지지하기 위한 큰 비주지주이식술, 두꺼운 피부를 통하여 보이는 단단한 비첨이식술, 그리고 비첨회전을 위한 비주-비중격봉합술(columella-septal suture)이다. 비익연골과 '내재 비첨'은 지지하는 두루마리(supporting roll)로서 역할만 할 뿐이다.

### 절제술(Resection)과 재위치술(Repositioning)

가장 전형적인 절제방법은 내재 비첨을 돋보이게 하기 위하여 비익연골 및/또는 반흔조직을 절제함으로써 본질적으로 '용적축소술(volume reduction)'을 하는 것이다. 비첨에 선을 그어서 이를 점막표시기(mucosal marker)로써 점막내층으로 옮긴 다음, 연골내절개술을 통하여 절제한다. 흥미로운 변법은, 개방접근술을 통하여 잉여 조직을 절제하고, 아래에 놓인 '구형반흔(scar ball)'을 뚜렷한 비첨이 되도록 모양을 내는 것이다. 비첨재위치술은 절제술 및/또는 봉합술을 하는 것이다. 변형된 외재 구조물을 정상이 되도록 절제한 다음, 비첨-비소엽복합체(tip/lobule complex)를 비배에 대하여 회전시키거나 돌출시키기 위하여 봉합술을 하는 것을 말한다. 이차비첨성형술에서 봉합술은 진성의 구조적 고정이 되도록 정말 튼튼하여야 한다.

### 비첨봉합술(Tip Sutures)

의심의 여지없이, 가장 놀라운 것은 남아 있는 비익연골을 다른 이식물로써 교체하기(40%)보다 봉합(45%)할 수 있었던 것이다. 세 가지 표준봉합기법인 각지주봉합술(crural strut suture), 원개형성봉합술(domal creation suture), 그리고 원개등화봉합술(domal equalization suture)을 가장 자주 사용하였으며, 비첨돌출과 비첨회전을 위한 봉합술도 때때로 사용하였다. 봉합할 수 있음은 분명히 용적 축소를 의미하는 것이지만, 이 방법으로 용적 축소가 되지 않으면 다른 절제술을 일차적으로 사용하였다. 아직도 여러 경우에서 원개가 분리된 보편적인 비첨은 봉합술로써 교정하여 모양을 낸다. 또, '주먹결절형' 원개(domal 'knuckle')를 절제한 다음, 부드러운 원개 곡선을 만들려고 함이 없이 '고딕 양식의 아치형(gothic arch)'으로 봉합한다. 남아 있는 비익연골을 봉합할 수 있고, 또 연조직외피(soft tissue envelope)가 비첨을 표현하게 해줄 수 있다면 봉합술이 최선책이다. 만일 그렇지 못하면 비첨이식술이 필요하다[4].

### 비첨이식술(Tip Grafts)

폐쇄접근술에서는 1례에서도 하지 않았지만, 40례 모두 *개방*접근술로써 37례는 방패형비첨이식술(shield-shaped tip graft), 3례는 중첩비첨이식술(重疊鼻尖移植術, onlay tip graft)을 하였음이 흥미롭다. 비첨이식술은 구성(첫째로 비중격연골, 둘째로 이갑개연골), 모양(둥글거나 예리하게), 그리고 위치(돌출형, projected; 일체형, integrated)에서 대단히 다양하게 하였다. 적응증은 두꺼운 피부외피 아래에서 추가적인 정의가 필요한 증례, 변형된 원개에서 강조가 필요한 증례, 그리고 절제한 원개와 외측각의 교체물이 꼭 필요한 증례였다. 특정한 기법을 선택해야 하는데 어려움이 있고, 가능성이 무한한 일차비첨이식술과는 달리, 이차비첨이식술에서는 남아 있는 해부학적 구조 때문에 궁지에 몰린다. 일차비첨이식술보다 선택도 줄어들고 대안도 거의 없지만, 목표는 꼭 같다.

## 두꺼운 피부 (Thick Skin)

두꺼운 피부는 비첨정의와 바람직한 측면선 둘 다를 이루는데 큰 제한 요소라고 언제나 생각하였다. 수년 동안, 공포의 상비첨매부리코(supratip polybeak)는 아래에 놓인 구조물의 과대절제보다는 반흔이 원인이라고 생각하였다[19, 21]. 해결책은 일차비첨성형술에서는 축소술을 제한하고, 이차비첨성형술에서는 과대절제술에 대하여 이식술을 하는 것이었다. 그러나 현재의 해결책은 이와는 정반대로서, 비록 환자가 원하는 것보다 더 크더라도 바람직한 모양을 얻기 위해서는 '수축되지 않는 피부(irreducible skin sleeve)'에 대하여 연골이식물로써 채워야 하는 것이다(454쪽 참고). 저자의 경험에 의하면 두꺼운 피부를 취급할 때 도움이 되는 3가지 요소가 있다. 첫째, 피부의 3가지 특징인 두께, 크기, 그리고 탄성(compliance)을 구별하여야 한다. 둘째, 폐쇄접근술에서는 피부가 '꼭 끼는 포켓(tight pocket)' 처럼 고정되도록 해주는데 비하여, 개방접근술은 피부를 '재배치(redraping)' 되게 한다. 각각의 이식물을 꼭 끼는 포켓에 이식하면 포켓 사이의 피부는 고정되지, 재배치되지 않는다. 셋째, 문제점에 단계적으로 접근한다. 즉, 반흔절제술을 한 다음, 피부를 재배치시킨 뒤 피부절제술을 한다. 기본 개념은 피부구축(skin contracture)을 겁내기보다는 만들어 둔 비첨과 비배의 튼튼한 구조를 나타내도록 피부를 이용하는 것이다.

## 반흔절제술(Scar Excision)과 피부재배치술(Skin Redraping)

상비첨의 반흔이 심하면 저자는 비익연골에 근접하고 있는 층보다는 *피하층(subcutaneous plane)*으로 박리하는 경향이 있다. 이때, 장점은 피부외피의 두께를 정확하게 유지하면서 상비첨반흔을 절제하거나 조각할 수 있는 것이다(그림 9-16). 그러나 대부분의 증례에서 피부외피의 아래면을 깍기 위하여 가지 않고도 비익연골 위에서 연조직을 절제할 수 있다. 후자는 비첨피부를 얇게 하고, 왜곡시키고, 심지어 가피(slough)를 만들 위험이 있다. 남아 있는 비익연골이 최소인 심한 증례에서는 상비첨반흔을 조각한 다음, 비첨이식물을 반흔조직에 바로 봉합한다. 대부분의 증례에서 코피부를 연골원개 위로 넓게 박리하면 피부를 외측으로 재배치시키게 해주므로 폐쇄접근술에서 생기는 주름진 상비첨(bunched supratip)을 피할 수 있다.

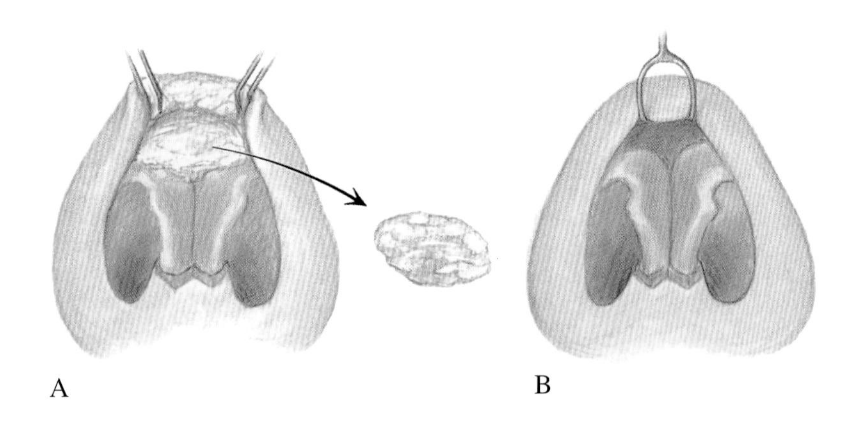

A　　　　B

Supratip Scar Excision

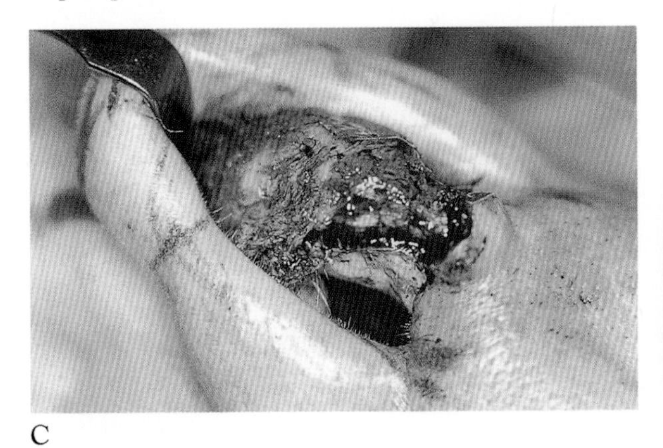

C

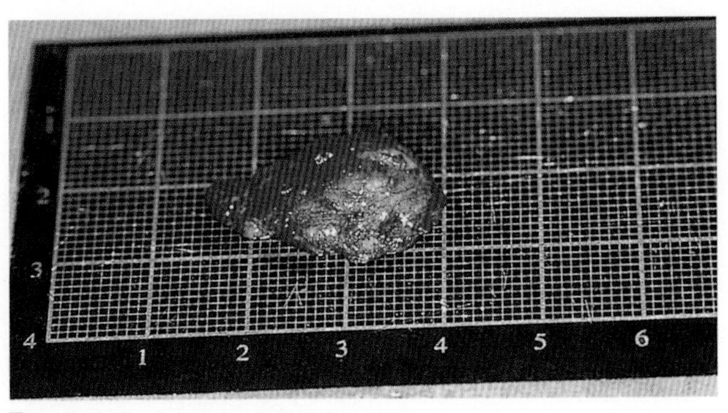


D

## 최대재배치술(Maximum Redraping)

피부외피의 크기가 증가하기 때문에 재배치도 현저히 연장되어야 한다. 기본 개념은 코피부를 외측으로, 뺨으로 이동하도록 해주는 것이다. 상외측연골의 외측 경계로부터 비-안면구(nasofacial groove)를 지나서 동공까지, 심지어는 외안각(lateral canthus)까지 박리한다(그림 9-17). 코 밖으로 멀리 박리한 다음, 큰 협부이식물을 위한 포켓을 만들 때처럼 양측협부절개술(bilateral buccal incision)을 하고 골막하박리를 한다. 코포켓과 협부포켓이 서로 넓게 연결되어서 피부의 재배치를 가능하게 한다.

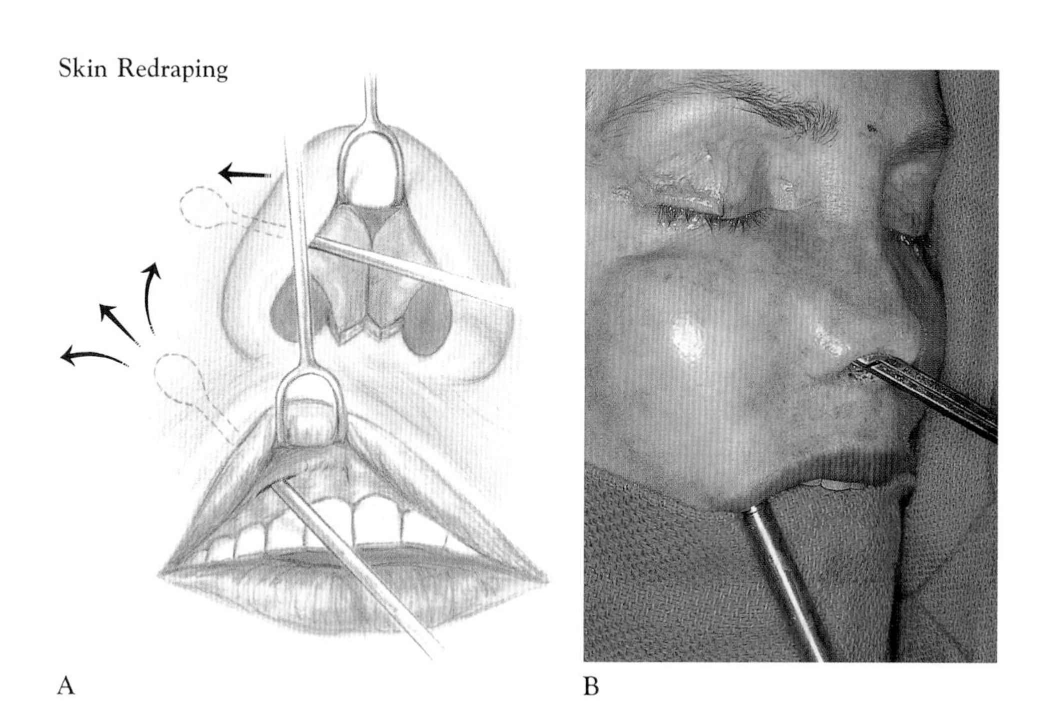


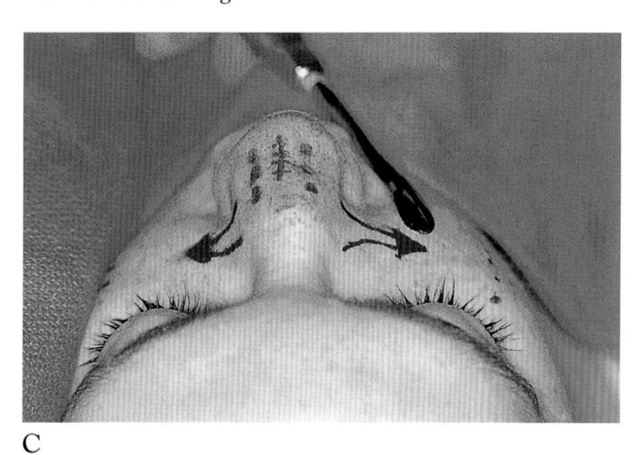


그림 9-17

## 직접절제술(Direct Excision)

드물지만, 피부외피에 심한 반흔이 있으면서 탄성이 없는 증례가 있다. 유일한 해결책은 직접 피부절제술을 하는 것이다. 미간절제술은 노인에서 비첨을 두측회전시키기 하여 다양하게 고안되었지만, 비첨 및 상비첨에서 상비첨피부절제술은 반흔을 반듯이 남긴다(그림 9-18). Sheen과 Peck은 그들이 비첨이식술을 사용함에도 불구하고 직접절제술에 대하여 고찰한 것이 흥미롭다. 레이저절제술이 대안일 수 있다.

Direct Excision

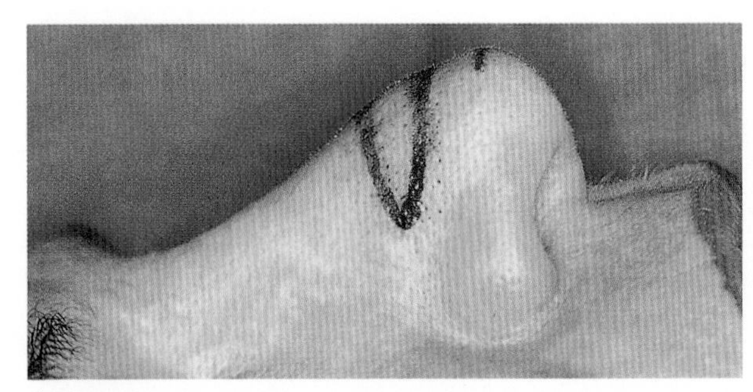

A

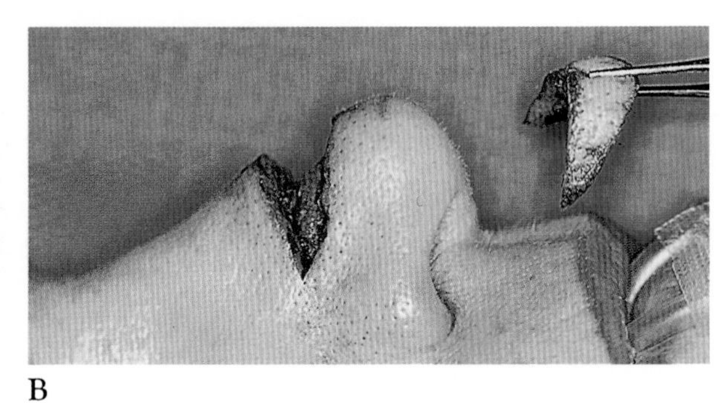

B

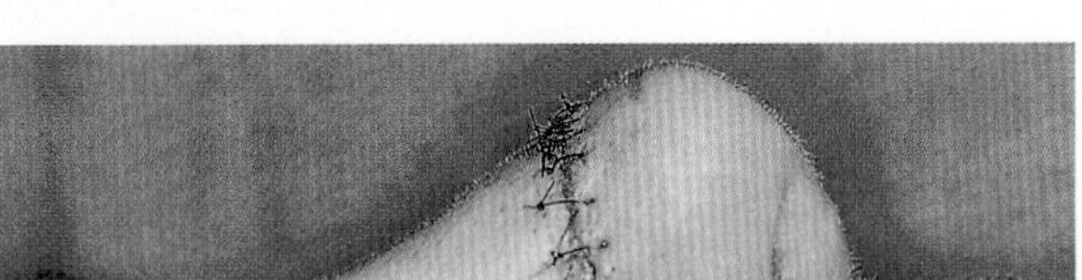

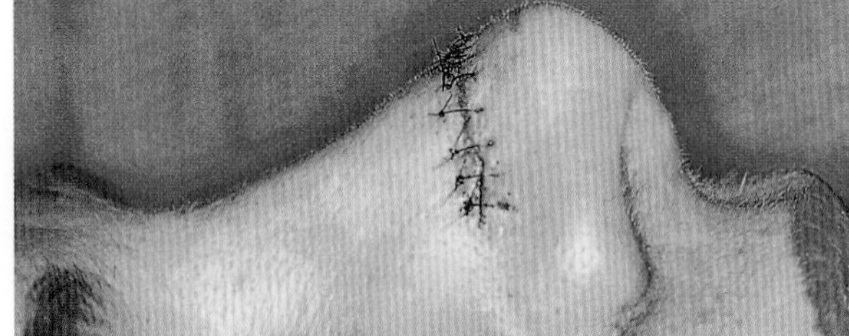

C

그림 9-18

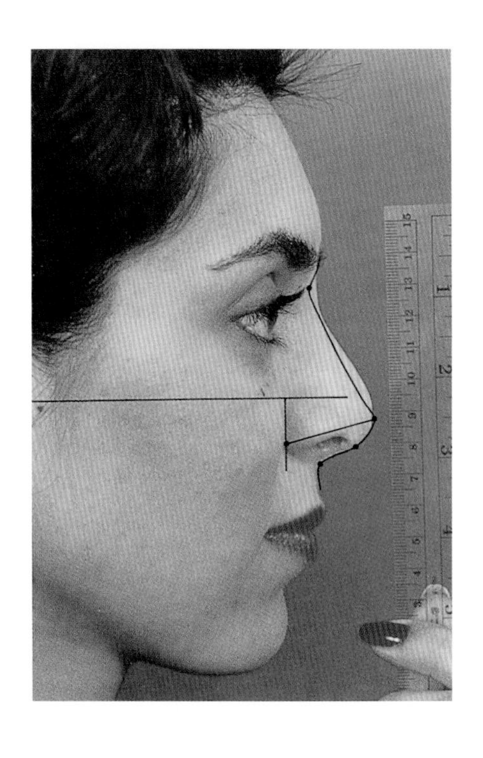

## 분석

27세 소매상인이 전번에 3번의 비성형술을 받았다. 즉, 첫째 큰 폐쇄비중격-비성형술, 둘째 진성의 개방이차비성형술, 셋째 작은 폐쇄재수술(closed revision). 저자에게 왔을 때 코가 여전히 너무 크고, 비첨이 변형되었음을 호소하였다. 검사 결과, 좌측 비익피부와 비익주름의 반흔뿐만 아니라 비첨피하이식물이 만져졌다. 유용한 임상기록지를 통하여 피하탈지술(subcutaneous defatting procedure) 후 steroid 주사를 한 사실을 알았다. 두꺼운 피부외피 아래에서 비첨정의가 없는 것이 일차 불만이었으므로 개방구조비첨성형술(open structure tip plasty)과 피부재배치술을 계획하였다(그림 9-19).

## 외과 수기

1. 전번 절개술인 경비주절개술과 연골하절개술.
2. 이중보호절골도(double-guarded osteotome)를 사용한 비근골축소술(radix bone reduction).
3. 최소한의 비배축소를 하는 점증성비배축소술(incremental dorsal smoothing): 줄질로써 골, 수술도로써 연골.
4. 전비극 및 미측비중격하부1/2윤곽교정술(contouring).
5. 양측관통절개술을 통한 비중격성형술과 비중격연골채취술.
6. 25×4mm 크기의 각지주이식술 후 3층으로 쌓아올린 비중격을 사용한 비첨이식술.
7. 비-안면구(nasofacial groove)로부터 코를 지나서 반대쪽의 비-안면구에 이르는 광범위한 박리.
8. 모든 절개선의 봉합술. 내비부목 넣기. 아크릴 부목 대기.
9. 비첨연골절제술, 비절골술, 그리고 비익저절제술은 하지 않았음.

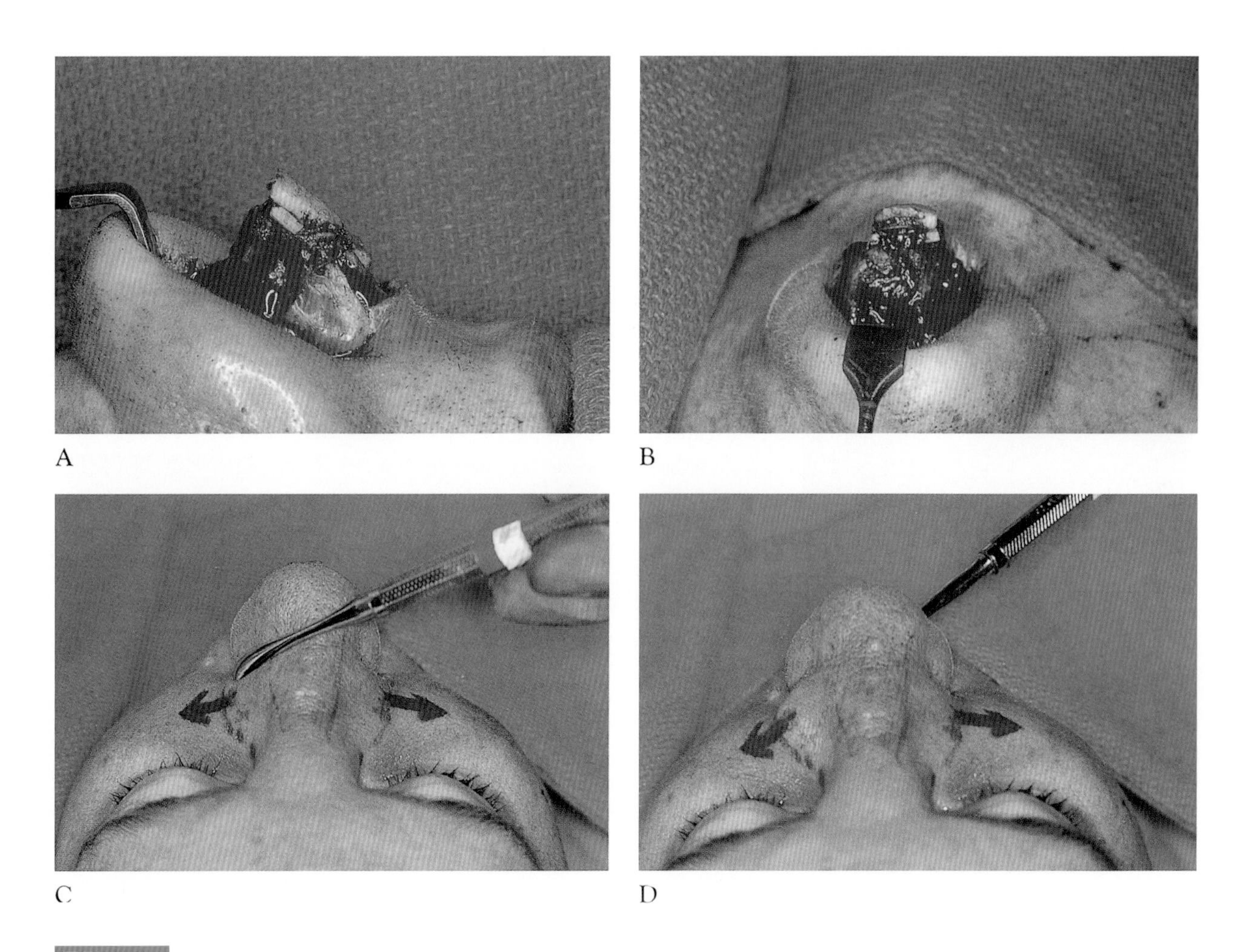


그림 9-19

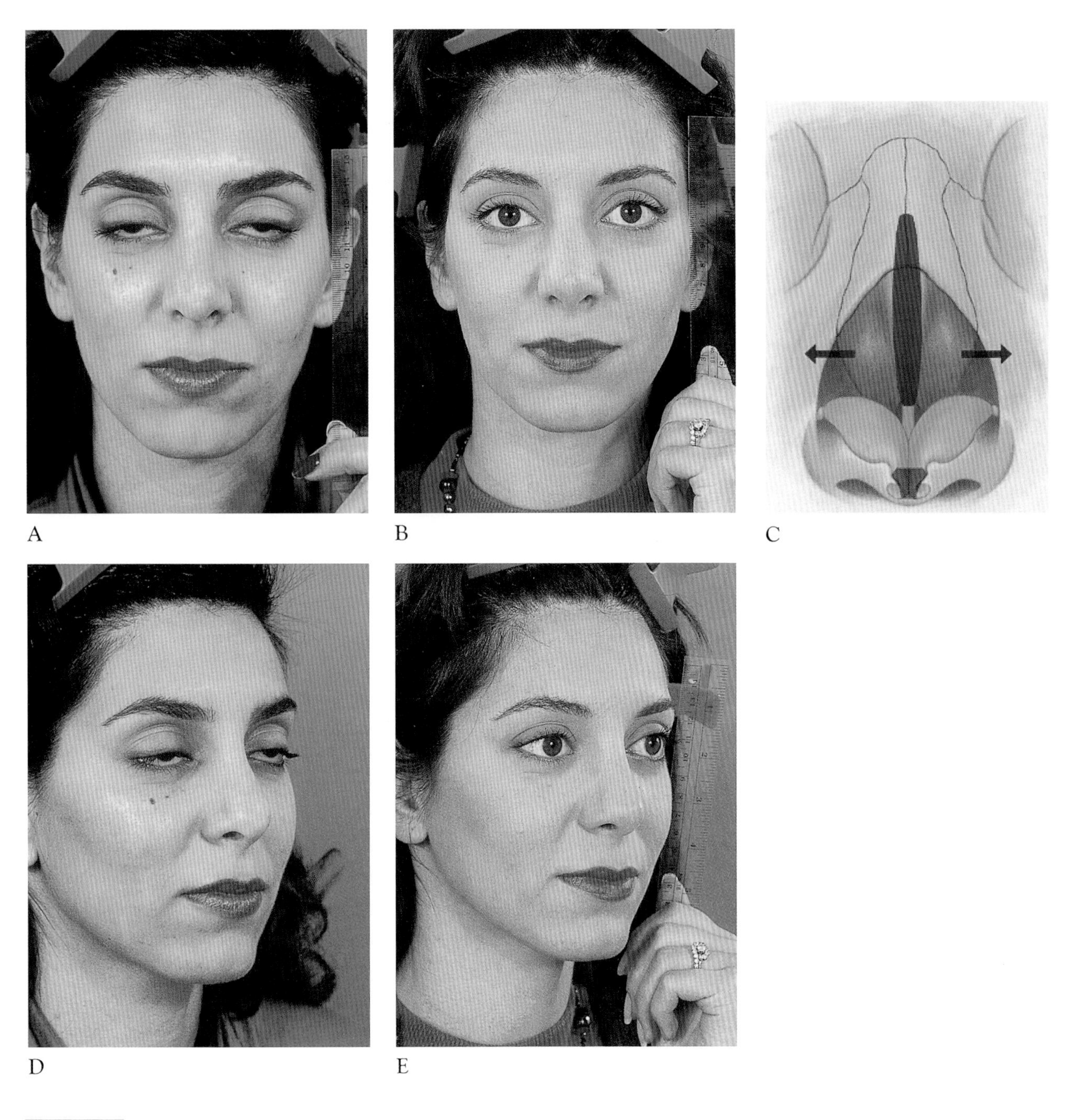

그림 9-20

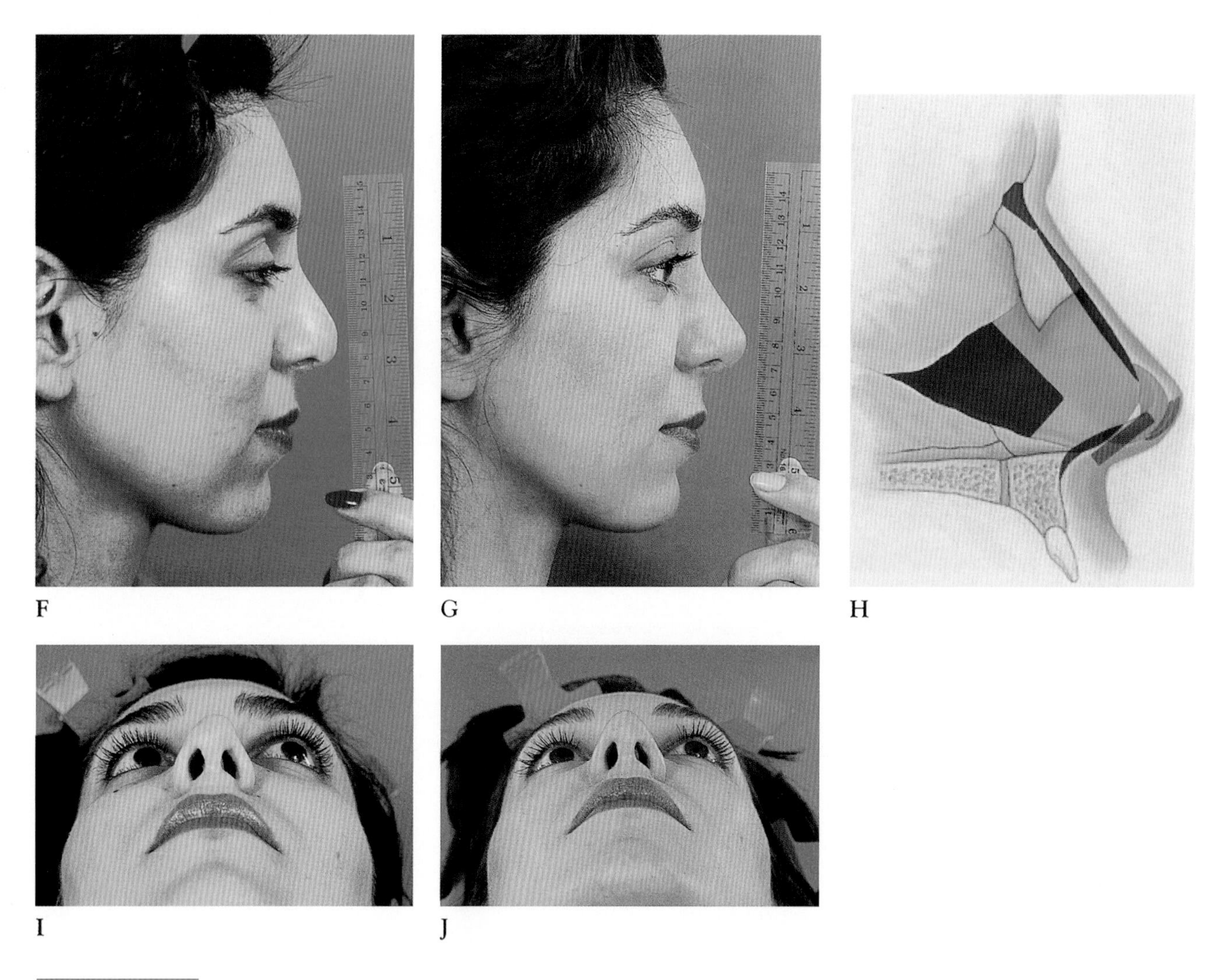


그림 9-20. 계속

## 논평

술후 4년에, 환자는 더 이상 은둔하지도 않았으며, 자기 코에 대하여 정말 행복해 하였다(그림 9-20). 이 증례는 과감한 탈지술(defatting procedure)과 steroid 주사에 의한 연조직외피 조작이 무익함을 예증하고 있다. 이렇게 연조직외피를 얇게 하는 기법은 정말로 흔히 주름과 반흔이 있는 피부외피를 만듦으로써 비첨정의를 없애 버린다. 만일 두꺼운 피부외피를 통하여 비첨정의를 얻기를 원하면 튼튼한 하부 구조물을 제공하여야 한다. 이 환자는 전번에 다른 술자들로부터 피부외피를 채우기 위한 두개관골이식술(cranial bone graft) 또는 상비첨부의 직접피부절제술이라는 대안으로써 수술 받으라는 제안을 받았음을 밝힌다. 대조적으로, 튼튼한 비첨이식술은 이러한 2가지 극단적인 대안으로써 수술하지 않더라도 비첨정의를 만들 수 있게 해준다.

## 얇은 피부 (Thin Skin)

두꺼운 피부는 이차비성형술에서 큰 토론 대상이긴 하지만, 반흔이 있는 얇은 피부가 술자의 마음에 공포를 느끼게 한다. 그 이유는 아주 간단하다. 즉, 모든 불완전함이 보이며, 아무 것도 가릴 수 없기 때문이다. 또, 문제점을 교정하기 위하여 선택할 방법이 거의 없을 뿐만 아니라 흔히 부적절한데, 피부 자체가 손상되었으면 더욱 그러하다. 기본적인 수술 진행은 박리층, 충전(padding), 피부펴기(relining), 그리고 교체술(replacement)이다. 교체술은 비성형술로 인하여 소손(燒損, burned out)되고 몹시 괴롭힘을 당한 환자들에게 주의를 돌리는 수술이다. 이러한 증례들에서 또 다른 이차비성형술을 하기보다는 전두피판술(forehead flap)로써 비재건술을 할 필요가 있다. 저자는 39세의 나이에 40번째 비성형술을 원하는 환자를 보았다! 많은 상담을 한 다음, 비재건술을 위하여 환자를 Gery Burgett에게 조회하였지만, 다른 동료 술자에게 가서 우산형비첨이식술(umbrella tip graft)을 받았다.

### 박리층(Dissection Plane)

얇은 피부를 가진 환자에서는 아래에 놓인 연골에 밀접하여 박리하는 것이 중요하다. 회색의 반흔조직이 더 흔히 보이더라도 가능하면 희고 빛나는 연골을 보아야 한다. 가능하면 언제나, 외측각과 원개에서는 면봉으로써 무디게 박리한다. 64번 Beaver 수술도로써 예리하게 박리할 필요도 흔히 있다. 박리는 피부관통을 피하기 위하여 천천히 그리고 세심하게 하여야 한다. 만일 현저한 피부관통이 발생하면, 피부봉합술로써 조심스럽게 닫는 것이 가장 좋은 복원술이다. 피부관통이 발생하지 않았다고 모른 체함으로써 이차치유(secondary healing)되어서 전보다 더 나쁜 반흔이 생기지 않도록 하여야 한다.

### 충전(Padding)

자주, 연조직충전을 추가하기를 원하여 어떤 물질을 사용할 것인지를 묻게 된다. 술자들은 진피와 심부측두근막(deep temporal fascia)을 동등하게 선호한다. 진피이식술의 문제점은 어디에서 채취하느냐는 것이다. 선호하는 진피이식물의 공여부는 기존의 긴 복부반흔의 옆으로서 표시가 덜 나게 된다. 대조적으로, 심부측두근막은 머리카락에 의하여 감춰지는 2.5cm의 절개로써 충분히 채취할 수 있다. 근막은 말아서 비배피부 아래에 위치시키는데, 미측의 근막이식물은 직접봉합하며, 두측은 경피봉합술(percutaneous suture)을 사용하여 비근으로 관통시킨다. 결국, 이들 이식물의 장기 생존에 따라서 선택하게 되는데, 저자의 의견으로는 둘 다 혈액순환이 적절한 수용부바닥(recipient bed)에서는 생존이 만족스럽지만, 반흔이 심한 수용부바닥에서는 적게 생존한다. 후자의 경우, 혈행화조직(vascularized tissue)으로써 피부펴기(relining)를 할 필요가 있다.

## 피부펴기(Relining)

소손된(burned-out) 비성형술 환자에서 외부 피부에 반흔이 없으면 코피부펴기를 시도한다. 최선책은 전두근(frontalis muscle)과 비근(procerus muscle)의 근판(muscle flap)을 내시경접근술을 통하여 이마로부터 코로 전위시키는 것이다(그림 9-21). 연골내절개술을 하여 양측 비-안면선을 지나도록, 그리고 비첨으로부터 비근까지 코피부 전체를 일으킨다. 그 다음, 전모발선(anterior hairline)으로부터 1.5cm 뒤에서 정중선에 중심을 둔 6cm의 V형절개술을 한다. 모발선으로부터 미간까지, 그리고 양측 안와상절흔(supraorbital notch) 사이에서 전두근 위로 피하박리 한다. 그 다음, 전두근 아래로 모상건막하박리(subgaleal dissection)를 하며, 비근부에서는 골로 내려가서 코의 박리와 연결시킨다. 터널은 충분히 넓어서 근육이 눌리지 않도록 한다. 근육의 양쪽을 수직절개하고, 근육의 두측 단에서 수평 절개를 한다. 한 장의 혈행화전두근-비근판(vascularized muscle flap)에 긴 3-0 Vicryl사를 위치시켜서 코로 내리면 접히게 된다.

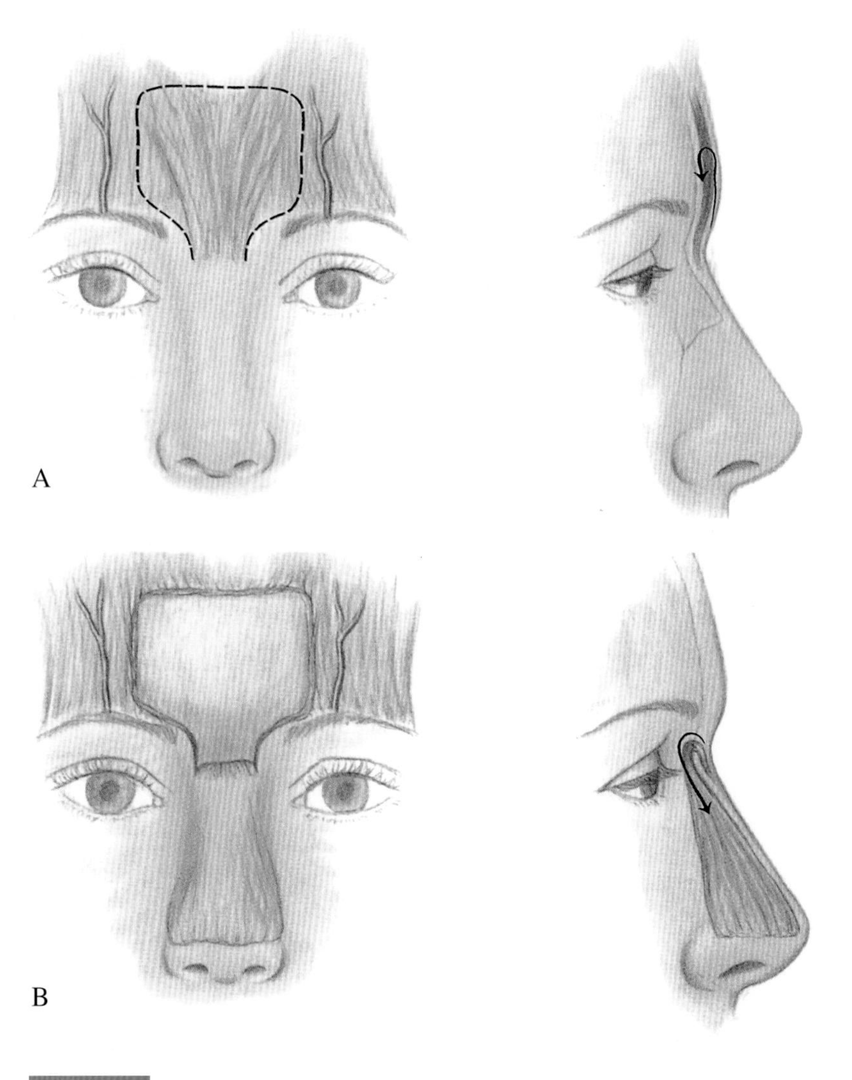


그림 9-21

Endoscopic Frontalis Muscle Transfer

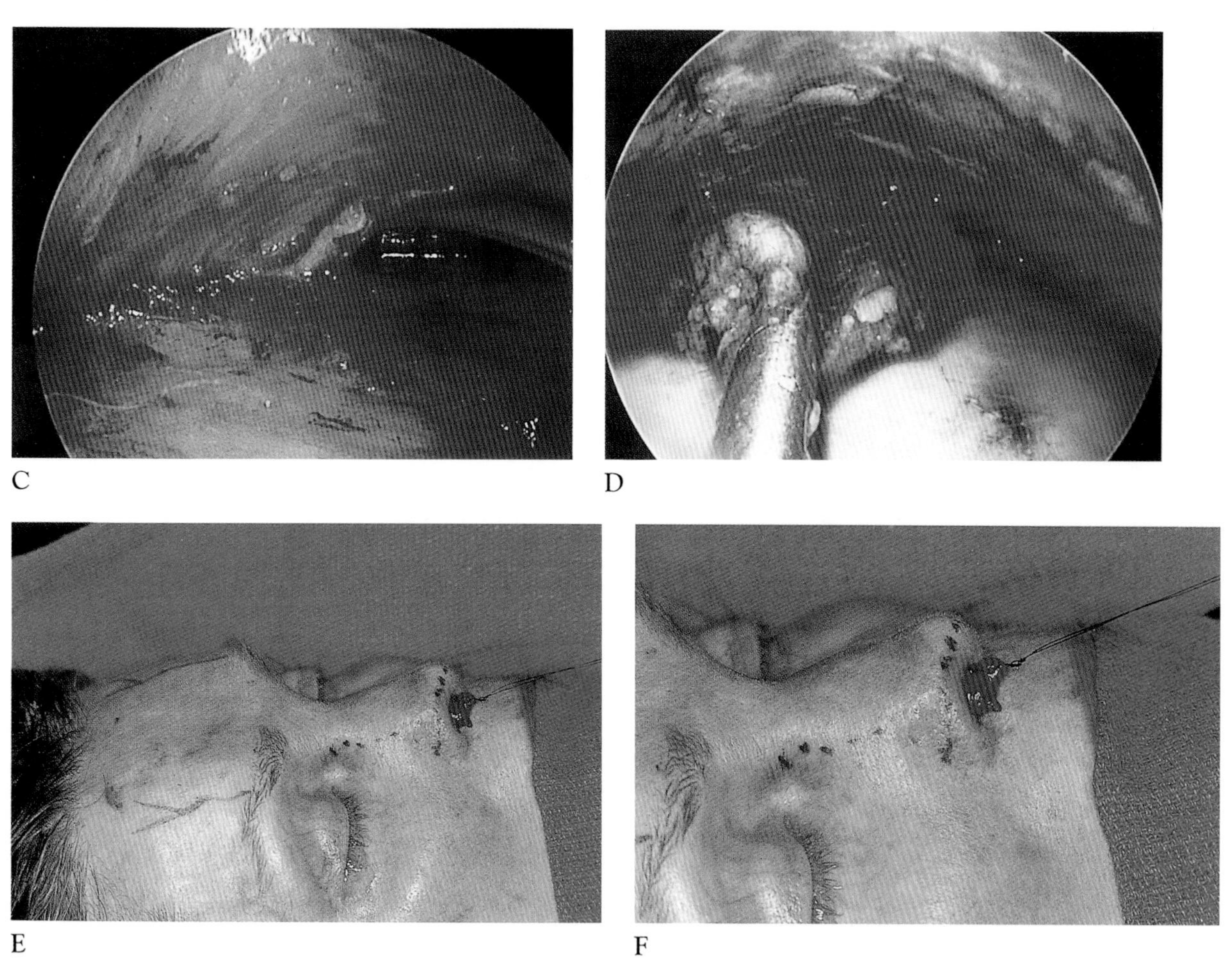

C D E F

그림 9-21. 계속

## 증례 연구 얇은 피부(Thin Skin)

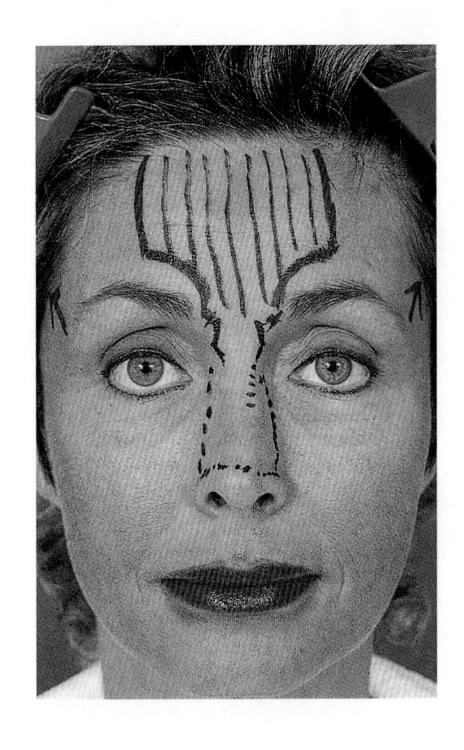

### 분석

36세 여성이 5 차례에 걸친 비성형술 후 코외양을 어떻게 해서든지 개선하고자 내원하였다. 전체적으로 볼 때 비대칭이 조금 있었으며, 조금 수술한 외양이었으나, 여전히 매력적이었다. 검사 결과, 코피부는 대단히 얇고, 반흔이 있으며, 고착되어 있었다. 피부를 쥐었을 때 움직임이 없어서 최소의 탄성을 나타내었다. 여러 가지 대안(진피이식술, 근막이식술)을 고려하였지만, 수용부바닥에 심한 반흔이 있어서 혈행화근판만 적절하다고 생각하였다. 전두근판(frontalis muscle flap)의 위험을 충분히 설명한 다음(이마 중앙의 부동성; 관상반흔, coronal scar), 환자가 수술 받기를 결심하였다. 혈행손상을 최소화하기 위하여 폐쇄접근술을 선택하였다. 그 당시에는, 내시경적 수기가 유용하지 않았기 때문에 관상접근술(coronal approach)을 사용하였다.

### 외과 수기

1. 내비접근술(intranasal approach)로써 연조직 내로 국소마취제를 주사하려던 처음 시도가 불가능하여 20번 주사침으로써 '바늘겨레(pin cushion)' 형외비주사를 하였음(역자 주 : 바늘겨레는 바늘을 꽂아 두는 작은 물건을 가리키므로 피부 밖에서 여러 군데 주사함을 이름).
2. 외비주사를 통한 반복적 수력박리(hydrodissection)와 64번 수술도를 사용한 세밀한 박리로써 연조직거상술(그림 9-22A).
3. 관상절개술 후 이마피부의 *피하거상술*.
4. 10X10cm 크기의 전두근-비근판 작도(그림 9-22B).
5. 골막 보존한 채로 근판거상술(그림 9-22C).
6. 골막 수준에서 미간터널 형성하여 코 안으로 연장(그림 9-22D).
7. 근판은 미간피부에서 경첩(hinge)시켜서 전위시킨 다음, 코 안으로 내려서 봉합술.

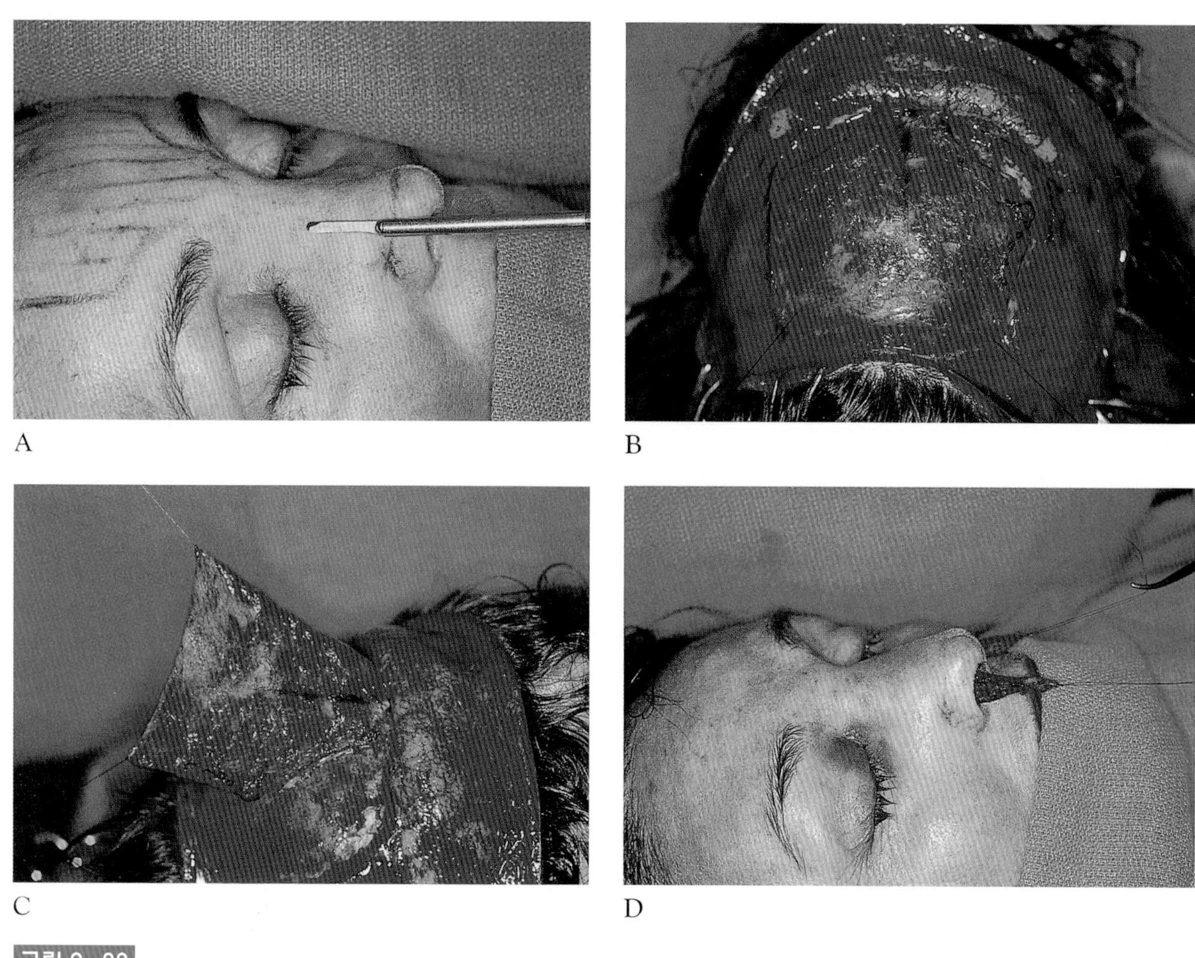

그림 9-22

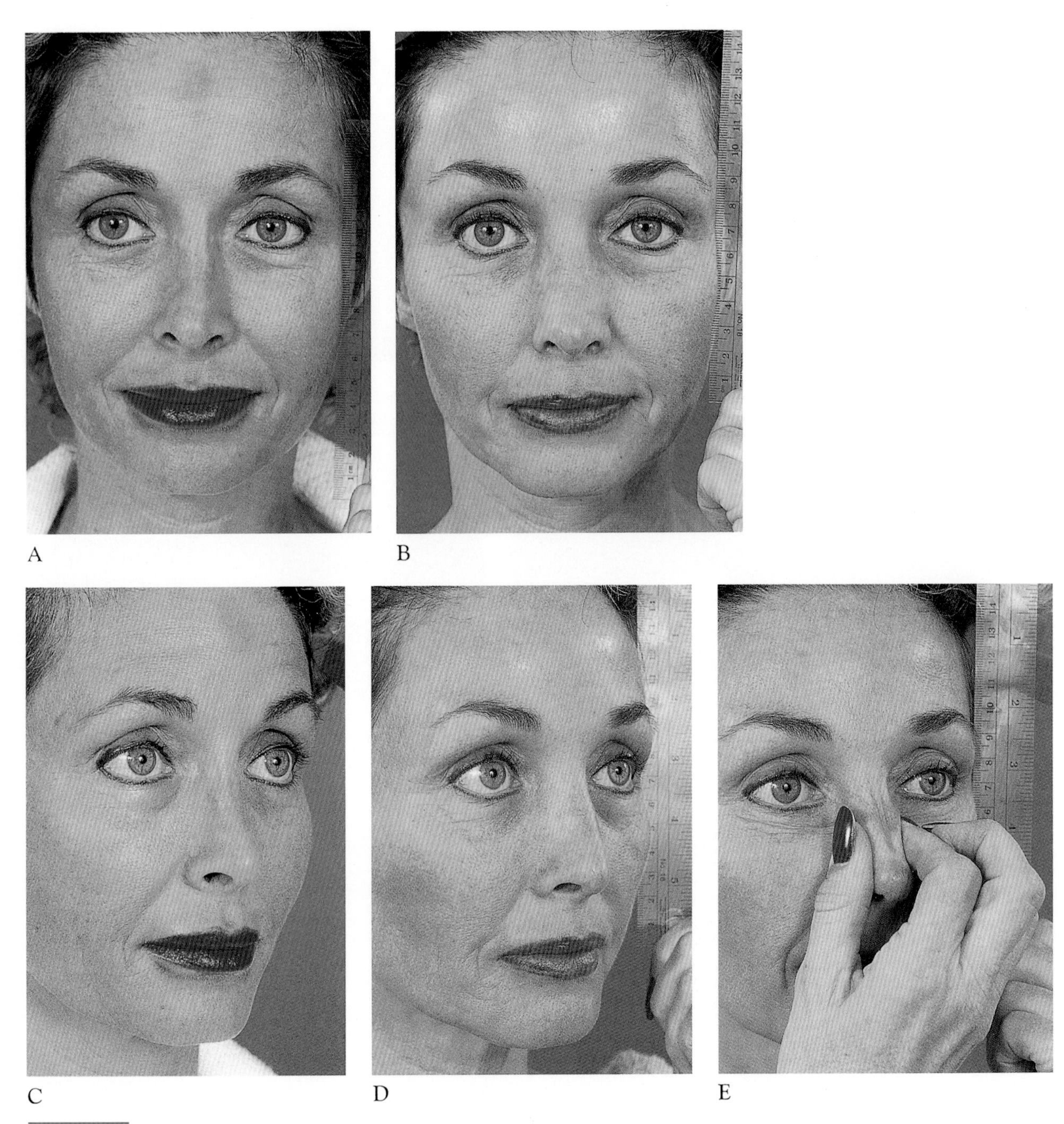

A B C D E

그림 9-23

## 논평

술후 4년에 보았을 때, 근판은 장기간의 우수한 충전을 제공하였으며, 코외양이 뚜렷이 개선되었다(그림 9-23). 요즈음에는, 6cm의 중앙V형절개술을 통하여 내시경적으로 수술하고 있다. 다시 말하지만, 피하박리 하여 전두근-비근을 노출시킨 다음, 골막 바로 위로 박리하여 근판을 만든 뒤 코 안으로 내린다. 술후 적어도 6주 동안 코의 종창이 심하다는 것을 환자에게 알려줘야 한다. 문제점의 심각성을 고려할 때 대부분의 환자는 이환성(morbidity)을 받아들이며, 추가적으로 이마주름이 줄어든 것을 부담이기보다는 이점으로 생각한다.

## 비주지지 (Columella Support)

내재 비주(intrinsic columella)가 지나치게 길거나 넓으면 문제가 되지만, 비주는 비첨지지를 제공하는 중요한 구조적 역할을 하며, 비주경사각을 통하여 비첨회전이라는 미학적 기여를 하고 있음을 알고 있어야 한다. 비주는 그 위에 왕관을 쓴 비첨(crowning tip)이 앉아 있는 진정한 '기둥(column')이다. 이차비성형술에서는 치료하지 않은 과대한 미측 비중격과 전비극(anterior nasal spine)이나 지속적인 비중격만곡(septal deviation)을 우선적으로 교정하여야 한다. 이러한 난제들에 대하여 지지, 윤곽, 그리고 심지어는 대체술까지 추가하여야 한다. 미측 비중격과 전비극의 촉진을 포함하여 휴식기(in repose)와 미소 지을 때 코의 철저한 이학검사가 중요하다.

### 비첨-비주관계(Tip/Columella Realtionship)

개방비첨성형술(open tip rhinoplasty)이 이차비성형술에서 변혁을 일으킨 이유를 설명하는 단 한 가지 요소는 아마도 피부외피의 피할 수 없는 반흔구축에 대항하는 구조적 지지를 얻을 수 있게 해준 것일 것이다. 비첨 자체에서 봉합술이나 이식술을 사용할 때 첫 단계는 지주(strut)를 사용하는 견고한 *비주 기초(columellar foundation)*를 만드는 것이다. 비중격, 이갑개, 늑, 또는 절제해낸 이식물과 같은 공여부로부터 필수적인 이식물을 얻어야 한다. 양측 내측각과 중간각 사이에서 깨끗하게 박리하는 것이 바람직하지만, 현실적으로는 흔히 포켓을 중앙에 만든 다음, 양쪽으로 최소한 움직이도록 연골을 이식하는 것이다. 중증에서는 '구형반흔(scar ball)'을 정중선에서 분할한 다음, 비주경사각을 재건하기 위하여 비주지주(columella strut)이식술을 한 뒤, 그 위에 비첨이식물을 추가하여야 할 것이다. 그러나 실제로 모든 증례에서 목표는 비주윤곽뿐만 아니라 비첨지지를 제공하는 것이다.

### 윤곽(Contour)과 지지(Support)

윤곽에 관하여 논의할 때 비주변곡점(columella breakpoint)에서의 이중변곡(double break), 비주경사, 그리고 비주-상구순분절(columella labial segment)을 알아야 한다. 지주는 통상적으로 각지주(crural strut), 비주지주(columella strut), 구조적 지주(structural strut)의 순서대로 적용할 수 있지만, 지주는 변형시키는 외력에 저항할 정도로 꽤 견고하여야 한다(그림 9-24A-C). 골-연골복합조직이식물(compound graft of bone/cartilage)이 흔히 필요하지만, 비중격연골이 최선의 이식물인 것은 분명하다. 골-연골복합조직이식술에서 골은 비주저에서 미측에 위치시키며, 연골은 쉽게 봉합하기 위하여 두측에 위치시킨다. 이식물의 모양이 중요한데, 더 길뿐만 아니라 비주를 미측으로 밀기 위하여 미측이 굽은 이식물이 흔히 필요하다. 이러한 이식물은 전번 수술에서 미측 비중격을 과대절제 하였을 때 중요하다. 비첨은 좋지만 비주가 부적절한 증례에서는 절반 길이의 이식물을 만들어서 비주변곡점 미측에 만든 정중선의 포켓에 이식한다.

## 교체술(Replacement)

미측 비중격의 교체술은 2가지 이유에서 한다. 즉, 전번 수술에서 미측비중격절제술을 하였거나, 미측 비중격의 안정성이 소실된 경우. 미측비중격 및 전비극 절제술은 이차비성형술에서 비첨의 큰 미측회전(downward tip rotation)의 가장 흔한 원인이다. 이때, 비첨 자체는 원인이 아니다. 그러므로 비첨지지의 재건은 큰 비주지주이식술이나 심지어는 비주부 L형지주의 재건을 필요로 한다. 마찬가지로, 미측 비중격이 존재하지만, 과대한 절개술에 의하여 지지가 소실될 수 있다. 이러한 2가지 증례에서 큰 비주지주로 충분할 지(통상의 증례), L형비중격지주(L-shape septal strut)를 재건하여야 할 지, 아니면 둘 다 재건하여야 할 지(대단히 드묾)를 결정하여야 한다(그림 9-24D-E). 대부분의 증례에서 문제점은 비주퇴축(columella retraction)으로서 비배지지가 소실되어서 L형비중격지주로써 미측교체술(caudal replacement)이 필요하기보다는 비주경사가 소실되어서 비주지주이식술이 필요하다. 미측교체술은 2가지 기능을 제공할 수 있다. 즉, 비첨하수(dependent tip)에서 비익연골을 두측회전 시키게 해줄 뿐만 아니라 비중격교체물(septal replacement)에 고정시킬 수도 있다. 예외는 짧거나 두측회전 된 코로서 이때에는 2가지 이식술이 모두 필요하다.

Crural Strut

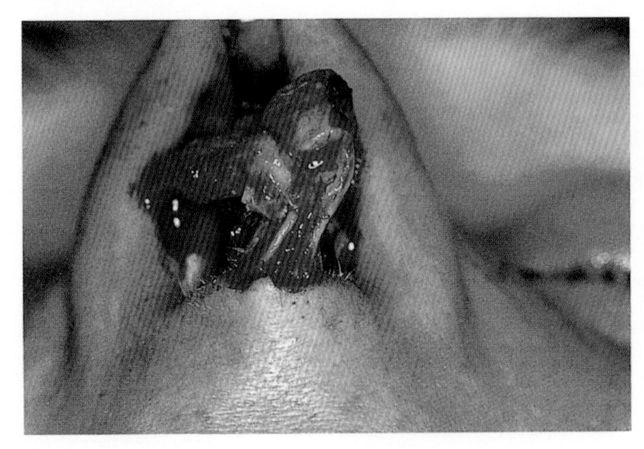

A

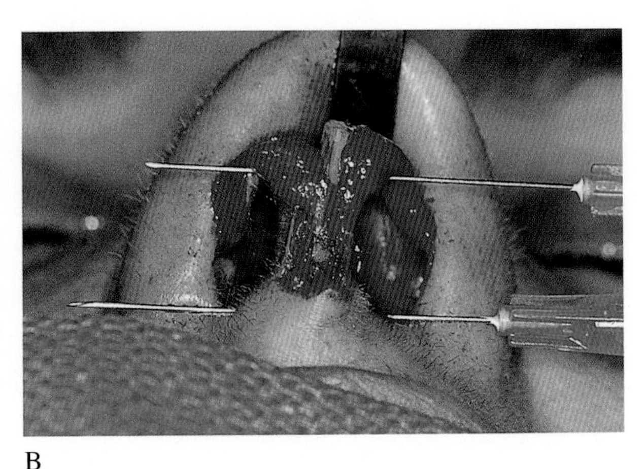

B

그림 9-24

Columellar Strut

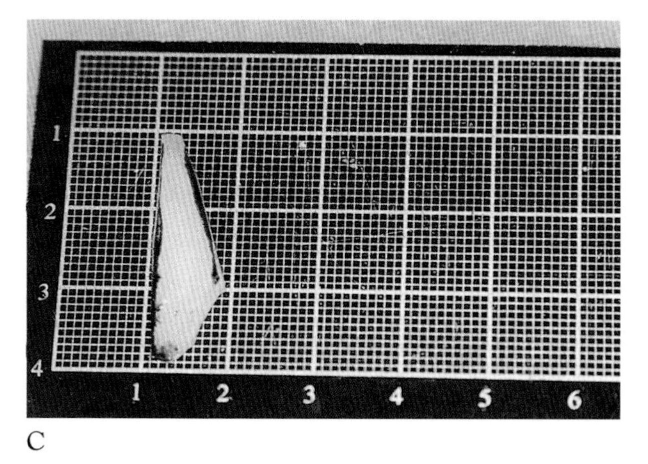


C

Septal Replacement

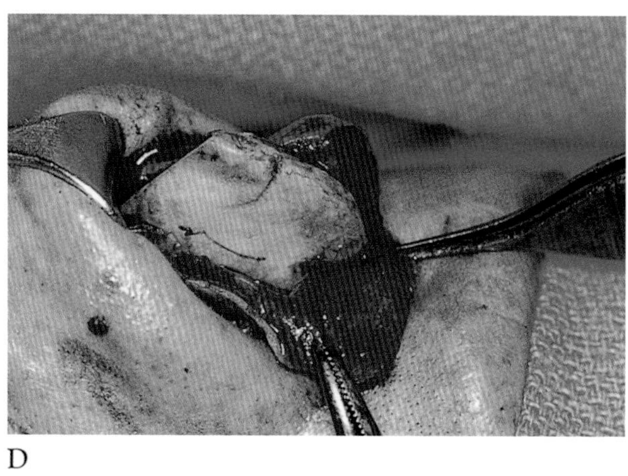

D

Struts and Septal Replacement Combinations

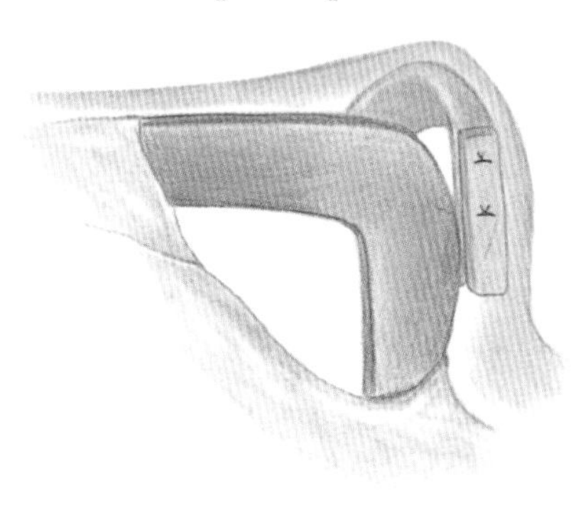

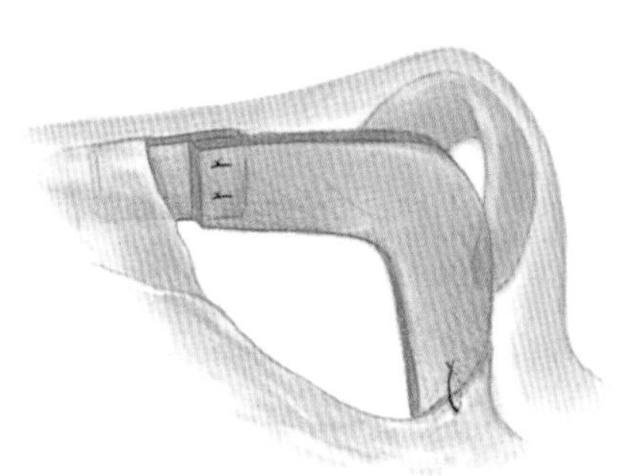

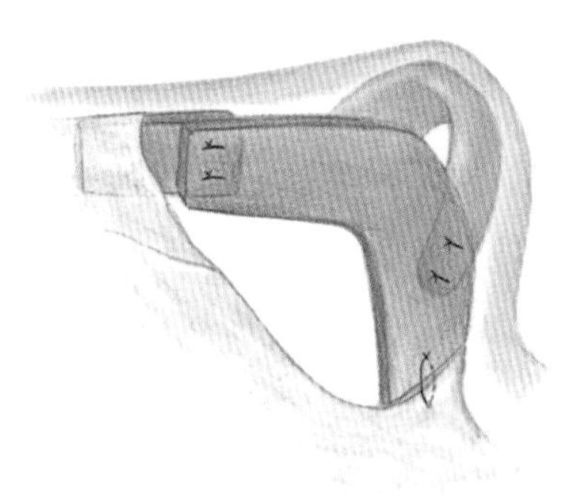

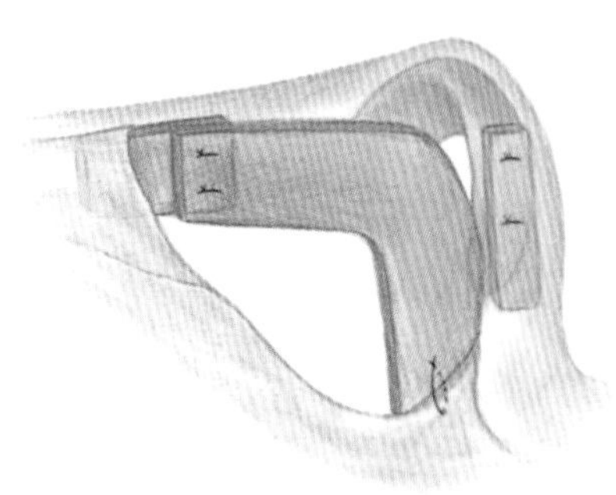

E

**그림 9-24. 계속**

## 증례 연구 비주지지(Columella Support)

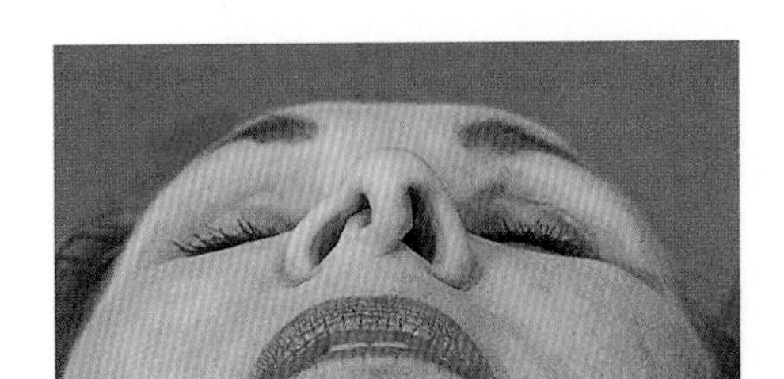

### 분석

61세 소매상인이 안면거상술(rhytidectomy)과 함께 부수적으로 받은 비성형술('incidental' rhinoplasty) 후 2년에 내원하였다. 수술 기록을 얻을 수 없었다. 수술 직후 코가 심하게 왜곡되었다고 한다. 검사 결과, 비주가 심하게 붕괴되었으며, 양측 비전정의 다락방(attic)뿐만 아니라 비공정점(nostril apex)과 연조직각면(soft tissue facet)이 *파괴*되었다. 환자에게 제한적 개선만 가능하며, 비공정점의 반흔은 교정할 수 없다고 경고하였으며, 술후 5년에 이 사실을 확인하였다.

### 외과 수기

1. 전번 수술의 경비주절개선 이용. 그러나 새로운 연골하절개술 추가.
2. 비배 및 비첨 동시분할술(combined dorsal/tip split)로써 비중격 접근.
3. 광범위한 노출로써 미측비중격붕괴의 원인이 전번에 한 횡각지낌절개술(transverse interdigitating cut), 절제술, 그리고 회전문(swinging door)법의 수직절개술임을 밝힘(그림 9-25A).
4. 남아 있는 비중격채취술. 연골은 없고 서골만 채취.
5. 붕괴되고 만곡 된 미측비중격전체절제술. 비주지주로서도 기능할 연장형L형지주(L-shaped extended strut) 형성(그림 9-25B).
6. 지주를 우측연전이식물로서 전비극에 봉합.
7. 중간각과 내측각을 지주로 거상하고 고정.
8. 40X6mm 크기의 이갑개연골을 사용한 비배이식술(그림 9-25C).
9. 연조직각면 교체를 위한 Juri의 닻형이갑개연골이식술(anchor-shaped conchal graft)의 봉합 고정술(그림 9-25D).

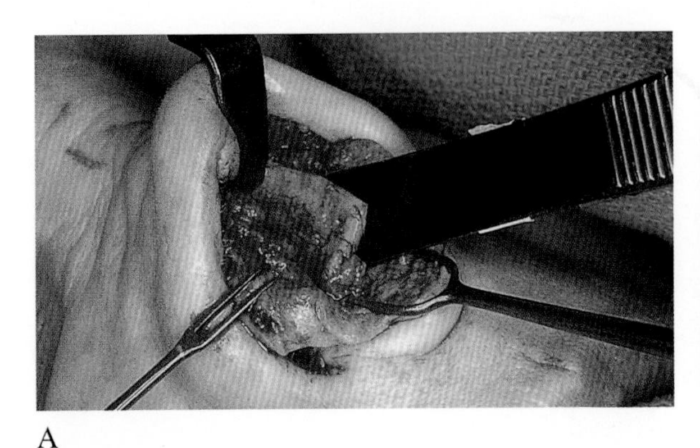

A

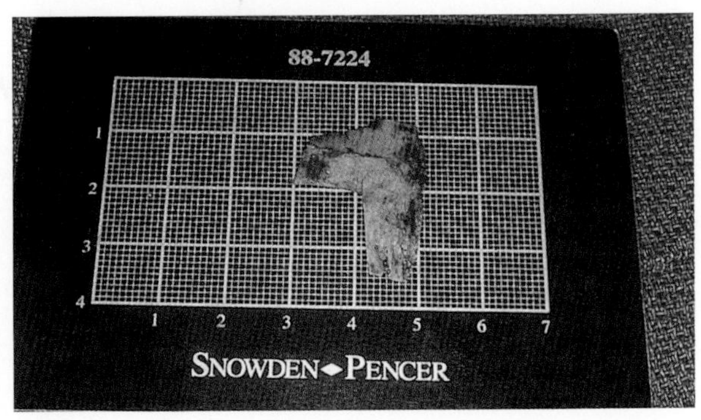


B

그림 9-25

C

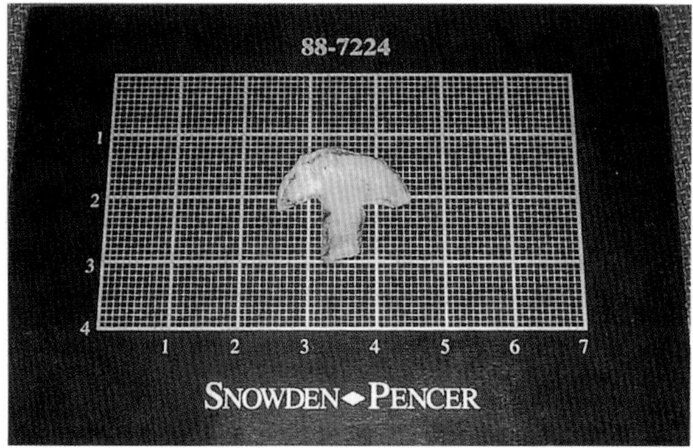


D

그림 9-25. 계속

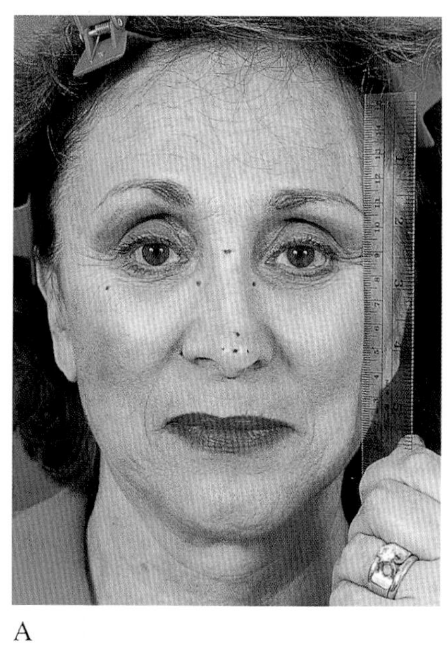

A

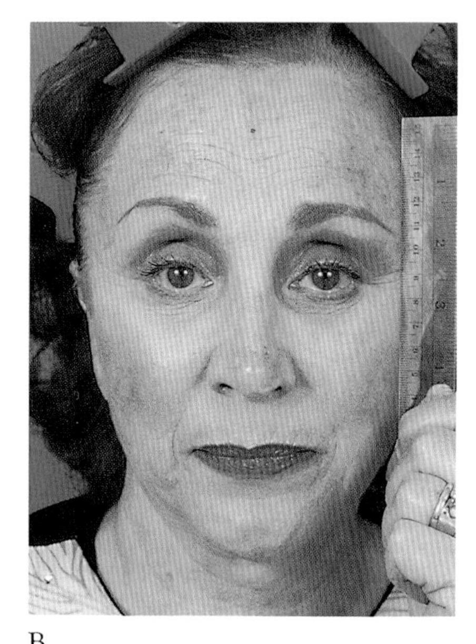

B

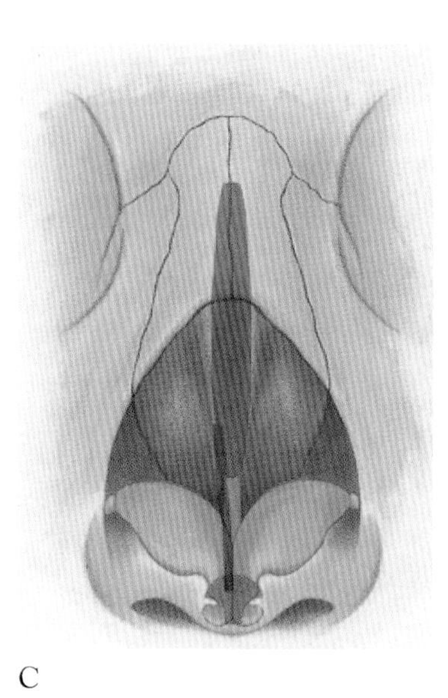

C

D

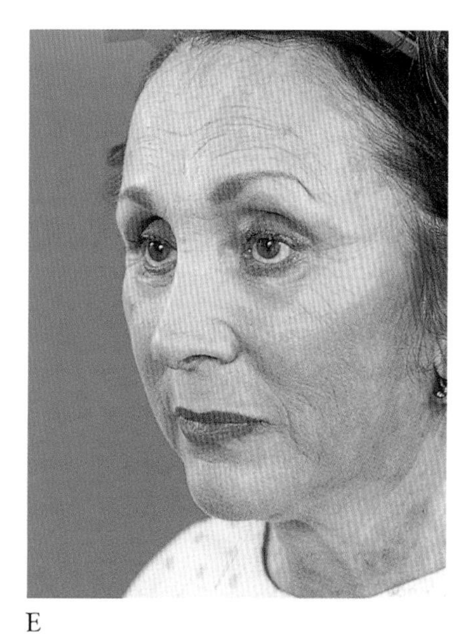

E

그림 9-26

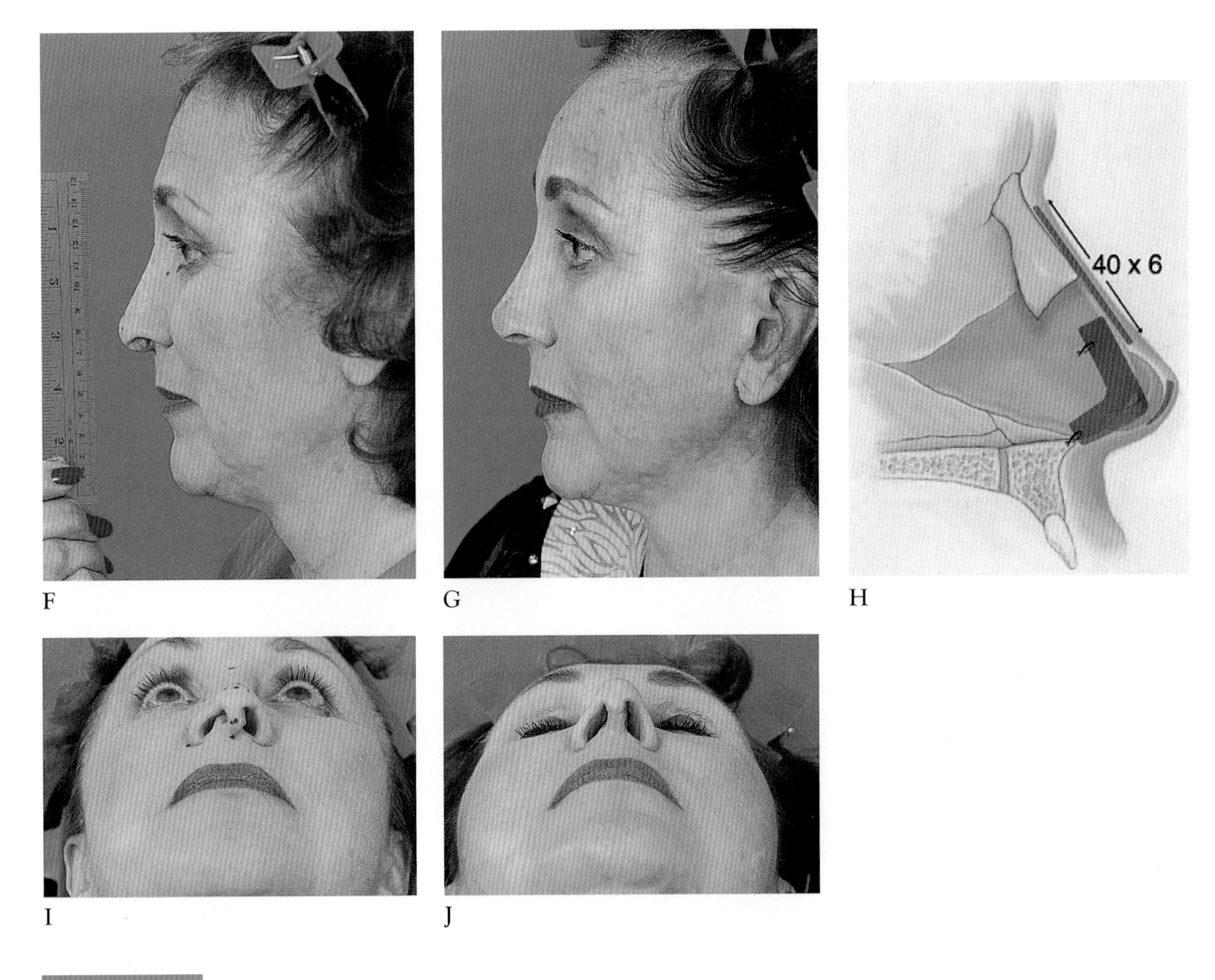


그림 9-26. 계속

## 논평

비주지지에서 2가지 중요한 고찰은 사용한 이식물과 지지의 종류이다. 많은 이차비성형술에서 비중격연골의 량이 충분하지 못하며, 비중격골(septal bone) 전부 또는 일부를 사용하여야 한다. 이러한 골이식술은 골조직과 접촉하지 않는 비해부학적 위치에 이식하였음(역자 주: 이소골 이식술, heterotopic bone graft)에도 불구하고 장기간 생존하였다. 어려운 증례에서 비주지지는 비주지주이식술, 비중격연장이식술(septal extension graft) 또는 둘 다에 의하여 제공될 수 있다.

## 비첨봉합술 (Tip Sutures)

전번에 비익연골 절개술 및 절제술을 하였을 뿐만 아니라 피부외피가 손상되었다는 2가지 문제점에도 불구하고, 이차비첨성형술에서 봉합술을 사용한 것이 아마도 최근 수년 동안 가장 큰 즐거운 놀라움일 것이다[4].

### 비첨봉합술(Sutures)

이차비첨성형술에서 봉합술은 일차비첨성형술에서와 조금 비슷하다(그림 9-27). 제 1단계는 남아 있는 비익연골을 분리하여 분석하는 것이다. 만일 외측각이 과대하거나 비대칭이면 비익연연골조각(alar rim strip)이 대칭을 얻도록 적절하게 절제한다. 저자는 전번 수술 때 절단하거나 절제함으로써 변형된 분절의 복원은 각지주이식술 다음으로 미룬다. 그 다음, 비주포켓을 만들고, 내측각과 중간각의 대칭을 평가한다. 비주지주의 모양과 길이는 미학적 목표와 구조적 지지의 필요성에 의하여 결정한다. 비주변곡점(columellar breakpoint) 미측에서는 비주지주를 더 길고 더 넓게 만들며, 고정봉합술을 추가로 사용하는 경향이 있다. 다시 한번 강조하거니와, 특히 하비소엽부(infralobular area)에서는 비주를 지나치게 좁히는 것을 피하여야 한다. 일단 비주지주를 제 자리에 위치시키고 나면 원개형성봉합술(domal creation suture)을 한다. 대부분의 증례에서 비익연골은 충분히 유연하며, 인접한 외측각의 오목함과 더불어서 단단한 원개의 볼록함을 만들 수 있다. 그 다음, 원개간봉합술(interdomal suture)을 하여서 비첨폭을 좁히고, 원개높이를 같게 한다. 비첨정의가 만족스러울 때까지 피부를 재배치시켜서 평가하는 것을 반복한다. 이차비성형술에서는 개방비배접근술(open dorsal approach)을 하여 비첨회전봉합술(tip rotation suture)을 추가할 필요가 자주 있다. 4-0 PDS사를 비주의 하비소엽부로부터 비배-비중격각(dorsal septal angle, 역자 주: 전비중격각, anterior septal angle)으로 통과시켜서 바람직한 비첨회전을 얻도록 한다.

### 비첨절제술(Excision)과 비첨봉합술(Sutures)

최근에, 저자는 극히 얇은 피부 아래에서 대단히 넓은 비익과 변형된 원개를 가진 증례들을 연속적으로 경험하였다. 놀랍게도, 각지주이식술, 변형된 원개절제술, 분리된 비익연골의 봉합술, 그리고 절개선의 봉합술이 가능하였다. 많은 증례에서 비첨이식술을 하거나, 심지어는 잘라 낸 비익연골로써 잠복이식술(concealer graft)을 하려고 노력하지만, 피부를 통하여 드러나 보인다. 저자는 긴장점(stress point)을 제거한 다음, 비소엽피부 전체로써 재배치시키면 더 부드럽고 아마도 조금은 더 두꺼운 피부외피가 되어서 아래에 놓인 불규칙성을 덜 보이게 할 수 있다고 추정하고 있다.

## 이차비첨봉합술(Secondary Sutures)

비첨봉합술을 다시 하는 것은 어떤가? 우선 *초기*이차봉합술(2-4주)과 후기이차봉합술(1년 뒤)을 구별하여야 한다. 저자는 *초기*이차봉합술의 경험은 없으며, 수술을 주저하는 환자에게 수술을 팔아먹는 청구로써 사용될 때 비난할 것이다. 저자의 느낌으로는 이차봉합술은 술후 1년에도 조금 어렵게 할 수 있을 뿐, 할 수 '없는 것(undone)' 이다. 가역적(reversible)일 수 있는 2가지 봉합술은 비주를 좁히는 봉합술과 원개형성봉합술(domal creation suture)이다. 비첨을 좁히기 위하여 비익연골 사이의 정중선에 위치시키는 봉합술은 흔히 점막 쪽에 반흔이 너무 많이 생기며, 외측각을 효과적으로 재위치 시킨다. 이 시점에서, 이 봉합술의 창시자가 보이지 않는 흰 봉합사가 아니라 색깔이 있는 봉합사를 사용하였기를 지금 바라고 있다.

Step #1 Exposure/Analysis

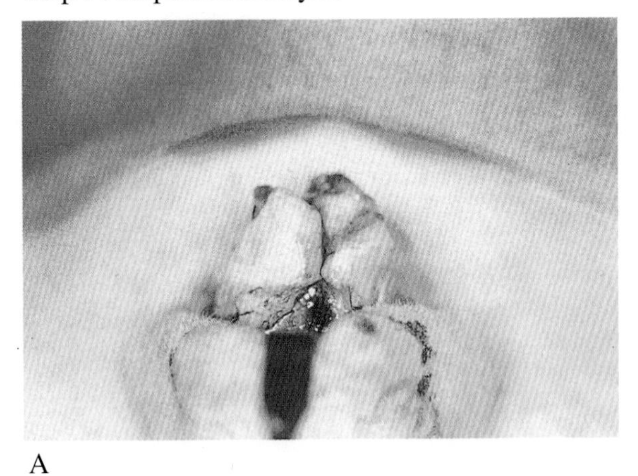

A

Step #2 Symmetrical Lateral Crura

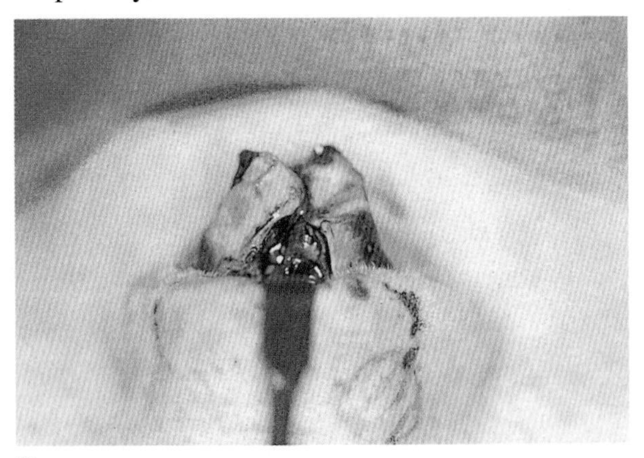

B

Step #3 Crural Strut

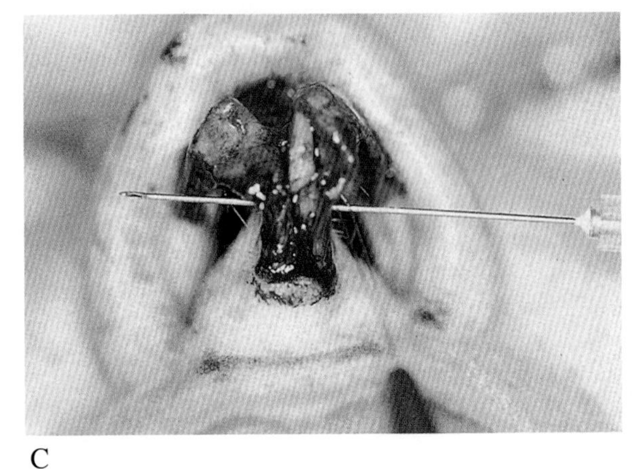

C

Step #4 Middle Crura

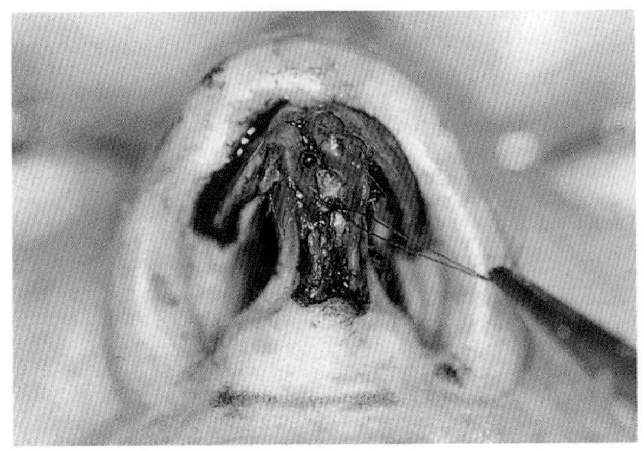

D

그림 9-27

Step #5 Domal Repair/Creation

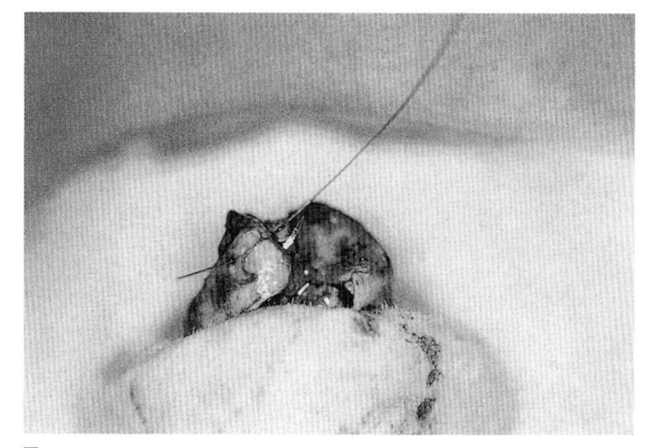

E

Step #6 Domal Equalization Site

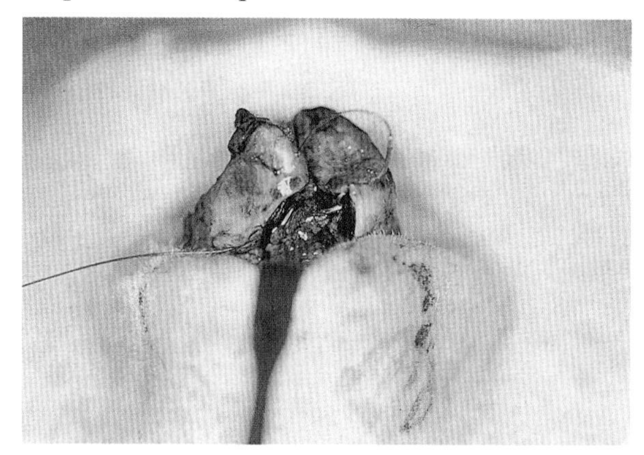

F

Step #7 Columella/Septal Sture

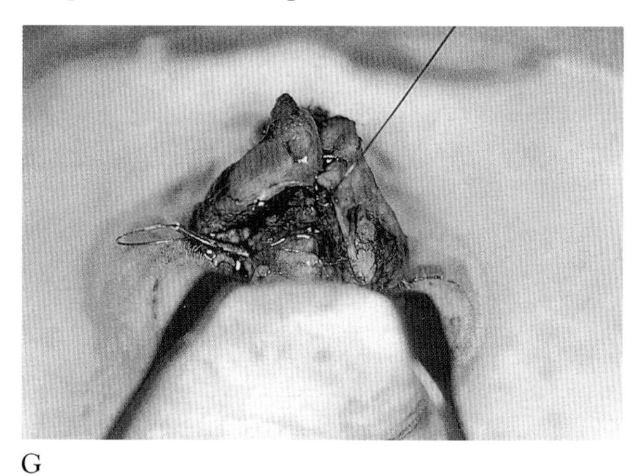

G

Result

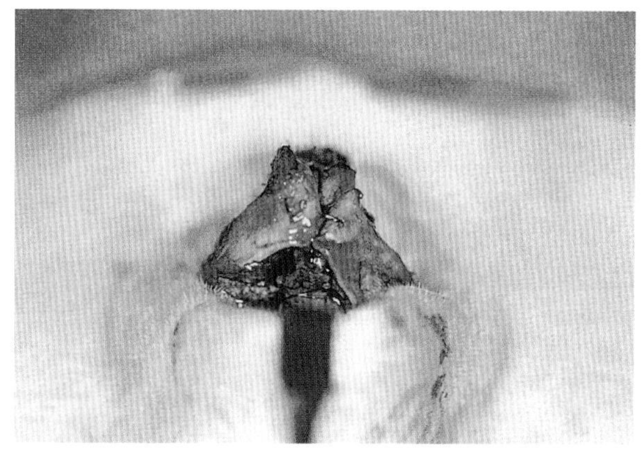

H

그림 9-27. 계속

## 증례 연구 비첨봉합술(Tip Sutures)

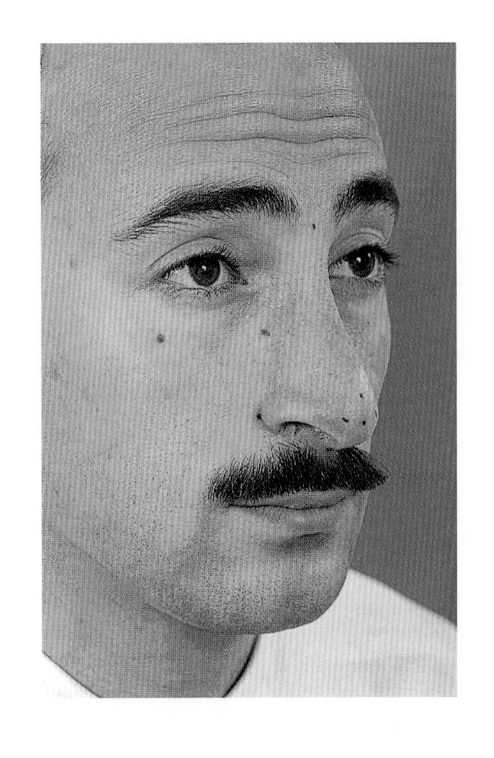

### 분석

27세의 관리직 남성이 3년 전에 비중격-비성형술(septorhinoplasty)을 받았다. 왼쪽에서 비호흡이 줄었으며, 코외양도 불만이라고 하였다. 환자는 자기 코가 너무 길며, 문제점의 일부는 코가 눈썹에서 시작하여 처진 비첨으로 끝난다고 느끼는 것이었다. 목표는 코의 두측과 미측에서 전체길이를 축소시킴으로써 코를 단축하는 것이었다(비근점에서 6mm 내리고, 비첨에서 6mm 올림). 이상적 측면선이 중요한데, 이는 폐쇄접근술에서 최선이므로 폐쇄 및 개방 접근술을 선택하였다. 개방구조비성형술(open structure technique)을 사용한 비첨이식술이 필요하다고 예상되었다. 예상되는 극적 변화를 얻으면 환자는 자기의 콧수염을 자를 것을 시사하였다. 철저한 수적 분석은 다른 논문에서 참고하시오[5].

### 외과 수기

1. 연골간절개술과 우측완전관통절개술.
2. 비중격 평가와 하부비중격연골채취술.
3. 비봉축소술: 줄질로써 골, 수술도로써 연골 3-4mm.
4. 골비근최대축소술 그러나, 3-4mm 절제 가능하였음.
5. 미측비중격 및 전비극 절제술.
6. 개방비첨접근술하여 보니 외측각 전체가 건재하여서 6mm의 비익연연골조각(alar rim strip)으로 자름(그림 9-28A, B).
7. 비주지주이식술을 하여서 비주-비소엽각(columellar lobular angle)이 40도가 되도록 함(그림 9-28E).
8. 원개형성봉합술과 원개간봉합술.
9. 절개선의 봉합술. 비공상 및 비익저 동시절제술(4mm 씩 대칭적).

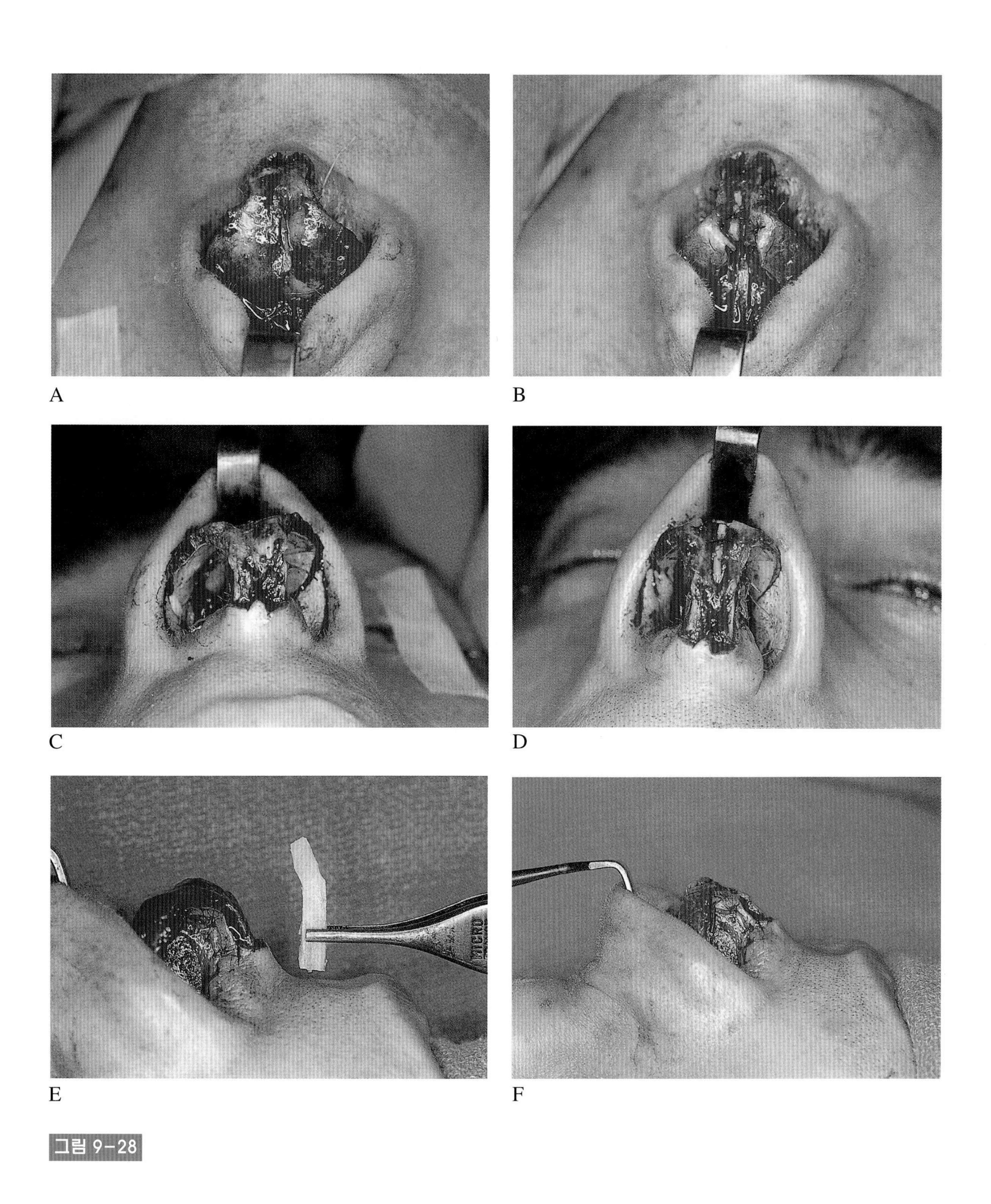


그림 9-28

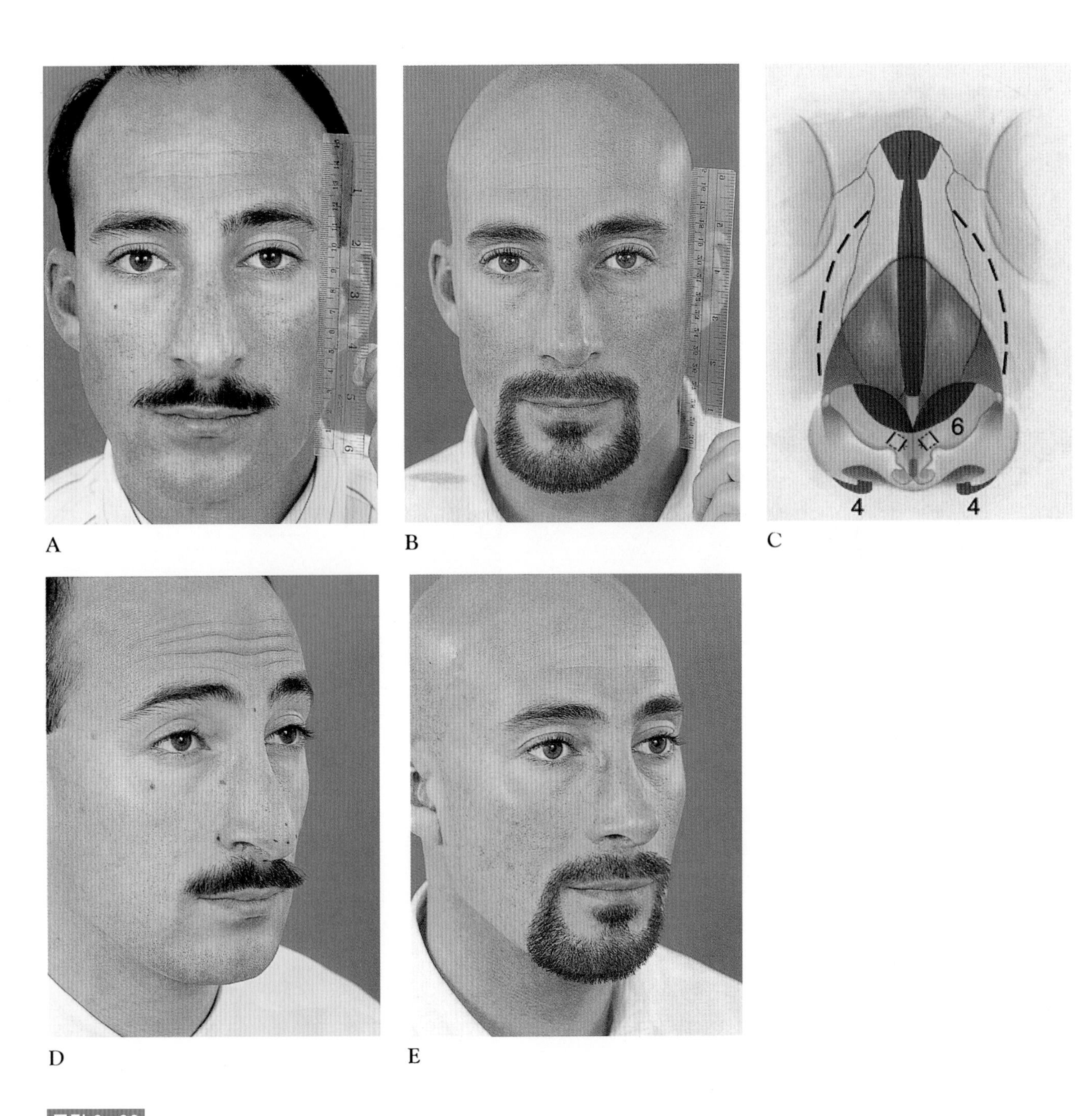


그림 9-29

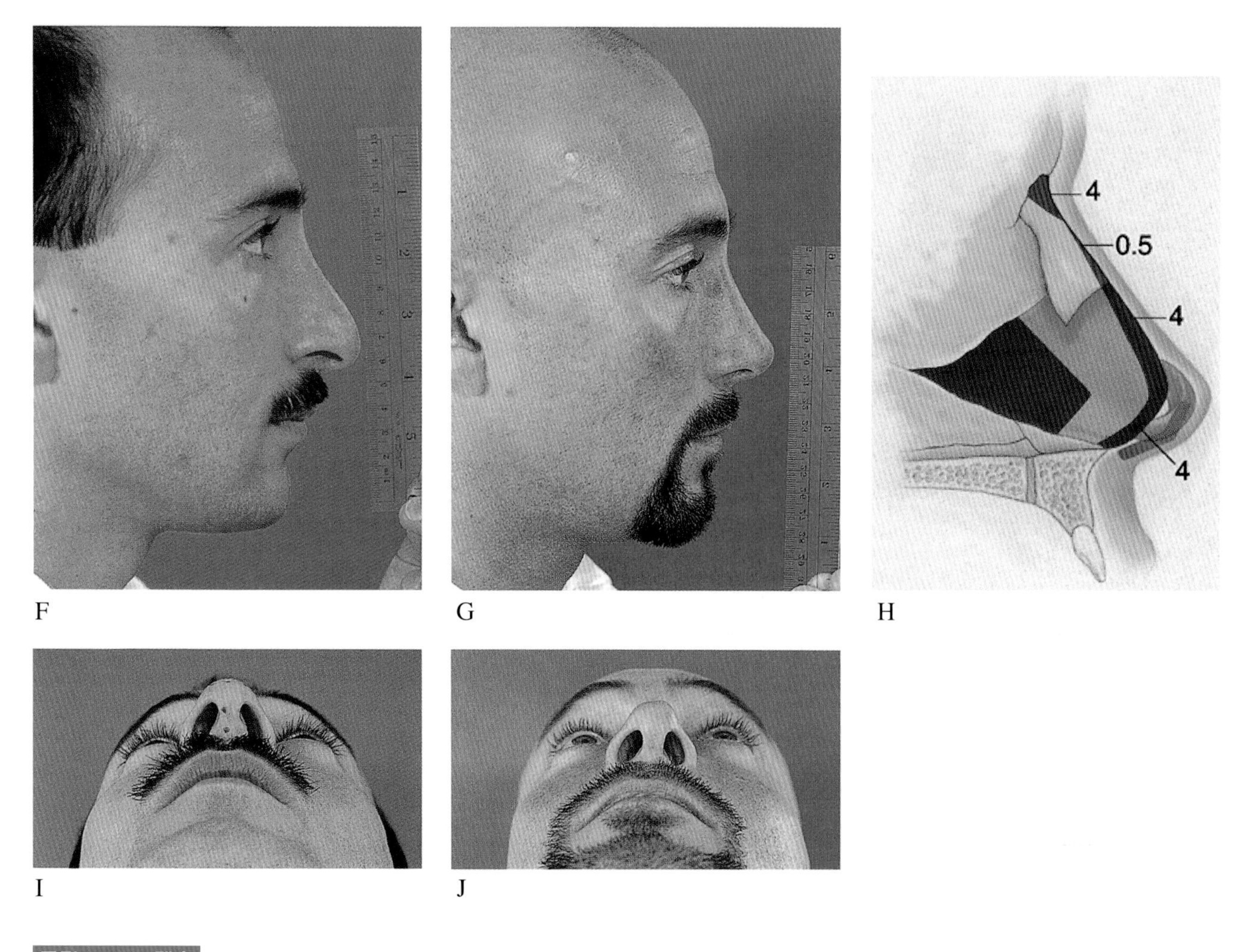


그림 9-29. 계속

## 논평

저자는 이 증례가 2가지 이유에서 중요하다고 생각한다. 즉, 이차비성형술에서 비첨봉합술로써 극적으로 변화시킨 것과, 장기간(6년)추적에서의 비첨봉합술의 유효성이 바로 그것이다. 전번에 비성형술을 하였음에도 불구하고 비익연골은 건재하였으므로 비첨봉합술을 각진 비주지주 이식술과 함께 하였을 때 효과적이었다. 수술 전후의 가장 현저한 차이점 가운데 하나는 측면에서 볼 때 비공-비첨비율(nostril/tip ratio)의 변화이다. 즉, 이 환자는 원래 비공이 크고 최소의 내재 비첨을 가지고 있었지만, 술후 비공이 더 작아져서 균형이 훨씬 더 좋아졌다. 비첨봉합술은 잘 유지되었으며, 시간의 시험대에 서게 되었다. 결과, 비배길이(N-T)는 59mm에서 45mm로, 결국 14mm 감소됨으로써 이상적 계측치에 접근하였다.

## 비첨이식술 (Tip Graft)

대부분의 이차비성형술에서 비첨이식술은 비첨정의나 비첨돌출의 미묘한 변화를 위해서는 하지 않는다. 오히려, 비첨이식술은 비첨에서 뚜렷한 변화를 보이고자 할 때, 그리고 반흔이 있거나 두꺼운 피부외피를 극복하고자 할 때 계획한다. 튼튼한 고형의 방패형비첨이식술을 거의 보편적으로 사용한다. 일차비성형술과의 2가지 중요한 차이점은 돌출 위치를 고정하는 곳이 더 높으며, 비중격이 유용하지 않을 때 각지주이식물과 비첨이식물로서 이갑개연골을 사용할 필요가 있는 것이다. 특별히 원개부의 비익변형도 처치할 필요가 자주 있다.

### 지주(Strut)

이차비성형술에서 지주는 곧으며, 각진 지주를 거의 사용하지 않는다. 모든 지주의 1/3은 큰 비주지주로서 튼튼한 비첨지지를 제공하며, 비주경사를 밀어 내림으로써 비주-상순분절(columella labial segment)의 정상적인 곡선을 유지하기 위하여 도안되었다. 언제나, 지주를 비주변곡점에서 봉합하며, 하비소엽부에서 지나치게 좁혀지는 것을 피하여야 한다. 필요에 따라서, 이갑개로부터 지주를 흔히 만들어야 하는데, 부분층절개한 다음 접어서 봉합한다. 좁은 지주를 제공할 때에는 오목하게 접으며, 벌어진 족판(foot plate)에 지주를 제공할 때는 볼록하게 접는다.

### 비익연골(Alar Cartilages)

비익연골은 절제술, 절개술 그리고 좀 더 최근에 심지어는 이식술과 봉합술을 사용함으로써 실제로 어떠한 형태로든 완전히 만들 수 있다. 일차비성형술과 마찬가지로, 최선책은 봉합술을 사용함으로써 볼록한 원개와 오목한 외측각을 얻게 한 다음, 비첨이식술을 적용하는 것이다. 전번 절제술에 의한 심한 반흔 때문에 봉합술만으로는 흔히 불충분하기 때문에 고착된 변형의 절제술과, 마음에 드는 비익연연골조각을 얻도록 균형봉합술(balanced suture)을 함께 하게 된다(그림 9-30E-G). 전번에 절단된 원개를 봉합술로써 교정할 수 있거나, 전번의 깍지낌절개술(interdigitating cut)에 의하여 약화된 외측각분절을 절제할 수도 있다. 많은 증례에서 원개분절은 내재 비첨을 만드는 비첨이식술에 의하여 감춰지는 기초이기 때문에 눌려서 원개분절의 형태가 부적절하게 된다.

### 비첨이식술(Tip Graft)

비첨이식술의 구성, 모양, 그리고 위치의 모든 면에서 일차비성형술과 큰 차이가 있다. 일차비성형술에서 비첨이식술은 비중격연골로써 언제나 만들 수 있지만, 이차비성형술에서는 비첨이식술의 적어도 50%에서 이갑개연골을 사용하여야 한다(그림 9-30H-J). Johnson[11]과는 정반대로, 저자는 후면절개술을 통하여 두측의 이갑개정(cymba concha)으로부터 비첨이식물을 얻기를 선호한다. 연골막은 이식물의 후면(볼록한 면)에 남김으로써 이식물을 봉합할 때 피부와 접촉하도록 한다. 볼록한 면을 바깥쪽으로 돌려서 곡면인 하비소엽을 재건하도록 한다. 이식물을 비첨까지 올려서 바람직한 모양을 만든다. 이식물의 비배원개연(dorsal domal edge)은 피부 두께에 따라서 달리한다. 즉, 피부 두께가 얇으면 부드럽고 둥글게, 정상적이면 각 지게, 그리고 두꺼우면 날카로운 모서리를 가지도록 한다. 이식물을 내측각과 중간각의 벌어짐(crural divergence) 안에 맞도록 차차로 좁힌다. 다시 말하지만, 이식물의 위치는 바람직한 비첨정의에 따라서 통합(integration)으로부터 과대돌출까지 크게 달라질 수 있다. 이식물이 비익원개(alar dome)보다 두측으로 올라오기 때문에 좋기는 비중격연골로써 고형의 '포수형이식술(backstop graft)' 또는 받침이식술(cap graft)이 중요시 되고 있다.

Scar Ball with Capped Tip Graft

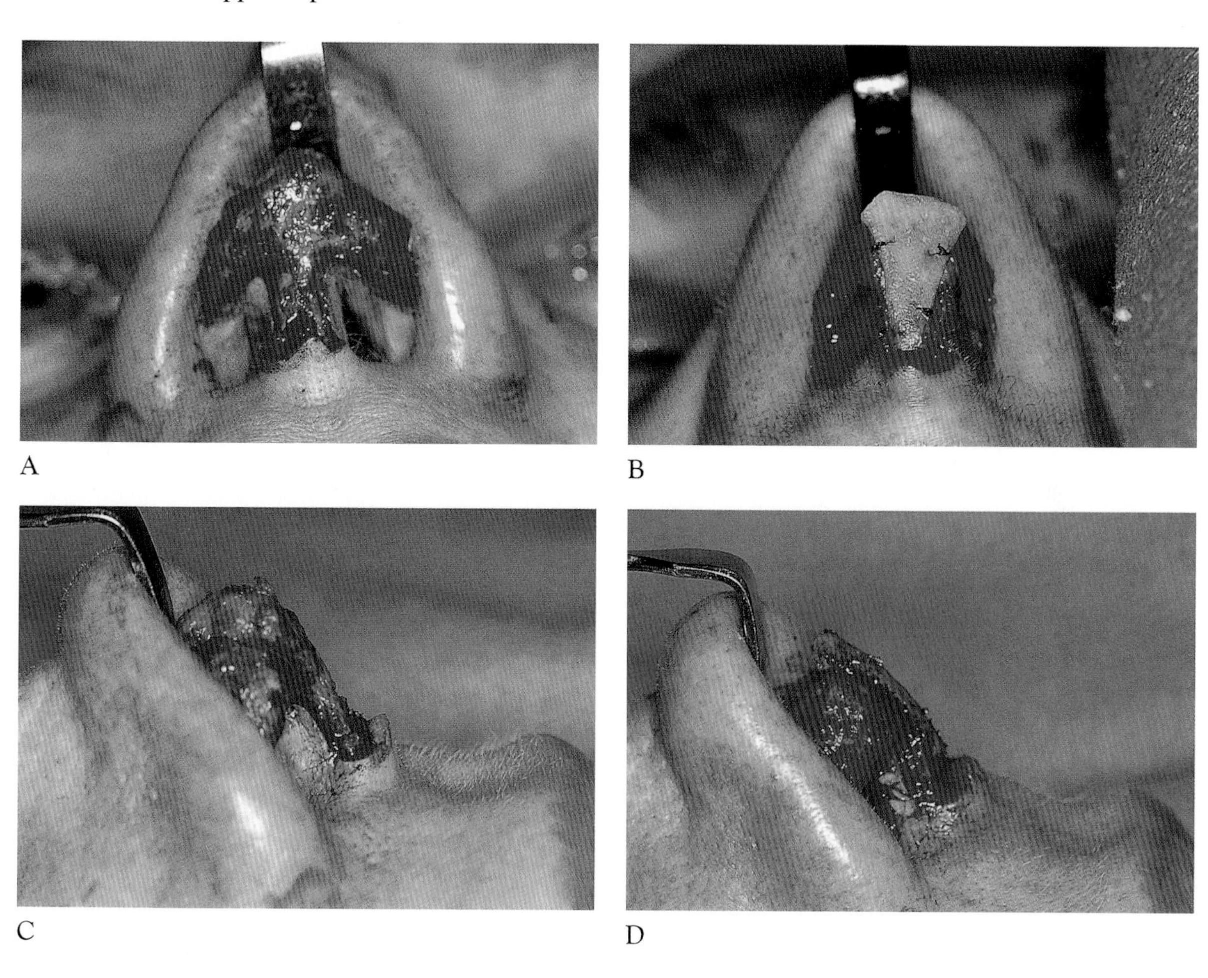

A B C D

그림 9-30

Alar Shaping

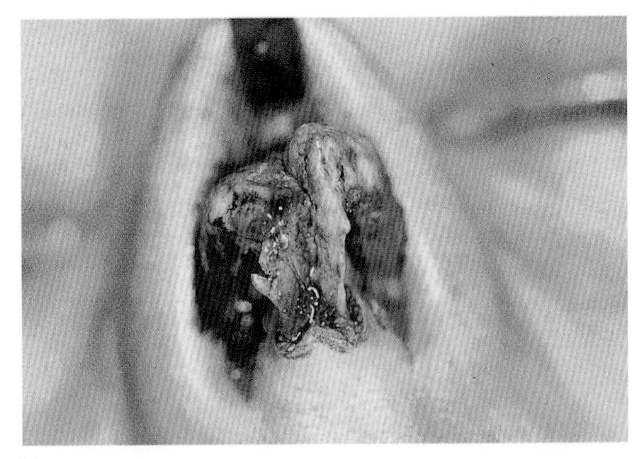

E

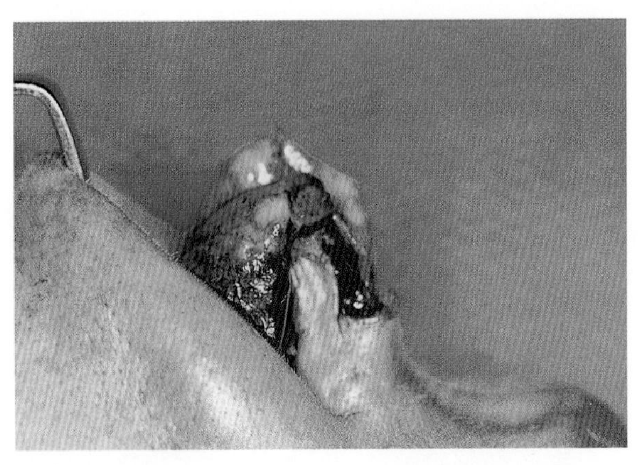

F

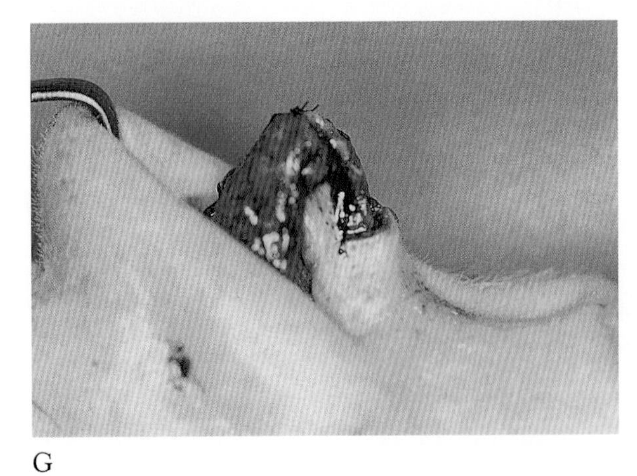

G

Conchal Tip Grafts

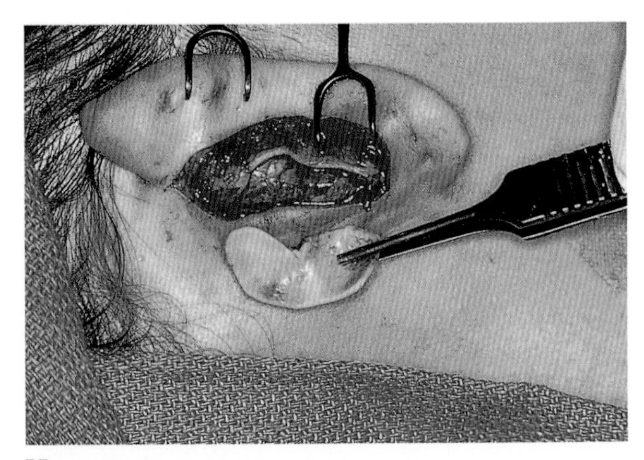

H

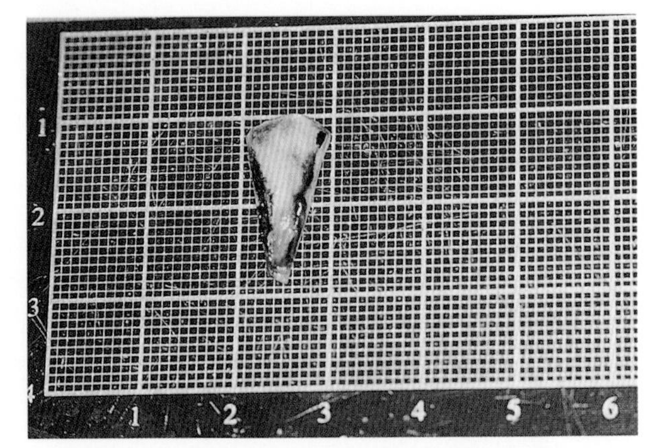


I

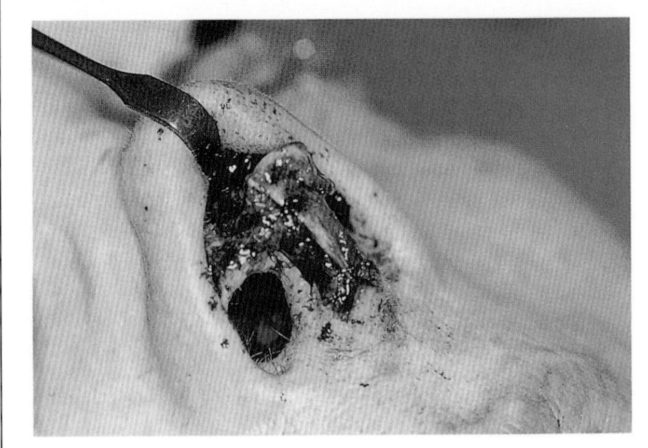

J

그림 9-30. 계속

## 증례 연구 표준비첨이식술(Standard Tip Graft)

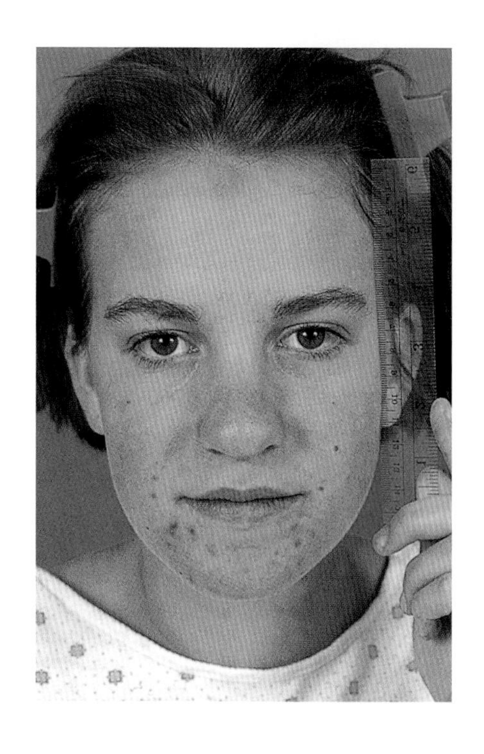

### 분석

15세 여성으로서 1년 전에 비성형술을 받았다. 자기 코가 여전히 너무 넓고 비첨이 너무 구상이라고 호소하였다. 잘 보존된 임상기록지를 살펴 보았을 때 면신접근술(delivery approach)로서 4mm의 비익연연골조각(alar rim strip)을 남기는 두측외측각절제술(cephalic lateral crura)을 받았음이 확실하였다. 환자와 어머니에게 비첨구조물이 두꺼운 피부외피를 통하여 보일 필요가 있다고 설명하였다. 비배좁히기(dorsal narrowing)를 위하여 비절골술을 한 다음, 피부를 외측으로 재배치시키기 위하여 광범위하게 박리하였다(그림 9-31). 개방구조비첨성형술(open structure tip plasty)이 적용되는 대표적 증례였다.

### 외과 수기

1. 경비주절개선과 전번의 연골하절개선을 통한 개방접근술. 피하조직거상술 후 상비첨반흔절제술.
2. 우측관통절개술을 통한 비중격연골채취술.
3. 방정중연골절개술(paramidline cartilaginous incision)을 사용하여 6mm의 비배폭좁히기 후 저-저위외측비절골술.
4. 과대한 상외측연골의 절제술. 비배봉합술.
5. 비주-상순각에서 7mm 길이의 볼록한 비주지주이식술.
6. 중간각과 비주지주의 봉합술 후 4mm의 삼각형원개절제술.
7. 단단한 굽은 비첨이식술.
8. 비절개선과 구강내절개선으로부터 코와 상악골 위로 광범위한 피부박리.
9. 절개선의 봉합술. 내비부목 넣기. 아크릴 부목 대기.

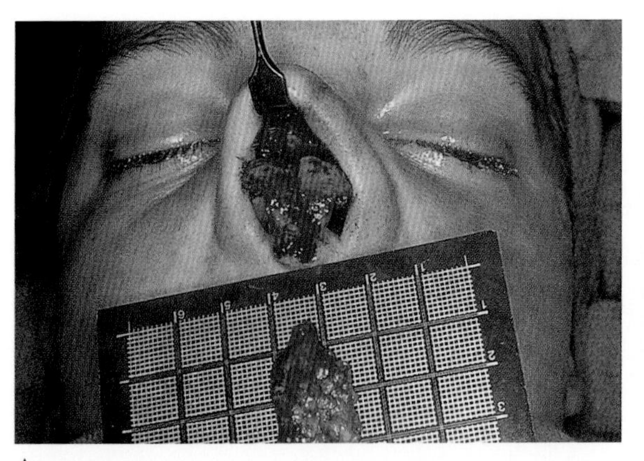

A

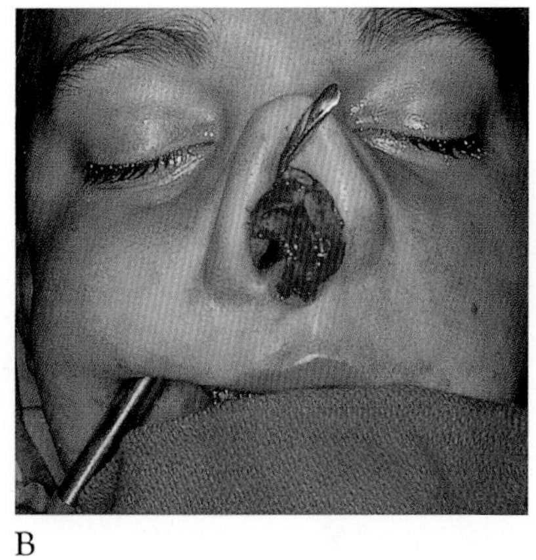

B

그림 9-31

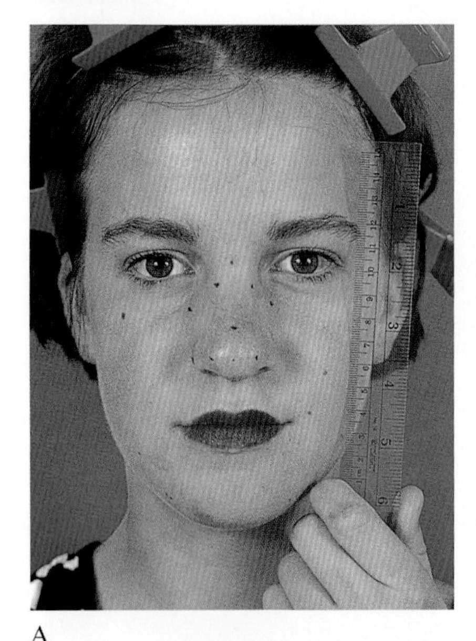

A

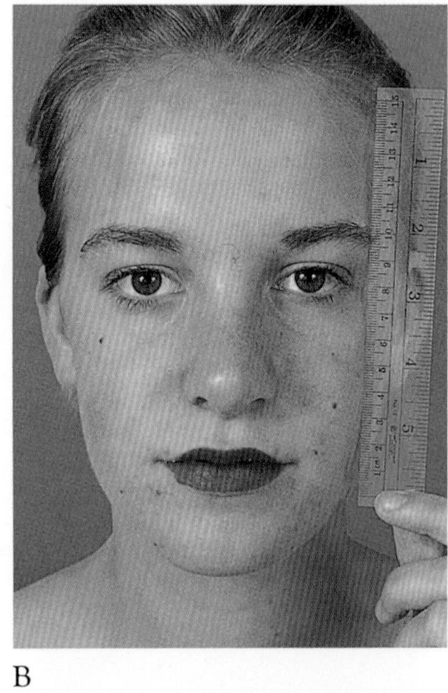

B

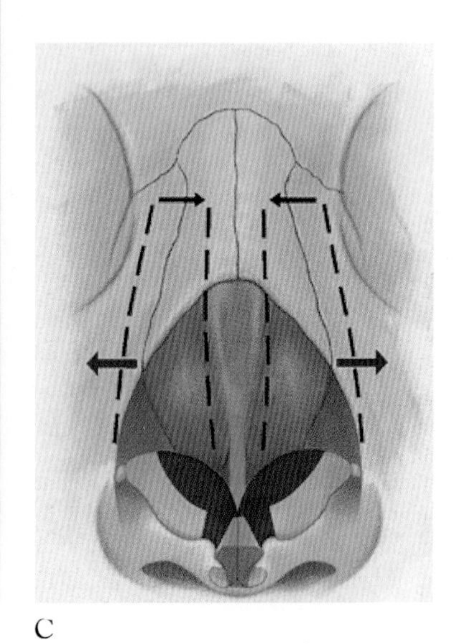

C

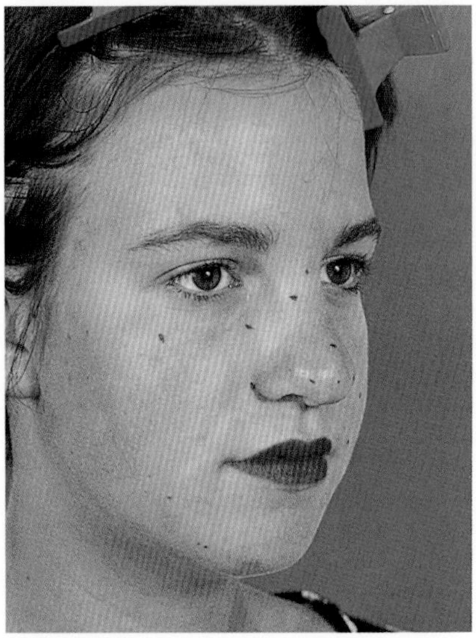

D

E

그림 9-32

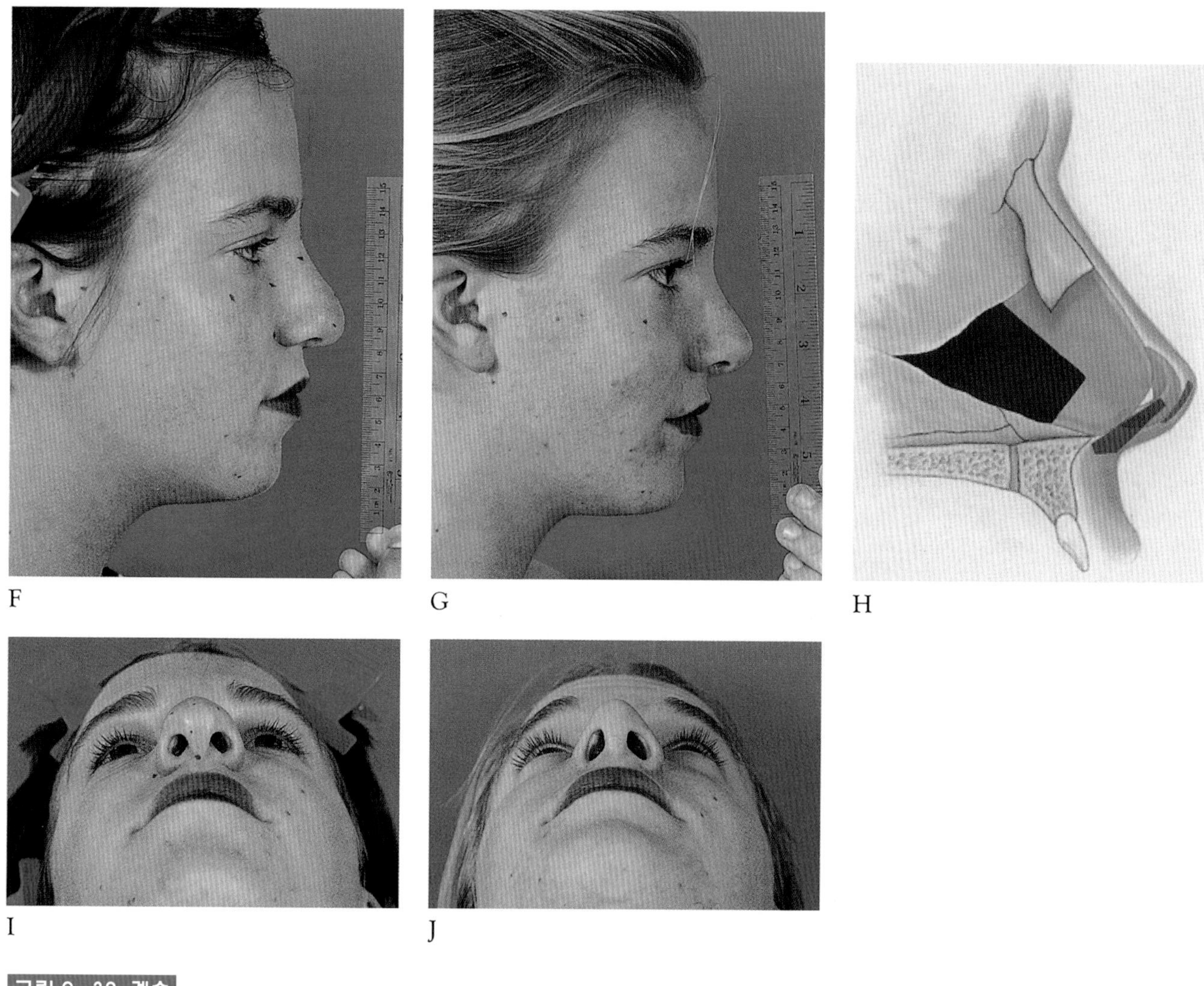


그림 9-32. 계속

## 논평

술후 1년에, 환자는 결과와 비첨의 변화에 만족하였다. 완벽한 결과는 아니지만, 주어진 어려운 피부외피에서 개선은 대단히 현저하였다. 비주지주이식술과 비첨이식술에 의하여 제공된 비첨지지의 역할은 저면(basilar view)에서 가장 확실하였는데, 넓고 무정형의 비첨으로부터 전형적인 이등변삼각형으로 변화 하였다. 전면에서 코는 더 좁아지고 더 세련되게 되었다. 상악골과 코를 가로 지르는 광범위한 피부박리의 역할은 코피부를 외측으로 배치시키는데 효과적이었지만, 안정적인 비구조물을 필요로 하였다.

## 전체비첨이식술 (Total Tip Graft)

원개분절이 절제되었거나, 심지어는 더 나쁘게 원개분절과 외측각 전체가 절제된 증례를 너무 자주 부닥치게 된다. 따라서 전체비첨이식술을 할 필요가 있다. 본질적으로, 3가지 가능한 재건술이 있다. 즉, 단독비첨이식술(isolated tip graft), 비소엽-비첨이식술(lobular tip graft), 그리고 전체비익교체이식술(total alar replacement graft).

### 단독비첨이식술(The Isolated Tip Graft)

일차비성형술에서는 비첨이식술을 하기 전에 흔히 원개분절과 외측각을 봉합하거나 변형시킨다. 그러나 이차비성형술에서는 원개와 외측각이 전번의 절제술에 의하여 전부 없을 수 있다. 그러나 정말 놀랍게도, 외측각을 교체하는 일이 흔히 필요하지는 않다. 대부분의 증례에서 작은 각지주를 정중분할술(midline split)을 통하여 내측각 사이에서 비주변곡점 미측에 위치시킨다. 그 다음, 비첨이식물을 '구형반흔(scar ball)'에 봉합함으로써 새로운 비첨을 만든다(그림 9-30A-E). 만일 비익연에 약간의 약화나 아취형변형이 있으면 비첨을 닫은 다음에 비익연이식술(alar rim graft)을 추가할 수 있다. 이갑개연골을 사용할 때 저자는 두측 이갑개강(cavum concha)의 볼록한 면의 연골막을 피하에 놓이도록 위치시킴으로써 비첨을 형성하는 경향이 있다. 모양은 골프구좌(golf tee)와 비슷하며, 샴페인 잔이나 닻(anchor)모양을 사용할 필요를 발견하지 못하였다. 각지주는 미측 이갑개정(cymba concha)의 오목 면에서 20X8mm 크기의 긴 부분층절개술을 한 다음, 5-0 PDS사로써 묶어서 만든다.

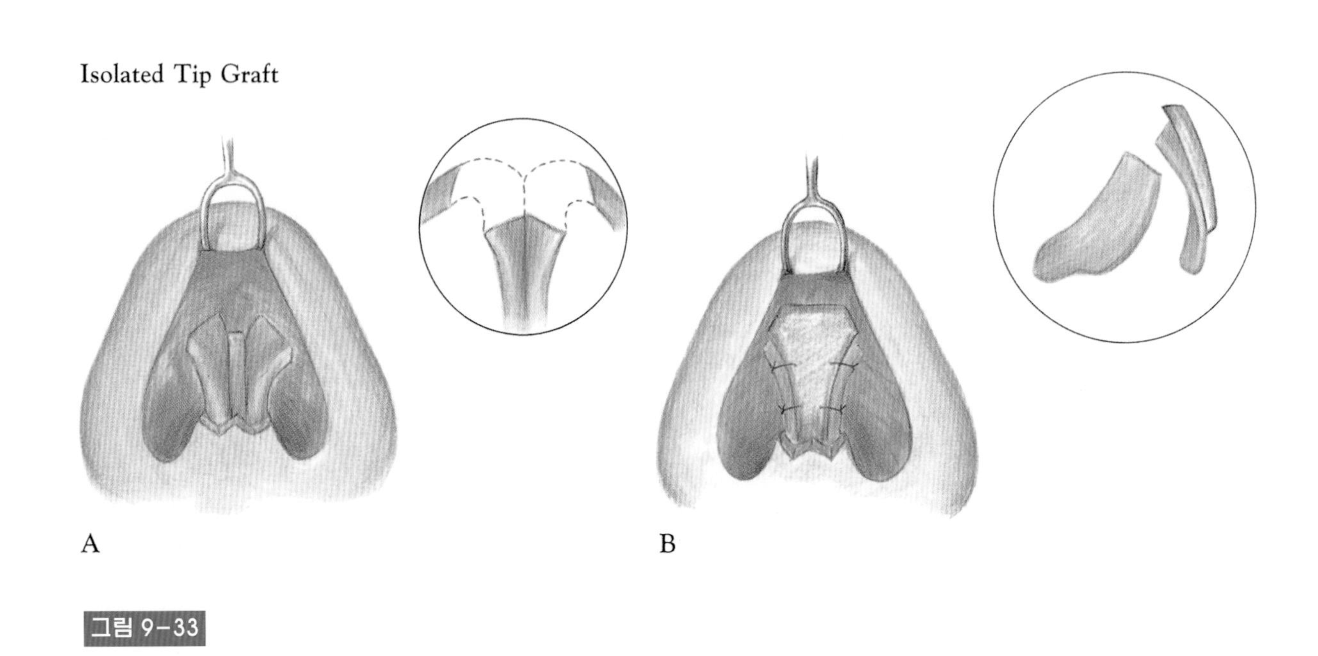


그림 9-33

## 비소엽형비첨이식술(Lobular Tip Graft)

'비소엽형비첨이식술'은 Juri의 비첨이식술의 변형으로서 비배부벽(dorsal buttress)은 경첩 시킨 이갑개연골(hinged concha)을 사용한다(그림 9-34). 이식물은 1개의 긴 이갑개연골조각으로서 방패형의 볼록한 하비소엽부를 만든 다음, 수평의 부분층절개를 하여 원개를 만든 뒤 바람직한 비첨돌출을 얻을 때까지 경첩 된 상비첨부를 비배측 비중격으로 미끄러져 내린다. 이 이식술은 짧고 두측회전 된 코에서 비첨-하비소엽재건술에 매우 유용하다.

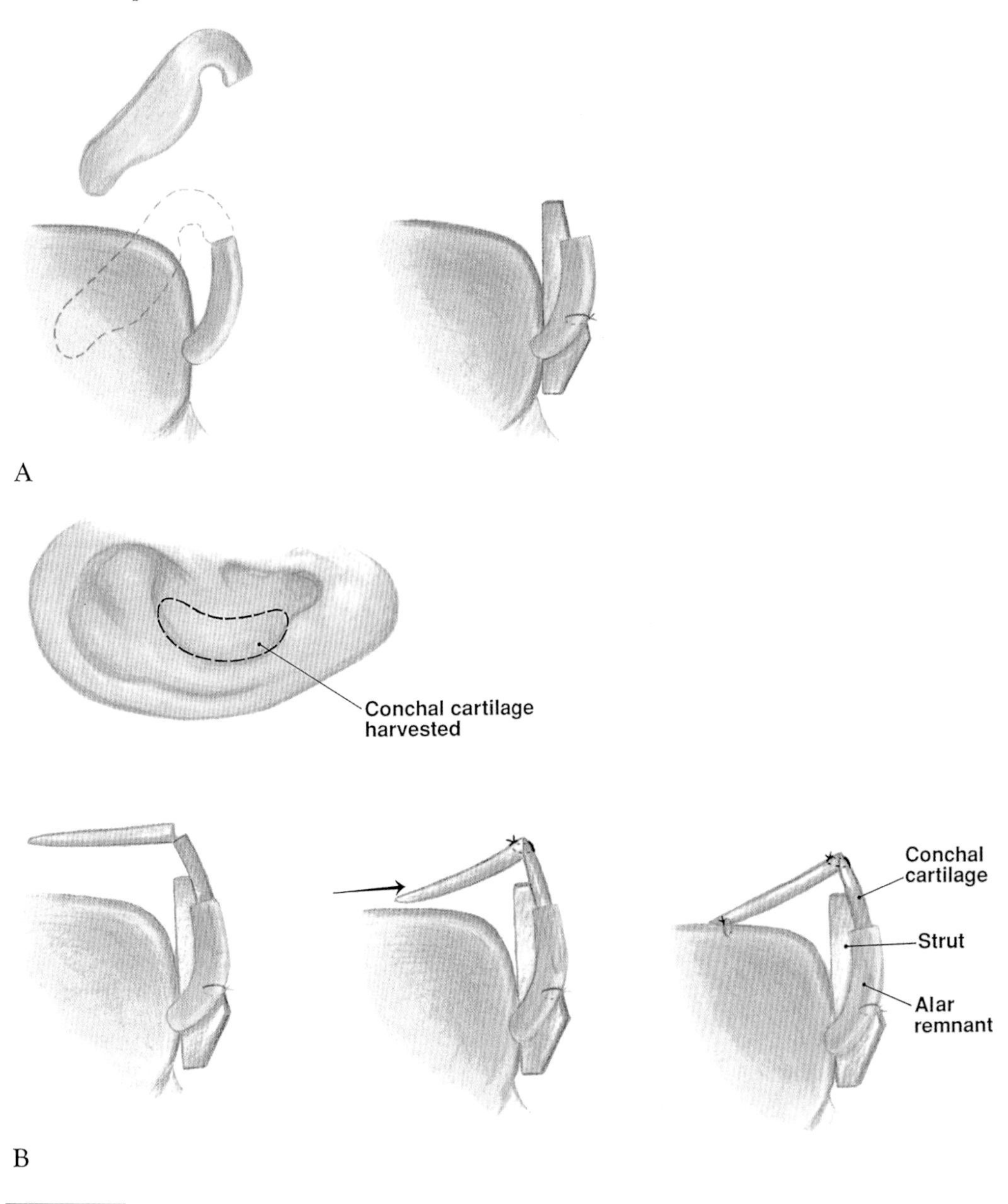


그림 9-34

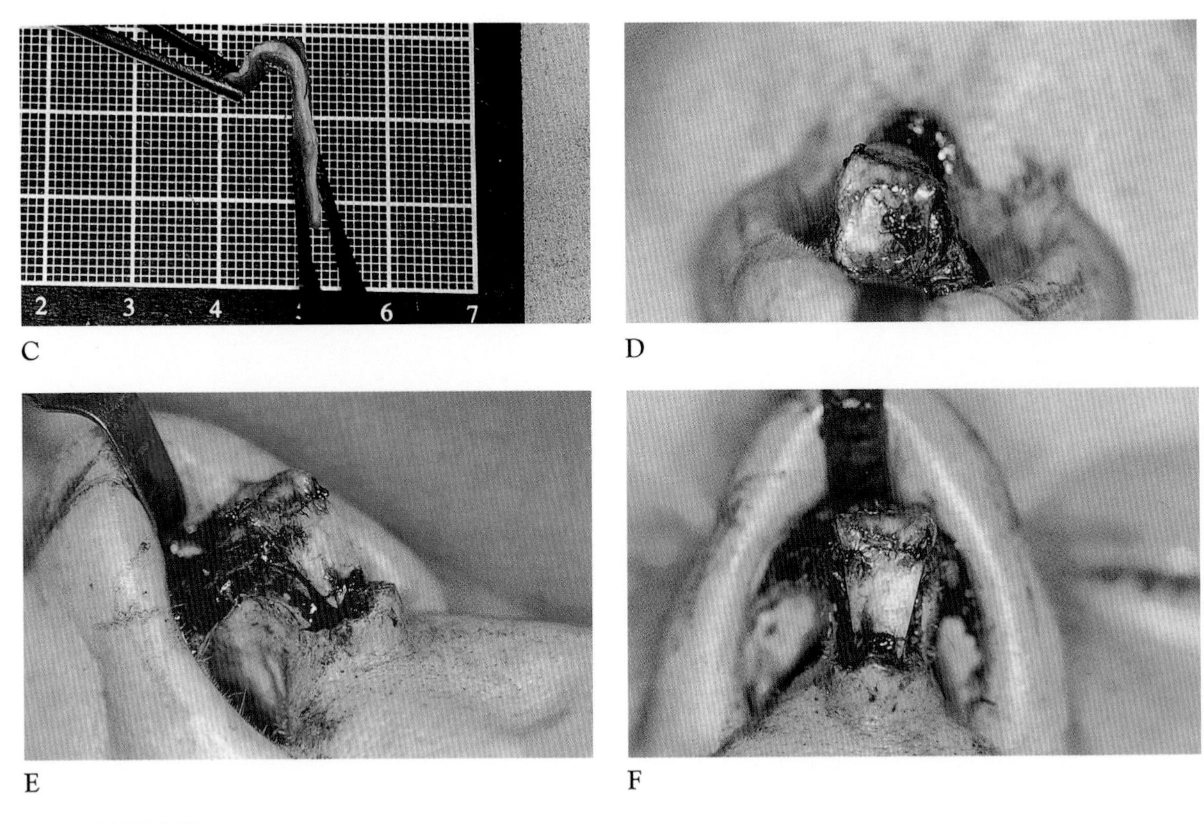


C D E F

그림 9-34. 계속

## 전체비익교체술(Total Alar Replacement)

만일 환자가 중증의 비전정판막붕괴(vestibular valve collapse)나 외측각완전절제술에 의한 비익연퇴축(alar rim retraction)을 가지면 전체외측각교체술이 필요하다. 가장 간단한 재건술은 이갑개연골 전체를 채취한 다음, 장축을 따라서 대각선으로 절단하여 '태극무늬(ying/yang)' 형태로 상반 위치(reciprocal position) 시킨 2개의 이식물로 만들어서 양측 비익을 교체하도록 한다(그림 9-35). 이 이식술은 외측각의 해부학적 교체를 위하여 고안되지는 않았지만, 오히려, 이 이식물은 원개로부터 비익연을 따라서 비익저의 실질 안으로 내려간다. 목표는 비익연과 비전정을 지지하는 것이다.

Total Alar Replacement

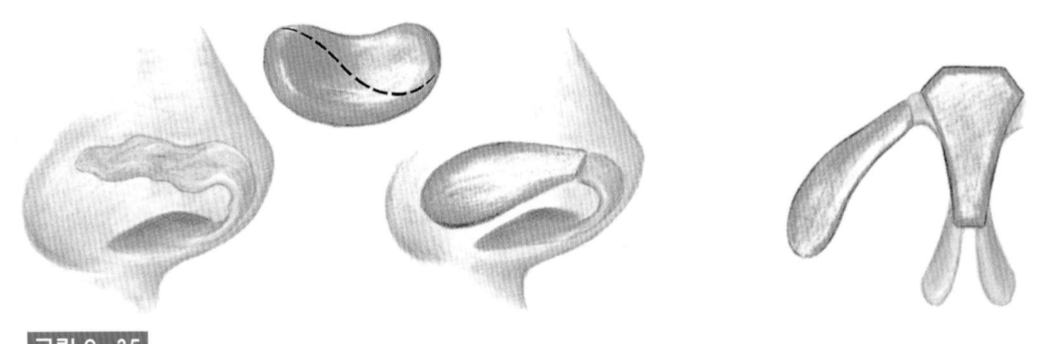

그림 9-35

## 증례 연구 단독비첨이식술(Isolated Tip Graft)

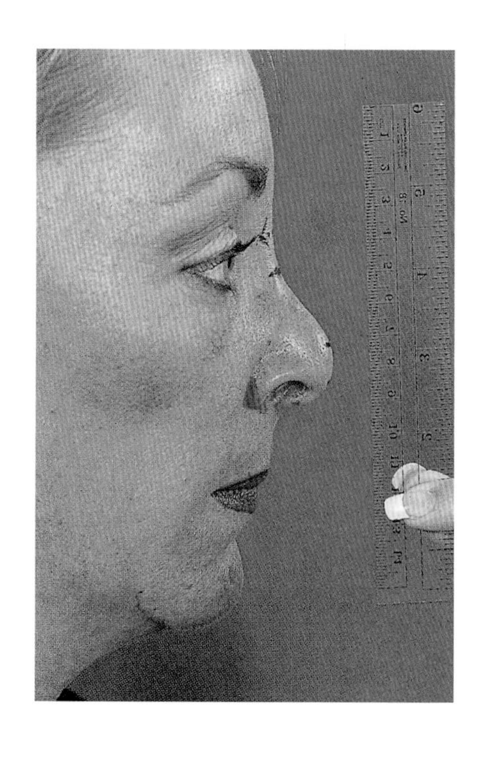

### 분석

이 여성 환자는 40세의 생일에 새로운 코를 갖기로 결심하였다. 열네 살 때 일차비성형술을 받았었다. 1960년대의 귀여운 모습을 가지고 있지만, 현대의 1990년대에서는 '코수술(nose job)'을 받은 모습이어서 없애기를 원하였다. 환자에게 수술이 쉽지 않으며, 전번 수술에서 "코 안에 남아 있는 연골보다 제거한 량이 더 많았음"을 설명하였다. 저자는 이 2가지 문제점에 대하여 어떻게 교정하여야 할지를 거의 알지 못 하였다. 이 환자는 이차비성형술의 3가지 전형을 가지고 있었다. 즉, 상비첨메부리코(supratip polybeak), 비익연퇴축과 처진 비주(hanging columella), 그리고 싹둑 잘린 비첨(snipped-off tip). 비첨재건술을 위하여 개방접근술을 일차적으로 선택하였다(그림 9-36).

### 외과 수기

1. 경비주절개술과 고위연골하절개술(high infracartilaginous incision))을 통한 개방접근술.
2. 비첨 분석 결과, 내측슬(medial genu) 수준에서 *비익연골의 전체절단술(total amputation)*을 밝힘(그림 9-36A).
3. 비배 및 비첨 동시분할접근술로써 비중격 노출: 전번의 점막하비중격연골절제술(SMR) 확인.
4. 메부리코 교정을 위하여 5mm의 연골비배축소술을 하였지만, 골비배수술은 하지 않았음.
5. 유용한 비중격연골-골채취술.
6. 30X6mm 크기의 비중격연골을 사용한 비배이식술을 하되, 골부를 상비첨에 위치시킴.
7. 절단된 중간각 두측으로 연장되는 견고한 변형된 각지주이식술(그림 9-36C).
8. 이갑개연골을 사용한 단독비첨이식물을 지주에 봉합고정술을 하였지만, 외측각교체술은 하지 않았음(그림 9-36B, D).
9. 비익연을 내리기 위하여 큰 이갑개복합조직이식술: 우측 20X9mm, 좌측 17X7mm.
10. 절개선의 봉합술. 비절골술은 하지 않았음.

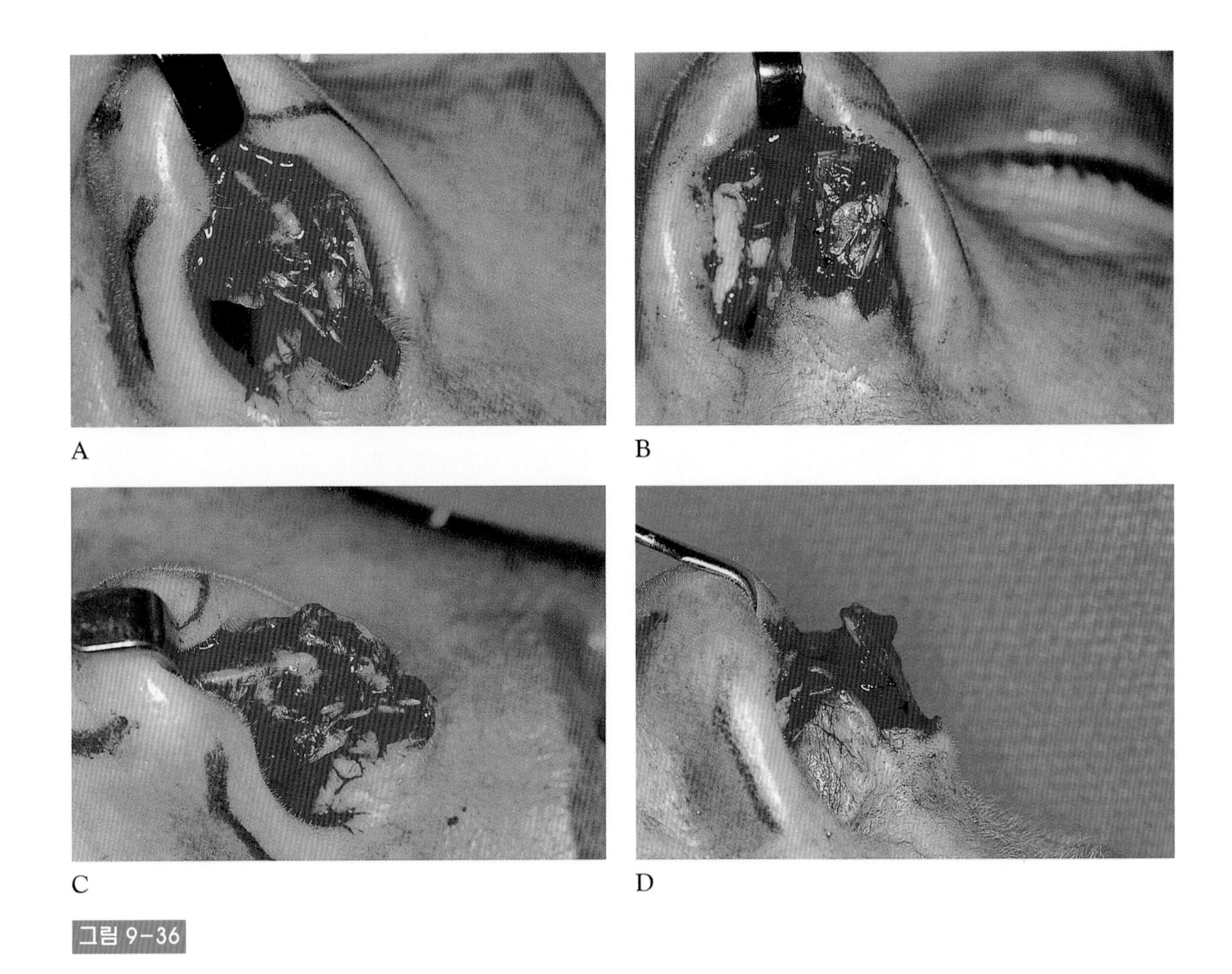

그림 9-36

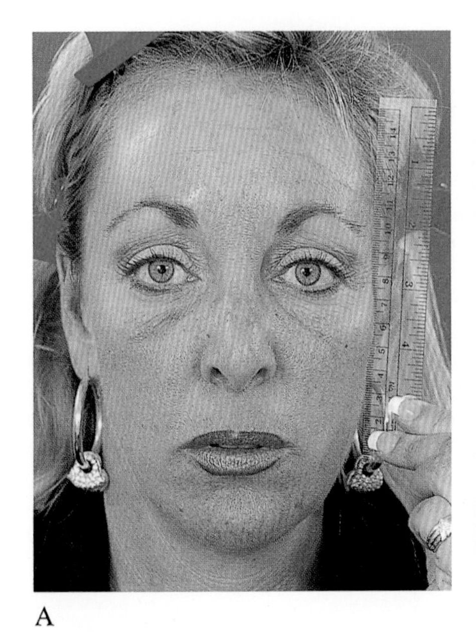

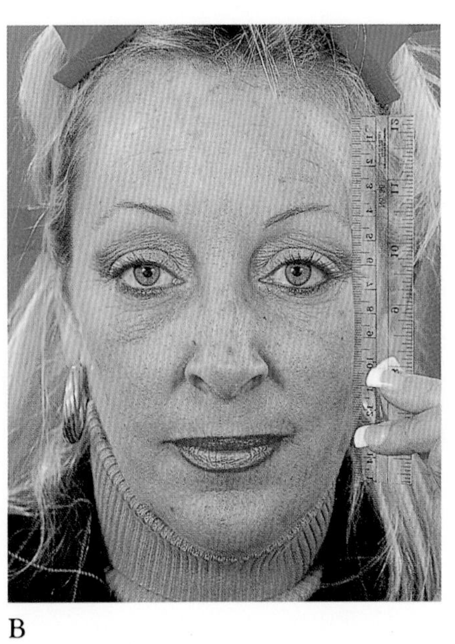

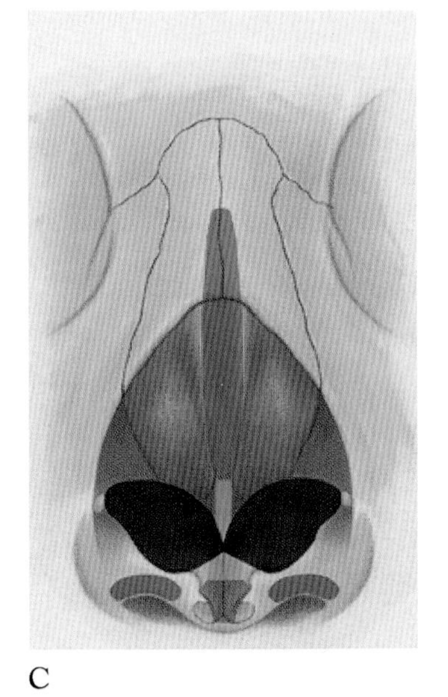

A B C

그림 9-37

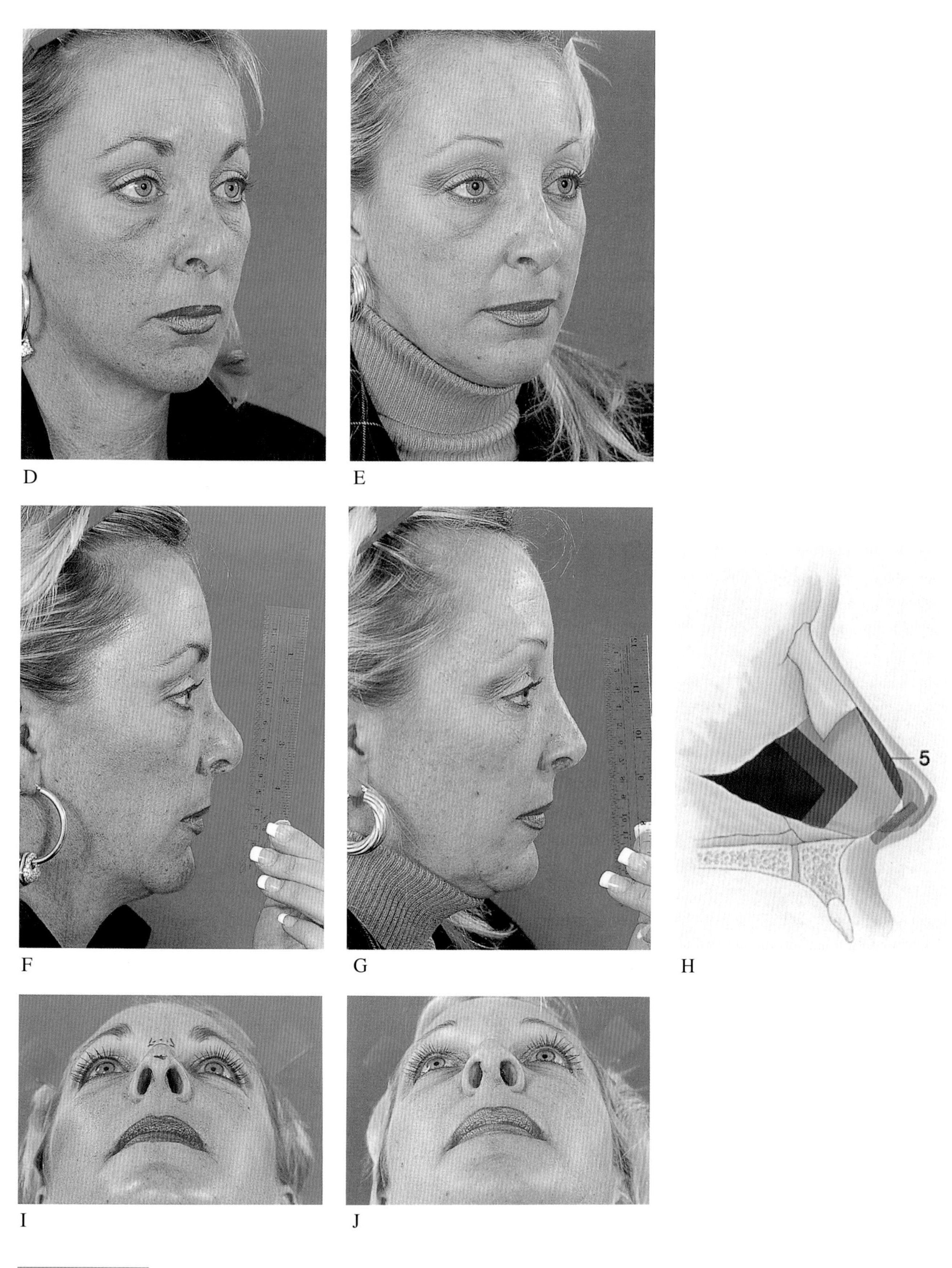


그림 9-37. 계속

### 논평

이 증례의 난제는 절제해 버린 비익연골을 어떻게 교체 하느냐 이었다. 저자는 원개를 교체하기 위하여 튼튼한 비첨이식술을 사용한 다음, 진정한 해부학적 교체는 하지 않더라도 비익연을 내리기 위하여 복합조직이식술을 선택하였다. 만일 비익연연골조각이 존재하였으면 비익연연골조각과 상외측연골과의 사이에 복합조직이식술을 하였을 것이다. 술후 2년에 환자는 결과에 황홀해 하였다(그림 9-37). 비록 저자는 이를 만족할 만한 결과로 생각할 지라도 학자들은 1960년대의 나쁜 코수술 모습을 1970대의 좋은 코수술 결과와 교환하였을 뿐이라고 말할 것이다. 경고: 이러한 증례를 떠맡을 것인지 아닌지를 신중히 생각하라. *당신이* 수술하는 순간, 그것이 어디에서부터 시작하였든지 관계없이 *당신의 결과*가 된다.

## 비저(Base)

이차비저성형술은 단순한 것으로부터 복잡한 것까지, 그리고 단독으로부터 동반까지 다양하다. 가장 흔한 문제점은 일차비성형술에 필적하는 단독비익저 및 비공상 변형(isolated alar base-nostril sill deformity)으로서 비저가 대형인 코(base heavy nose)와 퇴축비(retracted nose)라는 양단에 있는 큰 난제 2가지 변형이 결합된 것이다.

### 비익저(Alar Base)와 비공상(Nostril Sill)

단독비익저 및 비공상 변형은 일차비성형술 때와 비슷하거나, 전번 절제술 때문에 난제일 수 있다. 가장 좋은 경우는 일차비성형술 때 필요한 절제술을 하지 않았기 때문에 이차비성형술 때 적응증이 되어서 통상적 절제술을 할 수 있을 때이다. 전번 절제술에서 겁이 너무 많아서 덜 잘라 내었거나, 반흔이 잘못 위치하는 것을 흔히 보게 된다. 가능하면, 전번의 반흔을 계획된 절제술에 포함시키면 좋지만, 보존적이어야 한다. 왜곡되어 있으면 옛날 반흔을 절개하여 결손을 다시 만든 다음 재평가하는 것이 가장 좋다. 비공상의 반흔구축을 교정하는 많은 복합조직이식술과 전위피판술이 소개되어 있기는 하지만, 결과는 잘하더라도 한계가 있다.

### 대형비저(Base Heavy Nose)

많은 이차비성형술 환자는 비배-비저불균형(dorsal/base disproportion) 때문에 불행하다. 어떤 술자는 균형을 얻게 하기 위하여 비배를 더 크게 하기를 권장하기는 하지만, 환자는 현재의 비배로 꽤 만족하며 비저를 더 작게 하기를 원한다. 그러므로 목표는 조직이 허락하는 한 많이 '비저 위축(shrink the base)'을 시키고, 마지막 수단으로만 비배이식술을 하는 것이다. 흔히 사용하는 3가지 수술 단계는 비공상 및 비저 동시변형술, 비주변형술, 그리고 비첨정의교정술을 통한 하비소엽교정술이다.

## 퇴축비(Retracted Nose)

많은 이차비성형술 증례는 비익연-비공-비주 동시변형(ANDC, combined alar rim/nostril/columella deformity)에 의한 '퇴축된 모양(retracted look)'을 나타낸다. 퇴축된 비익연(retracted alar rim)의 3대 요소는 첫째 비공이 넓으며, 둘째 상대방이 자기의 콧구멍 안을 볼 수 있으며, 셋째 처진 비주(hanging columella)에 의하여 강조되는 것이다. 측면에서 4가지 경사각을 분석하고(비첨경사각, 비익연경사각, 비공경사각, 그리고 비주경사각), 구멍을 양분함으로써 비공을 평가하며, 원인이 비익연 및/또는 비주에 있는지를 밝히는 것이 중요하다. 일반적으로, 해결책은 미측비중격절제술, 비익연이식술이나 복합조직이식술에 의한 비익연낮추기, 그리고 적절한 비공상 및 비익저 동시절제술로써 처진 비주를 함께 교정하는 것이다.

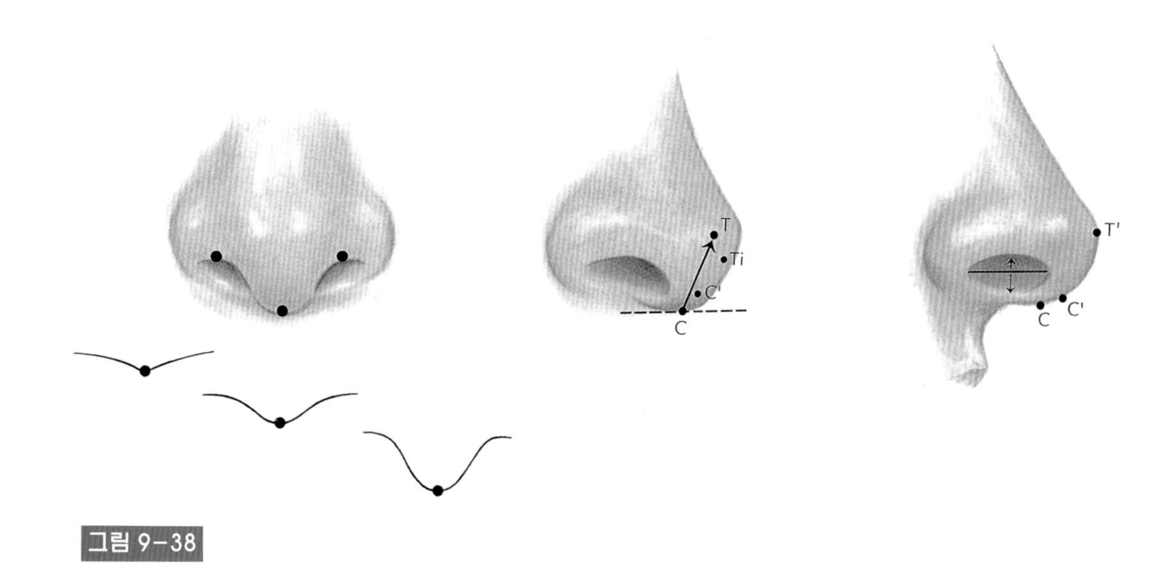


그림 9-38

## 증례 연구 대형비저(Base Heavy Nose)

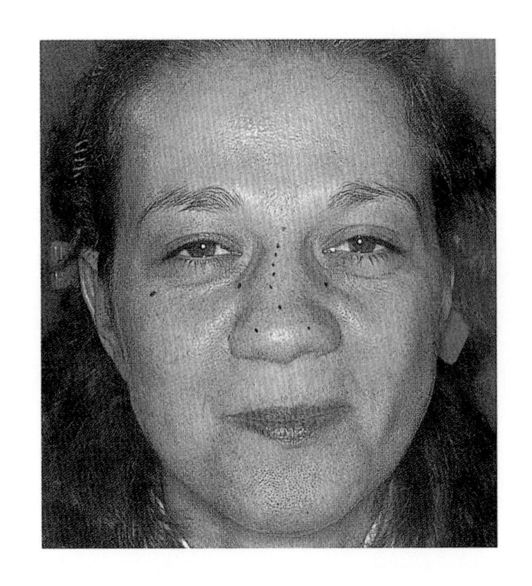

### 분석

31세 여성 근로자로서 전번에 비중격성형술을 받은 과거력이 있었으며, 분명한 비배-비저불균형, 뭉툭한 비첨, 그리고 넓은 비익폭이 두껍고 무거운 피부외피에 싸여져 있었다. 촉진 결과, 전번에 미측비중격절제술을 받았음을 알 수 있었다. 삼대 요소인 연조직탈지술(soft tissue defatting), 비주지주이식술, 그리고 비익쐐기형절제술을 하였으며, 2년 동안 추적하였다.

### 외과 수기

1. 개방접근술. 상비첨탈지술(그림 9-39A).
2. 비배축소술: 골 1mm, 연골 3mm.
3. 비주지주이식술(그림 9-39B).
4. 삼점비첨봉합술.
5. 4mm의 쐐기형비익절제술.

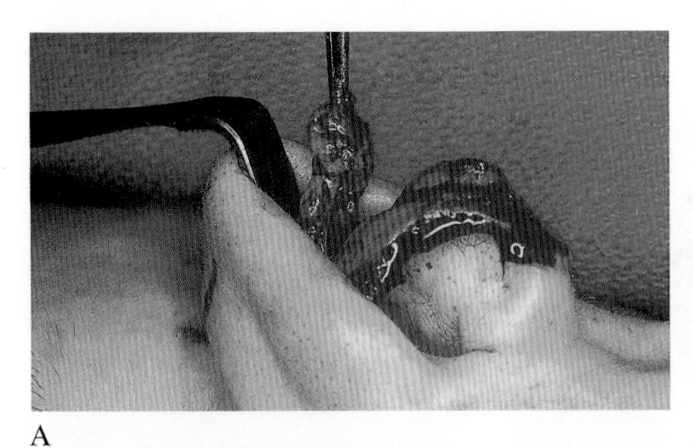
A

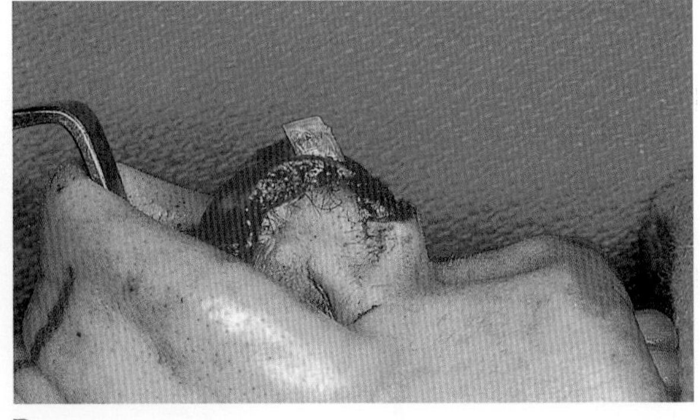
B

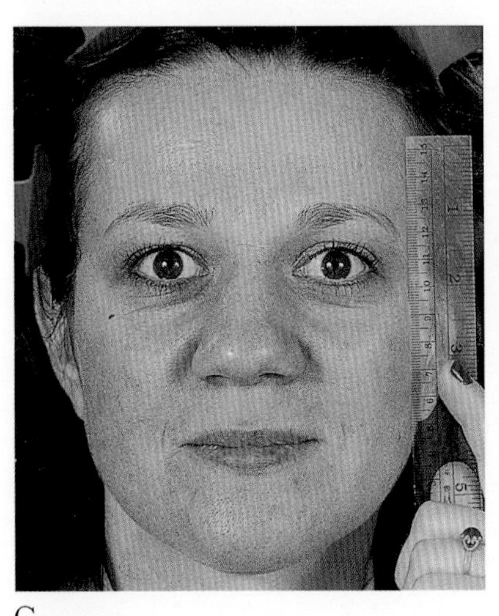
C

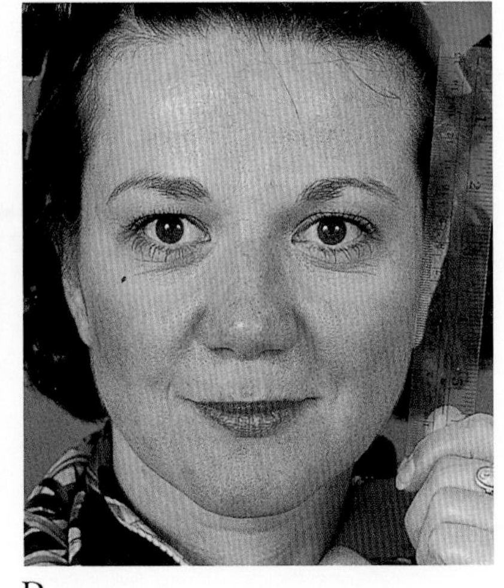
D

그림 9-39

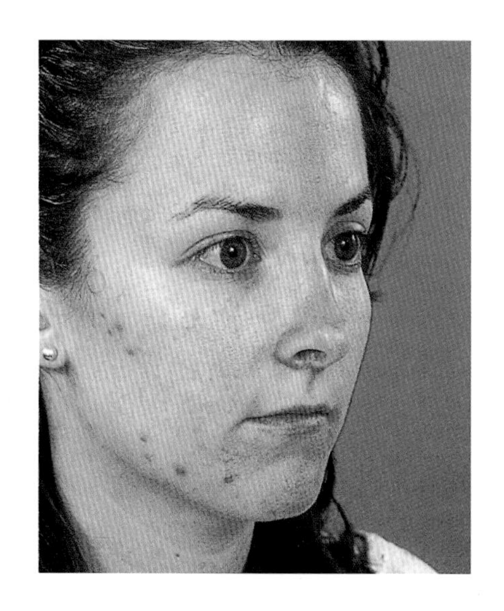

## 분석

26세 관리직 여성으로서 비중격-비성형술 후 6년 만에 비첨변형을 호소하여 내원하였다. 검사에서, 비익연퇴축, 가시적 비공, 처진 비주가 함께 나타났다. 종이처럼 얇은 피부와 3mm의 비익연연골조각 때문에 수술이 까다로웠다. 일 년 동안 추적하였다.

## 외과 수기

1. 비중격연골채취술 후 각지주이식술.
2. 좌측원개절제술 후 원개간봉합술(그림 9-40A, B).
3. 3mm의 비공상절제술.
4. 양측비익연이식술.

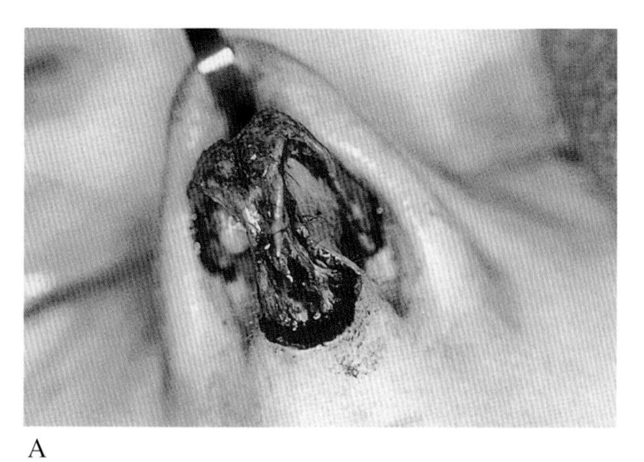

A

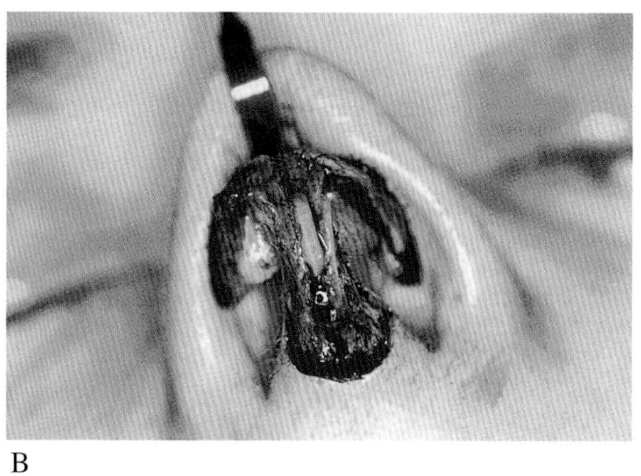

B

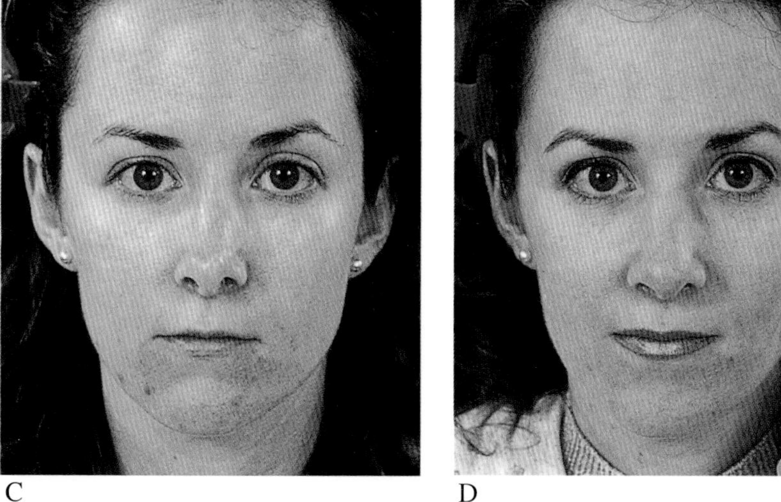

C

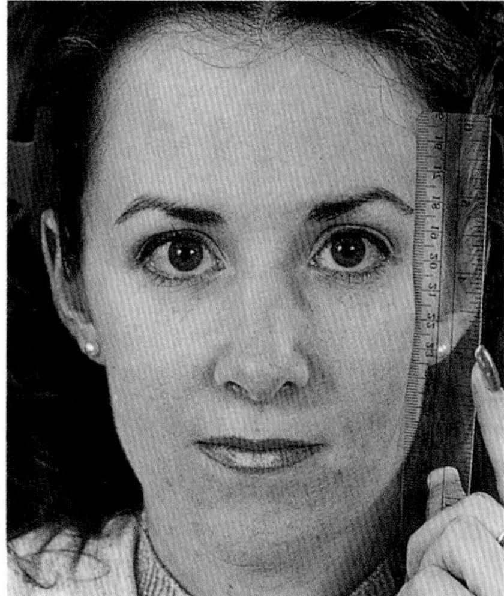

D

그림 9-40

## 비중격기능 (Septal Function)

이차비중격수술은 3가지 이유에서 일차비중격수술 때보다 좀 더 어렵다. 1) 비중격이 전번 조작에 의하여 흔히 왜곡되었으며, 반흔이 있다. 2) 전번 절제술에 의하여 중요한 L형지주가 약화되었을 수 있다. 3) 대량의 이식물이 필요하다. 비중격수술의 실제 적응증은 어느 정도 일정하다. 즉, 비중격의 해부학적 폐쇄의 교정 및/또는 비중격이식물 채취를 할 때이지만, 전번 수술이 실패하여 비중격이 왜곡되었을 가능성이 있을 때도 추가적으로 한다. 수술 전후에 충혈완화제를 분무하여 내비검사를 철저히 하여야 한다. 저자는 이차비성형술의 85%에서 비중격수술을 하였는데, 33%에서는 비중격연골 채취만을 위해서 하였고, 67%에서는 기능 개선과 선택적 이식물 채취 때문이었다. 굉장히 중요한 것은 *이차비성형술의 75%에서 조금 절제한 것을 포함하여 전번에 비중격성형술을 받은 것이다.* 점막판거상술이 수월한 것으로부터 악몽 같은 것까지 다양하다. 또, 18% 또는 거의 1/5에서 비중격변형을 교정하기 위하여 *전체비중격성형술(total septoplasty)이 필요하다.* 어려운 비중격을 처치하지 않고도 이차비성형술을 할 수 있다는 어떠한 생각도 완전히 순진한 것이다.

### 접근술(Approaches)

비중격의 문제점이 복잡할수록 더 일측관통절개술과 함께 개방접근술을 사용한다. 전형적인 두측에서 미측으로 접근하는 비배분할술(dorsal split)은 전번의 비배축소술에 의한 반흔부를 통하여 연골막하층을 발견하기가 어려울 수 있기 때문에 거의 권장하지 않는다. 대신, 일측관통절개술을 하여 미측 비중격에서 연골막하층의 경계를 정한 다음, 두측으로 박리한 뒤 바로 보면서 연골막을 벗겨서 비배를 개방하는 것이 훨씬 더 쉽다. 일측관통절개술을 하지 않는 예외는 큰 비첨비회전술(tip derotation)과 비중격연장이식술(septal lengthening graft)이 필요한 증례에서처럼 막비중격(membranous septum)의 보존이 중요한 경우이다.

### 수기의 변형(Technical Modifications)

1. 국소마취제를 주사하는 동안 저항을 평가함으로써 전번에 한 비중격절제술을 탐사하는 것이 중요하다. 국소충전(topical packing)을 제거한 다음, 철저한 후비검사(posterior examination)도 꼭 같이 중요하며, 내시경은 전번의 비중격천공(septal perforartion)을 증명하는데 가치가 있을 수 있다.
2. 비배축소술을 하기 *전에* 비중격의 상태를 평가하는 것이 중요하다. 만일 전번 술자가 7-8mm의 L형지주를 남겨 두었는데, 연골원개를 3-4mm 축소시킬 계획이라면 비중격붕괴의 위험이 대단히 크다(그림 9-41).
3. 비중격의 노출은 흔히 방심할 수 없다. 특히, 전번에 세분화(morselization)를 하였으면 쉽게 거상한 부위로부터 반흔부로 박리층이 갑자기 바뀔 수 있기 때문이다. 동시에, 비중격이 연골막층과 합쳐져서 중첩된 부위도 마주칠 수 있다.
4. 진짜 난제는 전번의 절제 부위에서 박리하는 것일 수 있다. 원래, 점막편을 찢지 않고, 둘을 분리시켜야 한다. 때때로, 반흔층이 있거나, 심지어는 비중격의 가연골재성장(pseudocartilaginous regrowth)이 있을 수 있다.

5. 전번 비중격절제술 후 비중격연골이식물을 가장 성공적으로 채취할 수 있는 곳은 두측으로는, 사골수직판(perpendicular plate of ethmoid bone) 근처의 비배부 지주(dorsal strut) 아래에서뿐만 아니라 미측의 서골부와 서골의 후비중격연장(posterior septal extension)에서 이다(그림 9-42).
6. 전번에는 치료할 수 없었던 모든 일차비중격변형을 분명히 교정할 수 있어야 하며, 미측 및 비배측 비중격 둘 다의 완전 분열도 비중격연골이식물을 사용하지 *않고서도* 다룰 수 있어야 한다. 이갑개연골로부터 비주지주와 비배이식물 둘 다를 다듬을 수 있어야 한다!

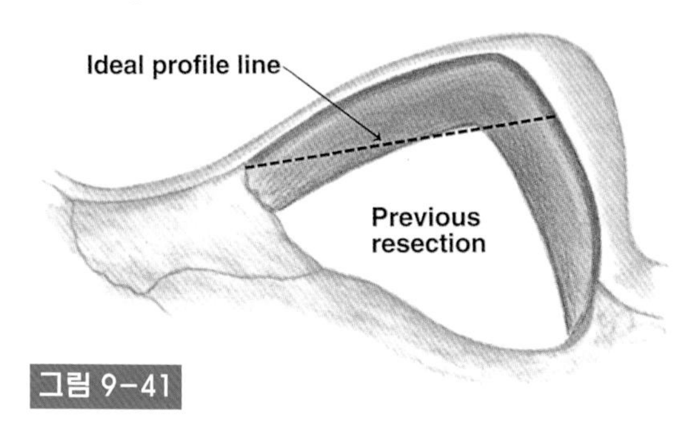


그림 9-41

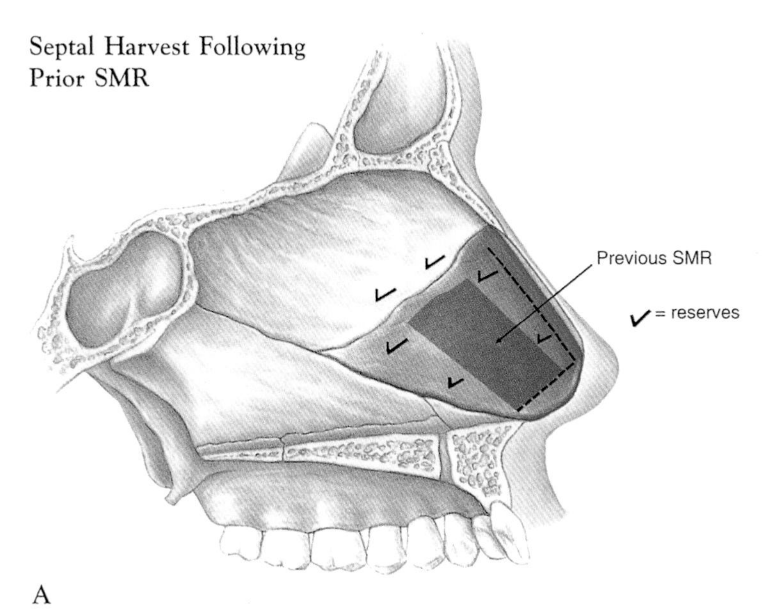


A

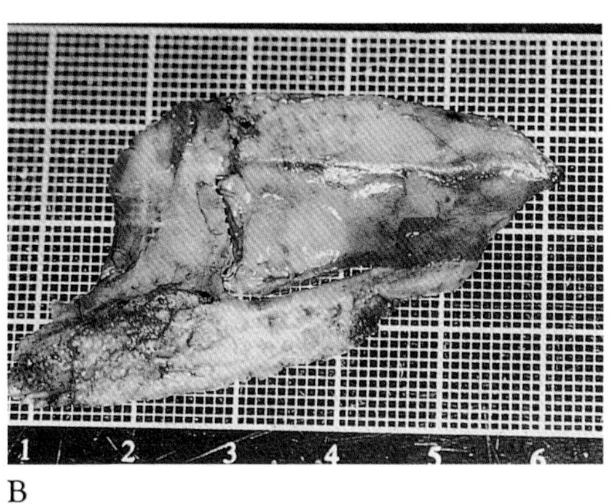


B

그림 9-42

## 증례 연구 비중격에 이르는 개방접근술(Open Approach to the Septum)

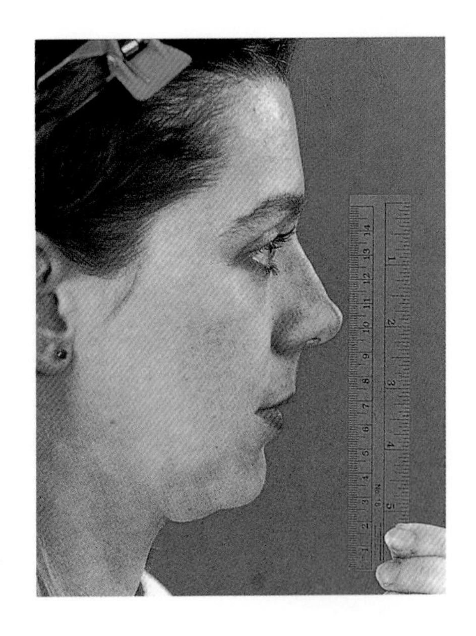

### 분석

31세 여성으로서 비폐쇄와, 비첨변형이 커지는 2가지를 호소하였다. 과거력에서, 13세에 비외상을 당하였고, 19세에 비출혈에 대한 비중격수술을 받았다. 내비검사 결과, 비중격만곡에 의하여 좌측 내비판막이 폐쇄되고, 우측에는 후비중격만곡이 있었다. 폐쇄접근술로써 비배측면을 낮춘 다음, 비첨비회전술(tip derotation)을 계획하였다. 그러나, 술중 소견 때문에 폐쇄 및 개방접근술로 바꾸었다. 교훈: 환자의 과거력이 완전하지 않을 수 있으므로 어떤 우발성도, 모든 우발성도 다룰 준비가 되어 있어야 한다.

### 외과 수기

1. 비중격 평가를 위한 일측관통절개술.
2. 전번에 점막하비중격연골절제술(SMR)을 한 증거가 있었음. 전번에 L형지주의 비배분절(dorsal segment of L-shaped stut)이 완전한 수직절개에 의하여 겹쳐져 있었음(telescoping)(그림 9-43A, B).
3. 개방접근술로 전환.
4. 비배측 비중격(dorsal septum)을 노출시켰을 때 3조각이 10mm 중복되어 있었음(그림 9-43B).
5. 연전이식술을 위한 하부비중격연골채취술.
6. 긴 비중격을 끄집어내어서 연전이식물과 함께 3곳에서 4-0 PDS사로써 5층 샌드위치봉합술(그림 9-43C, D).

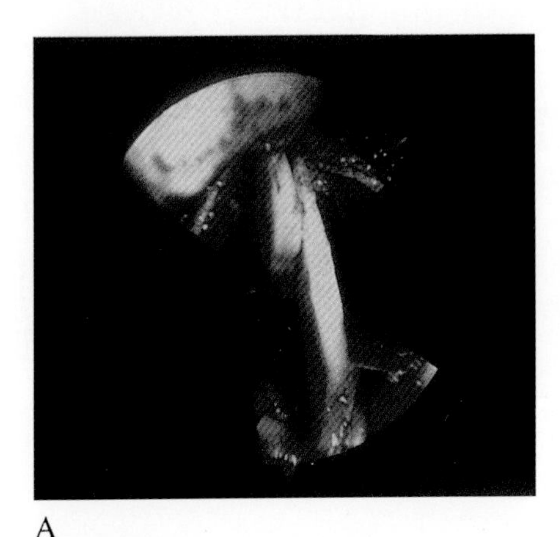

A

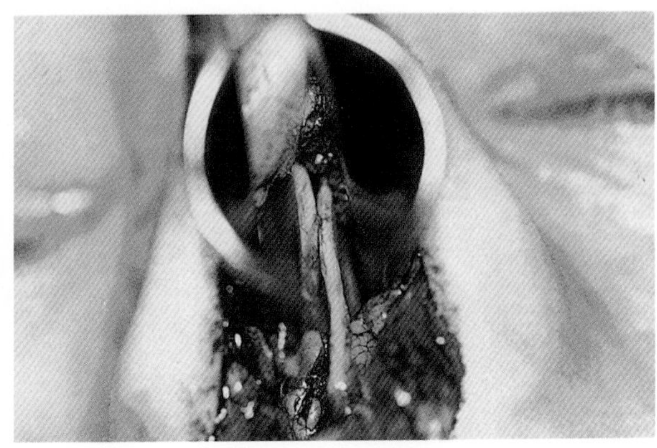

B

그림 9-43

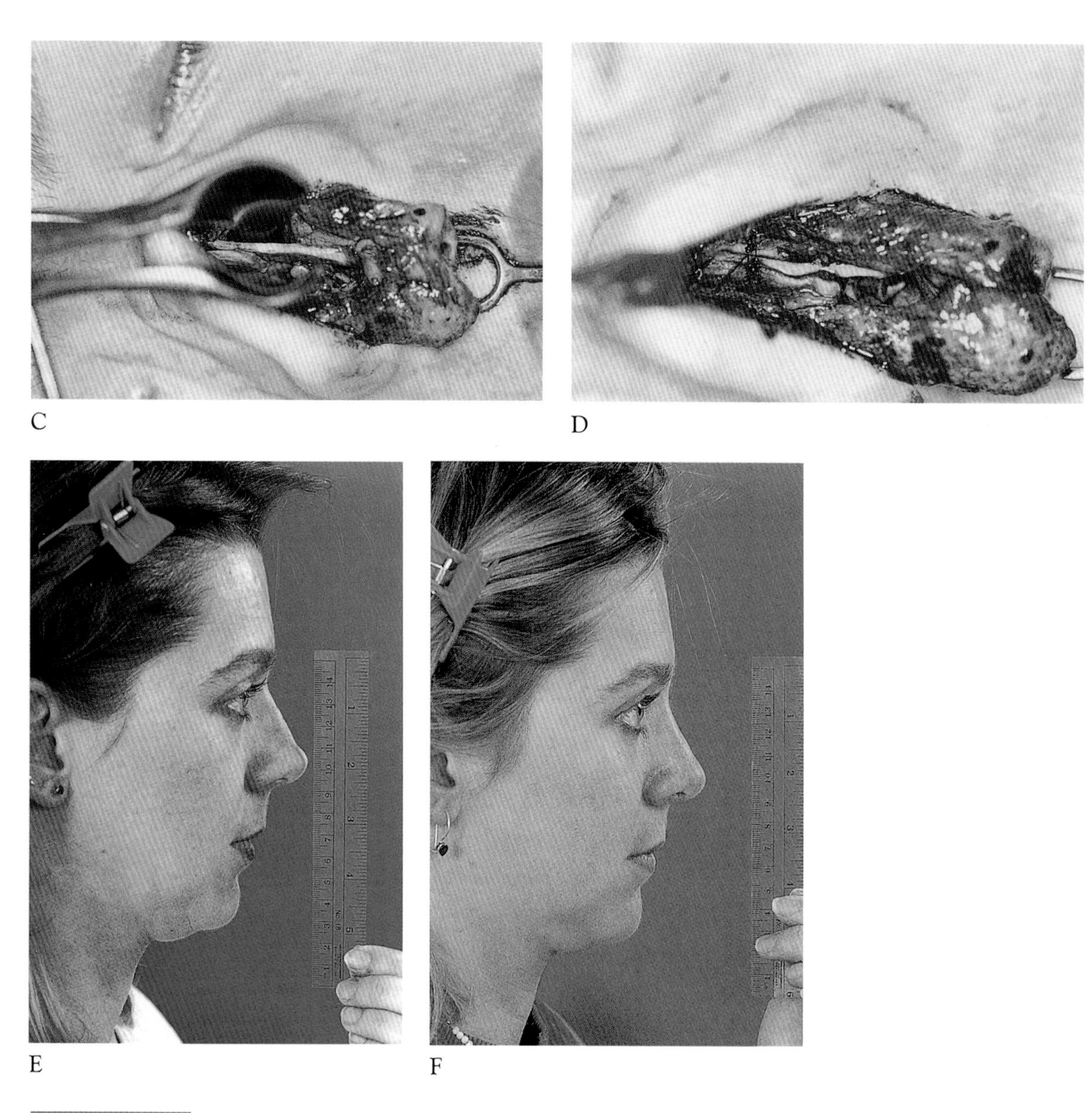

그림 9-43. 계속

## 논평

술전에 두측회전 된 코를 전방으로의 비회전 시키는 간단한 수술이 필요하다고 느꼈다. 전번의 점막하비중격연골절제술과 L형지주의 비배분절의 절단을 보고 정말 놀랐다. 개방접근술로 바꿈으로써 코를 해부학적으로 정렬하고 연장시킬 수 있었다. 기법적으로는, 일차비성형술에서 의도하지 않게 비중격이 절단되었을 때 사용하였던 조작과 꼭 같다.

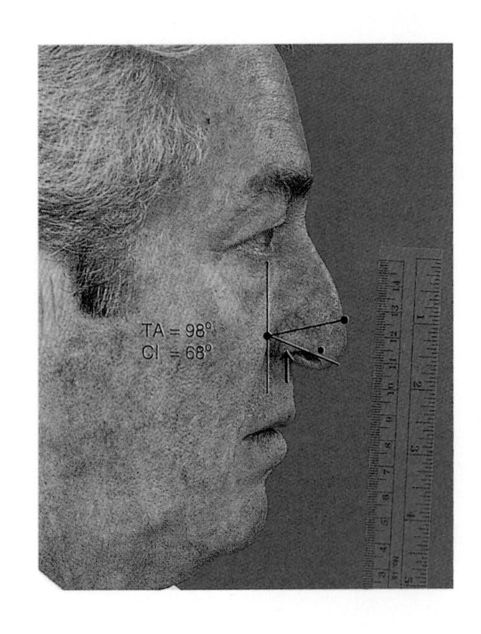


## 분석

59세 남성으로서 숨을 쉴 수가 없었고, 비측면을 싫어하였다. 과거력에서, 10대에 비골절을 많이 당하였고, 40년 전에 비중격성형술을 받았다. 내비검사에서, 우측 기도는 비중격 중간부에서 완전히 폐쇄되었으며, 좌측은 하부 비중격에서 폐쇄되었다. 예각인 비주-상순각을 촉진하였을 때 원인은 미측비중격절제술 때문이었다. 미적으로, 환자는 '구비(鉤鼻, hooked nose appearance)와 의존비첨(dependent tip)을 싫어하였다.

## 외과 수기

1. 경비주절개술과 연골하절개술을 통한 개방접근술.
2. 비배축소술: 줄질로써 골 0.5mm, 절제술로써 연골 2mm.
3. 비중격 접근 및 전체 노출을 위한 비배 및 비첨 동시분할술(combined dorsal/tip split).
4. 전번에 한 미측비중격절제술, 하부점막하비중격절제술(inferior SMR), 그리고 회전문절개술(swinging-door incision) 확인(그림 9-44A, C).
5. 결국, 비중격연골절제술 후 이갑개연골채취술을 하기로 어려운 결정. 3부분의 L형지주를 만듦: 1) 큰 비중격연골이식물로 구성 된 비주분절(30X11mm). 2) 이갑개연골의 비배분절, 그리고 3) 작은 비중격연골이식물의 비배부목(dorsal splint)(그림 9-44D, E). 술후 1년 결과.

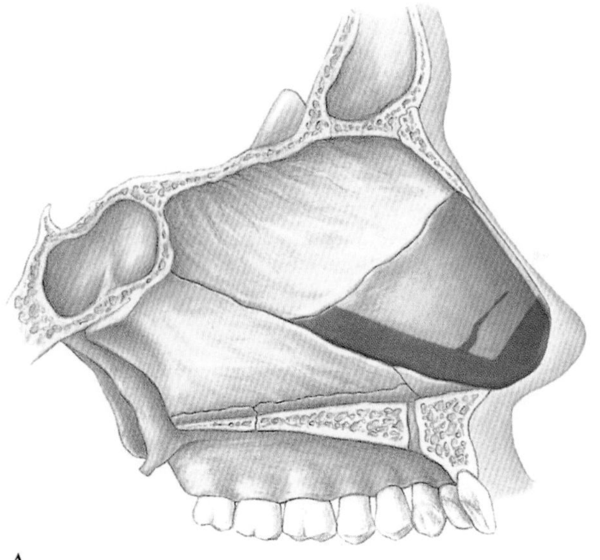

A

그림 9-44

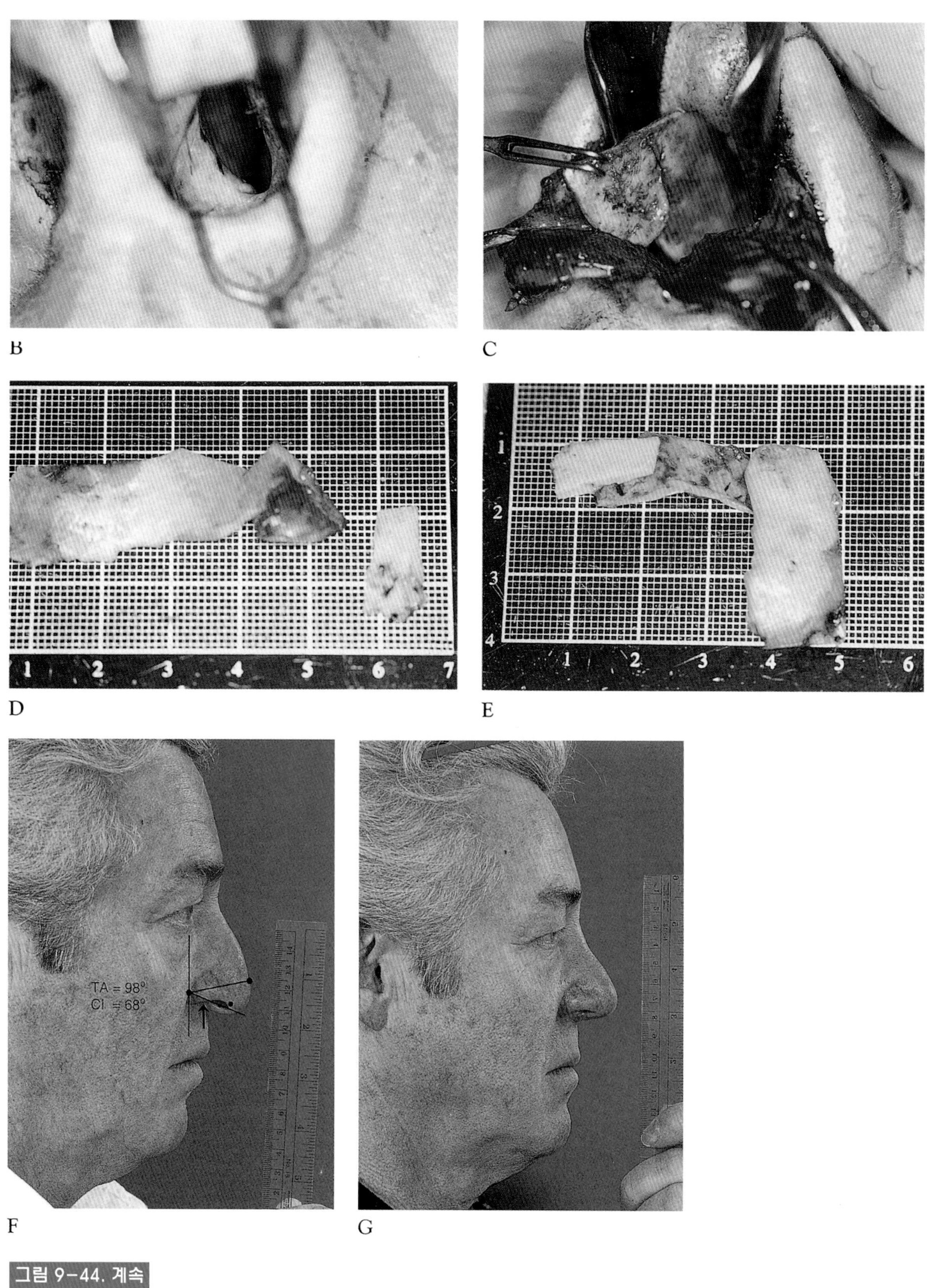


그림 9-44. 계속

## 판막기능 (Valve Function)

이차비성형술 환자들을 평가한 직접적인 결과, 비판막을 4가지로 분류하게 되었다. 즉, 비공판막, 비전정판막, 내비판막, 그리고 골판막. 원인은, 과대절제술에 의한 지지 소실과, 반흔 또는 점막절제술에 의한 구축 둘 다에 의한 것이 가장 흔하다. 나중에는 이와 비슷한 문제점들이 수술하지 않은 일차비성형술에서도 발견되었는데, 그 원인은 구조적 약화로서 해부학적 변형이나 전번에 당한 외상 때문에 발생하였다. 이 절에서는 이차판막문제점(secondary valvular problem)을 강조하고, 일차 때와 처치가 어떻게 다른 지를 설명할 것이다.

### 비공판막(Nostril)

비공폐쇄를 평가하려면 비익연의 견고성뿐만 아니라 하류(downstream)인 미측 비중격과(그림 9-45) 상류(upstream)인 내비판막의 폐쇄를 세심하게 평가하여야 한다. 가장 흔히, 미측비중격재위치술과 비익연이식술만으로도 대부분의 비공폐쇄를 교정하기에 충분하다. 비공상의 과대절제술도 관찰되는데, 교정하기가 대단히 어렵다.

Nostril Valve

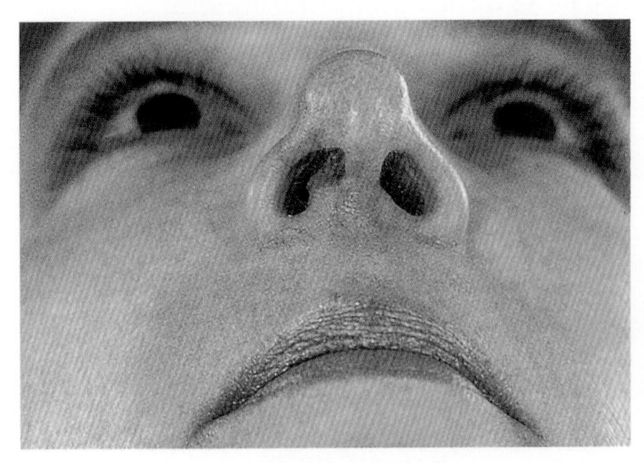

A

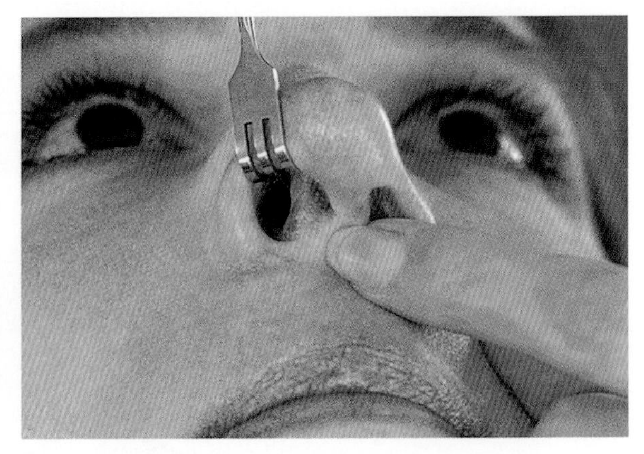

B

그림 9-45

### 비전정판막(Vestibular Valve)

비전정판막의 문제점은 점막 및 구조적 소실이 어디에 있느냐는 세밀히 평가에 의하여 비전정원개붕괴(attic vestibular collapse)와 외측비전정붕괴(lateral vestibular collapse)로 다시 나뉜다. 비전정원개물갈퀴(vestibular attic web)는 2가지로 분류되며, 얇으면 Z성형술로써 치료할 수 있으며, 두꺼우면 복합조직이식술이 필요하다(그림 9-46A). 저자는 Fuller법으로 교정한다. 즉, 물갈퀴를 분할 한 다음, 하비갑개(inferior turbinate)로부터 얻은 점막으로써 이식하는데, 이 점막을 한 조각의 접은 Telfa 위에 놓고 한 개의 봉합으로 제 자리에 유지시킴으로써 이식물 자체와 결손 사이에는 봉합을 시도하지 않는다. 외측 비전정에서는 다음 3가지 질문에 답하여야 한다. 1) 점막내층의 결손이 복합조직이식술을 필요로 하는지? 2) 외측각-부연골(accessory cartilage)

접합부가 기도 안으로 돌출되어서 절제술이 필요한 지? 3) 외측 비전정이 얼마나 얇고 구조적으로 약한지? 가장 흔히, 간단한 질문으로 귀착되는데, 점막내층을 교체하여야 하나, 아니면 이갑개연골이식술이 충분한 지지를 제공할 것인가?

Vestibular Valve

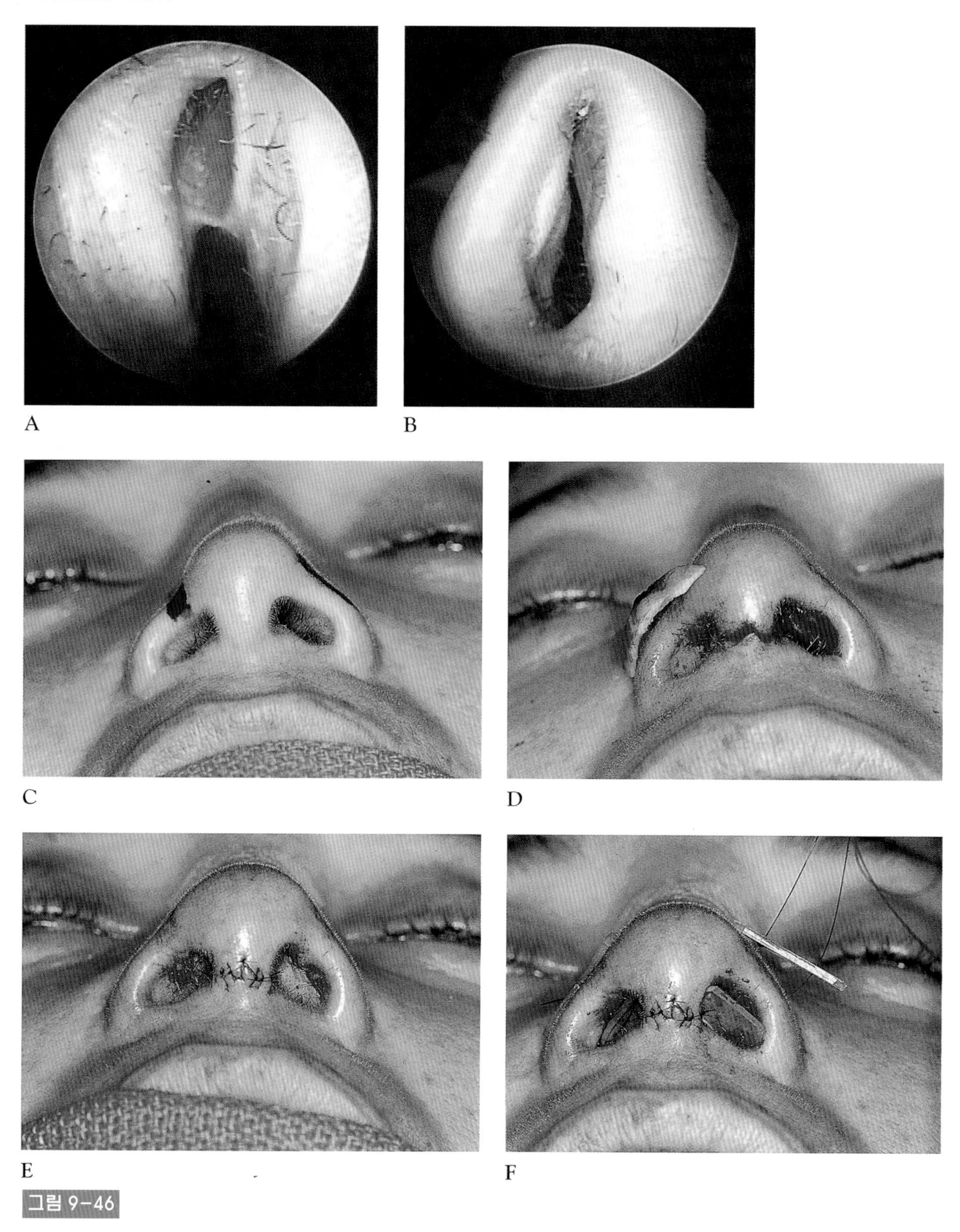

그림 9-46

## 내비판막(Internal Valve)

내비판막붕괴의 주된 원인은 비배절제술과 상외측연골의 내측 이동에 의하여 내비판막각(internal valve angle)이 좁아지는 것이며, 후자는 최선책인 연전이식술로써 예방할 수 있다. 하비갑개는 흔히 비대하여서 이차비성형술 때 절제한다. 흔히 논의되지 않는 또 다른 요소 하나는 하비갑개와 비중격의 유착(synechiae), 심지어는 반흔성결합(scarred fusion)의 빈도(10% 이상)이다. 이러한 증례에서 비중격점막을 더 손상시키지 않기 위하여 하비갑개를 통하여 흔히 절개한다. 외측비벽(lateral wall)도 심흡기(deep inspiration)때 붕괴될 수 있으며, 원반형(disc)사골이나 서골이식술로써 방지할 수 있다.

Internal Valve

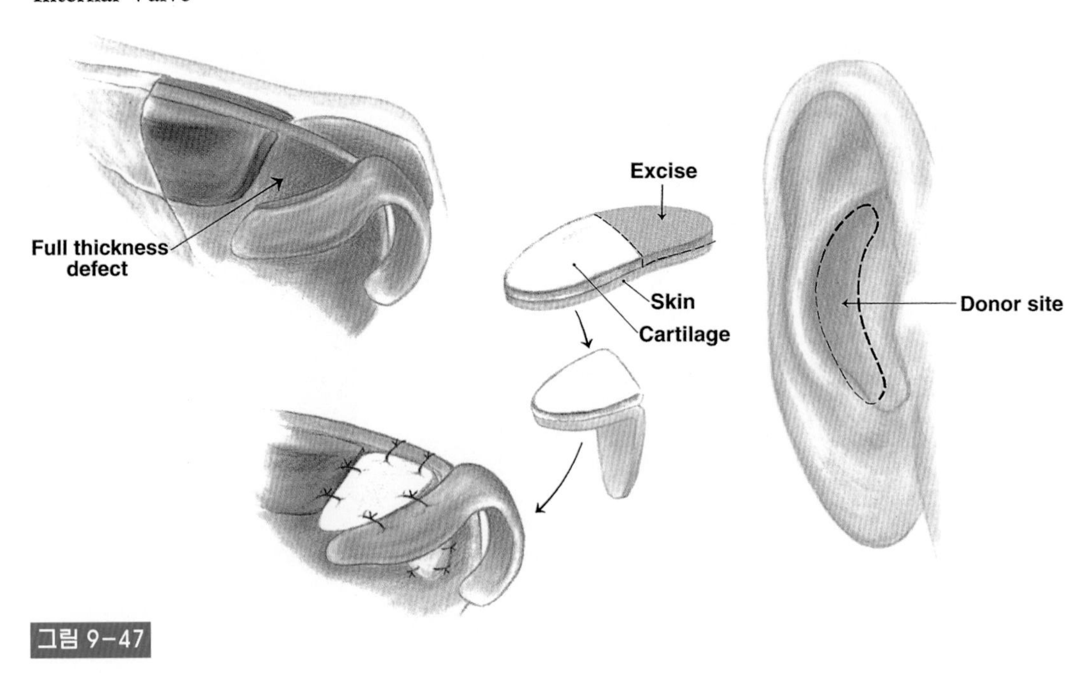


그림 9-47

## 골판막(Bony Valve)

외측비벽(lateral nasal wall)의 수직성(verticality)과 과대한 내측 이동은 기도를 현저히 좁힐 수 있다. 상외측연골도 수직이 되면 내비판막이 좁아짐을 알아야 한다. 상외측연골을 외측 변위시키더라도 기도가 여전히 폐쇄를 나타내면 이는 비골에 의한 것이기 때문이다. 그러므로 비골의 외골절술(outfracture)이 필요하며, 7-10일 동안 내비부목 넣기를 권고한다.

## 증례 연구 판막붕괴(Valvular Collapse)

### 분석

34세 여성으로서 전체비폐쇄를 가졌으며, 15년 전에 2번의 비성형술을 받은 다음에 생긴 '익살맞은 비첨(funny tip)' 을 싫어하였다. 외비검사에서, 비익연붕괴와 미측비중격만곡에 의한 우측 비공판막의 전체 폐쇄가 분명하였다(그림 9-48). 동시에, 양측 비전정판막도 폐쇄되었으며, 심흡기때 비중격에 실제로 들러붙었다. 내비판막은 열려 있었으며, 나머지 비중격은 곧고, 양측 하비갑개는 비대 되었다.

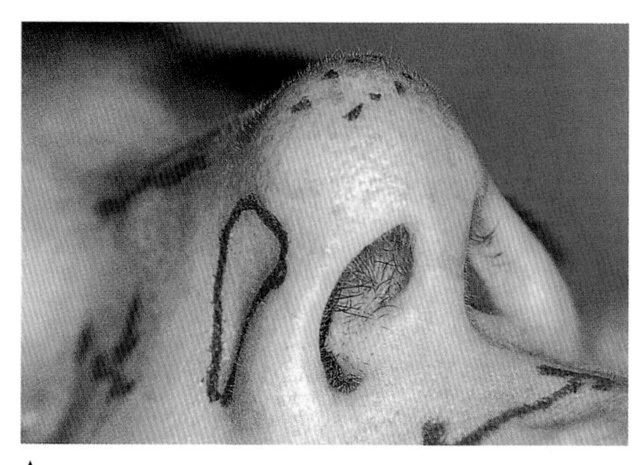

A

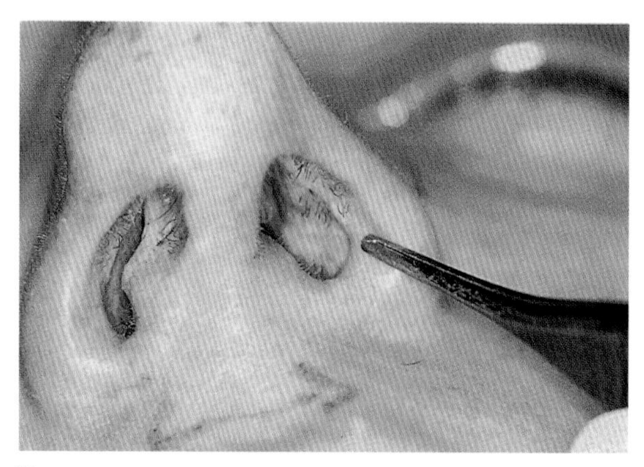

B

그림 9-48

### 외과 수기

1. 경비주절개술과 연골하절개술을 통한 개방접근술.
2. 분석에서 비주는 심하게 봉합하였었지만 건재하였으며, 비익연은 왜곡되었음.
3. 비중격을 노출 해보니, 전번의 점막하비중격연골절제술(SMR) 때문에 최소량만 유용하였음.
4. 미측 비중격을 우측에서 좌측으로 재위치 시켜서 전비극에 봉합고정술.
5. 양측 내측각과 중간각 사이에 이갑개연골을 사용한 비주지주이식술.
6. 우측 이개와 나중에는 좌측 이개에서도 이갑개연골채취술.
7. 비익봉이식술(alar bar graft)하였으나 불충분. 비첨봉합술 하였으나 모양 불량.
8. 결국, 원개분절과 외측각 전체를 절제한 뒤 이갑개연골이식물로써 전체교체술을 비익연을 따라서 비해부학적 위치시킴.

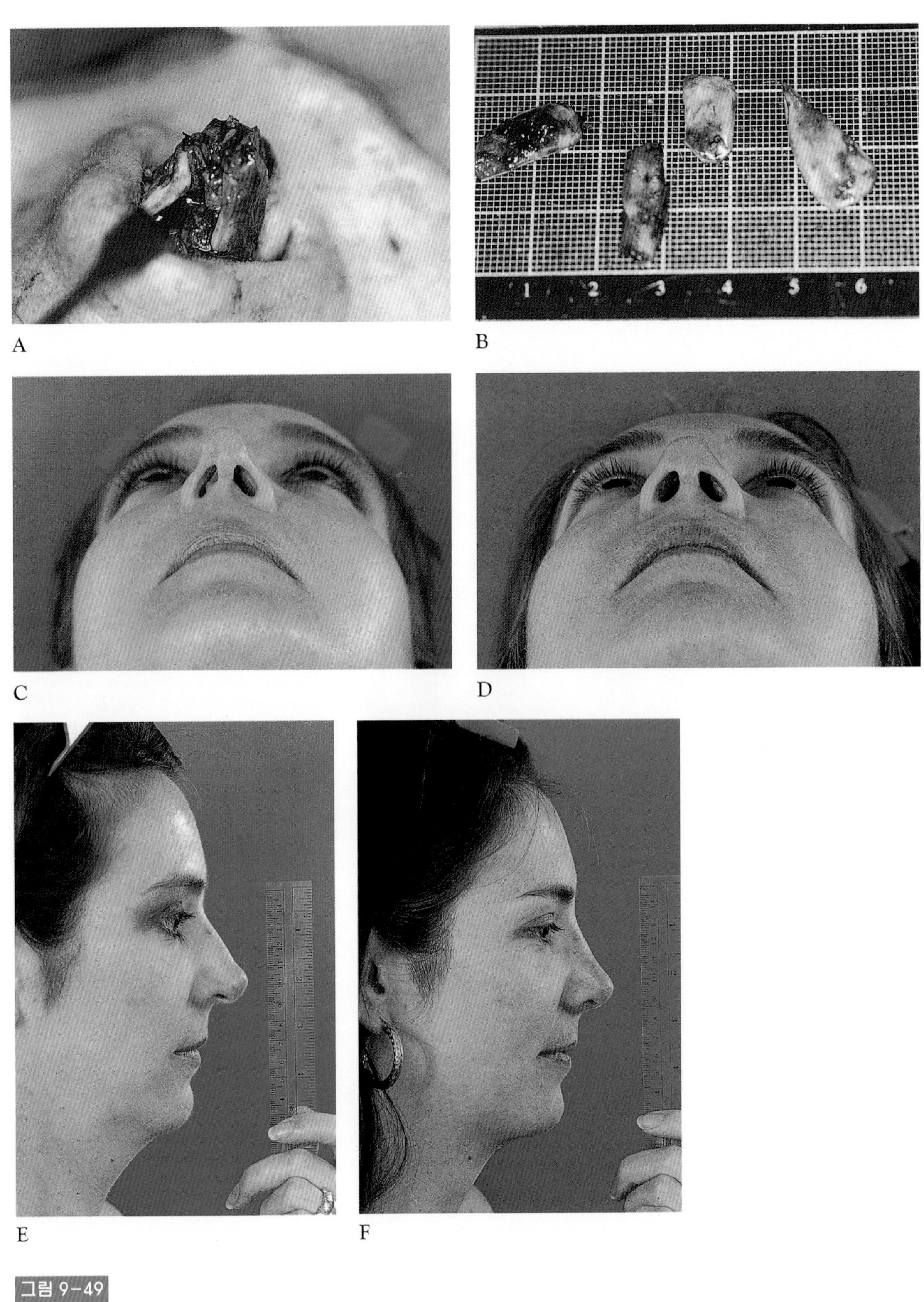


A B C D E F

그림 9-49

## 이식술(Grafts)

만일 비중격과 근막이 일차비성형술에서 주된 이식물이라면 어려운 이차비성형술에서는 이갑개연골과 늑연골이 필요한 공여부이다. 비중격연골이 우선적인 이식물이기는 하지만, 공급이 모자라거나 유용하지 못할 경우가 흔하다. 그러므로 다음 3가지 국면을 준비하여야 한다. 1) 난제인 이차비중격수술. 2) 비배를 포함한 모든 이식술에서 이갑개연골이식물 사용. 3) 유용한 이식물 중에서 우선 순위를 매기는 어려운 결정. 이러한 요소들은 술전 계획이 술중에 정말 극적으로 바뀔 수 있기 때문에 중요하다.

큰 늑이식술이 필요한 증례는 대개 술전에 분명히 알 수 있지만, 술중에 사용하지 않기로 결정할 수도 있다. 이미 토론하였듯이, 늑이식술은 유연성과 적용의 다양성 때문에 두개골보다 선호된다. 저자는 일차미용비성형술에서는 이갑개연골이나 늑연골을 사용하지 않았기 때문에, 이차비성형술에서의 적용을 강조할 것이다. 각 이식술과 그 적응증을 좀 더 상세히 알려면 제 6장을 재검토하시오.

### 이갑개연골(Concha)

이갑개연골이식술은 비첨, 비주, 그리고 비배에서 연골만 사용하는 경우와, 복합조직이식술로 나뉜다. 비첨 및 비주 이식술은 이미 상세하게 토론하였으므로 여기에서는 비배이식술과 복합조직이식술을 강조할 것이다. 이갑개연골을 사용한 비배이식술의 난제는 길고 곧은 이식물을 얻는 것이다(그림 9-50A, B). 대부분의 증례에서 필수적인 이갑개연골은 다음의 수기를 이용하여 얻을 수 있다. 가능하면 언제나, 이갑개이식물은 고형의 비중격연골이식물에 '등을 대거나(backed)', 이갑개연골이식물끼리 '상반 위치(reciprocal position)'로 이식한다. 언제나 그렇듯이, 이갑개연골이식물의 두측 단을 포켓 안으로 유도하여 경피봉합술(percutaneous suture)을 하며, 미측 단은 상외측연골에 봉합한다. 비익연이나 비공의 재건을 위한 복합조직이식술은 이갑개정(cymba concha)에서 채취한다. 이때, 두측절개술은 전층으로 하며, 미측절개술은 피부에만 함으로써 피부봉합을 하게 하면서 더 많은 량의 연골을 채취할 수 있게 해준다. 흔히, 채취한 이식물을 대각선으로 분할하면 양측 비익연에 이식할 수 있다. 판막재건을 위한 안장형이식술(saddle graft)과 구순열비변형(cleft lip nose deformity)에서 비공저이식술은 대이륜연(antihelical rim) 미측에서 얻지만, 공여부에 전층식피술이 필요하다. 술중에 부닥치는 어려운 상황들은 첫째 심한 반흔 때문에 두 번째 채취가 어려우며, 둘째 이개가 손상되었을 때에는 이개의 대이륜상각(superior crus of antihelix)이 있는 이륜연(helical rim)아래에서(154쪽 참고) 복합조직이식물을 흔히 발견할 수 있다.

## 늑(Rib)

Sheen[21]은 늑 공여부가 최선책임을 "제 9번늑은 비륵(nose rib)이라"고 간결하게 요약하였다. 대다수의 증례에서 제 9번늑을 쉽게 채취할 수 있으며, 비배에는 늑연골-골분절을, 그리고 비주에는 늑연골을 이식한다(그림 9-50C, D). 이미 토론한 바와 같이, 늑재건술에서 쉬운 부분은 채취술 밖에 없고, 나머지 모든 것이 난제이다. 이차비성형술에서 일차보다 추가적인 문제점들은 심한 반흔이 있는 비점막내층, 제한적인 피부외피, 그리고 비주이식술을 위한 유연한 비중격연골이식물의 결핍이다. 일단 적절한 골 및 비중격 수술을 마치고 나면 비배를 위한 늑연골-골이식물을 모양내고, 변형시키고, 제 위치에서 고정술을 한다. 저자는 비배재건에서는 늑연골-골을 늑연골보다 선호하는데, 최소로 굽으며, 영구적인 K-강선의 고정술이 필요하지 않기 때문이다. 가능하면, 비중격연골로써 비주지주를 만든 다음, 비첨에 더 큰 가동성을 주기 위하여 비배이식물과 분리시켜서 놔둔다. 불행히도, 수축된 피부외피는 견고한 늑연골이식물을 필요로 하는 길이만큼 늘어나야만 하기 때문에 견고성이 필요할수록 비배늑연골-골이식물과 비주비중격연골이식물을 사개맞춤(tongue-in-groove) 방식으로 고정할 필요가 있다. 비주지주의 미측은 분할하여서 전비극에서 걸터앉힌 다음, 봉합술로써 고정시킨다. 늑이식물은 두꺼운 피부외피에서 최선이지만, 얇은 피부외피에서는 흔히 지나치게 가시적이다.

Concha/Dorsum

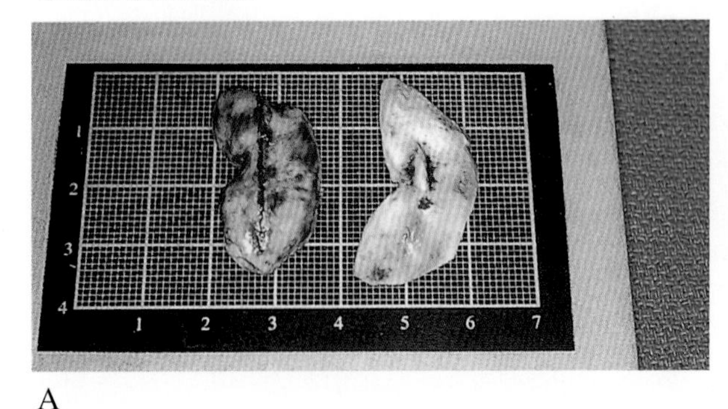

A

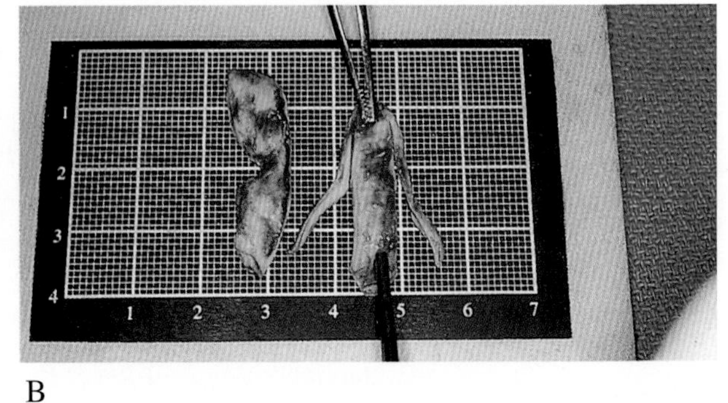

B

Rib Grafts

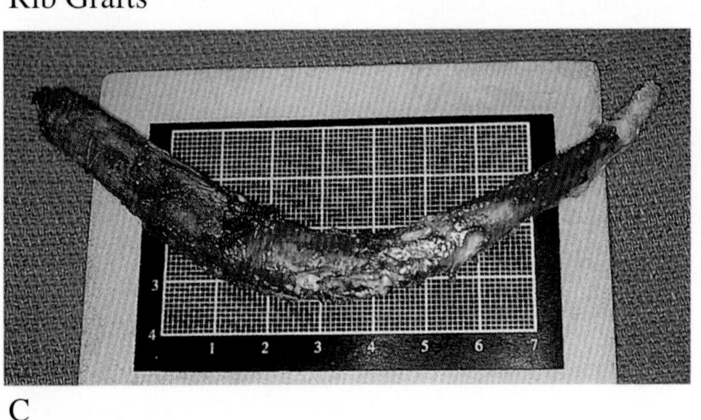

C

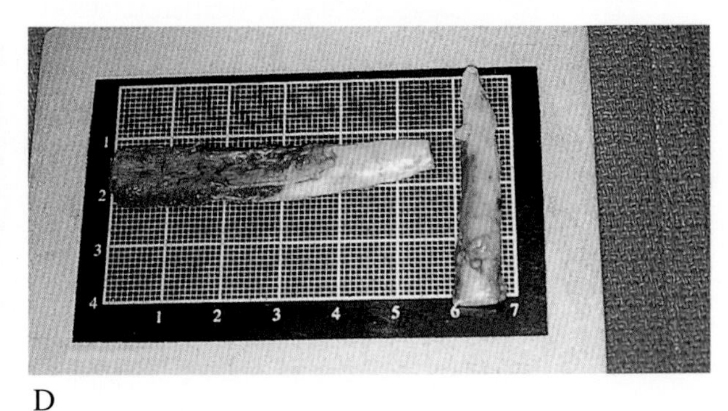

D

그림 9-50

## 증례 연구 이갑개연골이식술(Conchal Grafts)

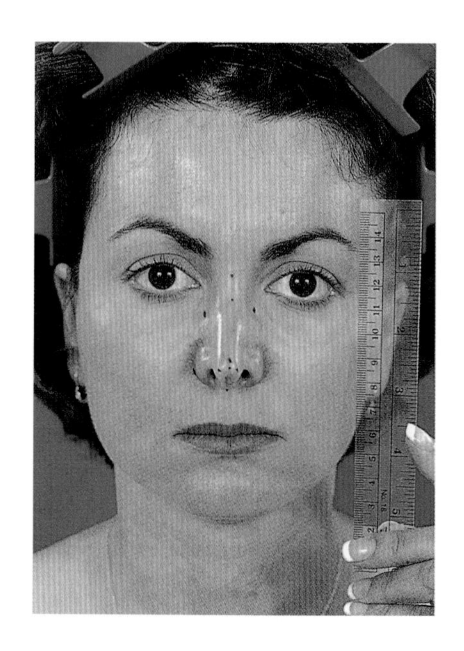

### 분석

34세 가정주부가 자기 코가 밉다고 꾸밈없이 호소하였다. 구 년 전에 폐쇄비성형술을 받은 1년 뒤에 개방비성형술로써 재수술 하였단다. 피부구축이 심하여서 공피증(scleroderma)이나 다른 자가면역질환(autoimmune disease)을 의심하였으나, 조사하였더니 음성이었다. 내비검사에서 두렷한 비전정구축을 나타내었다. 비익연퇴축의 심각성(8mm)으로 볼 때, 원개 외측에서 비익연골 전체가 절제되었다고 추정하였다. 전번 경비주절개선을 통한 개방접근술을 계획하였다.

### 외과 수기

1. 개방접근술. 삼점견인(3-point traction)하여 비주로부터 비첨으로 천천히 그리고 세심한 박리.
2. 분석 결과, 전번에 개방비첨이식술 하였고, *비익연골은 모두 건재.*
3. 두루마리부(scroll area)에서 심한 반흔이 발견되어서 절개한 다음, 비익연골을 재위치 시키니 내비판막 수준에서 10mm의 틈이 발생.

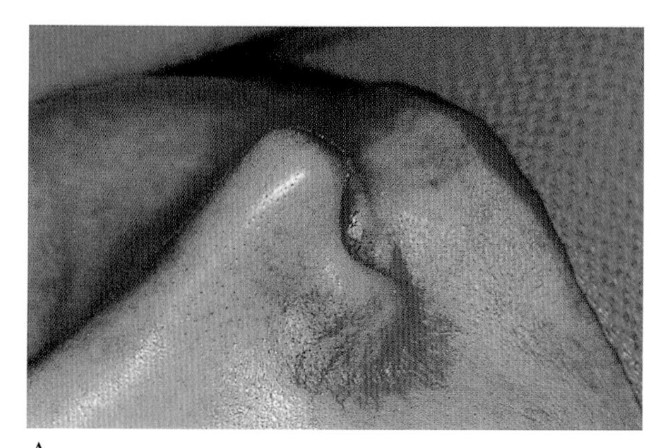

A

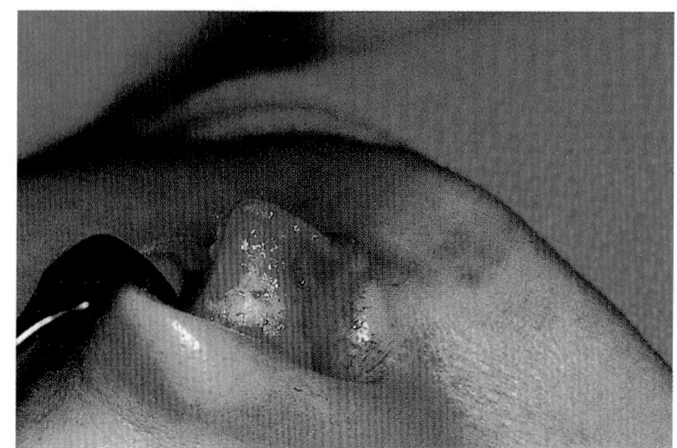

B

그림 9-51

4. 두측으로부터 미측으로 비중격 노출하여 보니 전번 수술 때 채취하였기 때문에 L형지주의 비배부에 남은 소량의 비중격연골 채취. 그러나 서골연골(vomer cartilage)은 유용하지 않았음.
5. 30X10mm 크기의 이갑개복합조직이식물 채취 후 전층식피술(그림 9-51C).
6. 내비판막의 틈으로 15X10mm 크기의 이갑개복합조직이식술을 하여 외측각을 내림(그림 9-51D-F).
7. 30X5mm 크기의 이갑개연골을 사용한 비배이식술. 이때 둘째 층은 두측으로 위치시켰음.
8. 비익지지와 집게형비첨변형(pinch deformity) 피하기 위하여 비익연 아래에 비익봉이식술(alar bar graft).
9. 이갑개연골을 사용한 비첨이식술: 연골막면을 바깥으로 향하게 함.
10. 절개선의 봉합술. 드레싱.

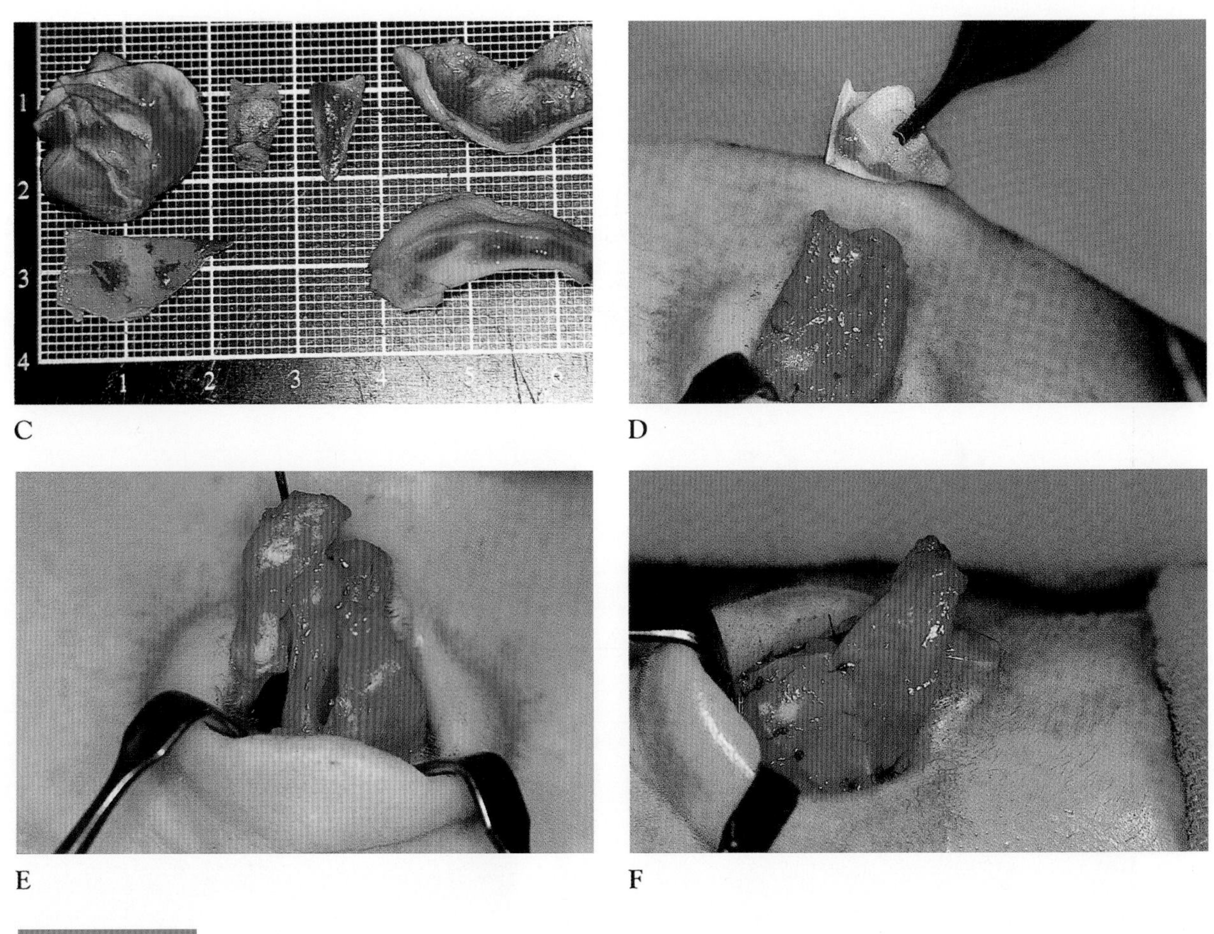

C D E F

그림 9-51. 계속

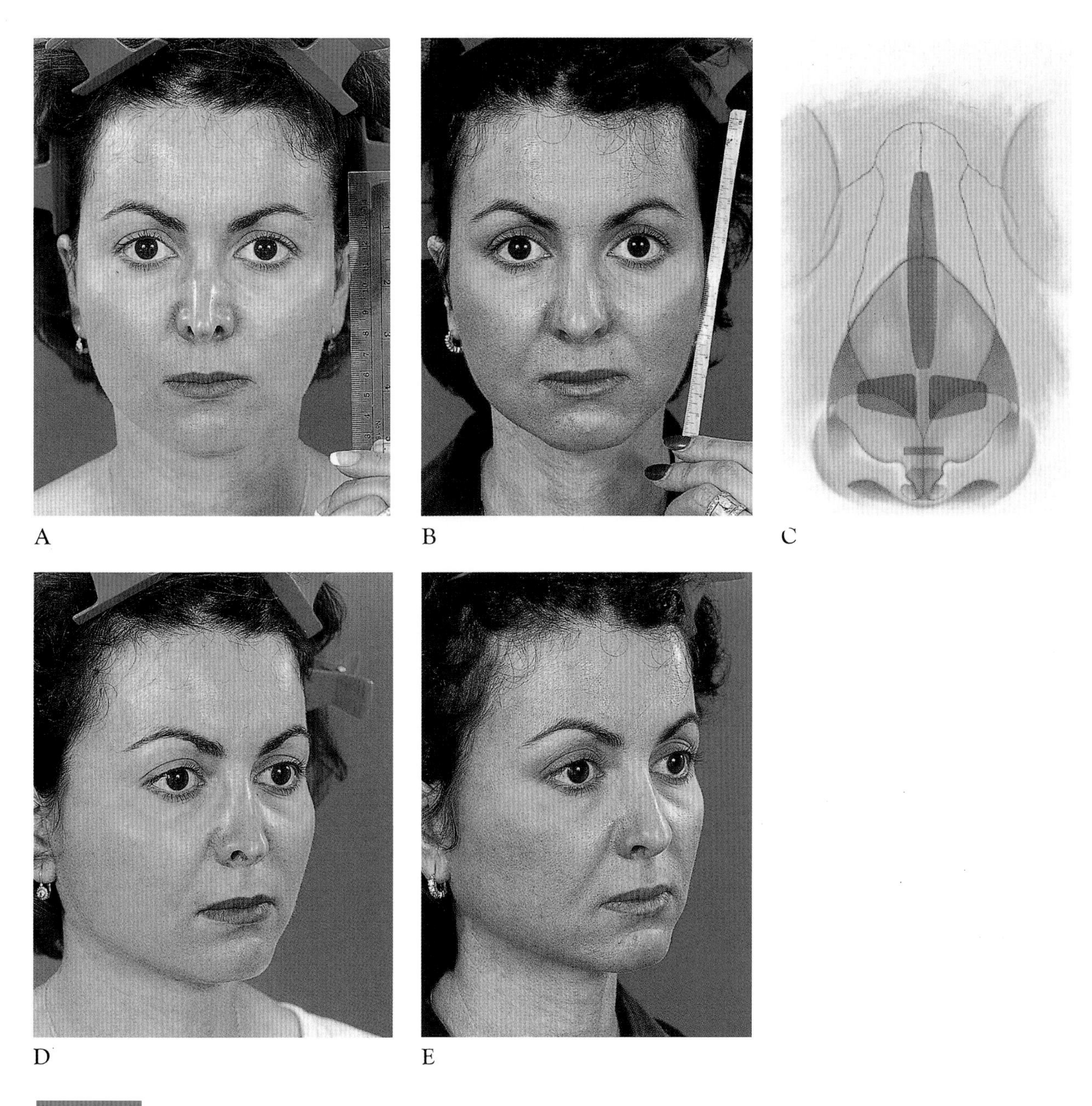

그림 9-52

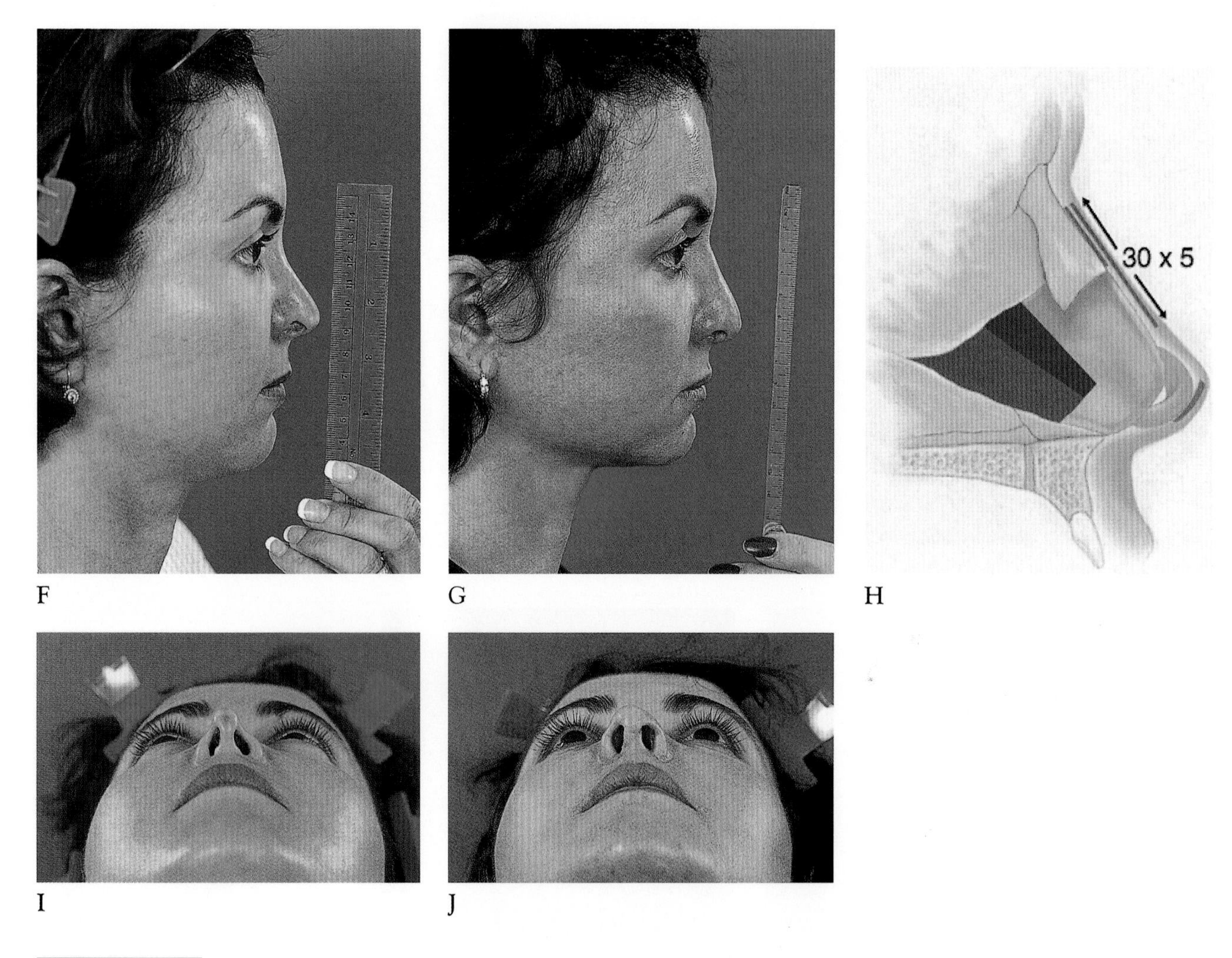


그림 9-52. 계속

## 논평

이 증례의 모든 것이 평범하지 않고 어려웠다. 집게형비첨(pinched tip)과 비익퇴축의 심각성을 생각할 때 비익연골 전체가 건재함을 발견하고 깜짝 놀랐다. 구축은 두루마리부(scroll area)에 높게 위치하였는데, 이 부위에서 '전통적'으로 해 오던 전층절제술을 불신하여야 한다. 반흔이 있는 내비판막을 교정함과 동시에 비익연을 내리기 위하여 복합조직이식술을 하였다. 비중격연골이 결핍되었으면 비배 및 비첨 이식술 둘 다를 이갑개연골이식술로써 하여야 한다. GoreTex의 주창자조차도 이러한 과거력과 피부의 질을 가진 환자에서는 GoreTex를 사용하지 않을 것이다.

## 증례 연구 늑이식술(Rib Graft)

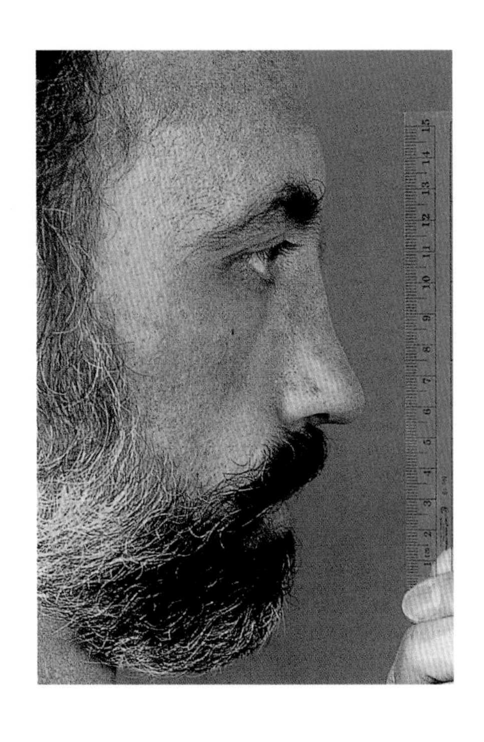

### 분석

36세 건설 인부가 급성비외상을 당한 다음, 개방정복술로써 치료한 뒤 6개월에 내원하였다. 자문하여 보았을 때, 현저한 우측 비폐쇄와 대단히 넓고 편평한 코를 가지고 있었다. 주어진 개방정복술과 과감한 비중격성형술의 과거력 때문에 늑이식술을 계획하였다. 전면에서 비배가 넓고, 측면에서 비-안면각(20도 미만)이 최소인 것을 볼 때, 일차적 미적 문제점은 비중격 및 비배 지지의 소실이었다. 자가조직이식술이 옳은 선택이다. 왜냐하면 단단한 이물성형물(alloplast)은 반흔이 있는 피부를 통하여 돌출 될 수 있으며, GoreTex 같은 부드러운 이식물은 기도 개선에 필요한 구조적 지지를 제공할 수 없기 때문이다. 큰 비중격 및 비배 수술을 해야 하므로 직시할 수 있는 개방접근술을 선택하였다.

### 외과 수기

1. 제 9 및 10번늑을 골-연골접합부 4cm 근위에서 절단하였다.
2. 경비주절개술과 연골하절개술을 통한 개방접근술.
3. 노출시켰을 때 전번에 한 비배이식물을 발견하였고, 제거하였을 때 안장코변형(saddle deformity)이 강조 됨(그림 9-53A).
4. 이중보호절골도(double-guarded osteotome)로써 비근축소술: 5mm 두께, 12mm 길이.
5. 골-연골늑이식물을 고정시키기 위한 기반을 준비하기 위하여 골줄질.
6. 골기저폭을 좁히기 위하여 내측사선비절골술(medial oblique osteotome)과 저-저위외측 비절골술.
7. 골-연골늑이식물의 최소한 모양내기: 길이 40mm, 폭은, 비배에서는 9mm이지만 점점 좁아져서 6mm.
8. 비근에 있는 옛날 반흔을 통한 소나사고정술(microscrew fixation).
9. 35X3mm 크기의 비주지주를 전비극에 분할, 중첩, 그리고 고정술.
10. 비배이식물과 비주지주의 직접 접촉을 없앰으로써 외측 움직임 허용.
11. 중간각과 내측각을 비주지주로 전진시키고, 경원개봉합술(transdomal suture)로써 모양 내기.
12. 절개선의 봉합술. 외비부목 대기.

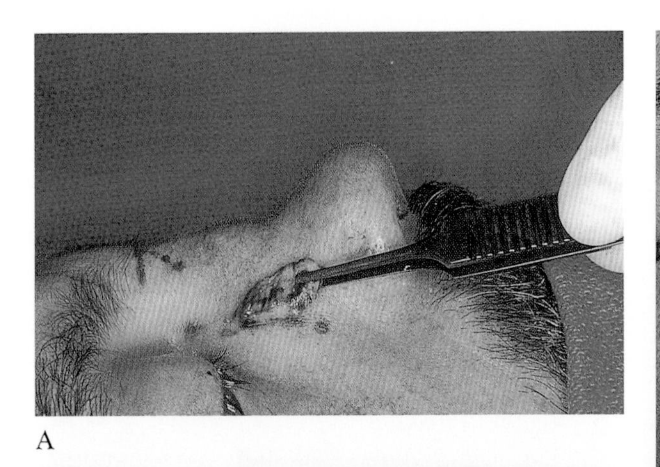

A

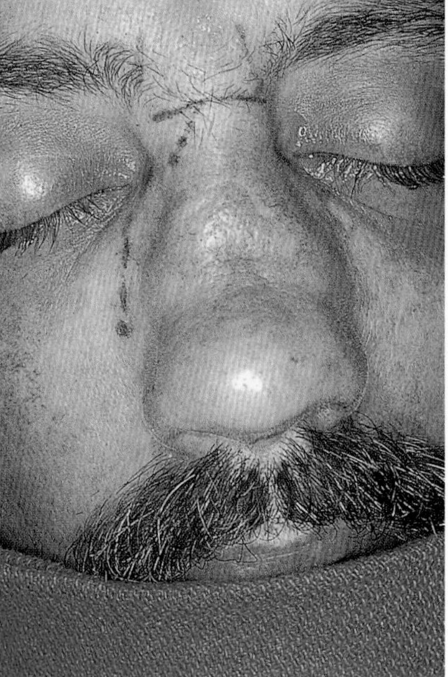

B

C

그림 9-53

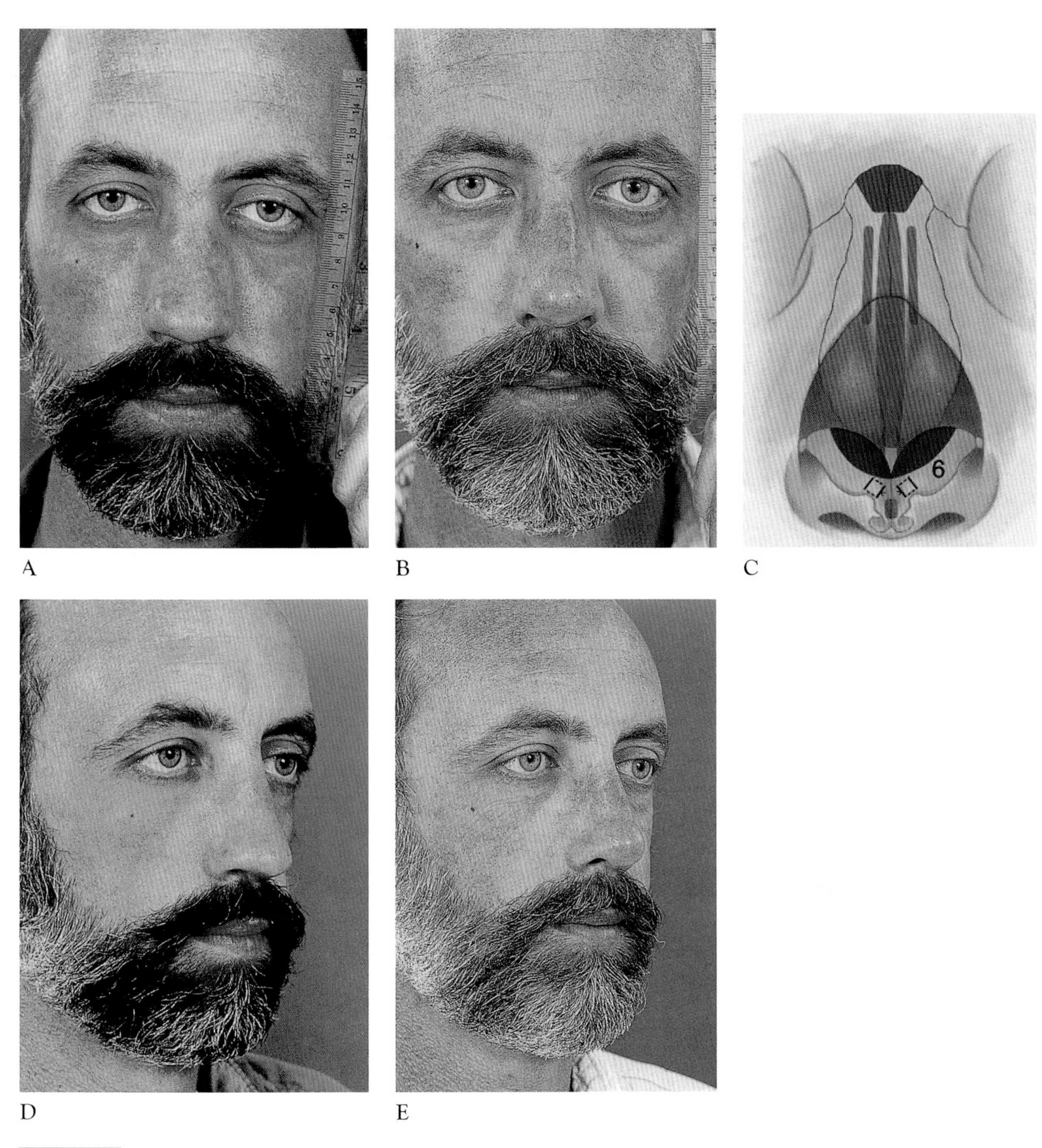


그림 9-54

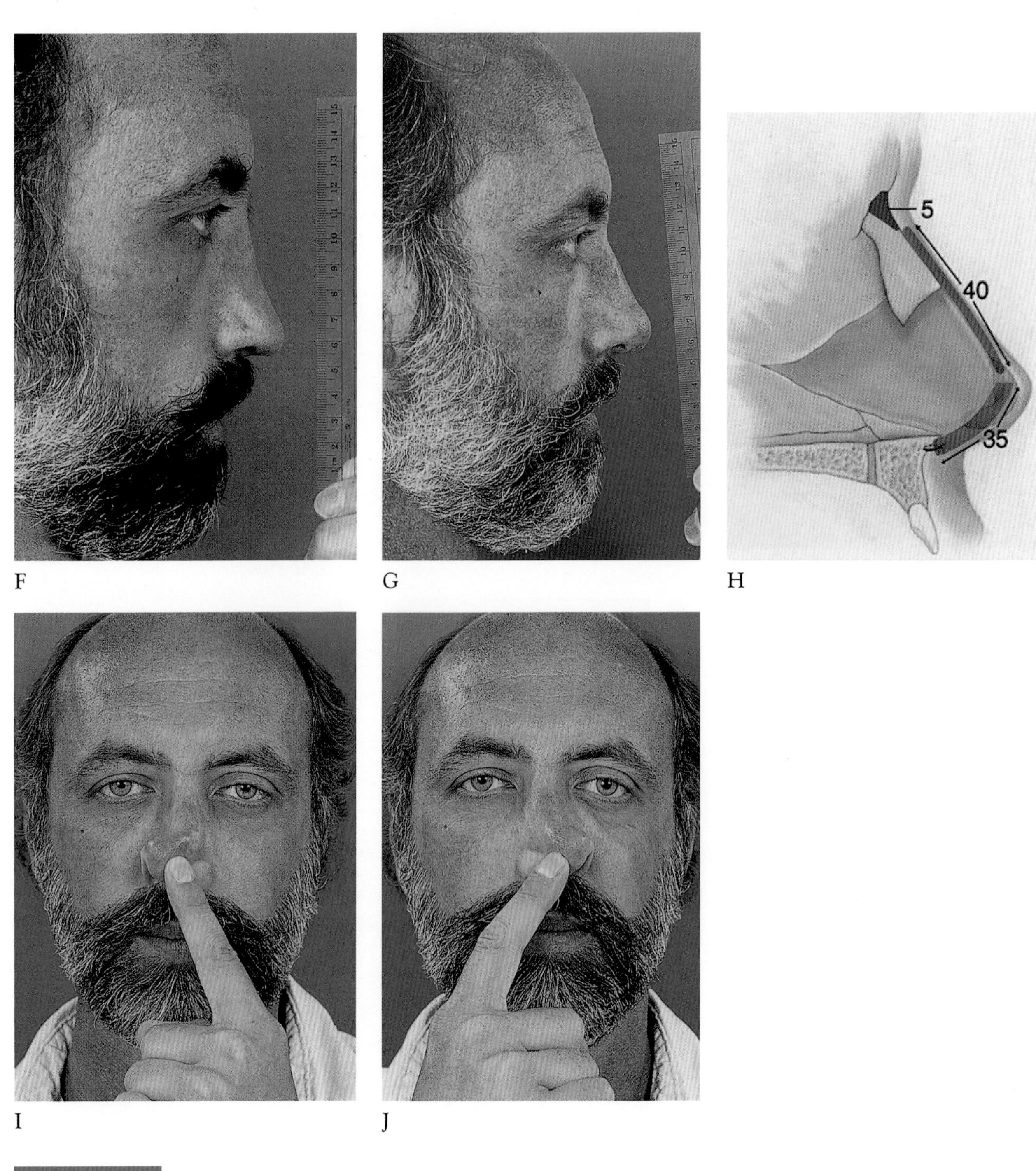


그림 9-54. 계속

### 논평

술후 1년에 보았을 때, 기능적 및 미적 견지에서 훌륭한 결과라고 생각한다. 환자의 호흡은 뚜렷이 더 좋아졌으며, 코도 자연스러운 외양이었다. 비배골이식술의 2가지 전형적인 결점이 나타나지 않았다. 즉, 전면에서 가시적 이식물로서 피부 아래에 달라붙어 있는 칫솔 자루 같음과, 눈썹에서 시작하는 그리스코(Greek nose). 전자는 여성에서는 이식물의 비배폭을 4-5mm로 좁히고, 이식물연(graft edge)을 경사지게 함으로써 최소화 할 수 있다. 후자는 고정술을 하기 위한 기반을 만들기 위하여 비근을 깊게 하고, 이식물의 끝을 두개골을 향하여 두측으로 밀기보다는 이상적 비근점(nasion)에서 그침으로써 방지할 수 있다. 동시에, 미측의 코가 가동성이 있어서 자유로이 움직여야 하는 것도 중요한데, 시합에서 지는 권투 선수에게 중요한 장점이다.

## 제 2단계 재수술 (Stage II Revision)

어려운 여러 가지 이차비성형술을 다루다 보면, 때때로 목표를 좀 더 제한적으로 정하여야 하며, 문제점의 심각성이나 피부의 제한 때문에 단계적으로 접근할 필요가 있다.

### 단계(Stages)

이러한 증례는 다음의 이유 때문에 생긴다. 1) 손상된 피부외피. 2) 다양한 무서운 문제점. 3) '극단적(extreme)' 비변형. 일차개방비성형술을 한 이차비성형술 증례의 5%에서는 비주반흔이 낮게 위치할 뿐만 아니라 비첨피부에서 광범위하게 탈지술을 하였기 때문에 다시 개방접근술을 사용하기에 너무 위험하다. 동시에, 다층비첨이식술(multilayer tip graft)을 진피하에서 하였기 때문에 하비소엽 및 비첨 피부도 심각하게 얇고 위축될 수 있다. 저자는 피부괴사의 위험을 최소화하기 위하여 단계적 접근이 필요하다고 환자에게 설명한다. 어떤 비변형은 너무 복잡해서 재건한 코를 마감 손질을 하기 위하여 술후 12-18개월에 작은 재수술이 예상된다고 환자에게 경고한다. 저자는, 당신의 문제점은 더 이상 '비성형술'이 아니라 '비재건술'로 진행되었으며, 한 번의 큰 수술과 한 번의 작은 수술이 필요할 것이라고 흔히 환자에게 말한다. 이러한 난제의 25% 정도에서만 '마감 손질(touch-up)'이 필요하지만, 마감 손질은 환자에게 어려움을 좀 더 이해하게 한다. 가장 흔한 극단적 비변형은 코가 대단히 큰 경우와, 비저 연조직이 대단히 큰 경우이다. 정상에서 끔찍한 문제점까지 5 등급의 척도가 있다면 한 번의 수술로써는 한 등급만 뛰어넘을 수 있다고 말해 왔다. 이것은 일차비성형술에서 과감한 술자에게는 조금은 겸손한 말일 수 있는 반면에, 크기와 심각성의 극단에 있는 이차비성형술에서는 맞는 말이라고 저자는 믿는다. 우리의 한계를 깨닫기 위하여 구순열비변형과 코카인코의 증례를 바라보아야만 한다. 술후에 실패의 징후를 바라보게 하는 것보다는 단계적 수술이 필요함을 환자에게 미리 경고하는 게 더 낫다.

## 재수술(Revisions)

강박적이고 대단한 완벽 주의인 환자를 제외하고 수술하였다면 이차비성형술 후 재수술은 다행스럽게도 비교적 드물다. 대부분의 증례에서 '자연스럽고 수술하지 않은 것 같은 매력적인 코' 라는 바람직한 목표를 얻을 수 있으며, 환자가 만족할 수 있다. 그러나 다음과 같은 예외가 있다. 1) 가시적인 불규칙한 표면, 2) 지속적인 만곡과 비대칭, 그리고 3) 불충분한 비첨정의.

외측비벽이식술에서의 실패를 바탕으로, 저자는, 환자는 해부적 및 정신적으로 과대보다는 결손을 더 잘 다룰 수 있다고 확신하게 되었다. 예를 들면, 대부분의 환자는 코가 좀 더 대칭적이기를 바라며, 일측 상외측연골의 경미한 함몰을 용납하지만, 가시적인 이식물연이나 어떤 이식물이든 과대한 부피는 관용하지 않는다. 이런 경험에 비추어서, 저자는 비근부에서 단단한 연골이식술을 해 오다가 부드러운 근막이식술로 바꾸었다. 환자는 자기 코가 바른지 흔히 고민하는데, 아마도 환자는 매일 거울에서 자기 모습을 보기 때문일 것이다. 술후 이러한 문제점을 최소화하기 위하여 술전 교육과 술중 고정술을 하는 것이 대단히 중요하다.

## 참고 문헌


1. Constantian M. Four common anatomic variants that predispose to unfavorable rhinoplasty results. *Plast Reconstr Surg* 2000;105:316.
2. Constantian MB. Distant effect of dorsal and tip grafting in rhinoplasty. *Plast Reconstr Surg* 1992;90(3):405-18.
3. Constantian MB, and Clardy RB. The relative importance of septal and nasal valvular surgery in correcting airway obstruction in primary and secondary rhinoplasty. *Plast Reconstr Surg* 1996;98(1):38-58.
4. Daniel RK. Rhinoplasty: Creating an aesthetic tip. *Plast Reconstr Surg* 1987;80:775. Follow-up: Daniel RK. Rhinoplasty: A simplified, three-stitch, open tip suture technique Part I: Primary rhinoplasty, Part II: Secondary rhinoplasty. *Plast Reconstr Surg* 1999;103:1491.
5. Daniel RK (ed). *Aesthetic Plastic Surgery: Rhinoplasty.* Boston: Little, Brown, 1993.
6. Daniel RK. Rhinoplasty and rib grafts: Evolving a flexible operative technique. *Plast Reconstr Surg* 1994;94:597.
7. Daniel RK. Secondary rhinoplasty following open rhinoplasty. *Plast Reconstr Surg* 1995;96:1539.
8. Gunter JP. Secondary rhinoplasty: The open approach. In: Daniel RK (ed) Aesthetics *Plastic Surgery: Rhinoplasty.* Boston: Little, Brown, 1993.
9. Gunter JP, Rohrich RJ, and Friedman RM. Classification and correction of alar-columellar discrepancies in rhinoplasty. *Plast Reconstr Surg* 1996;97(3):643-648.
10. Gunter JP, Clark CP, and Friedman RM. Internal stabilization of autogenous rib cartilage grafts in rhinoplasty: A barrier to cartilage warping. *Plast Reconstr Surg* 1997;100(1):161-169.
11. Johnson CM, and Toriumi DM. Open Structure Rhinoplasty. Philadelphia: Saunders, 1990.

12. Juri J. Salvage techniques for secondary rhinoplasty. In: Daniel RK (ed) *Aesthetic Plastc Surgery: Rhinoplasty*. Boston: Little, Brown, 1993.
13. Kridel RW, and Konior RJ. Controlled nasal tip rotation via the lateral crural overlay technique. *Arch Otolaryngol* 1991;117(4):441.
14. Meyer R. Secondary and functional rhinoplasty-The difficult nose. Orlando: Grune and Stratton, 1988.
15. Ortiz-Monasterio F, and Ruas EJ. Cleft lip rhinoplasty: The role of bone and cartilage grafts (Review). *Clin Plast Surg* 1989;16(1):177.
16. Peck GC. *Techniques in Aesthetic Rhinoplasty.* (2nd ed.) Philadelphia: JB Lippincott, 1990.
17. Rohrich RJ, Sheen JH, and Burget G. *Secondary Rhinoplasty*. St. Louis: Quality Medical Publishing, 1995.
18. Sheen JH. Achieving more nasal tip projection by the use of a small autogenous vomer or septal cartilage graft. A preliminary report. *Plast Reconstr Surg* 1975;56:35.
19. Sheen JH. A new look at supratip deformity. *Ann Plast Surg* 1979;3:498.
20. Sheen JH. Tip graft: A 20-year retrospective. *Plast Reconstr Surg* 1993;91(1):48-63.
21. Sheen JH, and Sheen AP. *Aesthetic Rhinoplasty* (2nd ed.) St. Louis: Mosby, 1987.
22. Sheen JH. Balanced rhinoplasty. In: Daniel RK (ed) *Aesthetic Plastic Surgery: Rhinoplasty*. Boston: Little, Brown, 1993.
23. Tabbal N.The alar sliding graft for correcting alar collapse and expanding the nasal tip. *Aesth Surg J* 2000;20:244.
24. Toriumi DM, and Johnson CM. Open structure rhinoplasty: featured technical points and long-term follow-up. *Facial Plast Clin North Am* 1993;1:1.

# 찾아보기

ㅅ

ㅇ

ㅈ

ㅊ



ㅋ



ㅌ



ㅍ

## H



## I

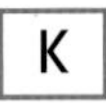

## N



## O

## P

## Q

## R

S



T

## U



## V



## W



## y



## Z